新 臨床栄養学
栄養ケアマネジメント 第5版

本田佳子 編

医歯薬出版株式会社

執筆者一覧 (五十音順)

朝倉比都美 あさくら ひとみ
元・帝京平成大学健康メディカル学部健康栄養学科 教授

池谷昌枝 いけや まさえ
常葉大学健康プロデュース学部健康栄養学科 教授

岩川裕美 いわかわ ひろみ
元・龍谷大学農学部食品栄養学科 准教授

梅垣敬三 うめがき けいぞう
元・昭和女子大学食安全マネジメント学科 教授

大部正代 おおべ まさよ
元・中村学園大学栄養科学部栄養科学科 教授

大和田浩子 おおわだ ひろこ
山形県立米沢栄養大学健康栄養学部・健康栄養学科 教授

麻見直美 おみ なおみ
筑波大学体育系 教授

片山一男 かたやま かずお
佐伯栄養専門学校 副校長／尚絅学院大学 名誉教授

葛城裕美 かつらぎ ひろみ
日本大学短期大学部食物栄養学科 准教授

加藤チイ かとう ちい
東京有明医療大学看護学部 非常勤講師

門脇弘子 かどわき ひろこ
帝京大学医学部附属溝口病院小児科 常勤客員教授

金澤良枝 かなざわ よしえ
東京家政学院大学人間栄養学部人間栄養学科 教授

金子康彦 かねこ やすひこ
名古屋文理大学短期大学部食物栄養学科 准教授

兼平奈奈 かねひら なな
東海学園大学健康栄養学部管理栄養学科 教授

川口美喜子 かわぐち みきこ
札幌保健医療大学保健医療学部栄養学科 教授

川﨑英二 かわさき えいじ
新古賀病院 副院長，糖尿病・甲状腺・内分泌センター

河原和枝 かわはら かずえ
元・川崎医療福祉大学医療技術学部臨床栄養学科 教授

川村順子 かわむら じゅんこ
オフィス J-kawamura

桑原節子 くわはら せつこ
千葉スマイル歯科＆矯正歯科 理事

小林君枝 こばやし きみえ
元・茨城キリスト教大学 准教授

小林彰子 こばやし しょうこ
東京大学大学院農学生命科学研究科 特任准教授

佐藤智英 さとう ちえ
女子栄養大学短期大学部食物栄養学科 教授

白石弘美 しらいし ひろみ
人間総合科学大学人間科学部健康栄養学科 教授

杉浦令子 すぎうら れいこ
和洋女子大学家政学部健康栄養学科 教授

武富和美 たけどみ かずみ
西九州大学短期大学部地域生活支援学科 教授

辻　秀美 つじ ひでみ
公益財団法人田附興風会医学研究所北野病院栄養部 副部長

土井悦子 どい えつこ
虎の門病院栄養部 部長

中尾俊之 なかお としゆき
腎臓・代謝病治療機構 代表／東京医科大学 名誉教授

長澤伸江 ながさわ のぶえ
十文字学園女子大学 名誉教授

中西靖子 なかにし やすこ
元・晃陽看護栄養専門学校管理栄養士学科 教授
元・大妻女子大学家政学部食物学科 教授

長浜幸子 ながはま さちこ
相模女子大学 名誉教授

中村啓子 なかむら けいこ
元・福島学院大学短期大学部食物栄養科 講師

奈良信雄 なら のぶお
日本医学教育評価機構 常勤理事
順天堂大学医学部 客員教授／東京医科歯科大学 名誉教授

橋本佐由理 はしもと さゆり
元・筑波大学体育系 准教授

飛田美穂 ひだ みほ
倉田会くらた病院 名誉院長

古川愛子 ふるかわ あいこ
中国学園大学現代生活学部人間栄養学科 准教授

本田佳子 ほんだ けいこ
女子栄養大学 名誉教授
群馬パース大学医療栄養学部開設準備室 室長

三原法子 みはら のりこ
山形大学学術研究院（地域教育文化学部担当）講師

宮崎由子 みやざき よしこ
元・龍谷大学農学部食品栄養学科 特任教授

宮本佳代子 みやもと かよこ
聖徳大学人間栄養学部・短期大学部 兼任講師

三輪孝士 みわ たかし
名寄市立大学保健福祉学部栄養学科 教授

山口留美 やまぐち るみ
長崎国際大学健康管理学部健康栄養学科 准教授

横山奈津代 よこやま なつよ
特別養護老人ホームブナの里栄養課

吉川　睦 よしかわ むつみ
虎の門病院分院栄養部 科長

鷲澤尚宏 わしざわ なおひろ
東邦大学医療センター大森病院栄養治療センター 部長
東邦大学医学部臨床支援室 教授

デザイン：M's 杉山光章／表紙イラスト：岡部哲郎／本文イラスト：新藤良子

第5版の序

　2011年2月に本書初版が出版され，この間12年を経過した．本書は「臨床栄養学」の将来を展望し，「管理栄養士の専門性を高めるべく，管理栄養士自らがその領域の教育にあたりたいという考え」により作った新しい教科書である．この考えは多くの医療にかかわる方々，医療者の養成教育にあたる方々にご理解いただき，かつ教科書として愛読いただき，ここに「第5版」を重ねることができたのは，編者として大きな喜びである．

　臨床栄養学の学問領域は日々進歩し，また，管理栄養士・栄養士を取り巻く状況はめまぐるしく変化している．医療・保健・福祉など活躍の場が多方面に広がり，かつ急速に超高齢社会を迎えたわが国は，医療と保健，医療と福祉など，相互の一体化を模索しつつ医療体制の構築が検討され，臨床栄養学の領域の広がりとともに高い専門性が求められている．

　臨床栄養学の実践にあたる栄養ケアマネジメントは，実践する根拠が求められる．本書は，現時点でリサーチできたエビデンスにより，疾患あるいは病態の「栄養生理」を解説した．また，医療における栄養学の重要性と，明確になってきた管理栄養士の役割について大きく紙面を割き，栄養食事療法の詳細とプラクティカルな内容を充実したのが特徴である．

　このたびの「第5版」の執筆にあたっては，「Part 1　臨床栄養学と栄養ケア」において，医療・介護保険制度と栄養ケア，栄養アセスメントの方法などにかかわる記述を見直し，アップデートした．また，「Part 2 疾患と栄養ケア」においては，最新の診断基準，診療ガイドラインや治療ガイドなどに準拠した内容へ変更した．

　本書は，管理栄養士国家試験出題基準（ガイドライン）の大項目・中項目・小項目の主要な用語の解説を網羅し，この1冊ですべてを完結して学べる「臨床栄養学」の標準テキストをめざしている．本書によって，臨床栄養学ならびにその実践となる栄養ケアマネジメントの知識を得る教材となることを確信している．今後も必要な改訂を行いながら，より充実した臨床栄養学の教科書となるように努めていく所存である．

　2023年　春の光の中で

本田　佳子

初版の序

　近年,疾病構造は変化し,治療技術の飛躍的進歩とともに医療の専門分化と統合により医療と医療環境が大きく変わってきている.医療を受ける患者のニーズは多様化し,医療の効率や効果を目指したチーム医療がすすめられ,かつ,栄養食事療法の重要性が高まっている.

　管理栄養士が栄養食事療法を実践するとき,そこには必ず治療上の必要性がある.しかし,その治療グレードは一様ではなく,疾患そのもの,また同一疾患であっても病態あるいは疾患のステージによって異なる.これらは,栄養ケアの役割からすると,現状の栄養状態を保持する保健性の栄養,主となる治療法の効果を上げるべく補給する栄養,種々の疾患や,その前駆症状として現れる症候へ対応する栄養,そして治療そのものとなる栄養素成分,あるいは栄養成分の組み合わせによる栄養生理の調整など,さまざまである.

　本書では,これらの治療のグレードにより栄養食事療法をカテゴリー化し,実践に必要な知識を臨床での手順に従って解説した.そして,治療のゴールをどのように見定めるのか,実践したことの効果を何で評価するのかなど,実践での栄養評価,栄養診断,栄養食事療法,治療アウトカムにおけるツールとなる尿・血液生化学検査成績,食品構成,料理法,食品選択などを解説し,栄養ケアマネジメントのスキルの修得を目指した.また,各疾患の当該医学会からなる診療ガイドあるいはガイドラインに従い,ケアマネジメントの知識あるいはスキルの標準化を図った.そして,医療人として治療を進めるにあたり求められる全人的医療,医療保険制度などを解説し,臨床での栄養ケアの原点を示し,その立脚点を明確にした.これらにより「栄養ケアマネジメント」の実践書として役割を果たすにとどまらず,明日の臨床栄養学の発展に寄与するものと確信している.

　本書の刊行にあたり,臨床の第一線で活躍されている管理栄養士の先生方をはじめ,管理栄養士の育成・教育に期待され,誠実かつ熱意をもって応答くださった臨床ならびに基礎の医師の先生方にも賛同を得られ,理論と実践の循環と統合が成り,栄養食事療法の将来を期待できる教材の刊行を果たすことができた.

　激務のなかで,執筆を担っていただいた諸先生に,ここに改めて,深甚の謝意を表する次第である.

　本書「栄養ケアマネジメント」が栄養食事療法の実践ならびに教育の源泉として活用されることを願ってやまない.

2011年2月1日

本田佳子

新 臨床栄養学 栄養ケアマネジメント 第5版

Part 1　臨床栄養学と栄養ケア

I　栄養ケアの基礎……3

1　医療と臨床栄養学……（本田佳子）3
　1　医療とは…3　2　臨床栄養学とは…3
　3　疾病の予防…5　4　栄養状態の改善…6
2　全人的医療と臨床栄養学………（川﨑英二）7
　1　全人的医療…7　2　医の倫理…7　3　生命倫理…8　4　臨床栄養学とのかかわり…9
3　内部環境恒常性と栄養支援……（川﨑英二）10
　1　内部環境恒常性…10　2　エネルギー代謝…10　3　栄養支援…11
4　自然治癒の促進と症状の改善…（川﨑英二）12
5　摂食支援とQOL……………（本田佳子）13
　1　医療のアウトカム…13　2　QOL（quality of life）…13　3　摂食支援…13
6　医療・介護保険制度と栄養ケア（本田佳子）14
　1　医療法と診療報酬制度…14　2　栄養管理体制…15　3　栄養食事療養とその種類…15
　4　栄養食事指導…18　5　介護保険制度…21
7　チーム医療………………（鷲澤尚宏）22
　1　チーム医療…22　2　NSTの歴史…22
　3　PPMと一部を専従専任としたNST…23
　4　各職種の役割分担…23　5　中央型NSTへ…26　6　栄養ケアの目標設定と計画作成における多職種連携…27
8　クリニカルパス……………（川村順子）28
　1　クリニカルパスとは…28　2　おもなクリニカルパスの種類…28　3　クリニカルパス導入の効果…29　4　クリニカルパスの構成・許可基準…29　5　バリアンス…29　6　アウトカム…30　7　クリニカルパスと栄養ケア…（土井悦子）30
9　栄養ケアマネジメント………（本田佳子）31
　1　栄養ケアマネジメントの目的…31　2　栄養ケアマネジメントの実際…31　3　栄養ケアマネジメントの機能レベル…32

II　栄養アセスメント……33

1　栄養アセスメントの意義………（本田佳子）33
2　栄養アセスメントの方法………（本田佳子）35
　1　主観的包括的評価…35　2　客観的評価…36　3　臨床的評価…36　4　栄養アセスメントの方法…37
3　栄養アセスメントの実際……………41
　1　臨床診査…（奈良信雄）41　2　臨床検査…（奈良信雄）44　3　身体計測…（横山奈津代）54　4　摂食状態…（横山奈津代）60

III　栄養ケアプランの実施……65

1　栄養ケアプランの目標設定……（河原和枝）65
　1　栄養ケアプラン…65　2　栄養教育（指導）プラン…67
2　栄養ケアプランの作成…………（河原和枝）68
　1　栄養食事管理録…68　2　記録のまとめ方（POSの概要）…68　3　栄養ケア報告書の作成…70
3　栄養ケアの実施………………71
　1　静脈栄養法…（河原和枝）71　2　経腸栄養法…（河原和枝）74　3　経口栄養法…（河原和枝）79　4　栄養教育…（宮本佳代子）82
　5　栄養カウンセリング…（橋本佐由理, 宮本佳代子）86　6　クリニカルパス…（川村順子）92　7　特別用途食品，保健機能食品…（梅垣敬三）98　8　薬と栄養・食事の相互作用…（奈良信雄）104
4　モニタリングと評価……………（河原和枝）108
　1　モニタリング…108　2　評価…108
　3　栄養ケアの修正…110

Part 2　疾患と栄養ケア

I　検査のための調整食……（白石弘美）113
1. 低残渣食・注腸食……………………… 113
   1. 低残渣食…113　2. 注腸食・大腸Ｘ線検査食…113
2. 甲状腺機能検査食（ヨウ素制限食）……… 114
3. 潜血検査食……………………………… 115

II　保健性を保つ栄養ケア
　　　──新生児・低出生体重児──（杉浦令子）117
1. 新生児…………………………………… 117
2. 正期産児………………………………… 118
   1. 新生児期に検討すべき重要な事柄…118
   2. 成長曲線による発育のチェック…119
   3. 哺乳…120
3. 低出生体重児…………………………… 125
   1. 低出生体重児について検討すべき重要な事柄…125　2. 保育器と哺乳…126　3. 成長曲線による発育のチェック…126
4. 乳幼児健康診査………………………… 127

III　回復を促す栄養ケア………………… 129
1. 外科療法時……………………（鷲澤尚宏）129
   1. 病態生理…129　2. 評価と診断…130　3. 栄養ケア…131　4. リハビリテーションと栄養法…132　5. 具体的な栄養ケア…133
2. 化学療法時……………………（桑原節子）134
   1. 化学療法の目的と概要…134　2. 化学療法の有害事象…135　3. 化学療法時の栄養管理の概要…136　4. 栄養管理の進め方のポイント…136　5. 有害事象対応例…137
3. 放射線治療時…………………（桑原節子）139
   1. 放射線治療の目的と概要…139　2. 放射線治療の有害事象…140　3. 放射線治療の栄養管理の概要…140　4. 栄養管理の進め方のポイント…141　5. 有害事象対応例…141

IV　症候への栄養ケア…………………… 143
1. 発熱……………………………（門脇弘子）143
   1. 症候の概要…143　2. 病態…143　3. 症状…144　4. 鑑別診断…144　5. 治療…145　6. 栄養ケア…145
2. 脱水……………………………（門脇弘子）146
   1. 症候の概要…146　2. 病態…146　3. 症状…147　4. 鑑別診断…147　5. 治療…147　6. 栄養ケア…147
3. 高・低ナトリウム血症…………（飛田美穂）148
   1. 症候の概要…148　2. 病態…148　3. 症状…148　4. 鑑別診断…149　5. 治療…150　6. 栄養ケア…151
4. 高・低カリウム血症……………（飛田美穂）152
   1. 症候の概要…152　2. 病態…152　3. 症状…154　4. 鑑別診断…154　5. 治療…155　6. 栄養ケア…155
5. 高・低カルシウム血症…………（飛田美穂）156
   1. 症候の概要…156　2. 病態…156　3. 症状…158　4. 鑑別診断…159　5. 治療…159　6. 栄養ケア…159
6. 高・低リン血症…………………（飛田美穂）160
   1. 症候の概要…160　2. 病態…161　3. 症状…162　4. 鑑別診断…162　5. 治療…162　6. 栄養ケア…163
7. アシドーシス，アルカローシス
   ………………………………（飛田美穂）164
   1. 症候の概要…164　2. 病態…165　3. 症状…166　4. 鑑別診断…167　5. 治療…167　6. 栄養ケア…167
8. 熱傷……………………………（鷲澤尚宏）168
   1. 症候の概要…168　2. 症状…168　3. 鑑別診断…168　4. 治療…168
9. 外傷……………………………（鷲澤尚宏）170
   1. 症候の概要…170　2. 病態…170　3. 症状…170　4. 鑑別診断…170　5. 治療…170　6. 栄養ケア…171

10 るいそう ……………（本田佳子，中西靖子）173
　1 症候の概要…173　2 病態…173　3 症状…174　4 鑑別診断…174　5 治療…174　6 栄養ケア…175

11 食欲不振 …………（本田佳子，中西靖子）176
　1 症候の概要…176　2 病態…176　3 症状…177　4 鑑別診断…177　5 治療…177　6 栄養ケア…177

12 ビタミン欠乏症・過剰症
　　　　　　　　………（本田佳子，中西靖子）178
　1 症候の概要…178　2 病態・症状…178　3 鑑別診断…178　4 治療…178　5 栄養ケア…178

13 貧血 ………………………（川﨑英二）181
　1 症候の概要…181　2 病態…181　3 症状…182　4 鑑別診断…183　5 治療…183　6 栄養ケア…183

14 吐血，下血 ………………（鷲澤尚宏）184
　1 症候の概要…184　2 病態…184　3 症状…185　4 鑑別診断…185　5 治療…185　6 栄養ケア…186

15 血尿 ………………………（飛田美穂）187
　1 症候の概要…187　2 病態…187　3 症状…188　4 鑑別診断…188　5 治療…189　6 栄養ケア…189

16 浮腫 ………………………（本田佳子）190
　1 症候の概要…190　2 病態…190　3 症状…191　4 鑑別診断…191　5 治療…192　6 栄養ケア…193

17 腹水 ………………………（本田佳子）194
　1 症候の概要…194　2 病態…194　3 鑑別診断…194　4 治療…197　5 栄養ケア…197

18 口内炎 ……………………（長澤伸江）198
　1 症候の概要…198　2 病態…198　3 症状…199　4 鑑別診断…199　5 治療…199　6 栄養ケア…200

19 歯肉炎，歯周炎 …………（長澤伸江）201
　1 症候の概要…201　2 病態…201　3 症状…202　4 鑑別診断…202　5 治療…203　6 栄養ケア…203

20 下痢 ………………………（武富和美）204
　1 症候の概要…204　2 病態…204　3 症状…204　4 鑑別診断…205　5 治療…205　6 栄養ケア…205

21 便秘 ………………………（武富和美）207
　1 症候の概要…207　2 病態…207　3 症状…207　4 鑑別診断…208　5 治療…208　6 栄養ケア…208

V 治療となる栄養ケア …………………209

1 骨粗鬆症 …………………（麻見直美）209
　1 疾患の概要…209　2 病因…209　3 疫学…210　4 症状…211　5 診断基準…211　6 治療…212　7 栄養生理…212　8 栄養食事療法…214

2 鉄欠乏性貧血 ……………（葛城裕美）217
　1 疾患の概要…217　2 病因…217　3 疫学…217　4 症状…217　5 診断基準…217　6 治療…217　7 栄養生理…218　8 栄養食事療法…219

3 胃食道逆流症 ……………（朝倉比都美）222
　1 疾患の概要…222　2 病因…222　3 疫学…222　4 症状…222　5 診断基準…223　6 治療…223　7 栄養生理…223　8 栄養食事療法…223

4 胃・十二指腸潰瘍 ………（加藤チイ）225
　1 疾患の概要…225　2 病因…225　3 疫学…226　4 症状…226　5 診断基準…226　6 治療…226　7 栄養生理…226　8 栄養食事療法…226

5 慢性肝炎 …………………（片山一男）229
　1 疾患の概要…229　2 病因…229　3 疫学…229　4 症状…229　5 診断基準…229　6 治療…230　7 栄養生理…231　8 栄養食事療法…231

6 脂肪肝 ……………………（中村啓子）235
　1 疾患の概要…235　2 病因…235　3 疫学…235　4 症状…235　5 診断基準…235　6 治療…235　7 栄養生理…236　8 栄養食事療法…236

7 肝硬変（代償期・非代償期）……（片山一男）241
① 疾患の概要…241　② 病因…241　③ 疫学…241　④ 症状…241　⑤ 診断基準…242　⑥ 治療…242　⑦ 栄養生理…243　⑧ 栄養食事療法…243

8 胆嚢炎，胆石症………………（中村啓子）249
胆嚢炎…………………………………249
① 疾患の概要…249　② 病因…249　③ 疫学…249　④ 症状…249　⑤ 診断基準…249　⑥ 治療…249　⑦ 栄養生理…249　⑧ 栄養食事療法…250

胆石症…………………………………252
① 疾患の概要…252　② 病因…252　③ 疫学…252　④ 症状…252　⑤ 診断基準…252　⑥ 治療…252　⑦ 栄養生理…253　⑧ 栄養食事療法…253

9 慢性膵炎………………………（辻　秀美）255
① 疾患の概要…255　② 病因…255　③ 疫学…255　④ 症状…255　⑤ 診断基準…255　⑥ 治療…256　⑦ 栄養生理…257　⑧ 栄養食事療法…258

10 糖尿病…………………………（宮本佳代子）261
① 疾患の概要…261　② 病因…261　③ 疫学…261　④ 症状…262　⑤ 診断基準…262　⑥ 治療…263　⑦ 栄養生理…266　⑧ 栄養食事療法…266

11 脂質異常症……………………（本田佳子）271
① 疾患の概要…271　② 病因…271　③ 疫学…271　④ 症状…271　⑤ 診断基準…271　⑥ 治療…272　⑦ 栄養生理…274　⑧ 栄養食事療法…275

12 肥満症…………………………（三輪孝士）280
① 疾患の概要…280　② 病因…280　③ 疫学…280　④ 症状…281　⑤ 診断基準…281　⑥ 治療…282　⑦ 栄養生理…287　⑧ 栄養食事療法…288

13 高尿酸血症……………………（大部正代）293
① 疾患の概要…293　② 病因…293　③ 疫学…293　④ 症状…294　⑤ 診断基準…295　⑥ 治療…295　⑦ 栄養生理…296　⑧ 栄養食事療法…296

14 先天性代謝性疾患（糖原病を除く）
……………………………………（佐藤智英）301
① 疾患の概要…301　② 病因…301　③ 疫学…302　④ 症状…302　⑤ 診断基準…302　⑥ 治療…302　⑦ 栄養生理…304　⑧ 栄養食事療法…306

15 甲状腺機能亢進症・低下症……（吉川　睦）309
① 疾患の概要…309　② 病因…309　③ 疫学…309　④ 症状…310　⑤ 診断基準…310　⑥ 治療…311　⑦ 栄養生理…311　⑧ 栄養食事療法…313

16 ウィルソン病，糖原病………（宮本佳代子）315
ウィルソン病…………………………315
① 疾患の概要・病因…315　② 疫学…315　③ 症状…315　④ 診断基準…315　⑤ 治療…315　⑥ 栄養生理…315　⑦ 栄養食事療法…316

糖原病（グリコーゲン病）………………318
① 疾患の概要・病因…318　② 疫学…318　③ 症状…318　④ 診断基準…318　⑤ 治療…318　⑥ 栄養生理…319　⑦ 栄養食事療法…319

17 高血圧…………………………（長浜幸子）321
① 疾患の概要…321　② 病因…321　③ 疫学…321　④ 症状…321　⑤ 診断基準…322　⑥ 治療…323　⑦ 栄養生理…323　⑧ 栄養食事療法…326

18 脳出血，脳梗塞，くも膜下出血
……………………………………（土井悦子）330
① 疾患の概要…330　② 病因…330　③ 疫学…330　④ 症状…331　⑤ 診断基準…331　⑥ 治療…331　⑦ 栄養生理…331　⑧ 栄養食事療法…331

19 虚血性心疾患（狭心症，心筋梗塞）
……………………………………（桑原節子）333
① 疾患の概要…333　② 病因…333　③ 疫学…334　④ 症状…334　⑤ 診断基準…334　⑥ 治療…334　⑦ 栄養生理…336　⑧ 栄養食事療法…336

20 心不全（うっ血性心不全）……（桑原節子）339
① 疾患の概要…339　② 病因…339　③ 疫

学…339　4 症状…339　5 診断基準…340　6 治療…340　7 栄養生理…341　8 栄養食事療法…342

21 糸球体腎炎 ……………………（兼平奈奈） 345
　　急性糸球体腎炎 ……………………………… 345
　　　1 疾患の概要…345　2 病因…345　3 疫学…345　4 症状…345　5 診断基準…345　6 治療…345　7 栄養生理…346　8 栄養食事療法…347
　　慢性糸球体腎炎 ……………………………… 349
　　　1 疾患の概要…349　2 病因…349　3 疫学…349　4 症状…349　5 診断基準…349　6 治療…349

22 ネフローゼ症候群 …………（兼平奈奈） 350
　　1 疾患の概要…350　2 病因…350　3 疫学…350　4 症状…350　5 診断基準…350　6 治療…351　7 栄養生理…351　8 栄養食事療法…351

23 慢性腎不全 ………（金澤良枝，中尾俊之） 355
　　1 疾患の概要…355　2 病因…355　3 疫学…355　4 症状…356　5 診断基準…357　6 治療…357　7 栄養生理…359　8 栄養食事療法…360

24 糖尿病性腎症 ………………（小林君枝） 366
　　1 疾患の概要…366　2 病因…366　3 疫学…367　4 症状…367　5 診断基準…367　6 治療…368　7 栄養生理…368　8 栄養食事療法…369

25 慢性閉塞性肺疾患 …………（岩川裕美） 372
　　1 疾患の概要…372　2 病因…372　3 疫学…372　4 症状…372　5 診断基準…372　6 治療…373　7 栄養生理…373　8 栄養食事療法…375

26 気管支喘息・肺炎 …………（川口美喜子） 378
　　気管支喘息 ……………………………………… 378
　　　1 疾患の概要…378　2 病因…378　3 疫学…378　4 症状…379　5 診断基準…379　6 治療…379　7 栄養生理…380　8 栄養食事療法…380
　　肺炎 ……………………………………………… 381
　　　1 疾患の概要…381　2 病因…381　3 疫

学…381　4 症状…381　5 診断基準…382　6 治療…382　7 栄養食事療法…382

27 妊娠高血圧症候群 ……………（長浜幸子） 384
　　1 疾患の概要…384　2 病因…384　3 疫学…384　4 症状…384　5 診断基準…384　6 治療…385　7 栄養生理…385　8 栄養食事療法…386

28 自己免疫疾患 ………………（宮崎由子） 389
　　1 疾患の概要…389　2 病因…389　3 疫学…390　4 症状…390　5 診断基準…390　6 治療…390　7 栄養食事療法…391

29 食物アレルギー ……………（小林彰子） 392
　　1 疾患の概要…392　2 病因…392　3 疫学…392　4 症状…393　5 診断基準…394　6 治療…395　7 栄養生理…395　8 栄養食事療法…396

30 心因性の摂食障害 …………（古川愛子） 399
　　1 疾患の概要…399　2 病因…399　3 疫学…399　4 症状…399　5 診断基準…400　6 治療…400　7 栄養生理…402　8 栄養食事療法…402

VI 消化機能が十分でない人への栄養ケア ……………………………………… 405

1 潰瘍性大腸炎 ………………（山口留美） 405
　　1 疾患の概要…405　2 病因…405　3 疫学…405　4 症状…405　5 診断基準…406　6 治療…406　7 栄養生理…407　8 栄養食事療法…408

2 クローン病 …………………（山口留美） 410
　　1 疾患の概要…410　2 病因…410　3 疫学…410　4 症状…410　5 診断基準…410　6 治療…411　7 栄養生理…412　8 栄養食事療法…413

3 消化器の術前・術後 …………………… 419
　　上部消化器 …………………（鷲澤尚宏） 419
　　　1 病態…419　2 栄養ケア…420
　　下部消化器（大腸癌）………（桑原節子） 423
　　　1 病態…423　2 栄養ケア…424

4 消化管以外の術前・術後 ……（鷲澤尚宏） 426
　　1 術前…426　2 術後…426

5 癌終末期 ……………………（桑原節子）428
1 癌終末期の栄養管理…428　2 癌終末期の輸液…429　3 症状ケア…429

VII 障害をサポートする栄養ケア…… 433

1 パーキンソン病・症候群 ……（古川愛子）433
1 疾患の概要…433　2 病因…433　3 疫学…433　4 症状…433　5 診断基準…433　6 治療…434　7 栄養生理…434　8 栄養食事療法…434

2 ALS（筋萎縮性側索硬化症）（古川愛子）436
1 疾患の概要…436　2 病因…436　3 疫学…436　4 症状…436　5 診断基準…436　6 治療…436　7 栄養食事療法…436

3 心身障害 ……………………（大和田浩子）438
1 疾患の概要…438　2 病因…438　3 疫学…438　4 栄養食事療法…439

4 摂食嚥下障害 ………………（池谷昌枝）442
1 疾患の概要…442　2 病因…442　3 症状…443　4 診断基準…444　5 治療（摂食嚥下訓練）…444　6 栄養生理…444　7 栄養食事療法…447

VIII 加齢にともなう機能低下への栄養ケア…………………… 451

1 サルコペニア，ロコモティブシンドローム
 ……………………………（金子康彦）451
1 症候の概要…451　2 病因…451　3 疫学…452　4 症状…452　5 診断基準…452　6 治療…453　7 栄養生理…454　8 栄養ケア…454

2 フレイル ……………………（金子康彦）456
1 症候の概要…456　2 病因…456　3 疫学…456　4 症状…457　5 診断基準…457　6 治療…457　7 栄養生理…457　8 栄養ケア…457

3 認知症 ………………………（古川愛子）459
1 症候の概要…459　2 病因…459　3 疫学…459　4 症状…459　5 診断基準…459　6 治療…459　7 栄養生理…460　8 栄養ケア…460

4 褥瘡 …………………………（三原法子）462
1 症候の概要…462　2 病因…462　3 病態…462　4 診断基準…463　5 治療…463　6 栄養ケア…467

付録 ——臨床検査基準範囲 ……………………………………………（奈良信雄）469

補遺 Appendix

成人の学習 ……………（宮本佳代子）82
くる病 …………………（飛田美穂）163
消化不良症 ……………（武富和美）206
周期性嘔吐症 …………（武富和美）206
NAFLD …………………（中村啓子）239
NASH ……………………（中村啓子）239
糖尿病性腎臓病 ………（宮本佳代子）269
高齢者糖尿病 …………（宮本佳代子）269
小児糖尿病 ……………（宮本佳代子）270
妊娠糖尿病 ……………（宮本佳代子）270
小児肥満 ………………（三輪孝士）292
尿路結石症 ……………（兼平奈奈）354
急性腎障害 ……………（金澤良枝）365
小児腎臓病 ……………（金澤良枝）365
免疫不全症 ……………（宮崎由子）391
たんぱく漏出性胃腸症 …（山口留美）418
過敏性腸症候群 ………（山口留美）418

■ 参考文献 ……………………………… 476　　■ 索引 ……………………………… 484

Part 1

臨床栄養学と栄養ケア

Ⅰ 栄養ケアの基礎

Part 1 臨床栄養学と栄養ケア

学習の目標

- 医療行為の一つである栄養ケアの役割を理解する．
- さまざまな治療法と栄養ケアとの連携を理解する．
- 多職種協働のさまざまなチーム医療を学ぶ．
- 栄養ケアの診療報酬での評価を学ぶ．

1 医療と臨床栄養学

1 医療とは

▶医療は，生命の尊重と個人の尊厳を保持し行う医学的行為である．そして，医療の担い手と医療を受ける者との信頼関係に基づき，かつ医療を受ける者の心身の状況に応じて行うものである．

▶その内容は，治療のみならず，疾病の予防のための措置およびリハビリテーションを含むものである（医療法 1 条の 2 より抜粋）．

▶そして，医療を提供する病院は，傷病者への，科学的でかつ適正な診療を受けることができる便宜を与えることを主たる目的とし，運営するものである（医療法 1 条の 5 より抜粋）．一方，医療を受ける患者は，良質な医療を受け，診断や治療への自己決定する権利を有している（リスボン宣言，表Ⅰ-1-1）．したがって，医療の担い手である医療従事者はすべての患者を公正に処遇し，その自律を目指して情報を提供し，尊厳の保持につとめなければならない．

2 臨床栄養学とは

▶臨床栄養学は，ヒトの健康または疾患において，栄養の摂取・補給およびこれにともなう内部環境，消化，吸収，代謝を理解し，疾病の予防，栄養状態の改善，疾患の回復を図るために，あるいは残存機能を最大限に発揮するために栄養学的に対応し，これにより低下した内部環境の保持機能や生体防御機能を回復させるものである．

▶すなわち，臨床栄養学は，生理学，病理学，医学と食品学，調理学の両面より，医療の一翼を担うものである．そして，医療の目的を達するために，医師，看護師，薬剤師，理学療法士など多くの職種がかかわることを知り，それぞれの専門性を尊重することで，より臨床栄養の特性を発揮することができる．

▶さらに，外科療法，放射線療法，薬物療法，理学療法，作業療法，心理療法，運動療法などさまざまな治療法のなかの一つとして，臨床栄養学の実践である栄養食事療法は位置する．

MEMO

医療法：医療法により日本の医療を供給する体制を定めている．医療法施行のために医療に関する選択の支援，医療の安全の確保，病院などの設備構造，診療用放射線の防護，医療計画，医療従事者の確保に関する政策などの規則を定めている．さらに必要に応じて改定され，2006 年には患者などへの医療に関する情報提供の推進，医療の安全の確保，有床診療所に対する規制の見直しがなされた．

■表Ⅰ-1-1　リスボン宣言に示された患者の権利

	リスボン宣言では，医師は常に自己の良心に従い，患者の最善の利益のために行動し，患者の自律と公正な処遇を保障するためにも努力すべきとした．医療従事者が是認し，推進すべき患者の主要な権利を列挙している．
1. 良質の医療を受ける権利	● すべての人は差別されることなく適切な医療を受ける権利を有する．患者の治療は常にその患者の最善の利益に照らしてなされなければならず，医師は，医療の質の擁護者としての責任を担うよう強く求められている．
2. 選択の自由	● 患者は，医師や病院あるいは保健サービス施設を自由に選択し変更する権利を有する．そして，医療のどの段階においても他の医師の意見を求める権利を有する．
3. 自己決定権	● 患者は，自分自身について自由に決定を下す権利を有する．したがって患者はいかなる診断手続きや治療であっても，それを受けることを承諾したり拒否したりする権利を有する．そのために医師は，患者が下そうとする決定から予測できる結果についての情報を患者に提供しなければならない．
4. 意識喪失患者	● 意識のない患者あるいは自己の意思を表現できない患者では，患者の法定代理人にインフォームドコンセントを求める．ただし，法定代理人の不在時に医療処置が緊急に必要になった場合は，患者が医療処置を拒否する意思を明らかにしていない限り，患者の承諾があったものと判断することができる．
5. 法的無能力者	● 患者が未成年者あるいは法的無能力者である場合は，法定代理人の同意を求める．しかし，可能な限り患者をその能力の範囲で意思決定に参画させるようにすること．
6. 患者の意思に反する処置・治療	● 法がとくに許容し，かつ医の倫理の諸原則に合致する場合に限り，患者の意思に反する診断上の処置あるいは治療を例外的に行うことができる．
7. 情報に関する権利	● 患者は自分の診療録に記載された自分自身の情報の開示を受け，自己の病状などに関する医学所見について十分な情報を得る権利を有する．また，患者は自分に代わって自己の情報の開示を受ける人物を選択する権利をも有する．
8. 秘密保持に関する権利	● 患者の健康状態，症状，診断，予後および治療に関する本人を特定し得る情報，ならびにその他すべての個人的情報の秘密は，患者の死後も守られねばならない．この秘密情報の開示は患者本人が明確な承諾を与えるか，法律に明確に規定されている場合のみ許される．
9. 健康教育を受ける権利	● すべての人が自己の健康や保健サービスに関する選択が行えるように，保健教育に関する情報や知識を受ける権利を有する．その教育には健康的ライフスタイルや疾患の予防・早期発見の方法に関する情報が含まれねばならない．
10. 尊厳性への権利	● 患者の尊厳およびプライバシーは，常に尊重されねばならない．末期医療では，尊厳と安寧を保ちつつ死を迎えるために，あらゆる可能な支援を受ける権利を有する．
11. 宗教的支援を受ける権利	● 患者は自らが選んだ聖職者によりスピリチュアルおよび倫理的な慰安の支援を受ける権利を有し，かつ拒否する権利を有する．

▶対象となる疾患や病態により，これらのさまざまな治療法の適用は異なり，栄養食事療法も例外ではない．栄養食事療法が治療として重要あるいは基本となる疾患があれば，他の治療の適用の準備を整える手段として，あるいは他の治療の効果をあげるために栄養状態の改善を目的とするなど，以下の面で寄与することができる．

① 疾病の発症予防
② 栄養状態の改善
③ 治癒の促進
④ 治療そのもの
⑤ 病態の進展・増悪を阻止
⑥ 合併症の予防
⑦ 予後の改善
⑧ QOLの保持・向上

📝MEMO

合併症：原疾患（primary illness）が前提となって生ずる続発性の病態，病変，疾患，あるいは原疾患に対する検査・治療にともなって不可避に生じる疾患や症状をいう．前者には糖尿病のコントロールの不良が続くことによって起こる糖尿病網膜症，糖尿病性腎症などが例としてあげられる．後者には腹部手術後に腹腔内の癒着によるイレウス，消化管内視鏡による消化管穿孔，出血などが例としてあげられる．後者では，合併症の原因を認識しやすくするために「併発症」や「手術併発症」「検査併発症」などの用語に代替される場合もある．

3 疾病の予防

▶疾病の予防とは広義には，疾病予防，障害予防，寿命の延長，身体的・精神的健康の増進を目的としている．疾病の発症予防には栄養状態の過剰・不足および欠乏のより早期な評価・診断が重要である．そして，病気を未然に防ぐだけではなく，病気の進展を遅らせること，再発を防止することも予防であるとし，第一次予防，第二次予防，第三次予防として分類される（表Ⅰ-1-2）．

▶WHOは食事，運動などの生活習慣および環境要因と疾患との関連について，科学的根拠に基づき評価を行い，食品・栄養，生活習慣および環境と疾患との関係を報告している（Joint WHO/FAO Expert Consultation on Diet, Nutrition and the prevention of chronic diseases, WHO Tech. Rep. Ser. 916, 147-149, 2003）．発症リスクを下げるものとして，癌では身体活動，野菜・果物摂取など，心臓疾患や脳疾患などの心血管疾患では，魚類と魚油（エイコサペンタエン酸およびドコサヘキサエン酸，カリウム，野菜と果物，飲酒（少量から中等量）をあげている．また，第二次，第三次予防において栄養食事療法は，各疾患および病態において重要な役割を有する．

▶さらに，健康寿命の課題に，メタボリックシンドロームとロコモティブシンドロームがある．

▶メタボリックシンドロームは，蓄積された内臓脂肪組織によるさまざまなアディポサイトカインの分泌により代謝異常を引き起こし，動脈硬化などによる心血管疾患のリスクを高めるが，食習慣をはじめとした生活習慣の是正により発症を回避できる．

▶ロコモティブシンドローム（locomotive syndrome：運動器症候群）は，運動器自体の疾患（筋骨格運動器系）であり，加齢にともなうさまざまな運動器疾患からなる痛み，関節可動域制限，筋力低下，麻痺，骨折，痙性などにより，バランス能力，体力，移動能力の低下をきたし寝たきりなどになる要介護リスクを高める．

▶そして，メタボリックシンドロームとロコモティブシンドロームは相互に関係し合い（図Ⅰ-1-1），健康寿命の延伸，生活機能低下の防止として，健康寿命の課題として，予防，早期発見・早期治療が重要となっている．

■表Ⅰ-1-2　予防医学の分類

第一次予防（病気の発生を未然に防ぐ）
健康増進，疾病予防，特殊予防，生活習慣の改善，生活環境の改善，健康教育による健康増進を図り，予防接種による疾病の発生予防，事故防止による傷害の発生を予防すること． 例：感染症対策，生活習慣病対策，B型肝炎・C型肝炎対策など
第二次予防（早期発見・早期措置治療により病気を防ぐ）
早期発見，早期対処，適切な医療と合併症対策・後遺症の軽減． 発生した疾病や障害を検診などにより早期に発見し，早期に治療や保健指導などの対策を行ない，疾病や傷害の重症化を予防すること．
第三次予防（症状の進行を防ぎ，機能回復を目指す）
治療の過程において保健指導やリハビリテーションなどによる機能回復を図るなど，社会復帰を支援し，再発を阻止すること．

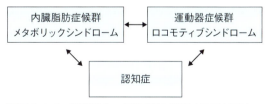

■図Ⅰ-1-1　健康寿命・介護予防を阻害する三大因子

4 栄養状態の改善

▶急性および慢性疾患では栄養障害が合併しやすい．病状の悪化の原因としては原疾患の病状や治療法の選択なども要因となるが，栄養障害の関与も否定できない．栄養障害そのものが病状の回復の遅延や悪化に影響をもたらし，入院の長期化や，入院頻度を高める原因にもなっている．

▶栄養障害の原因には，①食事摂取量の不足か消化吸収障害（嚥下困難などによる摂食不足，腸切除後の吸収障害），②消費エネルギーが亢進し，摂取エネルギー量を超える場合（過度の運動や労働，外科手術後，甲状腺機能亢進症など），③たんぱく質やその他の栄養素の代謝が疾患により障害されている場合（急性のストレス反応をともなう疾患，たんぱく質の異化が亢進）などがある．一方，栄養の過剰により症状の悪化をきたす，エネルギー摂取過剰による糖尿病の血糖コントロール不良，脂質摂取の過剰による脂質異常症の血清脂質プロファイルへの影響や動脈硬化の促進，エネルギーとたんぱく質摂取過剰による高尿酸血症の痛風症状の出現などがある．

▶食事摂取量の不足や消化吸収障害は，加齢による心身の変化にともなう，唾液分泌の減少，消化液の分泌量の減少，腸の働き（腸蠕動運動）の低下，味覚の低下，嗜好の変化などが関与する．高齢者の低栄養状態へは口腔機能の向上，内臓たんぱく質および筋たんぱく質量の低下の予防・改善が，身体機能および生活機能の維持・向上および免疫能の維持・向上，要介護状態や疾病の重度化への移行阻止を図ることができる．

2 全人的医療と臨床栄養学

1 全人的医療

▶近年，少子高齢化の急速な進展や生活習慣の多様化にともなう疾病構造の変化など医療を取り巻く社会環境は大きく変化し，従来の薬や手術による根治療法を中心とした医療から，疾病の第一次予防，在宅医療や緩和医療の推進など，患者の"生活の質（QOL）"向上を重視した医療へと変遷しつつある．

▶全人的医療とは，病気だけをみるのではなく，心理面・社会面・経済面など，患者を取り巻く環境をさまざまな視点からとらえて，個々に応じた最適な医療を行うことである．

▶生体がもつ回復力（自然治癒力）は肉体と精神の総合力として発揮されるため，理学的・薬学的な治療に加えて，患者自らの意思を尊重し回復意欲が満ちる全人的医療に配慮することが重要である．

▶全人的医療の実践においては，EBM（evidence-based medicine：科学的根拠に基づいた医療）とNBM（narrative-based medicine：物語に基づいた医療）の両者を適用することが大切であり，これらは互いに補完するものである．

▶全人的医療の実践においては，良好な医療者-患者関係がなければならない．

▶医師のみでは「全人的」に患者を診療することがむずかしく，管理栄養士，薬剤師，看護師，臨床心理士などの多職種がそれぞれの専門性を発揮して，「集学的」に患者にチームアプローチすることが大切である．

2 医の倫理

▶すべての医療従事者には，患者の立場で生命の尊厳を尊重し，博愛と奉仕の精神をもって医療に尽くすことが求められ，行うべきこと，行ってはならないことなど規範となる行動指針が倫理要綱として，それぞれの医療関係者職種に定められている．

▶日本医師会の医の倫理綱領では，医学および医療は，病める人の治療はもとより，人びとの健康の維持もしくは増進を図るもので，医師は責任の重大性を認識し，人類愛をもとにすべての人に奉仕するものであるとしている（表I-2-1）．

▶管理栄養士・栄養士の倫理綱領は，公益社団法人日本栄養士会により制定されている（表I-2-2）．

▶患者・障害者（傷病者）の権利は，管理栄養士が食事療法や栄養指導などの栄養管理を

■表I-2-1 医の倫理綱領（2000年4月2日採択）

1. 医師は生涯学習の精神を保ち，つねに医学の知識と技術の習得に努めるとともに，その進歩・発展に尽くす．
2. 医師はこの職業の尊厳と責任を自覚し，教養を深め，人格を高めるように心がける．
3. 医師は医療を受ける人びとの人格を尊重し，やさしい心で接するとともに，医療内容についてよく説明し，信頼を得るように努める．
4. 医師は互いに尊敬し，医療関係者と協力して医療に尽くす．
5. 医師は医療の公共性を重んじ，医療を通じて社会の発展に尽くすとともに，法規範の遵守および法秩序の形成に努める．
6. 医師は医業にあたって営利を目的としない．

MEMO

疾病構造の変化：生活水準の向上や医学の発展および食習慣の欧米化をはじめとするライフスタイルの変化にともない，日本の死因構造の中心は結核などの感染症から，癌，脳卒中，心臓病などの生活習慣病に大きく変化した．

■表Ⅰ-2-2　管理栄養士・栄養士倫理綱領（2002年4月27日制定，2013年5月19日改定，一部抜粋）

1. 管理栄養士・栄養士は保健，医療，福祉および教育などの分野において，専門職として，この職業の尊厳と責任を自覚し，科学的根拠に裏づけられ，かつ高度な技術をもって行う「栄養の指導」を実践し，公衆衛生の向上に尽くす．
2. 管理栄養士・栄養士は，人びとの人権・人格を尊重し，良心と愛情をもって接するとともに，「栄養の指導」についてよく説明し，信頼を得るように努める．また，互いに尊敬し，同僚および他の関係者とともに協働してすべての人びとのニーズに応える．
3. 管理栄養士・栄養士は，その免許によって「栄養の指導」を実践する権限を与えられた者であり，法規範の遵守および法秩序の形成に努め，常に自らを律し，職能の発揮に努める．また，生涯にわたり高い知識と技術の水準を維持・向上するよう積極的に研鑽し，人格を高める．

行う場合にも遵守しなければならない．
▶管理栄養士は，患者に対してわかりやすい言葉で，科学的な根拠に基づいた説明を行わなければならないが，このとき知りえた業務上の秘密については，これを守る義務がある（守秘義務）．
▶業務上知りえた秘密とは，管理栄養士という職業であったために知りえた秘密であり，その内容が他人に知られ広まれば，患者の人格が失われる事態も発生しうる．守秘義務違反は，医療者-患者関係を崩すことにもなる．
▶現在の情報化社会では，自分の知らないところで誤った情報が集積される危険性があるため，個人情報の適正な取り扱いに基づいたプライバシーの保護が重要である．
▶個人情報とは，生存する個人に関する情報であって，当該情報に含まれる氏名，生年月日，その他の記述などにより特定の個人を識別することができるもののほか，個人の身体，財産，職種，肩書きなどの属性に関して，事実，判断，評価を表すすべての情報であり，評価情報，公刊物などによって公にされている情報や，映像，音声による情報も含まれる．
▶たとえば，診療録，処方箋，手術記録，助産録，看護記録，検査所見記録，X線写真，紹介状，退院した患者にかかわる入院期間中の診療経過の要約，調剤録などが含まれ，栄養食事指導の記録などもその一つである．
▶個人情報の保護については，個人情報保護委員会の「個人情報の保護に関する法律」に規定されている．
▶リスボン宣言では，患者（傷病者）の権利が示されている（表Ⅰ-1-1）．
▶インフォームドコンセントは，医師の義務として，患者個人の尊厳や決定権を尊重するために，患者に病状，治療法，治療効果，予後などについて十分に情報を提供したうえで患者から同意を得る作業をいうが，管理栄養士も栄養食事指導など患者の食生活に介入することから，インフォームドコンセントの考え方に沿った説明が必要となる場合がある．

3　生命倫理

▶管理栄養士の業務は対人業務が中心となるので，生命倫理に関する理解と認識が必要である．
▶たとえば延命治療を望む患者と望まない患者への栄養療法はどうあるべきなのか，その対応により患者のQOLにどのような差異が生ずるのかなどは，医療と臨床栄養学に共通する生命倫理に関する重要な課題である．
▶生命倫理の基本原則として，自律の尊重，無危害，善行，正義の4つがいわれている（表Ⅰ-2-3）．
▶生命倫理の問題として，インフォームドコ

MEMO

個人の尊厳：すべての個人が人間として有する人格を不可侵のものとし，これを相互に尊重する原理．

ノーマリゼーション：（→p.9）高齢者，障害者，社会的弱者も含むすべての人が，平等に通常の日常生活や社会生活を営む権利と義務を分かち合おうとする理念．すべての人は平等で，老若・男女・障害者・傷病者・健常者ともに交じって暮らすことがノーマルであるという考えが根本にある．

■表Ⅰ-2-3 生命倫理の基本原則(ビーチャム・チルドレス)

1. 自律の尊重(respect for autonomy) 個人の自己決定権を尊重し,判断能力に制限のある人を保護する.
2. 無危害(nonmaleficence) 当事者に対して有害なものを取り除き,防ぎ,少なくとも有害なものを最小限にする.
3. 善行(beneficence) 個人の福祉,幸福を守ることを最優先させ,彼らの健康に寄与すべく最善を尽くす.
4. 正義(justice) 個人を公正,かつ公平に扱い,保健に関する便益と負担を,対社会的にできるだけ公正に配分する.

ンセント,インフォームドチョイス(自己決定),ノーマリゼーション🖉,ヒト・細胞組織クローン,人工妊娠中絶,生殖技術,臓器移植,再生医療,脳死,安楽死・尊厳死などがある.

▶ 終末期のケアにおいて食事は重要な位置を占めており,管理栄養士は単に栄養素を投与するだけでなく,患者の生活上の楽しみが増すよう,食べやすいように調理方法を工夫したり,患者の好みに合わせた食事を提供することにより,患者の精神的安定に寄与しQOLを高めることができる.

▶ できるだけ経口摂取の介助をして,終末期を迎えた患者に残された,味わう,匂うなどの感覚,感情を刺激し,人間としての生を全うできるように援助することが大切である.

4 臨床栄養学とのかかわり

▶ 臨床栄養学は個々の人を対象にし,栄養科学および医療の原理を応用して,栄養素の過剰,欠乏,あるいは代謝異常により引き起こされた栄養学的異常を適正に評価し,効果的な栄養療法を行い,あわせて健康・栄養教育を実施して,よりよい栄養状態を維持することを目的とした領域である.

▶ 患者への食事提供では,単なる栄養補給ではなく,料理として食べることの意義,食事としての満足度,人間としての尊厳といった視点を取り入れて実施することが求められる.

▶ 患者の生き方や意思を考慮しない一方的な押し付けによる栄養管理でなく,患者の立場に立った栄養管理を心がける.

▶ 聴く力と話す技術すなわちコミュニケーション能力を身につけ,エンパワーメント🖉とコーチング技術を学び,患者の行動変容につながるような栄養指導を実践する.

▶ 医師,看護師,薬剤師,管理栄養士,臨床検査技師などの医療専門職種がチームとなり連携し,それぞれの専門性から患者中心のケアを行う.チーム全体の構造の中心には患者が位置し,チームの一員としてとらえられ,患者を含むチーム全体が共通の理解のうえで治療の目標を設定し,医療を展開するというチームケアを実施する.

▶ チームケアのうち栄養状態の改善を目的とするチームを栄養サポートチーム🖉という.医師,看護師,薬剤師,管理栄養士,臨床検査技師,医事課などがメンバーとなり栄養ケアを行うチーム医療の組織である.

▶ 医師をはじめ多職種との連携を密に行い,医療チームの一員として個々の患者の病態に合った栄養管理を実践することが大切である.

MEMO

エンパワーメント:病気を管理する能力が患者自身に備わっていることを患者自身が発見するのを助け,その力を使用できるように援助すること.
栄養サポートチーム(NST:nutrition support team):チーム医療の一つで,栄養療法ならび栄養管理を最優先とした治療により,医療の効率と効果をあげている.その医療の効率と効果は,疾患の治療効果の改善,予後の改善,合併症の低減,入院期間の短縮,薬剤使用の減少など,疾患への直接的効果のみならず間接的効果も高めている.参加職種は医師,歯科医師,管理栄養士,薬剤師,看護師,検査技師,その他の医療スタッフ.

3 内部環境恒常性と栄養支援

1 内部環境恒常性

▶人間の生活を取りまく環境は生体の内部環境と外部環境があり，内部環境は細胞が活動する環境で，血液や組織液などの細胞外液のことである．
▶恒常性（ホメオスタシス）とは，生物のもつ重要な性質の一つで，生体がさまざまな環境の変化に対応して，内部環境を一定に保って生存を維持する働きのことをいう．
▶外部環境の急激な変化に対し内部環境の恒常性を保つために，交感神経-副腎髄質系が重要な働きをしている．
▶生体は，常にエネルギーを消耗し，生体を構成する成分を分解する一方，エネルギー産生や生体成分の修復，合成を行い平衡状態を保とうとする．
▶内部環境の恒常性が維持されているとき，外部環境が変動した場合，生存にもっとも適した生体反応を生じ，それを適応という．
▶生活環境が大きく変化した場合に持続的に適応していくことを順化という．
▶人間が適応できる外部環境の限界を超えると内部環境の恒常性は維持できなくなり，生命が危険な状態に陥る．
▶外部環境の変化には，物理的・化学的なものと心理的・精神的なものが存在し，前者には温度，疼痛，外傷，振動，火傷，感染，放射線，飢餓や栄養障害，一酸化炭素などがあり，後者には死別，対人関係，不安，恐怖，緊張，怒りや悲しみなどがある．
▶呼吸・循環動態などに重大な障害がもたらされ，生命の危機状態に陥った患者には，呼吸循環動態のモニターをはじめとするクリティカルケアが施される．

2 エネルギー代謝

▶生体におけるさまざまな物質の外界との交換ならびに化学変化の一連の過程が代謝であり，これら物質の代謝にはエネルギーが必要である．
▶エネルギーの運搬体はATP（アデノシン三リン酸）であり，これは糖質，脂質，たんぱく質などの主要栄養素を原料として生体内で合成される．
▶物質の代謝によって生体を構成する成分の多くは合成と分解が同時に行われ，その均衡を保つことによって内部環境の恒常性が維持される．
▶飢餓時のように摂取エネルギーが消費エネルギーを満たすことができない場合には，まず肝臓に貯蔵されているグリコーゲンがエネルギー源として利用され，引き続いて脂肪と筋たんぱくの異化によってエネルギーが補給される．
▶絶食の長期化の場合には，グルコースのホメオスタシスを保ちながら，体たんぱく量を保持するための飢餓適応反応を示すようになる．その際，心臓，腎臓，筋肉でのケトン体の利用低下により，血中ケトン体が増加し，脳組織がケトン体を利用するようになるため，グルコース消費量は減少し，糖新生は抑制され，筋たんぱくの異化によるエネルギー供給

✎MEMO

クリティカルケア：急性の臓器機能不全により重要生体機能（呼吸・循環動態など）に重大な障害がもたらされ，生命の危機状態に陥った患者に対し，呼吸循環動態のモニターをはじめとする集中的な観察とケアを施すこと．一般にICU（intensive care unit）で行われる．対象となる疾患や病態には，急性心不全，急性呼吸窮迫症候群，急性腎不全，急性肝不全，敗血症性多臓器不全，重症急性膵炎，多発外傷，熱傷，汎発性腹膜炎など，術後の重篤な併存病変患者，重篤な術後合併症を発症した患者，臓器移植後患者などである．

が減少する．
▶外傷，手術，感染などの侵襲が加わると代謝は亢進し，グルコース消費量は飢餓時よりも亢進する．
▶侵襲時に生体内で産生されるメディエーター（サイトカイン✐や異化ホルモンなど）は筋細胞内のたんぱく分解酵素を活性化し筋たんぱくを分解する．血液中に放出されたアミノ酸は肝臓やその他の組織において新たなたんぱく質の合成とエネルギー産生に利用される．

3 栄養支援

▶ストレス下では，基礎代謝が30〜40％亢進し，エネルギー源としての糖質，たんぱく質，脂質の消費が高まるため，摂取エネルギーを増やす必要がある．
▶糖質代謝では，副腎髄質ホルモンの増加による肝臓におけるグリコーゲン分解の亢進，肝臓での糖新生の亢進，インスリン抵抗性の増大により血糖値の上昇をもたらす．
▶たんぱく質代謝では，ストレスの程度が大きいほどたんぱく質分解は亢進し，窒素喪失の増加をもたらす．必須アミノ酸のうちトリプトファンはセロトニンになり精神の安定をもたらす．また，セロトニンは松果体でメラトニンとなり睡眠を促す．
▶脂質代謝では，脂肪組織における脂肪の分解による遊離脂肪酸とグリセロールの血液中への放出が亢進する．
▶絶食の際，脳組織のエネルギー源として必要なグルコースが不足すると，グリコーゲンの分解だけでなく脂肪組織や筋たんぱくの異化により生じた乳酸，中性脂肪，アミノ酸から生成（糖新生）されたグルコースも供給されるため，絶食の際のグルコース補給による栄養支援は異化の抑制に有効である．
▶低温環境下では，エネルギー代謝が亢進し，食物摂取量は増加する．脂肪はゆっくり燃焼し，生理的燃焼熱も高く耐寒性を促進する効果がある．また，エネルギー代謝を円滑に行うために，ビタミンB_1，B_2，マグネシウムの補給が必要である．唐辛子の辛味成分であるカプサイシンは中枢神経を刺激し，アドレナリンの分泌を促進することで体温を上昇させる．

📝MEMO

異化と同化（→p.10）：複雑な有機物質をより単純な物質に分解してエネルギーを得ることを異化といい，エネルギーを使って単純な化合物から，より複雑な物質をつくることを同化という．

サイトカイン：免疫担当細胞をはじめとする各種の細胞から産生される生理活性物質の総称で，特定の細胞に情報伝達をする．インターロイキン，ケモカイン，インターフェロン，アディポカイン，細胞傷害因子，細胞増殖因子，造血因子など数百種類ある．

4 自然治癒の促進と症状の改善

▶身体に損傷，感染などの侵襲が加わると生体は種々の自己防御反応を示し，代謝の亢進と異化の促進が生じ，新たに合成されるたんぱく質が免疫機構の発動や傷害組織の修復に利用され，治癒を促進しようとする．

▶自然治癒の促進と症状の改善には侵襲時の栄養状態が大きく影響し，エネルギーやたんぱく質をはじめとした栄養素が不足した状態では，自己防衛反応が十分に機能せず，治癒が遅れ症状を悪化させることにつながる．

▶たとえ栄養状態が良好な者であっても，基礎疾患がある場合には手術，放射線療法，化学療法🖉などにより容易に栄養枯渇状態に陥り，自然治癒の遅延，合併症の発症，あるいは症状の悪化を招き予後を不良にするが，栄養障害が背景に存在する場合には顕著になる．

▶その結果，高率に感染症や褥瘡などの合併症をきたし，治癒回復が遅れ，合併症の発症や再発によって入院期間は延長し医療費も高くなる．

▶したがって，日常的に栄養スクリーニング，アセスメント，栄養療法をチーム医療により積極的に進め，患者が低栄養状態になるのを回避しなければならない．その一員として管理栄養士の役割は大きい．

▶多くの研究により低栄養患者への早期かつ適切な栄養支援が，症状の悪化や再発を防止し，患者の治癒率の向上，合併症発症率の低下，入院期間の短縮，さらには医療費の削減にも大きく貢献することが明らかにされている．

▶最近では，単にエネルギー投与を目的とする栄養支援だけではなく，アルギニン，グルタミンなどのアミノ酸やn-3系多価不飽和脂肪酸，核酸などを用いて特定の臓器機能や免疫機能の維持・強化を目的としたimmuno-nutritionも盛んに行われている．

▶欠乏している栄養素を補足して栄養状態を高めることにより，自然治癒力や創傷治癒力が回復する．たとえば，ビタミンB_1は糖質代謝の亢進によって消費され，ビタミンCは副腎皮質でのコルチゾールの産生に欠かせないため，ストレス時にはこれらのビタミン補給が大切である．

▶疾患の病態生理に着目して，特定の栄養素を増減させて病状の増悪化や再発を防止したり，症状を改善する治療法がある（表Ⅰ-4-1）．

■表Ⅰ-4-1　病状の増悪化・再発の防止，症状改善のための治療法の例

●腎不全におけるたんぱく質制限，電解質摂取量の調節による進行の防止
●褥瘡患者における，亜鉛，ビタミンCの強化による治癒の促進
●炎症性腸疾患における成分栄養剤の使用による症状改善
●炎症性腸疾患の炎症緩和のためのn-3系多価不飽和脂肪酸の投与
●肝不全患者における分岐鎖アミノ酸投与による肝性脳症の防止
●慢性閉塞性肺疾患患者における糖質制限による症状改善
●腸管粘膜の萎縮防止を目的としたグルタミンの投与
●脂質異常症患者におけるn-3系多価不飽和脂肪酸の投与による脂質の改善

📝MEMO

化学療法：化学的に合成した薬品や抗生物質を用いる治療法で，薬物療法の一種であるが，対症療法ではなく原因療法の一つである．感染症，悪性腫瘍，自己免疫疾患などの治療に使用される．

5 摂食支援とQOL

1 医療のアウトカム

▶医療のアウトカムは，患者に提供された医療がもたらす最終産物（成果）を意味する．すなわち，治療効果指標の改善，投薬量の減少，合併症の発症や進展の阻止，副作用の消失・改善，延命，死亡率の低下などがあげられる．しかし，これらは医療者側に立脚したアウトカムともいえる．

▶一方の患者側に立脚すると，痛み・発熱などの症状の消失や軽減，治療上の身体的負担の軽減，医療費用の負担額の減少，治療への満足度などのQOLにウエイトが置かれる．

▶全人的に進める医療では，「医療者–患者」の双方が求めるアウトカムにより，医療のアウトカムとして評価できる．

2 QOL（quality of life）

▶QOLは，「人生の質」「生活の質」とも訳され，人間らしい生活を送り，「幸福感」としてとらえられるかの概念である．「人生の質」「生活の質」を求めることは人としての権利であり，病を有する人が患者である．

▶QOLは医療分野では，健康状態に直接関連するQOL（HRQL：health-related QOL）と，環境や経済など治療に直接影響を受けないQOL（non-health-related QOL）に分類される．前者の患者の健康状態に直接関連するものは，身体機能，心の健康，社会生活機能，日常生活役割機能，痛み，活力，睡眠，食事，性生活などである（図Ⅰ-5-1）．

▶QOLの低下は，医学的検査で原因が不明瞭な感覚的障害（痛み，痺れ，倦怠感など），治療行為にともない生じる運動・視力・食事・排泄などの障害によりもたらされる．また，障害者や高齢者にみられる，食事・更衣・移動・排泄・整容・入浴など生活を営むうえで不可欠な基本的行動とされる日常生活動作（ADL：activities of daily living）の低下，認知症の発症も，QOLの低下となる．

▶このように低下したQOLに対応，あるいは改善するためにも治療は進められる．たとえば，ターミナルケア（終末期医療）では，患者自身がより尊厳を保つ生活ができるようにQOLを保持する援助（care）に重点を移した治療となる．

▶また，QOLを改善するアプローチが中心となる緩和ケアでは，痛みやさまざまな身体的，心理・社会的，スピリチュアルな問題を早期に発見し，的確なアセスメントと処置により全人的にケアする．これらの例は，QOLを改善・高めることが治療過程に良影響を与え，治癒力を高め，身体的・精神的・社会的苦痛を緩和し，さらに患者が抱えるスピリチュアルペイン（自己の存在や生きることの意味を消失・低下することにより生じる苦痛）にも影響することを示している．

3 摂食支援

▶経口からの摂食による栄養補給は，低下した内部環境の保持機能や生体防御機能を回復させ，生活感を得ることができる．

MEMO
アウトカム：（⇒p.92参照）
QOL：（⇒p.450参照）
スピリチュアル（正確にはスピリチュアリティ：spirituality）：適切な日本語訳がないが，霊的，精神的であることの意である．心霊的，超自然的存在などとのつながりを信じるまたは感じることに基づき，自身により自身を癒すという自立を促す意も含まれる．医療社会学の領域では，治療効果の評価指標に用いられ論じられることもある．

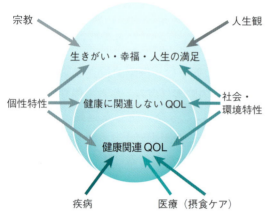

■図Ⅰ-5-1　健康関連のQOLの概念図

▶体内には早いリズムから遅いリズムまでさまざまな生体リズム現象があり，**体内時計**はこの生体のリズムを刻む時計である．全身の臓器は，それぞれ特有のリズムを刻んでいるだけでなく，それらは階層ごとにシステムを作っている．階層は，主時計，脳時計，末梢時計からなり，さらに，リセットによる入力系，約25時間周期の発振系，出力系の3つの系からなる．

▶リセットによる入力系は，視交叉上核を経由する朝の光刺激と，朝食の摂取により直接に脳時計（脳）や末梢時計（末梢臓器）を動かす食刺激がある．出力系は睡眠・覚醒，体温，ホルモンや代謝に影響を与える．約25時間周期の発振系とされる概日リズムは，1日24時間の環境サイクルと時間のずれがあり，環境因子がこの解消の調節を図っている．

▶環境因子は，光，食事，温度，社会的な相互作用，音，などが調節にかかわっている．朝の光を浴びることや，食事や睡眠のタイミングは，全身の機能を調節する体内時計の要となっている．1日3回の食事摂取の食行動そのものが，体内時計の支配にあり，体内時計のリセット，生活リズムの形成に役立っている．

▶このように摂食の行動にともなう刺激が，摂食への意欲を高め，さらに，規則正しい適正な時刻における摂食により生体リズムの適正化となり，QOLの保持・向上の効果をもたらす．

▶摂食の行動を促す味・視・嗅・聴・触覚などの感覚への刺激は，QOLの改善に役立つ．さらに咀嚼・嚥下の機能を使う摂食は，消化管を刺激し，静脈からの栄養補給に比して生活感を得ることができる．そのため，摂食機能を評価し，経口からの摂取が可能なケースには摂食を支援する．

▶さらに，終末医療で消化管の機能が不全例であっても，摂食の意欲があれば，視・嗅・聴・触覚などの感覚を満たす食事環境の提供はQOLの保持・向上となり，患者のスピリチュアルに効する．

6　医療・介護保険制度と栄養ケア

1　医療法と診療報酬制度

▶**医療法**は，わが国の医療を供給する体制を1948年から定めている．この医療法では，医療提供の理念を整備し，病院や診療所などの医療機関の供給計画などを示し，医療を必要に応じて平等に効率的に提供するものである．また，社会の高齢化や疾病構造の変化，

MEMO

体内時計：生体リズムは，秒単位から年単位まで，その周期で分類され，このうち約24時間の周期を示すものをサーカディアンリズムという．生体リズムは，生体機能の時間的恒常性を維持するために必須である．体内時計の同調に昼夜の明暗サイクルは重要な因子で，視交叉上核の中枢時計へ情報を伝え，周期を24時間にリセットする．もう一つの体内時計に大きく影響をもたらす"食餌刺激"は，摂食によりエネルギー代謝リズムを介して生体リズムに作用する．心臓の拍動や呼吸，脳波などは秒単位のリズム，睡眠・覚醒，体温，血圧などは1日周期のリズムを持っている．また，エネルギー代謝リズムと血圧日内リズムは相互に作用していることも報告されている．

医療技術の進歩などに対応し，第一次医療法改正(1985年)，第二次(1993年)，第三次(1997年)，第四次(2000年)，第五次(2006年)改正がなされている．

▶一方，国民の健康保険制度として，すべての国民に対して1961年に診療と予防を含めた医療にかかわる保障が実現した．健康保険制度は，国民の職域・地域，年齢に応じた種類があり，この健康保険を適用する医療機関を保険医療機関という．

▶診療報酬とは，保険医療機関が保険診療の際に医療行為などの対価として算定される報酬である．診療報酬は診療報酬点数表により規定し，これにより医療行為を算定するもので，1点＝10円に換算される．たとえば，健康保険に加入する被保険者が医療の必要な状態になり，保険医療機関で診療を受けると，医療者は実施した診療内容などを診療報酬書に作成し医療保険を請求する．この際，被保険者（患者）は，診療報酬により算定された一部を医療機関に支払う．すなわち，患者に疾病の診断・治療などを平等に提供するために診療報酬点数により保険診療の基準を示し，規定しているのである．

▶栄養ケアにかかわる入院時食事療養や栄養食事指導などについても診療報酬に定められている．入院時食事療養は，1951年に患者の栄養量基準が示され食事の基準が明確化されている．さらに1961年，一般食と特別食に区分され疾患の治療に栄養ケアの重要性が示された．その後，疾患の治療の必要性から特別食加算の種類が追加されている．栄養食事指導が診療報酬に設定されたのは1985年であり，患者やその家族が自宅で食事療法を実施するための指導を行い，患者自身に日常の食事療法を実践させるためのものである．

2 栄養管理体制

▶入院基本料は，入院診療計画，院内感染防止対策，医療安全管理体制，褥瘡対策および栄養管理体制を整え，これにより実施し算定できる．栄養管理体制とは，栄養補給法の種類にかかわらず，入院患者ごとに栄養状態，摂食機能および食形態を考慮した栄養管理計画書を作成し，この計画に基づき関係職種が協働して栄養管理を行う．

■栄養管理体制の留意点

①患者の入院時に個別に栄養状態の評価を行い，医師，管理栄養士，薬剤師，看護師その他の医療従事者が協働して，入院患者ごとの栄養状態，摂食機能および食形態を考慮した栄養管理計画を作成する．

②当該栄養管理計画に基づき入院患者ごとの栄養管理を行うとともに，栄養状態を定期的に記録する．

③栄養管理計画に基づき患者の栄養状態を定期的に評価し，必要に応じて計画を見直す．

3 栄養食事療養とその種類

1―栄養サポートチーム加算

▶栄養サポートチーム加算は，栄養管理計画を策定している患者で，栄養障害あるいは栄養障害が見込まれる患者に対して，多職種（医師，看護師，薬剤師，管理栄養士など）が協働してリスクマネジメントを行った場合に算定できる．

▶栄養障害の状態にある患者や栄養管理をし

MEMO

医療保険：職域・地域・年齢に応じ，健康保険，船員保険，共済組合，国民健康保険，長寿医療制度などがある．それぞれの被保険者は，健康保険では健康保険の適用事業所で働く者，船員保険では船員として船舶所有者に雇用されている者，共済組合では国家・地方公務員，私学の教職員である．国民健康保険では健康・船員保険・共済組合などの加入者を除いた一般住民である．長寿医療制度では75歳以上および65～74歳で，一定の障害の状態で，後期高齢者医療広域連合の認定を受けた者である．

なければ栄養障害の状態が見込まれる患者に対して，患者の生活の質の向上，現疾患の治癒促進および感染症などの合併症予防を目的として，栄養管理にかかわる専門的知識を有した多職種（医師，看護師，薬剤師，管理栄養士など）が協働して必要な診療を行った場合に算定できる．

■栄養サポートチーム加算の対象患者
▶栄養障害の状態にある患者または栄養管理を行わなければ栄養障害の状態になることが見込まれる患者が対象となる．具体的には，①血中アルブミン値が3.0g/dL以下で栄養障害を有すると判定された場合，②経口摂取または経腸栄養への移行を目的として静脈栄養法を実施している場合，③経口摂取への移行を目的として経腸栄養法を実施している場合，④栄養治療により改善が見込まれると判断された場合のいずれかである．

■栄養サポートチーム加算の実施の留意点
①栄養管理にかかわる診療を行うために，カンファレンスおよび回診が週1回程度行われて，適正な多職種の構成になっているなど，体制が整備されている．
②栄養治療実施計画を作成するとともに，患者に対してこの計画を文書とともに説明をする．
③当該患者の栄養管理にかかわる診療の終了時に栄養治療実施報告書を作成し，患者にはこの内容を文書とともに説明する．
④栄養サポートチームは院内のさまざまなチーム医療と連携を図る．

2―早期栄養介入管理加算

▶全入院患者に栄養スクリーニングを実施し，栄養アセスメントの後，栄養管理にかかわる早期介入計画の作成により腸管機能評価を実施し，入室後48時間以内に経腸栄養等を開始した場合に算定できる．

3―周術期栄養管理実施加算

▶専任の管理栄養士が医師と連携し，終日期の患者の日々変化する栄養状態を把握したうえで，術前・術後に必要な栄養管理を適切に実施した場合に算定できる．

4―摂食障害入院医療管理加算

▶摂食障害入院医療管理加算は，摂食障害の患者に対して，医師，看護師，精神保健福祉士，臨床心理技術者および管理栄養士などによる集中的かつ多面的な治療が計画的に行われた場合に算定できる．

▶治療抵抗性を示すことの多い摂食障害に対する専門的入院医療を行った場合に，入院30日以内では200点/日，31日以上60日以内は100点/日を加算できる．算定対象となる患者は，摂食障害による著しい体重減少が認められる者で，BMI（body mass index）が$15 kg/m^2$未満である．

▶この加算を行える医療機関は，①摂食障害の年間新規入院患者数が10人以上，②摂食障害の専門的治療の経験を有する常勤医師，臨床心理技術者，管理栄養士などを配置していること，③精神療法を行うために必要な面接室を有していること，などの施設基準を満たしていることが必要となる．

5―摂食嚥下支援加算

▶摂食嚥下支援チームの管理栄養士が含まれての加算となる．

MEMO

入院基本料（→p.15）：病院が患者を入院させた際，病院に支払われる診療報酬の名称である．入院基本料は病院の平均在院日数や看護サービスのほか，医師の基本的な診療行為，入院環境（病室・寝具・浴室・食堂・冷暖房・光熱水道など）により算定の基準が設定される．この入院基本料に加算されるものに，夜間看護加算，診療録管理体制加算，栄養サポートチーム加算などがあり，それぞれを実施した場合に加算される．

リスクマネジメント（→p.15）：リスクの低減措置をとることを目的とする．低栄養状態発現のリスクを有する患者を把握することに始まり，リスクの対応への計画，計画の実施，結果の評価を行い，さらに結果評価に基づいて対応の見直しを行う．

6―個別栄養食事管理加算

▶緩和ケアチームに管理栄養士が参画して，個別に患者の症状や嗜好に応じた栄養食事管理を実施した場合に加算できる．

7―入院時食事療養

▶入院中の患者の食事は，患者の病状に応じて必要とする栄養量を供給し，食事の質の向上と患者サービスにより，医療の一環を担っている．この目的を達するために入院時食事療養制度の役割は重要となる．

▶入院時食事療養にかかわる診療報酬は，当該医療機関の所在地の地方社会保険事務局長宛にあらかじめ「届出」をし，入院している患者に食事療養を行ったときに算定できる．

▶入院時食事療養の「届出」には，保険医療機関の概要，食事療養部門の名称，責任者氏名，業務委託の状況，管理栄養士・栄養士などの人数，適時適温の食事の提供状況，食堂の状況，特別治療食の食数，患者年齢構成を網羅した書類を添付し，「届出」する．また，入院時食事療養の算定にあたっては，以下の点に留意し実施する．

1）入院時食事療養の実施のポイント

①患者への食事提供にあたり，病棟関連部門と食事療養部門と十分に連携をとる．
②患者へ補給する栄養量は，性，年齢，体位，身体活動レベル，病状などから個々に設定する．
③栄養補給量の算定にあたり，②による設定を行わない場合で，一般食の場合に限り，エネルギー必要量および栄養素〔脂質，たんぱく質，ビタミンA，ビタミンB₁，ビタミンB₂，ビタミンC，カルシウム，鉄，ナトリウム〈食塩〉および食物繊維〕は，健康増進法第30条の2に基づき定められた「食事摂取基準」の数値を適切に用い，給与栄養目標量を設定する．
④給与栄養目標量は，入院患者の年齢構成を随時確認し，必要に応じて見直しを行い，入院患者の実態に対応する．
⑤実際の食事の供給にあたっては個々の患者の，病状，身体活動レベル，アレルギーなどの特性を十分考慮する．
⑥患者の病状などにより特別食を必要とする患者については，医師の発行する食事箋に基づき，適切な特別食を提供していること．
⑦調理方法，味付け，盛り付け，配膳などについて患者の嗜好を配慮した食事を提供し，嗜好品以外の飲食物の摂取（補食）がされていないこと．
⑧食事の提供時刻は，当該保険医療機関における療養の実態，当該地域における日常の生活サイクル，患者の希望などを総合的に勘案し，適切な時刻に食事提供が行われていることとし，夕食は原則18時以降とし，適切な温度の食事を提供する．
⑨食事療養の内容は，医療機関内の関連部門と定期的に検討する（食事療養委員会，栄養委員会など）．さらに，患者に供食する食事は，医師，管理栄養士または栄養士により毎食検食し，その所見を検食簿に記入する．
⑩医師の指示の下，患者に十分な栄養指導を行う．

2）入院時食事療養費の算定の条件

▶食事療養の費用額の算定は，入院時食事療

MEMO

さまざまなチーム医療（→p.16）：患者中心の医療を実施するためにチーム医療が推進され，診療科間にまたがる診療協力，診療科間や他部門との連携による治療展開がなされ，診療科の枠を超えた治療方針の検討，情報の共有化が必要となる．チームには，栄養サポート，感染制御，緩和ケア，口腔ケア，呼吸サポート，摂食嚥下，褥瘡対策，周術期管理，特定の疾患（がん，糖尿病・高血圧・脂質異常症などの生活習慣病その他）などのチームがある．また，地域横断的な在宅医療・介護サービスチームもある．

養（Ⅰ）においては640円/食で，**入院時食事療養（Ⅱ）** においては506円/食である．入院患者に食事療養を行ったときに，1日につき3食を限度として算定する．この食事療養は経口栄養補給法の概念から算定基準が設けられる．

▶次に，入院時食事療養（Ⅰ）においては，厚生労働大臣が定める特別食を提供したときは，1食につき76円を，1日につき3食を限度として加算できる．さらに，食堂における食事療養を行ったときは，1日当たり50円を加算することができる．

■特別食加算

▶入院時食事療養（Ⅰ）の届出を行った医療機関で，患者の病状などに対応して医師の発行する食事箋に基づき，特別食が提供された場合に，1食単位で1日3食を限度として算定する．

▶加算の対象となる特別食は，つぎの治療食（特別食加算），無菌食および特別な場合の検査食である．したがって，加算の対象からは，乳児の人工栄養のための調乳（治療乳は除く），離乳食，幼児食など，ならびに治療食のうちで単なる流動食および軟食は除かれる．

▶**特別食加算**の対象は，腎臓食，肝臓食，糖尿食，胃潰瘍食（流動食を除く），貧血食，膵臓食，脂質異常症食，高度肥満食，痛風食，フェニルケトン尿症食，楓糖尿症食（メープルシロップ尿症食），ホモシスチン尿症食，ガラクトース血症食および治療乳である（**表Ⅰ-6-1**）．

■食堂加算

▶食堂加算は，入院時食事療養（Ⅰ）または入院時生活療養（Ⅱ）の届出を行っている医療機関で，食堂において食事の提供が行われたときに1日につき，病棟または診療所単位で算定する．算定することができる食堂の条件は，床面積で病床1床当たり0.5平方メートル以上あること．また，食堂における食事が可能な患者については，食堂において食事を提供するように努めなければならない．

■特別メニュー

▶食事に関する入院患者からの多様なニーズに対応して，特別料金の支払いを受ける特別メニューを別に用意することができる．

① 特別メニューを提供する場合は，患者に十分な情報を提供し，患者の同意に基づき自由に食事を選択できるようにしておく．
② 特別メニューを選択した患者に療養上支障がないかどうか，診療担当医の確認を得ておく．
③ 1食当たり17円を標準として支払いを受けることができる．

4 栄養食事指導

▶栄養食事指導は，指導を実施する場所，指導の実施を患者一人ひとり（個人）に行う場合と，複数の患者（集団）に同時に行う場合により，指導目標や所要時間，指導媒体などを考慮する必要があるため，算定に違いがある（**図Ⅰ-6-1**）．

▶栄養指導料は，厚生労働大臣が定める特別食（**表Ⅰ-6-2**）を必要とする患者，がん患者，摂食機能もしくは，嚥下機能が低下した患者または低栄養状態にある患者に対して，医師の指示に基づき管理栄養士が具体的な献立によって指導を行った場合に算定する．

📝MEMO

検食簿（→p.17）：入院時食事療養制度の適用にあたり，患者に食事を供する前に検食を朝食・昼食・夕食の3食とも医師または栄養士が実施しなければならない．検食とは，患者に供する食事について，患者の治療方針・栄養学的観点から，その量ならびに質が適当であるか否か，食品衛生，経済的または嗜好的に適当であるかを評価し，食事療養の適正化を図るものである．この検食を実施した際の所見を記録したものが検食簿である．

■表Ⅰ-6-1　加算の対象となる特別食と留意点

加算の対象	留意点
腎臓食	心臓疾患，妊娠高血圧症候群への減塩食療法は腎臓食に準じて取り扱うことができる．その際の減塩は，食塩相当量が総量（1日量）6g未満とする． 妊娠高血圧症候群の減塩食の場合は，日本高血圧学会，日本妊娠高血圧学会などの基準とする．
肝臓食	肝臓食とは，肝庇護食，肝炎食，肝硬変食，閉鎖性黄疸食（胆石症および胆嚢炎による閉鎖性黄疸の場合も含む）などをいう．
糖尿食	
胃潰瘍食（流動食を除く）	十二指腸潰瘍，侵襲の大きな消化管手術の術後の食事は，胃潰瘍食として取り扱ってよい．
貧血食	血中ヘモグロビン濃度が10g/dL以下であり，その原因が鉄分の欠乏に由来する患者．
膵臓食	
脂質異常症食	脂質異常症食の対象となる患者は，空腹時のLDLコレステロール値140mg/dL以上またはHDLコレステロール値40mg/dL未満，あるいは中性脂肪値150mg/dL以上の者．
高度肥満食	高度肥満症（肥満度が＋70%以上またはBMIが35以上）に対しては，脂質異常症食に準じる．
痛風食	
てんかん食	
フェニルケトン尿症食，楓糖（メープルシロップ）尿症食，ホモシスチン尿症食，ガラクトース血症食および治療乳	治療乳とは，乳児栄養障害症（離乳を終わらない者の栄養障害症）に対する酸乳，バター穀粉乳のように直接調製する治療乳をいい，治療乳既製品（プレミルクなど）を用いる場合および添加含水炭素の選定使用などは含まない．
クローン病，潰瘍性大腸炎などにより腸管の機能が低下している患者に対する低残渣食は，特別食加算としてよい．	
経管栄養であっても，特別食加算の対象として提供される場合は，当該特別食加算に準じて算定することができる．	
無菌食	無菌治療室管理加算を算定している患者が対象となる．
特別な場合の検査食	潜血食，大腸X線検査・大腸内視鏡検査のためにとくに残渣の少ない調理済食品を使用した場合．外来患者への提供は対象外となる．

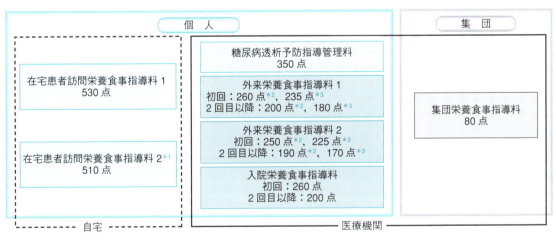

■図Ⅰ-6-1　栄養食事指導料の種類
[*1] 当該保険医療機関以外の管理栄養士が訪問し栄養食事指導を行う場合，[*2] 対面で行った場合，[*3] 情報通信機器等を用いた場合．

MEMO

入院時食事療養費自己担（→p.17）：令和5年1月現在，一般入院患者は460円/食である．ただし指定難病または小児慢性特定疾病の患者は260円，住民税非課税世帯などは所得に応じて標準負担額の減額が受けられる．

1 ― 外来栄養食事指導料

▶ 入院中の患者を除く，外来の患者が対象となる．

▶ 算定は，頻度と所要時間の条件があり，初めての指導は，おおむね30分以上，2回目以降ではおおむね20分以上の所要時間とする．

▶ 外来化学療法を実施している患者は月2回以上となる．

2 ― 入院栄養食事指導料

▶ 入院中の患者が対象である．

▶ 入院中2回を限度として算定する．1回目と2回目の期間は1週間以上の期間があること．1回の所要時間はおおむね30分以上，2回目はおおむね20分以上とする．

3 ― 栄養情報提供加算

▶ 栄養指導に加え，退院後の栄養・食事管理について指導し，入院中の栄養管理に関する情報を示す文書を用いて患者に説明し，在宅担当医療機関等に情報提供を行った場合に加算できる．

4 ― 集団栄養食事指導料

▶ 患者1人につき月1回に限り，80点を算定する．

▶ 患者1人につき1回，15人以下を標準とする．1回の指導時間は40分を超えるものとする．

▶ 集団栄養指導と外来栄養指導または入院栄養指導を同日に併せて算定できる．

5 ― 糖尿病透析予防指導管理料

▶ 外来において，医師と看護師または保健師，管理栄養士などが連携して，糖尿病患者の透析移行の予防を図ることを目的とする．算定には次の条件を要し，患者1人につき月1回に限り350点を算定する．

① ヘモグロビンA1c（HbA1c）が6.5%以上，または内服薬やインスリン製剤を使用している外来糖尿病患者
② 糖尿病性腎症第2期以上の患者（透析療法を行っている者を除く）
③ 施設基準を満たしていること

6 ― 在宅患者訪問栄養食事指導料

▶ 在宅で療養を行っており通院が困難な患者が対象になる．疾病治療の直接手段として特別食（**表Ⅰ-6-2**）が必要な患者に対して，

■ 表Ⅰ-6-2　外来および入院栄養食事指導料，集団栄養食事指導料，在宅患者訪問栄養食事指導料に規定される特別食

特別食	対象疾患および指導点
減塩食	心臓疾患，妊娠高血圧症候群
高血圧食	食塩総量が6g未満
腎臓食	
肝臓食	
糖尿食	
胃潰瘍食	十二指腸潰瘍，消化管術後の侵襲🖉大
低残渣食	クローン病，潰瘍性大腸炎
貧血食	
膵臓食	
脂質異常症食	
痛風食	
てんかん食	
小児食物アレルギー食（集団栄養指導は対象外）	9歳未満の小児が対象
高度肥満食	肥満度+40%以上，BMI 30 kg/m² 以上
フェニルケトン尿症食，楓糖（メープルシロップ）尿症食，ホモシスチン尿症食，ガラクトース血症食および治療乳	
その他の治療食	がん，摂食・嚥下機能低下，低栄養

MEMO

侵襲（stressor）：外傷，熱傷，感染，手術，腫瘍，放射線照射などにより生体の内部環境を撹乱させる刺激をいう．手術は合法的に加えられる外傷で，手術による侵襲は自然免疫と獲得免疫を低下させる．侵襲は，その種類や程度，持続時間，生体の予備能などに規制され，消化管手術による侵襲は，麻酔，手術内容，手術時間，出血，輸血，臓器欠損の程度，再建臓器の機能，経鼻胃管やドレーンからの腎外性排泄，絶食などの因子がかかわる．一般的には，手術時間が長いほど侵襲が大きく，予備能が低下している高齢者，低栄養，脱水，貧血，臓器機能障害などを有する者では侵襲が大きい．

■表Ⅰ-6-3 介護区分による認定の目安

介護区分	認定の目安
要支援1	障害のために生活機能の一部に若干の低下が認められ,介護予防サービスを提供すれば改善が見込まれる場合
要支援2	障害のために生活機能の一部に低下が認められ,介護予防サービスを提供すれば改善が見込まれる場合
要介護1	身の回りの世話に見守りや手助けが必要.立ち上がり・歩行などで支えが必要の場合
要介護2	身の回りの世話全般に見守りや手助けが必要.立ち上がり・歩行などで支えが必要.排泄や食事で見守りや手助けが必要の場合
要介護3	身の回りの世話や立ち上がりが一人ではできない.排泄などで全般的な介助が必要な場合
要介護4	日常生活を営む機能がかなり低下しており,全面的な介助が必要な場合が多い.問題行動や理解低下もみられる場合
要介護5	日常生活を営む機能が著しく低下しており,全面的な介助が必要.多くの問題行動や全般的な理解低下もみられる場合

■表Ⅰ-6-4 第2号被保険者にも介護サービスの認定がなされる特定疾病

- 筋萎縮性側索硬化症
- 後縦靱帯骨化症
- 骨折をともなう骨粗鬆症
- 多系統萎縮症
- 初老期における認知症(アルツハイマー病,脳血管性認知症など)
- 脊髄小脳変性症
- 脊柱管狭窄症
- 早老症(ウェルナー症候群)
- 糖尿病性神経障害,糖尿病性腎症および糖尿病網膜症
- 脳血管疾患
- パーキンソン病関連疾患
- 閉塞性動脈硬化症
- 関節リウマチ
- 慢性閉塞性肺疾患
- 両側の膝関節または股関節に著しい変形をともなう変形性関節症
- 末期癌

診療に基づき計画的な医療管理を継続して行い,かつ,管理栄養士が訪問して,具体的な献立などを示した指導箋に従い,食事の用意や摂食などに関する具体的な指導をおおむね30分以上行った場合に算定できる.
▶患者1人につき月2回である.なお,在宅患者訪問栄養食事指導に要した交通費は,患者の負担となる.

5 介護保険制度

▶介護はだれにでも起こりうる問題で,自己責任の原則と社会的連帯の精神から40歳以上の全国民がこの制度を支援している.介護を要する状態となっても自立した日常生活を営めるよう,高齢者の「自立支援」と「尊厳の保持」を基本とし,必要な介護サービスを総合的・一体的に提供する制度である.
▶加齢あるいは病気などで日常生活において介護を要すると見込まれた状態の者を要介護者という.要介護者に,入浴・排泄・食事などの介護や,機能訓練,看護・療養上の管理などを,保健医療サービス(療養介護)・福祉サービス(生活介護)として介護保険制度により提供する.
▶介護保険法に基づき部分的な介護を要するもっとも軽い状態の要介護1から全面介護を要するもっとも重い状態の要介護5の5段階に分けられている.
▶認定は介護の状態により7段階(要支援1・2,要介護1・2・3・4・5)に区分され(表Ⅰ-6-3),保険のサービスの内容が決定される.
▶認定は市町村が行い,要介護認定をされると介護給付が受けられる.
▶介護保険で提供する食事関連のサービスは,家庭環境や食料の入手状況,調理担当者の能力を考慮した食事の調理・調整の方法,その実技や献立の提示を行う.また,対象者の摂

MEMO
特定疾病(→p.22):特定疾病は,心身の病的加齢現象との医学的関係があると考えられる疾病であって次のいずれの要件をも満たすものについて総合的に勘案し,加齢に伴って生ずる心身の変化に起因し要介護状態の原因である心身の障害を生じさせると認められる疾病である.①65歳以上の高齢者に多く発生しているが,40歳以上65歳未満の年齢層においても発生が認められる等,罹患率や有病率(類似の指標を含む.)等について加齢との関係が認められる疾病であって,その医学的概念を明確に定義できるもの.②3~6カ月以上継続して要介護状態または要支援状態となる割合が高いと考えられる疾病.

食状態や摂食機能，栄養状態や嗜好などを把握し，栄養補給量や栄養補給法を決定し，多職種で協働して栄養状態の適正化を図る．

■ 介護保険制度の留意点
① 介護保険のサービスは，法律で別に定める特定の施設に入所している者においては，介護保険の適用を受けることはできない．
② 被保険者を年齢により，第1号被保険者（65歳以上）と第2号被保険者（40歳から65歳未満）に区分している．介護保険制度の対象は第1号被保険者であるが，老化が原因とされる特定疾病の罹患者では，第2号被保険者であっても介護の状態であればサービスを提供する．介護保険制度における要介護認定の際の運用を容易にする観点から，特定疾病の範囲を明確にし，個別疾病名を列記している（表Ⅰ-6-4）．
③ 介護サービスを利用した場合は，利用者が費用の1割を負担するが，所得（年金の受給額）と状況により負担額が異なる．

7 チーム医療

1 チーム医療

▶ 医療現場は時代のニーズに応えるために，そのスタイルを変化させてきた．有能な医師が一人で判断し，方針を決めていくスタイルは決定が速い反面，副事象や患者の抱える他の問題点を見逃すこともあり得る．そこで，診療科の医師たちはカンファレンスを開いて複数の意見をまとめ，正しい方針決定につなげる努力をしてきた．これを，個人医療と対比してチーム医療という．

▶ 患者が入院している病棟でも，担当する医師のグループと看護スタッフたちが相談し，よりよい医療の提供について相談するようになった．これが及んで，他の職種についても，同じステージで協働するように変化している．

▶ 医療現場に登場してきた各職種が有機的に協力し合うことで，より大きな能力を発揮することができる．感染制御チーム，褥瘡管理チーム，医療安全管理チーム，緩和医療チームなどとならんで，栄養管理についても，病院内でともに働く医師，看護師，栄養士，薬剤師など多職種が横断的に協力し合い，患者の適切な栄養管理を行うチーム医療の集団を nutrition support team（NST）とよぶ．

▶ 1990年代に日本国中にチーム医療の種をまいた萌芽期の指導者たちは，先んじて普及していた欧米のNSTを手本としたので，近い将来，わが国でも欧米型のチームが普及していく可能性は大きい．

2 NSTの歴史

▶ NSTという言葉は1970年に米国のシカゴで始まったといわれている．当時，米国では入院患者の低栄養が指摘され，対策が急がれており，社会的要求度は高かったが，背景には，複雑な管理を要するTPN症例数の増加という問題があった．

▶ 1968年にDudrick, Wilmoreによって発表された完全静脈栄養法（TPN）は，その有効性から急速に全米に広がったが，その有効

MEMO

感染制御チーム（ICT：infection control team）：病院など医療機関の職員や患者は，多種多様な病原性微生物に感染する機会をもっている．感染症に冒されることなく診療を続けることができるように，感染症の蔓延を抑える多職種協働チームのこと．

完全静脈栄養法（TPN：total parenteral nutrition）：静脈栄養で十分な栄養を行う方法．体表面に近い静脈から挿入されたカテーテルの先端を上大静脈などに留置して行われることをさすことが多い．一般的に末梢静脈のみ用いて行われる方法はTPNとはいわない．

性を保ち，安全性を維持するためには専門の管理スタッフが不可欠だった．そこで1973年に管理手技の統一や無菌操作を徹底させることで感染症が減少したという報告がなされたことを機に，1975年に静脈栄養管理におけるチームが普及した．

▶このとき米国では，施設内に専任のメンバーを置き，権限をもって活動することが奨励されたため，短期間で効果が現れた．一方，1973年にBlackburnが栄養アセスメントの方法を確立し，臨床現場への応用が可能になったことで，NSTはTPN管理チームにとどまらない全般的な栄養支援集団としての性格ももつこととなった．

▶学会を中心として教育システムが構築され，栄養管理を専門とする医師，看護師，栄養士，薬剤師が育ち，TPNとならんで，経腸栄養の有効性が注目された．NSTは患者の病態にあった輸液や経腸栄養など，適正な栄養法を実行する専門家集団として認められ，全世界へ普及していった．

▶米国では，厳しい教育制度と引き替えに権限と誇りが与えられるという職種構造の変化ももたらした．1990年代後半には，NSTが解散する傾向もみられたが，今世紀に入って，チームを再編成する動きが目立っている．米国では15床以上の病院の約50%，英国では約40%の病院で組織されているが，これら欧米型NSTは施設内のすべての患者に対する発言権をもっており，中央化された専任のメンバーが業務を行っている．

▶わが国でもTPN管理は1970年代から行われており，1980年代にはすでにチーム医療として安全・衛生管理に取り組む病院が存在していたが，歴史的背景から，普及・定着す

るには至らなかった．

▶しかし，2001年に日本静脈経腸栄養学会（JSPEN：現在の日本臨床栄養代謝学会）がプロジェクトを立ち上げて以降，東口が発案した**持ち寄りパーティー方式**（PPM）などを手本としてわが国独特のスタイルをもったNSTが普及し始めた．2004年12月には日本栄養療法推進協議会が発足し，2006年4月には多職種協働で栄養管理に当たる栄養管理実施加算が始まったため，この延長線上にあるNSTを編成する病院が増加している．2009年にはJSPENへの稼働届出数が1,400施設を超え，2010年度からは**栄養サポートチーム加算**が始まった．2012年には栄養管理は入院基本料に組み込まれ，11点増加となったのに合わせて加算は廃止されたが，2016年に歯科医の参加による加算，2018年には専従条件が緩和されたことにより，多くの施設にNSTが拡がっていくと考えられる．

▶以下，NSTの構成について解説する．

3 PPMと一部を専従専任としたNST

▶NSTは診療科横断的，職種横断的な活動を行うために，どの診療科にも，どこの部署にも属してはいけない．したがって，設立に向けて，院長直轄の中央機関としての独立した位置づけであるのが理想である（図Ⅰ-7-1，2）．

4 各職種の役割分担

▶栄養サポートにおいて重要な活動の柱は，栄養障害患者の抽出と適切な栄養療法であり，

MEMO

持ち寄りパーティー方式（PPM：potluck party method）：病院の職員がチーム医療を行う際，各職務が各自の仕事の合間を利用して少しずつ時間を提供する方法．

栄養サポートチーム加算：2010年4月の保険改定から導入された．専任専従の職員を必ず含んで栄養サポートチームを構成し，症例検討，病棟回診を行って，栄養療法の補助を行えば患者1名につき1週間で200点加算できる．

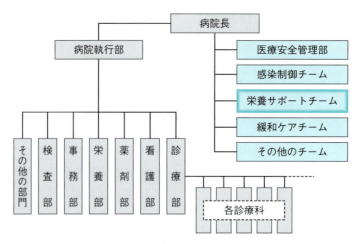

■図Ⅰ-7-1 チーム医療の位置づけ

後述するように，基本的な栄養アセスメントや典型的な栄養療法の設定は，メンバーすべてが同様に行えなければならない．

1—医師，歯科医師

▶臨床栄養，代謝学に造詣の深い医師がチームリーダーとして患者の評価や静脈栄養の適応患者を決定する．さらに，器具の選定，経腸・静脈カテーテルの留置，輸液の処方，合併症の治療も行う．

▶米国では内科1名，外科1名というチームが多く，ほとんどが兼任で各診療科の仕事も行っているため，実務を行うというよりはアドバイスするといった性格が強く，施設によっては，静脈カテーテルの留置はNST医師が行わないところもある．NST回診は内科の医師を中心に行うことが多いが，全員，栄養療法について資格試験に合格したcertified nutrition support physician（CNSP）である．

▶わが国では医学教育で栄養療法が重視されてこなかったため，JSPENや日本外科代謝栄養学会（JSSMN）など，学会主導で医師の再教育を行っている．数年前までは栄養サポートについて研究し，臨床研修していた医師の多くは外科医であったが，これからは内科や小児科など多くの診療科から参加することが望まれる．

2—看護師

▶胃・腸チューブの留置・管理と静脈カテーテルの管理，そして栄養療法にともなう合併症のチェックを行う．

▶米国では2〜3名ほどの看護師が，経腸・静脈カテーテルの留置も含め，上記の業務を受け持っている．この人数ですべての患者を担当するには人数が足りない印象をもつが，彼らはcertified nutrition support nurse（CNSN）として日常的な管理法を現場の看護師やレジデントに指導・教育するポジションなので，妥当な人数といえる．

▶CNSNは正確な知識をもって**静脈ラインの確保**と管理を行う教育プログラムを終え，試験に合格したあと，さらに臨床トレーニングを受けた看護師に与えられる肩書きである．おおかたのチームはこのCNSNが専任のNST看護師を務めている．わが国では，JSPENが

MEMO

静脈ラインの確保：全身の体表面から近い静脈は栄養補給や薬剤投与ルートとして使用できるため，穿刺法で管を血管内に入れる．これを静脈ラインの確保といい，目的によって難易度の高い中心静脈へのカテーテル留置が必要となるが，米国では特別な訓練を受けた看護師がこの業務に就いている州がある．

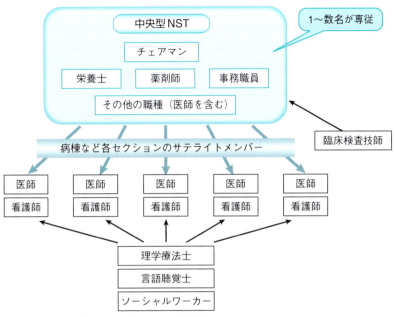

■図I-7-2　一部を専従専任としたNSTの例

NST専門療法士としての看護師の認定を行っている．

3―管理栄養士

▶身体計測を含めた栄養アセスメント，病態別栄養法，栄養剤の決定と調整，静脈栄養の内容を検討する．また，長期的治療の一環として患者や家族に対して栄養指導・教育を行う．

▶米国では，特別なインターンシッププログラムを終え，試験に合格したあとのregistered dietitian（RD）がさらにトレーニングを受け，certified nutrition support dietitian（CNSD）となる．専任のNSTメンバーを務めるのは，正しい知識をもつことを要求されたこの栄養士たちである．NSTが廃止された病院でも各病棟に配属され，一人で栄養サポートをしているCNSDが存在する．

▶今後，わが国でも社会で認知されたプロフェッショナルとしての管理栄養士が求められるであろう．JSPENではNST専門療法士を，日本病態栄養学会ではNSTコーディネーターを認定している．

4―薬剤師

▶クリーンベンチを備えた輸液調剤室で静脈栄養用輸液製剤の調剤を行い，配合のチェックなどを担当する．

▶米国ではかつてTPN管理チームの中心であったため，現在でも，肝移植や短腸症候群など特殊疾患を担当するNSTチームのリーダーを薬剤師が務めているところが多い．

▶わが国ではいまだTPN症例が多く，適正使用に向けた薬剤師の責務は大きい．またJSPENがNST専門療法士としての薬剤師の認定を行っている．

クリーンベンチ：輸液バッグの中に薬液を一つひとつ混注していき，患者に投与する輸液製剤を作るが，空中に存在する細菌が輸液内に入り込まないように，清潔な環境で作業するために作られた箱形の作業空間のこと．

5 — ソーシャルワーカー

▶ 近年，地域一体型 NST の重要性が叫ばれている．栄養療法を推進し，在院日数を短縮できても，転院，退院後のケアが十分できることが要求されるため，ソーシャルワーカーは，NST に所属するか，または連絡しやすい立場でいることが理想となる．

6 — 臨床検査技師

▶ 検体検査，とくに微生物検査，生化学検査を通して静脈栄養手技の監視，栄養評価を行う．検体検査の内容について吟味したり，評価をまとめたりするときに直接担当している技師がメンバーとなっていると効率的である．また，臨床生理機能検査を行う技師は間接熱量計やインピーダンス分析🖉などによる栄養再評価のために参加する．

▶ 施設に余裕があり，多くの検査がこなせる病院では，他の部署や診療科からの依頼と同様に検査業務を進めればよいことになる．JSPEN では NST 専門療法士として臨床検査技師を認定している．

7 — 事務職員

▶ 保険医療上の制約や入院医療費の的確な処理などを，NST の業務と合わせてリアルタイムに進めていくには NST のメンバーとなっているほうが合理的である．

8 — 理学療法士，作業療法士

▶ 栄養療法は，的確なリハビリテーションと併せて進めると効果があがりやすいので，非常に重要なメンバーである．NST に属していれば，特別な意見交換の場を設けなくても情報が的確に伝わる．わが国ではチームの中心となって活躍する理学療法士も多い．

9 — 言語聴覚士，歯科衛生士

▶ わが国の NST は TPN，経管栄養以外に経口摂取についてかかわることが多く，嚥下障害に対策を要することが多い．神経内科，脳神経外科，口腔外科，耳鼻咽喉科，精神神経科，リハビリテーション科などと連携をとって嚥下対策チーム🖉を作り，言語聴覚士や担当看護師を中心に嚥下訓練を進めていくスタイルが定着しつつある．嚥下対策チームと NST が同じメンバーから構成される場合，言語聴覚士や歯科衛生士は非常に重要な役割を担うこととなる．

5 中央型 NST へ

▶ わが国ではこれまで，中央型 NST が普及してこなかったが，各職種や診療科が縦割りで，それぞれの間にある壁が影響してきた．専属チームの運営にかかる費用が有効な支出とは考えられなかったのも事実である．さらに，医学教育の現場で栄養療法が重視されてこなかったことが大きく影響している．チームが病院全体へ影響していくことを考慮すれば，専任職員への人件費など，かかる経費は有効な先行投資となる．

▶ チェアマン🖉としてリーダーを務めるのは医師が妥当であるが，現場で実務を取り仕切るのは，管理栄養士や薬剤師と考えられる．NST メンバーの医師，看護師，理学療法士，言語聴覚士は管理栄養士，薬剤師のように行動することを要求されることになる．わが国の NST ではメンバーの多くが，栄養療法の

📝 **MEMO**

インピーダンス分析：四肢に電極を密着させ，電気抵抗を測定することで体組成を測定する方法．医療用と家庭用では測定結果に差があり，流す電流を数種類以上にすることで測定結果を正確にしている．

嚥下対策チーム：脳血管障害などが原因で口腔や咽頭喉頭の知覚・運動障害が発生し，飲食物を飲み込むことができない場合には，病状を的確に判定し，機能回復のためのリハビリテーションや薬物療法などを行わなければならない．しかし，これには専門的な知識が必要であり，正確な知識をもつエキスパートとしての多職種集団である嚥下対策チームが必要となる．

▶作戦参謀であり，コンサルテーションが大切な業務となる（図Ⅰ-7-2）．

▶現場でオーダーを出し，経管栄養や静脈栄養などの特殊栄養療法を患者に実行するのは，医師，看護師となるが，わが国の現状ではこれら職種が専従専任になっている病院は非常に少ない．患者との距離や栄養サポートの密度を考えるとこれを実践するのはあくまでも医師や看護師であり，NSTからの正確で素早い援助ができる情報伝達が要求される．

▶NSTの普及により，各専門職の栄養管理への意識向上が図られた一方で，医療機関の病棟では薬剤師の常駐による薬剤との関連性が明確化され，管理レベルの向上が図られた．2022年度の診療報酬改定では特定機能病院の管理栄養士の病棟配置に対して加算が始まったことで，約10年間進められてきた「医療チーム（NST）」による「チーム医療」は形を変えつつあり，日常的レベルの栄養管理は，各部署所属の職員によるチーム医療が扱い，困難症例等への専門的アプローチをNSTが担当する方式に変わっていく可能性がある．

▶患者の生活圏における，地域一体型NSTではチームの構築方法とメンバーの所属場所に関する考え方が検討され，地域包括ケアシステムの構築が進められている．

6 栄養ケアの目標設定と計画作成における多職種連携

▶医療機関における栄養ケアは，生活における食事の延長線上にあるが，基礎疾患の重症度や複雑さと栄養方法の特殊性からその目標設定と計画作成には特別な評価と知識が要求される．

▶従来，責任者である担当医が一括して方針を決め，指示を出してきたが，前述のような複雑性から，特化した知識をもった医療職との連携によって，安全で有効な方法が立案されるべきであり，可能な限り栄養ケア計画を目的としたチーム編成を推進しなければならない．診療開始時点での患者背景の調査を行い，基礎疾患，使用中の薬剤，医薬品と食事の相互作用，摂食状況，機能障害の程度を評価し，栄養障害の可能性をもった患者に早期から対応することで，合併症を未然に防ぐことができる．入院時に担当看護師，担当医，病棟担当管理栄養士が入院時療養計画の一貫として栄養計画を立案する．

▶多くの病院が入院時からの対応となっているが，介入のタイミングを逃さないために，予定入院であれば，入院決定の外来診療時点で多職種が診療に参加し，それぞれが評価したうえで，対応策提示まで至るのが理想である．このため，作業の効率化と人員配置の工夫が各医療施設の課題となっている．

MEMO

チェアマン（→p.26）：多職種協働でチーム医療を進めるとき，各職種や部署は並列であり上下関係はないので，この集まりや話し合いをとりまとめる人が必要となる．形式としては円卓会議と同じなので，とりまとめ役をチェアマンとよぶ．2010年4月からは中心となる専従職員や専任職員が置かれる病院が増え，病院によっては栄養サポートを行う「部」や「センター」が院内組織として設置されているので，この場合には，チェアマンではなく「部長」や「センター長」とよばれる．

8 クリニカルパス

1 クリニカルパスとは

▶クリニカルパスは，一定の疾患や検査ごとに，その治療の途中段階や最終段階において，患者が目指す最適な状態（到達目標）に向け，最適と考えられる医療の介入内容をスケジュール表にしたものである．また，クリニカルパスの評価・改善を行うことが，医療の質を向上させるマネジメントシステムになる．

▶クリニカルパスが米国で普及していった背景には，DRG/PPSという診療報酬の包括評価制度の導入があるといわれている．DRGとは病名と治療内容別に分類された診断群をいい，PPSとは医療費の支払いが事前に決定されていることをいう．

▶わが国では現在，DPC/PDPS🖉という急性期入院医療に対する診療報酬の包括評価制度が導入されている．

▶新しいDPC/PDPSの制度では，従前の1入院当たりの包括評価制度と比較して1日当たりの包括評価制度のほうが，包括範囲点数と実際に医療にかかった点数の差が小さいことや1日単価を下げるインセンティブがあることから，定額算定方式として在院日数に応じた1日当たりの定額報酬を算定することとなった．

▶この制度では，診断群で定められた支払額以外に行った医療行為にかかわる医療費を，医療機関が負担することになる．そのため効果・効率的な医療が求められるようになり，そのツールとしてクリニカルパスの普及がいっそう進むことになった．

2 おもなクリニカルパスの種類

1―オーバービュー式パス

▶オーバービュー式パスとは，入院から退院までを1枚の用紙に記載する方法である．治療行為・ケア内容を明記し，チェックリストを兼ねることも可能である．しかし，これとは別に医師記録・看護記録などが必要となる．医療者用・患者用に分かれる（⇒Part 1 Ⅲ-3-6「クリニカルパス」の項p.92参照）．

▶オーバービュー式パスの問題点は，チェック機能をもたせた結果，記録業務が増大することになり，現場では使用する以前にパスそのものを作成しようという意気が上がらなくなってしまうことである．

2―日めくり式パス

▶クリニカルパスが普及するにつれて，日めくり式パスが開発された．これはオーバービュー式パスとセットで使用する記録用紙のことである．基本的に1日分の治療行為・ケア内容を1枚の用紙に記入する．オーバービュー式と同様にチェックリストを兼ねることも可能である．しかし，別に医師記録・看護記録が必要となる場合がある．

▶医療ケアの標準化，チーム医療の促進，治療計画の提示，医療事故防止，在院日数の短縮が可能となる．

▶日めくり式パスの欠点としては，1日1枚に記入するため，枚数が多く，過去にさかのぼって問題点を探すなどの手間がかかってし

📝MEMO

DPC/PDPS：diagnosis procedure combination/per-diem payment systemの略．diagnosis「診断」，procedure「治療や手術の行為，手法」，combination「組み合わせたもの」，per-diem「1日当たりの」，payment system「支払い制度」を意味する．診断と治療や手術，処置などの行為を組み合わせて支払い額を決定する，診断群分類に基づく1日当たりの（診療報酬の）定額報酬算定制度．

まい，このパスがあることにより記録が増えることがあげられる．

3 ― オールインワンパス

▶ オーバービュー式パスと日めくり式パスは不十分で，問題点が多かったため，最終的にはオールインワンパスが普及してきた．
▶ オールインワンパスとは，指示箋，看護記録，温度板，さらには医師記録欄やレセプトチェック欄，リハビリテーションや薬剤指導時などの部門間の連絡欄などを包括したものである．しかし現状では，これも伸び悩んでいる．

4 ― 地域連携パス

▶ 最近では，地域連携医療 との関連性から，地域連携パスも作成され始めている．地域医療強化の一環として，クリニカルパスのなかに栄養ケアを組み込み，特定の疾患別に施行されている．
▶ 地域連携パスの意義は，病院内のクリニカルパス作成・運用の目的である効率的で質の高い医療の提供を地域で行うことにあり，そのためにはクリニカルパスが病院内にもたらした効果を地域でももたらすことが必要になる．地域連携パスはうまく作成・運用することによって，急性期病院，回復リハビリ病院，開業医など地域の医療・介護を行うために必要なツールともなり得る．
▶ 今後は，これらを中心とした診療所との病診連携の強化，また訪問看護ステーションなどとも協力して，退院後の在宅療養における栄養管理の充実を図っていく必要がある．

■表Ⅰ-8-1　クリニカルパス導入の効果

内容	効果の出現
● 医療の質の向上 ● 診療の効率化 ● チーム医療の推進	作成に至る過程で発生
● 安全性の向上 ● 在院日数の短縮	使用後に付随
● インフォームドコンセントの充実	患者満足度の向上

3 クリニカルパス導入の効果

▶ クリニカルパスを導入した効果を表Ⅰ-8-1に示す．

4 クリニカルパスの構成・許可基準

▶ クリニカルパスの構成として，患者用パスと医療者用パス（毎日使用するページ，アセスメントツール，共通の問題・看護計画，バリアンスシート，入院注射指示箋・処方箋，入院内服指示箋・処方箋）の2つに大きく分けられる．
▶ クリニカルパスの許可基準として，適応基準・除外基準・終了基準の明記をしなければならない．また，クリニカルパス全体の構成やページごとの構成，用語・表記方法の統一が必要となる．

5 バリアンス

▶ バリアンスは，「標準化したものと違いのある事実または状態，例外的なまたは予測できない変化」と定義されている．クリニカルパスにおけるバリアンスとは「標準化されたクリニカルパスで，予測された責任や結果と

MEMO

地域連携医療：地域医療連携とは，それぞれの医療機関の機能を有効利用するために，病院と診療所，あるいは病院同士が連携し，患者に効率的で適切な医療を提供する連携のこと．

実際との差」といわれている．すなわち，「予測された医療ケア計画との違い」である．したがって，患者の個別性とシステムの問題を明確にするために必要である．
▶クリニカルパスは標準医療ケア計画であるから，定型としてのクリニカルパスは患者の個別性を考慮していない．そこでバリアンスとして出てくるものが，患者の特殊性であり，患者の個別性である．すなわち，標準医療ケア計画書としてのクリニカルパスがあると，逆に患者の個別性がわかりやすくなるということになる．

6 アウトカム

▶クリニカルパスに限らず，医療行為には必ずアウトカム（達成目標・治療成果）が求められる．アウトカムには，患者アウトカム（ケアの目標達成，患者のQOLなど）と，介入アウトカム（医療者の治療行為の成果，病院の収益など）がある．
▶まず，中間達成目標と最終達成目標を設定する．入院時問題点（検査データなど）を達成目標に置き換え，医療行為を行っていくなかで最後に解決されるものが最終達成目標となる．

7 クリニカルパスと栄養ケア

▶消化管手術など侵襲の大きい治療をともなうクリニカルパスにおいては，栄養不良による術後感染症，創傷治癒遅延，褥瘡発生などがバリアンスとなる可能性が高い．クリニカルパスはスタンダードであり規則ではないが，標準的医療を行うことは医療機関にとっても患者にとってもメリットが大きいため，適切な栄養ケアでバリアンス回避に努めることが求められる．
▶栄養管理に必要な行為を医療者用パスに組み込むことで，合理的に漏れなく栄養ケアを行える．
▶パスはその医療機関のすべての対象患者に用いられるため，標準化にふさわしい根拠のある栄養法が組み込まれるよう，NSTや管理栄養士がかかわることが望ましい．
▶パスの実際例をp.94に示した．

MEMO

9 栄養ケアマネジメント

1 栄養ケアマネジメントの目的

▶栄養ケアマネジメントの目的は，栄養食事療法による治療の成果（有効性）を実現することにある．この目的を達成するための諸要素（因）を統合して，栄養食事療法を調整・指導する機能，もしくは方法が栄養ケアマネジメントである（図Ⅰ-9-1）．栄養ケアマネジメントの統合する機能を医学的な栄養ケアプロセスとしてとらえると，スクリーニング（screening）を含む栄養アセスメント（nutritional assessment），栄養診断（nutrition diagnosis），食事の計画の実践（implementation of a meal plan）となり，その中核的機能をなすのは栄養診断である．

2 栄養ケアマネジメントの実際

▶栄養診断は，基本情報から得られた栄養評価に関する所見およびデータを臨床経過と関連させ分析を行い，問題の解決を妨げている事項（問題点）を明確にするものである．基本情報は，診療録による現病歴・主訴・診療経過，問診（医療面接），身体計測，臨床診査，血液生化学検査所見，摂食状態などよりリサーチする．

▶栄養診断の実際では，個々人の疾患，病態，症状などの身体状況，栄養状態を示す身体所見・栄養評価上必要な検査データ・臨床症状・臨床所見などを，栄養状態等に対応した栄養素の過不足，食品および食事バランス，食事時刻との相互の関連性も含め判断する．

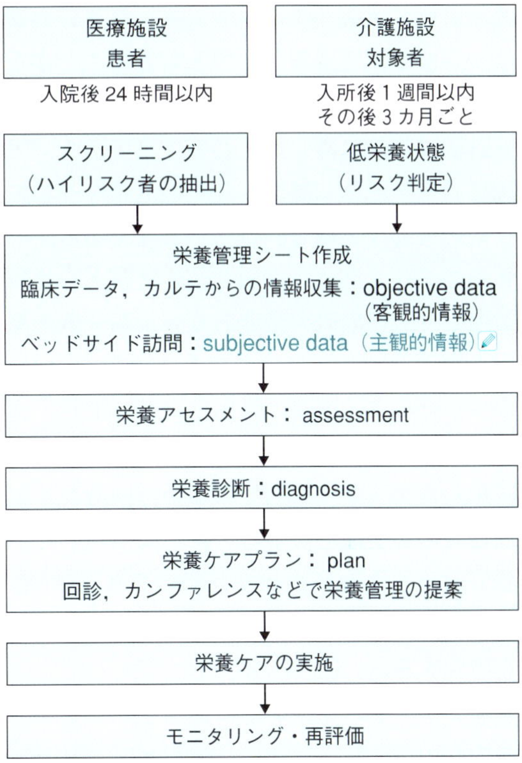

■図Ⅰ-9-1 栄養ケアマネジメントのフローチャート

医療施設 患者 入院後24時間以内 → スクリーニング（ハイリスク者の抽出）

介護施設 対象者 入所後1週間以内 その後3カ月ごと → 低栄養状態（リスク判定）

↓

栄養管理シート作成
臨床データ，カルテからの情報収集：objective data（客観的情報）
ベッドサイド訪問：subjective data（主観的情報）

↓

栄養アセスメント：assessment

↓

栄養診断：diagnosis

↓

栄養ケアプラン：plan
回診，カンファレンスなどで栄養管理の提案

↓

栄養ケアの実施

↓

モニタリング・再評価

▶栄養ケアマネジメントにより統合する諸要素は，スクリーニングを含むアセスメント，診断，計画，実施・展開に終わらず，継続的モニタリング（ongoing monitoring），栄養食事療法の治療成果への評価（evaluation）をも含み，このプロセスの反復的循環活動によりなされる．この過程をマネジメントサイクル（マネジメントの循環過程）とよび，これによって実情に即した計画の設定と標準的な実施活動の確保が可能となる．モニタリングには計算・比較・分析・評価など計数的な思考により栄養食事療法の治療成果への評価

📝MEMO

栄養ケアプロセス（nutrition care process：NCP）：栄養管理を行うプロセスを標準化して論理的に展開できるよう考案された．栄養状態をアセスメント（評価）し，判定した結果を「栄養診断」として明確に区別して，栄養管理の重要なステップとして位置付けている．その過程には，①栄養アセスメント，②栄養診断，③栄養介入，④栄養モニタリングと評価，の4段階がある．

がなされる．

▶栄養ケアマネジメントの有効性を保つためには，マネジメントを一つの過程としてとらえ，計画・実施・モニタリングの3部分の機能からなる循環過程としてとらえることが重要となる．

▶計画は目的に即した活動の予定であり，実施は計画を活動に展開し，その活動を通して目的の有効な実施を図るプロセスである．

▶モニタリングは，計画と活動実績とを比較対照し，その成果の是非あるいは高・低の原因を解明し，必要に応じて是正処置をとり，かつ，その実績を次の計画にフィードバックすることである．モニタリングの実際では，収集したデータが適切であるか再確認し，追加情報の必要性を決める．新たに出現した症状に対応した評価指標や評価のタイミング，これに関連したデータとその重要性と有効性を吟味する．

▶栄養ケアマネジメントの過程と，栄養ケアの内容の標準化を目的に，栄養ケアプロセスの概念がADAから提唱され，わが国でも推奨されている．この栄養ケアプロセスの中核として「栄養診断」を位置づけ，問題となる病因にフォーカスし，徴候・症状を軽減・除去・消失させる臨床栄養学的な判断を進める．栄養ケアプロセスのそれぞれの段階間での適正な展開により，栄養ケアの質が高まる．また，栄養ケアの評価にあたる指標は，栄養診断，病因，徴候・症状，そして介入の内容，介入から評価までの期間（時間経過）により異なる．

3 栄養ケアマネジメントの機能レベル

▶実際的な栄養ケアマネジメントの機能にはいくつかのレベルがある．低レベルのマネジメントは機能の保持ないしは現状維持である．高レベルは，目的の設定ないしは変更を含む調整機能を有する場合である．日常の臨床ではこの低・高レベルの中間がおもに行われ，この場合には目的の設定は除かれ，現状維持以上の栄養食事療法が行われる．

▶機能レベルは，それぞれのプロセスとその連携により影響を受ける．栄養ケアのそれぞれのプロセスはお互いに関連・依存している．一つのプロセスにかかる時間の遅延，過剰・不足となる情報収集や不適切な判断は，栄養ケアマネジメント全体の機能レベルに影響する．

▶機能レベルの保持は，実施した栄養ケアを論理的記述に記録し，これを第三者により客観的に評価することでかなう．

📝 **MEMO**

subjective data（主観的情報）（→p.31）：自覚的情報ともいい，面接・病歴聴取により得られる．体重の変化，食物摂取の変化（平常時と比較），悪心，嘔吐，下痢，食欲不振などの消化器症状の継続状況，皮下脂肪・筋肉の喪失，仙骨浮腫，腹水などがあげられ，客観的情報に対応し評価する．

II 栄養アセスメント

学習の目標

- 栄養ケアマネジメントにおける栄養アセスメントの意義を理解する.
- 種々のアセスメント指標の特徴を理解し,指標と指標の関連性を理解する.
- 指標をどのように栄養アセスメントに活用するのかを理解する.

1 栄養アセスメントの意義

▶臨床での栄養アセスメントは,栄養ケアを目的に患者の栄養状態を種々の栄養指標を用いて評価することである.したがって,栄養アセスメントによる適切な栄養食事療法は,疾患の治癒ならびに予後,病態の改善に関与するため,その意義は大きい.

▶栄養アセスメントには2つの視点がある.1つは多数を対象とする疫学的視点,もう1つは栄養生理学的視点である.前者は,医療施設に入院あるいは福祉施設に入所の全対象者に対して行う栄養アセスメントの必要性を判断する.これにより,低栄養のリスクの有無,低栄養の危険性のある者の的確な抽出を可能にする.入院患者のすべてを対象にする低栄養状態のリスク者のスクリーニングとして行われ,栄養ケアを必要としている者を的確に抽出し,適切な栄養ケアの実施を可能にする.栄養スクリーニングでは,通常,体格指数,体重変化率,血清アルブミン濃度,総リンパ球数などによる多相スクリーニングを行う.後者は,患者一人ひとりの疾患,病期や病態の診断と栄養状態,摂食機能状態から治療目標ならびに栄養ケアの目標の設定,ついでそれらの実施の起点として行われる.

▶栄養スクリーニングは,医療施設では体格指数,体重変化率,血清アルブミン濃度,総リンパ球数など(表Ⅱ-1-1),福祉施設では体格指数,体重減少率,血清アルブミン濃度,食事摂取量,栄養補給法(経腸・静脈栄養),褥瘡などによる多相スクリーニングが行われる(表Ⅱ-1-2).

▶低栄養による症状は,食欲不振,吐き気,口唇・舌の腫脹,倦怠・疲労感,不眠,知覚異常などがあげられる.また,眼,口唇・舌,皮膚・粘膜,骨・関節などに自覚・他覚的症状が出現する.乳幼児・小児の低栄養の症状には,食欲不振,活動性低下,無感覚,下痢,便秘,体重増加および筋肉発育停止,精神的発育遅延などがあげられる.そして,経口摂取による栄養ケアにより,栄養状態の改善が期待できない場合は,強制的な栄養補給である経腸栄養あるいは静脈栄養を行う.

▶栄養障害は,疾患そのものが障害の要因となり,一方で,栄養障害が疾患や病態を増悪

MEMO

栄養スクリーニング:栄養スクリーニングは,低栄養状態の者を選び出す(ふるいわける)ことである.スクリーニングの判定基準(カットオフ値)を下げて敏感度を高くすれば特異度は低くなり,判定基準値を上げると特異度が高くなる.また,汎用にあたり簡便性も求められている.

■表Ⅱ-1-1　栄養療法の適応の基準

窒素平衡	負
%標準体重	80%以下
クレアチニン身長比	80%以下
血清アルブミン	3.0 g/dL以下
血清トランスフェリン	200 mg/dL以下
総リンパ球数	1,000/μL以下
PPD皮内反応	直径5 mm以下

上記の1項目でもあれば栄養障害ありと判断され，何らかの栄養療法が必要になる．
PPD：purified protein derivative of tuberculin（精製ツベルクリンたんぱく質）．

■表Ⅱ-1-2　低栄養状態のリスク判断の基準

リスク分類	低リスク	中リスク	高リスク
BMI（kg/m^2）	18.5〜29.9	18.5未満	—
体重減少率（%）	変化なし（減少3%未満）	1カ月に3〜5%未満 3カ月に3〜7.5%未満 6カ月に3〜10%未満	1カ月に5%以上 3カ月に7.5%以上 6カ月に10%以上
血清アルブミン値	3.6 g/dL以上	3.0〜3.5 g/dL	3.0 g/dL未満
食事摂取量	76〜100%	75%以下	
栄養補給法	—	経腸栄養法 静脈栄養法	
褥瘡（有無）	—		褥瘡あり

■表Ⅱ-1-3　低栄養をきたしやすい病態と原因疾患

摂取不足	食欲不振，摂食障害，消化管疾患による通過障害など
消化・吸収障害	消化管・肝・胆・膵疾患，消化管手術後後遺症など
栄養素の喪失	下痢，たんぱく漏出性胃腸症，消化管出血，糖尿病，ネフローゼ症候群，尿崩症，腎透析，広範な熱傷，消化管瘻など
栄養素の消費の増大	甲状腺機能亢進，炎症性疾患，発熱，悪性新生物，広範な熱傷，外傷手術など
肝障害	たんぱく合成能の低下，糖・脂質代謝障害
薬物の影響	食欲抑制薬，糖質コルチコイド，免疫抑制薬，抗腫瘍薬など

■表Ⅱ-1-4　予後栄養指数（prognostic nutrition index）

手術施行による術前の栄養管理の必要性を判定する一つの方法である
PNI（Buzby, 1980）＝158－（16.6×Alb）－（0.78×TSF）－（0.2×Tf）－（5.8×DH）
判定　＜40：軽度リスク，40〜49：中度リスク，≧50：高度リスク
nutritional risk index：血清アルブミン値と体重変化から求める簡便なものである
NRI（Buzby, 1991）＝15.19×Alb（g/dL）＋41.7×（現体重÷通常体重）
判定　100〜97.5：軽度障害，〜83.5：中等度障害，＜83.5：高度障害

Alb：アルブミン（g/dL），TSF：上腕三頭筋背側部皮下脂肪厚（mm），Tf：トランスフェリン（mg/dL），DH：遅延型皮膚反応（無反応：0，＜5 mm：1，≧5 mm：2）．

させ，これによりさらに疾患の増悪と栄養障害の相互に作用する．このような栄養障害は，神経性やせ症，炎症性疾患，肝疾患，腎疾患，脳血管疾患による摂食障害などにみられる（表Ⅱ-1-3）．

▶栄養アセスメントにあたっては，栄養障害となる基礎疾患や病態は診療録🖉から，臨床診査の情報は同行する回診により得る．ついで，治療目標，治療の緊急性，重要性を統合し行う．疾患や病態による栄養ケアの目標，栄養補給法（表Ⅱ-2-5，p.37参照）と栄養成分量を設定する栄養診断を行う．外科療法による予後🖉の推定は予後栄養指数を用いて行われる（表Ⅱ-1-4）．

📝MEMO

診療録（medical records）：通称カルテ，チャートともいう．患者の治療を行った場合に診療などを通じて得た患者の健康状態に関する診療情報が記載される．用語は日本語，英語，ドイツ語など何語でもよい．広義には，看護記録，検査成績，栄養管理録，栄養指導録も含まれる．

予後：治療効果や身体的変化などの経過および結末．疾病や病態に対して行う治療・手術などの医療行為の有効性を予測し，将来どうなるか，生存か死亡などを予測する．生命予後，機能回復予後，社会復帰予後などがある．

2 栄養アセスメントの方法

▶栄養アセスメントは，客観的評価と主観的評価，双方を統合した臨床的評価に大別される（表Ⅱ-2-1）．客観的評価は，指標には臨床診査・病歴，血液・生化学検査値，理学所見，身体計測，経口摂取状態などが用いられる．主観的評価は，**主観的包括的評価**（SGA：subjective global assessment of nutrition status）が用いられる．

や生化学的検査を用いず，問診と病歴，身体状況や理学的所見から主観的に栄養状態を評価する方法である（表Ⅱ-2-2）．患者に直に接し，評価者の主観で判断する．客観的評価（ODA）では得られない情報もあり，簡便であることから，栄養状態の初期評価方法として**スクリーニング**に用いられることもある．

▶病歴，臨床所見からは，るいそう，肥満，

1 主観的包括的評価

▶主観的包括的評価（SGA）は，身体計測値

■表Ⅱ-2-1 臨床上繁用される栄養アセスメントの測定項目と指標

測定項目	指　標
主観的包括的評価	種々の栄養評価法〔例：MIS（minimum assessment seat）〕
身体計測 　身長 　体重 　体組織 　上腕筋囲 　皮下脂肪厚 　筋肉	 BMI，標準体重 体重変化量，体重変化率，標準体重比，通常体重比 体脂肪率，除脂肪率（LBM） 上腕筋周囲長（上腕周囲長－0.314×上腕三頭筋背側部皮下脂肪厚） 上腕三頭筋背側部および肩甲骨下部 内臓たんぱく
経口摂取状況 　食生活状況 　摂食機能 　食事摂取量	 食習慣，食行動，食事バランス，嗜好，食品数 嚥下・咀嚼機能，栄養補給ルート 食事摂取量，栄養素成分摂取量
血液生化学検査値 　アルブミン 　プレアルブミン 　トランスフェリン 　レチノール結合たんぱく 　リンパ球数	 内臓たんぱく 内臓たんぱく 内臓たんぱく 内臓たんぱく 免疫能
臨床的評価	貯蔵脂肪，内臓たんぱく，握力，呼吸機能

BMI（body mass index）：体重kg/身長m²

■表Ⅱ-2-2 主観的包括的評価票（SGA）

1. 病歴
　(1) 体重変化
　　過去6カ月間の体重減少：
　　　減少量＝#_____kg；%減少率_____
　　過去2週間の体重変化：
　　　増加，変化なし，減少
　(2) 食事摂取状況の変化（通常時と比較）
　　変化なし
　　変化あり　持続期間＝#_____週
　　　　　　　タイプ：適正レベルに近い液体食，完全液体食，低カロリー液体食，絶食
　(3) 消化器症状（2週間以上持続）
　　なし，悪心，嘔吐，下痢，食思不振
　(4) 身体機能
　　機能不全なし
　　機能不全あり　持続期間＝#_____週
　　　　　　　　　タイプ：労働制限，歩行可能，寝たきり
　(5) 基礎疾患と栄養必要量の関係
　　初期診断_____
　　代謝亢進に伴うエネルギー必要量／ストレス：
　　　なし，軽度，中等度，高度

2. 身体所見（スコアによる評価：0＝正常，1＋＝軽度，2＋＝中等度，3＋＝高度）
　#_____皮下脂肪の減少（上腕三頭筋，胸部）
　#_____筋肉量の減少（大腿四頭筋，三角筋）
　#_____くるぶしの浮腫
　#_____仙骨部の浮腫
　#_____腹水

3. 主観的包括的栄養評価（1つ選択）
　A＝栄養状態良好
　B＝中等度の栄養不良
　C＝高度の栄養不良

適切なカテゴリーを選んでチェックし，"#"には数値を記入する．
（JPEN11：8-13, 1987より改変）

スクリーニング：栄養ケアでは，栄養不良のリスクのある患者を拾い上げる目的に用いられる．スクリーニングには早期発見，効率的・経済的なメリットがあり，あらかじめ判定基準を設定しておく．栄養不良のリスクの判定には体重減少率，体格指数，血漿アルブミン濃度，リンパ球数などが用いられる．

■表Ⅱ-2-3　臨床的評価（CBA：clinical bedside assessment）

● 腱骨テスト（tendon-bone test）	▶ 脂肪貯蔵減少（fat store depletion）
● 親指のテスト（finger-thumb test）	▶ たんぱく質貯蔵減少（protein store depletion）
● 患者が評価者の手を握る（squeeze examiner's fingers）	▶ 握力（grip strength）
● 紙の切れ端を吹く（blow a slip of paper）	▶ 呼吸機能（respiratory function）

浮腫の有無などの全身状態，乾燥，皮膚炎，出血斑などの有無による皮膚状態，腱反射などの神経学的所見を評価できる．

▶ 主観的包括的評価（SGA）の特徴は，身体測定や検査データを含まないこと，高度障害，中等度障害，正常の3段階で評価することにより，簡便で，検者間誤差も少なく，再現性が高く，客観的栄養評価との相関も高いことがあげられる．

2 客観的評価

▶ 客観的評価（ODA：objective data assessment）は，身体計測，経口摂取状況調査，血液生化学検査，免疫能検査などによる測定値を指標とする．（⇒Part 1 Ⅱ-3「栄養アセスメントの実際」の項p.41参照）

▶ 経口摂取状況調査の結果は，栄養補給のルート，栄養補給量，食事の形態，食品や調理方法の選択に有用となる．

▶ 血液生化学検査の評価にあたっては，以下の点に留意し，栄養成分の補給量や栄養補給や栄養状態の改善の緊急性や重要性，栄養食事療法の治療目標の設定に有用となる．

①検査項目の基準範囲は，性別，年齢別，個人別に異なる場合がある．
②再受診者は，前回のデータをも考慮する．
③検査成績は，検査時点のデータである．
④データは，検査法によって基準範囲が異なる場合があるので，検査法の種類を確認する．
⑤既往歴📝，家族歴📝，生活習慣を十分聴取しておく．

▶ 以上の①〜⑤，そして，関連する数項目の検査データならびに投薬を照合し，総合して評価する．

▶ 高齢者では，栄養ケアの必要性を多職種で連携して評価する．

3 臨床的評価

▶ 臨床的評価（CBA：clinical bedside assessment）は，視診と触診などによるテスト（表Ⅱ-2-3）を患者のベッドサイドで行い，入院時あるいは外来時の最小限の検査データを用いるSGAとODAを統合したものである．

▶ 簡易栄養状態評価法（MNA®：Mini Nutritional Assessment，MNA®-SF：MNA-Short Form）は65歳以上の高齢者低栄養のスクリーニングに用いられる．

▶ MNA®は，血液生化学検査を除く身体計測，摂取栄養調査，アンケート栄養評価を組み合わせた18項目からなり，食事量の変化，体重変化，BMI，運動能力，精神的ストレス，急性疾患の有無，移動性（寝たきりかどうか），神経精神的問題（認知障害の有無）など高齢者に特化したアセスメントができる．

▶ MNA®-SFは，身体計測を身長と体重のみとし，そのほかはアンケート質問項目による

📝MEMO

既往歴：現病歴とは別の，これまでに罹患した病気の経過であり，時系列的に記述する．患者がこれまでに罹患した疾患，手術，外傷，特異体質，免疫（予防接種，ツ反），輸血などが出生時から現在に向かって記載される．手術は施行された年月日，医療機関（担当医名）が記載される．

家族歴：家族および近縁者の健康状態，死因（死亡時の年齢），罹患疾患名を系統的に記録したもの．家族の健康状態や死因がとくに問題がなければ，"特記すべきことなし"と記される．

■表Ⅱ-2-4 多職種で関連する栄養ケアの必要性の有無の評価項目

- 褥瘡
- 口腔および摂食・嚥下
- 嘔気・嘔吐,下痢,便秘
- 脱水,浮腫
- 感染・発熱
- 経腸・静脈栄養補給の状況
- 生活機能の低下（ADL），とじこもり，鬱
- 認知機能の低下

■表Ⅱ-2-5 栄養補給の分類と特徴

分類	補給ルート		特徴
自発的栄養補給	経口栄養法	口腔	一般食 ● 常食（普通食） ● 軟食（分粥食，軟菜食） ● 流動食（重湯，スープ，ゼリー，牛・豆乳など） 特別食 ● 病態別治療食，調乳，離乳，小児食 ● 検査食，試験食
強制的栄養補給	経腸栄養法	鼻腔 胃瘻 腸瘻	天然濃厚流動食 半消化態栄養剤 成分栄養剤
	静脈栄養法	末梢静脈 中心静脈	成分栄養剤（低カロリー輸液） 成分栄養剤（高カロリー輸液）

6項目により評価する．

▶ **要介護・要支援者の栄養アセスメント**では，以下の評価が必要となる．

①国際生活機能分類（ICF）での栄養関連の評価項目は，摂食機能，消化機能，同化機能，体重維持機能，全般的代謝機能，水分，ミネラル，電解質バランス機能である．

②家族，介護者，他職種から認知機能，コミュニケーション，意欲などの状況に関する情報を収集しておく．口腔粘膜の炎症，味覚の変化，唾液の分泌，歯・義歯の状態，摂食・嚥下の状態，麻痺の部位と程度，栄養状態に関連する皮膚，爪の状態，四肢（浮腫，褥瘡の有無）を観察する．主訴，排泄状況，味覚，聴覚，視覚などを確認する（表Ⅱ-2-4）．また，これにより多職種で関連する栄養ケアの必要性を評価する．

③身体計測（⇒p.55参照）にあたり，立位が不可能であったり，仰臥位であっても身長の彎曲や拘縮が困難な場合，身体の一部を計測して身長を推定する．体重の計測には，車いす用体重計，ベッドスケールを用いる．SSFやTSFは体脂肪の過少を反映し，AMCやAMAは骨格筋量を反映する．腹水貯留や浮腫による体重の変化時では，TSFやAMCの測定が不正確となる．

④血液生化学検査では，経過の評価が重要である．また血清アルブミン値が測定されていない場合は，TP, Hb, Ht, TCなどと総合的に評価する．

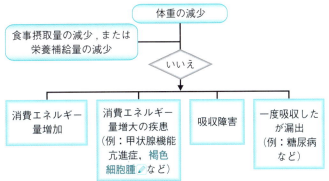

■図Ⅱ-2-1 体重減少の原因

4 栄養アセスメントの方法

▶ 栄養状態は，エネルギーと栄養素の摂取あるいは補給状態，疾患や病態による消化・吸収能の変化，代謝や排泄の異常，薬物の作用

MEMO

褐色細胞腫（pheochromocytoma）：副腎髄質，傍神経節から発生するカテコールアミン産生の腫瘍．高血圧を起こし，発汗，動悸，頻脈，頭痛，食欲不振，基礎代謝亢進，高血糖，起立性低血圧，胃腸運動の低下や便秘などの症状を呈する．ノルアドレナリン，アドレナリンなどの高カテコールアミン血症の検査

を行う．

や食事療法の影響を受ける．栄養アセスメントでは，これらを総合的に評価，判定する．
▶栄養アセスメントの目的は適正な栄養ケアの実施にあり，栄養補給法によりルート，補給栄養量などが異なるなどの特徴（表Ⅱ-2-5）を理解しておく．

■表Ⅱ-2-6　窒素バランス値の推定式

窒素バランス値＝窒素摂取量－便中窒素排泄量
　　　　　　　　－尿中窒素排泄量
窒素摂取量：摂取たんぱく質量/6.25
便中窒素排泄量：窒素摂取量×0.15（または4を代用）
尿中窒素排泄量：尿中尿素窒素排泄量/0.8

1―エネルギーのアセスメント

▶エネルギーのアセスメントは，エネルギー摂取量が必要量と比較して適正であるか否かを判定させる．生体エネルギー必要量は，基本的には，エネルギー消費量を充足させればよいことになる．しかし，肥満の場合はエネルギーが過剰に貯蔵され，やせの場合は逆に貯蔵量が不足しているために，前者では摂取エネルギーを不足させ，後者では余分に摂取する必要がある．体重変化はエネルギー出納の状態を反映し，疾患により，エネルギー代謝を亢進したり，侵襲や手術によりエネルギーの必要量が増大したりするので，これらのアセスメントをする．

▶体重の減少を認めた場合は，減少が始まった時期，程度，さらにその原因を確認する（図Ⅱ-2-1）．

▶急激な体重の増加は，腎疾患，心疾患による浮腫による場合が多く，肥満の判定には注意する．浮腫がある場合の患者の訴えは，体重増加のほかに，まぶたが重い，手を握るとはれぼったい，夕刻になると足が重いなどの自覚症状がある．しかし，時間をかけて起こっているので，自覚に乏しい．

▶単純性肥満では，2型糖尿病，高血圧症，脂質異常症，虚血性心疾患を合併しやすいが，脂肪の蓄積部位による評価もしておく．

2―糖質のアセスメント

▶糖質の摂取量と必要量により評価する．糖質の補給の過剰はエネルギー量の増大をともない，体重，血中のブドウ糖，中性脂肪が上昇する．一方，糖質の補給の不足はエネルギー量の減少をともない，体重減少，たんぱく質利用効率の低下，尿中ケトン体の増大などが起こる．

3―たんぱく質のアセスメント

▶ヒトは必要なたんぱく質をアミノ酸から合成，そして分解し，バランスを保っている．身体構成組織の筋肉量から貯蔵たんぱく質量を評価でき，血清中のアルブミン，プレアルブミン濃度などによりたんぱく質の栄養状態を評価でき，それぞれの半減期から慢性疾患あるいは術前・術後など，使い分ける．また，3-メチルヒスチジンは筋線維たんぱく質の構成アミノ酸で約90％は骨格筋に存在するため，尿中の排泄量により筋肉の異化の程度を評価できる．

▶窒素バランスは，摂取たんぱく質が適正量であるかの評価に用いる（表Ⅱ-2-6）．これにより，生体内でのたんぱく質の異化・同化の状態をみる．窒素バランスはたんぱく質の栄養動態を示し，通常の経口摂取時の出納はほぼ0であるが，窒素バランスが正の場合は摂取量が十分満たされ同化が進み，負の場合

📝MEMO

尿中ケトン体：ケトン体は，脂肪酸がβ酸化を受けた代謝産物，ピルビン酸を介した代謝産物であるアセトン，アセト酢酸，β-ヒドロキシ酪酸の総称をいう．尿ケトン体は血中ケトン体を反映する．ケトン体は脂肪の分解により肝臓で作られ，血液中に放出される．体内にケトン体が増加する状態をケトーシスといい，体液のpH（基準7.4）は酸性に傾く．ケトアシドーシスは糖尿病，高脂質食，絶食（または飢餓），運動，外傷，大手術，発熱などでみられ，エネルギー基質の脂肪が燃焼していることを意味し，悪化すると昏睡状態に至る．

■表Ⅱ-2-7 ミネラルの過剰・不足症状

ミネラル	過剰	欠乏
カルシウム	・高カルシウム血症（1日3g以上摂取を長期にわたり摂取した場合） ・マグネシウム，鉄などの他のミネラルの吸収を妨げる ・泌尿器系結石	・イライラ ・骨粗鬆症 ・くる病，骨軟化症，低カルシウム血症
リン	・カルシウムの吸収阻害，骨粗鬆症，副甲状腺機能の亢進，腎機能低下時では高リン血症	・筋力の低下，食欲不振，倦怠感
カリウム	・腎臓機能低下では，高カリウム血症，不整脈，血圧低下，心拍停止など	・血圧上昇，浮腫
塩素		・食欲不振，消化不良
ナトリウム	・浮腫，血圧上昇，動脈硬化，胃癌，咽頭癌	・循環血液量の低下，血圧の低下 ・倦怠感，食欲不振，嘔吐，筋肉痛，意識障害，熱痙攣，体重減少
マグネシウム	・軟便，下痢 ・筋力や血圧の低下 ・腎機能低下時の高マグネシウム血症	・骨粗鬆症，こむら返り，筋肉収縮異常，テタニー（筋肉の痙攣） ・血圧上昇，不整脈 ・イライラ，神経疾患，精神疾患，糖尿病
鉄	・胃腸障害，鉄沈着症 ・30 mg/kg体重で急性中毒を起こす．嘔吐，下痢，ショック症状など	・（貧血による）息切れ，めまい，慢性疲労，免疫力の低下，うつ症状 ・体温保持機能の低下
ヨウ素	・体重減少や筋力の低下 ・甲状腺腫，甲状腺機能不全，甲状腺中毒症	・甲状腺腫，甲状腺の機能低下 ・神経障害，発育障害，神経筋肉障害
マンガン	・中枢神経系障害，脳障害，精神病・パーキンソン病様症状・生殖系や免疫系の機能不全 ・血中コレステロールの上昇	・骨の発育不良，皮膚炎 ・脂質代謝異常，血糖値の上昇，精力の減退
銅	・銅中毒，ウィルソン病（銅の蓄積による肝，脳の機能・形態学的変化） ・慢性的には，散発性の発熱，嘔吐，黄疸 ・急性症的には，低血圧，溶血性貧血，悪心，嘔吐，下痢（血便），尿毒症	・赤血球寿命の短縮，鉄欠乏をともなう心肥大，貧血 ・心血管系異常，高コレステロール血症 ・関節リウマチ，骨のくる病様変化
亜鉛	・銅欠乏症，神経症状，免疫障害，血清アミラーゼの上昇，膵臓の異常，LDL-Cの上昇，HDL-C低下 ・急性症状：頭痛，悪心，嘔吐，腹痛，低血圧，貧血（2g以上摂取した場合），急性中毒	・味覚障害，免疫機能の低下，亜鉛欠乏性貧血 ・成長障害，食欲不振，男性：精子数が減少するなどの性機能障害，女性：生理不順
モリブデン	・急性障害として，下痢をともなう胃腸障害，昏睡，心不全 ・銅欠乏症（銅排出促進による），脱毛症，貧血など	・貧血，頻脈，多呼吸，夜盲症
クロム	・嘔吐，腹痛，下痢，頭痛，不眠 ・腎尿細管障害，肝障害，造血障害，呼吸障害，中枢神経障害	・体重減少，インスリン感受性の低下，耐糖能低下，高コレステロール血症，糖尿病 ・窒素代謝異常，末梢神経障害，角膜障害
セレン	・慢性の過剰摂取で疲労感，セレノーシス（爪剥離，脱毛），胃腸障害，下痢，末梢神経障害など ・急性的には，重症の胃腸障害，神経障害，心筋梗塞，呼吸困難，腎不全などを引き起こす	・動脈硬化，心筋障害，筋肉痛（下肢），爪床部の白色変化 ・中国東北部の風土病（克山病） ・カシン・ベック症

は異化が優位と判断され，摂取量が必要量を満たしていないことを意味する．

▶消化器疾患，がん患者のみならず多くの術前患者で低栄養状態がみられ，術前の低栄養状態の改善は重要である．手術による侵襲で体たんぱくの異化が亢進し，同時に，組織の修復のためたんぱく質の合成が高まり，エネルギー代謝も亢進するため，低栄養状態での手術の施行は，さらに栄養状態を悪化させ，この低栄養状態が術後合併症，創傷治癒遅延や予後不良を招く．また，エネルギー量不足により負の窒素バランスをきたしやすいため，窒素1gに対しては150〜250kcalのエネルギーが必要となる．これをたんぱく質に換算すると，たんぱく質1g当たり24〜40kcalとなる．エネルギー量を推定することで，エネルギー（kcal）/150〜250（kcal）より窒素量を算出し，これに6.25を乗じ，投与アミノ酸量やたんぱく質量を算定する．

4—脂質のアセスメント

▶脂質は，必要量と摂取内容により評価する．また，体重増加，血清脂質濃度の変化から脂質の過剰を評価し，必須脂肪酸や脂溶性ビタミンの欠乏の自・他覚症状の観察により欠乏を評価する．栄養食事療法による脂質量の調整には，アセスメントが重要となる．

5—ビタミンのアセスメント

▶ビタミンの摂取量と必要量を比較し，自・他覚の欠乏・過剰症状を観察し，評価する．
▶水溶性ビタミン（ビタミンB群：B_1，B_2，ナイアシン，B_6，葉酸，B_{12}と，ビタミンC）は排泄されやすいため体内蓄積量が少なく欠乏症を生じやすい．

■表Ⅱ-2-8　水分の出納

体内に入る水分	(mL)	排泄される水分	(mL)
飲料水	1,200	尿	1,400
食事中の水分	1,000	不感蒸泄	
代謝水	300	（皮膚）	600
		（呼気）	400
		糞便	100
合計	2,500	合計	2,500

▶脂溶性ビタミン（ビタミンA，D，E，K）は脂肪組織や肝臓に蓄積されるために過剰症を生じる．また，脂質の吸収障害があるときは脂溶性ビタミンの吸収も障害される．

6—ミネラルのアセスメント

▶ミネラルの摂取量と必要量を比較し，自・他覚的な欠乏・過剰症状を観察し，評価する．ヒトでの必須微量元素は亜鉛，銅，セレン，クロム，コバルト，ヨウ素，マンガン，モリブデンで，生体の重量の0.02％程度である．
▶欠乏は長期にわたる高カロリー輸液や経腸栄養時，極端な偏食による摂取不足，先天性異常などにより生じ，過剰は健康食品などの微量元素製剤などで起こる（表Ⅱ-2-7）．

7—水分のアセスメント

▶通常，のどが渇けば水分を摂取し，尿量の増減により，水分の出納は調節される（表Ⅱ-2-8）．しかし，疾患や病態による調節機能の低下や異常な排泄量の場合にはアセスメントが必要になる．
▶水分が欠乏すると，まず細胞外脱水が起こり，さらに進むと細胞内脱水が起こる（⇒「高・低ナトリウム血症」の項p.148参照）．一方，過剰摂取により，悪心，嘔吐，頭痛，麻痺，昏睡などが起こる．これらの症状の観察と，排泄量・摂取量から評価する．

📝MEMO

細胞外脱水：体液は細胞内液（体重の40％）と細胞外液（体重の20％）に分けられ，さらに，細胞外液は組織間液（体重の約15％）と管内液（体重の約5％）に分けられる．体液量，とくに細胞外液量が著明に減少した病態を脱水といい，体液喪失の主体が水分のときは高張性脱水，Na^+のときは低張性脱水となる．原因は，飲水不能状態，下痢，嘔吐，尿崩症，浸透圧利尿，急性腎不全利尿期，慢性腎不全，発熱・発汗などの水分不足やイレウス，胸水，腹水，熱傷，膵炎，利尿薬過剰投与，アジソン病などのNaの欠乏による．

3 栄養アセスメントの実際

1 臨床診査

1—栄養アセスメントにおける臨床診査の意義

▶栄養療法や食事治療が必要な患者の栄養アセスメントを行うにあたってもっとも大切なことは，患者の病態を的確に把握し，疾患を正しく理解することである．このためには，患者の自覚症状や現病歴などについての情報を患者からよく聞きとることが重要かつ基本となる．そのうえで入念な身体計測を行い，必要な臨床検査を行う．

2—自他覚症状の観察

▶疾患に罹患すると，患者は健康時には感じることのなかった精神的もしくは肉体的な違和感を感じる．これを症状，または自覚症状（symptom）とよぶ．たとえば，「疲れがとれない」「食欲がない」「お腹が痛い」「便秘している」などである．これらの症状のなかでも患者にとってもっとも重要で関心の高いものを主訴という．主訴は患者が医療機関を訪れる直接のきっかけとなるもので，できるだけ速やかに解消したいと願う．医療従事者は，患者の訴える症状を医療面接（問診）によって確認する．

▶また，病気になると，患者が訴える症状のほか，第三者から見てもわかるような客観的な変化が現れることもある．たとえば，皮膚の発疹，膝関節の腫れ，高血圧，腹部膨満，浮腫などがある．これらを徴候または他覚的所見（sign）という．他覚的所見は身体診察で確認し，身体所見として記載する．

▶これらの症状や徴候を参考にし，さらに臨床検査の結果をも併せて総合的に解釈して，患者の病態を的確に把握し，疾患を正確に診断することができる．すなわち，医療面接，身体診察，臨床検査を通して，診断を行う（図Ⅱ-3-1）．こうした一連の医療行為を診察といい，患者を健康状態に復帰させるための基本的行為である．

▶診断が下された後は，食事療法をはじめ，疾患に応じて適切な治療が開始される．治療が開始された後は，治療効果があがっているのか，副作用や合併症の発現はないか，注意しつつ経過を観察する．

▶診察で観察した所見や，治療経過は客観的に適切に評価し，そのつど診療録（カルテ，チャート）に正確に記録しておく．患者の自覚症状や他覚的所見は，時間が経過したり，治療の影響などを受けて，刻々と変化しやすい．当初認められた症状や所見が改善されて消失してしまったり，逆に増悪したり，あるいはそれまで認められなかった所見が新たに出現したりする．こうした変化を的確に把握し，治療の指針になるよう，診療録に要領よく正しく記録しておく．

■図Ⅱ-3-1 診療の手順

診療録（カルテ，チャート）：（⇒p.34参照）

■表Ⅱ-3-1 おもな主訴

身体部位	主訴
全身	高身長, 低身長, 体重増加, 体重減少, 肥満, やせ, 全身倦怠感, 易疲労感, 発熱, 悪寒戦慄, 不眠, 全身浮腫, 盗汗（寝汗）, 貧血, リンパ節腫脹
皮膚, 毛髪	皮膚瘙痒, チアノーゼ, 発疹, 脱毛, 出血傾向
頭部	頭痛, めまい, 失神, 失神発作, 意識障害
顔面	顔面浮腫, 顔面紅潮, 顔面蒼白
眼, 耳, 鼻, 口	視力低下, 複視, 視野障害, 耳鳴り, 聴力低下, 鼻出血, 歯肉出血, 咽頭痛
頸項部	前頸部腫脹, 後頸部腫脹, 項部強直感, 頸部疼痛
胸部	呼吸困難, 胸痛, 前胸部痛, 動悸, 喘鳴, 咳, 痰, 血痰
腹部	食欲不振, 腹痛, 悪心・嘔吐, 吐血, 下痢, 便秘
泌尿器	多尿, 乏尿, 無尿, 頻尿, 血尿, 膿尿
精神・神経系	意欲低下, 不安感, 不穏感, 歩行障害, 言語障害, 運動麻痺, 感覚障害, 筋力低下, 痙攣
四肢	関節痛, 関節腫脹, 下肢浮腫
その他	精査希望

3―医療面接（問診）

▶医療面接✎とは, 医療従事者が患者との対話を通じて, 自覚症状を聞き取ったり, 過去の病気に関する情報などを確認したりする行為をいう. かつては, 医療従事者が患者に「問いかけて診察する」という立場から「問診」と表現されたが, 今日では患者が自由に話すのを確認するとの立場から, 「医療面接」とよぶようになった.

▶医療面接で最初に確認するのが「病歴」である. 病歴とは, 疾患を中心にした, 個々の患者の歴史ともいうべきものである. 患者が現在かかえている疾患だけでなく, それに影響を与えていると考えられる背景すべてをさす. 病歴には, 患者像, 主訴, 現病歴, 既往歴, 家族歴, 社会歴などが含まれる. これらを, 医療面接によって患者に尋ねて確認する.

▶医療面接では, まず患者がもっとも問題にしている主訴を聞くことから始め, その症状がどのような推移をたどっているのか聞いた

り, 過去にかかった病気や家族内での病気の様子などに関する情報を確認したりする.

4―主訴, 現病歴, 既往歴, 家族歴

1) 主 訴

▶主訴は, 患者にとってもっとも大切な自覚症状である. 医療面接では, 医療従事者が患者に「どうなさいましたか？」と問いかけ, 最初に返ってくる答えが主訴であることが多い. たとえば, 「頭が痛くてたまらない」「3日前から下痢している」などといった自覚症状である（表Ⅱ-3-1）. 診療では, 主訴を解決することが最大の目標ともいえる.

2) 現病歴

▶現病歴とは, 患者の訴える症状が, いつから, どのように発生し, 現在までどういう経過をたどってきたかをさす. 現病歴で確認する要点は,
①発病の日時と様式
②症状の持続期間

✎MEMO

医療面接：医療面接では患者が答えやすいように, 「どうなさいましたか」などと開かれた質問と, 「お腹が痛くないですか」など焦点をあてた閉ざされた質問を適宜使い分ける.

③症状の存在する部位
④症状の内容と変遷
⑤随伴する症状の有無と内容
⑥全身状態
⑦治療による影響
⑧経過

など，患者において病気がたどってきた経過である．

▶発病の日時は，何月何日何時と特定できることもあるが，何カ月前頃からとか，何年前頃からとか，特定できないことも少なくない．突如として発病したのか，徐々に起きたのか，発病の前に何らかの兆候はなかったかなどを聞く．たとえば脳出血は突然に発症し，脳腫瘍だと徐々に進行してくるように，同じ脳が障害される病気でも，疾病によっては発病のしかたに特徴がある．

▶発病してからの症状の推移についてもくわしく聞く．症状がしだいに増悪してきたのか，消長しているのか，軽快しているのか，あるいは主症状以外に随伴する症状は出現していないか，などを確認する．

3）既往歴

▶既往歴は，生まれてから現在に至るまでの健康状態や，罹患した過去の疾患などについての情報をさす．

▶過去にかかった疾患や健康被害が原因となって発病する病気もある．たとえば，幼児期のリウマチ熱が心臓弁膜症の原因になったり，扁桃炎後の急性糸球体腎炎などがある．また，輸血によるC型肝炎などのように，過去に受けた処置が関係する疾患もある．このため，過去の病気や健康状態を知っておくことは重要である．

▶既往歴では，下記のような項目についてチェックする．
①全般的な健康状態
②出生時の状況
③幼児期の健康状態とおもな疾患
④成人期以降のおもな疾患
⑤外傷，手術，輸血の有無と内容
⑥アレルギー，ワクチン接種の有無と内容
⑦薬物使用の状態
⑧嗜好品（タバコ，アルコール）
⑨月経，妊娠，分娩歴（女性）

▶過去に罹患した疾患については，単に病名だけでなく，症状・治療内容・経過などについても確認しておくとよい．たとえば，黄疸があった場合，それが胆石・胆嚢炎であったのか，肝炎なのか，あるいは溶血性黄疸であったのか，確認しておくようにする．

▶女性では，月経・妊娠・分娩・流産などについても聴取する．タバコ・アルコールなど嗜好品，常用薬の有無，アレルギーの有無についても確認しておく．

4）家族歴

▶祖父母，両親，同胞，配偶者，子どもなどを中心に，その健康状態，罹患した疾患，死亡時の年齢，死因などを確認する（図Ⅱ-3-2）．

▶家系内に多発する疾患には，血友病など遺伝性疾患だけでなく，体質や食習慣など同じ生活環境のために家族内に発症しやすい疾患や，家族内で感染する疾患などもある．

▶家族歴で以下のような疾患に対して，とくに注意しておく．
①高血圧症
②糖尿病
③脳血管障害

黄疸：血中のビリルビンが増加して，皮膚や粘膜が黄色く見える状態．一般に，血清ビリルビン値が 2.5 mg/dL 以上になると確認できる．

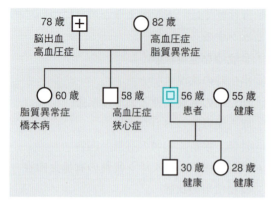

■図Ⅱ-3-2　家族歴（○：女性，□：男性，＋：死亡）

④代謝疾患
⑤アレルギー性疾患
⑥精神神経疾患
⑦内分泌疾患
⑧悪性腫瘍
⑨先天性疾患

2 臨床検査

1―栄養アセスメントにおける臨床検査の意義

▶疾患にかかると，自覚症状や身体所見だけでなく，尿や血液などの成分に変化の出ることも少なくない．さらに，胸部X線写真やエコー検査でわかるような所見があったり，心電図や呼吸機能検査に異常のある病気もある．
▶栄養状態を評価する指標としては，とくに尿と血液検査が重要である．自覚症状や身体所見からも疾患を診断できることは少なくないが，正確に診断したり，また精密に診断するには臨床検査が欠かせない．というのも，自覚症状は個人差が大きく，おおげさな人は訴えが多く，反対に我慢強い人は訴えが少ない．身体所見は医療従事者が的確に診察すれば正しい判断ができるが，医療従事者の技量や経験に左右されなくもない．こうした欠点に対し，尿や血液にみられる変化は，正しい条件で検査を行えば，客観的で正確な情報を提供してくれる．
▶しかも，たんぱく質や糖質など，血液検査では正確な数値としてデータが出るので，精密な評価にも役立つ．
▶臨床検査は栄養アセスメントを行ううえで，きわめて有用である．

2―血液学的検査

▶血液学的検査では，血球検査と血液凝固系検査を行う．とくに血球検査は，貧血の診断や程度を把握するのに必須で，栄養アセスメントでは基本的な検査といえる．また，白血球は易感染性に関係しており，重要な検査となる．
▶血球検査では，通常，赤血球数，ヘモグロビン濃度，ヘマトクリット🖉，網赤血球数，白血球数，白血球分画🖉，血小板数を検査する．出血傾向の患者や，ワルファリン治療を受けている患者には，出血・凝固・線溶系の検査が行われる．

1）血球検査
■赤血球数（RBC）・ヘモグロビン（Hb）・ヘマトクリット（Ht）
▶赤血球系の検査としてはこの3者を測定し，次式で平均赤血球恒数を算出する．
- MCV（平均赤血球容積：mean corpuscular volume）＝ Ht/RBC
- MCH（平均赤血球ヘモグロビン量：mean corpuscular hemoglobin）＝ Hb/RBC

📝**MEMO**
ヘマトクリット：血液全体に対する赤血球の容積比率をいう．血液を毛細管に入れ遠心分離して求めることができる．

白血球分画：白血球には，好中球，好酸球，好塩基球，リンパ球，単球があり，それぞれの比率を測定するもので，％で表示される．

■表Ⅱ-3-2　平均赤血球恒数による貧血の分類

小球性低色素性貧血	正球性正色素性貧血	大球性正色素性貧血
MCV ≦80 MCHC ≦31	MCV =81〜100 MCHC =32〜36	MCV ≧101 MCHC =32〜36
●鉄欠乏性貧血 ●サラセミア ●鉄芽球性貧血 ●無トランスフェリン血症	●急性出血 ●溶血性貧血 ●再生不良性貧血 ●赤芽球癆 ●腎性貧血 ●内分泌疾患 ●腫瘍の骨髄転移	●ビタミンB_{12}欠乏性貧血 　（悪性貧血，胃全摘後など） ●葉酸欠乏性貧血 ●先天性DNA合成異常 ●薬物によるDNA合成異常

- MCHC（平均赤血球ヘモグロビン濃度：mean corpuscular hemoglobin concentration）＝Hb/Ht

▶貧血は，ヘモグロビン濃度が低下して組織への酸素供給が障害された病態をいい，男性ではヘモグロビン濃度が13 g/dL未満，女性では12 g/dL未満，高齢者や妊婦では11 g/dL未満を貧血と定義する.

▶ヘモグロビン濃度が低下し，貧血と判定される場合には，平均赤血球恒数から，小球性低色素性貧血，正球性正色素性貧血，大球性正色素性貧血にまず分類し，鑑別診断を進める（表Ⅱ-3-2）．その目的には，白血球数，血小板数，網赤血球数，血液像，さらに必要に応じて血清鉄，総鉄結合能，血清フェリチン，クームス試験，血清ビタミンB_{12}，葉酸測定，骨髄検査などの検査を追加する.

■白血球数，白血球分画

▶白血球数の異常としては，白血球の増加と減少がある．白血球数は，感染症，組織崩壊，急性出血，溶血，ストレスなどの際に反応性に増えたり，白血病など骨髄増殖性疾患では腫瘍性に増加する．逆に，再生不良性貧血，白血病，骨髄異形成症候群，癌の骨髄転移などで白血球産生が低下したり，薬剤などの副作用で減少する．白血球が1,500/μL以下の場合には感染症に罹患しやすく，感染しないように予防対策が重要になる.

■血小板数

▶紫斑や鼻出血など出血傾向のある出血性疾患の患者や，手術を受ける患者では，スクリーニング検査として血小板数を検査することが必須である.

▶血小板数が10万/μL以下は病的であり，3万/μL以下では出血傾向が出現する．血小板数の減少は，①産生能の低下（再生不良性貧血，悪性貧血，白血病，多発性骨髄腫，癌の骨髄転移など），②破壊の亢進（特発性血小板減少性紫斑病など），③消費（播種性血管内凝固，血栓性血小板減少性紫斑病など），④体内分布異常（脾腫，肝硬変など）でみられる.

▶血小板数が40万/μL以上の増加には，①腫瘍性の増加（本態性血小板血症，慢性骨髄性白血病，真性多血症など），②反応性の増加（出血，炎症，手術後など）があり，鑑別するには骨髄検査が必要である.

3―血液生化学検査

▶血液生化学検査は，血清もしくは血漿を対象に，化学的に分析を行ってたんぱくや脂質濃度を定量したり，酵素活性を測定する検査である．臨床検査のうち，もっとも種類が多く，栄養アセスメントにも重要な検査が含まれる.

MEMO

出血性疾患：たいした外傷や物理的圧迫などがないのに容易に出血し，しかも止血しにくい"出血傾向"を起こすものをいう．点状皮下出血，紫斑，鼻出血，歯肉出血などが症状として現れる．原因には，毛細血管壁の脆弱，血小板数の減少，血小板機能障害，凝固線溶因子の異常などがあり，それぞれ先天性と後天性疾患がある．先天性出血疾患では，凝固因子異常による血友病や血小板機能異常症などがある．後天性疾患では，特発性血小板減少性紫斑病やアスピリンなど薬剤副作用などがある．なお，ビタミンKは凝固第Ⅱ（プロトロンビン），Ⅶ，Ⅸ，Ⅹ因子の活性化に必須である．新生児や母乳栄養時などでビタミ

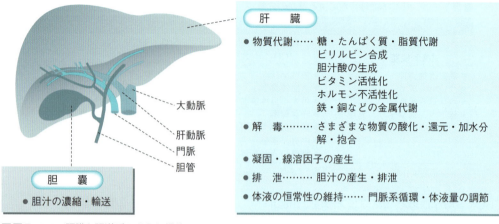

■図Ⅱ-3-3 肝臓と胆道系のおもな機能

■表Ⅱ-3-3 肝機能検査と診断的意義

	診断的意義	検査項目
病態把握	肝細胞障害	AST, ALT, ALP, γ-GT, LD
	胆汁排泄機能	総ビリルビン, 直接ビリルビン, 総胆汁酸, ICG試験, γ-GT, ALP, ロイシンアミノペプチダーゼ
	たんぱく合成機能	アルブミン, ChE, PT, ヘパプラスチン試験
	アミノ酸代謝	血漿アミノ酸（分岐鎖アミノ酸/芳香族アミノ酸, メチオニン）
	糖代謝	血糖, グルコース負荷試験（OGTT）, ガラクトース負荷試験
	脂質代謝	コレステロール, コレステロールエステル
	尿素サイクル	アンモニア, 尿素窒素（UN）
	線維化	Ⅲ型プロコラーゲンペプチド, Ⅳ型コラーゲン
	間葉系反応	血清たんぱく電気泳動
	門脈-大循環シャント	ICG, 総胆汁酸, 血漿アミノ酸, アンモニア（NH_3）, 血小板数（Plt）
病因解析	肝炎ウイルス	IgG-HA抗体, IgM-HA抗体, HBs抗原, HBs抗体, IgG-HBc抗体, IgM-HBc抗体, HBe抗原, HBV-DNAポリメラーゼ, HBV-DNA, HCV抗体, HCV-RNA, HDV抗体, HEV抗体, HGV-RNA
	原発性胆汁性胆管炎（PBC）	ミトコンドリア抗体, ピルビン酸脱水素酵素抗体
	自己免疫性肝炎（AIH）	抗核抗体（ANA）, 抗平滑筋抗体, 肝腎ミクロソーム抗体
	代謝疾患	セルロプラスミン, 鉄（Fe）, 鉄結合能, $α_1$-プロテインインヒビター
	肝細胞癌	α-フェトプロテイン（AFP）, PIVKA-Ⅱ

1）肝機能検査

▶肝臓は，物質代謝，ビリルビン代謝，薬物代謝など，生体にとってきわめて重要な多くの活動をしている（図Ⅱ-3-3）．このため肝炎や肝硬変などの疾患にかかって肝機能が低下した場合には，血液生化学検査で異常所見として認められることが多い．肝機能検査は，肝胆道系疾患をはじめ，全身性疾患で肝障害をともなったり，薬剤による肝への影響をみる目的などに実施される．また，健康診断や人間ドックでも必ず実施される基本的な検査でもある．

▶MEMO

ビタミンKが欠乏すると，新生児メレナとして消化管出血や脳出血を起こしやすい．長期に輸液栄養を受けている患者でも，ビタミンKが適正に補充されないと出血する．

ビリルビン：赤血球が崩壊し，ヘモグロビンが赤血球の外に遊出して化学変化を起こして生じる．脂溶性の間接（非抱合型）ビリルビンがまずできて，肝臓でグルクロン酸抱合を受けて水溶性の直接（抱合型）ビリルビンとなる．

■表Ⅱ-3-4 腎疾患の診断に有用な検査

腎機能に関する検査	糸球体機能	●糸球体障害のスクリーニング：尿検査（たんぱく，赤血球円柱，変形赤血球） ●糸球体濾過能：血清Cr，C_{Cr}，eGFR
	尿細管機能	●尿細管障害のスクリーニング：尿中低分子たんぱく（$α_1$ミクログロブリン，$β_2$ミクログロブリン），尿中酵素〔N-アセチル-β-D-グルコサミニダーゼ（NAG）など〕，糖尿，アミノ酸尿 ●尿濃縮，希釈能：フィッシュバーグ（Fishberg）濃縮試験・希釈試験 ●異物排泄能：パラアミノ馬尿酸（PAH）クリアランス試験 ●尿細管再吸収能：リン酸再吸収率（%TRP），ブドウ糖再吸収閾値（TmG） ●尿酸性化能：塩化アンモニウム負荷試験，重炭酸負荷試験
	腎血流	●PAHクリアランス，RI（ラジオアイソトープ）レノグラフィ
	血液生化学	●血清Cr，尿素窒素（UN），電解質，pH，血液ガス分析
	調節系	●レニン・アルドステロン，副甲状腺ホルモンなど
形態に関する検査	画像検査	●腎エコー検査，X線検査（腹部単純，腎盂造影），CT検査，MRI検査，腎血管撮影
	病理組織検査	●腎生検（光顕，FA，電顕）
背景因子に関する検査	血糖検査	
	自己抗体検査	●抗核抗体（ANA），抗DNA抗体，抗基底膜抗体，抗白血球細胞質抗体など
	血清学的検査	●血清補体価，CRP，抗ストレプトリジンO抗体（ASO）
	凝血学的検査	

▶肝機能検査は，肝臓の機能に関連して，それぞれの障害を反映する検査項目がある（**表Ⅱ-3-3**）．

▶肝胆道系疾患が疑われる場合には，まずスクリーニング検査としてAST，ALT，T-Bil，D-Bil，ALP，γ-GT，ChE，γ-Globを調べる．AST，ALTが高値の場合には，主として肝炎を考慮し，ウイルス性肝炎，薬剤性肝炎，自己免疫性肝炎などを鑑別する．T-Bil，ALP，γ-GTが高値の場合には，主として閉塞性黄疸，肝内胆汁うっ滞を鑑別する．この目的には超音波検査，CT，MRI，ERCP，PTCなどの画像検査を必要に応じて行う．ChE低下，γ-Glob増加の場合には肝硬変を疑い，画像検査，ICG試験，線維化の状態などを検査する．そのほか，肝細胞癌を疑った場合には，画像検査，腫瘍マーカー検査が必要になる．

2）腎機能検査

▶栄養療法が有用な疾患の一つに腎疾患がある．腎疾患患者に対しては，腎機能検査を確認し，患者の病態を把握することが重要になる．

▶腎・尿路系疾患は，浮腫，高血圧，尿異常，発熱，側腹部痛などの症状によって発見される場合と，健診などで受けた尿検査や血液生化学検査などで偶然に指摘される場合がある．腎・尿路系疾患を疑った場合には，尿検査が基本となるが，それに血液学的検査，血液生化学検査，免疫血清学検査，腎機能検査，画像検査などを加える（**表Ⅱ-3-4**）．

▶腎・尿路系疾患を診断し，治療するにあたっては，その存在を確認するだけでなく，原因，病変部位，活動性，重症度，腎臓以外の合併症をも把握することが必要である．そこで，検査を適宜組み合わせて病態を把握する．

MEMO

腫瘍マーカー：腫瘍が産生したり，腫瘍に対する生体反応によって産生される物質で，腫瘍の診断に役立つものをいう．

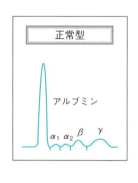
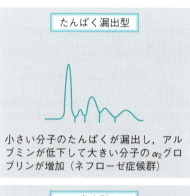
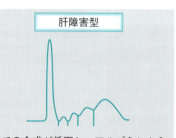
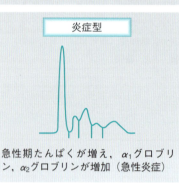
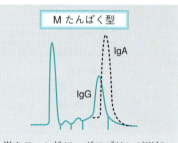

■図Ⅱ-3-4　血清たんぱく電気泳動の基本パターン

3）代謝検査

▶代謝検査はたんぱく・脂質・糖代謝異常症の診断のために行われる検査で，栄養アセスメントには欠かせない重要な検査である．

■ たんぱく質検査

▶たんぱく代謝異常では，血清たんぱく高値，低値，異たんぱく血症が問題となる．これらは血清総たんぱく濃度，アルブミン濃度，血清たんぱく電気泳動検査によって判定される．

▶総たんぱくが高値の場合，グロブリンが高値であることがほとんどで，グロブリンの過剰産生，もしくは脱水による血液濃縮などが原因となる．グロブリンの産生過剰には，単クローン性高γグロブリン血症と，多クローン性高γグロブリン血症がある．前者は多発性骨髄腫やマクログロブリン血症など腫瘍によって単一成分のグロブリンが産生される場合と，腫瘍でない良性Mたんぱく血症がある．多クローン性高γグロブリン血症は，炎症・免疫刺激などにより多クローン性にグロブリンが産生されるもので，慢性肝炎，肝硬変，慢性感染症，自己免疫疾患，リンパ増殖性疾患などがある．これらを鑑別するには，血清たんぱく電気泳動検査ならびに血清免疫電気泳動検査が行われる（図Ⅱ-3-4）．

▶総たんぱくが低値になるのは，アルブミン値が低いのが原因のことが多い．アルブミンの低値は，摂取不足（低栄養），漏出（熱傷，ネフローゼ症候群，たんぱく漏出性胃腸症），異化亢進（クッシング症候群，甲状腺機能亢進症），合成低下（肝硬変，肝癌，リン中毒）などが原因になって起きる．γグロブリンの減少は，先天性もしくは後天性の低または無

📝 MEMO
血清たんぱく電気泳動検査：血漿または血清中のたんぱく質は固有の電荷を帯びており，電流を通すとそれぞれの易動度に従って陽極側へ移動する．この性質を応用してたんぱく質を分離する検査である．

```
┌─────────────────────────────┐
│   脂質異常症の診断・経過観察   │
└─────────────────────────────┘
● 総コレステロール，中性脂肪（TG），
  HDLコレステロール，LDLコレステロール
            ↓
┌─────────────────────────────┐
│      続発性高脂血症の鑑別       │
└─────────────────────────────┘
● 尿検査，血液生化学検査，血糖，甲状腺機能
  検査など
            ↓
┌─────────────────────────────┐
│          病型分類            │
└─────────────────────────────┘
● リポたんぱく分析〔リポたんぱく電気泳動，ポリ
  アクリルアミドゲル電気泳動（PAGE），超遠心分析，
  リポたんぱく(a)〕
● アポたんぱく  測定
            ↓
┌─────────────────────────────┐
│   病因・病態解析のための特殊検査   │
└─────────────────────────────┘
● 酵素活性，転送たんぱく活性の測定〔リポたんぱ
  くリパーゼ（LPL），肝性中性脂肪リパーゼ（HTGL），
  レシチンコレステロールアシルトランスフェラー
  ゼ（LCAT），コレステロールエステル転送たんぱく
  （CETP）〕
● アポたんぱく分析（アポたんぱく電気泳動）
● LDLレセプター解析
```

■図Ⅱ-3-5 脂質異常症（高脂血症）の検査の進め方

```
┌─────────────────────────────┐
│        糖尿病の診断          │
└─────────────────────────────┘
● 尿糖，血糖，75g OGTT
            ↓
┌─────────────────────────────┐
│          病型判定            │
└─────────────────────────────┘
● インスリン分泌能の評価：インスリン初期分泌指
  数，尿中CPR，グルカゴン（IRG）負荷試験
● 自己抗体検査：抗膵島細胞質抗体，抗膵島細胞膜抗
  体，抗グルタミン酸脱炭酸酵素（GAD）抗体
● HLA検査
● 二次性糖尿病の検査：膵疾患，内分泌疾患，薬物副
  作用など
            ↓
┌─────────────────────────────┐
│      合併症の診断・管理        │
└─────────────────────────────┘
● 網膜症：眼底検査
● 腎症：尿検査，尿中微量アルブミン，$C_{Cr}$，尿中N-
  アセチル-β-D-グルコサミニダーゼ（NAG），尿中
  $β_2$ミクログロブリン
● 神経症：末梢神経伝導速度，心電図R-R間隔変動
  係数
● 動脈硬化：総コレステロール，中性脂肪（TG），
  LDLコレステロール，HDLコレステロール
            ↓
┌─────────────────────────────┐
│          経過観察            │
└─────────────────────────────┘
● 血糖コントロール状況：血糖，HbA1c，フルクト
  サミン，1,5-AG
● 尿検査：尿糖，尿ケトン体
● 血清脂質：総コレステロール，TG，LDLコレステ
  ロール，HDLコレステロール
```

■図Ⅱ-3-6 糖尿病の検査の進め方

γグロブリン血症で起きる．

■脂質検査

▶血清脂質検査は，とくに脂質異常症の診断に欠かせない．LDLコレステロールまたは中性脂肪（TG）が高値の場合には，原発性か続発性高脂血症を鑑別したり，病型の分類，さらに病因や病態解析のために必要に応じて特殊検査が行われる（図Ⅱ-3-5）．

■糖質検査

▶糖質の検査は，糖尿病の診療に重要で，血漿または血清を用いてグルコースが測定される．糖尿病の診断は，自覚症状，家族歴などに加えて，尿糖，血糖，糖負荷試験によって行われる．高血糖が確認されて糖尿病と診断された場合には，病型を正しく分類し，かつ合併症の存在と程度を正しく判断することが重要になる．また，食事療法や運動療法，薬物療法を開始した後は，経過を追って血糖コントロール状態を評価することが重要になる（図Ⅱ-3-6）．

▶血糖コントロールの経過観察には血糖値だけでなく，HbA1c（最近1〜2カ月の血糖を反映），フルクトサミン（最近1〜2週間の血糖状態），1,5-AG（ごく最近の血糖状態）

アポたんぱく：（⇒p.274参照）

などを測定する．さらに糖尿病の合併症としての腎症（尿検査，尿微量アルブミン），網膜症（眼底検査），神経症（神経筋伝導速度）などの進行をチェックする．

4) 内分泌検査

▶内分泌疾患では，体型，体格，顔貌，四肢などに特徴的な所見を示すことがある．また，発育の過程で異常があったり，家系内に同様の疾患が集積していることもある．このため内分泌疾患を診断するにあたっては，特有な症状，発育状態を含む既往歴，家族歴を丹念に聴取し，体型などを含めた身体診察がきわめて重要である．そして病歴聴取，身体診察から内分泌疾患を疑った場合，確定診断を行うために内分泌検査を実施する（**図Ⅱ-3-7**）．

■ 血中ホルモンの測定

▶内分泌疾患の病態を把握するうえでもっとも基本となるのが，血中あるいは尿中のホルモン，またはその前駆体や代謝産物を測定することである．

▶一般に内分泌機能亢進症では，その内分泌器官が産生して分泌するホルモンが過剰になり，血中ホルモン濃度が高値をとる．逆に機能低下症では，ホルモン分泌が低下し，低値を示す．さらに，ホルモンは上位もしくは下位の内分泌器官に影響を及ぼすので，ネガティブフィードバック機構によって上位のホルモンにも変化が生じる．たとえば甲状腺機能亢進症で甲状腺ホルモン分泌が上昇した場合，TSHが低下する．そこで，血中ホルモン濃度の測定が重要となる．

▶なお，ホルモンの分泌には日内変動があったり，体位，運動やストレスなどの影響を受けるものが少なくない．服用している薬剤に

■図Ⅱ-3-7　内分泌疾患の診断の進め方

も左右されることがある．また，血中ホルモン濃度が正常であるからといって内分泌疾患を否定できないこともある．こうしたことから，ホルモンの測定は，基礎値だけでなく，負荷をかけて分泌の応答を検査する負荷試験が必要なことも多い．

■ 負荷試験

▶血中ホルモン基礎値のみでは，内分泌疾患を診断したり，障害部位を判定することが困難なことがある．そこで，より診断を確実にしたり，障害部位や程度を判定する目的で負荷試験が行われる．負荷試験には，分泌刺激試験と分泌抑制試験とがある．

▶**分泌刺激試験**は，障害された内分泌腺にど

MEMO

基礎分泌量：普段の条件で分泌されているホルモン量を測定するもので，食事，運動，ストレスなどの影響を受けない状態で測定する．

■表Ⅱ-3-5　下垂体ホルモン分泌刺激試験

下垂体前葉ホルモン	成長ホルモン（GH）	インスリン負荷試験，アルギニン負荷試験，L-ドーパ負荷試験，グルカゴン（IRG）負荷試験，クロニジン負荷試験，成長ホルモン放出ホルモン（GH–RH）負荷試験
	副腎皮質刺激ホルモン（ACTH）	インスリン負荷試験，メチラポン負荷試験，CRH負荷試験，バソプレシン負荷試験
	甲状腺刺激ホルモン（TSH）	TRH負荷試験
	プロラクチン（PRL）	TRH負荷試験
	黄体形成ホルモン（LH）	GnRH負荷試験
	卵胞刺激ホルモン（FSH）	GnRH負荷試験
下垂体後葉ホルモン	バソプレシン（AVP, ADH）	水制限試験，高張食塩水負荷試験

■表Ⅱ-3-6　クッシング病とクッシング症候群の鑑別診断

疾患	血中ACTH	尿中17-OHCS	尿中17-KS	メチラポン反応テスト	CRH反応試験	2 mgデキサメタゾン抑制試験	8 mgデキサメタゾン抑制試験
クッシング病（下垂体性）	↑, →	↑	↑	(++)	(++)	(−)	(+)
副腎腺腫	↓	↑	↑, →	(−)	(−)	(−)	(−)
副腎癌	↓	↑	↑↑	(−)	(−)	(−)	(−)
原発性副腎過形成	↓	↑	↑	(−)	(−)	(−)	(−)
異所性ACTH産生腫瘍	↑↑↑	↑↑	↑	(−)	(−)	(−)	(−)

＋：反応あり，＋＋：強い反応，−：反応なし，↑：増加，↑↑：強い増加，↑↑↑：著増，↓：減少，→：不変

の程度のホルモン分泌能力（分泌予備能）が残っているかを知る目的で行われる．一定の負荷（刺激）をかけた後，血中の目的ホルモン濃度の増加度により予備能を判定する．たとえば下垂体ホルモン分泌予備能をみる目的に，GRH負荷試験，インスリン負荷試験などがある（表Ⅱ-3-5）．なお，刺激した後，ホルモンではなく，そのホルモンの作用を指標として判定することもある．たとえば水負荷試験では，抗利尿ホルモン分泌能だけでなく，尿量と尿浸透圧も測定して指標とする．

▶分泌抑制試験は，血中ホルモン濃度が高い場合に行われる．ホルモンの分泌を抑制するような刺激（負荷）を与え，ホルモンの分泌が抑制されるか，抑制されないかをみる．抑制されない場合には，内分泌腺腫瘍によってホルモンが自律性に産生されていることを示す．すなわち，ホルモンの過剰分泌が，正常のフィードバック機構から逸脱したことの結果によるものかどうかを判断するのに有意義である．たとえば，クッシング病とクッシング症候群の鑑別診断にデキサメタゾン抑制試験が行われる（表Ⅱ-3-6）．

■尿中ホルモン測定

▶尿中ホルモン，もしくはその代謝産物を測定して内分泌機能を調べることもある．

▶一般にペプチドホルモンはそのままの状態で排泄されることは少なく，臨床検査としては限界があるが，尿中GHの測定はGH分泌量の推定に役立つ．一方，ステロイドホルモンやカテコールアミンは尿中にそのままの形あるいは代謝産物が排泄されるので，それら

フィードバック機構：ホルモン分泌は上位の内分泌器官の指令を受けて行われる．下位の内分泌器官から分泌されるホルモンが上位内分泌器官からのホルモン分泌をコントロールする機構をいう．

■表Ⅱ-3-7　尿たんぱくが陽性となるおもな疾患

原因	疾患
腎前性	多発性骨髄腫（ベンスジョーンズたんぱく🔗），横紋筋融解症（ミオグロビン），不適合輸血
腎性	糸球体性：急性腎炎，慢性腎炎，ネフローゼ症候群，糖尿病性腎症，SLE，アミロイドーシス，腎硬化症 尿細管性：ファンコニ（Fanconi）症候群，急性尿細管壊死，慢性腎盂腎炎，痛風腎，重金属中毒，アミノグリコシド系抗菌薬，間質性腎炎
腎後性	尿路感染症，尿路結石症，尿路系腫瘍

■表Ⅱ-3-8　尿糖が陽性になるおもな疾患

高血糖性糖尿	
内分泌性	糖尿病，下垂体機能亢進症，甲状腺機能亢進症，副腎機能亢進症
非内分泌性	肝疾患，中枢神経疾患
薬剤性	ACTH，ステロイドホルモン，アドレナリン，甲状腺ホルモン，モルヒネ，精神安定薬
ストレス	感染症，手術，麻酔，呼吸不全
食事性	胃切除後，過食
糖排泄閾値低下	
重金属中毒	カドミウム，クロムなど
腎疾患	慢性腎炎，腎硬化症，ファンコニ症候群，ネフローゼ症候群
その他	腎性糖尿（先天性），妊娠

の測定が有意義である．蓄尿をして，アルドステロン，コルチゾール，17-OHCS，17-KS，カテコールアミン，メタネフリン，ノルメタネフリンなどが測定される．

4─尿検査

▶尿検査は簡便に実施できる検査で，腎・尿路系疾患のスクリーニング検査として，また糖尿病や多発性骨髄腫など全身性疾患の検査としても行われる．尿検査は早朝尿で検査するのが望ましいが，外来診療などでは随時尿で検査されることも多い．この場合，食事や運動などの影響を受けやすいので注意が必要になる．

▶尿検査では，たんぱく，糖，潜血，沈渣などを検査する．たんぱく，糖，潜血は試験紙法で簡便に検査でき，沈渣は尿を遠心分離して顕微鏡で観察する．尿成分を生化学的に分析する場合には，蓄尿をして検査を行う．尿路感染症を疑うときには，排尿途中の中間尿を無菌的に採取して細菌学的検査を行う．

1）尿たんぱく検査

▶通常は試験紙法でアルブミンを検出する．30 mg/dL 以上で陽性（＋）となり，異常と判定される．健康人でも 40〜100 mg/日程度のたんぱく質は尿中に排泄されるが，150 mg 以上の排出は異常と考える．尿たんぱくが陽性になるおもな疾患は表Ⅱ-3-7に示すようなものである．

2）尿糖検査

▶試験紙法でブドウ糖を検出する．健常者でも 20〜30 mg/dL，40〜85 mg/日程度の糖は排出される．食後には健常者でも尿糖が陽性になることがある．尿糖が陽性の場合には，必ず血糖値を調べておく．尿糖が陽性になるおもな疾患を表Ⅱ-3-8に示す．

3）ケトン体

▶ケトン体は，糖質の不足や利用障害があるとき，脂肪が代わりに利用され不完全燃焼して生成されるもので，アセト酢酸，β-ヒドロキシ酪酸，アセトンの総称である．尿ケトン体は表Ⅱ-3-9に示すような疾患や病態で検出される．糖尿病患者などで検出された場合には，全身状態が悪いことを示すことから

📝**MEMO**

ベンスジョーンズ（Bence Jones）たんぱく：多発性骨髄腫の患者の尿中に分泌されるたんぱくで，免疫グロブリンの軽鎖である．尿を煮沸していくと 56〜60℃付近で尿が白濁し，沸騰すると透明になる特徴がある．

■表Ⅱ-3-9 尿ケトン体が陽性になるおもな疾患

原因	疾患，病態
代謝性疾患	糖尿病，腎性糖尿，糖原病
食事性	飢餓，高脂質食
代謝亢進	甲状腺機能亢進症，発熱，妊娠，授乳

■表Ⅱ-3-10 尿潜血反応が陽性（血尿）になるおもな疾患

腎前性	出血性素因，抗凝固療法，DIC，血小板減少症，白血病
腎性	急性糸球体腎炎，慢性糸球体腎炎，ループス腎炎，間質性腎炎，腎盂腎炎，腎結核，腎結石，腎癌，腎血管腫，腎動脈瘤，腎静脈血栓症，腎外傷，多発性囊胞腎，遊走腎，特発性腎出血
腎後性	腎盂・尿管・膀胱・前立腺・尿道の腫瘍，結石，炎症，外傷

■表Ⅱ-3-11 尿沈渣の異常とおもな疾患

尿沈渣成分	おもな疾患，病態
赤血球	糸球体腎炎，腎・尿路結石，腫瘍，炎症
白血球	尿路感染症，移植後の拒絶反応
上皮細胞	腎盂腎炎，急性尿細管壊死（尿細管上皮），腫瘍（移行上皮）
円柱	糸球体腎炎（硝子円柱，赤血球円柱），ループス腎炎（赤血球円柱，白血球円柱），ネフローゼ症候群（硝子円柱，脂肪円柱，顆粒円柱）
結晶	腎結石（尿酸，シュウ酸塩，リン酸塩），シスチン尿症（シスチン）
細菌，真菌	尿路感染症

早急に対応する必要がある．

4）潜血

▶試験紙法ではヘモグロビンのペルオキシダーゼ様反応を検出する．尿潜血反応の陽性は，腎・尿路系のいずれかの部位で出血していることを示し，出血源の確認と，出血の原因を精査するようにする（表Ⅱ-3-10）．
▶なお，ヘモグロビン尿やミオグロビン尿🖉では，尿潜血反応は陽性であるが，沈渣には赤血球が見当たらない現象が起きる．

5）尿沈渣

▶新鮮な尿を遠心分離して，上清を捨て，沈殿物（沈渣）をスライドグラスにのせて400倍の倍率で検鏡する．少数の赤血球，白血球は健康人でも見られるが，多数出現するのは表Ⅱ-3-11のような疾患である．円柱は，尿細管で尿中の成分が停滞して生じるもので，硝子円柱は健常者でも見られることがあるが，ほかの円柱が出現するのは病的である．

5─画像検査

▶X線や超音波（エコー）などを用いて臓器の病変を画像として描出して診断する検査である．X線検査，超音波検査，CT検査，MRI検査，内視鏡検査などがあり，技術の進歩によって鮮明で，微細な病変までも検出できる詳細な画像が得られるようになった．疾患の存在だけでなく，広がりや正常構造の影響なども確認することができる．コンピュータ技術の進展にともない，ごく初期の癌でも発見できるようになっている．

6─そのほかの検査

▶そのほかの検査法として，たとえば自己免疫疾患やウイルス疾患などを診断するには，抗原抗体反応を応用した免疫血清検査がある．感染症を起こした起炎菌を同定するには病原微生物検査が行われる．また，循環機能は心電図検査や心臓超音波検査，呼吸機能は呼吸機能検査（肺機能検査，スパイログラフィ）や動脈血ガス分析などで検査される．これらは患者の病態に応じて適宜選択されて実施される．

🖉MEMO
ヘモグロビン尿，ミオグロビン尿：発作性夜間ヘモグロビン尿症などで血管内溶血が起こるとヘモグロビンが尿中に出る．また，筋肉が挫滅されると筋肉中のミオグロビンが尿中に出てくる．いずれも赤褐色調の尿となり，潜血反応は陽性となる．

■表Ⅱ-3-12　静的栄養指標

血液・生化学的指標	血清総たんぱく，アルブミン，コレステロール，コリンエステラーゼ（ChE），クレアチニン身長係数（尿中クレアチニン），血中ビタミン，ミネラル，末梢血中総リンパ球数
皮内反応	遅延型皮膚過敏反応

■表Ⅱ-3-13　動的栄養指標

血液・生化学的指標	短半減期たんぱく：トランスフェリン，レチノール結合たんぱく，プレアルブミン，ヘパプラスチンテスト たんぱく代謝動態：窒素平衡，尿中3-メチルヒスチジン アミノ酸代謝動態：アミノグラム，フィッシャー値（分岐鎖アミノ酸/芳香族アミノ酸），BTR（分岐鎖アミノ酸/チロシン）
間接熱量測定値	安静時エネルギー消費量（REE），呼吸商，糖利用率

7─栄養状態の評価指標と病態の評価指標

▶栄養状態や病態を評価するには，**主観的評価法**（主観的包括的評価法：SGA）と，**客観的評価法**がある．おもに客観的評価法が用いられる．栄養指標には，静的栄養指標，動的栄養指標，総合的栄養指標がある．

1）静的栄養指標

▶**静的栄養指標**として，身体計測指標，血液・生化学的指標，皮内反応がある（表Ⅱ-3-12）．これらは短期間における栄養状態の変化を評価することはできないが，代謝学的変化を誘導する種々の因子のわずかな変動には影響されない信頼性の高いもので，患者の栄養状態を定量的に評価するのに有用な指標である．

2）動的栄養指標

▶**動的栄養指標**には，血液・生化学的指標，間接熱量測定値がある（表Ⅱ-3-13）．これらは短期間での代謝変動，リアルタイムでの代謝・栄養状態を評価するのに優れている．ただし，種々の要因によって影響を受けやすく，変動幅が大きいことに注意が必要である．さらに，医療保険の関連から必ずしも臨床例で測定されにくい項目もある．

3）総合的栄養指標

▶手術を受ける場合など，種々の栄養指標を総合的に判断することが必要になる．胃癌や食道癌などの手術に際し，危険度を推定するための栄養指標が考案されている．

3　身体計測

1─栄養アセスメントにおける身体計測の意義

▶**栄養アセスメント**は「栄養状態を種々の栄養指標を用いて客観的に評価すること」である．

▶栄養アセスメントの評価項目のうち，**身体構成成分**を把握するための手法として身体計測が用いられる．

▶身体計測はもっとも簡便で，非侵襲的，経済的な栄養評価法である．

▶測定値はその基準値と比較することで，栄養アセスメントにおけるスクリーニングに用いることができる．

▶身体計測値の経時的変化の評価は，患者の栄養状態を反映する重要な情報でもある．

MEMO

身体構成成分（body composition）：身体全体を分けた「貯蔵脂肪」「骨格筋」「内臓たんぱく」の3つの区分のこと．栄養アセスメントを行うにあたって，より詳細に評価するための方法として，身体構成成分を総合的に評価する．身体構成成分を正確に測定することは栄養アセスメントの基本ともいえる．

■表Ⅱ-3-14　おもな身体計測の項目

● 身長
● 体重 　％理想体重 　平常時体重に対する体重比 　体重減少率
● 体格指標（BMI）
● ウエスト周囲長
● ウエスト・ヒップ比
● 上腕周囲長（AC）
● 皮下脂肪厚 　上腕三頭筋背側部皮下脂肪厚（TSF） 　超音波断層撮影法 　生体電気インピーダンス法（BIA）
● 上腕筋周囲長（AMC）
● 上腕筋面積（AMA）

2—身体計測実施に向けての注意点

▶ 身体計測値を栄養アセスメントのデータとして用いるためには，測定値の正確さが求められる．

▶ 身体計測は簡便であるが，計測者によって誤差が生じやすく，計測技術の習熟が必要である．浮腫などを生じている場合には，正確な計測値を得られにくい．

▶ 日内変動も生じるため，継続して計測する場合は，計測時間も一定にすることが望ましい．

3—各身体計測の特徴

▶ 身体計測の項目を表Ⅱ-3-14に示す．

1）身　長

▶ 体格を決定する要素の一つで，身長計を用いて立位にて測定する．

▶ 計測値は，エネルギー必要量や理想体重，体表面積などの算出にも必要となる．また，小児においては発育の指標ともなる．

■立位がとれない場合はベッドで側臥位のまま身長計測する

①平行なボードを頭の上と足の裏に当て，その間をメジャーにて測定する．

②体がまっすぐにならない場合は，メジャーをまっすぐに沿わせることが可能な部位ごとに測定する．

▶ 上記2点の測定方法は測定者により誤差が生じやすい．同一人物の測定で3回計測し，平均値を採用する．

■両下肢を失っている場合の測定法

▶ 手のひらを前面に向け，両腕を肩の高さで最大に横へ伸ばした状態で測定する．

2）体　重

▶ 身長とともに体格を決定する要素の一つで，体重計を用いて立位にて測定する．

▶ 体重は全身のエネルギー貯蔵量を反映している．また，体重の減少はエネルギー代謝やたんぱく質代謝が低下していることを示す．

▶ 体重の変化は栄養状態のほかに，体内の水分貯留の影響も受ける．体重増加が単に栄養状態の改善の結果でない場合もあるため，対象者の食事摂取状況や疾患などからの多角的な評価が必要となる．

■立位がとれない場合の測定方法

①車いすに乗車可能な場合は「車いす用体重計」を用い，車いすに乗車した状態で計測する．このとき，風袋込みの重量であることに注意する．

②寝たままで計測する場合は「吊り下げ型体重計」や「体重計付きベッド」を用いる．

3）理想体重，または身長・体重比

● 標準体重 kg ＝（身長 m$)^2$ ×22（日本肥満学会）

▶同一身長の理想体重（IBW）に対する測定体重の比率

4）％理想体重（％IBW）
- ％理想体重＝現体重÷理想体重
▶理想体重に対する現体重の比率
▶％理想体重が70％以下では高度，70〜80％では中等度，80〜90％では軽度の筋たんぱくの消耗があると評価できる．

5）平常時体重に対する体重比（％UBW）
- 平常時体重に対する体重比＝現体重÷平常時体重
▶平常時体重は被験者の記憶に頼っているので正確でないこともある．記憶が正しければ，％理想体重より信用度が高い．
▶75％以下は高度，75〜85％では中等度，85〜95％では軽度の栄養障害があると考えられる．

6）体重減少率
- 体重減少率＝（平常時の体重－現在の体重）÷平常時体重×100
▶同じ体重減少率であっても，その期間が短期間であれば臨床的に重要な意味をもつ．
▶1カ月で5％，6カ月で10％の体重減少は，高度な体重減少と評価できる．

7）体格指標（BMI）
- $BMI = 体重(kg) / 身長(m)^2$
▶カウプ（Kaup）指数🖉またはケトレー（Quételet）指数ともよばれる．
▶BMIの増加とともに脂質異常症，高尿酸血症，糖尿病，高血圧などが増加する．
▶BMIの低下とともに貧血，呼吸器疾患，消化器疾患などが増加する．
▶疾病指数のもっとも少ないBMIは男性22.1，女性21.9であるので，BMI 22（kg/m^2）を標準体重としている．

8）ウエスト周囲長（臍周囲長🖉）
▶メタボリックシンドロームの診断基準に用いられている．
▶内臓脂肪（腹腔内脂肪）蓄積が「ウエスト周囲長」の増大で示され，男性85 cm以上，女性90 cm以上では，内臓脂肪面積では男女とも100 cm^{2}に相当する．

9）ウエスト・ヒップ比
- ウエスト・ヒップ比＝ウエスト÷ヒップ
▶身体測定から内臓脂肪量の推定をする一つの方法．
▶男性0.9以上，女性0.8以上であれば内臓脂肪型肥満の可能性が高い．
▶皮下脂肪型肥満では0.7以下になることが多い．
▶CTによる内臓脂肪量との相関が高いといわれている．

10）上腕周囲長（AC）
▶上腕三頭筋部中点上を通る円周の長さを測定する（図Ⅱ-3-8）．
①患者は枕をしたまま仰臥位をとる．
②計測位置を決定する．患者は計測するほうの腕の肘を直角に曲げ，上腕部は手のひらを下に向け，垂直に胴体の上に置く．
③計測位置は，肩先（肩峰）から肘先（尺骨の先端）までの距離の中心点とし，印（しるし）をつける．
④中心点が決まったら計測する腕を体に沿わ

📝 **MEMO**

カウプ（Kaup）指数：乳児・幼児の肥満の程度を表す指数．体重(kg)÷身長(cm)^2×10^{4}で算出される．算出される数値は，体格指数〔BMI＝体重(kg)÷身長(m)^2〕と同じであるが，乳幼児と成人とでは基準範囲が異なり，3カ月以後の乳児では16〜18，満1歳〜5歳の幼児ではおおむね15〜17が標準とされる．

臍周囲長：立った状態で軽く息を吐いた体位をとり，臍の高さで測定した腹囲のこと．メタボリックシンドロームの診断に使われる．

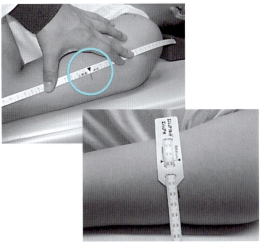

■図Ⅱ-3-8　上腕周囲長の測定（インサーテープによる）

せ，手のひらを上に向け伸ばす．肘の下にタオルなどを当て支えにし，寝台からわずかに浮かせる．
⑤患者の腕を巻尺（またはインサーテープ🔗）に通し，印をつけた計測位置でテープを密着させ，さらに皮膚を圧迫しない程度に締める．
⑥2回の計測値の誤差が5 mm以内の場合，平均して記録する．
▶巻尺がたるんだり，曲がったり，上腕を強く締め付けないように注意する．
▶測定には熟練を要し，測定者間の誤差が大きい．習熟した者が1人で測定することが望ましい．
▶身体構成成分の「体重」の情報と対応して，基準値（JARD2001🔗）と比較し，60％以下は高度，60〜80％は中等度，80〜90％では軽度の栄養障害と評価できる．

11）上腕三頭筋背側部皮下脂肪厚（TSF）

▶身体構成成分の「体脂肪量」の指標として用いられる．

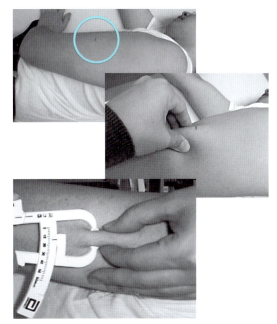

■図Ⅱ-3-9　上腕三頭筋背側部皮下脂肪厚の測定（アディポメーターによる）

▶上腕三頭筋の背側中点部で計測する（図Ⅱ-3-9）．
①患者は，上腕周囲長を計測した腕を上にして，反対側の腕は体に対して前方へ伸ばして横たわる．
②胴体はまっすぐに伸ばし，足は楽に曲げ，体にわずかに引き寄せる．測定する腕の手のひらを下に向け，力が入らないよう体の脇に楽に沿わせ，肩のラインがベッドに対して垂直になるように横たわる．
③計測者は上腕にマークした中心点から1 cm離れた部分の皮膚を，脂肪層と筋肉部分を分離するように親指と他の4本指で上腕に対して平行につまみあげ，計測中はこの状態を保つ．
④アディポメーター🔗の口は，つまみあげた脂肪層の中心点のマークに垂直に当て計測値を読み取る．

📝 MEMO

インサーテープ：身体計測の用具の一つ．巻尺のように長さを測る目盛のついた面と，上腕の中心点を測定できる目盛の面と両面を使用できる．
JARD2001：2001年に日本栄養アセスメント研究会身体計測基準値検討委員会において示された日本人の新身体計測基準値．

アディポメーター：身体計測の用具の一つ．キャリパーともいわれる．扇形の弧の面にある口で脂肪層を挟み，口の内側にある目盛を読みとることで測定できる．

⑤視差による誤差を防ぐため,目盛り線まで視線を下げる.
⑥脂肪層をつまみあげたまま2回目を計測する.
⑦2回の計測値の誤差が4mm以内の場合,平均して記録する.
▶局所的な脂肪量から全身の体脂肪量を推定するもので,必然的に誤差が生じる.
▶測定機器として,常に一定の圧力が加わるように考案されているアディポメーターを用いる.
▶アディポメーターの当て方,皮膚のつまみ方による誤差が大きく,測定には熟練を要する.
▶極度の肥満,極度にやせた者,浮腫のある者の測定には不適切である.基準値(JARD2001)と比較し,60%以下は高度,60〜80%は中等度,80〜90%は軽度の栄養障害と評価できる.

12) 上腕筋周囲長(AMC)および上腕筋面積(AMA)

- $AMC = AC - \pi \times TSF \div 10$
- $AMA = (AMC)^2 \div 4\pi$

▶筋肉たんぱく量の指標として用いられる.
▶上腕周囲長と上腕三頭筋背側部皮下脂肪厚の値を代入して計算するが,上腕三頭筋背側部皮下脂肪厚は真の皮下脂肪厚の2倍であり,単位がmmである点に注意をする.
▶基準値(JARD2001)と比較し,60%以下は高度,60〜80%は中等度,80〜90%は軽度の栄養障害と評価できる.

13) 体脂肪

▶身体構成成分を直接測定する方法として,生体電気インピーダンス分析法(BIA:bioelectrical impedance analysis)と,二重エネルギーX線吸収測定法(DEXA:dual energy X-ray absorptiometry)がある.
▶BIAとは,生体に微弱な交電流を通電し生体の電気抵抗を測定することにより,電流を流しやすい性質を有する除脂肪量(FFM:fat free mass)を推定するもの.これにより体内の脂肪量が推定できる.
▶BIAは低侵襲かつベッドサイドで簡単に短時間に測定でき,測定者間誤差も少なく,装置も比較的低コストである.
▶DEXAは,生体に照射された2つのエネルギーの光子のカウント率が減衰することを利用し,骨塩量と軟部組織の定量的解析を可能にしたものである.
▶X線を使用するためわずかな被曝があるが,測定が短時間で測定誤差が小さいことが利点である.
▶体内の骨量や総脂肪量の定量的解析が可能であることから,解析の結果を体重から減じることでFFMの算出が可能である.

14) 膝高値(KH)(図Ⅱ-3-10)

▶立位のとれない被計測者に対して,予測式を用いて身長および体重を推定する場合に用いる.
▶膝高計測器(knee-height caliper)を用いて,膝から踵までの長さを計り,予測する方法である.
▶手順を以下に示す.
①患者は枕をした状態の仰臥位で,膝関節と足関節を90°に曲げる.
②knee-height caliperのロックをはずして,移動ブレードを上げ,計測する脚の曲げた

膝高計測器(knee-height caliper):身体計測の用具の一つ.測定対象を挟むためのスライド部分がついた定規のような測定器具.

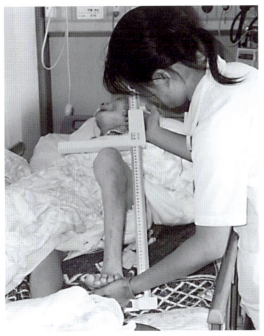

■図Ⅱ-3-10 膝高位の測定（膝高計測器による）

踝の下に固定ブレードを差し込む．
③移動ブレードを測定する脚の大腿前部の膝蓋骨から約5cm上がったところで固定する．
④膝高計のシャフトが頸骨と平行になり，かつ外踝を通ることを確認する．
⑤移動ブレードは大腿部の皮膚を若干圧迫する程度に密着させる位置で，移動ブレードの上部にあるロックを引き上げて固定する．
⑥計測値は読み取り窓の矢印の位置で，0.1cmの近似値まで読み取る．
⑦1回目の計測値と2回目の計測値の差が0.5cm以下の場合は，2回の計測値の平均をその回の計測値として採用する．計測値の差が0.5cm以上の場合はもう一度計測し，近いほうの値と平均する．

▶予測身長の公式 （宮澤 靖らの予測式）
- 男性：64.02 +（膝高×2.12）-（年齢×0.07）
- 女性：77.88 +（膝高×1.77）-（年齢×0.10）

▶予測体重の公式（宮澤 靖らの予測式）
- 男性：(1.01×膝高) +（AC×2.03) +（TSF×0.46) +（年齢×0.01) - 49.37
- 女性：(1.24×膝高) +（AC×1.21) +（TSF×0.33) +（年齢×0.07) - 44.43

▶臨床的利点：従来は身長体重が測定できない場合，抱きかかえ測定や見た目での推測であったが，ある程度，精度よく推定できる．

4─身体計測データの評価

▶「身体構成成分の測定」としては局所の情報にすぎないが，上腕周囲長（AC）を「体重＝全身」，上腕三頭筋背側部皮下脂肪厚（TSF）を「脂肪量」，上腕筋周囲長（AMC）または上腕筋面積（AMA）を「筋肉量」に反映することができる．

▶一方で，高齢者における経時的な身体計測値の評価では，1年後の日常生活動作（ADL：

MEMO

予測身長の公式：以下のような推定式もある．
男性＝115.3 +（膝高（cm）×1.13) -（年齢×0.12)
女性＝123.9 +（膝高（cm）×1.20) -（年齢×0.40)

〈Chumleaの式〉
男性＝64.19 +（膝高（cm）×2.02) -（年齢×0.04)
女性＝84.88 +（膝高（cm）×1.83) -（年齢×0.24)

activities of daily living）の低下や食事摂取量の低下のリスクも導き出せる．
▶1年間の体重減少が5％以上の場合は1年後の褥瘡の出現，食事摂取量の低下，日常生活活動低下のリスクが高いことを示し，体重測定が困難な患者であっても，同様の基準で上腕周囲長の減少率を評価することができる．
▶また，体重計測値が標準であっても，体脂肪率の高い**隠れ肥満**についても考慮する必要がある．適正な体脂肪率は，男性では15～19％，女性では20～25％で，これを上回ると肥満となる．**体脂肪率**を用いれば，いわゆる隠れ肥満がつかめ，また，筋肉質なのか脂肪過多なのかもわかる．体脂肪の測定方法については，前述の上腕三頭筋背側部皮下脂肪厚やBIA法などを用いる．
▶栄養アセスメントに必要な生化学検査値や栄養摂取量などとともに総合的な評価を行う．

4 摂食状態

1—栄養アセスメントにおける食事調査の意義

▶**食事調査**は，患者の現在までの栄養摂取の内容と方法を知り，その後の栄養療法に反映する基本的情報である．
▶食事調査を行うことで，栄養量の過不足，摂取方法，食生活習慣，さらにそれらの問題点を把握することができる．
▶聞き取った内容から，エネルギー，たんぱく質，脂質，ビタミン・ミネラル，食物繊維などの栄養成分の摂取状態を知り，評価することができる．栄養士にとって，もっとも基本的で重要なスキルの一つである．

2—食事調査の特徴

▶食事調査にはさまざまな方法があるが，どの方法をとる場合でも，食材の同定や食品の目安量などを推定する技術と，患者から情報を引き出す（聞き取る）技術が同時に必要となる．
▶経口摂取の患者で聞き取りが可能な場合に用いられる方法として，下記の3つがあげられる．
①食事調査（狭義）は，対象者の食事内容を聞き取り，あるいは記録することで把握する方法である．
②**陰膳法**は，摂取食品そのものを収集し，科学的に分析する方法である．
③**生体指標**は，生体での食事摂取状況を反映する指標を測定する方法である．

3—食事調査（狭義）の方法

▶もっとも使用されるのは食事調査（狭義）で，これは次の3つの調査方法に分けられる．

1）食歴法

▶栄養士が患者と面接し，対象者が通常摂取している食事パターンを聞き取る．
▶朝食・昼食・夕食・間食や夜食の有無，晩酌の有無，摂取時間，週日，週末の摂取パターンの差，各食事で主として何を，どのくらい食べているのか問診を行い，習慣的に摂取する食品，摂取量を確定する．
▶患者の思い出しが困難な場合には適応できない．
▶思い出しが可能な場合でも，食事に興味をもっていない人，調理をしない人などが対象の場合には，思い出させ方や量の把握手段な

📝**MEMO**

陰膳法：実際に食べた食事と同じ内容のものを用意し，含まれている食材などを分析する方法．

生体指標：尿や血液中に含まれる生体由来の物質で，生体内の生物学的変化を定量的に把握するための指標となるもの．

どに創意工夫が必要である．
▶面接に時間がかかり，面接者の技術により結果が左右されやすい欠点がある．

2）24時間思い出し法
▶栄養士が面接して，調査日前日の食事内容を聞き取るもの．
▶調査内容は摂取食品とその摂取量である．
▶患者は思い出し期間が前日1日だけなので，比較的思い出しやすい．しかし，1日の食事調査では習慣的な摂取量を評価しにくい．
▶1日の行動を時間を追って思い出させると比較的正確に聞き取ることができる．
▶面接者（栄養士）は聞き取りながら食品の同定や，重量の推定をしなくてはならないため，幅広い知識と経験が要求される．

3）食物摂取頻度調査法（いわゆるアンケート法）
▶食品の摂取頻度のみを質問している**定性的食物摂取頻度調査法**と，摂取量についても質問する**半定量食物摂取頻度調査法**がある．
▶調査用紙は調査対象，目的によって多くのバリエーションがある．
▶どの方法においても日常食の質問が中心となるため，おもに生活習慣病などの栄養相談の際に用いられる場合が多い．
▶食事摂取の詳細な情報を得られにくいため，摂取量の定量を行う場合には他の方法に比べ正確ではない．

4—場面別食事調査
1）栄養相談を行う場合
▶栄養相談のシーンは外来患者と入院患者があるが，どちらにしても食事・生活習慣の行動変容を導くことが目的となり，おもに日常生活での食事摂取量の把握が必要となる．

■ 回答は，より具体的な内容まで引き出す
▶患者記入式の調査票は，患者自らがこれまでの食習慣を省みることができ，今後の食事療法へのよい動機づけとなる．
▶しかし，答えやすさを優先すると，○×式や選択肢から選んでマークをつけるマーク式が主になり，患者の本当の食習慣は見えにくい．
▶記入後の調査票を元に，食物摂取頻度の聞き取りを中心に，生活習慣についても質問する．問診のポイントは**表Ⅱ-3-15**に示す．
▶場合によっては，24時間思い出し法を応用し，朝起きてから夜寝るまでの間，時間を追って答えてもらうこともある．
▶たとえば「間食・夜食をしない」と答えている場合でも，このように1日の行動を客観的に思い出してもらうことによって気がつくこともある．

■ 「普通の量」の基準を統一する
▶在宅生活の場合は正確な食材の重量を聞き取りのみで把握することは困難である．
▶問診の際は栄養士と対象者（患者）との間で「普通の量」の基準が同等になるように心がける．
▶欧米で用いられる**ポーションサイズ**（portion size），**サービングサイズ**（serving size）といわれる量の認識単位は，量の基準の統一化には有益な考え方である．
▶量の基準になりそうなものは，およその重量を把握しておくとよい．
▶とくに主食になるご飯や麺類は，頻回に登場する食品であるので把握しておくと便利である．また，フードモデルの利用も有効である．

📝MEMO

定性的食物摂取頻度調査法：食品リストに基づいて，食品ごとに設定された重量とその摂取頻度（通常，1週間に食べる回数）を回答する方法．
半定量食物摂取頻度調査法：食物の摂取頻度に加え，摂取量についても聞き取る方法．対象者の栄養摂取量や食習慣をより詳細に反映する．
ポーションサイズ，サービングサイズ：どちらも「1回分の量」の意味．ポーションサイズはおもに食材1つの量（リンゴ1個200g，角砂糖1個4gなど），サービングサイズはおもに1回分の量（ご飯1杯150g，魚1切れ70gなど）を示す．

■表Ⅱ-3-15　調査用紙に沿った問診のポイント

①職業	「会社員」など，大まかな職業の場合は具体的にどんな内容であるかを聞く．仕事をもっている成人の場合，仕事の内容から生活活動強度が割り出せることが多い
②家族	家族構成の違いによって献立の偏りがみられる場合もある．たとえば，「子どもが好きだから揚げ物が多い」など．人数だけでなく，家族構成も重要な情報である
③調理担当者	調理担当者が同席できる場合は同様に話を聞く．調理担当者が食事つくりをどう思っているか，健康に良いと思って積極的に使用している食材はないか，など
④現在の病気について	たとえば糖尿病の場合，診断されていなくても「血糖が高い」と言われたのはいつごろか，のように「異常がある」と意識した時期を聞き取る．また，その際に食事摂取に対して変化があったかどうか
⑤過去に受けた栄養指導	経験があればそのときの指導内容を聞く．実行できたか，効果はどうだったか，実践してみてどう感じたか，など
⑥好き嫌い	極端な偏食がないかどうか
⑦食事時間	「規則正しい」「不規則」のどちらの回答であっても具体的に食事時間を聞く
⑧間食・夜食	お茶や，ガムなども「間食」として考え，3回の食事以外で口にするもの，という概念で聞き取る．夜食についても同様
⑨主食の量	フードモデルの「米飯100g」の茶碗を持ってもらい，自宅で使っている茶碗と比較し，およその量を割り出す．入院経験のある場合は病院給食のご飯と，また，社員食堂や外食のご飯と比べてどうか，など対象者と共通のイメージで量が判定できる基準を用いて聞き取る
⑩各食品の摂取頻度	極端に頻度が低いまたは高い場合は，対象者の食嗜好について詳しく聞き取る．また，「健康のために減らしている」といった理由がある場合もある．野菜類の摂取量が低い場合は，生野菜のみでなく他の調理法での摂取がないかを聞き取るとよい
⑪油を使った料理	揚げ物，炒め物のどちらの頻度が高いか．週に何回ぐらい食べるか．また，マヨネーズやドレッシングなどの使用頻度も聞き取る
⑫味付け	対象者の味の好みを確認する．主食の量を聞き取るときと同様に，対象者と共通のイメージができるもので評価する．また，しょうゆやソースなど料理にかける調味料の使用頻度についても聞き取る
⑬外食	頻度のほか，どのような飲食店を利用するか，どのようなものを注文するかを聞き取る．また，中食の利用についても聞き取る．外食や中食のみで食事をしている患者も存在する
⑭嗜好飲料	飲酒の習慣のほか，コーヒーや清涼飲料水などについて「何を」「どのくらい」「どんな飲み方」（たとえばコーヒーならミルクや砂糖を使うかどうか），1日の頻度はどのくらいかも聞き取る
⑮運動	仕事が重労働である場合，「仕事＝運動」と思っている対象者も多い．仕事のほかに体を動かすかどうか，を聞き取る

▶実際には年齢や生活習慣によって使用するサイズを変えて使うことが望ましい．
▶また可能であれば，写真など画像で食卓の様子を提供してもらうのもよい方法である．

2) 対象者が入院している場合

▶入院中はカルテや医療スタッフからも情報を収集できる．
▶入院して間もない場合は，自宅でどのような栄養摂取を行っていたかも聴取する．これは，上記の栄養相談の場合に準じる．

■看護師による食事調査

▶看護師は日々の看護記録の中で食事摂取量の記載も温度板に行っている．
▶ほとんどの病院では主食と副食に分け，5段階，あるいは10段階で評価している．
▶記録者の主観によるため，記録者間の誤差が生じやすい．
▶副食は栄養成分が多彩であるため，詳細な栄養成分の摂取量調査には向かない．

温度板：看護記録の一部．体温，脈拍，呼吸，血圧のグラフが記載されている一覧表．ほかに，食種・摂取量，排尿・排便回数，身長，体重などが記入されている．

■表Ⅱ-3-16 カルテから必要な情報をピックアップするときのポイント

参照したい情報	参照する箇所
静脈・経腸栄養の内容	医師の指示箋（処方・注射・食事・検査など）
経口摂取の内容	医師指示箋・食事箋
静脈・経腸栄養の投与量	入院時経過表（看護記録）
経口摂取の摂取量	入院時経過表（看護記録） 対象者からの聞き取り
投与経路	入院経過表・医師指示箋・医師所見欄（カルテ内容）
嚥下障害の有無	医師所見欄（カルテ内容）・看護記録

■ **下膳時の食事調査**
▶ 下膳された食事の残食を計量し，喫食量を把握する方法である．
▶ 配膳時に対象者の盆にビニールテープなどを用いて記名し，配膳時と下膳時の両方で重量を測ると，ある程度正確に喫食量が把握できる．食器の重さもそのまま計量し，配膳時と下膳時の差を求める．提供分をすべて食べている場合は下膳時の計量は省略する．
▶ 提供量（盛付量）は献立表を基準とするが，実際は献立表の重量とまったく同じ盛付量にはならないことに注意する．大変に手間がかかるため，特定の対象者しか利用できない．

■ **非経口摂取での栄養投与**
▶ 入院時は経口摂取（病院給食）のほかにも，輸液などからの栄養投与が併用になっている場合がある．経口摂取ばかりでなく，そのほかの経路からの栄養投与についても注目したい．
▶ 経管栄養・静脈栄養であっても，処方（医師の指示）量と投与量が必ずしも一致しないため，投与量を確認することが必要となる．

■ **栄養投与に関する情報の入手**
▶ すべての施設が同様の記入方法ではないが，栄養投与の情報はさまざまなページに記載がある．おもな栄養投与情報の所在について表Ⅱ-3-16に示す．
▶ そのほかにカルテからは対象者の疾患，現在の状況などの情報も知ることができる．
▶ さらに，入院時の看護記録（アナムネ）や医師の所見欄，日々の看護記録などに対象者の栄養摂取に関する情報がある．

3）対象者が在宅療養の場合（在宅栄養指導を行う場合）

▶ 現在までの栄養投与量，投与経路，栄養投与における **キーパーソン**，家族が栄養投与に関して困っていること・工夫していること，食習慣なども必要な情報になる．

■ **アンケート用紙の工夫**
▶ 食習慣については「栄養相談を行う場合」に準じるが，独居の高齢者や高齢者だけの家族である場合，詳細なアンケートの記載が困難な場合もある．その場合は，食品群ごとに食べたら「○」をつけるだけの記録表を用いると調査しやすい．

■ **実際に食事・栄養摂取の内容をみる**
▶ 在宅療養中の対象者（とくに高齢者）は経腸栄養法を施行していたり，とろみをつけて嚥下しやすいような食事をとっていたりと栄養投与法が多岐にわたる．必要な情報が聞き取りだけで不十分な場合は，家族の協力が得

MEMO

キーパーソン（key parson）：臨床においては，患者の治療に関して家族の中で中心となって治療の選択などに関与する人物．栄養管理の部分に注目すると，食事作りや栄養投与を担う家族．

られれば，実際に食事に同席させてもらう，写真など画像を提供してもらうなど工夫が必要である．

5─食事調査の評価方法

▶食事調査の内容から評価できることは大きく分けて2つある．

■ 食生活習慣の把握とそれらの問題点の評価

▶患者からの聞き取りやアンケートから収集された情報を，「糖尿病食品交換表」やフードピラミッド✎（食事バランスガイド，厚生労働省）などを用い，各食品群別の摂取量を把握し評価を行う．

▶栄養量の充足率や食べ方には多少のバラつきがあって当然であるが，多少の過不足も毎日きまって起これば，日数を重ねるごとに大きな過不足となってしまう．健康に良いと思って取り組んでいることでも，結果的には食生活のバランスを崩す要因となってしまうことも少なくない．

▶食生活習慣の把握を行うには，短期間の情報で判断するのではなく，長期間の食事内容を問診で引き出し評価する必要がある．

▶栄養指導を行う場合には，患者の食事が家庭での手作りか，外食中心なのか，といった食事を準備する場面についても評価し，患者自身の食事環境にも指導が必要となる．

▶さらには，生活習慣病では修正するべき生活習慣も疾患別に存在する．

■ エネルギー，たんぱく質，脂質，ビタミン・ミネラル，食物繊維などの栄養成分の摂取状態の把握と評価

▶患者の年齢・性別・体格・疾患の重症度・活動量を加味して求められた栄養必要量をもとに評価する．

▶医師から摂取すべき栄養量が指示されている場合は，その数値を用いる．

▶患者が入院中の場合は，提供している食事の栄養量を参考に必要量と比較する．

▶在宅生活の場合は，平均的な摂取食材料の量を目安量（白身魚1切れ，など）から重量（70 g，など）へ変換し，食品構成表の作成で用いる成分表から栄養量を推定する．

▶エネルギーが1日当たり400 kcal以上過剰となっていれば，何らかの代謝性の生活習慣病を引き起こすリスクが高い．逆に基礎代謝量（BEE）より不足していれば，低栄養のリスクが増す．

▶ビタミン・ミネラルが慢性的に不足している場合は欠乏症を引き起こすこともある．欠乏症は単純に慢性的な不足の場合もあるが，腸内細菌など体内状況や，摂取が十分であっても吸収過程の変化により欠乏をきたす場合がある．

✎ MEMO
フードピラミッド：食品を大まかに分類し，それぞれの摂取量の目安をピラミッド状に図示したもの．このような図表は世界各国で作成され，ピラミッドや楼閣などさまざまな形状がある．

Part 1 臨床栄養学と栄養ケア

III 栄養ケアプランの実施

学習の目標

- 栄養ケアプランの概要を理解する．
- 栄養ケアプラン作成に必要なツールと手順を理解する．
- 栄養ケアの種類と特徴を理解する．
- 栄養ケアの実践を目指した栄養教育を理解する．
- クリニカルパスにおける栄養ケアを理解する．
- 治療における栄養ケアと薬物療法との関連性を学ぶ．

1 栄養ケアプランの目標設定

▶ **栄養ケアの目標**は，栄養学的にかかわることが対象者の利益（生活の質を上げる，症状が改善する，苦痛を和らげる，治療効果をあげるなど）につながるものでなければならない．

▶ 前項で述べられている諸項目について，問題点を抽出した後，現在，対象者あるいは家族がもっとも望んでいることは何かを考え，系統的に整理・評価する．

▶ 優先順位をつけて，長期的・短期的栄養ケアプランを作成し，再評価の時期を設定する．再評価の時期は緊急時か安定期かにより異なる．目標は，客観的評価を可能とするよう定量的指標により設定する．

1 栄養ケアプラン

1─必要栄養量の設定

▶ 必要栄養量は，体重，BMI（body mass index），体重減少率などの身体計測値，血液生化学検査，病態をふまえて決定する．

■ **エネルギー必要量の算定**（表III-1-1）

▶ 間接熱量計や**ハリス・ベネディクト（Harris–Benedict）の式**，標準体重などをもとにエネルギー必要量を算定する．しかし現状では，どの方法がもっとも正確かについては一定の見解が得られていない．どの方法を採用してもその後の経過をきちんとモニタリングし，必要に応じて変更することが重要である．

■ **たんぱく質必要量の算定**

▶ 一般的に，ストレスやたんぱく質代謝異常をきたす疾患がなければ，「日本人の食事摂取基準」の推奨量や目安量を参考にする．成長期にある乳児，幼児，青年期や妊娠・授乳期も同様に「日本人の食事摂取基準」を参考に設定する．

▶ **低栄養状態**の高齢者では身体活動量が低下し，骨格筋のたんぱく質代謝が低下しているため，たんぱく質の必要量は大きくなる．

▶ 筋たんぱくが減少した低栄養の患者では，

低栄養状態：健康的に生きるために必要な量の栄養素がとれていない状態．とくにエネルギーとたんぱく質が長期間不足し，著しい体重減少が起こった状態をPEM（protein energy malnutrition：たんぱく質・エネルギー低栄養状態）という．

■表Ⅲ-1-1　エネルギー必要量の算定方法

ハリス・ベネディクトの式を用いた算定式
● 男：〔66.5＋（13.75×現体重 kg）＋（5.0×身長 cm）－（6.76×年齢）〕× 活動係数 × ストレス係数 ● 女：〔655.1＋（9.56×現体重 kg）＋（1.85×身長 cm）－（4.68×年齢）〕× 活動係数 × ストレス係数 活動係数，ストレス係数は文献によりさまざま．モニタリングで経過をみる．
間接熱量計を用いた算定式
● 間接熱量計による測定値 × 活動係数
標準体重を用いた算定式
● 標準体重〔身長(m)^2×22〕× 標準体重 1 kg 当たりの必要エネルギー量* 　*高齢者安静時：標準体重 1 kg 当たり 20〜25 kcal，軽度の低栄養状態・肥満者：25〜30 kcal，重度の感染症・手術前など：30〜35 kcal，侵襲の大きい術後や COPD・著しい体重減少がある場合：35〜40 kcal 程度を乗じた量を補給して経過をみる．

十分なエネルギー補給とともにたんぱく質の損失分を増やす必要がある．急性感染症，外傷など侵襲が大きい場合でも，たんぱく質の必要量は増加する．可能であれば窒素出納検査を行い，必要量を算出するのが望ましい．

▶ たんぱく質の吸収には上限があり，2 g/kg/日以上とっても利用されないともいわれているので注意が必要である．

▶ たんぱく質の利用効率を高めるためには**非たんぱく質熱量/窒素比**は一般的には 150〜200 とするが，中等度侵襲で 100〜150，高度侵襲で 80〜100 を目標とする．

■ 脂質必要量の算定

▶ 脂質の目標量は，成人では総摂取エネルギー比率の 20〜30％程度が望ましいとされ，「日本人の食事摂取基準（2025年版）」では飽和脂肪酸は総エネルギー比率 7％以下を目標量としている．また，n-3, n-6 系多価不飽和脂肪酸は，年齢区分に応じた目安量を設けている．

▶ 脂質が不足すると，**必須脂肪酸**（リノール酸，リノレン酸，アラキドン酸）が欠乏するだけでなく脂溶性ビタミンの取り込みが低下する．脂質が少ないと，炭水化物の割合が増えるため脂肪肝を招きやすい．術後，膵炎，脂肪吸収不全時などは門脈から直接肝臓に運ばれる中鎖脂肪酸が適している．

■ 炭水化物（糖質・食物繊維）必要量の算定

▶ 総エネルギー必要量を算定した後，たんぱく質と脂質の必要量に**アトウォーター（Atwater）係数**をかけたエネルギー量を差し引き，得られたエネルギー量を炭水化物の係数で除して求める．一般的には炭水化物の目標量は，総エネルギー量の 50％以上が望ましいとされ，50〜65％が推奨されている．

▶ **食物繊維**の目標摂取量は 20〜25 g/日とされ，10 g/1,000 kcal が目安である．通常の食事では「日本人の食事摂取基準」に準じる．

▶ 食物繊維には不溶性と水溶性があるが，消化吸収能力が低下している場合は，その摂取量には十分注意する．

■ 水分投与量の算定

▶ 水分投与量の算定には，①体重当たり 30〜35 mL/日，② 1 mL × 総エネルギー必要量，③ 1,500 mL × 体表面積(m^2) などの計算式がある．

■ ビタミン・ミネラル必要量の算定

▶ ビタミンのほとんどは生体内で合成することができないため，必ず摂取する必要がある．

✎MEMO

非たんぱく質熱量/窒素比（NPC/N：non-protein calorie/nitrogen）：炭水化物と脂質から得られたエネルギー÷（たんぱく質÷6.25）で算出される．アミノ酸を効率よくたんぱく合成に向かわせるための適正な比のことをさす．

アトウォーター（Atwater）係数：栄養素の熱産生係数（たんぱく質，炭水化物 4 kcal/g，脂質 9 kcal/g）

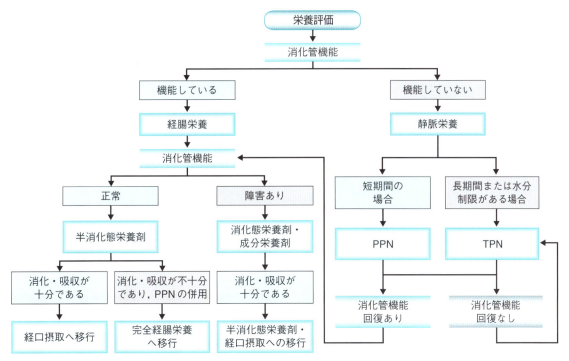

■ 図Ⅲ-1-1　投与経路のアルゴリズム
（ASPEN Board of Directors and The Clinical Guidelines Task Force : Guidelines for the use of parenteral and enteral nutrition in adult and pediatric patients. JPEN 26(suppl 1), 2002 より）

▶いずれも一般的には「日本人の食事摂取基準」を参照して算定する．

2─投与ルートの決定

▶栄養必要量が決定したら，投与ルートを決定する．経口摂取できればこれを選択し，不足分がわずかであれば末梢静脈栄養を行う．

▶経口で十分摂取できない場合は，静脈栄養か経腸栄養を選択する．消化管が機能している場合は経腸栄養を行い，機能していない場合は中心静脈栄養とする．

▶栄養療法の大原則は"腸が動いているなら腸を使う"ことで，栄養療法と投与経路のアルゴリズムは，ASPENのガイドラインがスタンダードとなっている（図Ⅲ-1-1）．

2　栄養教育（指導）プラン

▶栄養教育（指導）は，栄養療法を医療者以外の患者あるいは家族などが実施しやすくするために行うので，栄養教育（指導）プランに基づき効果的に進める．

▶プラン作成にあたっては，指導開始の時期，指導方法（集団・個別あるいは外来・入院・退院・訪問），指導時間・回数，指導対象者，指導媒体，指導効果の指標を設定する．そのために，栄養素摂取量の目標，栄養素・食品・料理方法と疾患との関連，薬物療法など同時に行われている治療の状況，QOL（生活の質）や日常生活状況，治療への受け入れ状況などの情報を診療録や問診により得ておく．

MEMO

ASPENのガイドライン：American Society for Parenteral and Enteral Nutrition（米国静脈経腸栄養学会）が提唱した静脈経腸栄養療法のガイドライン．

2 栄養ケアプランの作成

1 栄養食事管理録

▶チーム医療が一般的になってきた現在，そのコミュニケーションツールとして記録は欠かせない．管理栄養士が病棟訪問しても，医師や看護師と十分話し合う時間が取れるわけではない．診療録や看護記録を読み，治療方針や看護計画などをある程度理解したうえで，スタッフ間のコミュニケーションを行うと，効率的にかつ有効な情報が得られる．

▶栄養食事管理録は，患者の栄養状態の評価や栄養教育を行った場合に，その内容を具体的に記録するものであるが，それを記録しカルテに残すことで，他のチーム医療スタッフに，管理栄養士が行った業務を理解してもらうことができる．担当者が交代した場合でも，記録を残しておくことで，患者に不安感を与えず，一貫した継続的な栄養ケア業務を行うことができるという利点がある．

▶医師の診療業務は診療録にして記録しておくことが法律で義務づけられているが，栄養食事管理録はそこまでにはいたっていない．

▶栄養ケアの良否が治療効果に影響を及ぼすことが明確になり，さらに社会保険で入院基本料算定の施設基準に栄養管理体制の基準が追加されたことにより，栄養食事管理録の標準化がより重要になってきた．

2 記録のまとめ方（POSの概要）

▶一般によく使用される診療録の記載方法は問題志向型システム（POS：problem oriented system）である．患者の抱えている治療上障害となる問題点（problem）について，患者を取り巻くあらゆる情報を科学的理論に基づいて整理し，その解決に向け各医療従事者が共同して対処していくシステムである．

▶POS実践に必須の診療録がPOMR（problem oriented medical record：問題志向型診療録）とよばれるものである．POMRは基礎データ，問題リスト，初期計画，経過記録の4段階に区分され，全体を要約し考察を加えたものが退院時要約である．栄養食事記録もPOMRとする．

■ 基礎データ

▶患者から栄養情報（食歴，食環境，患者プロフィールなど），栄養評価に必要な項目（身体計測，血液検査データ，経口摂取の可否，摂取栄養量など）を取得する．

■ 問題リスト

▶データベースの中から栄養療法・教育を実施するにあたっての問題点を明らかにし，問題リストを作成する．リストアップすべき，おもな問題点の例を以下に記す．

① 食生活習慣：間食・食事時間不規則，ソフトドリンク多飲，アルコール飲料多飲，欠食，早食い，外食中心など
② 栄養素の過不足：エネルギー摂取過剰，たんぱく質摂取過剰，食塩摂取過剰，食物繊維摂取不足，ミネラル摂取不足，動物性脂肪過剰摂取など
③ 社会的因子：単身赴任，一人暮らし，宗教的問題，経済的問題，家族の協力度など

📝MEMO

栄養管理体制の基準：平成24年度の診療報酬改正により，入院基本料を算定するための施設基準に新たに，入院診療計画の基準，院内感染防止対策の基準，医療安全管理体制の基準，褥瘡対策の基準，栄養管理体制の基準が追加された．

■表Ⅲ-2-1 栄養ケア計画書(例)

| 栄養ケア計画書 | 担当医(|) : 調査 | 年 月 日 | 管理栄養士(|) |

カルテNo		氏名		年齢 歳	病名	
入院年月日		年 月 日				

身体計測						
身長 cm	体重 kg	BMI	体脂肪率 %	kg (	法)	
標準体重(IBW) kg			BMI			
標準体重比(%IBW) %			□やせ □やせぎみ □標準 □太りぎみ □肥満			
健常時体重(UW) kg			体重変動			
健常時体重比(%UW) %			□不変 □増加 kg □減少 kg			
上腕三頭筋部皮下脂肪厚(TSF) / / 平均 mm			TSF(%TSF) /基準値×100= %			
上腕囲(AC) cm, 上腕筋周囲(AMC) cm			上腕囲比(%AC) /基準値×100= %			
肩甲骨下端部(SSF) / / 平均 mm			上腕筋周囲比(%AMC) /基準値×100= %			

臨床検査(月 日)			
Hb g/dL	T-Chol mg/dL	その他の参考データ	
Alb g/dL			
Lym Count	尿Cr mg/日		
Tf µg/dL	尿UN mg/日		

基礎エネルギー消費量と窒素出納	栄養素等摂取量
BEE = kcal (□H-B式 □日本人の食事摂取基準 □実測)	エネルギー kcal 　エネルギー充足率(%) たんぱく質 g 食塩 g
Nバランス= gN/日 CHI =	その他

栄養評価					栄養ケア計画
	正常	軽度	中等度	高度	目標給与栄養量
%IBW	>90%	90〜80%	80〜70%	<70%	エネルギー × = kcal
%UW	>95%	95〜85%	85〜75%	<75%	たんぱく質 × = g
%TSF	>90%	90〜80%	80〜60%	<60%	その他の栄養素
%AMC	>90%	90〜80%	80〜60%	<60%	
Alb(g/dL)	>3.5	3.5〜3.0	3.0〜2.1	<2.1	推奨する食種・栄養剤
CHI		90〜80%	80〜60%	<60%	
総リンパ球数		>1200	1200〜800	<800	栄養指導の必要性
Tf(µg/dL)	>170	150〜170	100〜150	<100	
			該当カ所に○をつける		コメント:

判定
□ normal　　□ obesity　　□ malnutrition
□ PEM
　　□ marasmus　　□ kwashiorkor　　□ M-K complex

MEMO

CHI (creatinine hight index):〔Cr(mg/日)/Cr排泄基準値*×標準体重(kg)〕×100で表される.(*Cr排泄基準値は男性23mg/kg, 女性18mg/kg)

④その他の因子：抗癌薬治療のため食思不振，嘔吐継続など

■ 初期計画

▶最初に患者と面談したときの個々の問題に対する診断・治療・教育の計画を作成する．

①診断的計画（Dx：diagnostic plan）：患者の栄養状態把握のための計画や，栄養療法・栄養教育を行うために必要な情報を収集する計画を記載する．（Mx：monitoring plan）とすることもある．

②治療的計画（Rx：therapeutic plan, receipt plan）：エネルギー量，栄養素量などの設定，食品構成，調理形態の選択など栄養療法のための計画を記載する．

③教育的計画（Ex：educational plan）：患者や家族に対する栄養教育の計画を記載する．

■ 経過記録

▶それぞれの問題に応じて実施した栄養療法・教育の内容をS・O・A・Pの4項目に分けて記載する．

- S（subjective data）：主観的データで，患者自身・家族が直接訴えた内容を記載する．食事に対する意識，食嗜好の変化，疾病に対する考え方など栄養療法・教育を行っていくうえでポイントとなることに関連した内容とする．
- O（objective data）：客観的データで，摂取栄養素量，身体計測値，医療チームからの情報（血液検査値，治療内容，病状，服薬状況など）や現在の栄養療法・教育内容などを記載する．
- A（assessment）：実施された栄養療法・教育の評価・考察を記載する．SとOで得られた情報をもとに臨床的評価，栄養ケアの評価を行う．
- P（plan）：経過記録の中のプランは短期目標とする．患者の抱えている問題点を明らかにしたうえで，具体的な解決方法について計画する．Dxでは「3日間の食事記録持参」「栄養状態把握のための血液検査を医師へ依頼」など，Rxには栄養素指示量の変更，運動量の変更などがあれば記載する．Exには「次回までアルコール飲料禁止」「毎食野菜料理小鉢1杯追加」など，患者と相談しながら実行しやすい計画をたてる．

3 栄養ケア報告書の作成

▶以上の考え方をもとに，計画書と報告書を作成する．栄養状態の評価と問題点，栄養管理目標，栄養補給計画，栄養食事指導に関する項目などを記載する（表Ⅲ-2-1, 2）．

▶最近では標準的な治療が確立している疾患については，クリニカルパスを用いた栄養管理を行う施設も増加している．

■表Ⅲ-2-2 栄養ケア経過報告例（カルテに直接記載）

# COPD	
Dt 1-a）エネルギー摂取不足	
S	病院食を半分ぐらいは食べられるが，食べ過ぎると呼吸が苦しい．間食はしていない．飲み物のほうが楽．
O	入院後の摂取栄養量：エネルギー900〜1,000 kcal（推定必要量1,800 kcal），たんぱく質30〜35 g，身長156 cm，入院時体重45 kg→1週後（9月12日）43 kg，Alb 3.6 g/dL→3.4 g/dL，CRP＜0.3，リンパ球数1,800
A	推定必要エネルギーより800 kcal摂取不足，このままでは栄養状態ますます悪化．飲み物なら飲めるとのことなので，本人と相談したうえで食事量を半分量にし，可能であれば脂質含量の多い高栄養流動食を追加するよう調整したい．
P	Dx）定期的な血液検査継続，食事摂取量確認． Rx）なごみ食に変更し，毎食テルミールミニ1パック追加とする（補給量1,800 kcal）． Ex）テルミールミニの特長について説明，少量でエネルギーアップの工夫について説明．

📝MEMO

クリニカルパス：ある病気の治療や検査について，標準化された日々のスケジュールを表にまとめたもの．病院用と患者用の2種類が用意されている．

COPD（慢性閉塞性肺疾患）：慢性気管支炎，肺気腫，または両者の併発により引き起こされる閉塞性換気障害を特徴とする疾患である．喫煙はCOPDのリスクの80〜90％を占める．安静時エネルギー消費量は健常人の120〜140％に増大しているといわれている．

3 栄養ケアの実施

▶栄養補給の具体的プランを実施するためには，以下の方法がある．

1 静脈栄養法

▶静脈栄養（PN：parenteral nutrition）は，中心静脈栄養（TPN：total parenteral nutrition）と末梢静脈栄養（PPN：peripheral parenteral nutrition）に大別される．

▶高カロリー輸液により，経口摂取ができなくても生命維持や栄養状態の改善が可能となり，栄養療法として高い評価を受けている．しかし，生体の本来の生理的栄養投与経路ではなく，長期間継続した場合，腸管を使用しないことによる消化管萎縮などマイナス面があることや，重篤な合併症（表Ⅲ-3-1）を起こしやすいことなど問題点も多い．

▶腸管機能がある程度保持できていれば，栄養療法としては静脈栄養から経腸栄養への速やかな移行が基本である．

1─中心静脈栄養法

▶高カロリー輸液ともよばれる．
▶TPNの適応については日本静脈経腸栄養学会が作成した「静脈経腸栄養ガイドライン第3版」に示されているが，原則的な考え方は1986年に発表されたASPENのガイドラインにある（表Ⅲ-3-2）．

▶TPNを施行するためだけでなく，中心静脈圧のモニタリング，末梢静脈ルートからの投与では危険な薬剤を投与するなどの目的で使用される．

1）中心静脈栄養輸液の種類と成分

▶中心静脈栄養輸液には，高カロリー輸液用基本液，アミノ酸製剤，脂肪乳剤，これらを1バッグに配合した高カロリー輸液用キット製剤，総合ビタミン製剤，微量元素製剤がある．

■高カロリー輸液用基本液

▶高カロリー輸液用基本液は糖質，ナトリウム，カリウム，クロル，マグネシウム，カルシウムなどの電解質，微量元素として亜鉛が含まれている．糖濃度が15〜36％までの製剤があり，糖質の種類は主としてグルコースのみであるが，グルコース，キシリトール，フルクトースが配合されたものもある．

▶電解質量は一般的に必要とされる維持量が含まれているが，各製剤により多少異なっている．とくにナトリウムおよびクロルを含有するものと，まったくあるいはほとんど含まない製剤があるので，組み合わせには注意が必要である．

■表Ⅲ-3-1 静脈栄養療法に起こりやすい合併症

機械的合併症	カテーテル関連血流感染症	代謝性合併症	消化器合併症
● カテーテルの材質による刺激 ● カテーテルの閉塞 ● 静脈内血栓 ● カテーテルの位置異常 ● カテーテルの破損	● 重篤化することがあり，致死的となる．真菌性眼内炎に至り失明することもある	● 糖代謝異常 ● 高中性脂肪血症 ● 腎前性高窒素血症 ● ビタミン・ミネラル欠乏症 ● refeeding syndrome	● 胃液の過剰分泌による胃炎，潰瘍形成，消化管粘膜の萎縮，バクテリアルトランスロケーション

MEMO

refeeding syndrome：慢性的な栄養不良が続いている患者に，急速に栄養補給を行った際に起こる合併症である．発症予防のためには，エネルギー投与量を少量（10 kcal/kg体重）から開始し，血清K，P，Mg値および血糖値を厳重にモニタリングしながら漸増する．

バクテリアルトランスロケーション：粘膜の免疫防御機構の破綻により，生菌が腸間膜リンパ節，あるいは門脈さらにそれ以遠へ侵入すること．

■表Ⅲ-3-2　高カロリー輸液施行のガイドライン（成人）

1. 日常治療の一部として行う場合
1) 消化管の栄養素吸収能がない場合 　a. 小腸広範囲切除患者 　b. 小腸疾患（強皮症，SLE，慢性特発性偽性腸閉塞，クローン病，多発性小腸瘻，小腸潰瘍） 　c. 放射線腸炎 　d. 重症下痢 　e. 重症で長引く嘔吐
2) 化学療法，放射線療法，骨髄移植
3) 中等度〜重症膵炎
4) 消化管機能の障害を目前に控えている高度栄養障害患者
5) 消化管が5〜7日間以上機能しないと思われる高度異化期患者（敗血症，拡大手術，50％以上の熱傷，多臓器外傷，重症炎症性腸疾患）
2. 通常，役立つことが期待できる場合
1) 大手術（大腸全摘，食道癌手術，膵頭十二指腸切除，骨盤内臓全摘，腹部大動脈瘤など）
2) 中等度侵襲（中等度の外傷，30〜50％熱傷，中等度膵炎）
3) 消化管瘻
4) 炎症性腸疾患
5) 妊娠悪阻
6) 集中的治療を必要とする中等度栄養障害患者
7) 5〜7日間に十分な経腸栄養を行うことが不可能な患者
8) 炎症による小腸閉塞
9) 集中的化学療法を受けている患者
3. 十分な価値が認められない場合
1) 消化管を10日以内に使用可能で，軽度の侵襲や外傷を受けた栄養状態良好な患者
2) 7〜10日以内に消化管が使用できるかもしれない患者の手術・侵襲直後
3) 治療不能な状態にある患者
4. 施行すべきでない場合
1) 十分な消化吸収能をもった患者
2) 高カロリー輸液が5日以内にとどまる場合
3) 緊急手術が迫っている患者
4) 患者，あるいは法的保護者が強力な栄養療法を希望していない場合
5) 強力な化学療法を行っても予後が保証されない場合
6) 高カロリー輸液の危険性が効果を上回る場合

(ASPEN Board of Directors and The Clinical Guidelines Task Force：Guidelines for the use of parenteral and enteral nutrition in adult and pediatric patients. JPEN 26(Suppl 1), 2002より)

▶糖尿病患者や術後侵襲期など耐糖能低下時には，糖の組成としてグルコース，フルクトース，キシリトールが配合された中心静脈基本液を用いると血糖管理を行いやすい．

▶腎不全用には，糖質濃度が50％と高く，カリウム，リンを含有しないものが適する．

■アミノ酸製剤

▶窒素源の補給にはアミノ酸製剤を使用する．10％あるいは12％のアミノ酸製剤を500 mLから800 mL投与することによって必要なたんぱく質を補給することができる．

▶**アミノ酸組成**としては，鶏卵や人乳のアミノ酸組成を参考にFAO/WHO処方の標準アミノ酸製剤と，**分岐鎖アミノ酸**（バリン，ロイシン，イソロイシン）を約30％に増量した侵襲期用のアミノ酸製剤がある．

■脂肪乳剤

▶TPNにおける脂肪乳剤の役割は，長期間（3週間以上）の無脂肪静脈栄養管理での必須脂肪酸欠乏の予防，糖質の過剰投与による高血糖や脂肪肝の防止があげられる．

▶脂肪乳剤の投与量は，最低でも総エネルギー量の10％と考えられている．

▶脂肪乳剤の平均粒子径は0.2〜0.4 μmであるため，通常の輸液ラインのファイナルフィルターを通過しないので，末梢静脈から投与するか，もしくはフィルターのあとから投与する．

▶脂肪乳剤が効率よくリポたんぱく化され，加水分解される速度は0.1〜0.15 g/kg/時である．急速に投与すると脂肪粒子が血中に停滞し，脂質異常症をきたす．

■総合ビタミン製剤

▶TPN施行時にはビタミン剤の投与が不可欠である．とくに糖質主体によるTPN施行時や侵襲下で糖代謝が亢進している場合には，ビタミンB_1の消費量が増加するため，**乳酸アシドーシス**を防止するためのビタミンB_1

投与は重要である．
▶ビタミン剤は1 vialで1日必要量のビタミンが補給できるとされている．
▶病態によってはビタミンB_1など欠乏しやすいビタミンと，脂溶性ビタミンなど過剰になりやすいビタミンもあることに注意する．

■微量元素製剤

▶微量元素は生体内で合成できず毎日摂取する必要があること，人の体内存在量が100 mg/kg以下で，通常鉄より少ないものをいう．このうち生体で必要とされる微量元素は，鉄（Fe）も含めて，亜鉛（Zn），銅（Cu），コバルト（Co），クロム（Cr），ヨウ素（I），セレン（Se），マンガン（Mn），モリブデン（Mo）の9種類がある．
▶高カロリー基本液には亜鉛が添加されているが，病態によっては亜鉛の消費量が増加し，不足することがある．

■高カロリー輸液用キット商品

▶輸液の調合の手間を省き，細菌汚染を減少させる目的でキット商品が発売されている．この商品には糖液とアミノ酸液が隔壁で仕切られたダブルバッグ製剤，ダブルバッグの上にビタミン液の小室を加えた製剤，最近では，さらに，微量元素の小室も加えたクワッドバッグ製剤も発売された．糖とアミノ酸，電解質がシングルバッグの製品もある．
▶隔壁は使用直前に開通する．ビタミンは混注後活性が失われやすいため，遮光カバーをかける．
▶キット製品は糖，アミノ酸の処方が固定されているので，重症患者できめ細やかな輸液栄養管理が必要とされるときには不向きである．

2）高カロリー輸液の処方および投与方法

▶1日の目標投与量は，患者のエネルギー消費量，基礎疾患，栄養素の代謝状態などによって決定される．大まかな目安として水分40～50 mL/kg，エネルギー30～40 kcal/kg/日，アミノ酸1.2～2.0 g/kg/日が一般的である．
▶カテーテルは上大静脈に留置する方法が一般的であるが，挿入経路には，鎖骨下静脈，橈側皮静脈などがある．
▶上大静脈に留置する理由は，高カロリー輸液は高濃度であり，末梢静脈から注入すると血管痛が起こり血栓性静脈炎で静脈が閉塞するからである．

3）高カロリー輸液に必要な用具，器械

▶静脈内留置カテーテル，注入ポンプ，輸液バッグ，輸液ライン（ライン，フィルター，接続システム），注射器，注射針，ドレッシング剤，衛生材料などが必要である．

2 ― 末梢静脈栄養法

▶輸液路として，通常は前腕や手背の静脈が用いられる．大量の輸液が注入されるので静脈を刺激しないポリウレタンなどのカテーテルが留置される．最近では，終末期癌患者を対象として，水分補給の目的で皮下輸液も推奨されている．
▶輸液期間が7～10日以内の例が適応となる．カテーテルの留置期間は3～5日を限度とし，それ以上の留置は静脈炎を起こすので避ける．
▶末梢静脈から投与可能な輸液濃度は，血漿浸透圧の約2倍である．
▶用いられる輸液栄養剤には5～10％のブド

MEMO

亜鉛：不足すると味蕾の減少により味覚障害を起こす．また，亜鉛はインスリンの構造維持に必須の成分でもあるので，不足すると糖代謝にも影響を及ぼす．鉄や銅のとり過ぎにより欠乏状態に陥ることもある．

鎖骨下静脈：カテーテルの挿入経路に鎖骨下静脈を利用する最大の利点は，固定が容易で患者の負担が少ないことで，長期留置に最適である．それ以外には，橈側皮静脈や外頸静脈，内頸静脈から挿入される．

ウ糖濃度の糖電解質維持液，7.5％糖・アミノ酸加総合電解質液，10〜20％の脂肪乳剤などがあり，これらの輸液剤を組み合わせて投与する．水に溶けず，浸透圧に影響しない脂肪乳剤を併用すれば，末梢静脈からでも，成人の1日必要量の5〜7割を補給できる．

▶低栄養患者では，すでにビタミンB_1欠乏に陥っている場合があるので，その補給には留意する．

3―在宅静脈栄養管理

▶腸管の機能不全や大量切除を行った場合には永続的にTPNによる栄養補給が必要になる．これを家庭で行うことを在宅中心静脈栄養法（HPN：home parenteral nutrition）という．家庭用の注入ポンプはコンパクトであり電池で駆動するので，リュックやジャケットに入れて持ち運ぶことができる．家庭・社会への復帰が可能となりQOLの向上に役立つ．

2 経腸栄養法

1―経腸栄養法とその適応

▶経口摂取が不可能であっても，胃や大腸・小腸に消化管通過障害がなく，栄養素を消化吸収できる機能を保持している場合は経腸栄養法が基本となる．経腸栄養は，生理的な栄養素投与経路で，腸管の機能や粘膜などが正常に働き栄養効果も優れている．

▶ラインの設定には経鼻投与と胃・腸瘻投与などがある．ラインは胃・空腸瘻チューブに経腸栄養ラインをコネクターで接続し，ポンプをセットしてスタートする．

■表Ⅲ-3-3 経腸栄養法施行のガイドライン

1. 日常治療の一部として行う場合
1）経口摂取不能なprotein-calorie malnutrition（5日以上，体重10％喪失またはアルブミン＜3.5g/dL）
2）7〜10日間にわたる必要栄養量の50％以下の経口摂取
3）嚥下困難
4）重症熱傷
5）小腸大腸切除（50〜90％切除）
6）消化管瘻（low output，排液量＜500mL/日）
2. 通常，役に立つことが期待できる場合
1）重症外傷（7〜10日間の経口摂取不能，消化管機能正常）
2）放射線治療
3）化学療法
4）肝不全
5）腎機能障害（GFR 5〜10％）
3. 十分な価値が認められない場合
1）強力な抗腫瘍化学療法
2）術直後ないしストレス後（1週間以内に経口摂取が可能）
3）急性腸炎
4）短腸症候群（残存小腸＜10％）
4. 施行すべきでない場合
1）機械的完全腸閉塞
2）腸管麻痺
3）重症下痢
4）消化管瘻（high output，排液量＞500mL/日）
5）重症急性膵炎
6）ショック
7）本人・後見人が希望していないとき
8）強力な栄養管理でも予後不良な場合

（ASPEN Board of Directors and The Clinical Guidelines Task Force：Guidelines for the use of parenteral and enteral nutrition in adult and pediatric patients. JPEN 26(Suppl 1), 2002より）

▶最近では，脳梗塞後遺症や認知症患者に対する長期栄養投与ルートとして，経皮内視鏡的胃瘻造設術（PEG：percutaneous endoscopic gastrostomy）が多くの施設で施行されている．表Ⅲ-3-3に経腸栄養法施行のガイドラインを，表Ⅲ-3-4にPEGの適応を示した．

2―経腸栄養剤（食品）の選択基準

▶経腸栄養剤（食品）は，栄養状態の改善・維持を目的として作られており，栄養価が高

MEMO

経皮内視鏡的胃瘻造設術：口から十分に栄養がとれない患者のために，内視鏡（胃カメラ）を使って，腹壁と胃壁を通して胃瘻を造り，そこへチューブを入れる手術のこと．

■表Ⅲ-3-4　PEGの適応

1. 摂食嚥下障害
● 脳血管障害，認知症などのため，自発的に摂食できない
● 神経・筋疾患などのため，摂食不能，または困難
● 頭部，顔面外傷のため摂食困難
● 咽喉頭・食道・胃噴門狭窄，食道穿孔
2. 繰り返す誤嚥性肺炎
● 摂食できるが誤嚥を繰り返す
● 経鼻胃管留置にともなう誤嚥
3. 炎症性腸疾患
● 長期経腸栄養を必要とする炎症性腸疾患，とくにクローン病患者
4. 減圧治療
● 幽門狭窄
● 上部小腸閉塞
5. その他特殊治療

(鈴木 裕ほか：経皮内視鏡的胃瘻造設術ガイドライン，消化器内視鏡ガイドライン，日本消化器内視鏡学会監修，3版，p.311，医学書院，2006より)

く，調製や投与が容易で，消化吸収に優れ，腸管への刺激が少ないなどの特徴がある。
▶経腸栄養剤には，天然濃厚流動食，人工濃厚流動食（半消化態栄養剤，消化態・成分栄養剤）など多くの種類があるが，いわゆる総合栄養剤としてだけでなく，病態別の経腸栄養剤の開発も進んでいる。
▶性状は液状タイプと半固形タイプ，粉末タイプがあるが，液状と半固形のものが増加している。液体タイプのものをゼリー状に固める凝固剤もある。
▶栄養剤を固形化することにより，胃・食道の逆流の減少，下痢の予防，食後高血糖の改善，瘻孔からの栄養剤の流出の改善などの効果がみられる。
▶包装形態も工夫され利便性が高まっているものの，病態に応じた適切な経腸栄養剤を選択しなければならないということを忘れてはならない。

1）天然濃厚流動食

▶天然の食品を原料として，水分を減らし単位量当たりのエネルギーを多くしたものである。エネルギーは1 kcal/mL以上で，栄養素はバランスよく配合されている。
▶胃，小腸での消化吸収を必要とするため，消化機能が低下した患者や広範囲胃切除術患者には適さない。

2）半消化態栄養剤（食品）

▶食品にある程度消化処理をしてあるため，天然濃厚流動食に比べ吸収しやすく，飲みやすい。
▶窒素源はカゼインあるいは大豆たんぱくなど数種を組み合わせた配合となっており，若干の消化を必要とする。脂質は大豆油，コーン油，ココナッツ油などが用いられ，必須脂肪酸も摂取できる。炭水化物はデキストリン，ショ糖，ガラクトースなどを混合して用いているものが多い。
▶エネルギー比は炭水化物50〜60％，たんぱく質17〜20％，脂質25〜30％である。そのほかビタミン，電解質などもバランスよく配合されている。
▶たんぱく質が最終段階まで消化されておらず，脂質含有量が多いため，消化吸収能の低下が著明な患者や，腸管の安静を必要とする患者には適さない。
▶血漿の浸透圧に近づけてあるものが多い。
▶経口栄養の補充的な要素を拡大する目的で1.5〜2 kcal/mLと濃厚な製剤も市販されている。
▶最近では，食物繊維やガラクトオリゴ糖などを添加したものや，n-3系/n-6系脂肪酸のバランスを考慮したもの，微量元素を含む

MEMO
凝固剤：経腸栄養剤を固めるための製品。ペクチンが含まれているので，これと栄養剤に含まれる遊離カルシウムが反応し凝固する。栄養剤に含まれるカルシウム含量によって固まり具合が異なるので注意。栄養剤の凝固に寒天を用いる場合もある。

ものなどが増加している．

3）特殊組成栄養剤
▶半消化態栄養剤に属するが，各種疾患の治療を重視した栄養剤として以下のものがある．

■肝不全用栄養剤
▶肝性脳症にともなうアミノ酸インバランスを是正し，高アンモニア血症を改善することを目的とする．肝不全時に不足する分岐鎖アミノ酸（BCAA）の含有量を多くし，肝性脳症の誘因となる芳香族アミノ酸を制限し，血中のフィッシャー比🖉を改善できる．また，ビタミン，ミネラルがバランスよく配合されている．

■腎不全用栄養剤
▶たんぱく質含有量は100 kcal当たりそれぞれ0.4 g，1.0 g，1.5 g，3.5 gのものがある．種類を組み合わせることで，たんぱく質量を容易に調節できる．
▶エネルギーはいずれも1.6 kcal/mLと高く，水分制限下でも利用できる．ナトリウム，カリウム，リンが少なく，水分・ナトリウム・カリウムの制限下で利用できる．
▶中鎖脂肪酸，n-3系脂肪酸，食物繊維を加えて，腎不全時の栄養補給に適する組成になっている．

■糖尿病用栄養剤
▶糖質と脂質の内容と割合を調整することで，血糖値の上昇を抑えるよう工夫されている．炭水化物をオレイン酸に置換し，難消化性オリゴ糖や大豆ふすまなどを加え，食物繊維が多くなっている．

■呼吸不全用栄養剤
▶呼吸商（RQ）を考慮し，脂質成分をおもなエネルギー源にしている．吸収しやすい中鎖脂肪酸を使用し，抗酸化作用のあるビタミンC，E，βカロテンが強化されている．

■免疫賦活栄養剤
▶免疫能を賦活し生体防御力を高めて，感染症の減少，在院日数の短縮，死亡率の低下などを目的とする栄養法をimmunonutritionという．その作用をもつ栄養素をimmuno-nutrientとよび，それらを強化した経腸栄養剤をimmune-enhancing dietとよんでいる．immunonutrientと位置づけられる成分として，n-3系脂肪酸，グルタミン，アルギニン，核酸などがある．
▶とくに待機手術の術前術後投与でその有効性が高く，1日750〜1,000 mL，5〜7日の投与が推奨されている．

4）消化態栄養剤
▶すべての栄養成分が，化学的に組成の明らかなものだけから構成されている高エネルギー，高窒素の栄養剤である．窒素源がペプチドであるペプチド栄養剤とアミノ酸である成分栄養剤がある．
▶ペプチド栄養剤は消化吸収に優れているので，消化吸収能が低下している場合に適する．炭水化物はデキストリンを使用，脂質は必須脂肪酸欠乏症を防ぐように配合されている．
▶成分栄養剤の窒素源はL型結晶アミノ酸で，炭水化物はデキストリンを使用している．
▶成分栄養剤の脂質の含有量はきわめて低いので，長期間投与する場合には必須脂肪酸欠乏に注意する．ビタミン，電解質，微量元素は適量配合されている．
▶消化態栄養剤はいずれも水に溶けやすく，上部消化管で容易に吸収され残渣は生じないので，消化吸収機能が低下した患者や，炎症

📝 **MEMO**

フィッシャー比：分岐鎖アミノ酸（バリン，ロイシン，イソロイシン）と芳香族アミノ酸（フェニルアラニン，チロシン）のモル比のこと．通常の食事のフィッシャー比は約3.0．通常，アミノ酸の分類ではトリプトファンは芳香族アミノ酸として分類されるが，フィッシャー比はトリプトファンを除いて計算する．

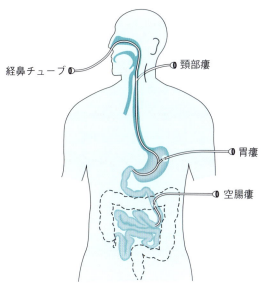

■図Ⅲ-3-1 経腸栄養投与経路

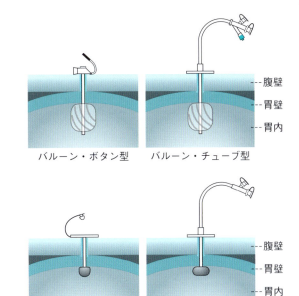

■図Ⅲ-3-2 胃瘻カテーテルの種類
(PEGドクターズネットワーク編：胃瘻(PEG)手帳，第2版，p.9，PEGドクターズネットワーク，2004より)

性腸疾患，肝・胆・膵疾患など腸管の安静を必要とする場合，短腸症候群，手術侵襲後の栄養管理に適している．
▶通常は1 kcal/mLの濃度で維持するが，その際の浸透圧は血漿の約2.5倍に及ぶ．
▶アミノ酸の独特の味のため経口投与にはフレーバーを利用する．

3─投与方法

▶経腸栄養法は，経鼻チューブ，胃瘻，空腸瘻などを介して消化管内に栄養成分を注入する方法である．投与経路，胃瘻カテーテルの種類を図Ⅲ-3-1，2に示し，胃瘻の特徴を表Ⅲ-3-5，6に示した．
▶必要な器具は，投与方法にあわせ経腸栄養用チューブ，栄養剤を入れる容器（注入用バッグ，イルリガートル，シェーキングボトルなど），接続チューブ，注入用ポンプなどを選択する．
▶液状タイプのものは開封後ただちに使用し，粉末状のものはミキサーまたはシェーキングボトルで溶解して注入する．粉末状のものは溶解時に雑菌が混入しやすく，室温で長時間放置すると細菌が繁殖し，下痢や種々の感染の原因となりやすいので8時間以内に投与するのが望ましい．
▶注入時は，栄養剤を室温程度に温め，腸管粘膜への刺激を少なくすることが重要である．
▶20～30 mL/時から開始し，便の回数や腹部症状を観察しながら徐々に速度を上げ，1週間程度で維持量にもっていく．
▶投与時は上半身を起こす．栄養チューブは定期的に温水などでフラッシュする．
▶胃内へ投与する場合は，ボーラス法あるいは持続法のいずれでもよいが，胃を経由せずに栄養を投与する方法ではポンプを用いた持続注入が原則である．

フラッシュ：使用の栄養チューブに通水することをいう．栄養剤投与後はチューブを清潔に保つため，フラッシュは必要である．
ボーラス法：栄養剤を半固形化しておき，短時間で注入する方法．

■表Ⅲ-3-5　バンパー型，バルーン型および改良バンパー型

	バンパー型	バルーン型	改良バンパー型
利点	●耐久性が高い ●交換の頻度が少ない ●不慮の抜去の危険性が少ない	●交換時の苦痛がほとんどない ●交換手技がやさしい ●交換時に瘻孔損傷や腹腔内誤挿入の危険性が少ない	●耐久性が高い ●交換の頻度が少ない ●不慮の抜去の危険性が少ない ●交換時の苦痛が少ない ●交換時に瘻孔損傷や腹腔内誤挿入の危険性が少ない
欠点	●交換時に苦痛がある ●交換手技が難しい ●交換時に瘻孔損傷や腹腔内誤挿入の危険性がある	●耐久性が低い ●交換の頻度が多い ●不慮の抜去の危険性がある	●交換手技がやや煩雑

(鈴木 裕：胃瘻・空腸瘻の造設と管理．静脈経腸栄養テキストブック，日本静脈経腸栄養学会編，p.264，南江堂，2017より)

■表Ⅲ-3-6　チューブ型とボタン型の特徴

	チューブ型	ボタン型
利点	●接続しやすい ●シャフトの長さの調節ができる	●不慮の抜去の危険性が少ない ●清潔保持がしやすい ●リハビリテーションがしやすい ●外観がよい ●瘻孔にかかる圧が均等
欠点	●不慮の抜去の危険性が高い ●清潔保持がしにくい ●リハビリテーションがしにくい ●外観が悪い ●瘻孔にかかる圧が不均等になりやすい	●シャフトの長さの調節ができない ●接続する操作が多い

(鈴木 裕：胃瘻・空腸瘻の造設と管理．静脈経腸栄養テキストブック，日本静脈経腸栄養学会編，p.264，南江堂，2017より)

4―副作用・合併症

▶経腸栄養における副作用のなかで多いのは，下痢や腹痛などの消化器症状と誤嚥，逆流による誤嚥性肺炎，逆流性食道炎および高血糖や浮腫といった代謝異常であるが，これらは多くの場合栄養剤の濃度と注入速度が関係している（表Ⅲ-3-7）．

▶副作用が出現した場合には，まず，栄養剤の濃度と注入速度を下げてみる．

▶PEGにおける逆流性食道炎，瘻孔周囲からの漏れなどを解決するため，栄養剤を寒天や増粘剤で固形化することが試みられ，最近では栄養剤専用の増粘剤やPEG専用の粘度のある栄養剤も発売されている．経腸栄養の合併症とその対策を表Ⅲ-3-8にまとめた．

■表Ⅲ-3-7　経腸栄養法での下痢の原因

栄養剤に由来する原因	●栄養投与過剰，急速注入 ●温度が冷た過ぎる栄養剤 ●栄養剤の汚染 ●チューブの不衛生な取り扱いによる汚染 ●浸透圧の高い栄養剤 ●食物繊維を含まない栄養剤
患者に由来する原因	●腸管粘膜萎縮 ●胃排出能の異常 ●乳糖不耐症，脂肪吸収障害 ●過敏性腸症候群 ●細菌性腸炎，偽膜性腸炎 ●抗癌薬の投与 ●放射線による消化器障害

■表Ⅲ-3-8 経腸栄養の合併症と対策

	合併症	対策および処置
機械的	胃食道逆流症，食道びらん，チューブ位置異常，チューブ閉塞，抜去	チューブ先端の空腸内留置．注入時半坐位．清潔なチューブの使用．やわらかい素材への変更．チューブの確実な固定．挿入時位置確認．
感染性	誤嚥性肺炎	注入時半坐位．量が多い場合は注入量を減らす．
消化器系	嘔吐，下痢，腹部膨満，腹痛，急性消化管拡張症	注入速度を徐々にアップする．合併症発生時は，速度，濃度，量の順に下げる．急速注入を避ける．大量投与を行わない．
代謝性	高血糖，脱水，電解質異常，微量元素欠乏	投与速度・濃度の是正．インスリン投与．補正用電解質の投与．

5―在宅経腸栄養管理

▶経腸栄養を在宅で行うものを在宅経腸栄養法（HEN：home enteral nutrition）という．HENの適応としては脳血管障害や神経・筋疾患による嚥下障害例がもっとも多い．経腸栄養に使用する器具には病院でも在宅でも大きな違いはないが，診療報酬上，投与する栄養剤により，患者負担額が大きく変わるので配慮が必要である．

3 経口栄養法

▶嚥下・咀嚼機能に問題がなく，消化管が機能しており，口から食事が摂取できる場合は経口栄養法を選択する．

▶経口摂取による栄養補給の最大のメリットは，より生理的で，人間本来の尊厳を保てる点にある．

▶各個人の栄養必要量を食事という形で摂取してもらうためには，各病態に応じた食事指針を理解したうえで，患者の口腔機能，嚥下機能，消化機能に応じた食事の形態・量・味を調整し，視覚や嗅覚・味覚を程よく刺激し，QOLを高めるようなものが望まれる．

▶食事は一人ひとりに応じた調製が望ましい

が，複雑多岐にわたる疾患が多い医療機関ではあらかじめ予測される疾患と患者に対応した栄養食事基準（約束食事箋）を設定している．食事の種類は，大別すると一般治療食と特別治療食に分類される．

1―一般治療食

▶栄養状態を良好に保ち，疾病治療に必要な体力を維持，向上させるための食事で，主食の形態にあわせて分類されている．

▶種類としては，常食，全粥食，五分粥食，三分粥食，流動食などのほか，きざみ食，ミキサー食，嚥下レベルに対応した嚥下訓練食などもある．そのほか，ライフステージに適した食形態とした離乳食，幼児食，学童食，授乳食なども含まれる．

▶各年齢，性別に応じたエネルギー量，三大栄養素，各種微量栄養素が適正に配分されていることが重要である．

▶個人ごとの栄養素の調整が難しい場合は，一般治療食の栄養基準は「日本人の食事摂取基準」に基づき，入院患者の年齢・性別・活動量から算定する荷重平均栄養量により設定する．

▶個人の1日当たりの必要エネルギー量と給与エネルギー量の差が300 kcal以上にならな

■表Ⅲ-3-9　成分別食事基準（例）

区分	主食	副食	エネルギー (kcal)	たんぱく質 (g)	脂質 (g)	炭水化物 (g)	水分 (g)	適応疾患等
E-12	米飯	常菜	1,200	50	30	190	1,000	肥満，糖尿病 高脂血症（Ⅳ，Ⅴ） 脂肪肝 妊娠高血圧症候群など
E-14	米飯	常菜	1,400	60	35	220	1,100	
E-16	米飯	常菜	1,600	60	40	260	1,200	
E-18	米飯	常菜	1,800	70	45	280	1,200	
E-20	米飯	常菜	2,000	75	45	330	1,400	
P-30・E-14	米飯	常菜	1,400	30	35	230	800	糖尿病性腎症・腎臓病
P-30・E-16	米飯	常菜	1,600	30	45	280	800	
P-30・E-18	米飯	常菜	1,800	30	60	300	800	
P-40・E-14	米飯	常菜	1,400	40	35	240	800	
P-40・E-16	米飯	常菜	1,600	40	45	260	900	
P-40・E-18	米飯	常菜	1,800	40	50	290	900	
P-50・E-14	米飯	常菜	1,400	50	40	220	800	
P-50・E-16	米飯	常菜	1,600	50	45	250	800	
P-50・E-18	米飯	常菜	1,800	50	50	280	900	
P-60・E-16	米飯	常菜	1,600	60	45	240	900	
P-60・E-18	米飯	常菜	1,800	60	45	290	1,000	
P-70・E-16	米飯	常菜	1,600	70	50	230	1,000	
P-70・E-18	米飯	常菜	1,800	70	60	250	1,000	
F-20	米飯	軟菜	1,500	60	20	290	1,000	膵炎，胆嚢炎 胆石症，急性肝炎 潰瘍性大腸炎 高脂血症（Ⅱa，Ⅱb，Ⅲ）
F-40	米飯	常菜	1,600	70	40	230	1,000	

（川崎医科大学附属病院栄養ケアマニュアル検討委員会編：栄養ケアマニュアル2006年度版，2006より抜粋，一部改変）

いよう数段階の目標エネルギー量を設定する．
▶主食の形態にあわせ，副食の硬さや調理法も調整する．

2―特別治療食

▶特別治療食は，疾病治療の直接手段として，医師の発行する食事箋に基づき提供される適切な栄養量および内容を有する食事である．
▶糖尿病・腎臓病などの疾患名に応じて治療食を選択する**疾患別食事基準**と，個人の病態や身体機能に即した治療食が選択できるようになっている栄養成分別食事基準がある（表Ⅲ-3-9）．
▶**栄養成分別食事基準**では，患者の総合的な病態，身体状況から必要エネルギー量，必要栄養素配分を決定し，さらに個人の咀嚼力，嚥下機能，消化管状態を考慮し，患者の嗜好面，アレルギー，服薬状況を確認して食事の形態や量を決定する．高栄養流動食を併用する場合もある．各疾患別の具体的な栄養ケアの内容は他項を参照していただきたい．

3―食品構成表（表Ⅲ-3-10）

▶各食事基準に基づいた必要な栄養素を摂取するために，1日に摂取すべき食品群の種類と重量を示したものである．食品群は栄養成分の類似した食品をいくつかの群に分類したものであり，献立作成の目安とする．
▶食品構成表は，栄養指導の際，摂取する食品の目安量としても用いられる．

■表Ⅲ-3-10 食品構成例（常食）

食品名	数量(g)	エネルギー(kcal)	たんぱく質(g)	脂質(g)	炭水化物(g)	食物繊維(g)	Ca(mg)	P(mg)	Fe(mg)	K(mg)	水分(g)
米　飯	400	672	10.0	1.2	148.4	1.2	12	136	0.40	116	240
食パン	80	211	7.4	3.5	37.4	1.8	23	66	0.48	78	30
小麦粉	10	37	0.9	0.2	7.5	0.3	3	9	0.11	15	1
いも類	50	52	0.7	0.1	12.3	0.7	7	19	0.25	178	32
果実類	100	59	0.7	0.1	15.2	1.5	14	16	0.20	177	84
野菜類	300	93	4.2	0.6	20.7	6.9	147	111	2.10	798	273
きのこ類	40	8	1.2	0.2	2.4	1.6	1	34	0.32	121	36
海藻類	5	4	0.4	0.1	1.5	1.0	23	8	0.55	107	2
魚介類	70	99	13.0	4.3	0.9	0	35	153	0.63	208	50
肉　類	70	131	13.0	8.1	0.1	0	4	122	0.98	210	47
卵	50	76	6.2	5.2	0.2	0	26	90	0.90	65	38
大豆製品	70	97	6.7	5.0	6.2	1.8	76	99	1.33	153	51
牛　乳	200	134	6.6	7.6	9.6	0	220	186	0.04	300	175
砂　糖	15	58	0	0	14.9	0	0	0	0	0	0
ジャム	20	51	0.1	0	12.7	0.3	2	3	0.04	13	7
油脂類	15	130	0.2	13.0	0.3	0.1	7	6	0.08	7	0
合　計	1,495	1,911	71.2	49.1	290.2	17.2	600	1,057	8.41	2,547	1,069

4─食事箋

▶入院患者個々の食事開始，食止め，食事内容の変更，退院など，医師から栄養部門に発行される食事処方である．処方はオーダリング，電子カルテ，伝票などにより行われる．

▶記載項目には，患者番号，病室，患者氏名，年齢，生年月日，性別，病名，主治医名，食種名，食形態，特殊指示，禁止食品などがある．

5─献立作成（表Ⅲ-3-11）

▶献立作成にあたっては，疾患ならびに病態に応じた食事指針をふまえ，疾患の治療あるいは栄養状態を良好に保つことを目的に作成する．

▶食事は，単に栄養補給の目的だけではなく，文化を楽しむという意味合いもあるため，栄養成分上限られた制約の食事でも，行事や季節感を取り入れ，五感を刺激する工夫が大切である．

▶特定給食施設での献立作成には，このほかに安全・衛生，品質，作業性，経済性などが求められる．

■表Ⅲ-3-11 献立作成のポイント

1. 給与目標量や栄養比率を満たす．
2. 対象者の嗜好を考慮する．
3. 料理の組み合わせや使用食品の彩り，味に変化をもたせる．
4. 季節感を感じられる食材，行事食，地域の特産物，郷土料理などを取り入れる．
5. 施設・設備の条件，調理作業能力を考慮する．
6. 衛生的で安全な食材，調理法
7. 食材費が予算内で納まる．

4 栄養教育

1 ─ 栄養教育の意義と目的

▶栄養食事療法は，疾病の治癒・進展予防に重要な役割を果たしている．患者が自宅で栄養食事療法を実践するには，そのための「知識」と「技術」の習得が必要である．

▶栄養教育の目的は「患者が栄養食事療法の知識・技術を身につけ，患者自らの意志でそれを実践し，そのことに喜びや満足を感じるようになる」ことにある．栄養食事療法の実践によって，疾病の治癒・進展防止が図られ，家庭生活・社会や学校生活への復帰，痛みや苦しみの軽減，将来への希望，漠然とした不安感からの離脱など，患者のQOLが向上する．このことは，本人や家族だけでなく大切な社会資源である「人材」の喪失を防ぐ，きわめて意義深いものである．

▶臨床における栄養教育は，治療の一環として位置づけられる．

2 ─ 栄養教育の形態（集団栄養指導，個別栄養指導，情報通信機器を用いた指導，訪問栄養指導）

▶病院・クリニックなどで行われる栄養教育は，原則として医師の指示（栄養食事療法の処方）のもとに行われ，その指導形態によって診療報酬が異なってくる（⇒p.19参照）．診療報酬制度では，1回に行う教育対象者の人数，指導場所（施設内または対象者の居住する場所），指導方法別に，教育担当者，対象疾患，教育にかけた時間の要件が定められ，その要件を満たしたときに「栄養食事指導料」が算定できる．しかし，病院では，糖尿病教室，腎臓病教室，母親学級など，その施設が必要と考えた場合には，診療報酬制度によらない栄養教育もされている場合もある．

■集団指導

▶対象人数が何人からが集団となるかの定義はないが，個人指導に対応して用いる場合には2名以上あれば集団指導となる．集団指導は，その開催形式により，いくつかの方法がある（表Ⅲ-3-12）．どの開催方法がよいかは，

補遺 Appendix 成人の学習

▶リンデマンは「成人の学習」の指導原理を次のように述べている．この原理は，栄養教育にも十分適応する原理である．

① 成人は，学習が自分たちの要求や関心を満たしてくれるであろうと実感したときに学習へ動機づけられる．この要求・関心は成人の学習活動を組織化するのに適切な出発点である．

② 成人の学習の方向づけは生活中心（self-centered）である．したがって，成人の学習を組織する適切な単元は生活状況であって教科ではない．

③ 経験は，成人学習のもっとも豊かな資源である．

成人教育で中心となる手法は，経験の分析である．

④ 成人は自己主導的（self-directing）であろうとする強い要求をもっている．それゆえ，指導者の役割は学習者に知識の伝達をし，それをどれだけ理解したかを評価することではなく，学習者とともに相互要求（mutual inquiry）のプロセスに参加することである．

⑤ 年齢とともに個人差は増大する．成人教育は，時間，場所，学習速度の違いを考慮した準備をしなくてはならない．

（池田秀男ほか：成人教育の理解，実務教育出版，東京，1997より）

■表Ⅲ-3-12　集団指導の開催方法（例）

項目	内容	特徴
講義形式	栄養教室，講演会，講座	1回に多くの対象に教育が行え，知識の伝達を行うには効率的である．
討議形式	座談会，ブレーンストーミング，ディベート	患者参加型で，グループの中に管理栄養士，医師，看護師などの医療スタッフを参加させるかどうかで，教育的な目的が強くなるか，心理的サポートが強くなるかが決まってくる．
	シンポジウム，パネルディスカッション	パネリスト，シンポジストの選び方によって，広い視野の情報が得られる．
体験学習	調理実習，試食会，ロールプレイング	時間，場所，設備，経費などの制約があるが，理解度を増すのに役立つ．

（酒井映子，吉池信男ほか：栄養教育論，坂本元子編，第一出版，p.138-145，2006より改変）

■表Ⅲ-3-13　糖尿病栄養教室（例）

開催回数	項目	内容	担当者
1	病気の理解	●糖尿病とはどんな病気 ●検査値の読み方 ●糖尿病の薬	医師 臨床検査技師 薬剤師
2	病気の理解と療養生活	●糖尿病の合併症 ●食事療法 ●運動療法	医師 管理栄養士 理学療法士
3	療養生活	●シックデイの対応 ●食事療法（外食・中食） ●フットケア	医師 管理栄養士 看護師

　教育目標，対象者の特性，開催場所，開催経費などによって選択する．また，いくつかの方法を組み合わせることもある．たとえば，講義が終了した後に，個別指導，座談会を組み合わせるなどである．また，医療機関では，栄養教育の場として独立した形でなく「糖尿病教室」「腎臓病教室」という形で，多職種の医療スタッフで療養生活全般を教育する形がとられている場合もある（表Ⅲ-3-13）．
▶集団指導は，教育目標・方法が決まっているので，栄養教育担当者が，指導目標や指導方法が患者に適した集団指導を受講できるように計画する．これにより効率のよい指導ができ，参加者どうしの交流が，患者の自己効力感を高める働きが期待できる．また，患者数が多い医療機関では，集団指導であっても，対象者の特性（病期，合併症，治療法，生活背景など）をそろえることによって，ある程度は個別のニーズにあった内容にすることが可能である．

■個別指導

▶対象者が患者またはその家族（同居者，生活支援者）のみで教育を展開する．当然のことながら，個人のプライバシーが確保され，個人の特性にあった指導が展開できるが，集団指導に比べ，教育の効率は低下する．また，教育担当者と患者またはその家族との人間関係がその後の継続指導，患者の自己効力感の高揚などに影響する．したがって，教育担当者はカウンセリングやコーチング（⇒p.86参照）などの技法を身につけることが望まれる．

■ 訪問栄養指導
▶在宅ケアの必要な患者を対象に，栄養教育担当者が患者の自宅を訪問し，家族に対して教育を行う．家庭の状況が身近にわかるため，患者の自宅で実際の生活に即した教育が展開できるメリットがある．訪問は，栄養教育担当者のみで訪問する場合や，医師・看護師などの訪問診療・看護に同行する方法があるが，在宅ケアでは，その患者の治療や看護に携わる医療スタッフ間の連携が重要である．現在，厚生労働省の病院（施設）から在宅への方針により，平成30年度の診療報酬の改定以降この分野が充実し，管理栄養士への期待が高まっている．

3 ― 栄養指導の介入時期

▶栄養教育は，患者が栄養教育を受ける準備ができている状態のとき，食道癌・胃癌で手術を受ける患者等が術後の食事に不安感をもっているとき，疾患に特化した経腸栄養剤（エレンタール®，アミノレバン®等など）を始めるときなど，適切な介入時期に行うことが重要である．

■ 入院時
▶治療における栄養・食事の意味，アレルギーや嗜好などへの対応を説明することで，病院食の受容，病院食の教育的意義を高めることが期待できる．

■ 入院中
▶病院食を教材に，疾患や病態に即した食事指導をすることで，家庭での実践につなげることができる．

■ 退院時
▶退院後の家庭および入所施設での療養生活の支援が可能となる．また，地域連携パスもふまえた指導を行うことで，QOLの向上をさらに図ることが可能となる．

4 ― 福祉施設における栄養教育

▶福祉施設では，低栄養の改善・予防，誤嚥の防止など，栄養管理は不可欠である．しかし，入所者のなかには「食べる意欲が低下している」「摂食嚥下に不安をもっている」「食への強い思い」などで栄養管理に困難をきたすことがある．
▶管理栄養士が看護師や介護福祉士，歯科衛生士などのスタッフと連携をとりながら，入所者への働きかけ（栄養教育）を行うことで，食事の喫食率が高まることが期待できる．
▶喫食率の向上は栄養状態の改善や予防につながるだけでなく，入所者のQOLの向上につながる．

5 ― 効果的な栄養教育の展開

■ 教育計画の作成
▶効果的な栄養教育を展開するには，対象者にあった教育計画を作成することが重要である．医療機関によっては栄養教育そのものがクリニカルパス（⇒p.92参照）に組み込まれている．教育計画の作成の詳細は専門書を参照されたいが，医療機関では患者の治療計画をたてるにあたりPOSシステムがとられている（⇒p.68参照）．教育計画も，この考え方にそって計画すると，他職種との情報の共有化が図れる．教育計画の概要を**表Ⅲ-3-14**に示した．
▶近年，医療機関は，おのおのの医療機関の性格により役割分担を行い，患者の病態に応じ医療機関どうし連携を図るようになってきている（**地域連携パス**）．慢性疾患の栄養教育

■表Ⅲ-3-14　栄養教育計画の概要

項目		内容（例）
情報収集	病状	● 病歴，合併症，使用薬剤，検査値の経緯 ● 今後の治療計画 ● 食物アレルギー，禁止食品（薬）
	栄養・食生活	● 栄養・食事関する医師の指示 ● 栄養状態，現在の栄養摂取状況，食生活（食事時刻，場所など） ● 食習慣（宗教），嗜好
	療養生活	● 患者・家族の病気の受容，疾患の理解 ● 家庭環境，社会（学校）生活，経済 ● 信念，宗教，家族の思い ● 今後の療養計画
	指導に関する必要事項など	● 視力・聴力の障害，四肢の障害
問題点の分析	患者自身	● 受容，意欲，身体的な障害，嗜好
	環境など	● 家族の支援，生活環境（経済，住居，周辺の環境）
指導計画	目標	● 長期目標　例：3カ月後に体重が4kg減っている ● 今回の目標　例：間食の回数を3回/週にする
	対象*	● 本人，家族，同居者，生活支援者
	方法*	● 個人，集団 ● 知識の伝達，栄養カウンセリング
	使用教材	● フードモデル，パンフレット，ビデオ
	指導回数	● 初回，2週間後，3カ月後情報通信機器による指導，6カ月後対面による指導
	評価方法	● 体重変化，検査値の変化，患者の満足度
実施・報告	医師への報告	
記録	カルテへの記録	

*患者や家族の希望，医療機関の事情で規定される場合もある．

計画ではこのパスを意識して計画する必要がある．また，ターミナルケア（入院・在宅）のように，患者のQOLや幸福感の向上が目標の場合の栄養管理ではエンドポイントがさまざまである．したがって栄養教育の計画にあたっては，患者を全人的に理解し，他の医療スタッフと連携を図り，患者の治療計画・療養計画に組み込む形で行うのが望ましい．

■教育方法

▶栄養教育の目的は，疾病治癒の支援に適した栄養食事療法が患者自身の力で実践できるようになることにあり，この方向への食行動変容を促すことにある．知識の伝達を主眼とした学習形態より，自らの意志で行動変容を起こすことが効果があがるため，栄養カウンセリング，コーチングなどの技法が効果的であり，その手法が開発されている．

▶しかし，患者のなかには，栄養食事療法の必要性は受容できているが，知識の習得だけが目的に到達していない場合もある．したがって，患者が今何を望んでいるのか（知識の習得，心理的サポート，周囲の理解など），治療における栄養食事療法の位置づけを考慮して，栄養教育方法（指導形態，指導対象者，患者への働きかけ方，使用する媒体など）の選択をすることが重要である．

MEMO

ターミナルケア：末期癌などで，疾病の治癒や改善を目的とした医療的な介入ができなくなった患者に対する看護のことで，延命より身体的・精神的苦痛の軽減を図り，人生の質（QOL）の向上を主眼に医療的な処置を行う．

■表Ⅲ-3-15　栄養教育に使用する教材

項目	内容
実物	食事，料理，食品，市販の加工食品や調理済み食品
視覚	フードモデル，パンフレット，スライド，OHP，写真，ポスター，人形劇，紙芝居
聴覚	テープ，CD
映像	ビデオ，DVD，コンピュータ画像
その他	ゲーム，かるた，電子メール，ホームページ

■教育の教材

▶どのような教材を使用するかは，教育の効果に影響する．教材の種類は，表Ⅲ-3-15に示したようなものがあるが，教育時間，場所，患者の特性によって選択する．いずれの教材も，見やすい，聞き取りやすい，見てみたくなる，聞きたくなるようなものでなければならない．作成にかけるマンパワー，経費の問題があるので，施設の事情に合わせて選択（作成）する．

▶薬品メーカーや公共団体で作成したもの，商品として販売されているものを使用する方法もある．患者は「自分のために作成されたもの」は大切にする傾向があるので，患者個人向けの改善点や励ましのメッセージなどを入れる工夫をするとよい．

■教育効果の評価

▶栄養教育終了後は，その評価を行い，次回の栄養教育へ反映させる．評価方法は，客観的評価としては臨床検査成績，体重，栄養摂取状況，主観的な評価としては患者および家族の満足度，食行動の変容などがある．また，評価は，教育担当者の評価も必要である．教育担当者の評価は，他の医療スタッフ，患者およびその家族が行うことになる．

■記　録

▶栄養教育の記録は，診療報酬制度上不可欠であるだけでなく，次回からの栄養教育計画や，他のスタッフとの情報共有として有効である．医療機関では，栄養教育の記録はPOMRで整理し，経過を**SOAP**の形式よっている場合が多い（⇒p.70参照）．SOAPは指導内容を客観的に問題別に整理して書くことを目的としたもので，事実のみを記載し，指導者の感想や印象のような主観的事項を記載しないのが原則である．

5　栄養カウンセリング

1─栄養カウンセリングの意義と目的

▶「心理学的・行動学的アプローチは糖尿病治療に有効である」[1]とされている．糖尿病の治療は患者自身の自己管理が重要な疾患である．

▶食事療法は患者に自己管理を求める治療といえる．この自己管理がストレスとならず「自己効力感」あるいは「普通のこと，自然体」となるようにアプローチすることが重要である．したがって，患者の食事療法の実践の支援の中心となる管理栄養士は食行動の変容を支援するための知識や技術が求められる．

▶このため栄養カウンセリングについて学ぶことは管理栄養士にとって重要な意義をもつ．

2─患者と信頼関係を構築する栄養カウンセリング

▶患者は「今の食事を否定されたらどうしよう」「私にできるのかしら」「家族に迷惑をかけないかしら」「今までだって，食事には本当に気を付けていたのに，なぜ？」など，さまざまな思いをもって栄養食事相談に訪れる．

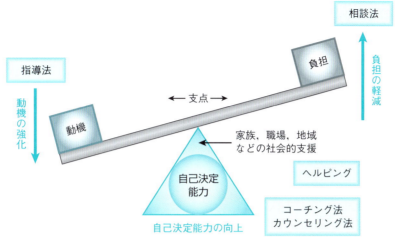

■図Ⅲ-3-3 セルフケア行動のシーソーモデル（宗像恒次 1978, 1987）とおもな援助法
効果的な援助のためには，相手のどこが不足しているのかを見極めて援助をする必要がある．動機が弱い場合には指導法，負担が強い場合には相談法，社会的支援の不足にはヘルピング，自己決定能力の欠如にはコーチング法やカウンセリング法があげられる．

▶患者の栄養や食事に関する知識，家族関係，経済状況，社会環境，考え方などがさまざまで，管理栄養士に期待していることもさまざまである．

▶患者は，自らの食行動が疾患のリスクを招いていることに気づいていないこともある．自らの気づきにより患者は自己効力感を高めることができる．ある患者は「家族の協力が得にくい」「今の環境では管理栄養士の言う通りにはとてもできない」など本当の自分や抱えている課題を管理栄養士に伝えることができない状態にある．このため管理栄養士は「患者を理解する力」が求められる．また患者は，管理栄養士の発する言葉・態度・姿（服装や髪形・化粧など）で安心感や逆に不安感・不信感を抱く．患者との信頼関係は，管理栄養士の「患者を理解する力」と患者が受け止めた「安心感」によって築くことができる．

▶患者との信頼関係によって，患者の本当の思いや考え方，食事療法を実践するにあたってバリヤーとなっている課題，管理栄養士に求めていることを知ることができる．

▶患者のありのままを理解することで患者の自己決定による食行動変容を支援することができる．

3─食行動変容に関する理論と援助技法

▶管理栄養士として患者を支援する際に，ガイダンス法（指導法），コンサルテーション法・アドバイス法（相談法），コーチング法（目標達成法）やカウンセリング法（積極的傾聴法）を組み合わせて活用することが現実的である．

▶また，このような援助法をどのように活用すればいいかについて，セルフケア行動のシーソーモデルを図Ⅲ-3-3に示した．

▶行動変容を支援する際に，患者がいまどの

📝MEMO
指導法：医療者が相手に必要と思われる知識や情報を提供すること．医療者の枠組みのなかで，患者を診断・評価などをしながら行われる．
相談法：患者の訴えを聴いたうえでアドバイスをすること．患者の主訴を，医療者の枠組みのなかで理解しながら行われる．

コーチング法（ヘルスコーチング法）：患者の身体・精神・行動に表出された症状と，本人の自己イメージ認知，成育環境などから，本当の問題への気づきの支援と動機づけ支援，自己目標設定，目標達成を支援すること．患者の顕在化情報や潜在化情報を活用する．専門家としてのガイダンス力も必要とする．

■表Ⅲ-3-16　行動段階別保健行動への行動科学的アプローチ（宗像恒次1998，橋本佐由理追補2009）

行動段階	行動段階に応じた支援法	中心となる具体的なアプローチ（行動変容技法）
無関心期	キャンペーン法 ガイダンス法	保健行動の理由と効果の確認 啓蒙
関心期	キャンペーン法，ガイダンス法による動機の強化，行動目標化コーチング	保健行動の理由の確認 啓蒙
準備期 （1カ月以内に実行）	行動変容を妨げているトラウマ感情を弱め，行動実行の自己効力感を高める行動変容支援カウンセリングが効果的	自己観察法，生きがい連結法，保健規範法，モデリング法，情緒的支援法，行動変容のカウンセリング法
実行期 （実行して6カ月以内）	行動動機を高め，行動負担を軽減し，効果的積極的ストレスマネジメントが必要．生活行動パターン変更法	代替法，環境改善法，ストレスマネジメント法，見通し管理法，自己改善法，スモールステップ法，ヘルスカウンセリング法，セルフトーク法など
継続期 （実行して6カ月以上）	その行動への自己効力感や自信を高める支援とストレスマネジメントが必要	保健行動の効果の確認，見通し管理法，問題解決法，スモールステップ法，戦略的学習法，ヘルスカウンセリング法，気分転換法，サポートネットワーク法など

ような行動段階にあるのかを考慮する必要がある．その**行動段階**に応じた行動科学的なアプローチについて，**表Ⅲ-3-16**に示した．

4―心の持ち方を知るための栄養カウンセリングの基本技法

▶患者の心の持ち方を知り，相手の世界を理解し，安心で安全な信頼関係を形成するには，患者から患者特有の情報を正しく得ることが必要である．効果的な食行動変容の支援のための，患者の心の持ち方を知り，本人の自己決定により心の持ち方が変わることを寄り添い支援する栄養**カウンセリングの基本技法**を解説する．

1）観察法

▶患者の本当の思いを正しく聴くには，患者の心が現れている部分に着目して話を聴くことが必要である．管理栄養士としての好ましい態度と患者の心の観察法を学ぶ．

▶**キーワードやキーメッセージ**に着目して聴く．キーワードとキーメッセージが一致したところがポイントとなる．

▶管理栄養士の聞きたいことや聞きたいところだけを聞くのではなく，患者の言いたいところを聴くことが必要である．そのためには，患者の話のなかにある気持ちや思いのある部分をとらえる．**気持ちや感情**，思いが現れているところが，患者の心の持ち方である．心の持ち方が行動に影響しているので，まずは心の持ち方をとらえることが大切である．

▶心の持ち方，すなわち気持ちや感情は，本人の要求のあるところにしか起こらない．たとえば，不安になるのは，何か見通しが立たない要求があるときである．したがって，本人の要求を知るためには，気持ちや感情に着目する必要がある．

▶言語的に患者が思いや感情を表現している点を，**表Ⅲ-3-17**に示したキーワードの4点に着目してとらえる．

▶また，人は他者とのコミュニケーションのなかで，聴覚からの言語情報以外にもさまざまな情報をキャッチする．一度も会ったことも話をしたこともない人であったとしても，初対面から何となく好意を感じたり，あるいは，話をしないうちから何となく怪しいとか，

📝**MEMO**

カウンセリング法（ヘルスカウンセリング法）（→p.87）：患者の気づきや自己決定，行動変容，問題解決，自己成長などを支援すること．患者の世界を医療者のなかにも共有し，患者の枠組みのなかでともに感じ，医療者が患者に寄り添い続けながら行われる．とくに患者の感情に注目して，傾聴し，共感し，行動の元となる自己イメージ脚本を変容する．

カウンセリングの基本技法（→p.87）：カウンセリングの基本姿勢ともいえる．観察，傾聴，確認，共感の4つであり，その姿勢を保つことにより，相手との信頼関係の形成（ラポールの形成）や気づきの支援，癒しの効果などが得られる．

■表Ⅲ-3-17 キーワードとキーメッセージ

キーワード：言語的表現の観察法
● 気持ち用語（難しいな，大変だ，面倒だな） ● 感情用語（心配，怖さ，寂しい，怒り，自己嫌悪） ● 独特の言葉（穴があったら入りたい，心に穴があいたようだ） ● セリフ調の言葉（「何やってるんだ！」）
キーメッセージ：非言語的表現の観察法
● 目や声や顔の表情の変化 ● ジェスチャー ● 身体姿勢の変化 ● 心にジーンと響いたところ

（橋本佐由理）

怖いと感じるということがある．表情や態度からは，さまざまな情報が信号として発信される．

▶私たちが感情や気持ちを伝達するときに，言葉の意味内容での伝達は，ほんの1割といわれている．残りは，顔の表情による感情表現と声の表情による感情表現である．したがって，患者の非言語メッセージのなかにある気持ちや感情をとらえる必要がある．非言語メッセージであるキーメッセージをとらえるには，表Ⅲ-3-17に示した4点に着目するとよい．

▶管理栄養士は，非言語メッセージが患者に与える影響が大きいので，自分の表情や態度，身の振る舞い方には，十分に注意を払う必要がある．

2）傾聴法

▶患者の話を聴いているときに，自分のなかに起こってくる気持ち（心理ブロッキング）を自覚し，それを意識的に脇に置き，心を真っ白にして寄り添って患者の気持ちを聴くことが大切である．これを傾聴法という．

▶心を真っ白にして患者に寄り添うには，「私はあなたが変わったら変わったようについていきます」という気持ちで行い，ブロッキングが起こったら「これは，私の気持ちや思いだ」と自覚して，脇に置く．「患者は何と言っているのだろう」と，患者に焦点を当て直すフォローの姿勢が必要である．

▶心理ブロッキングとは，追体験，意見，好奇心，解釈，誘導心，興味，思い込み，深読み，憶測，自分の感情などをいう．このような心理ブロッキングがあると，患者の話を相手の気持ちどおりに聴くことができない．心理ブロッキングは，人それぞれなので，自分の癖を知っていれば気づくことができる．気づくと，心理ブロッキングを外す努力ができるのである．

▶話を聴いているときの態度は，思いのほか患者に影響を与えている．何の気なしにちらりと時計をみたそのしぐさに，患者が反応してしまい，話が進まなくなってしまうこともある．話を聴くときには，患者と高さを合わせ，視線を合わせ（患者の頻度と長さに合わせた視線の合わせ方が基本），患者の伝えたい点（キーワードやキーメッセージ）でうなづき，患者の方へ身体を向けて少し前傾姿勢をとり，ペンをカチカチと鳴らしたり，髪の毛を触ったり，腕や足を組むなどの余分なことはしないで，効果的な沈黙で効果的な促しをしながら聴くとよい．

3）確認法

▶患者の言いたいポイント（キーワード，キーメッセージの一致したところ）を中心に繰り返し，生き生きした反応かどうかで，こちらのとらえた内容が合っているか否かの確認をとる．繰り返しをしたときに，患者に不自

MEMO

感情（→p.87）：感情とは欲求（要求）の充足・未充足をめぐって起こるものである．欲求の充足の見通しがないと不安系，欲求をあきらめていると悲しみ系，当然の欲求がなされないと怒り系，欲求の未充足が続くと苦しみ系の感情が生じる．欲求が充足されたり，されそうなときには喜び系の感情が生じる．

効果的な沈黙：聴き手が表情や姿勢，うなずきやジェスチャーなどの表現を用いて，共感的な傾聴をすることである．話し手は安心して話ができ，話す意欲の向上にもつながる．

同情とは、かわいそうに…とか、何とかしてあげたいというような援助者の思いである。

同感とは、私もそう思うという意味であり、私がそう思わない場合はNoとなる。

同情　　　共感　　　同感

■図Ⅲ-3-4　同情・同感と共感の違い
同情や同感は自分の思いであり、これはブロッキングである。同感や同情で患者の力になろうとすると、最終的に得られるものは自己満足であり、患者が満足するかはわからない。同感できなくても、共感ができれば心は通じ合う。

（橋本佐由理）

然な表情や無表情など態度に不自然さがみられたら、テーラーリング✎をする。効果的な繰り返し✎ができると、ミラーリング（鏡像）効果を生み出す。

▶ミラーリング効果とは、①自分の言ったことの確認（聴き手が自分の気持ちや感情を映し出す正確な鏡になってくれることで、患者を見て自分の言ったことが確認できる）、②話が伝わったことの安心と癒し（どのような思いや考えに対しても、自分の思いや気持ちどおりに伝わり、否定や非難をされることなく受け止めてもらえることにより、安心感が得られ、わかってもらえ、理解されることを通して癒される）、③隠れた気持ちの気づき（鏡をみるように自分をみて、気持ちが整理されると、自分の隠れた本当の気持ちに気づく）、④自己観察の提供（安心感が得られ、否定されることのないなかで、聴いてもらえることにより、医療者にわかってもらいたい思いが満足すると、自分に焦点が当たり、自己焦点化が促され、自己観察や自己吟味ができる）、⑤行動の自己決定（自分の本当の気持ちが自覚されると、本当の要求に気づき、それが自己決定を促す）、という効果である。

4）共感法

▶共感法とは、患者の置かれた状況をブロッキングしない程度に、想像したり、イメージし、感情移入して、患者の気持ちと限りなく近い気持ちを自分のなかに起こし、それを相手に示すという方法である。よく似ているようであるが、共感と同感、共感と同情は異なる（図Ⅲ-3-4）。

▶患者の訴えに対して、「私もそう思う」とは言えなくても、患者がそう思っているその思いを自分のなかにも起こすということはできるはずである。共感が成功すると、患者との間に限りない信頼感がもたらされ、癒しの力をもつ。そして、患者に内省化を促し、自己決定がなされるという効果をもつ。

▶患者の行動変容を支援するためには、心の持ち方が変わるかかわり方が必要である。患者が安心して、自分の課題や問題と向き合い、自己吟味ができ、自己決定をすることで、初

📝**MEMO**

効果的な促し（→p.89）：聴き手が話を聴くときに、タイミングよく相づちを打ったり、相手の話を繰り返して次の話を促したり、話の内容などが不明確な場合には「〜についてもう少し詳しくお話し下さい」と促しながら話を進めることである。

テーラーリング：患者の話のおもな事柄や気持ちにピッタリと合うように、話のキャッチボールをしながら修正すること。

効果的な繰り返し：4つの基本技法を用い、相手の話をブロッキングを脇に置いて傾聴し、話の中の重要なポイントを相手の使ったキーワードやキーメッセージをまねながら返していく。

めて心の持ち方が変わり，行動も変わる可能性がある．患者を変えようとしてかかわると，援助者がストレス源になってしまう可能性がある．

▶患者に必要な行動変容を支援する際に，患者を変えようとする援助を放棄することが大切である．患者は変えられない．専門職にできることは，医療者としての自分が患者へのかかわり方を変えることだけができる．それによって，患者も変わる可能性がある．

▶観察力，傾聴力，確認力，共感力を身につけ，なるべく短時間で効果的な援助ができるようにするとよい．

5—医療現場における栄養カウンセリング

▶カウンセリングは，本人に自己を変えたい，あるいは問題を解決したいという意思がない限り成立しない．身体疾患を抱えた患者はストレスを身体化しており，葛藤化がなされないために，カウンセリングへの動機が弱いことが多い．

▶そこで，まず動機づけ支援と，問題解決への意思を確認するための，ヘルスガイダンスとヘルスコーチングを行い，その後，栄養カウンセリングをすることが有効である．

▶生活習慣病は全世界で問題となっているが，それは，ストレス性格病といえる．したがって，ストレス性格にかかわらない限り，本当の問題の解決はない．人の行動の三次元を考えてほしい．本来の自分を生きる行動（上位行動）がとれる自分を取り戻すことで，自分のイヤなことは断れる行動がとれ（中位行動），そして，過食をしないでいられる行動や喫煙をしないでいられる行動（下位行動）

が健康行動やセルフケア行動に変容されるのである．医療者による下位行動だけを変えようとする支援は，かえって患者にストレスを与えてしまうことになりかねない．

▶管理栄養士は，臨床現場では医療チームの一員であり，栄養・食の専門家として患者の栄養管理，療養生活支援が求められている．療養生活で抱えている課題や重要性は患者によって異なる．その課題を適切に見極め，ほかの専門職種との連携を図ることも栄養カウンセリングを患者にとってよい方向に導くことになる．

▶管理栄養士は，医療者として質の高い「職業倫理感」に基づき栄養カウンセリングを行うことも重要となる．

> **MEMO**
> **ストレス性格**：他者に過剰な期待をしやすい対人依存度の高さや，自分の気持ちや感情，考えを抑え，他者に服従しやすい自己抑制度の高さ，問題に対して先送りをしたり逃避的悪循環的な対処をしやすい問題回避度の高さなどの心理特性を持ち合わせていること．

6 クリニカルパス

1―クリニカルパス作成までの流れ

▶組織的に行うということでは，委員会などを立ち上げ必要部署が集まり，議論する場を作ることが大切である．そのなかでは，なぜクリニカルパスが必要なのか，何のためにクリニカルパスを入れるのか，どのような形式にするのか，どのように使用するのかを解決して意思の統一を図ることが重要である．疾患にもよるが，目標は，全科統一フォーマットの作成である．

■ 全科統一フォーマット
▶全部の科で統一した情報を共有していけるように作成された記録形式のことで，全科統一のフォーマットが理想的であるが，疾患別のパスを考えるうえでは，そこまではたどり着いていないのが現状である．

■ アウトカム志向のクリニカルパス
▶近年多くの病院で取り組まれているクリニカルパスの特徴として，アウトカムを取り入れたクリニカルパス，いわゆるアウトカム志向のクリニカルパスが増えてきていることがあげられる．しかし，現段階でアウトカムの定義や設定の仕方を明確に解説しているものはない．そのため，アウトカムを取り入れたクリニカルパスの作成や運用が，現場でかなり混乱しているともいわれている．

■ 病院におけるアウトカムの考え方
▶アウトカムを直訳すれば，「成果」や「結果」であるが，病院においては医師の退院基準といわれている．しかし，これだけでは全人的なアウトカムにはならず，チームとしてかかわる以上，アウトカムも"チーム医療として達成すべきもの"となる．

■表Ⅲ-3-18　病院におけるアウトカムの分類と意味

分類	意味
患者アウトカム（医療ケアのアウトカム）	● 患者の満足度・QOL ● ケアの目標達成
医療者アウトカム	● 医療者の治療行為の成果
病院アウトカム	● 病院の収益 ● 病院目標の達成度

▶病院におけるアウトカムは，患者アウトカム，医療者アウトカム，病院アウトカムの3つに大別される．患者アウトカムは，言い換えれば医療ケアのアウトカムであり，患者の満足度やケアの目標の達成である．医療者アウトカムは，ケア提供者である医療者の治療行為の成果である．病院アウトカムは，システムのアウトカムであり，病院の収益や病院の満足度である．

▶病院におけるアウトカムの分類と意味について表Ⅲ-3-18に示す．

■ 医療ケアのアウトカム
▶医療ケアの最終アウトカム，つまり最終達成目標は，通常「退院基準を満たして退院する」である．そして，その退院基準を達成するためには，中間アウトカム（中間達成目標）を設定し，それを順次達成していくことが必要である．

■ フォーマット不統一によるデメリット
▶各科・病棟でフォーマットや使用方法を考えなければならない．複数の科・病棟で働く職員は，フォーマットの統一性がなく連携がないため，病院全体の業務改善につながらない．

■ フォーマットの統一
▶クリニカルパス全体の構成は，クリニカル

✎MEMO

アウトカム：成果という意味の英語で，研究がもたらす本質的な成果のことで，医療従事者が医療行為を行っていくうえで達成する最終目標のこと．

中間アウトカム：最終目標の達成に向けて期待されるアウトカムのこと．それ自体は最終目標ではない．

パスそれぞれのページの構成がフォーマット統一として必要とされる．

■フォーマット以外の統一
▶クリニカルパスの作成方法，使用方法やクリニカルパスの認可方法，許可基準，入院カルテ全体の構成が必要とされる．

■クリニカルパスの構成
▶クリニカルパスには患者用パスと医療者用パスがあるが，構成は以下のとおりである．
①毎日使用していくページ
②アセスメントツール
③共同問題・看護計画
④バリアンスシート
⑤入院注射指示箋・処方箋
⑥入院内服指示箋・処方箋

2—クリニカルパスによる栄養ケアの意義

■チーム医療
▶21世紀を迎え，医療も大きく変わろうとしている．今世紀は，疾患ごとに作られた治療ガイドラインに沿って医療チームがそれぞれの専門性を発揮し，最良の健康結果を最小のコストによって達成しようとする医療マネジメントスタイルがとられるようになってきた．クリニカルパスの作成のためには，チーム医療（⇒p.22参照）の必要性が増してきた．
▶クリニカルパスは，特定の疾患に対する最良の治療方法であり，これを基準とすることで治療費や治療の質・効果が均一なものになる．また，治療の過程がスムースに行えるようにもなっている．さらに，新しく治療方法の組み合わせを作成する必要がなく，最小限度のコストに抑えることもできる．このように，クリニカルパスはチーム医療を行うためには必要不可欠である．

■栄養管理・栄養ケア
▶病院における栄養問題が日本の医療の質の向上を妨げているのでは，と問われている．その理由は，日本の入院患者の20～40％が栄養障害を抱えているからである．栄養障害は患者の回復を遅らせ，予後を悪化させ，ひいては入院を長期化させている．そのため，病院における栄養管理が問題になっている．クリニカルパスにおける栄養ケアは，栄養管理を行ううえでは，必要不可欠である．
▶以上クリニカルパスについて述べてきたが，これらはあくまで一般的なもので，これから新たにその施設に合ったクリニカルパスができてくると思われる．これからはさらにクリニカルパスの数だけではなく，質の向上を目指したクリニカルパスの活用が望ましい．

3—クリニカルパスの実際例

▶①幽門側胃切除術のクリニカルパス（術前）を表Ⅲ-3-19に，②幽門側胃切除術パスセルフチェック記入用紙を表Ⅲ-3-20に，③幽門側胃切除術パスアウトカム・バリアンス評価記入用紙を表Ⅲ-3-21に，④幽門側胃切除術入院治療計画書（患者用）を表Ⅲ-3-22に示す．

📝MEMO
バリアンスシート：クリニカルパスから逸脱した要因を記入し，分析の際に使用するシートのこと．

■表Ⅲ-3-19　幽門側胃切除術のクリニカルパス（術前）

幽門側胃切除術

◆患者　　　　　　　　　様　♂♀　　　　歳　　◆手術日：平成　　年　　月　　日
◆主治医　　　　　　　　　　　　　　　　　　◆既往歴
◆注意：パスは，ガイドラインです．患者には個人差があり，治療・回復にも影響があります

		手術前日　月　日	手術当日（前）　月　日	外科約束指示
バイタル	T P R BP 41 170 200 40 150 150 39 130 30 100 38 110 25 50 37 90 20 36 70 15 35 50 10			1. 下剤：希望時患者選択 ①アローゼン0.5g 1包 ②レシカルボン坐薬2本 ③グリセリン浣腸60mL ④プルセニド2錠 2. 眠剤：胃管が入っていなければ水分開始前でも原則可 ①リスミー1mg 1錠 効かないときはもう1錠追加可 胃管留置中の場合 ①アタラックスP 25mg 1A筋注 3. 頭痛時 ①カロナール200mg 1錠 4. 風邪症状時 ①PL顆粒 1包 ②喉が痛いとき：イソジン含嗽 5. 肛門痛時 ①強力ポステリザン軟膏 1個 ②ボルタレン坐薬 1個 6. 嘔気強いとき ①プリンペラン1A筋注（静脈ルートがあるときは静注で） ②アタラックスP 25mg 1A筋注 7. 筋肉痛時 ①MSタイホウ ②セルタッチ ③ハーネ湿布 術後指示 ※O₂：3リットルマスク ※NEB：3回/日 ※M-tube：吸引なし ※エピ持続：麻酔科指示どおり
便・尿回数/量		/　（　　　）mL	/　（　　　）mL	
清潔				
食事		□夕食半分後水分のみ	□朝より絶飲食	
安静度		□安静度フリー		
腹痛				
嘔気・嘔吐				
風邪症状				
不安訴え				
治療・処置		□刈毛 □麻酔科受診 □術前MT（/）（ : ）＜済，未＞ □同意書の回収 □コンプリネットの有無（　　） □21時プルセニド2T内服 □21時リスミー1mg内服（効かないとき1T追加） □両下肢の知覚障害はないか　無・有 □両下肢血圧80mmHg以上あるか　無・有 □コンプリネットプロの着用　可・不可	□（　）時　GE120mL 反応便（水，カス，軟，有形便，反応なし） □残便感の（有　無） □プレメデ（　　：　　） 内容 □DIV開始（　G）部位（　　） ①ヴィーンD 500mL（　　） ②ヴィーンD 500mL（　　） □抗生剤を手術室へ	医師名＿＿＿＿＿＿ 看護師名＿＿＿＿＿＿ ◎書き方約束 嘔気・嘔吐　−なし　＋あり 便・ガス　−なし　＋あり 腹満　−なし　＋軽度 　　　++中度　+++重度 腸雑　−なし　＋軽度 　　　++中度　+++重度 薬効　−なし　＋あり □にチェック　レ ◎バリアンスの記載について 軽度の例では書き込んで青色鉛筆で囲んでください 例：点滴の追加などは赤で記入．中等度のときには看護特記事項欄に書いてください 例：嘔吐頻回 ドレーン自己抜去など重大なときには経過表に移して下さい 例：ショック，出血，呼吸不全など ◎記載について D勤にてアウトカムの評価を□の中に 達成………○ やや達成…△ 逸脱………× と評価してください ・バリアンスは各勤務　有り　無し　を記載してください ・バリアンスの際はバリアンスコードを使用しバリアンスコード欄に番号を記載してください ・CP使用できない場合は，医師の指示にて看護記録へ移行してください
点滴				
臨時処置				
説明・指導		□術前オリエンテーション □深呼吸の説明 □0時以降飲水不可の説明		
看護特記事項				
個別性の配慮		□	□	
転倒・転落の確認		□　　□　　□	□　　□	
バリアンス		有・無　有・無　有・無	有・無　有・無	
バリアンスコード				
サイン		A　　D　　F	A　　D	

食事の内容を記載

■表Ⅲ-3-20 幽門側胃切除術パスセルフチェック記入用紙

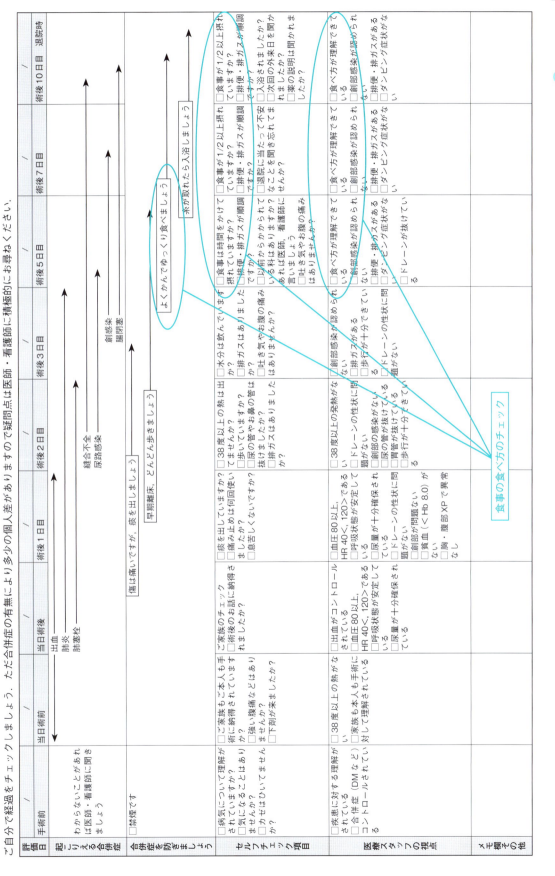

■ 表Ⅲ-3-21 幽門側胃切除術パスアウトカム・バリアンス評価記入用紙

<使用法>
Dr、Nsとも日勤帯の終了時に出チェックしてください。ただし術前は手術出しNsが手術後当日に関しては連携で達成されなかったものはすべてアウトカムが達成されなかったものはすべてバリアンスとしてください。ご協力お願いいたします。

評価	手術前	当日術前	当日術後	術後1日目	術後2日目	術後3日目	術後5日目	術後7日目	術後10日目 退院
看護目標	#1手術に対する理解がされている			#2合併症の早期発見	#3苦痛の軽減	#2合併症の早期発見 #4セルフケア不足による不満の軽減			#5退院に向けて不安の解消
患者状態アウトカム	□疾患に対する理解がされている □合併症(DMなど)コントロールされている □手術に対して本人も家族も理解されている	□38度以上の熱がない □合併症がない	□出血がコントロールされている □血圧80以上、HR40＜、120＞である □呼吸状態が安定しているSpO2 □尿量が100mL/4h以上確保されている □疼痛がコントロールされている	□38度以上の発熱がない □貧血(<Hb8.0)がない □胸・腹部XPで異常がない	□38.0度以上の発熱がない □ドレーンの性状が問題ない □創部感染が認められない □呼吸状態が安定している □バルーンが抜去されている □排ガスがある □歩行が十分できている □胃管が抜去されている	□水分摂取後腹部状態が問題ない □創部感染が認められない □排便・排ガスがみられる □38.0度以上の発熱兆候がない □尿路感染兆候がない □ドレーンの性状に問題がない	□食事は時間をかけて摂れている □創部感染が認められない □排便・排ガスがみられる □バルーンが抜去されている	□食事は時間をかけて摂れている □創部、皮膚に問題がない □排便・排ガスがみられる □全抜鈎が済んでいる	□食事は時間をかけて摂れている □入浴されている □排便・排ガスがみられる □入浴されて問題ない □創部が問題ない
データのアウトカム	□Hb 8.0以上 □尿糖<1g								
説明・指導	□術前オリエンテーション □主治医説明	□同意書の確認	□術後の説明 □ルート説明 □安静度説明	□ルート説明、安静度説明	□ルート説明、水分摂取、食事指導	□水分摂取、食事指導 □内服薬確認	□水分摂取、食事指導	□他科受診確認 □入浴指導	□食事パンフレット説明
合併症の有無	□コントロールされていないDM・肺合併症がない		□早期の腹腔内出血がない	□肺合併症がない	□縫合併症がない □創部感染がない	□縫合不全がない □創部感染がない □イレウス症状がない	□イレウス症状がない □ダンピング症状がない	□イレウス症状がない □ダンピング症状がない	
栄養・薬剤	□Alb＞3.0以上 □糖尿病のコントロールがついている						□Alb＞3.0 □Alb＜3.0もしくは摂取不十分な場合NSTに連絡 食事パンフレット説明		□Alb＞3.0以上 □服薬指導 □栄養指導
その他	(あり・なし) Dr: Ns:	(あり・なし) Dr: Ns:	(あり・なし) Dr: Ns:	(あり・なし) Dr: Ns:	(あり・なし) Dr: Ns:	(あり・なし) Dr: Ns:	(あり・なし) Dr: Ns:	(あり・なし) Dr: Ns:	(あり・なし) Dr: Ns:

アウトカム、バリアンスについての評価

(最終アウトカム)
□1) 食事が摂れている。
□2) 入浴されている。
□3) 創部、皮膚に問題がない。
□4) 排便コントロールがついている。
□5) 本人、家族とも納得されている。

バリアンス発生報告

発生日時	内容	コード	結果
			(変動・逸脱)
			(変動・逸脱)
			(変動・逸脱)
			(変動・逸脱)
			(変動・逸脱)

コメント

表Ⅲ-3-22 幽門側胃切除術入院治療計画書（患者用）

患者氏名　　　　　　　殿
病名

平成　年　月　日

日付		手術前日	手術当日（前）	手術当日（後）	術後1日目	術後2日目	術後3日目	術後4日目	術後5日目以降	術後7日目	術後10日目・退院
経過											
食事		夕食後水分のみ可・水分は夜中0時まで	朝から絶飲食	絶飲食	絶飲食	主治医の許可があれば飲水ができます	朝からスープが始まります	朝から5分粥になります	朝から全粥になります		希望があれば常食にします
安静度		安静度自由	病棟内自由	寝返りは可能です	座ってみてください	初めは大変ですがゆっくり歩いてみましょう	安静度自由				退院です
排泄			午後7時に浣腸をします		手術中に尿の管が入ります	トイレで歩行できれば尿の管を抜きます	・しばらくの間下痢になったり便秘になったりします ・排便状況について医師に報告してください				
清潔		手術前日に入浴（希望があれば夜に入浴）月曜手術の方は土曜日定刻に入ります		痰を出すために吸入をかけます（約3日間）	体を拭きます	体を拭きます	許可があれば洗髪可能です			シャワーや入浴が可能になります	自宅でゆっくりお風呂に入れます
治療・処置		手術に支障がある場合のみ除毛をします・感染予防のため1日2から3回うがいをしてください	手術30分前にベッドで手術室に向かいます [　　　時]	・手術中に鼻から胃に管が入ってきます ・酸素マスクがついてきます ・手術中に背中に痛み止めの管が入ります ・手術中に鼻の管を抜きます	・胸腹部のレントゲン撮影と採血があります ・背中のチューブを抜きます ・鼻の管を抜きます			点滴が減っていきます		7日目前後に抜糸になります ・必要があれば退院前の採血などがあります	
内服・点滴		8時に点滴を始めます	必要があれば手術30分前に筋肉注射をします	痛みが強い場合には注射を使います	抗生物質の点滴終了	手術前から飲んでいたお薬が始まります				退院にあたってお薬の説明があります
説明・指導		主治医・麻酔科医説明 看護師が手術前後の経過について説明します		主治医より手術の結果について説明できたら面会できます			術後経過について疑問があれば遠慮なく聞いてください	栄養・食事指導	栄養・食事指導		退院にあたって心配事があれば看護師・主治医に相談しましょう
合併症		かぜをひかないように	術後は集中治療センターに入ります・麻酔が覚めてきたら麻酔問診表に記入してください	・術後出血	・術後出血	・縫合不全 ・肺炎	・肺炎	・腸閉塞症	・創感染	・腸閉塞	・吻合部狭窄
その他		【手術に必要なもの】和式寝衣・T字帯を各1枚ずつ・腹帯2枚・バスタオル・ティッシュ・印鑑 タバコは絶対禁煙してください	一般のお部屋に戻ります				どんどん歩きましょう		食事はゆっくりよく噛んで食べましょう	もうひと頑張りです！	あと一歩です！	保険などの診断書の必要な方はお早めにお申し出下さい ご退院おめでとうございます

＊この経過説明は標準的なものであり、年齢・合併症により多少のズレを生じることもあります！！

主治医：
担当看護師：

注1　病名等は、現時点で考えられるものであり、今後検査等を進めていくにしたがって変わることもあるものである。
注2　入院期間については現時点で予想されるものである。

術前、術後の食事内容について患者が見やすいようイラスト付きで記載

7 特別用途食品，保健機能食品

1―特別用途食品・保健機能食品の概要

▶人が経口摂取するもので医薬品🖉（医薬部外品も含む）以外のものに対して，病者などの利用に適する表示，および身体の構造や機能に影響する表示は認められていないが，特別用途食品と保健機能食品については，例外的に限られた範囲でそのような表示が許可されている．

▶特別用途食品と保健機能食品は，特別の用途や保健機能の表示が許可された食品🖉で，保健機能食品は，特定保健用食品，栄養機能食品，機能性表示食品の総称である．

▶国民一人一人が健やかで心豊かな生活を送るためには，バランスのとれた食生活を送ることが重要であることは言うまでもない．昨今の健康効果を標榜した多種多様な食品の存在は，そのような適切な食生活を実施することの障害になっている．そこで国が「健康食品」のなかで有効性および安全性について基準を定め，消費者が個々の食品の特性を十分理解し，自分の食生活の状況に応じた食品が選択できるようにしたものが保健機能食品の制度である．

▶特別用途食品と特定保健用食品には許可（承認）証票🖉（いわゆるマーク）がある．栄養機能食品は国への届け出や審査が不要，機能性表示食品は届け出が必要で，いずれも許可（承認）証票はない（図Ⅲ-3-5）．

▶保健機能食品には，特定保健用食品，栄養

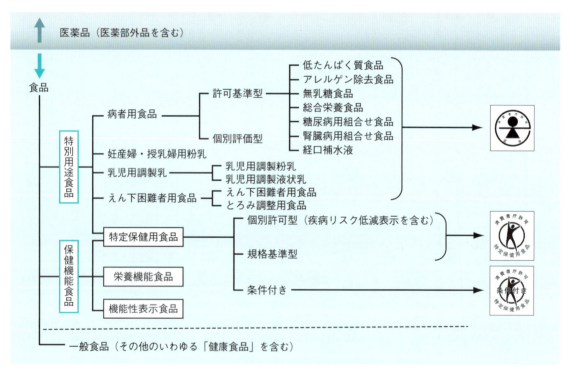

■図Ⅲ-3-5　特別用途食品，保健機能食品（特定保健用食品＋栄養機能食品＋機能性表示食品）と許可（承認）証票
　栄養機能食品は国への届け出や審査を必要としない自己認証のため許可証票はない．

📝MEMO

医薬品：日本薬局方に収められているもの，疾病の診断・治療・予防を目的とするもの，身体の構造・機能に影響を及ぼすことを目的とするものと，医薬品医療機器等法（旧薬事法）で定義されている．

食品：医薬品医療機器等法（旧薬事法）に規定する医薬品・医薬部外品以外のすべての飲食物と，食品衛生法で定められている．

特定保健用食品の許可（承認）証票：許可証票は国内において製造・貯蔵された製品，承認証票は国外で製造された製品に対してそれぞれ付けられる証票．特定保健用食品としての審査などに関しては，許可証票と承認証票で違いはない．

機能食品，機能性表示食品である旨を明示するとともに，医薬品などと誤認されないように，疾病の診断，治療または予防にかかわる表示をしてはならない．また，保健機能食品にはバランスのとれた食生活の普及啓発を図る文言「食生活は，主食，主菜，副菜を基本に，食事のバランスを」という表示をすることとなっている．

2 ― 特別用途食品と保健機能食品の制度の変遷

▶ 特別用途食品の制度ならびに保健機能食品の制度は，社会環境の変化にともなって創設や改変がこれまで行われてきた．

▶ 1952（昭和27）年，国民栄養改善を目的として制定された栄養改善法（現行の健康増進法の前身）に「強化食品」と「特別用途食品」が特殊栄養食品の制度として創設された．

▶ 1980年代から加速した食品の機能性研究を受けて1991（平成3）年，特定保健用食品制度が創設され，特定保健用食品は特別用途食品の一つに加えられた．

▶ 1996（平成8）年，加工食品の栄養成分などの表示に一定のルール化を図り，食品の栄養成分に関する適切な情報を広く提供することにより，食を通じた健康づくりを推進することを目的に，栄養表示基準制度（現行の食品表示基準）が創設された．これにより強化食品は栄養表示基準制度で対応し，特殊栄養食品という名称が廃止され，特別用途食品のみが残された．

▶ 2001（平成13）年，ビタミンやミネラルを含むいわゆるサプリメントの利用が国際的にも広まっていることを受け，栄養機能食品として12種類のビタミン（ビタミンK以外のビタミン）と5種類のミネラル（実際は2001年より鉄，カルシウム，2004年よりマグネシウム，銅，亜鉛）の栄養機能表示が許可されることになった．この栄養機能食品と特定保健用食品を合わせた総称が保健機能食品となった．このときから，医薬品と類似した錠剤やカプセル形態の製品であっても，食品と書かれていれば，ただちに医薬品とは見なさないこととなった．また，特定保健用食品は特別用途食品と保健機能食品の両方に分類された．

▶ 2002（平成14）年，国民の健康増進の総合的な推進に関する法律として健康増進法ができ，それまでの栄養改善法は廃止された．

▶ 2005（平成17）年，特定保健用食品の制度が拡充され，従来の許可基準型に加えて，規格基準型，条件付き，疾病リスク低減表示をした特定保健用食品が認められることとなった．

▶ 2009（平成21）年，特別用途食品の大幅な改定が行われ，一部の規格基準型の病者用食品（低ナトリウム食品，低カロリー食品，高たんぱく質食品，低（無）たんぱく質高カロリー食品）は栄養表示基準制度により，また病者用組み合わせ食品は食事療法用宅配食品等栄養指針（2019（令和元）年9月廃止）によりそれぞれ対応することとなった．

▶ 2009（平成21）年9月，消費者庁ができたことから，特別用途食品および保健機能食品の表示については，厚生労働省から消費者庁によって所管されることとなった．それにともない許可証票についても，厚生労働省許可（承認）から消費者庁許可（承認）となっている（図Ⅲ-3-5）．

▶ 2015（平成27）年4月，食品表示法（食品の表示に関する食品衛生法，JAS法，健康

食事療法用宅配食品等栄養指針：在宅療養を支援し，栄養管理がなされた食事を宅配で利用できる「宅配食品」の適正利用を推進する観点から定められた．指針は，糖尿病や腎臓病などの食事療法に用いられる宅配食品などの適正な製造・販売方法などを定めた事業者に対する指導指針である（平成21年4月1日，食安発第0401001号）．2019（令和元）年9月9日，糖尿病用組合せ食品と腎臓病用組合せ食品が特別用途食品として新たに追加されたことから，この指針は廃止された．

増進法の規定を統合した制度）の施行により**食品表示基準**（内閣府令）に基づく栄養機能食品の一部変更と機能性表示食品の制度が始まった．食品表示基準は，販売する食品について，栄養成分の量または熱量に関する表示（栄養成分表示）等を定めた基準である．

3─特定保健用食品

▶**特定保健用食品**は，「食生活において特定の保健の目的で摂取をする者に対し，その摂取により当該保健の目的が期待できる旨の表示をする食品」と定義されている．食品には一次機能（生命維持のための栄養面での働き），二次機能（食事を楽しむという味覚・感覚面での働き），三次機能（生体の生理機能を調節する働き）があるが，特定保健用食品は食品の三次機能に着目した製品といえる．

▶特定保健用食品は製品ごとに個別に審査・許可される"個別許可型"の製品である．2005年から従来の許可基準型の製品に加えて，"条件付き特定保健用食品"，"規格基準型の特定保健用食品"，"疾病リスク低減表示をした特定保健用食品"が許可されている．

▶**条件付き特定保健用食品**は，従来の審査で要求している有効性の科学的根拠のレベルには届かないものの，一定の有効性が確認される食品を，限定的な科学的根拠である旨の表示をすることを条件として許可するものである．その許可表示例は，「○○を含んでおり，根拠は必ずしも確立されていませんが，△△に適している可能性がある食品です」となる．また，限定的な科学的根拠とは，ヒト試験レベルが従来品では無作為化比較試験における危険率5％以下で作用機序が明確であるのに対し，条件付きでは無作為化比較試験における危険率10％以下なら作用機序は問わず，非無作為化比較試験では危険率5％以下でかつ作用機序が明確なことが求められている．

▶**規格基準型の特定保健用食品**は，特定保健用食品としての許可実績が十分であるなど科学的根拠が蓄積されている関与成分について規格基準を定め，消費者庁の事務局レベルで規格基準に適合するか否かの審査を行い，審査を迅速に行うものである．基準としては，食物繊維やオリゴ糖類で「おなかの調子を整える」という表示をした製品に対するものなどがある．

▶**疾病リスク低減表示**をした特定保健用食品は，関与成分の疾病リスク低減効果が医学的・栄養学的に確立されている場合，疾病リスク低減表示を認めるものである．ただし，"条件付き特定保健用食品"への表示は認められていない．現在は，「カルシウムと骨粗鬆症」「葉酸と子どもの神経管閉鎖障害」「う蝕に係る疾病リスク」のリスク低減表示が認められている．

▶特定保健用食品としては，ヨーグルト，飲料，食用油などがあり，「お腹の調子を整える」「血圧が高めの方に適する」「コレステロールが高めの方に適する」「血糖値が気になる方に適する」「ミネラルの吸収を助ける」「食後の血中の中性脂肪を抑える」「虫歯の原因になりにくい」「歯の健康維持に役立つ」「体脂肪がつきにくい」「骨の健康が気になる方に適する」といった保健機能表示の製品がある．

4─栄養機能食品

▶**栄養機能食品**は，ビタミン，ミネラル，n-3系脂肪酸といった人間の生命活動に不可欠な栄養素について，医学・栄養学的に確立

📝**MEMO**

特定保健用食品の評価：安全性は食品安全委員会，有効性ならびに総合評価は厚生労働省で行われていたが，2009年9月の消費者庁の設立により，厚生労働省で実施されていた評価作業は消費者委員会で行われ，消費者庁で許可（承認）されることとなった．

した機能の表示を可能にした"規格基準型"の食品であり，身体の健全な成長・発達，健康の維持に必要な栄養成分の補給・補完を目的に利用するものである．

▶栄養機能食品として栄養機能表示できる成分は，2015年4月から，ビタミンK，カリウム，n-3系脂肪酸が追加されて20成分となった．また，容器包装されているものであれば，生鮮食品にも表示できることとなった．栄養機能食品では，1日当たりの摂取目安量に含まれる当該栄養成分量が定められた上・下限値の範囲内にあり，また栄養機能表示だけでなく注意喚起なども表示する必要がある．それらの表示は表Ⅲ-3-23に示した規定どおりでなければならない．

▶栄養機能食品では，どのような栄養素の補給・補完に利用する製品であるかをわかりやすくするため，"栄養機能食品（補給・補完の成分名）"と表示されている．特定保健用食品とは異なり，栄養機能食品は自己認証（国への届け出や審査は不要）で表示されていることから，上述の決められた20成分以外の成分（たとえば非栄養素）を添加し，その成分の有効性を暗示させた製品も存在している．

5―機能性表示食品

▶**機能性表示食品**は，特定の保健の目的が期待できることが表示できる食品で，特定保健用食品と異なり事業者の責任で科学的根拠に基づいた機能性を表示する食品である．ただし，事業者は製品販売60日前までに安全性および機能性の根拠資料などを消費者庁に届け出ること，疾病に罹患している者・未成年者・妊産婦・授乳婦などは対象としないこと，特別用途食品や栄養機能食品，アルコール飲料・脂質やナトリウムなどの過剰摂取につながる食品は対象としないことなどの制限がある．食品形状は，サプリメント形状，その他の加工食品，生鮮食品がある．

6―特別用途食品

▶**特別用途食品**とは，乳児，妊産婦・授乳婦，病者など，医学・栄養学的な配慮が必要な対象者の発育や健康の保持・回復に適するという，「特別の用途の表示が許可された食品」である．2009年4月1日，制度の大幅改訂が行われた（図Ⅲ-3-5）．

▶特別用途食品のなかで，許可基準があるものについてはその適合性を審査し（病者用許可基準型），許可基準がないものについては個別に評価が行われる（病者用個別評価型）．**病者用許可基準型**には，低たんぱく質食品，アレルゲン除去食品，無乳糖食品，総合栄養食品（いわゆる**濃厚流動食**が該当）がある．また，妊産婦・授乳婦用粉乳，乳児用調製乳，えん下困難者用食品，特定保健用食品がある．特別用途食品には許可証票が表示されている（特定保健用食品と特定保健用食品以外の食品では許可証票が異なる）．

7―食品表示基準

▶**食品表示基準**は，以前の**栄養表示基準**を，食品表示法の施行にともなって実行可能性の観点から見直したものである．栄養表示基準は，販売に供する食品の栄養成分などの表示に一定のルール化を図り，食品を選択するうえでの適切な情報を消費者に提供することを目的に，1996年に制度化されたものである．2015年4月から，食品の表示に関する包括的かつ一元的な制度として，食品表示法が施行

特別用途食品の表示：平成21年9月に消費者庁ができたことから，健康増進法に基づく特別用途食品の表示は，厚生労働省から消費者庁の許可（承認）となった．

■表Ⅲ-3-23 栄養機能食品の機能と注意喚起文,1日当たりの摂取目安量に含まれる栄養成分の上・下限値の規格基準

栄養成分	栄養機能	注意喚起文	下限値	上限値
カルシウム	カルシウムは,骨や歯の形成に必要な栄養素です.	本品は,多量摂取により疾病が治癒したり,より健康が増進するものではありません.1日の摂取目安量を守ってください.	204 mg	600 mg
鉄	鉄は,赤血球を作るのに必要な栄養素です.	同上	2.04 mg	10 mg
亜鉛	亜鉛は,味覚を正常に保つのに必要な栄養素です. 亜鉛は,皮膚や粘膜の健康維持を助ける栄養素です. 亜鉛は,たんぱく質・核酸の代謝に関与して,健康の維持に役立つ栄養素です.	本品は,多量摂取により疾病が治癒したり,より健康が増進するものではありません.亜鉛のとりすぎは銅の吸収を阻害するおそれがありますので,過剰摂取にならないよう注意してください.1日の摂取目安量を守ってください.乳幼児・小児は本品の摂取を避けてください.	2.64 mg	15 mg
マグネシウム	マグネシウムは,骨や歯の形成に必要な栄養素です. マグネシウムは,多くの体内酵素の正常な働きとエネルギー産生を助けるとともに,血液循環を正常に保つのに必要な栄養素です.	本品は,多量摂取により疾病が治癒したり,より健康が増進するものではありません.多量に摂取すると軟便(下痢)になることがあります.1日の摂取目安量を守ってください.乳幼児・小児は本品の摂取を避けてください.	96 mg	300 mg
銅	銅は,赤血球の形成を助ける栄養素です. 銅は,多くの体内酵素の正常な働きと骨の形成を助ける栄養素です.	本品は,多量摂取により疾病が治癒したり,より健康が増進するものではありません.1日の摂取目安量を守ってください.乳幼児・小児は本品の摂取を避けてください.	0.27 mg	6 mg
カリウム	カリウムは,正常な血圧を保つのに必要な栄養素です.	本品は,多量摂取により疾病が治癒したり,より健康が増進するものではありません.1日の摂取目安量を守ってください.腎機能が低下している方は本品の摂取を避けてください.	840 mg	2,800 mg
ビタミンA	ビタミンAは,夜間の視力の維持を助ける栄養素です. ビタミンAは,皮膚や粘膜の健康維持を助ける栄養素です.	本品は,多量摂取により疾病が治癒したり,より健康が増進するものではありません.1日の摂取目安量を守ってください.妊娠3カ月以内または妊娠を希望する女性は過剰摂取にならないよう注意してください.	231 μg	600 μg
ビタミンE	ビタミンEは,抗酸化作用により,体内の脂質を酸化から守り,細胞の健康維持を助ける栄養素です.	本品は,多量摂取により疾病が治癒したり,より健康が増進するものではありません.1日の摂取目安量を守ってください.	1.89 mg	150 mg
ビタミンK	ビタミンKは,正常な血液凝固を維持する栄養素です.	同上	45 μg	150 μg
ビタミンD	ビタミンDは,腸管でのカルシウムの吸収を促進し,骨の形成を助ける栄養素です.	同上	1.65 μg	5.0 μg
ビタミンB_1	ビタミンB_1は,炭水化物からのエネルギー産生と皮膚や粘膜の健康維持を助ける栄養素です.	同上	0.36 mg	25 mg
ビタミンB_2	ビタミンB_2は,皮膚や粘膜の健康維持を助ける栄養素です.	同上	0.42 mg	12 mg
ビタミンB_6	ビタミンB_6は,たんぱく質からのエネルギー産生と皮膚や粘膜の健康維持を助ける栄養素です.	同上	0.39 mg	10 mg
ビタミンB_{12}	ビタミンB_{12}は,赤血球の形成を助ける栄養素です.	同上	0.72 μg	60 μg
ナイアシン	ナイアシンは,皮膚や粘膜の健康維持を助ける栄養素です.	同上	3.9 mg	60 mg
パントテン酸	パントテン酸は,皮膚や粘膜の健康維持を助ける栄養素です.	同上	1.44 mg	30 mg
ビオチン	ビオチンは,皮膚や粘膜の健康維持を助ける栄養素です.	同上	15 μg	500 μg
ビタミンC	ビタミンCは,皮膚や粘膜の健康維持を助けるとともに,抗酸化作用をもつ栄養素です.	同上	30 mg	1,000 mg
葉酸	葉酸は,赤血球の形成を助ける栄養素です. 葉酸は,胎児の正常な発育に寄与する栄養素です.	本品は,多量摂取により疾病が治癒したり,より健康が増進するものではありません.1日の摂取目安量を守ってください.本品は,胎児の正常な発育に寄与する栄養素ですが,多量摂取により胎児の発育がよくなるものではありません.	72 μg	200 μg
n-3系脂肪酸	n-3系脂肪酸は,皮膚の健康維持を助ける栄養素です.	本品は,多量摂取により疾病が治癒したり,より健康が増進するものではありません.1日の摂取目安量を守ってください.	0.6 g	2 g

(内閣府令第10号食品表示基準の別表第11〈第2条,第7条,第9条,第23条関係〉より抜粋)

■表Ⅲ-3-24 特別用途食品，特定保健用食品，栄養機能食品，機能性表示食品と想定される利用対象者

食品名	想定される利用対象者
特別用途食品	
病者用食品	（医学・栄養学的な見地から特別の栄養的配慮が必要な病者）
総合栄養食品（いわゆる濃厚流動食）	疾患などにより通常の食事で十分な栄養をとることが困難な者
低たんぱく質食品	たんぱく質摂取制限を必要とする疾患（腎疾患など）を有する者
アレルゲン除去食品	特定の食品アレルギー（牛乳など）を有する者
無乳糖食品	乳糖不耐症またはガラクトース血症の者
妊産婦・授乳婦用粉乳	妊産婦や授乳婦で栄養補給が必要な者
乳児用調製粉乳	母乳が最良であるが，代替食品として粉乳が必要な乳児
嚥下困難者用食品	嚥下が困難な者
保健機能食品（注：特定保健用食品は特別用途食品の一つでもある）	
特定保健用食品	健康が気になり始めた者（病者ではない）
栄養機能食品	ビタミンやミネラルなどの栄養素の補給・補完が必要な者
機能性表示食品	健康が気になり始めた者や疾病に罹患していない者（未成年者，妊産婦・妊娠を計画している者および授乳婦を除く）

された．食品表示法は，食品衛生法，JAS法，健康増進法の食品の表示に関する規定を統合した法律であり，その具体的なルールが食品表示基準として策定されている．

▶栄養成分とは，①たんぱく質，②脂質，③炭水化物，④無機質（亜鉛，カリウム，カルシウム，クロム，セレン，鉄，銅，ナトリウム，マグネシウム，マンガン，ヨウ素，リン），⑤ビタミン（ナイアシン，パントテン酸，ビオチン，ビタミンA，ビタミンB_1，ビタミンB_2，ビタミンB_6，ビタミンB_{12}，ビタミンC，ビタミンD，ビタミンE，ビタミンK，葉酸）である．また，表示の項目と表示の順は，①熱量，②たんぱく質，③脂質，④炭水化物（炭水化物に代えて糖質表示をする場合には，糖質および食物繊維），⑤食塩相当量（ナトリウム塩を添加していない食品にのみ，ナトリウムの量を併記できる），⑥栄養表示されたその他の栄養成分である．栄養成分以外の成分の表示については，科学的根拠に基づいたものである限り，販売者の責任において任意に行われている．

▶食品表示基準制度（2015年3月までは栄養表示基準）では，販売される状態における可食部分の100 g，100 mL，1食分または1包装などの1食品単位当たりの表示栄養成分の含有量について表示するもので，「栄養機能食品」の表示に関する基準も定められている．

8―特別用途食品・保健機能食品の利用

▶特別用途食品，特定保健用食品，栄養機能食品，機能性表示食品には，それぞれ想定される利用対象者がある（表Ⅲ-3-24）．たとえば，病者用食品は医学・栄養学的な見地から特別の栄養的配慮が必要な病者であり，特定保健用食品は病者でなく健康が気になり始めた者，栄養機能食品はビタミンやミネラルなどの栄養素の補給・補完が必要な者が利用対象者である．

▶特別用途食品と保健機能食品を利用するときには，それぞれの食品の特性および利用者の食生活状況をふまえ，適切な食品を選択す

ることが重要である．特別用途食品や保健機能食品でなくても，食品表示基準に従って栄養成分および熱量などの表示がされている食品であれば，表示内容を正しく理解して栄養ケアに効果的に利用することが可能である．

▶保健機能食品（特定保健用食品，栄養機能食品，機能性表示食品）で錠剤やカプセル形態をした製品については，期待する成分を容易に摂取できるというメリットはあるが，その成分を過剰摂取してしまうというデメリットもある．保健機能食品も，医薬品のような病気の治療や治癒の効果を期待することは適切ではなく，あくまでも食品の一つととらえ，生活習慣を改善する「動機づけ」と考えて利用することが望ましい．

8 薬と栄養・食事の相互作用

▶薬物が体内に入ると，おもに消化管で吸収され，肝臓などで代謝を受け，体内組織に分布して作用する．作用を発揮したあとは，尿中や胆汁中に排泄される（図Ⅲ-3-6）．この過程で，医薬品が栄養や食事に影響を及ぼしたり，栄養・食品が生体内で薬物の動態や作用に影響することもある（表Ⅲ-3-25）．医薬品で薬物療法を行うときには，栄養，食事についても注意を払う．

1―栄養・食品が医薬品に及ぼす影響

■薬物吸収への影響

▶内服薬は消化管から吸収される．一般に，食後よりも空腹時のほうが吸収されやすい．とくに胃のなかで分解されやすい薬物では，食物が胃のなかにあると吸収されにくくなる．ただし，薬物によっては，小腸からの吸収が食後に増加し，食後の服用が勧められる．

▶日本人の一般的な食生活では，夕食に高たんぱく質・高エネルギーを摂取する傾向がある．このため，朝食後に内服することが多い．睡眠時に消化管運動が低下して吸収を遅らせることも関係する．もっともコレステロール合成中間体のメバロン酸は夜間に産生が高まるので，高コレステロール治療薬として使用されるHMG-CoA還元酵素阻害薬は夕食後に服用するなど，薬物の代謝を考慮する必要もある．

▶飲食物に含まれる成分が薬物の吸収を阻害することもある．茶やコーヒーに含まれるタンニンは，鉄剤と結合して鉄剤の吸収を阻害する．また，食品に含まれる鉄，カルシウム，マグネシウムなどの金属イオンは，テトラサ

📝MEMO

保健機能食品：詳細は，「健康食品」の安全性・有効性情報（https://hfnet.nibiohn.go.jp/）から入手できる．

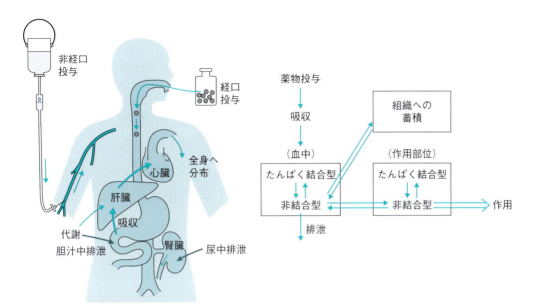

■図Ⅲ-3-6　薬物の生体内運命

イクリンやセフジニル（セフゾン®）など抗菌薬，レボフロキサシン（クラビット®）などニューキノロン薬，アレンドロン酸ナトリウム（フォサマック®）などビスホスホネート系骨粗鬆症治療薬，パーキンソン治療薬レボドパ（ドパストン®）などと難溶性のキレートを作り，吸収を阻害する．このため薬物を服用するときには茶やジュースを避け，水か白湯を使うようにする．

■薬物代謝への影響
▶食物の成分が薬物の代謝に影響し，作用を強めたり，弱めたりすることもある．
▶グレープフルーツジュースの成分は，薬物を代謝する酵素のチトクロームP450（CYP）活性を阻害する．その結果，薬物の代謝を阻害し，血中濃度を高めて作用を増強させる．高血圧症や狭心症などの治療に使われるカルシウム拮抗薬のニフェジピン（アダラート®）やアゼルニジピン（カルブロック®），抗血栓薬のシロスタゾール（プレタール®），脂質異常症治療薬のシンバスタチン（リポバス®），抗癌薬のメシル酸イマチニブ（グリベック®），免疫抑制薬のシクロスポリン（サンディミュン®）やタクロリムス（プログラフ®）などを服用するときには，グレープフルーツジュースを飲まないように指導する．
▶逆に，セイヨウオトギリソウはCYPを誘導し，薬物の代謝を促進して薬物の血中濃度を下げる．HIV治療薬のリトナビル（ノービア®），免疫抑制薬，血栓予防に使われる抗凝固薬のワルファリン（ワーファリン），抗てんかん薬のフェニトイン（アレビアチン®）やフェノバルビタール（フェノバール®），気管支拡張薬のテオフィリン（テオドール®）などが影響を受ける．
▶また，ワルファリン（ワーファリン）は，ビタミンKと拮抗して抗凝固作用を発揮する．このため，ワルファリンを服用している患者では，ビタミンKを多く含む納豆，ブロッコリー，クロレラなどを避けるように注意する．

■表Ⅲ-3-25　食事に影響される薬剤

薬剤　商品名（一般名）	食事	作用
アスピリン	炭焼き肉，ビタミンB_{12}	吸収が減弱する
アダラート（ニフェジピン）	グレープフルーツジュース	代謝を阻害する
アルドメット（メチルドパ）	高たんぱく質食	吸収を阻害する
イスコチン（イソニアジド）	チーズ	代謝阻害により血圧上昇，動悸を引き起こす
	ツナ，とび魚，いわしなど	代謝を阻害する
エリスロシン（エリスロマイシン）	果汁	酸に不安定である
クラビット（レボフロキサシン）	牛乳	吸収を阻害する
コリマイシン（コリスチンメタンスルホン酸ナトリウム）	高脂質食	胆汁が多く分泌され，不活化される
ザイロリック（アロプリノール）	コーヒー，緑茶，コーラなど	カフェインが拮抗する
サンディミュン（シクロスポリン）	グレープフルーツジュース	代謝を阻害する
セルシン（ジアゼパム）	高脂質食	吸収が促進される
セレネース（ハロペリドール）	コーヒー，緑茶	不活化される
チラーヂン（甲状腺製剤）	キャベツ，カリフラワー，かぶ，アブラナなど	吸収が阻害される
（鉄剤）	コーヒー，紅茶	吸収を阻害する
ドパストン（レボドパ）	高たんぱく質食	吸収を遅延させる
ビクシリン（アンピシリン）	果汁飲料	酸性状態で不安定になる
ピリナジン（アセトアミノフェン）	クラッカー，ゼリーなど含水炭素を多く含むもの	吸収が遅れ，効果の発現が遅れる
ピレチア（塩酸プロメタジン）	コーヒー，紅茶，緑茶	沈殿を生じる
プロ・バンサイン（臭酸プロパンテリン）	コーヒー，緑茶，コーラ	作用を減弱させる
ベネシッド（プロベネシド）	プリン体含有物（魚，肉類，内臓）	作用が減弱する
ミダゾラム（ドルミカム）	グレープフルーツジュース	代謝を阻害する
メソトレキセート（メトトレキサート）	乳製品	吸収を阻害する
メタボリン（塩酸チアミン）	ぜんまい，わらび，生の川魚，貝類	酸素で不活化される
メタルカプターゼ（ペニシラミン）	食事	吸収を減弱させる
リーマス（リチウム）	コーヒー，緑茶，コーラ	排泄を促進する
硫酸キニジン	果汁	吸収を促進させる
ワーファリン（ワルファリンカリウム）	納豆	作用が減弱する
	緑茶，コーヒー，コーラ	作用を阻害する
	ブロッコリー，キャベツ，かぶ葉	作用を阻害する

（奈良信雄：看護・栄養指導のための治療薬ハンドブック第3版，医歯薬出版，2013より，一部改変）

▶カルシウムを多く含む食物では血中カルシウム濃度を上げ，強心薬であるジギタリウス製剤の中毒作用を起こすことがある．

▶高たんぱく質食はβ遮断薬のプロプラノロール（インデラル®）の作用を増強し，レボドパ（ドパストン®）の作用を減弱させることがある．

■薬物排泄への影響

▶重曹などのアルカリ化食品では，尿pHを上昇させて尿細管での再吸収を促進し，薬物

の尿中排泄を低下させることがある．その結果として作用が増強される可能性がある抗不整脈薬の塩酸メキシレチン（メキシチール®）や硫酸キニジンを使用しているときには注意する．

■薬物との相互作用
▶漢方薬や甘味料などに含まれる甘草，グリチルリチンは降圧薬のβ遮断薬，ACE阻害薬，カルシウム拮抗薬，利尿薬などの作用を減じて血圧上昇を起こしたり，浮腫，低カリウム血症を起こしたりすることがある．
▶カフェインは気管支拡張薬のジプロフィリン（ジプロフィリン注），硫酸サルブタモール（ベネトリン®），胃潰瘍治療薬シメチジン（タガメット®），抗血小板薬の塩酸チクロピジン（パナルジン®），抗うつ薬マレイン酸フルボキサミン（デプロメール®）などと相互に作用し，頭痛，動悸，不整脈などを起こすことがある．
▶ビタミンCと緑内障治療薬アセタゾラミド（ダイアモックス®）の相互作用で尿中にシュウ酸排泄が増加し，尿路結石症を起こすことがある．酢，柑橘類などに含まれるクエン酸は，アルミニウムと易溶性のキレートを作り，アスピリン・ダイアルミネート（バファリン）などアルミニウムを含む薬物との併用で血中アルミニウム濃度を上げることがある．

2―医薬品が栄養・食事に及ぼす影響
▶薬物療法を受ける場合，医薬品が栄養や食事に影響することがある．

■食欲への影響
▶医薬品が食欲を低下させることがある．とくに抗癌薬，抗菌薬，抗うつ薬などでは，服用によって食欲が落ちる．一方，副腎皮質ステロイド薬や向精神薬は食欲を亢進させる．
▶食欲がない患者に，健胃薬として胃液分泌を促進させて食欲を増進させることがある．ゲンチアナ，センブリ，オウバクなどは苦味で味覚神経を刺激し，反射的に唾液と胃液の分泌を高め，食欲を増進する．ケイヒ，トウヒなどは芳香によって味覚と嗅覚を刺激する．コショウ，カラシ，サンショウなどの成分は，辛味で味覚を刺激し，食欲を増進させる．これらは胃粘膜に直接に作用して胃液分泌を高める．

■栄養素との拮抗
▶薬物が栄養素と拮抗して作用を発揮するものもある．たとえばメトトレキサートは葉酸と拮抗して核酸代謝を障害して細胞の増殖を抑制し，抗癌作用を発揮する．ワルファリンはビタミンKと拮抗し，凝固第Ⅱ（プロトロンビン），Ⅶ，Ⅸ，Ⅹ因子の活性化を阻害して抗凝固作用を発揮する．

4 モニタリングと評価

▶モニタリングとは,「計画の妥当性を検証するために,必要な検査や項目を設定して,継続して情報や状況を把握すること」であり,評価とは,「モニタリングによって得られた情報や状況を活用して,プランの妥当性を検証し,改善すべき点を修正する活動」をいう.
▶栄養療法の効果には必ず個人差が出てくる.計算上で適正と判断された栄養療法でも,病状の悪化や変化のほかに下痢や発熱など何らかの理由で低栄養状態の回復が遅延するなどで容易に変化する.したがって,栄養ケアプランの実施後は,必ずモニタリングを行う.
▶モニタリングから栄養状態を再評価し,それまでの栄養ケアプランが妥当であったか判定し,再検討する(図Ⅲ-4-1).
▶とくに,高齢者やPEGを造設した患者,低栄養で経管栄養を施行した初期の患者などはモニタリングの間隔は短く,安定期では1〜2週間に1回程度行うのが望ましい.
▶必要項目を表にして経過を追うと経時的変化がわかりやすく評価しやすい(表Ⅲ-4-1).

1 モニタリング

■項目

▶バイタルサイン,体重変化,体脂肪率,呼吸器症状,全身状態(発熱,下痢,嘔吐,腹水,排液など),皮膚症状(張りとつや,つめ,毛髪の状態),血液生化学検査(アルブミン,血糖,電解質,肝・腎機能など),尿検査,経口摂取量,尿量,合併症の有無などについて行う.その他,主訴,行動変化,満足度,QOL,幸福感なども栄養教育(指導)ではモニタリングすることが必要となる.

2 評価

■モニタリング評価の際の注意点

▶検査値は,食前/食後などの測定時間,検査ミス,薬物の副作用,術後などにより影響を受ける.
▶経時的変化が,真に栄養状態と関係するのか,疾患や他の影響によるものなのかを見極める必要がある.
▶入院時のアルブミンが数日後に急に低下した場合は,脱水が補正され,真の値になった場合が多い.浮腫が改善され,値が改善する場合もある.また,アルブミン製剤が投与され,上昇する場合もある.
▶(B)UN/Cr比が25以上で,ヘモグロビン

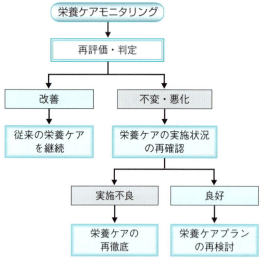

■図Ⅲ-4-1 モニタリングの手順

MEMO

バイタルサイン:血圧,脈拍,呼吸,体温,意識状態など.

(B)UN/Cr比:血中尿素窒素とクレアチニンの比.基準値は10前後.この比が10以上であれば消化管出血,たんぱく異化亢進,脱水など腎外性の原因を考える.

■表Ⅲ-4-1 モニタリング表（例）

カルテNoG○○○○　　入院No　　　　　　　　　　Disease　洞不全症候群
氏名　▲川▲夫　　　年　月　日　年齢　歳　　　主治医　山川

		Week 入院								
		Date	9月26日	9月27日	9月28日	9月29日	9月30日	10月1日	10月2日	10月3日	10月4日
コメント	BEE 793kcal 必要量 1200kcal				リハビリ科コンサルテーション	NaCl低値	腎内コンサルテーション 関節炎なし 発熱原因は感染？または薬剤性？	メタロβ感染	ペースメーカー設置 VVIモード	感染のためCRP高く，栄養状態改善せず 栄養量はそのまま	
身体所見	BW (kg)		未測定		39.4					39	
	AC/AMC (cm)				21/19.43						
	TSF/SSF (mm)				5						
	FAT%										
	握力 右/左 (kg)										
	REE/RQ										
	尿量 (mL)		307	1050	933	891	671	673	832	1158	1219
	排便状態							2回	1回	1回	2回
栄養	食事										
	経腸栄養剤 (mL)		欠食	欠　欠　GFO	GFO　GFO	ジェビティ300	ジェビティ300	ジェビティ300	ジェビティ300	ジェビティ300	ジェビティ300
	輸液 (mL)		ビーフリード1000	ビーフリード1000	ビーフリード1000	ビーフリード1000 イントラリポス250	ビーフリード1000 イントラリポス250 コンクライトNa20	ビーフリード1000 イントラリポス250 コンクライトNa20	ビーフリード1000 イントラリポス250 コンクライトNa20	ビーフリード1000 イントラリポス250 コンクライトNa20	ビーフリード1000 イントラリポス250 コンクライトNa20
	（ヘパリンのみ単位）		ヘパリンNa2500	ヘパリンNa5000	ヘパリンNa5000	ヘパリンNa5000	ヘパリンNa5000	ヘパリンNa5000	ヘパリンNa5000	ヘパリンNa5000	ヘパリンNa5000
総栄養量	Ene (kcal)		420	570	720	1220	1220	1220	1220	1220	1220
	Pro (g)		30	45	60	42	42	42	42	42	42
	Fat (g)		0	0	0	59.9	59.9	59.9	59.9	59.9	59.9
	CHO (g)		75	79.8	82.2	114.6	114.6	114.6	114.6	114.6	114.6
	Na (mEq)						85	85	85	85	85
	Cl (mEq)						85	85	85	85	85
	K (mEq)								たんぱく質エネルギー比率	13.8 %	
	Ca (mEq)								脂質エネルギー比率	44.2 %	
	P (mEq)								糖質エネルギー比率	37.6 %	
	Mg (mEq)										
	水分 (mL)		658	1090	1278	1359	1438	1349	1181	1383	1412
	NPC/N比				156	156	156	156	156	156	156
薬剤	ラックビー				3	3	3	3	3	3	3
	バンコマイシン						1	1	1	1	1
	タケプロン									15	15
	メロペン				0.5	0.5	0.5	1	0.5		
	セファメジン								2	2	2
臨床検査	Alb (g/dL)		2.9		2.5		2.4		2.1	2.1	
	リンパ球 (/μL)				976		1260			1350	
	Hb		8.9		8		8.6		7.6	9.3	
	TP (g/dL)		6.2		5.4		5.4		4.9	5	
	T-Cho (mg/dL)		101		87					83	
	PG (mg/dL)						114		104	118	
	CRP (mg/dL)		5.24		8.16		9.64		9.51	8.92	
	K (mEq/L)		4.2		3.7		3.4		3.5	3.6	
	Na (mEq/L)		124		122		123		124	126	
	Cl (mEq/L)		91		89		89		92	94	
	ChE (IU/L)		67		55		50		40	41	
	AST (IU/L)						87		55	57	

（ラックビーで下痢は落ち着いている）

の急な低下がなければ脱水を疑う．その際は，発熱，下痢，水分摂取量，高血糖，利尿薬の追加などを併せてみる．
▶アルブミン値の低下は栄養不良だけが原因ではない．アルブミンは肝臓で合成されるため，肝機能障害があれば低下する．手術や感染・炎症などの侵襲下でも低下する．尿や消化管，皮膚などからたんぱくが漏出する場合も値は低下することを理解しておく．
▶アルブミンとCRPは逆相関する．CRPが低下傾向にあれば，アルブミン値は近日中に上昇することが多い．CRPが改善しない場合は，栄養を付加しても栄養状態は改善しない．
▶高齢者では加齢にともない各臓器の機能が成人の70％くらいまでに低下する．血清クレアチニンが基準域内であっても，徐々に上昇していれば，たんぱく質投与量に注意する．

▶摂取栄養量については，輸液，栄養剤，食事によるものすべてを把握し算定する．家族の持ち込みによるゼリーやプリンなども摂取栄養量に含める．
▶輸液と食事併用の場合，食事摂取量の増加とともにカリウム摂取量が増加し，血清カリウムが高値になる場合があるので，注意する．

3 栄養ケアの修正

▶モニタリング後，期待した結果が得られなかった場合は，栄養計画の修正を行う．
▶計画の内容や実施方法に問題がなかったか，組織体制や人員に問題がなかったか，実施者の意欲はあったか，目標や栄養補給法など計画そのものに問題はなかったか，など問題点を見極め，計画を修正することが重要である．

Part 2

疾患と栄養ケア

Ⅰ 検査のための調整食

Part2 疾患と栄養ケア

学習の目標

- 検査の目的を学び，検査食の意義を理解する．
- 検査の精度に影響する栄養素・食品・形態・調理法を学ぶ．
- 代表的な検査食について理解する．

1 低残渣食・注腸食

1 低残渣食

1―概要

▶下部消化管疾患の診断に用いられる**低残渣食**は，腸疾患を診断するための検査食で，腸管の内容物を排泄させ，清浄にするための食事である．

▶これら下部消化管疾患診断の注腸造影や大腸内視鏡検査のため，数日前より消化後に腸管内の残渣と，脂質の少ない食事が提供される．そのため，栄養的にあまり長期間の使用ではなく短期間供給される．

▶検査食とは別に過敏性腸炎や炎症性腸疾患など下痢をともなう症状を呈した場合に，一次的に低残渣食が処方されることもある．

2―栄養ケアの実際

▶低残渣食の特徴は残渣を少なくするため，低残渣・**低脂質食**で，消化・吸収のよい，刺激性の少ない食事内容であることである．

▶食品を選ぶ際は，繊維が多いそば，オートミール，こんにゃくを避ける．いも類，豆類は裏ごしをし，食物繊維を取り除く．野菜類は繊維の多い部位（トマトの皮・種など）を取り除き，軟らかい部位（ほうれんそうの葉先など）とし，加熱調理により軟らかくする．

2 注腸食・大腸Ｘ線検査食

1―概要

▶注腸・大腸Ｘ線検査は，下部消化管疾患の診断に必要な検査である．前処置として，大腸・小腸などの内容物を完全に排泄させ清浄化する必要があり，そのための検査食である．

▶検査食の特徴は，以下があげられる．

①残渣を少なくするため，低無残渣・低脂質食とする．
②軟菜食で消化のよい食事とする．
③検査当日は絶食とする．

▶検査は，注腸検査食の摂取，水分補給，下剤の服用などにあわせて実施される．

2―栄養ケアの実際

▶一般的には，数日間の低残渣食に続き，検査前日は注腸食・大腸Ｘ線検査食が処方され

📝**MEMO**

低脂質食：一般的な成人の食事では脂質エネルギー比率は20～30％程度である．低脂質食は10％程度であり，食事中の脂質が10～20g/日をさす．

る．注腸検査の前日から1日3食を提供し，検査当日の朝食にジュースやお茶などの水分補給のみとし，検査直前は絶食となる．
▶注腸検査食として，外来ではセット食品が市販されている．
▶このような食事の特徴を考慮した**無残渣食**は，大腸や肛門手術の際に，腸内容物を除去する目的で提供される場合もある．

甲状腺機能検査食（ヨウ素制限食）

1―概要

▶甲状腺機能の低下・亢進を検査するための食事である．
▶甲状腺機能の低下は軽度の肥満を認め，機能低下の影響が出現する時期に体重増加が起きる．他の症状としては貧血があり，これは甲状腺機能低下に合併した鉄欠乏やビタミン欠乏が原因とされる．
▶甲状腺機能亢進をきたす疾患はバセドウ病が多い．この疾患では体重減少をきたすとされるが，近年のバセドウ病患者は体重減少が少なく，その理由は食欲が著しく亢進し，食事摂取が十分なためと思われる．
▶一方では，体重の減少や体力の著しい消耗も多く，それぞれの患者に応じた栄養アセスメントで体重の増減を確認し，エネルギーなどを調整する必要がある．
▶近年は甲状腺シンチグラフが検査に用いられるようになり，被曝量が少なく食事中ヨウ素（ヨード）の影響が少なくなり，甲状腺機能検査にヨウ素制限食の必要性がなくなってきた．
▶しかし，ヨウ素制限食は放射性ヨウ素療法の際に必要であり，体内にヨウ素過剰があると正確な診断ができにくくなるため，前処置として治療の1週間前から治療1週間後まで，ヨウ素制限をしなければばらない．

2―栄養ケアの実際

▶甲状腺機能を調べる検査食は，食事からのヨウ素摂取量や，ヨウ素を多く含む食品の影響を受けるため，検査1～2週間前からヨウ素制限食にする．
▶日本人では過剰に摂取しているといわれており，食事中のヨウ素量が200μg以下を目指すには，ヨウ素が多い海藻類を禁止する（**表Ⅰ-2-1**）．

■表Ⅰ-2-1 ヨウ素（ヨード）の多い食品

禁止するもの	少量なら差し支えないもの
●海藻類（わかめ・ひじき・昆布・のり） ●昆布加工品，昆布だし汁，昆布エキス使用食品，昆布茶 ●ヨード卵，牡蠣，ヨウ素を含んだ薬品 ●インスタント食品の昆布エキス ●昆布エキスを含むサプリメント	●水産練り製品（かまぼこ・ちくわ・はんぺん・つみれ・さつま揚げなど） ●その他魚介類（ただし内臓は禁） ●寒天とその製品，ようかん ●牛乳・乳製品

MEMO

無残渣食：食事中の残渣は，食品中の繊維成分を指している．消化管に負担をかけない，また検査結果を鮮明にするため，繊維量を0～3g/日とした食事を無残渣食という．

ヨウ素（ヨード）：海藻類に含まれるミネラルであり，甲状腺の正常な働きには不可欠である．海外では不足が，日本では過剰が問題となっている．

3 潜血検査食

1─概 要

▶消化管出血の場合，上部消化管出血ではタール便，下部消化管からは鮮血色の出血が便中に認められる．これら肉眼では認められない微量出血を検査するために潜血反応検査を行う．

▶潜血反応検査方法では，ある種の食品を摂取することに反応し，陽性を示す可能性がある．便中の少量のヘモグロビンに反応するため，鉄分の多い食品を制限する必要がある．

2─栄養ケアの実際

▶潜血検査食は検査前に，陽性を示す可能性のある食品を除去する食事が，少なくとも3日前から提供される．さらに薬剤によっても潜血反応する可能性のあるものも控える．

▶加熱調理したものは生食より反応が出にくいので，よく加熱調理された食事とする．

▶近年は，化学的便潜血検査（オルトトリジン法，グアヤック法）や免疫学的便潜血検査が主流であり，食事の影響を受けないので，検査方法によっては潜血検査食の必要はないといわれている．

MEMO

化学的便潜血検査：便中のヘモグロビンの反応をみる検査方法で，肉眼では認められない微量の出血を測定できる．

II 保健性を保つ栄養ケア
—新生児・低出生体重児—

学習の目標

- 新生児・低出生体重児の発育評価など，専門的な知識を習得する．
- 哺乳，調乳をはじめとする育児支援に関して理解する．
- 個々の発育に見合った正しい栄養管理ができることを目指す．

1 新生児

▶新生児は生後0日から28日までをさす．新生児は，出生体重，在胎週数，臨床所見，在胎週数と出生体重に基づく胎児発育曲線から以下のように分類することができる．

▶出生体重が2,500 g未満の児を**低出生体重児**，2,500 g以上を**正規出生体重児**，4,000 g以上を**巨大児**とよぶ．さらに，低出生体重児のうち，1,000 g未満を**超低出生体重児**，1,500 g未満を**極低出生体重児**という．

▶在胎週数が37週未満（36週と6日まで）を**早期産児**，37週以上42週未満（37週から41週と6日まで）を**正期産児**，42週以上を**過期産児**と分類される．

▶臨床所見からは，胎外生活に適応するのに十分な成熟度に達していない児を**未熟児**，成熟徴候を備えた児を**成熟児**，胎内発育遅延児（⇒p.125参照）のうち，胎盤機能症候群の臨床所見をともなう児を**ジスマチュア児**と分類される．

▶在胎週数と出生体重より，在胎週数に比べ体重の軽い児をlight-for-dates infant（LFD児），small-for-dates infant（SFD児），在胎期間に相当する体重の児をappropriate-for-dates infant（AFD児），在胎期間に比べ体重の重い児をheavy-for-dates infant（HFD児）と分類している（図Ⅱ-1-1）．

▶乳児期とは新生児期を含めて満1歳になるまでをいう．

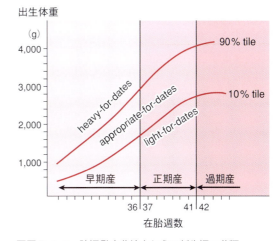

■図Ⅱ-1-1 胎児発育曲線上からの新生児の分類
（仁志田博司：新生児学入門，第4版，医学書院，2013より）

MEMO

在胎週数：受胎日よりの胎齢に2週間を加えた値．母体からみると妊娠週数．最終月経第1日目から起算した満週数で表す．

巨大児：この場合は母親の糖尿病に注意する．わが国では臨床的に4,000 g以上を巨大児としているが，ICD–10（国際疾病分類第10版）では4,500 g以上の出生体重の児を超巨大児とよぶ．

2 正期産児

1 新生児期に検討すべき重要な事柄

1―アプガースコア（Apgar score）

▶出生直後の新生児の状態を評価する方法で，appearance（皮膚の色），pulse（心拍数），grimace（刺激に対する反応性），activity（筋緊張），respiration（呼吸）の5項目について，生後1分と5分に評価する．1分値は蘇生方法（児の出生時の状態を反映する），5分値は神経学的予後の目安となる（表Ⅱ-2-1）．

▶しかし，この評価では，極低出生体重の新生児仮死に関して正確に評価することは難しい．

2―成熟徴候

▶正期産児が成熟していることを示す徴候は以下のものがあり，これらの有無を観察し，成熟児であることを確認する．
①皮下脂肪の発育が良好である．
②皮膚は弾力性や張りがあり，しわがない．
③うぶ毛が肩甲部，背部，上腕などにのみ残っている．
④鼻および耳介の軟骨を明瞭に触れることができる．
⑤爪が指頭を超えている．
⑥足底のしわが多い．
⑦頭髪の長さは2cm以上である．
⑧元気よく泣く．

3―胎便

▶**胎便**とは，生後2日頃にはじめて排泄する黒褐色の便で，胎児の間に作られた毛髪，胎脂，羊水，腸上皮，腸管分泌物，ビリルビンなどからなる．その後，黄色がかった移行便となり，3～4日経つと普通便となる．便通回数は1日1回～数回で，母乳栄養のほうが人工栄養よりも回数が多くなることが多い．

4―生理的体重減少

▶正期産児は，生後3～5日目に，出生時体重の3～10％前後が減少する．これを**生理的体重減少**という．これは，排泄量や不感蒸泄量より哺乳量が少ないために起こる生理的な現象である．1週間くらいで出生時の体重に戻り，その後，体重は増加する．

■表Ⅱ-2-1 アプガースコア

点数	0点	1点	2点
心拍数	なし	100回/分未満	100回/分以上
呼 吸	なし	不規則な浅い呼吸，弱く泣く	規則的な呼吸，強く泣く
筋緊張	だらりと垂れている	少し四肢を曲げる	四肢を活発に動かす
反 射	なし	顔をしかめる	咳，くしゃみ，泣く
皮膚色	全身蒼白または暗紫色	体幹淡紅色，四肢のみ暗紫色	全身淡紅色

●重症仮死：0～3点　●軽症仮死：4～6点　●正常：7～10点

（仁志田博司：新生児学入門，第4版，医学書院，2013より）

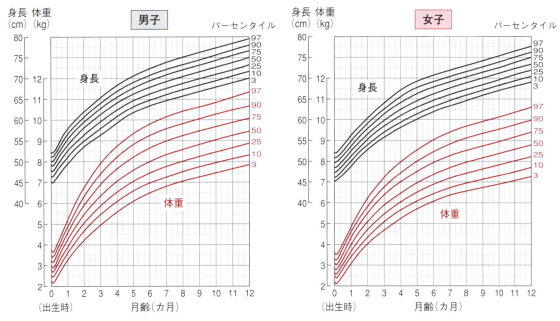

■図Ⅱ-2-1　乳児身体発育パーセンタイル曲線（平成12年調査）
（加藤則子，高石昌弘編：乳幼児身体発育値―平成12年厚生省調査―，小児保健シリーズNo.56，社団法人日本小児保健協会，2002より）

5―生理的黄疸

▶正期産児の約80％に，生後2～3日頃に黄疸がみられるが，通常1週間くらいで消失する．これは，胎児期にたくさん作られた赤血球が，生後，破壊されるものの，肝機能が十分でないため，血中にビリルビンが多くなることから生じる．

6―新生児マススクリーニング検査

▶生後4～5日に，新生児の踵から足底採血（毛細血管採血）し，検査を行う．この検査によって，先天性代謝異常症を早期に発見し，予防することができる．

2　成長曲線による発育のチェック

▶新生児期には生理的体重減少がみられるが，その後の乳児期は成長がもっとも著しい時期といわれ，事実，生後1年間に身長は約25cm，体重は約6～7kgの増加をみせる．しかし，この成長を速度として検討すると，身長・体重ともに1歳まで急速に成長の速度は減じている．それに対し，思春期の成長は，身長・体重ともに成長速度が増している．まず，第一成長期とされる乳児期は，思春期の第二成長期とは本質的に異なることを理解しておく．

▶乳児期は成長が著しいことから，月齢（カ月）ごとに身長・体重・胸囲・頭囲を測定して，乳幼児身体発育値と比較して評価する．乳幼児身体発育値は，性別・年月齢別に3，10，25，50，75，90，97の各パーセンタイル値が示されている．

▶図Ⅱ-2-1に乳児身体発育パーセンタイル曲線（成長曲線）を示す．この基準曲線を簡

■表Ⅱ-2-2 母乳育児成功のための10のステップ（2018年改訂）
―「赤ちゃんに優しい病院運動」を実施しようとする産科施設等のための実践ガイダンス※より―

【重要な管理方法】
1a 母乳代替品のマーケティングに関する国際規約および関連する世界保健総会の決議を確実に遵守する
1b 定期的にスタッフや両親に伝達するため，乳児の授乳に関する方針を文書にする
1c 継続的なモニタリングとデータマネジメントのためのシステムを構築する
2 スタッフが母乳育児を支援するための十分な知識，能力と技術を持っていることを担保する

【臨床における主要な実践】
3 妊婦やその家族と母乳育児の重要性や実践方法について話し合う
4 出産後できるだけすぐに，直接かつ妨げられない肌と肌の触れ合いができるようにし，母乳育児を始められるよう母親を支援する
5 母乳育児の開始と継続，そしてよくある困難に対処できるように母親を支援する
6 新生児に対して，医療目的の場合を除いて，母乳以外には食べ物や液体を与えてはいけない
7 母親と乳児が一緒にいられ，24時間同室で過ごすことができるようにする
8 母親が乳児の授乳に関する合図を認識し，応答できるよう母親を支援する
9 母親に哺乳瓶やその乳首，おしゃぶりの利用やリスクについて助言すること
10 両親と乳児が，継続的な支援やケアをタイムリーに受けることができるよう，退院時に調整すること

※WHO/UNICEF. IMPLEMENTATION GUIDANCE: Protecting, promoting and supporting breastfeeding in facilities providing maternity and newborn services: the revised BABY-FRIENDLY HOSPITAL INITIATIVE 2018.
(https://www.who.int/publications/i/item/9789241513807)
（厚生労働省：授乳・離乳の支援ガイド，2019より）

略にしたものが母子健康手帳にも掲載されており（注：2012年度からの母子健康手帳には平成22年調査の乳幼児身体発育曲線が掲載されているが，乳幼児の発育や栄養状態の評価，小児の体格標準値は平成12年調査結果を用いることとなっている），これらを用いて乳児の成長を評価する．とくに新生児期は，週に1回は身長や体重を測定し，成長の状態を確認するとよい．

▶この成長曲線は，肥満ややせ，成長ホルモン分泌不全性低身長などの**成長異常**を発見するのに役立つ．乳児期ではこの曲線に平行して成長していることを確認しておくとよい．ただし，成長の盛んな乳児期は個人差も大きいため，十分な経過観察が必要である．

▶児の測定値が3パーセンタイル未満，97パーセンタイル以上の場合は専門医に相談し，10パーセンタイル未満，90パーセンタイル以上の場合は経過観察して，その後の発育経過に留意するとよい．AFD児，SFD児に関係なく成長の遅れがある場合は，栄養評価だけでなく，基礎疾患の有無を調べる必要がある．

3 哺 乳

1―新生児期

▶出産後最初に出る**母乳**（**初乳**）は成分にも特徴があり，初乳の成分は新生児に最適である．初乳には免疫グロブリン（分泌型IgA）が多く含まれ，感染予防となる．また，母乳は適温で新鮮であるだけでなく，母と子のスキンシップ，母性の刺激，産後の回復といったメリットがある．

▶表Ⅱ-2-2にWHO/UNICEF（2018年）が発表した「母乳育児成功のための10のステップ（2018年改訂）」を示した．このように，新生児期における母乳栄養の重要性を理解し，支援体制を整えなければならない．

■表Ⅱ-2-3　授乳等の支援のポイント
※混合栄養の場合は母乳と育児用ミルクの両方を参考にする

	母乳の場合	育児用ミルクを用いる場合
妊娠期	・母子にとって母乳は基本であり，母乳で育てたいと思っている人が無理せず自然に実現できるよう，妊娠中から支援を行う ・妊婦やその家族に対して，具体的な授乳方法や母乳（育児）の利点等について，両親学級や妊婦健康診査等の機会を通じて情報提供を行う ・母親の疾患や感染症，薬の使用，子どもの状態，母乳の分泌状況等のさまざまな理由から育児用ミルクを選択する母親に対しては，十分な情報提供のうえ，その決定を尊重するとともに，母親の心の状態に十分に配慮した支援を行う ・妊婦および授乳中の母親の食生活は，母子の健康状態や乳汁分泌に関連があるため，食事のバランスや禁煙等の生活全般に関する配慮事項を示した「妊産婦のための食生活指針」を踏まえた支援を行う	
授乳の開始から授乳のリズムの確立まで	・とくに出産後から退院までの間は母親と子どもが終日，一緒にいられるように支援する ・子どもが欲しがるとき，母親が飲ませたいときには，いつでも授乳できるように支援する ・母親と子どもの状態を把握するとともに，母親の気持ちや感情を受け止め，あせらず授乳のリズムを確立できるよう支援する ・子どもの発育は出生体重や出生週数，栄養方法，子どもの状態によって変わってくるため，乳幼児身体発育曲線を用い，これまでの発育経過を踏まえるとともに，授乳回数や授乳量，排尿排便の回数や機嫌等の子どもの状態に応じた支援を行う ・できるだけ静かな環境で，適切な子どもの抱き方で，目と目を合わせて，優しく声をかける等，授乳時のかかわりについて支援を行う ・父親や家族等による授乳への支援が，母親に過度の負担を与えることのないよう，父親や家族等への情報提供を行う ・体重増加不良等への専門的支援，子育て世代包括支援センター等をはじめとする困ったときに相談できる場所の紹介や仲間づくり，産後ケア事業等の母子保健事業等を活用し，きめ細かな支援を行うことも考えられる	
	・出産後はできるだけ早く，母子がふれあって母乳を飲めるように支援する ・子どもが欲しがるサインや，授乳時の抱き方，乳房の含ませ方等について伝え，適切に授乳できるよう支援する ・母乳が足りているか等の不安がある場合は，子どもの体重や授乳状況等を把握するとともに，母親の不安を受け止めながら，自信をもって母乳を与えることができるよう支援する	・授乳を通して，母子・親子のスキンシップが図られるよう，しっかり抱いて，優しく声かけを行う等暖かいふれあいを重視した支援を行う ・子どもの欲しがるサインや，授乳時の抱き方，哺乳瓶の乳首の含ませ方等について伝え，適切に授乳できるよう支援する ・育児用ミルクの使用方法や飲み残しの取り扱い等について，安全に使用できるよう支援する
授乳の進行	・母親等と子どもの状態を把握しながらあせらず授乳のリズムを確立できるよう支援する ・授乳のリズムの確立以降も，母親等がこれまで実践してきた授乳・育児が継続できるように支援する	
	・母乳育児を継続するために，母乳不足感や体重増加不良などへの専門的支援，困ったときに相談できる母子保健事業の紹介や仲間づくり等，社会全体で支援できるようにする	・子どもによって授乳量は異なるので，回数よりも1日に飲む量を中心に考えるようにする．そのため，育児用ミルクの授乳では，1日の目安量に達しなくても子どもが元気で，体重が増えているならば心配はない ・授乳量や体重増加不良などへの専門的支援，困ったときに相談できる母子保健事業の紹介や仲間づくり等，社会全体で支援できるようにする
離乳への移行	・いつまで乳汁を継続することが適切かに関しては，母親等の考えを尊重して支援を進める ・母親等が子どもの状態や自らの状態から，授乳を継続するのか，終了するのかを判断できるように情報提供を心がける	

（厚生労働省：授乳・離乳の支援ガイド，2019より）

2─新生児期以後の乳児期

▶新生児期以後の乳児期は乳汁栄養から離乳食，固形食への移行期であり，もっとも重要な時期である．授乳・離乳の基本的な考え方は「授乳・離乳の支援ガイド」に記されている．授乳の支援にあたっては，「乳汁の種類にかかわらず，母子の健康の維持とともに，健やかな母子・親子関係の形成を促し，育児に自信をもたせることを基本」としている．

▶**授乳支援**を進めるポイントを表Ⅱ-2-3に示す．人工栄養で育てる場合は，母子のスキンシップを図ることに重点をおき，母親の心理状態に十分配慮した支援を進める．妊産婦が安心して育児ができる環境づくりに努めなければならない．

3─母乳栄養

▶母乳は乳児にとってもっとも優れた栄養源である．**表Ⅱ-2-4**に母乳，牛乳，**調製粉乳**の成分組成を示す．母乳育児の利点として，母乳は乳児に最適な成分組成であり，かつ代謝負担が少ない，感染症の発症および重症度が人工乳育児よりも低い，肌の触れあいにより母子関係を良好に形成する，出産後の母体回復を促進する，などがあげられる．

4─人工栄養

▶母乳が出ない場合など，母乳で授乳ができない場合に人工乳で授乳することを人工栄養という．なお，人工乳とは一般的に**育児用ミルク**（乳児用調製粉乳）をさし，そのほかに低出生体重児用ミルク，特殊用途ミルク，フォローアップミルクなどがある．表Ⅱ-2-5に育児用ミルク（乳児用調製粉乳）の種類と特徴を示す．

■表Ⅱ-2-4 母乳，牛乳，調製粉乳の成分組成

成分	母乳/100g	普通牛乳/100g	調製粉乳/13g(100mL)
エネルギー (kcal)	61	61	66
たんぱく質 (g)	0.8	3.0	1.4
脂質 (g)	3.6	3.5	3.4
炭水化物 (g)	6.4	4.4	7.5
灰分 (g)	0.2	0.7	0.3
ナトリウム (mg)	15	41	18
カリウム (mg)	48	150	65
カルシウム (mg)	27	110	48
マグネシウム (mg)	3	10	5
リン (mg)	14	93	29
鉄 (mg)	0.04	0.02	0.8
亜鉛 (mg)	0.3	0.4	0.4
銅 (mg)	0.03	0.01	0.04
レチノール活性当量 (μg)	45	38	73
ビタミンD (mg)	0.3*	0.3*	1.2
α-トコフェロール (mg)	0.4	0.1	0.7
ビタミンK (μg)	1	2	3
ビタミンB_1 (mg)	0.01	0.04	0.05
ビタミンB_2 (mg)	0.03	0.15	0.09
ナイアシン (mg)	0.2	0.1	0.7
ビタミンB_6 (mg)	Tr	0.03	0.05
ビタミンB_{12} (μg)	Tr	0.3	0.2
葉酸 (μg)	Tr	5	11
パントテン酸 (mg)	0.50	0.55	0.29
ビタミンC (mg)	5	1	7

*ビタミンD活性代謝物を含む．ビタミンD活性代謝物を含まない場合Tr
（文部科学省科学技術・学術審議会資源調査分科会報告，日本食品標準成分表2020年版（八訂），2020より）

5─混合栄養

▶何らかの理由で母乳栄養のみでの授乳が難しい場合，母乳栄養と人工乳と併用することを混合栄養という．通常，1回の授乳時に母乳での不足分を人工乳で補ったり，あるいは母乳と人工乳を使い分けて行われる．

■表Ⅱ-2-5 育児用ミルク（乳児用調製粉乳）の種類と特徴

種　類		特　徴
乳児用調製粉乳		● 母乳の代替品 ● 牛乳の成分ができる限り母乳に近いものに改良されている ● たんぱく質は乳清たんぱく質とカゼインの比率を母乳と同じに調整している ● アミノ酸組成は母乳に近づけ，タウリンやアルギニンを添加している ● アレルゲン性が強いβ-ラクトグロブリンを減らしている ● 乳脂肪を部分的に植物油で置換して多価不飽和脂肪酸を増やし，消化吸収の悪い飽和脂肪酸を少なくし，脂肪酸組成を母乳に近づけている．魚油の配合によりDHAを強化，n-3/n-6比を改善し，カルニチンなどを増強している ● リン脂質のスフィンゴミエリンやコレステロールを強化している ● 糖質の大部分は乳糖に置換されているので甘みが薄い．一部ガラクトオリゴ糖が加えられている ● 無機質を減らし，ミネラルバランスを母乳に近づけ，鉄，亜鉛，銅を添加している ● ビタミンは「日本人の食事摂取基準」に沿って適正に配合されている ● ビフィズス菌，ラクトフェリンなどを添加している ● 母乳に含まれる5種類のヌクレオチドをバランスよく配合している
低出生体重児用ミルク		● 出生体重が1,500g以下の場合に用いる ● 乳児用調製粉乳に比べ，たんぱく質，糖質，灰分，種々のビタミン類が多く，脂質は少ない
特殊ミルク		● 先天性代謝異常症に用いられる ● たんぱく質・アミノ酸代謝異常，糖質代謝異常，有機酸代謝異常，吸収障害などを対象として多種類のものが提供されている ● 医師の処方箋が必要である
特殊用途ミルク	大豆乳	● 抽出大豆たんぱく質を原料とし，大豆に不足するヨウ素，メチオニンを添加，ビタミン，無機質を強化したもの ● 乳糖は使用していない ● 牛乳アレルギー，二次性乳糖不耐症などに用いられる
	カゼイン加水分解乳	● 牛乳アレルギーの原因となる牛乳のたんぱく質中のβ-ラクトグロブリンやα-ラクトアルブミンを分離除去し，カゼインを酵素分解して牛乳たんぱく質の抗原活性を失わせたもの ● たんぱく質は分子量の小さいポリペプチドとアミノ酸で構成されている ● 牛乳アレルギー，二次性乳糖不耐症，難治性下痢症などに用いられる
	無乳糖乳	● 乳糖を除去してブドウ糖に置き換えた粉乳である ● 母乳代替品 ● ラクトフェリン配合 ● ビタミン，ミネラルのバランスは調整されている ● 調乳液の浸透圧を抑えて，高張性の下痢症を引き起こさないように配慮 ● 乳糖，ガラクトースの摂取制限を指示された場合，先天的に乳糖分解酵素を欠損している場合，または，その活性が減弱している場合に用いられる ● ミルクアレルギー用ではない
	アミノ酸混合乳	● 母乳のアミノ酸組成を参考に，純粋な20種のアミノ酸をバランスよく混合した粉末にビタミン，無機質を添加したもの ● 重篤なアレルギー用
	低ナトリウム特殊粉乳	● ナトリウム含量を乳児用調製粉乳の約1/6に減量した粉乳 ● 腎炎，ネフローゼ，心疾患などで浮腫が強度の場合に用いられる
	MCT乳	● 脂肪源にMCTを用いた粉乳 ● 膵臓機能異常，肝機能異常，胆道閉鎖症など脂肪吸収不全の場合に用いられる
	乳たんぱく質消化調整粉末 （ミルクアレルギー用）	● アレルギー性を著しく低減した良質のたんぱく質消化物とアミノ酸を配合し，母乳のアミノ酸バランスに近似している ● 乳糖，大豆成分，卵成分を含まないように配慮している ● ビタミンK，ヌクレオチド，β-カロテンなどを配合 ● ビフィズス菌を増やすオリゴ糖（ラフィノース）を配合 ● 調乳液の浸透圧を乳幼児の負担にならないように調整している ● 育児用ミルク，牛乳などで下痢や湿疹などの症状が出る場合に用いられる

（次頁へ続く）

■表Ⅱ-2-5（続き）

種類	特徴
フォローアップミルク	●満9カ月頃から使用する ●母乳や乳児用調製粉乳の代替品ではない ●牛乳に不足する鉄やビタミン類を補足し，牛乳の代替品 ●離乳期に不足しがちな栄養成分の強化や，成長に必要な生理機能成分が配合されている ●離乳食では補いきれないたんぱく質や脂質などの栄養を上手に補う ●たんぱく質含量は，乳清たんぱくを増強し，カゼインとの比率を母乳や乳児用調製粉乳と牛乳の中間程度に調整してある ●カルシウムおよびその吸収を促進する乳糖やビタミンD，鉄およびその吸収を促進するビタミンCを増強している ●鉄とビタミン類は乳児用調製粉乳程度であるが，脂質は少ない ●亜鉛と銅の添加は認められていない ●ラクトフェリン，5種類のヌクレオチド，ガラクトオリゴ糖，β-カロテン，ビフィズス菌を配合しているものもある ●乳糖とデキストリンを主体とした糖質組成にすることで甘みが少ない
ペプチドミルク	●母乳が不足したとき用いる乳児用調製粉乳の一種 ●大きなたんぱく質はミルクアレルギーの原因になることがあるので，すべての牛乳たんぱく質を消化吸収のよいペプチドとし，乳児の消化負担を軽減したもの ●ミルクアレルギー予防やミルクアレルギー疾患用ではない

6―調乳

▶哺乳瓶，スプーンなどは煮沸消毒しておく．まず，哺乳瓶にできあがり量の約2/3の湯（一度沸騰させ70℃以上のもの）を入れ，添付されている専用スプーンで粉ミルクをすり切りで適量計り，哺乳瓶に入れる．乳首とフードをしっかりつけ，哺乳瓶を静かに振ってミルクをよく溶かしたら，できあがりの全量まで湯を加える．哺乳瓶を流水や氷水にさらして体温ぐらいまで冷やす．

▶与える前に，ミルクが体温ぐらいまでの温度に下がっていることを腕の内側で必ず確かめる．なお，調乳後，2時間以上飲まなかったミルクは廃棄する．

3 低出生体重児

▶図Ⅱ-3-1に低出生体重児の出生率について年次推移を示す．近年，その出生率は上昇傾向にあり，とくに女児に多い．低出生体重児は在胎期間が短く，体重が低いほど発育・発達に異常がみられる場合が多く，ハイリスク児として経過観察が重要である．

1 低出生体重児について検討すべき重要な事柄

1—子宮内胎児発育不全（IUGR）

▶子宮内で胎児が何らかの原因（母体，胎盤，胎児の要因がある）により，妊娠により発育が遅延または停止し，在胎期間に比べて出生体重が軽くなることを，子宮内胎児発育不全（IUGR：intrauterine growth retardation）という．IUGR児は発育が遅いだけでなく，種々の臓器の機能に関する遅延や出生後の合併症もみられることがある．

▶発症要因別に，胎児要因により頭部，軀幹に発育遅延が起こる胎児障害型の対称性子宮内胎児発育遅延と，母体要因や胎盤要因による胎児への栄養障害型の非対称性子宮内胎児発育遅延（胎盤循環不全），およびその混合型に分類される．IUGRは，母体の体重増加量，子宮底長，胎児の推定体重，胎児機能検査などで確認される．

2—小さく生まれた子ども（SGA）

▶小さく生まれた子ども（SGA：small-for-gestational age）とは，在胎週数に比べて出生時の身長ならびに体重が一定の基準（10パーセンタイル）より小さい状態を指していて，体重にだけ焦点をあてたLBWI（low birth weight infant）とは概念が異なっている．

▶SGA児は将来の生活習慣病発症リスクが高くなるというBarker説で注目されている．AGA児に比べ，SGA児のほうが内臓脂肪は蓄積しやすく，インスリン基礎分泌も多い（インスリン抵抗性になりやすい）．

▶SGA児はキャッチアップが多くみられる．キャッチアップ率は在胎週数により異なり，在胎週数が短いほうがキャッチアップ率は少ない．また，キャッチアップの有無により，精神運動発達をはじめ，その後の発育が異なる．したがって，SGA児は生活習慣病発症のハイリスク群として経過観察する必要がある．また，低身長児が多く，一定基準以下の低身長に対して成長ホルモン療法が有効とされている．

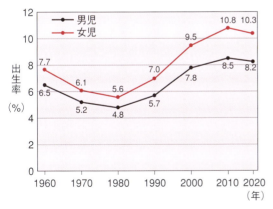

■図Ⅱ-3-1　低出生体重児の出生率
（厚生労働省：令和2年（2020）人口動態統計より作図）

📝MEMO

AGA児（appropriate-for-gestational age）：体重が10パーセンタイル以上90パーセンタイル未満の児のこと．

キャッチアップ：追いつき現象．年齢が進むに従って，標準に追いつこうと成長の遅れを取り戻すこと．−2SDを超える．

2 保育器と哺乳

1―保育器による体温の保持

▶低体重出生児は,皮下脂肪が少なく熱産生が弱いため,低体温になることが多い.そのため,体温を一定に維持できる**保育器**に入ることが多い(図Ⅱ-3-2).日本でおもに用いられている保育器は閉鎖型のもので,そのほとんどが強制換気方式で加温・加湿された空気がファンによって均一に保育器内を流れ,温度を一定に保っている.

2―カンガルーケア

▶低出生体重児はある程度の期間(体重が増加するまで),体温維持を目的に保育器内で育てられることが多い.一方,保育器ではなく,母親の胸に抱いて肌と肌を合わせて体温を感じる時間を作る保育法を**カンガルーケア**という.この方法によって,低体温を防ぎ体温を維持する,呼吸を安定させる,免疫力を高める,母乳栄養へ移行しやすくする,母子関係を良好に保つ,などの効果がみられている.

3―タッチケア

▶親子のスキンシップを図るとともに,優しくマッサージしたり,手足を曲げ伸ばしすることにより,皮膚を介しての刺激が,児の情緒を安定させ,発育に効果があるといわれている.

4―哺乳

▶本来であれば母乳栄養がもっともよいが,

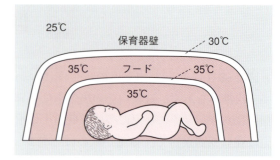

■図Ⅱ-3-2 プラスチックフードの有用性
フードの内側も外側も同じ保育器内環境であり,その温度を35℃とすると,フードの壁の温度も35℃となる.ゆえに,児とフードの輻射熱のやりとりにおいて,フードがない場合の保育器の外壁(30℃)とのやりとりより,児に有利である.
(仁志田博司:新生児学入門,第4版,医学書院,2013より)

低出生体重児の多くは哺乳力が弱いため,様子をみて経管栄養法により人工乳を与えることが多い.また,低出生体重児はキャッチアップすると,エネルギー量が多く必要となり,母乳では栄養が不足することがある.そこで,低出生体重児の栄養補給には,たんぱく質,ビタミン,ミネラルが多く,脂質の少ない低出生体重児用ミルクが用いられる.

3 成長曲線による発育のチェック

▶低出生体重児の場合は,乳児身体発育パーセンタイル曲線(図Ⅱ-2-1,p.119参照)や,基準値をそのまま当てはめることは難しいので,極低出生体重児発育曲線(厚生省心身障害研究班)などの専門の成長曲線を用いて評価することが好ましい.また,身長・体重だけでなく頭囲の発達を確認し,精神運動発達の評価も行う.

4 乳幼児健康診査

▶乳幼児健康診査などは母子保健法により定められている．市町村における**母子保健サービス**には，**母子健康手帳**の交付，保健指導，妊産婦および新生児訪問指導，妊産婦，乳幼児，1歳半および3歳児健診がある．また，未熟児訪問指導，未熟児養育医療，障害児療育指導，慢性疾患児療育指導については公費負担制度が設けられており，都道府県において実施されている．

▶健康診査時の栄養ケアに関する内容には，乳児の月齢により授乳の仕方と離乳の進め方を確認して，栄養摂取量（哺乳量と離乳食）の評価をすると同時に，体重・身長・頭囲による身体発育の評価，口腔機能の評価などがある．ときに標準値に比べて体重が少ない児については，体重の増加量と栄養摂取量を確認する．

▶**低出生体重児のケア**のフローチャートを図Ⅱ-4-1に示す．

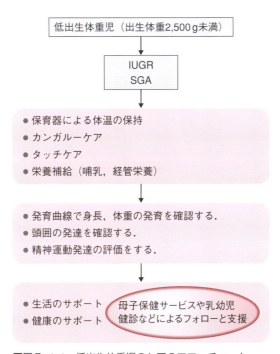

■図Ⅱ-4-1 低出生体重児のケアのフローチャート

Part2 疾患と栄養ケア

III 回復を促す栄養ケア

学習の目標

- 外科治療では生体にどのような影響があるのかを学ぶ．
- 侵襲時の栄養評価法を知る．
- 外科治療前後の栄養ケア法を知る．

1 外科療法時

▶外科療法は，疾患の治療として行われる外科手術などをさすが，その生体への侵襲や創の治癒が予定どおり進むように促す方法として，栄養ケアがどのように役立つかを考えながら治療計画を立てることが大切である．

▶程度によって，軽度侵襲のものから，多発外傷にも匹敵する大きな侵襲をともなうものまで存在する．

1 病態生理

▶手術後や受傷後にはサイトカインなどのケミカルメディエーターが分泌され，炎症反応が起きる．同時に神経内分泌反応が始まり，代謝亢進と異化亢進が起きるため，臨床上さまざまな身体症状が現れる．

▶代表的な病状としては，内分泌反応の結果としての高血糖があり，症例によってはブドウ糖投与などの治療行為がこれに影響を与える．また，侵襲によって末梢組織からアミノ酸が動員され，代謝速度が亢進するのにともなって，尿中窒素排泄量は増加する．同時に体たんぱくは崩壊し，lean body mass（LBM）が減少するため，浮腫がなければ体重は減少する．

▶患者に基礎疾患がある場合，手術や受傷を基点に代謝が亢進し，栄養の投与不足と利用障害が生じると栄養障害が急速に進行する．たとえば，摂食量の減少に対して，補充を行わずに時間が経過した場合や，経口摂取していないにもかかわらず，栄養素の配合量が低い輸液のみで管理していた場合には，その数日後，免疫能や内臓機能が低下し，循環動態にも頻脈，低血圧などの影響が現れる．各種薬剤の効果も半減し，病態は悪循環に陥ることになる．

▶臓器の機能不全や敗血症，systemic inflammatory response syndrome（SIRS：全身性炎症反応症候群）が起きているときは代謝が亢進し，インスリン抵抗性による高血糖や，脂肪分解亢進，たんぱく異化は遷延する．SIRSとは以下の①〜④のうち2項目を満たす場合をさす．

① 体温が38℃を超える，あるいは36℃未満．
② 脈拍が90/分を超える．
③ 呼吸数が20/分を超える，または二酸化炭

MEMO

ケミカルメディエーター：細胞から細胞への情報伝達に使用される化学物質のことで，関節リウマチなどの自己免疫性疾患で抗原抗体反応や炎症反応の際に遊離されるヒスタミンやセロトニン，ペプチドロイコトリエン，トロンボキサンなどをさす．

lean body mass（LBM）：体脂肪を除いた筋肉や骨，内臓などの総量のことで，生体における除脂肪組織のことをさす．除脂肪体重（FFM：fat free mass）は，死体から脂肪組織をエーテルなどの有機溶媒を用いて化学的に除去するか，解剖学的に切除した残りの組織である．

素分圧が32mmHg未満．
④血中の白血球数が12,000/mm³を超える，または4,000/mm³未満あるいは，白血球分画で未熟型が10％を超える．

▶外傷でもこの状態に陥ると炎症性サイトカインをはじめとするメディエーターが作用して臓器障害に発展することがある．この病態に重ねて，栄養摂取量が不足したときには除脂肪体重が減少するが，栄養療法を行っても，この代謝異常から逃れることは不可能で，たんぱく異化の速度を遅くすることしかできない．SIRSをコントロールできれば，早期に栄養療法を開始できるが，このような重症病態ではなかなか開始できないことも多い．

❷ 評価と診断

▶術後や外傷後の患者では，栄養状態を純粋に評価するのは困難である．体重や上腕二頭筋囲などは浮腫の影響を大きく受けるため，適していない．

▶血清のアルブミン値は，侵襲や炎症による直接の影響を受けるため，栄養評価法としては適していないが，プレアルブミン（トランスサイレチン），トランスフェリン，レチノール結合たんぱくなどの血清rapid turnover protein (RTP)🖉（プレアルブミン）濃度を測定することは，たんぱく代謝の推移を判定するのに適しているといわれる．同時に，血清コリンエステラーゼ濃度や総コレステロール値も有用である．また，血中リンパ球数（白血球数×リンパ球％）は鋭敏に反応するため，有用である．

▶栄養状態の評価は困難で時間を要するため，外傷患者について正確な評価は期待できない．また，外傷患者の栄養状態は良好であることが多いが，経過後に低下する可能性は潜んでおり，これを見逃さないことがポイントとなる．

▶その点，栄養補給法の異常は比較的簡単に評価できるので，現状で行われている栄養補給法，とくに栄養ルートを検証することで，問題点が浮き彫りになる．一般に5～10日間にわたって経口摂取できないと予測される場合，経管栄養や静脈からの栄養補給を開始する．これは2週間のブドウ糖輸液を行ったあとで静脈栄養を開始しても，重症患者の転帰を改善できなかったことが理由となっている．

▶また，栄養補給法を確認する意味で，仮に投与する栄養素を算出してみるのも有用である．性別，年齢，身長，体重からハリス・ベネディクト（Harris-Benedict）の式🖉を用いて基礎エネルギー消費量を算出し，仮のスト

■表Ⅲ-1-1 栄養補給量の設定

	侵襲が小さいとき	侵襲が中等度のとき	侵襲が大きいとき
ハリス・ベネディクトの式で求めた基礎エネルギー消費量にかける係数	1.0	1.1～1.2	1.3～1.5
たんぱく質（g/kg体重）	1.0	1.1～1.2	1.3～1.5
脂質（全熱量に対する比率％）	20～40%		
ビタミン	推奨量		
微量金属			

📝**MEMO**

rapid turnover protein (RTP)：測定精度が高く，安定した結果が得られる半減期が短いたんぱく質のこと．とくにレチノール結合たんぱく（RBP），トランスサイレチン（プレアルブミン：TTR），トランスフェリン（Tf）が測定されることが多く，動的栄養状態指標として用いられている．

ハリス・ベネディクトの式：基礎エネルギー消費量（BEE：basal energy expenditure）推定に用いられる計算式のこと．
男▶ BEE = 66.47 + 13.75W + 5.0H − 6.76A
女▶ BEE = 655.1 + 9.56W + 1.85H − 4.68A
W：体重（kg），H：身長（cm），A：年齢（年）

レス係数をかけて全体のエネルギー必要量を算出し，さらにたんぱく必要量を算出する（表Ⅲ-1-1）．つぎに，投与可能なのか否かを考えれば，栄養状態の評価が困難でも，治療過程で栄養状態を維持できそうなのか，栄養障害に陥るリスクが高いのかは容易に判断できる．

3 栄養ケア（図Ⅲ-1-1）

▶外科治療の基本は救命と止血，感染対策，創傷治癒の促進である．目的のために身体機能を損なう処置を行うこともあり，これが栄養状態に影響したり栄養補給法に影響したりする．

▶たとえば，顎間固定術や救命のための経口気管内挿管で食事摂取ができないときや，外傷性腹膜炎で腸管麻痺に陥っている場合などである．また，骨折治療のため，体位を保持しなければならなくなったときに経口摂取が困難になる．治療方針を考慮し，適正な栄養補給法を計画しなければならない．

▶栄養ケアとしては，栄養ルートの選択がきわめて重要である．一般に重症病態患者が5〜10日間にわたって経口から栄養素必要量を摂取できないと予測される場合，栄養療法を開始する．これは2週間ブドウ糖輸液を行ったあとで静脈栄養を開始しても重症患者の転帰を改善できないことが理由となっているが，消化管機能が保たれているときは腸を使うという基本姿勢は外傷の治療でも同様である．消化管を使わないことに起因した消化管構造上の変化により，bacterial translocation が起きて病状を悪化させるといわれている．

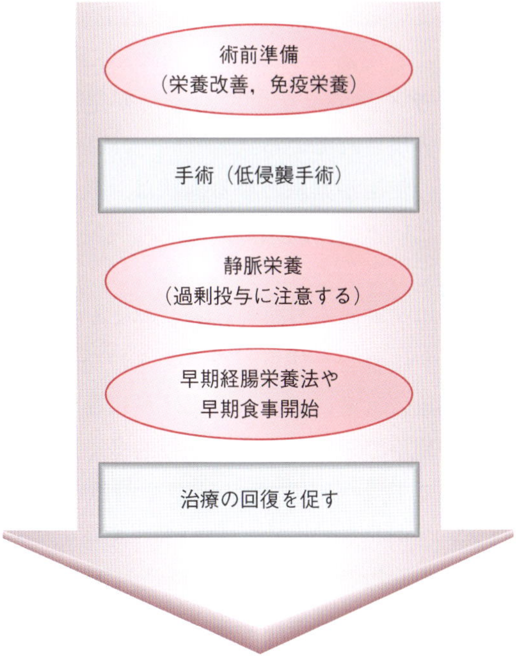

■図Ⅲ-1-1　外科療法時の回復を促す栄養ケア

▶急性期から回復期に至るまでの病期に合わせた適切な投与ルートの選択を行い，必要十分な補液量やエネルギー，たんぱく質量など栄養素をそのつど設定していく必要がある．早期には循環動態を把握し，まずは絶食として，静脈栄養を選択する．1〜2時間で病状を判断し，腸管が使用できると判定されたら経口，経腸投与による補給を開始する．補助栄養が必要な場合は末梢静脈栄養（PPN：peripheral parenteral nutrition）で十分である．

▶口腔の障害によって咀嚼が困難な症例や，咽頭機能障害によって嚥下障害に陥っている症例では食道以下，多くは経鼻胃管による経管栄養を行う．

▶腸管の損傷があるときには肛門側にカテーテルを留置する．受傷後早期（72時間以内）から経腸栄養が腸管の透過性亢進と多臓器不全を軽減することがわかっているため，課題

bacterial translocation：重症病態で絶食の状態に置かれると，腸管粘膜の抵抗力の破綻や局所における免疫力の低下，腸管壁での異常な免疫反応が原因で，本来消化管の中にとどまる腸内細菌が腸管粘膜上皮のバリアを越えて血流やリンパ流を介して体内に移行し感染を引き起こすとされた病態．現在では，腸管壁の免疫反応によってケミカルメディエーターが全身に引き起こす反応と考えられている．

早期経腸栄養：手術後48時間以内，外傷などの救急患者が入院してから72時間以内に開始される経腸栄養のこと．

となっているのは経腸栄養をいつ開始するかということであるが，ASPENやESPENのガイドラインでは「循環動態が安定してから」と表現されている．
▶腸管の使用が禁忌となる病状は，激しい嘔吐，激しい下痢，腸閉塞，汎発性腹膜炎，腸管虚血であり，それ以外の病態では，常に腸管の使用が可能か否かを考慮するべきで，「念のため」に腸管を使用しないときに発生する有害事象には常に気をつけなければならない．腸管が使用できないとき，比較的多くのエネルギーを投与するときには完全静脈栄養法（TPN：total parenteral nutrition）を選択する．
▶治療の回復を促す栄養ケアとしては術後の栄養補給法が一般的に議論されるが，侵襲反応として供給される**内因性エネルギー供給**と栄養療法として投与する**外因性エネルギー供給**の相互作用によって充足されるため，術直後に投与された栄養素は過剰投与につながってしまうこともある．
▶栄養の内容として，エネルギー，たんぱく質，脂質，ビタミン，ミネラルを設定して投与を開始することには変わりはないが，そのモニターがやや異なる（**表Ⅲ-1-2**）．エネルギー投与量はハリス・ベネディクトの式で算出した基礎エネルギー必要量をもとに実際の投与量を計画，すなわち予測することになるが，重症の場合は輸液や輸血で体重が増加していることが多いので注意を要する．**グルコース投与**は過剰投与を避け，インスリンを使用しても血糖値が200 mg/dLを超えるようなら投与速度を下げる．
▶重症外傷患者では体重測定ができないことも多く，間接熱量測定法で**呼気ガス分析**を行い検証できれば比較的短期間で再アセスメン

■表Ⅲ-1-2　回復を促すモニター

術直後	第1病日	数日	数週間
●血糖値 ●血圧 ●脈拍 ●呼吸数 ●尿量	●血糖値 ●血圧 ●脈拍 ●呼吸数 ●尿量	●RTP ●リンパ球数	●体重 ●血清アルブミン値

トできる．重症ではたんぱく質の異化が亢進しているので，1.0〜1.5 g/kg/日の投与を基準にする．したがって，**非たんぱく質熱量/窒素比**は120未満になることが多く，病状の改善にともない，たんぱく質の投与量を減らしていくこととなる．
▶**脂質投与**は経腸でも静脈投与でも常に考えなければならない．かつて脂肪乳剤の静脈投与は網内系を抑制し，病態を悪化させるという考え方があったが，重症の外傷でも脂質は代謝されている．投与速度が0.1 g/kg/時未満であれば問題は発生せず，炭水化物投与を抑えられ，エネルギー基質としてきわめて有用となる．したがって血清TGの値が上昇しなければ，投与熱量の20〜40%の脂質投与が推奨される．
▶**ビタミン**は，治療開始当初から不足しないように投与しなければならない．とくに，エネルギーをブドウ糖で投与するときには**ビタミンB_1**を忘れずに投与することが大切である．患者背景がさまざまで，飢餓や，感染など詳細がわからないこともあるので，栄養基準量にとらわれず，病状にあわせて10〜100 mgを超える投与を躊躇してはいけない．

❹ リハビリテーションと栄養法

▶意識障害や顎間固定術，頭頸部の損傷で経

MEMO

非たんぱく質熱量/窒素比：（⇒p.66参照）

ビタミンB_1：チアミン（thiamin, thiamine）のことで，水溶性ビタミンに分類される生理活性物質．サイアミン，アノイリンともよばれる．1910年に鈴木梅太郎が米糠から抽出し，1912年にオリザニンと命名した．

口摂取が困難な場合は，胃瘻や腸瘻による経管栄養法に切り替える．4週間以上の経管栄養法が予測されるときには治療開始時から胃瘻を造設する．外傷では，治療過程で栄養投与のルートに制限が加わることが多いため，まず，ルートの可能性を考慮する必要がある．
▶栄養状態の悪化は創傷治癒を遅らせ，感染性合併症を増やすため，分岐鎖アミノ酸，特にロイシン等が強化された栄養素を使用する等，早期から栄養療法の可能性を探り，1日でも早く改善を目指すことが予後改善の鍵となる．

5 具体的な栄養ケア

1─予定手術

▶疾患が原因で栄養障害に陥っているときは，治療前に栄養療法が可能であれば，標準的な栄養療法を行う．具体的には，食道癌や胃癌などによって食物の摂取が困難な場合や，腸閉塞によって経口摂取による栄養補給が困難な場合である．このときには，狭窄部の肛門側に栄養を補給する方法や静脈栄養などが選択される．
▶しかし，以下のような場合は，軽度の栄養障害であれば手術を優先させる．
① 消化管悪性腫瘍に代表されるように，消化管閉塞の原因として腫瘍そのものが全身に影響を及ぼしている場合．
② 亜急性の出血や急性腹膜炎，胸膜炎など消耗を増悪させる病態が保存的治療で解決できないとき．
③ 栄養ケアに使用するルートを早めに造設したほうがよいときに，手術と同時に行う．
▶しかし上記においても，代謝異常や肝機能障害などでは，栄養療法が奏功しないことが多いので，注意が必要である．
▶一方，術前に栄養状態が比較的良好な場合，生体への影響は手術侵襲によるものが中心となる．予定手術であれば，術前に十分な栄養療法と**免疫栄養療法**（immunonutrition）など，術後ケアを念頭においた栄養ケアを行うことで，手術侵襲にともなう術後の生体反応を軽減し，回復を早める効果がある．

2─緊急手術や外傷

▶手術前の栄養ケアが行えない症例では，手術治療や外傷処置と栄養ケアが同時に始まる．したがって，多くの場合，入院後数日経過してから，栄養ルートの検討や栄養の開始が検討される．しかし，早期経腸栄養法に代表されるように，開始が遅れないように努力することで治療の回復が促されるため，入院初日から，**栄養ルートの確保**と投与内容，投与開始時期の検討がされなければならない．

MEMO

緊急手術：外傷や消化管穿孔，出血など，準備状態に関係なく，急いで行わなければならない手術．

栄養ルートの確保：経口摂取ができないときに静脈にカテーテルを入れたり，経鼻カテーテルを胃に留置したり，胃瘻を造設したりすることをいい，病態と予測される使用期間によって方法は異なる．

2 化学療法時

▶化学療法とは，広く薬品によって病気を治療する薬物療法をいう．古くは細菌やウイルスによる感染症の薬物療法を意味していたが，現在一般には抗癌薬治療（癌化学療法）をさす場合が多い．ここでは，癌治療における外科治療，放射線治療に対しての化学療法について述べる．

1 化学療法の目的と概要

▶癌化学療法は，癌の完治や症状緩和，術前術後の補助療法と適応は広く，癌患者の苦痛を軽減し，QOLを向上させることを目的として行われる．

▶抗癌薬の開発はめざましく，より効果の高い薬剤の研究も費用対効果を考慮に入れながら進んでいる．したがって現在スタンダードと考えられている抗癌薬も時とともに変化する可能性があるので注意が必要である．

▶化学療法は抗癌薬に加え，支持療法薬（制吐剤や抗アレルギー薬）との併用で，治療の完遂を目指しており，その計画書がレジメンにより示されている．表Ⅲ-2-1に大腸癌術後補助化学療法例を示す．治癒切除が行われたStageⅢまたは再発high risk StageⅡ結腸癌の術後補助療法として行うことが多い．

▶表Ⅲ-2-2に，小細胞肺癌の化学療法であるIP療法のレジメン例を示す．IP療法で使

■表Ⅲ-2-1　化学療法レジメンの実際例：5-FU＋l-LV療法

化学療法	日数	1	8	15	22	29	36	43	50	56
フルオロウラシル（5-FU）500 mg/m² 点滴静注（5分）		↓	↓	↓	↓	↓	↓			
レボホリナート（l-LV）250 mg/m² 点滴静注（2時間）		↓	↓	↓	↓	↓	↓			

8週間ごと3コース

■表Ⅲ-2-2　化学療法レジメンの実際例：IP療法

化学療法	日数	1	8	15	22	28
シスプラチン（CDDP）60 mg/m² 点滴静注（2時間以上）		↓				
塩酸イリノテカン（CPT-11）60 mg/m² 点滴静注（90分以上）		↓	↓	↓		

4週間ごと4コース

【投与前】
　1,000〜2,000 mLの輸液
【悪心・嘔吐予防】
　Day 1, 8, 15：①5-HT₃受容体拮抗薬，②リン酸デキサメタゾン24 mg
【投与後】
　①1,000〜2,000 mLの輸液
　②20％マンニトール200〜300 mL，フロセミド（ラシックス®）注10 mg（必要に応じ）
　③Day 2, 3：リン酸デキサメタゾン8〜12 mg（遅延性悪心・嘔吐予防）

MEMO

補助療法：術前では，腫瘍を縮小させ外科治療の効果を向上させるために行う化学療法であり，術後は外科治療後に残った微小癌に対して行う再発防止目的の化学療法である．

支持療法：化学療法による副作用に対して行われる治療全般をさす．

レジメン：標準的化学療法の薬剤の組み合わせ，投与量，投与方法などを示す投与計画書．

■表Ⅲ-2-3　PSの判断基準（ECOG：Eastern Cooperative Oncology Groupによる）

PS	判断基準
0	まったく問題なく活動できる．発病前と同じ日常生活が制限なく行える
1	肉体的な激しい活動は制限されるが歩行は可能．軽作業や座位作業は可能
2	歩行可能で身の回りのことはすべてできるが，作業はできない
3	限られた身の回りのことしかできない．日中の50％以上をベッドか椅子で過ごす
4	まったく動けない．身の回りのことはまったくできない．完全にベッドか椅子で過ごす

■表Ⅲ-2-4　有害事象の例
CMF療法
CPA（シクロホスファミド）＋MTX（メソトレキサート）＋5-FU（フルオロウラシル）

白血球減少	Grade 3	9.4％
	Grade 4	0.3％
血小板減少	Grade 3	0.3％
	Grade 4	0.0％
悪心・嘔吐	悪心のみ	42.8％
	嘔吐 ≦12時間	25.2％
	嘔吐 ＞12時間	12.0％
	耐え難い嘔吐	1.6％
脱毛	うすい＜50％	30.8％
	不完全＞50％	25.5％
	完全	15.1％
発熱	38～40℃	3.2％
	＞40℃	0.3％

（改訂版がん化学療法レジメンハンドブック，羊土社，2011）

用するCDDPは90％に急性，50％程度に遅延性の悪心，嘔吐の発現が予測されるため，予防として制吐剤を投与する．
▶化学療法の適応基準はPS（performance status）や腎機能，肝機能，白血球数，血小板などにより決定される．PSの低下は予後不良となるケースが多く，PS 3～4の場合は適応とならないことがある．PSの判断基準は表Ⅲ-2-3のとおりである．また，乳癌化学療法におけるCMF療法時の有害事象の発症例の程度（表Ⅲ-2-4）を参考に示す．
▶大量の抗癌薬を使用する造血幹細胞移植は，抗腫瘍効果を高めるための最大耐容量を超えた大量の抗癌薬と強力な全身放射線照射（⇒「放射線治療時」の項p.139参照）を用いて移植前処置を行って悪性腫瘍の壊滅を行い，その後造血幹細胞を輸注し，造血能を補う．幹細胞提供者によって自家（自分自身），同種（同胞，親，バンク），同系（一卵性双生児）があり，幹細胞ソースによっては，骨髄移植，末梢血幹細胞移植，臍帯血幹細胞移植がある．

2　化学療法の有害事象

▶抗癌薬治療は，癌細胞に働くと同時に正常細胞にも作用するため，多くの場合有害反応（副作用）を起こす．この有害反応は，発現時期により，即時，早期，遅延，晩発と区分され，抗癌薬により有害反応の傾向を予測することが可能となっている．おもな有害事象は，消化管毒性として食欲不振，悪心，嘔吐，下痢，便秘，口内炎など，骨髄毒性としては，白血球減少，血小板減少，貧血など，そのほかとしては，知覚障害，皮膚障害，脱毛などに悩まされることが多い．有害反応の一般的なものを表Ⅲ-2-5に示す．
▶また，表Ⅲ-2-4は乳癌におもに行われる多剤併用化学療法CMF療法時の有害事象である．

MEMO

PS：（⇒p.430参照）

CMF療法：乳癌に対して抗癌剤（C：シクロホスファミド，M：メソトレキサート，F：フルオロウラシル）を組み合わせた化学療法．

■表Ⅲ-2-5 癌治療の副作用とその出現時期

副作用症状	治療法 抗癌薬治療	投与・照射手術など治療開始	1日目 24時間	2日目	3日目	4日目	5日目	6日目	7日目	8日目	9日目	～2週間	～
出現時期													
アレルギー反応	○	←——————————→											
頻脈・悪寒 血管痛	○	←————————→											
めまい・頭痛 耳下腺痛	○	←————————→											
悪心・嘔吐	○	←——————————→		←————→									
下痢	○	←————————————————————————————————→											
口内炎	○	←————————————→											
口内乾燥 唾液分泌低下	○	←——————————————→											
腹部膨満感	○	←————————————————————————→											
食欲不振	○			←————————————————————→									
便秘 味覚変化	○			←————————————————————→									
臭いによるムカツキ 全身倦怠感 発疹	○			←——————————————→									
体力低下	○	←————————————————————→											
腸閉塞 イレウス						←——→							
脱毛・出血 感染・肝障害 腎障害 手足のしびれ 免疫不全	○								←————————————→				
骨髄抑制	○								←————————————————→				

副作用の出現は，使用される抗癌薬の種類と量により異なる．副作用の出現しやすい症状を時期に応じて示している．

3 化学療法時の栄養管理の概要

▶化学療法のレジメンにそった治療を達成するために，栄養管理はその支持療法として重要である．癌患者は癌疾患により栄養状態が不良の場合が多く，加えて，抗癌薬による有害事象を受けさらに悪化することがあるため，注意深く定期的な栄養評価を行い，改善に努める．消化管毒性🖉の厳しいときには静脈栄養付加を考慮する．静脈栄養の内容は，現状の栄養評価と症状の予測される期間で異なる．
▶栄養計画は，抗癌薬治療コース🖉全体を通して，休薬期間を栄養改善期間と位置づけ，栄養補給に努める．この期間はエネルギーやたんぱく質，脂質のバランスはもとより，ビタミン，ミネラルの充足も望みたい．

4 栄養管理の進め方のポイント

①外来診察時および入院時の栄養評価を行う．

📝MEMO
消化管毒性：悪心，嘔吐，下痢，便秘など消化管に起こる治療の副作用．

抗癌薬治療コース：標準治療では，抗癌薬の投与回数や休薬期間が示されており，個人ごとに何回行うか治療計画で決定する．

スクリーニングは個々の栄養管理計画書により，栄養不良者（ただちにNST介入・要観察にてNST介入・定期的スクリーニングにて変化があれば介入），栄養状態に問題のない患者を振り分け，NSTチームが効率的に活動できるようにする．

② 栄養ルートの検討を行う．

経口摂取，経腸栄養，静脈栄養の選択について決定（担当医の決定）がなされたらそれに基づいて，より経口摂取が可能になるようなアプローチを行うが，むやみに経口摂取にこだわり過ぎて，患者の病態に則さない，またストレスの原因となる提案は，決して化学療法の完遂にプラスとならないことがあることを認識する．

③ 現在の摂取量と必要量の乖離について検討を行う．

摂取栄養量の状況が必要量とどの程度乖離し，またどの程度の期間で改善が予測されるか検討し，長期に及ぶ場合は静脈栄養の内容について考慮する．

経口摂取の内容については，摂取状況が50％に満たない場合は，聞き取り調査を行い，食種の変更，献立の変更を行い，摂取割合が上昇するよう配慮する．

④ 栄養管理の提案は，NSTを中心に，院内褥瘡チーム，感染チーム，緩和チームなどと情報を共有できるシステムを構築しておくことが重要である．

⑤ 治療が一施設で完結せず，地域連携施設や在宅医療診療施設などへの依頼時には，栄養管理情報（栄養サマリー）の適切な提供を行う．

5 有害事象対応例

1―悪心・嘔吐

▶悪心・嘔吐は生命を脅かす有害事象ではないが，多くの抗癌薬で出現し，消化器症状として食欲低下を招き，摂取栄養量を減少させる．悪心・嘔吐のコントロールは，患者のPS（performance status）およびQOL（quality of life）の維持に重要である．

▶悪心・嘔吐を原因別にみると，心理的要因や口内不快感，嗅覚異常などが嘔吐中枢を刺激することで起こる中枢性嘔吐，薬物による視床下部への刺激や消化管粘膜への直接作用する中毒性嘔吐，消化管刺激や便秘，胃内容物の停滞などにより起こる内臓性嘔吐などがある．

▶悪心・嘔吐の対策の基本は制吐剤による予防であり，出現後のレスキュー時も薬物療法は重要である．栄養摂取上の工夫は補助的であるが，工夫をすることで経口摂取を可能にし精神的な安心感を与える点では，静脈栄養のみに頼ることは望ましいとはいえない．

▶悪心・嘔吐の食事の工夫は，おもに以下のポイントで代表されるが，食事調整においては，かなり個人差があり，また日差もあることから，その状況を理解し寄り添うケアが求められる．

■食事の工夫

① 食べたい物を，食べられそうなときに少量ずつ食べてみる．

② 食べやすい食品（冷たく口当たりのよい果物やシャーベット，そうめん，冷や奴など），のどごしのよい水分の多い食品を優先してみる．

③ 脂質の多い食品は胃内停滞時間が長く，む

MEMO

NST（nutrition support team）：（⇒p.9参照）
栄養管理情報（栄養サマリー）：入院期間中の栄養管理の経過や問題点，退院後の栄養計画の提案などを記載した，栄養情報申し送り書．

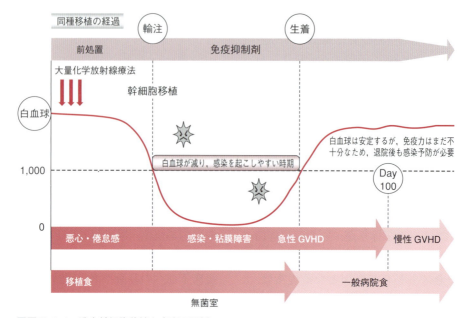

■図Ⅲ-2-1　造血幹細胞移植と食事の関係
長期間有害事象と戦う造血幹細胞移植の栄養管理は，日々きめ細かく栄養評価と面談を繰り返し，適切な食事と静脈栄養の調整が求められる．

かつき感を助長させるため避けたほうがよい．

④主食も炊きたてのご飯より，形を変えた巻寿司など形態を変えて食べやすいものを食べてみる．サンドイッチのように手軽につまめる形もよい．

⑤ほのかな柑橘系の香りやポン酢などで食欲の調整をすることも，食べられるきっかけとなることがある．

⑥症状が出ているときは，無理に食べようとしない．

⑦食事の前にレモン水や番茶でうがいをする．

■その他の工夫

①環境を整える．花の匂い，香水などは近くに置かない．

②食事の臭いでも症状が誘発されるときは，食事を近づけない．

③嘔吐物は速やかに処分し，心地よい部屋を整える．

④緊張や不安の軽減に，工夫の提案など，治療前に情報提供を行う．

2―造血幹細胞移植とGVHD

▶造血幹細胞移植は大量の抗癌薬と放射線を使用することから（図Ⅲ-2-1），有害事象も広く強い．とくに移植によって起こるGVHD（移植片対宿主病）として知られている慢性下痢などの腸疾患は経口摂取に制限を与え，栄養状態の低下をもたらす．これまでの絶食優位の考え方から少しでも可能な経口摂取を目指すことで，感染の防止，QOLの向上に寄与している．

▶また，他の化学療法と比べ長期間の入院を余儀なくされる患者に提供される食事の体系も，オートクレーブの無菌食から，より自然に近い食事提供が可能になるように，造血

MEMO

GVHD（graft versus host disease：移植片対宿主病）：ドナー（臓器提供者）の臓器が免疫反応によってレシピエント（臓器受給者）を攻撃して起こる症状の総称．

オートクレーブ（autoclave）：高温高圧下による装置を使用することで食事を無菌に調整する．

■表Ⅲ-2-6 造血細胞移植食事

食品の安全性	食品の選択(抜粋)
(a) 病院食など1日750食以上提供する施設では、HACCP（Hazard Analysis Critical Control Point）の考えに基づいた「大量調理施設衛生管理マニュアル」に従った食品が提供されている。この内容を遵守した食事は幹細胞移植患者にも安全である。 (b) 安全な調理方法として2006年WHOより出版された「Five Keys to Safer Food Manual（食品をより安全にするための5つの鍵マニュアル）」を参考にする。 (c) 患者本人や家族など、移植患者の食事を用意する人は、安全な調理方法や安全な食品の選択方法を学習する。	●賞味期限・消費期限切れの食品は食べない。 ●食肉類・魚介類・卵の生食は禁止する。 ●生野菜は、次亜塩素酸ナトリウム（100 ppm）に10分浸漬後、飲料に適した水での流水洗浄後、皮をむくか加熱調理を行う。 ●乳製品は殺菌表示のあるものを選択する。 ●かびの生えているチーズ・納豆は、避ける。 ●豆腐は、殺菌表示のある豆腐または充填製法の豆腐を選択する。 ●生の木の実・ドライフルーツは、避ける。 ●漬物・梅干は、調理工程の衛生管理が確認できない場合は避ける。 ●缶・ペットボトル・紙パックなどに入った清涼飲料は、包装に破損のない賞味期限内の物を選択する。開封後は冷蔵保存し24時間過ぎたら破棄する。 ●水は賞味期限表示のある物を選択し、開封後はコップなどにうつして飲み、容器に直接口をつけない。開封後は冷蔵保存し24時間過ぎたら破棄する。 ●水道水は、1分以上沸騰後飲用とする。 ●蜂蜜は、殺菌表示のある製品を選択する。

（日本造血細胞移植学会：造血細胞移植ガイドライン−移植後早期の感染管理、第3版、2014より改変）

幹細胞移植ガイドライン（2014年改訂）（表Ⅲ-2-6）を基準として、全国的に改善されつつある。しかし骨髄抑制による感染防止のために、移植食として刺身や寿司、生卵などの食品や、井戸水が禁止される。

3 放射線治療時

▶癌治療の中核は、外科治療・化学療法・放射線治療である。近年の放射線治療は、放射線治療装置の進歩により、癌病巣にピンポイントで照射を可能にし、正常細胞へのダメージを減少させることが可能となっている。

▶最近では放射線治療は、外科治療・化学療法との組み合わせで治療効果を高め、経済的側面からも注目されている治療方法である。

1 放射線治療の目的と概要

▶放射線治療は、電離放射線により遺伝物質に傷害を与えることで、癌細胞を死滅させたり、腫瘍を縮小させる。照射の範囲や方法によっては、正常細胞も放射線障害をうけることがあるが、回復が期待されるため、治療の意味は深い。より正常細胞に影響を与えず、癌細胞に限局される治療が目指されている。

▶放射線治療チームは、放射線腫瘍医（放射線治療専門の医師）、放射線線量計算士（適切な放射線量を決定する）、放射線物理士（照射線装置の管理を専門とする）、治療技師（放射線を実際に照射する）により構成され、放射線の種類と総量を放射線治療計画によって作成する。その治療の流れは図Ⅲ-3-1のようになる。

▶放射線治療と外科治療の組み合わせの分類を表Ⅲ-3-1に示す。また、そのほかの治療

根治照射（→p.140）：治療を目的として放射線治療が行われる。治療成績が良い、機能・形態の保存が良い、放射線感受性が高い場合に行う照射。

姑息照射（→p.140）：治療は期待できないが、延命効果や症状緩和を目的とする照射。

■図Ⅲ-3-1　放射線治療の流れ

■表Ⅲ-3-1　放射線治療の目的と外科治療への適応

術前照射	腫瘍を小さくしたり，切除率向上を目的とする ● 頭頸部癌，肺癌，膵癌，直腸癌など
術中照射	切除不可能な限局した癌への照射や再発率の減少を目的とする ● 膵癌，直腸癌，胃癌，脳腫瘍，骨軟部腫瘍など
術後照射	遺残病巣が想定される場合再発率の減少を目的とする ● 脳腫瘍，頭頸部癌，肺癌，乳癌，子宮癌など

■表Ⅲ-3-2　外部照射の方法例

通常分割照射	1日1回，週5日 1回1.8〜3Gy，10〜40回前後
多分割照射	1日2〜3回，週5日 1回1.2〜2Gy，30〜60回前後
寡分割照射	1日1回，週1〜3回 1回線量さまざま，回数はさまざま

との組み合わせとしては，抗癌薬と一緒に放射線照射が行われる化学放射線治療がある．目的別に分類すると，根治照射と姑息照射に分類することができる．

▶根治照射では放射線量として1日1回2グレイ（Gy），30回で合計60 Gyを必要とするが，癌を完全に治すことが不可能でも腫瘍を小さくすることで腫瘍による圧迫，出血痛や症状を緩和する目的で用いる姑息照射は，副作用を起こさない範囲で計画されるため，1/2〜1/3程度の照射で効果を得ることができる．

▶姑息的治療の対象としては，骨転移による疼痛緩和・脊髄圧迫の緩和，骨折予防，脳転移の症状緩和などがある．

▶放射線治療では，照射部位により分類すると，体外の照射装置から行う外部照射と，体内に置かれる内部照射，非密封の放射性物質を用い全身に投与する全身的放射線治療に分けることができる．外部照射方法の例を表Ⅲ-3-2に示す．

2　放射線治療の有害事象

▶放射線治療の有害事象（副作用）は，出現時期で分類される．まず放射線治療3ヵ月以内に起こるものを急性有害事象，それ以降のものを慢性有害事象ととらえる．

▶全身の急性反応は，全身倦怠，食欲不振，悪心・嘔吐・宿酔症状などである．また，局所の急性反応は照射部位により起こるが，増殖の盛んな臓器で起きやすいとされる（表Ⅲ-3-3）．

▶慢性の有害事象は肝臓や腎臓など細胞分裂の少ない組織で起き，肝炎や手足への異常などがある．

3　放射線治療の栄養管理の概要

▶治療の照射部位により，副作用はさまざまで，個人差もあるが，栄養状態の悪化を生じ

三次元治療計画：標的体積およびリスク臓器の輪郭をCT画像入力し，治療ビームの線質，入射方向，照射野などを決定する計画法．

宿酔症状：アセトアルデヒドの血中濃度が高く，頭痛や不快感，倦怠感がある状態に類似している症状（二日酔い類似症状）．

■表Ⅲ-3-3 局所の急性反応

消化管粘膜の炎症	口腔，咽頭，食道，胃，腸管
骨髄抑制	白血球，血小板の減少
皮膚の炎症	日焼け用症状，脱毛
唾液腺変化	分泌異常　初期過剰次いで減少
間質性肺炎	呼吸困難，発熱，咳
膀胱刺激症状	排尿したい感じ
その他	

ないように，食形態などを中心に食事の工夫を行い，サポートを行う．
▶もちろん，摂取状況や問題発生の程度と期間により，静脈栄養も考慮する．
▶照射部位による副作用として，頭頸部では口腔乾燥，口内炎，食道炎，味覚や嗅覚の変化，歯の脆弱化などが，胸部では口内炎，食道炎など，また腹部では悪心，嘔吐，下痢などが発生率の高い症状である．

4 栄養管理の進め方のポイント

①外来診察時および入院時の栄養評価を行う．スクリーニングは個々の栄養管理計画書により，栄養不良者（ただちにNST介入・要観察にてNST介入・定期的スクリーニングにて変化があれば介入），栄養状態に問題のない患者を振り分け，NSTチームが効率的に活動できるようにする．
②栄養ルートの検討を行う．
経口摂取，経腸栄養，静脈栄養の選択について決定（担当医の決定）がなされたら，それに基づいて，より経口摂取が可能になるようなアプローチを行うが，頭頸部や胸部，腹部などの照射で消化器症状を起こしやすい場合は，予測される症状に対して，短時間で対応できる栄養サポートのシステムも重要である．
③現在の摂取量と必要量の乖離について検討を行う．
摂取栄養量の状況が必要量とどの程度乖離し，またどの程度の期間で改善が予測されるか検討し，長期に及ぶ場合は静脈栄養の内容について考慮する．
経口摂取の内容については，摂取状況が50％に満たない場合は，聞き取り調査を行い，食種の変更，献立の変更を行い，摂取割合が上昇するよう配慮する．とくに照射部位の粘膜の保護や味覚や嗅覚の変化を理解し対応する．
④栄養管理の提案は，NSTを中心に，院内褥瘡チーム，感染チーム，緩和チームなどと情報を共有できるシステムを構築しておくことが重要である．
⑤治療が一施設で完結せず，地域連携施設や在宅医療診療施設などへの依頼時には，栄養管理情報（栄養サマリー）の適切な提供を行う．

5 有害事象対応例

1－口内炎・食道炎

▶口内炎や食道炎では，以下の工夫を中心に刺激を軽減し，飲み込みやすい食事形態を提案する．
①軟らかい食品，のどごしのよい食品を選択する．
おかゆ（卵粥など，市販されているものでも可），冷や奴，卵豆腐，茶碗蒸し，温泉卵，スクランブルエッグ，熟したバナナ，すりおろしたリンゴ，プリン，ゼリーなど

MEMO

消化器症状：悪心，嘔吐，下痢，便秘，食欲不振など消化器を中心に起こる副作用症状．
ペースト（→p.142）：肉や野菜をすりつぶしたもの．

ピューレ（→p.142）：野菜，肉，果物，魚などを生のまま，または煮て裏ごし煮つめたもの．

＊おかゆの粒が口に当たる場合は**ペースト**状にする．
②味付けはうすく，"だし"をきかせる．
③材料は小さく切ったり，裏ごしをかける．
　　ハンドミキサーを利用し，**ピューレ**状に加工することも助けになる．肉や魚は，**ムース**状や**テリーヌ**状に調理すると食べやすくなる．
④軟らかく煮こむ．
⑤とろみをつける．
　　片栗粉やくず粉の利用．ゼラチンや寒天で**ゼリー**状に調理する．加えて，混ぜるだけでお茶や牛乳にとろみがつけられる増粘食品の利用も一般的．
⑥水分をこまめにとって，脱水の予防を心がける．
　　水分を飲み込むときの痛みのために水分摂取が不足しないよう注意する．鎮痛薬の上手な利用で摂取量を確保する．
⑦ゆっくりよく噛んで食べる．
　　口腔内の状況によるが，噛むことが可能であれば噛むことを勧め，食物を小さく砕き，食物を体温に近く，より刺激が少なく飲み込みやすい状態にする．

2―口腔内乾燥

▶口腔内が乾燥すると，咀嚼や嚥下が困難になる．常に水分補給と専用スプレーなどで乾燥の防止を行うが，ケアが十分でないとさらに口内炎などを悪化させることがあるため，注意が必要である．
①頻繁に水分をとる．
　　いつでも水分が補給できるように，身の回りやベッドサイドにも用意しておく．食事中は一口ごと（頻繁）に，水分補給を勧める．

②口当たりのよいものを選ぶ．
　　アイスクリーム，プリン，すいか，飲み物を凍らせて作った氷片などを利用する．
③飴をなめたりガムを噛むとよい．
　　虫歯予防のために，シュガーレス（無糖）のものを選ぶ．メンソール味は場合によっては，痛みを感じることがある．
④固形のものには水分をプラスしてみる．
　　肉料理には，肉汁を利用したり，ソース，溶かしバターなどをかけてなめらかにする．サラダには，ドレッシングやマヨネーズをかけてなめらかに，粘膜を傷つけないように配慮する．パンなどは，牛乳やコーヒー・紅茶・スープに浸すのもよい．
⑤市販されている「栄養補助食品」なども利用してみる．
　　固形の食品がどうしても飲み込めない場合は，十分な栄養をとることが難しくなるため，少量で栄養価の高い食品や，噛まずに食べられるもの（ポタージュスープ，軟かく裏ごしした野菜の煮物など），栄養補助食品（濃厚流動食，高たんぱく質ゼリー，高エネルギービスケットなど）を利用することも提案の一つである．

✎MEMO

ムース：泡出った生クリームや卵白を用いて，口あたりがふわふわして滑らかに作ったもの．
テリーヌ：つぶして調理した魚，肉，野菜などを天火で蒸し焼きし，冷ましてスライスしたもの，パテ．

ゼリー：ゼラチン，寒天，ペクチンを利用し固めたもの．

Part2 疾患と栄養ケア

Ⅳ 症候への栄養ケア

学習の目標

- 症候の概要，病態，鑑別診断を概説できる．
- 症候の治療を理解し，栄養ケアの位置づけを理解する．
- 症候あるいは症候をきたす原疾患への栄養ケアを学ぶ．

1 発熱

1 症候の概要

▶ヒトは体内で熱を産生する一方，皮膚から熱を放散しながら，体温は恒常性を保っている．しかし，1℃以内の日内変動があり，午前1時頃もっとも低く，午後から夕方にかけてもっとも高い．

▶体温調節中枢は視床下部にあり，発熱物質の作用で体温のセットポイントが高温のところにセットされると体温の上昇をきたす．発熱物質には**外因性発熱物質**と**内因性発熱物質**があり，これらの何らかの異常のために，正常より高いレベルに体温が維持されている状態を発熱（fever up）という．

▶体温が37.0〜37.9℃を**微熱**，38.0〜38.9℃を**中等度熱**，39℃以上を**高熱**，41.5℃を**過高熱**という．

2 病態

▶何らかの異常には，多くはウイルス感染がある．まれに，高温に適応できない**熱中症**や，麻酔時に発見される**悪性高熱症**がある．ウイルス感染では，体内の発熱物質であるサイトカインが放出され，熱中枢の視床下部において体温が高くセットされる．

▶発熱には3段階が考えられる（図Ⅳ-1-1）．まず，**熱中枢のセットポイント**まで全身の新陳代謝が高まり，**アドレナリン分泌**によるゾクゾクした寒気の時期がある．皮膚の毛細血管や立毛筋が収縮し鳥肌が立ち，熱放散を防ぐ態勢をとる（A）．セットポイントで落ち着く（B）．やがて高温にさらされた体は皮膚血管を拡張させ，発汗し熱放散とともに，体温が下がっていく（C）．

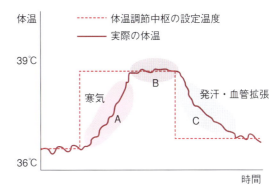

■図Ⅳ-1-1 発熱の仕組み

📝MEMO
外因性発熱物質：環境温度，感染の原因になる物質など．
内因性発熱物質：自己の疾患によるもの，たとえば，表Ⅳ-1-2のように自己免疫疾患，腫瘍，手術後のように体の中から反応性サイトカイン物質が出る病態．
悪性高熱症：おもにミトコンドリア異常といわれている先天性代謝異常の一つで，麻酔薬使用時代謝が異常反応を起こして偶然発見される．
アドレナリン分泌：副腎髄質から分泌される交感神経優位のホルモンで，おもに興奮状態で優位に分泌される．

■表Ⅳ-1-1　代表的な熱型

熱型	様式	おもな疾患
稽留熱 (sustained fever)	発熱が持続し，日内変動幅が1℃以内の場合	腸チフス 大葉性肺炎 感染性心内膜炎 オウム病
弛張熱 (remittent fever)	体温の日内変動幅が1℃以上で，平熱にまで下がらない	種々の化膿性疾患 ウイルス感染症 敗血症，悪性腫瘍
間欠熱 (intermittent fever)	体温の変動が1℃以上で，最低体温は平熱まで下がる	膿瘍，粟粒結核 薬物副作用 尿路感染症
波状熱（回帰熱） (relapsing fever)	有熱期と無熱期が不規則に繰り返すもの	ホジキン病（ペル・エブスタイン熱〈Pel-Ebstein fever〉） ブルセラ症，マラリア 胆道閉塞症（シャルコー熱〈Charcot's fever〉）
周期熱 (periodic fever)	規則正しい間隔で発熱を繰り返すもの	マラリア（三日熱，四日熱） 回帰熱，フェルティ〈Felty〉病 ステロイド熱

▶発熱をきたす疾患は，表Ⅳ-1-1のような特徴的な熱型を示す．しかし，解熱薬や抗菌薬などの投与によって，典型的な熱型を示すことは少なくなった．

3 症状

▶全身的な症状は，倦怠感，頭痛，頭重感，食欲不振，眠気，ほてり感，発汗，悪感戦慄，筋肉痛，関節痛などである．発熱に付随する症状には，譫妄，意識障害や症状のないものもある．

▶局所的な症状は，発疹，リンパ節腫脹，肝脾腫などがある．

▶発熱を起こす感染症の原因は，おもに**病原微生物**で，細菌感染症とウイルス感染症が多い．

4 鑑別診断

▶感染症を診断するために，末梢血液検査，炎症反応（CRP），検尿，胸腹部X線検査，各種培養検査などを行う．

▶発熱の原因となる病態・疾患を表Ⅳ-1-2に示した．

▶発熱がある期間続いて，検査をしても診断のつかない場合を**原因不明の発熱**（FUO：fever of unknown origin）としている．

▶微熱の診断で問題となるのは，37～37.5℃の発熱がある期間続くか，一定期間中に一定回数以上に発熱してくる場合である．小児期は体温調節が不十分なため**生理的微熱**が多い．一方，高齢期では，体温調節機能も低下しているので，高温環境下や脱水でも微熱を起こす．

📝MEMO

病原微生物：病気を引き起こす微生物（寄生虫，真菌，一般細菌，リケッチア，クラミジア，ウイルスなど）をさす．生体の防御反応が十分でないときに発症，感染症となる．診断は，特有な発熱と熱型，感染症特有の皮膚発疹（麻疹，水痘，痘瘡など），各臓器の局所症状などで判別される．確定診断は塗抹，培養検査による病原体の検出，免疫反応による抗体量測定，PCR検査などによる．治療には，抗ウイルス薬，抗菌薬が用いられる．栄養食事療法は，高熱をともなう場合は本項を参照し，高度の下痢をともなう感染症では，水分，NaやCl，電解質などを静脈輸液により補給し，体液の酸塩基平衡を是正する．同時に十

■表Ⅳ-1-2　発熱の原因になる病態，疾患

病態	疾患
感染症	細菌，ウイルス，真菌，リケッチア，原虫感染症
炎症性疾患	自己免疫疾患（膠原病・血管炎），結晶起因性炎症（痛風）
組織障害	心筋梗塞，肺梗塞，外傷，熱傷，手術後など
腫瘍	悪性リンパ腫，白血病，肝細胞癌など
その他	薬剤アレルギー，慢性疲労症候群，溶血，肉芽腫性疾患（サルコイドーシス），クローン病，甲状腺機能亢進症，悪性高熱症，中枢神経障害，熱射病，川崎病など

5　治　療

▶発熱物質には外因性発熱物質と内因性発熱物質があり，**外因性発熱物質**はウイルス，細菌の産生物，細菌性内毒素，免疫複合体などであり，いずれも生体内の細胞に作用して**内因性発熱物質**を産生させる．

▶単球，マクロファージの産生する**インターロイキン1**がおもな内因性発熱物質であるが，そのほかにtumor necrosis factor（TNF）やインターフェロンも発熱物質である．

▶治療は，発熱あるいは発熱にともなう症状から原因疾患を診断する．

▶ウイルス性，細菌性，その他かを判別する．尿検査，末梢血液検査，生化学検査を行い，心肺疾患を疑う場合は胸部X線検査，心電図を，必要時にはCTスキャン，MRIなどにより原疾患の解明を進める．

▶41℃を超える高体温は，補液や冷却タオル，氷嚢，冷水浴などの物理的冷却により体温を下げる（クーリング）．

▶また，発熱にともなう基礎代謝エネルギー量の亢進や発汗に対応した栄養ケアを行う．

6　栄養ケア

▶高エネルギー，高たんぱく質，ビタミン，ミネラルは「日本人の食事摂取基準」を参考とする．

▶代謝亢進のため需要が増加するビタミンA，ビタミンB群，ビタミンCは，十分に補給する．また，免疫能低下を予防するため，鉄・亜鉛なども十分に補給する．

▶水分，ナトリウム，カリウム，クロールの十分な補給を行い，脱水にならないようにする．

▶体温1℃の上昇により基礎代謝は平均13％増加するが，消化器症状を考慮し，消化しやすい流動食から，軟食，常食で段階的に対応する．ただし，食欲があり，原因疾患に問題がなければ，食事の程度の進め方は厳重にする必要はない．

▶経口栄養法で十分摂取できないときは，静脈栄養法を使用する．

分なエネルギー量を補給する．
生理的微熱：おもに発熱中枢が未熟なため年齢，性によって0.5℃から1℃前後に正常体温が設定されているが，病気ではない．

インターロイキン1，TNF，インターフェロン：炎症細胞から分泌される身体反応性サイトカイン．これらがアラームとなって，身体を保護する機能が作動する．

2 脱水

1 症候の概要

▶脱水（dehydration）とは，体液量すなわち細胞外液が減少した状態であり，水と溶質（とくにNa）のどちらか，またはともに喪失をきたしている．

▶体の水分量（新生児75％，1歳〜成人60％）は，加齢とともに減少する．水分の働きとして重要な役割は，細胞の内と外での浸透圧の調節を行い，細胞を正常に保つことである．ふだん食事や飲水によって体内に入る水分量と，尿，便，汗，そのほか不感蒸泄によって外に出る水分量はバランスがとれているが，体から失われる水分が多く，補充する水分が少ないと脱水になる．

2 病態

▶脱水の原因としては，水分不足や食欲不振，発熱や発汗，嘔吐や下痢，基礎疾患（糖尿病，尿崩症）などによって起こる．

▶脱水は，血清Na濃度で低張性（135 mEq/L以下），高張性（145 mEq/L以上），等張性（135〜145 mEq/L）とに分けられる．

①低張性脱水（Na欠乏性脱水）：細胞外液から水分よりNaのほうが多く失われ，血漿浸透圧が低下し，細胞外から細胞内へ水分が移動する．

②高張性脱水（水欠乏性脱水）：細胞外液からNaよりも水分の喪失が多く，血漿浸透圧は上昇する．その結果，細胞内から細胞外へ水分が移動する．したがって，高張性

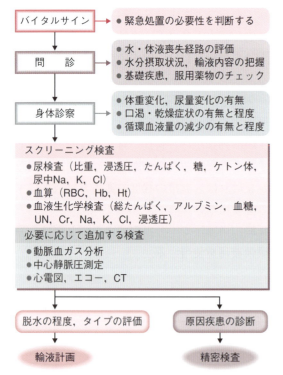

■図Ⅳ-2-1 脱水の診断の進め方
（赤池雅史，松本俊夫：脱水．内科診断学，第2版（福井次矢，奈良信雄編），p.494，医学書院，2008より）

■表Ⅳ-2-1 低・等張性脱水症と高張性脱水症の鑑別

		低・等張性脱水	高張性脱水
臨床症状	発熱	(−)	(＋)
	口渇	(−)	(＋)
	皮膚粘膜	湿潤	乾燥
	皮膚ツルゴール	低下	正常
	神経症状	嗜眠化傾向，深部反射減弱	不安，興奮，深部反射亢進
	循環症状	脈拍不良，チアノーゼ	末梢循環比較的良好
検査成績	Na（mEq/L）	135以下	145以上
	Cl（mEq/L）	100以下	110以上
	UN	高度上昇	軽度上昇
	水分喪失	細胞外液	細胞内液
	尿中ケトン体	＋〜＋＋＋	−〜＋

尿崩症：抗利尿ホルモンの分泌異常によって，濃縮されない比重の低い尿が頻繁に出る病態．

■表IV-2-2 輸液計画の実際

		使用液	輸液量	輸液速度
輸液開始		開始液[*1]	利尿が確認されるまで	120〜200 mL/日
利尿後	(〜24時間)	多電解質液[*2] 利尿の確認されるまで	喪失量：体重減少率×1,000 mL/kg/日[*3] ＋ 維持量：乳児 100〜120 mL/kg/日 　　　　幼児 80〜100 mL/kg/日 　　　　学童 60〜 80 mL/kg/日	喪失量・維持量を加え均等に投与する
	(48時間〜)	多電解質液[*4]	維持：同上 場合により喪失量の残り1/3	同上

[*1] 1号液など，Kを含まない電解質液．
[*2] 低Na血症の著しい場合は2号液などをしばらく使用．そのほかは3号液など．
[*3] 脱水や電解質異常の著しいときは喪失量の2/3を第1日目，1/3を第2日目に補う．
[*4] 原則として3号液＋糖質．

脱水では見かけ上，症状が現れにくい．
③**等張性脱水**（混合型脱水）：①と②が同じ割合で失われる．

■表IV-2-3 経口輸液製剤の組成

	Na	K	Mg	Cl
	(mEq/L)			
アクアライトORS	35	20	—	30
スポーツドリンク	21	5	0.5	16.5
OS-1	50	20	2	50

3 症 状

▶ 体重減少で何％の水分が喪失したか，尿量がどのくらいかで，症状が異なってくる．
▶ 体重の2％の脱水では口渇のみの症状であるが，体重の6％の脱水では口渇，口内乾燥，乏尿，脱力などが起こる．また，体重の7〜14％の脱水に至ると，精神症状，幻覚，意識障害が生じる．

4 鑑別診断

▶ 病歴，身体所見，スクリーニング検査で，脱水のタイプ，重症度を診断する（図IV-2-1，表IV-2-1）．

5 治 療

▶ 基礎疾患の治療をする．
▶ 脱水の程度，脱水のタイプを判別し，投与量と投与速度などの輸液計画を立てる（表IV-2-2）．

▶ 通常，初期輸液が重要で，利尿が確認されることが必要である．翌日から，輸液量＝維持量＋水欠乏量×2/3〜1/2を補給する．

6 栄養ケア

▶ 拒食，食欲がない，摂取量の低下，水分をとらないなどの食事摂取状況から脱水を疑う．
▶ 意識があり，経口摂取が可能な場合は，電解質を含む飲料を摂取させる．
▶ 幻覚，意識障害などの症状や尿量低下を認めた場合は，静脈内投与が好ましい．
▶ スポーツ飲料はNa濃度が低いため，乳幼児に与え過ぎると，低Na血症を起こすことがある（表IV-2-3）．
▶ 高齢者は容易に脱水を起こしやすいが，口渇感を感じにくいため脱水に気づくのが遅れるので，とくに注意が必要である．

3 高・低ナトリウム血症

1 症候の概要

▶自由に水分を摂取しても，体内の水分量は常に一定範囲に保たれている．これは**内部環境**を一定に保つ機構，いわゆる**恒常性（ホメオスタシス）維持機構**による．この恒常性維持機構が正常に働くことが"健康"であり，その乱れが"病気"であるといえる．
▶ナトリウム（Na：一価の陽イオンNa^+）は有効浸透圧物質で細胞外液量を規定し，また**適正なpH**（7.35〜7.45）の維持にも重要なイオンである（図Ⅳ-3-1）.
▶血清Na濃度の調節は，浸透圧（有効浸透圧）調節系と容量調節系による．Naを過剰摂取した場合，体液の浸透圧は上昇し，口渇中枢が刺激され，水分摂取行動を引き起こす．飲水により体液量は増加し，浸透圧が正常となる（浸透圧調節系）．
▶一方，体液量の増加は，心房や頸動脈洞にある容量受容体により，アルドステロンの分泌低下，抗利尿ホルモン（ADH）やNa利尿ペプチド（ANPなど）の分泌増加などにより正常化し，水分，Na濃度の恒常性が維持される．
▶Na摂取不足の場合にも，**浸透圧調節系**と**容量調節系**により，体液の恒常性が維持される（図Ⅳ-3-2）．

2 病態

▶通常，血清Na濃度が135 mEq/L以下を低Na血症，150 mEq/L以上を高Na血症という．
▶低Na血症には，Na量の低下と水分過多による希釈性の2つのタイプがある．高Na血症は，水分の喪失，水分摂取障害およびNa量の増加の3つのタイプに分類される（図Ⅳ-3-3）．
▶表Ⅳ-3-1に血清Na濃度異常をきたす病態を示すが，もっとも大切なことは，不適切な輸液の回避であるといわれる．
▶偽性低Na血症と表現される状態がある．これは，血清中に含まれるたんぱく質や脂質が増加すると，見かけ上，低Na血症となることである．

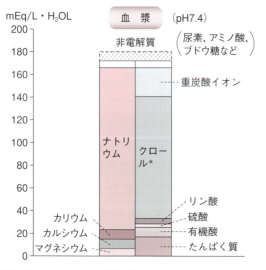

■図Ⅳ-3-1 ヒトの血漿の組成
＊体内には多くのミネラルが存在し，多様な働きをしている．静脈栄養の場合には微量元素の補給に注意を要する．クロールの主要な作用は，①浸透圧の維持，②胃液の塩酸（HCl）の成分，③好中球の殺菌作用発現に必要，などである．

3 症状

▶高Na血症のおもな症状は口渇であり，飲

MEMO

適正なpH：生体の血液pHは正常では7.35〜7.45に保たれており，これを緩衝作用という．血液のpHが7.35以下に低下したときをアシドーシス，7.45以上に上昇したときをアルカローシスという．pHが6.80以下に低下すれば重症アシドーシス，7.80以上に上昇すれば重症アルカローシスで，ただちにpHを補正しなければ患者は死亡する．
高齢者のケア（→p.149）：高齢者は細胞内液の低下により，水・電解質バランスが崩れやすい．また，口渇中枢の感受性低下により，水分摂取を要求せず，したがって脱水症になりやすい．尿量減少，頻脈などの脱水症状を観察することが大切である．

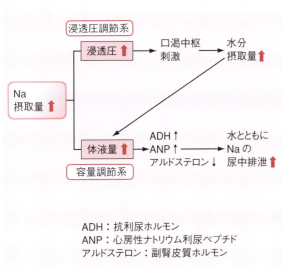
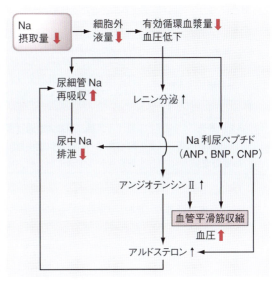

ADH：抗利尿ホルモン
ANP：心房性ナトリウム利尿ペプチド
アルドステロン：副腎皮質ホルモン

■図Ⅳ-3-2　Na量および体液量調節の機序

■図Ⅳ-3-3　血清Na濃度異常のタイプ

水行動により症状は消失し，血清Na濃度は正常となる．しかし，高齢者のケア🖉においては，口渇中枢障害や認知症で口渇を表現できない場合があることに注意する必要がある．

▶血清Na濃度の上昇は，細胞外液の有効浸透圧を上昇させ，細胞膜を介して細胞内の水を細胞外に移行させ，細胞内脱水🖉をきたす．脳細胞は容積が減少し，機能障害に陥る．錯乱や昏睡などの意識障害，痙攣，易刺激性，反射亢進，筋力低下などがみられる．また，くも膜下出血や脳皮質下出血，うっ血，静脈血栓症などを引き起こす．

▶急性の高Na血症は，非常に重篤であり予後不良である．しかし慢性の高Na血症では，脳細胞は水分量の恒常性を維持するために，浸透圧物質を産生し，水分の喪失を防ぐ機構が働く．そのため症状は出現しにくく軽症である．

▶低Na血症の症状は，全身倦怠感，脱力，頭痛，食欲不振，悪心・嘔吐，筋痙攣，知覚異常，傾眠・無欲状態・見当識障害🖉・錯乱などの精神症状など多彩である．慢性の場合，浸透圧物質による防御機構が働き，110mEq/Lといった相当低いNa濃度まで症状が出現しないこともある．

4 鑑別診断

▶高Na血症の鑑別診断には，臨床症状と尿検査が重要となる．尿量，尿浸透圧，尿中

MEMO

細胞内脱水：体液は正常成人男性では体重の60%を占め，新生児では75%，高齢者では50%以下と，加齢とともに減少する．正常では体重の40%が細胞内液，20%が細胞外液である．K⁺は細胞内液の，Na⁺は細胞外液の浸透圧溶質である．Naより多くの水が喪失し血漿浸透圧が上昇した高張性脱水時には，細胞内の水が浸透圧の高い細胞外に移動し細胞内脱水となる．高張性脱水時には口渇が強い．

見当識障害：見当識とは，時間，場所，人物や周囲の状況を正しく認識することを表す用語．人や周囲の状況，時間，場所など自分自身が置かれている状況などが正しく認識できないこと．

■表Ⅳ-3-1　血清 Na 濃度異常をきたす病態

低 Na 血症：血清 Na 値＜135 mEq/L	
Na 量の減少	糖尿病（高血糖），利尿薬，下痢・嘔吐，ドレナージや瘻孔からの排液，アジソン病，脳性塩類喪失症候群（CSW：cerebral salt wasting syndrome），低カリウム血症
水分の増加（希釈性）	腎不全，心不全，肝不全，ネフローゼ症候群，大量飲酒，ADH 分泌異常症候群（SIADH：syndrome of inappropriate secretion of antidiuretic hormone），低栄養
高 Na 血症：血清 Na 値＞150 mEq/L	
水分の喪失	発汗・発熱，頻および過呼吸，下痢・嘔吐，多尿（糖尿病，尿崩症），熱傷，利尿薬
水分の摂取障害	脳出血などによる口渇中枢障害，意識障害・麻酔，乳幼児・高齢者
Na 量の増加	原発性アルドステロン症，Na 過剰輸液，重曹（$NaHCO_3$）の過剰投与

■表Ⅳ-3-2　高 Na 血症および低 Na 血症の病態別治療方針

高 Na 血症		低 Na 血症	
病態（水と Na の関係）	治療方針	病態（水と Na の関係）	治療方針
水の喪失	5％ブドウ糖液 低張食塩水	水過剰	水制限
水喪失が Na 喪失より大	低張食塩水	Na 喪失が水喪失より大	高・等張食塩水
Na 過剰	Na 摂取制限 利尿薬，水分補給	水過剰が Na 過剰より大	水制限，利尿薬

Na 濃度および Na 排泄量を確認する．
▶低 Na 血症の鑑別診断は，細胞外液の量により行う．低血圧や脱水の所見があれば，その原因は嘔吐や下痢，熱傷といった体液の喪失である．
▶一方，浮腫や腔水症（腹水，胸水）などの所見があれば，浮腫性疾患が原因である．
▶脱水も浮腫もみられない場合には，ADH 分泌異常症候群（SIADH）✎，下垂体機能低下症など各疾患の合併症としての低 Na 血症と判断される．

5　治療

▶症状が出現している場合には，脳細胞が損傷されているので早急な対応が必要である．しかし，血清 Na 濃度の是正は，時間をかけて緩徐に行う．血清 Na 濃度異常が，水分量あるいは Na 量のどちらが問題なのかを見定めて治療する（表Ⅳ-3-2）．

■高 Na 血症
▶水分摂取減少時には Na 量は正常なので 5％ブドウ糖液の補給を，多量の水分喪失時には体内の Na も失われているので，5％ブドウ糖液とともに 1/2 生理的食塩水あるいは低張性電解質液を投与する．
▶Na 過剰時には，原疾患の治療とともに，過剰な Na を利尿薬で排泄させながら，水分は 5％ブドウ糖液で補給する．

■低 Na 血症
▶Na 欠乏性では，高張食塩水✎で補給し，希釈性の場合には，食塩・水分制限，利尿薬投与とともに原疾患の治療が重要である．
▶うっ血性心不全にはジギタリスやアンジオテンシン変換酵素（ACE）阻害薬・アンジオテンシンⅡ受容体拮抗薬（ARB），肝硬変に

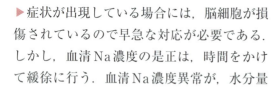

ADH 分泌異常症候群（SIADH）：抗利尿ホルモン不適合分泌症候群と同義である．尿量を減少させる作用をもつホルモンである ADH（バゾプレシン）が血漿浸透圧に対して不適切に分泌，または作用することによって起こる症候群であり，体内水分量の増加と低 Na 血症がみられ，自覚的には倦怠感や食欲低下などの症状がみられる．
高張食塩水：細胞外液の溶質濃度は約 0.9％であることより，0.9％の食塩水を生理的食塩水という．0.9％より濃度の高い食塩水を高張食塩水という．

■表Ⅳ-3-3　NYHA（New York Heart Association）による慢性心不全重症度機能分類

クラスⅠ	心疾患を有するが，そのために身体活動が制限されることがない患者．通常の身体活動では疲労・動悸・呼吸困難あるいは狭心症症状をきたさない
クラスⅡ	心疾患を有し，そのために身体活動が軽度制限される患者．安静時は無症状であるが，通常の身体活動で疲労・動悸・呼吸困難あるいは狭心症症状をきたす
クラスⅢ	心疾患を有し，そのために身体活動が高度制限される患者．安静時は無症状であるが，通常以下の身体活動で疲労・動悸・呼吸困難あるいは狭心症症状をきたす
クラスⅣ	心疾患を有し，そのために非常に軽度の身体活動でも愁訴をきたす患者．安静時においても心不全症状あるいは狭心症症状をきたす．わずかな身体活動でも不快な愁訴が増加する

■表Ⅳ-3-4　低Na血症をきたす疾患の病態

疾患	病態
心不全・肝不全・ネフローゼ症候群	有効循環血漿量の低下→糸球体濾過率低下→水貯留→低Na血症
糖尿病	血糖の上昇→血清Na値低下（血糖100mg/dL上昇は血清Na値1.6mEq/Lの低下）
腎不全	希釈障害，利尿薬の投与
肺疾患	肺炎，肺癌によるSIADH
脳血管障害	SIADH，CSW
悪性腫瘍	SIADH，低栄養

は抗アルドステロン薬やレビーン（Le Veen）シャント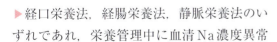，ネフローゼ症候群にはアルブミンや抗アルドステロン薬，そして腎不全では透析療法により是正する．

▶急激な低Na血症の改善は，脳細胞の障害をきたし，浸透圧性脱髄症候群などをきたす．

▶軽度の低Na血症は，有意に歩行障害や注意力低下により転倒の増加をきたし（Am J Med 119（1）：71, 2006），心不全（表Ⅳ-3-3のNYHA Ⅳ度）患者の低Na血症の是正は予後を改善する（Am Heart J 145（3）：459, 2003）などの報告がみられ，軽度の低Na血症であっても積極的な治療介入が必要であると考えられている．

6　栄養ケア

▶経口栄養法，経腸栄養法，静脈栄養法のいずれであれ，栄養管理中に血清Na濃度異常をきたした場合には，その原因を明確にするが，Naは水とともに行動していることを念頭におき，水分の過不足をまず確認する．

▶急性の血清Na異常症および慢性症候性では，治療の項で述べたように輸液による改善が必要となる．

▶無症候性慢性高Na血症では，経口的な水分摂取とNa・たんぱく質制限を行う．無症候性慢性低Na血症では，水分制限と食塩・たんぱく質の負荷が必要である．

▶現在は，高齢者，心血管障害者・悪性腫瘍患者・服薬者の増加あるいはサプリメントの乱用など水・電解質異常をきたす要因がいろいろある．Na異常をきたす疾患は多彩であり，各疾患の栄養ケアにおいては，常に水・Na異常を念頭におく必要がある．

▶表Ⅳ-3-4に，各疾患が合併する低Na血症の病態を示す．

MEMO

CSW：両側の視床下部，第3脳室の損傷でみられる塩化ナトリウムの排泄調節障害．脳外科の術後にみられ，急性期を過ぎると治ることもあるが視床下部の損傷が強い場合には治らない．

レビーン（Le Veen）シャント：難治性腹水貯留患者に対する腹腔−頸静脈シャントである．自動的に腹水を頸静脈に注入するが，腹膜炎，敗血症，心不全などの致死的な合併症が高頻度に出現し，シャント閉塞も起こりやすい．

4 高・低カリウム血症

1 症候の概要

▶血清カリウム（K：一価の陽イオンK^+）濃度異常を理解するためには，Kの体内動態と腎臓および腎臓以外でのK調節機構の理解が重要である．

▶Kは細胞内液の主要な陽イオンであり，細胞外には少ない（図Ⅳ-3-1，p.148参照）．この細胞内外の濃度差が細胞膜電位を形成し，神経の伝達・興奮，筋肉の収縮に関与している．上皮細胞では細胞膜を介したイオンの輸送に重要である．また，浸透圧およびpHの調節にも関与する．

▶Kは小腸から吸収され血管内に取り込まれるが，Na^+ポンプを介して速やかに細胞内に移行するので高K血症はきたさない．

▶摂取したKの大部分は，腎臓から排泄され血清K値の恒常性は維持される．

▶腎機能が正常であれば摂取したKの90〜95％は尿中へ排出される．残りの5〜10％は便中に排出される．

▶腎機能の廃絶した透析患者では，便中へのKの排泄が25％程度まで上昇する．

▶Na^+ポンプを介する細胞内へのKの流入は，アルドステロン，pH，インスリンおよびβ交感神経刺激により影響を受け，これらは腎外性K調節因子として重要である．

▶血清K値の上昇は，アルドステロンの分泌を刺激し，腎からのK分泌を亢進する．

▶pHの上昇（アルカローシス）は血清Kを細胞内へ移行させる．

▶インスリンはNaを細胞外へ，Kを細胞内に移行させ，血清K値を低下させる．

▶β交感神経刺激はKの細胞内への移動を亢進する．

▶β遮断薬，ジギタリス中毒，サクシニルコリンは，Na^+ポンプ活性を抑制し血清K値を上昇させる．テオフィリンはNa^+ポンプを刺激し血清K値を低下させる．

2 病 態

▶血清K濃度が3.5mEq/L以下を低K血症，5mEq/L以上を高K血症という．

▶高K血症の原因は，細胞外へのKの移動，過剰投与，体内産生過多，腎からの排泄障害および偽性高K血症に分類できる．

▶ACE阻害薬，ARBや抗アルドステロン薬はアシデミア（pH 7.4＞）にある腎不全では高K血症になりやすい．

▶低K血症の原因は，K摂取不足，K喪失（消化管あるいは腎臓からの喪失），細胞内へのKの移行および偽性低K血症に分類される．

▶表Ⅳ-4-1に血清K濃度異常をきたす病態を示す．

▶偽性高K血症という病態は，溶血，採血時の過度な駆血による筋細胞からのK遊出や，白血球増多時の白血球・血小板からのK遊出などによる．

▶偽性低K血症という病態は，血液を室温放置しKが白血球に取り込まれることによる．

▶偽性の血清K異常は，症状がないこと，心電図異常がないことで鑑別できる．

MEMO

細胞膜電位：細胞膜には電位が形成されている．この電位差を生じさせているのは細胞膜に存在しているNa^+-K^+-ATPaseという酵素による．神経細胞の静止電位はおよそ−70〜−60mV，骨格筋や心筋では−90〜−80mVである．神経刺激はNaの細胞内への流入とKの細胞外への流出による膜電位の変化（膜分極）により生じる．

Na^+ポンプ：ATPのエネルギーを利用して，濃度勾配あるいは電気的勾配に逆らって物質を輸送するシステムをポンプとよぶ．Kの細胞内への取り込みはNa^+ポンプ（Na^+-K^+ポンプ）による．

■表Ⅳ-4-1 血清K濃度異常

低K血症：血清K値＜3.5mEq/L		
K摂取不足		飢餓，食欲減退，神経性やせ症
細胞内へのK移行増加		インスリン過剰，アルカローシス，低K血症性周期性麻痺，β交感神経刺激，中毒（バリウム，クロロキン）
K喪失	消化管からの喪失	嘔吐，下痢，下剤乱用，消化管瘻・消化液ドレナージ
	尿中への喪失	高アルドステロン症，Na喪失性腎症，糖尿病性ケトアシドーシス，腎尿細管性ケトアシドーシス，バーター症候群，薬（利尿薬，カルベニン，アムホテリシンB，アミノグリコシド，シスプラチン），Mg欠乏
発汗過剰		
偽性		
低K血症をきたす代表的な疾患		
腎性K喪失		クッシング症候群，原発性アルドステロン症，バーター症候群，尿細管性アシドーシス，ファンコニ症候群
消化管性K喪失		先天性肥厚性幽門狭窄症，ゾリンジャー・エリソン症候群，嘔吐・下痢性疾患
高K血症：血清K値＞5mEq/L		
K投与過多		K製剤過剰投与，輸血
細胞内からのK遊出		溶血性疾患，組織の破壊（外傷，火傷，腫瘍組織の破壊），アシドーシス，インスリン欠乏，ジギタリス過剰投与，β遮断薬，高K血症性周期性麻痺，高浸透圧
尿中K排泄障害（K排泄障害および再吸収🖉増加）		腎不全，低アルドステロン症〔下垂体前葉機能低下症，副腎不全，低レニン性，薬剤性（ACE阻害薬・ARB），ヘパリン，シクロスポリン〕
偽性		
高K血症をきたす代表的な疾患		
K排泄障害		急性および慢性腎不全
K再吸収増加		下垂体前葉機能低下症，アジソン病，偽低アルドステロン症
細胞内K遊出		溶血性黄疸

■表Ⅳ-4-2 血清K濃度異常の症状

低K血症	
神経障害	神経過敏，嗜眠，昏睡
筋肉障害	心筋：不整脈，心電図異常，ジギタリス中毒 平滑筋：麻痺性イレウス 横紋筋：四肢麻痺，筋肉崩壊・ミオグロビン尿症，呼吸麻痺
腎臓障害	水分排泄異常：ADH不応性尿崩症 Na排泄異常：Na再吸収障害，浮腫 酸排泄異常：HCO_3^-再吸収増加，NH_3^+産生亢進，肝性昏睡
代謝障害	糖代謝異常：耐糖能低下 窒素代謝異常：負のNバランス🖉
高K血症	
神経障害	知覚異常：しびれ感（舌，口周囲，四肢末端），意識障害
筋肉障害	心筋：不整脈，心電図異常，心停止 平滑筋：悪心・嘔吐，下痢，腸管痙攣 横紋筋：筋脱力感・筋力減退，テタニー[*1]，弛緩性麻痺，呼吸麻痺
腎臓障害	乏尿
代謝障害	代謝性アシドーシス，NH_3^+産生低下

[*1] 主として上肢前腕・指，下肢屈筋に生じる限局性の強直性痙攣．

✎MEMO

尿細管でのKの再吸収：Kの約60％は近位尿細管で再吸収される．また，副腎皮質から分泌されるアルドステロンは遠位尿細管〜集合管におけるNaの再吸収を促進するが，このときNaとの交換でKの排泄が増加する．

負のNバランス：食物から摂取するたんぱく質中の窒素（N）と，おもに尿中に排泄されるN化合物（たんぱく質・アミノ酸代謝の終末代謝産物）のNとの収支を窒素出納（Nバランス）という．負のNバランスは体たんぱく質が崩壊し減少している状況で，身体は異化状態（飢餓，栄養不良，火傷，外傷など）にある．

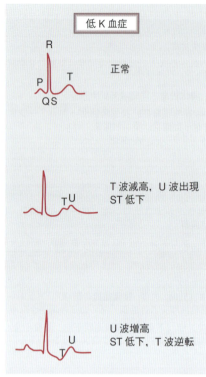
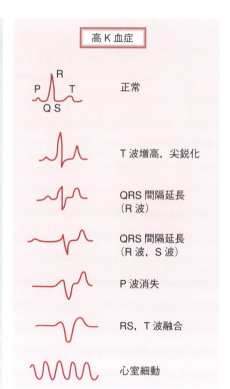

■図Ⅳ-4-1　血清K濃度異常による心電図変化

3 症 状

▶高度の高K血症は致死的不整脈をきたす．
▶高および低K血症の症状は，神経障害，筋肉障害，腎障害，代謝障害など多彩である．
▶表Ⅳ-4-2に血清K濃度異常の症状を示す．
▶血清K濃度異常は心筋の機能異常をきたし心電図に異常所見がみられるので，心電図により早期に血清K濃度異常を診断できる．
▶高K血症では，**テント状T波**とよばれる先鋭化した高く狭いT波がみられる．6.5 mEq/Lを超えるとQRSの幅の拡大が始まる．7〜8 mEq/LになるとPQ延長，QRSさらに拡大T波増高となり，さらに高い血清K濃度では心室性頻拍，心室細動から心停止へ移行する．

▶低K血症の心電図は，3.5 mEq/L以下では**T波平坦化**やU波がみられ，3 mEq/L以下ではST低下・逆転，U波の増大がみられる．
▶図Ⅳ-4-1に血清K濃度異常による心電図所見を示す．

4 鑑別診断

▶病歴，家族歴，薬歴，食歴が重要である．
▶**偽性**：白血球数・血小板数を測定する．
▶細胞内外へのK移動：pH，インスリン過多・欠乏，周期性四肢麻痺の存在，β交感神経刺激・遮断薬などを確認する．
▶K欠乏・過剰：腎機能検査，輸液内容，輸血，消化管出血・下痢，尿中K・Cl排泄量などを確認する．

📝MEMO
偽性：「偽性」は見かけ上の検査結果や症状に対して用いられる用語である．たとえば，偽性高K血症では，実際にはKは高くないのに採血方法や検体処理などの影響により検査結果として高K血症を示す場合，あるいは偽性副甲状腺機能低下症のように副甲状腺ホルモン値は正常であるにもかかわらず，副甲状腺ホルモンに対する各臓器の反応性の低下などによりテタニー発作，トルーソー現象などの副甲状腺機能低下症に典型的な症状を示す場合などに用いられる．

5 治療

■高K血症
▶血清K値が6mEq/Lを超えると、早急な処置が必要である。ただし、**慢性腎不全**で血清K値が徐々に上昇している場合には、危険性は少ない。透析患者では6～7mEq/Lでも無症状のこともけっして少なくない。

▶第一選択薬として、心機能の維持のためにカルシウム（Ca）製剤を点滴投与する。

▶体外へのK排泄を促すには、利尿薬投与、イオン交換樹脂投与（経口、注腸）あるいは、透析療法を行う。また、細胞内へのK移行を促進するには、重曹（NaHCO$_3$）の点滴静注によるアシドーシスの補正と、インスリンとブドウ糖の点滴静注を行う。

■低K血症
▶基本は原因の除去とK補充であるが、治療は血清K濃度により異なる。

▶K補充量は腎機能が正常であるか否かにより大きく異なる。

▶血清K濃度が2mEq/L以下と非常に低い場合は、5％ブドウ糖液とともに塩化カリウム液を点滴静注する。血清K濃度が2～2.9mEq/Lでは、低張性複合電解質液とともに塩化カリウム液を緩徐に点滴静注する。また、血清K濃度が3～3.4mEq/Lでは、経口剤の投与でよい。

6 栄養ケア

■高K血症
▶高K血症が栄養ケアで重要となるのは、慢性腎不全である。

▶慢性腎不全では、保存期から透析期にいたるまで高K血症は致命的不整脈、心停止をきたすため、水分過多による溢水 とともに食事療法の最重要課題である。

▶腎不全ではたんぱく質の摂取過剰は、代謝性アシドーシスが強くなり、細胞内のKが細胞外に移行する。

▶食事によるKの摂取量が少なくてもエネルギー摂取不足による異化亢進状態により、細胞内のKが細胞外に移行する。

▶たんぱく質の摂取過剰は、血中の尿素窒素（UN）・リン酸（HPO$_4^{2-}$、H$_2$PO$_4^-$）、Kの上昇をきたす。

▶果物、生野菜、いも、豆類はKが多い食品である。

▶血清K値が6mEq/L以上の場合には、摂取K量を1,500mg/日程度に制限する。

▶**低K食**のポイントは、野菜類や根菜類はカット、水にさらす・湯でこぼす、水切り・しぼるなどの前処理である。

▶コーヒーやココア、健康食品（クロレラ、青汁など）などの食事以外からのK摂取がないことの確認も大切である。

■低K血症
▶血清K値が2.9mEq/L以下の場合には、治療のところで記したように、経静脈的なK補給となる。

▶低K血症における栄養ケアの基本は栄養アセスメントである。

▶K摂取不足は食欲減退や神経性やせ症が原因であり、栄養不良の結果、低K血症に陥っているので、K補充のみでは栄養管理は十分ではない。

▶総合的な栄養状態の改善の結果、低K血症は改善されるが、ときには経口的K製剤を併用する。

MEMO

溢水：体内に水が過剰に貯留している状態が溢水である。血管内の水分量が増加（循環血液量増加）した場合には静脈圧は上昇し頸静脈の怒張がみられる。心拍出量は増加し高血圧となる。間質への水貯留を浮腫というが、重力の影響で浮腫は下肢によくみられる。肺の間質に過剰に水が貯留し、水が肺胞にも滲み出した状態を肺水腫という。肺水腫では強い呼吸困難がみられる。肺の間質には過剰に水が貯留してはいるが、肺胞には水が滲み出していない状態を肺うっ血という。

5 高・低カルシウム血症

1 症候の概要

▶カルシウム（Ca）は生命維持に必須であり，細胞内外において種々の重要な機能を担っている二価の陽イオン（Ca^{2+}）である（表Ⅳ-5-1）．

▶Caとリン酸の化合物である**ヒドロキシアパタイト**〔$3[Ca_3(PO_4)_2]Ca(OH)_2$〕として骨に存在し，Caの99％がヒドロキシアパタイトとして貯蔵されている．Ca不足により**骨軟化症**になる．

▶血清Ca濃度の恒常性は，図Ⅳ-5-1に示すように**活性型ビタミンD_3**（カルシトリオール：$1,25(OH)_2D_3$，以後VD_3と略す），副甲状腺ホルモン（PTH）およびカルシトニン（甲状腺から分泌）により維持されている．

▶VD_3は小腸からのCaの吸収促進，腎でのCa再吸収を促進することにより血清Ca値を上昇させる．また，PTHの産生・分泌，副甲状腺細胞の増殖を抑制する．骨芽細胞に作用し骨のリモデリングを促すとともに，骨の石灰化を促進する．

▶PTHは不活性型の**ビタミンDの活性化**促進，骨からのCa動員促進，腎でのCa再吸収を促進することにより血清Ca値を上昇させる．

▶カルシトニンは骨からのCa動員を抑制し，血清Ca値を低下させる．

▶血清Caの40％はたんぱく質（おもにアルブミン）結合Ca，10％は他の陰イオン（リン酸，クエン酸，炭酸イオン）との結合Ca，50％がCa^{2+}として存在している．生体内では，種々の機能を発揮するCa^{2+}が重要である．

▶通常は，血清の総Ca値とCa^{2+}値は連動しており，総Ca値の半分をCa^{2+}値と考えればよい．

▶しかし，血清Ca濃度はアルブミン濃度に影響される．血清アルブミン濃度が4g/dL以下では，以下の式により補正する．

- 補正Ca値（mg/dL）＝実測Ca値（mg/dL）＋〔4－血清アルブミン値（g/dL）〕

アシドーシスではたんぱく結合Caが減少し，アルカローシスでは増加する．

▶血清Ca濃度は，種々の単位で表現される．以下に単位の変換を示す．

- $A(mmol/L) = 2A(mEq/L) = 4A(mg/dL)$

2 病態

▶通常，血清Ca値が8.0mg/dL以下を低Ca血症という．一方，11mg/dL以上を高Ca血症という．血清アルブミン値が4g/dL以下

■表Ⅳ-5-1　Caの機能

体構成成分（99％）*	骨や歯
細胞内Ca	細胞膜の活動電位の制御，細胞の増殖・分裂・**アポトーシス**，筋細胞の収縮・弛緩，酵素活性の共同因子，エネルギー代謝，情報メッセンジャー
細胞外Ca	神経・筋肉の興奮性の調節，血液凝固，pHの調節

*残り1％が細胞内および細胞外に存在する．細胞内ではおもに小胞体に存在する．

MEMO

骨軟化症：骨軟化症は骨のカルシウムやリンなどのミネラル量が減少した骨の質的異常で，石灰化していない骨組織（類骨）が多量にみられる．小児ではくる病という（→p.163参照）．

ビタミンDの活性化：小腸で吸収されたVD前駆体は，皮膚における紫外線照射や肝臓における水酸化を受けたあと腎臓の近位尿細管において活性型VD_3（$1,25(OH)_2D_3$）に変わる．活性型VD_3は腸におけるCaの吸収を促進し，腎臓でのCaの再吸収を促進する．

アポトーシス：細胞自滅，枯死ともいう．遺伝子により制御された細胞死であり，細胞環境の維持にとって大切である．

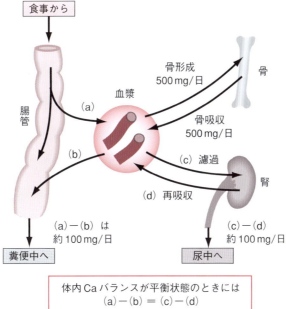
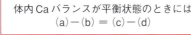
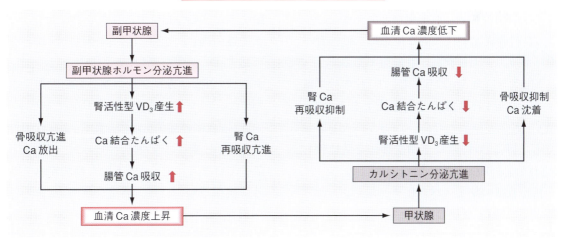

■図Ⅳ-5-1　体内Caバランスと血清Ca濃度調節

では実測値ではなく補正値で判断する．
▶高Ca血症の原因は，原発性副甲状腺機能亢進症，悪性腫瘍・骨転移，不動とくに早期，甲状腺機能亢進症，ビタミンD（VD）過剰および薬剤などである．
▶悪性腫瘍では，腫瘍が分泌するホルモンによるものと骨浸潤✎によるものがある．PTH様たんぱく質（PTHrP）を分泌する悪性腫瘍には，扁平上皮癌，腺癌，腎細胞癌や成人T細胞白血病などがある．
▶薬剤では，サイアザイド，テオフィリン，リチウムや，腎機能低下時服用の炭酸CaやVD₃製剤などである．
▶低Ca血症の原因は，VD代謝異常，副甲

✎MEMO

情報メッセンジャー（→p.156）：生体には正常に日常生活活動を営むためのダイナミックな情報ネットワーク機構が存在する．この機構が円滑に機能するためには多くの情報メッセンジャー（情報伝達物質）が関与している．Caは情報伝達物質の一つである．

骨浸潤：悪性腫瘍の広がりには浸潤と転移があり，転移にはリンパ行性，血行性，播種性がある．骨浸潤と表現される場合は，骨近傍の悪性腫瘍が周囲の組織を破壊しながら骨に悪性腫瘍が進入し発育する，いわゆる浸潤と骨への悪性腫瘍の転移による骨破壊状態の2つの意味をもつ．

■表IV-5-2　血清Ca濃度異常の症状

低Ca血症：神経筋興奮亢進
● しびれ感，痙攣，テタニー[*1]，線維束性攣縮[*2]，クボステック徴候[*3]，トルソー徴候[*4]，気管支痙攣，てんかん発作 ● 慢性ではうつ状態，認知症 ● 心電図：QT間隔延長
高Ca血症：クリーゼ
● 精神神経症状：思考力低下，錯乱，意識障害 ● 心血管症状：不整脈，高血圧 ● 筋症状：筋脱力，筋力低下，筋肉痛 ● 消化器症状：食思不振，食欲不振，悪心・嘔吐，便秘・下痢，腹痛 ● 全身倦怠感，多尿 ● 慢性では異所性石灰化 ● 心電図：QT間隔短縮，不整脈，心室細動・粗動，心停止

[*1] 主として上肢前腕・指，下肢屈筋に生じる限局性の強直性痙攣．
[*2] 主として上肢伸展側・肩甲骨，下肢，舌にみられる不随意に起こる筋線維束の収縮．
[*3] 眼輪筋・口輪筋を叩打すると一過性の顔面筋の痙攣が起こる．
[*4] 血圧計のマンシェットを上腕に巻き，最大血圧より3mmHg高く加圧，3分間後手に痙攣が生じる（テタニーの診断に重要な徴候．手の特有な痙攣を助産師の手と表現される）．

状腺機能低下，副甲状腺ホルモン抵抗性，急性および慢性膵炎，敗血症などである．
▶ **VD代謝異常**の代表的な疾患は，慢性腎不全，ネフローゼ症候群，肝疾患である．
▶ **Mg欠乏（低Mg血症）**は，PTHの分泌低下や骨のPTHに対する反応低下をきたし，低Ca血症の原因となる．一方，高Mg血症でも，腎におけるCa感知受容体を活性化し，PTH分泌抑制をきたし低Ca血症となる．
▶ **抗痙攣薬**のフェノバルビタールやフェニトインは，低Ca血症の原因となる．

3 症　状

▶ 軽度の高Ca血症では，ほとんど無症状であり，血液検査により発見されることが多い．血清Ca値が急激に11〜12mg/dLと上昇した場合には，高Ca血症**クリーゼ**と表現される急性症状をきたす．意識障害，精神・神経症状，心血管症状，筋症状，消化器症状（悪心，嘔吐）など多彩である．心電図ではQT間隔の短縮がみられ，不整脈や心室細動・粗動をきたし心停止に至ることもある．
▶ 慢性の高Ca血症では，**異所性石灰化**をきたす．
▶ 高Ca血症はカルシトニンの分泌亢進をきたす．
▶ 低Ca血症の症状出現は，低Ca血症が急性かあるいは緩徐にきたしたのかにより異なる．急性では軽度のCaの低下でも症状がみられる．緩徐な場合には，高度な血清Ca値の低下でも無症状の場合がある．
▶ 低Ca血症のおもな症状は，神経・筋組織の興奮性の増大である．脱力，しびれ感，痙攣，テタニー，線維束性攣縮，クボステック徴候，トルソー徴候，気管支痙攣，**てんかん発作**などがみられる．心電図では，QT間隔が延長する．
▶ 慢性の低Ca血症では，うつ状態や認知症をきたす．
▶ 慢性腎臓病患者の二次性副甲状腺機能亢進症は，長期的には血管を含む全身の石灰化を

MEMO

異所性石灰化：骨以外の関節，筋肉，皮下，血管・心臓の弁膜など，種々の組織に異所性に石灰沈着が生じている病態を異所性石灰化という．この病態をきたすおもな疾患は腎不全である．腎不全ではVD活性化障害による二次性副甲状腺機能亢進症により骨の脱灰をきたし，異所性に石灰沈着を生じる．

てんかん発作：痙攣とは，何らかの中枢神経系の異常で発作的に筋肉が収縮する状態で，発作の始まりと終わりがある．てんかんは，大脳神経細胞の異常放電により発作性の筋肉の痙攣，意識・知覚異常をきたす病気である．てんかんの大発作は強直性・間代性発作であり，発作後深い眠りに入る．

介して生命予後にも影響することから，慢性腎臓病にともなう骨ミネラル代謝障害（CKD-MBD）として注目されている．
▶表Ⅳ-5-2に血清Ca濃度異常の症状を示す．
▶低Ca血症ではPTHの分泌亢進をきたす．

4 鑑別診断

▶血清Ca濃度異常の鑑別診断では，病歴，家族歴，薬歴，生活習慣（不動，偏食）が重要である．
▶血液検査では，血清PTH，VD$_3$，無機リン，Mg，重炭酸イオン（HCO$_3^-$）およびカルシトニンの測定を行う．
▶尿中Ca排泄量の測定を行う．
▶高度の高Ca血症（13mg/dL以上）では悪性腫瘍を疑う．

5 治療

■高Ca血症
▶まず原疾患を検索のうえ，その治療が主体である．
▶血清Ca濃度低下作用や破骨細胞機能抑制作用を有するカルシトニン製剤の投与を行う．
▶ビスホスホネート系骨吸収抑制薬は，悪性腫瘍や骨ページェット病あるいは骨粗鬆症のときに投与される．

■低Ca血症
▶急性の場合には，グルコン酸Caを緩徐に静脈内投与する．
▶慢性的な低Ca血症には，Ca製剤と活性型VD製剤を投与する．

■CKD-MBDの場合
▶CKD-MBDでは，高あるいは低Ca血症，高リン血症，VD$_3$低下などを総合的に適切に補正することが重要である．
▶不適切な補正は，PTH分泌過多，線維性骨炎，心血管石灰化のみならず，副甲状腺過形成となり保存的治療では管理不能となる．

6 栄養ケア

■高Ca血症
▶ほとんどの高Ca血症は，食事により是正することは困難であり薬物治療に委ねる．

■低Ca血症
▶食事ケアの基本は，栄養アセスメントである．食事調査によりCa摂取目標量が充足しているか，摂取したCaの吸収障害（膵炎，吸収不全症候群，喫煙）や尿中排泄を促進させる因子（過量のNaおよびカフェイン）はないかなどを確認する．
▶Caは牛乳，乳製品，海草，小魚類などから摂取される．
▶VDを多く含む肝臓・卵黄・魚類・バターやプロVDを多く含むきのこ類を摂取する．
▶食物中のCaとPの比は1：1程度がもっともCaの吸収効率がよい．
▶脂質の吸収障害，シュウ酸含有食材摂取（ほうれんそうなど），Caに比して多いリン摂取（加工食品は食品添加物として多量のリンを含有）などはCaの吸収を阻害する．

■CKD-MBDの場合
▶生命予後を指標とした場合，血清無機P値，血清Ca値，血清PTH値の順で寄与度が高いことが知られている．
▶血清P値のコントロールが最優先され，その後血清Ca値，続いてPTH値のコントロールが行われる．

📝**MEMO**

（高Ca血症の）原疾患：副甲状腺機能亢進症，ビタミンD過剰，サルコイドーシス，悪性腫瘍，多発性骨髄腫，不用性骨萎縮，骨ページェット病．

骨ページェット病：いずれの骨にも罹患する，原因不明の慢性疾患である．罹患骨局所の骨代謝回転が亢進している．
CKD-MBD：CKD-mineral and bone disorder. 慢性腎臓病に伴う骨ミネラル代謝異常．

6 高・低リン血症

1 症候の概要

▶リン（P）はCa塩, Mg塩として骨や歯に存在するばかりでなく, あらゆる細胞の構成成分である.
▶骨・歯に80%が存在し, 19%は**軟部組織**（細胞内陰イオン）にあり, 1%が細胞外液に存在する.
▶Pの恒常性は, **腎臓・腸管・骨による調節機構**により維持されている.
▶P代謝のもっとも重要な臓器は腎臓であり, 血清P濃度の調節因子として食事のPが重要である.

▶図Ⅳ-6-1にPの体内動態を示す.
▶Pは骨・歯の成分, 核酸・リン脂質・リンたんぱく質・ヌクレオチドの構成成分, エネルギー中間体（ATP）の生成, 水溶性ビタミンの補酵素への変換, リン酸緩衝系としてpH維持など種々の重要な役割を担っている.
▶Pの小腸（空腸）での吸収は, ①**Na依存性P輸送担体**（Na/Pi共輸送体）による能動輸送機構（もっとも多く吸収し, 50〜60%を占める）, ②濃度勾配による**拡散輸送機構**, ③分泌機構（腸上皮細胞内Pの腸管腔への分泌機序の詳細は不明）によって調整される.

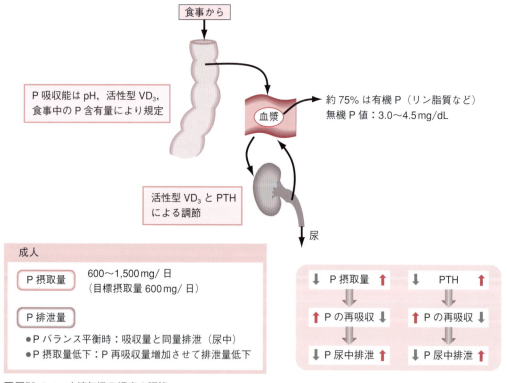

■図Ⅳ-6-1 血清無機P濃度の調節

MEMO

軟部組織：解剖学・病理学用語である. 骨組織を除く線維組織, 脂肪組織, 血管, 筋肉（横紋筋・平滑筋）および末梢神経組織などの結合組織の総称である.
腎臓・腸管・骨による血漿P値調節機構：Pの恒常性は主として, 腎臓・骨・腸管による調節機構で維持されている. 血中無機P濃度を調節するうえで, もっとも重要な役割を果たしているのが尿中P排泄であり, 尿細管でのP再吸収機構で規定される. 腎臓でのP輸送には副甲状腺ホルモン（PTH）, 1,25(OH)$_2$D$_3$および骨から分泌されるFGF23（fibroblast growth factor 23）など種々のP代謝調節因子が関与する.

■表Ⅳ-6-1　血清P濃度異常

低P血症：血清P値＜2.5mg/dL	
腎での再吸収低下	副甲状腺ホルモン分泌過多，尿細管性アシドーシス，ファンコニ症候群，ウイルソン病，グルココルチコイド過剰，腎移植後，アルコール中毒
腸管での吸収低下	VD不足・作用障害（くる病，骨軟化症），低栄養，吸収不良症候群，制酸薬（アルミゲルなど）服用，アルコール中毒
骨・細胞内移行	副甲状腺腫切除術後，骨形成性骨転移，呼吸性アシドーシス，低栄養患者への炭水化物投与，糖尿病性ケトアシドーシス治療中
高P血症：血清P値＞4.5mg/dL	
腎での排泄障害	急性および慢性腎不全
腎での再吸収増加	副甲状腺ホルモン分泌低下，副甲状腺ホルモン受容体障害
腸管での吸収過剰	VD中毒
骨・細胞内からの遊出	骨融解（廃用性骨萎縮，骨折，悪性腫瘍骨転移，多発性骨髄腫），横紋筋融解症，アシドーシス

▶**腸管でのP吸収能**は腸管内のpH，活性型VD₃，FGF23，**食事中のP含有量**により規定される．Ca同様VD₃は吸収を亢進する．
▶腎からの排泄はPTH，FGF23により増加する．腎での再吸収促進はVD₃による．
▶Pの摂取量が減少すると糸球体で濾過されたPのほとんどすべてが再吸収され，一方，摂取量が多いときには過剰なPは尿細管で再吸収されることなく尿中へ排泄され，体内のPのバランスは維持される．
▶血清中のPの総量の約75％は有機Pで，とくにリン脂質と結合している．
▶通常，血清P値は無機P（HPO_4^{2-}，$H_2PO_4^-$）を測っている．
▶血清P濃度は，腸管からのPの吸収，体内での利用とP化合物の異化および尿中への排泄などが関与するが，日内変動や年齢変動がある．
▶食後では，インスリンの作用により，Kとともに細胞内に移行し血清P値は低下する．
▶アルカローシスでもPは細胞内に移行する．
▶一般に，CaとPは負の相関関係にあり，

Caが高くなればPは低くなり，Caが低くなるとPは高くなる．

2　病態

▶血清P値が2.5mg/dL以下を低P血症，4.5mg/dL以上を高P血症という．
▶高P血症の原因は，腎におけるP排泄障害あるいはP再吸収増加と骨からのPの遊出であるが，腎機能が正常であれば高P血症は起こりにくく，高P血症の最大の原因は腎機能低下である．
▶**透析治療**を必要とする末期腎不全患者において**高P血症**は心血管死，全死亡のリスクであるが，透析導入前の慢性腎臓病患者においても高P血症は心血管疾患や死亡のリスクであることが知られている．
▶低P血症の原因は，腸管での吸収低下，骨や細胞内への移行，腎での再吸収障害などである．
▶表Ⅳ-6-1に血清P濃度異常をきたす病態を示す．

MEMO

腸管におけるP吸収の調節機構：1,25(OH)₂D₃は小腸のPの吸収を促進するが，腸管にはPTH受容体が存在しビタミンDを介さない経路で直接腸管P吸収を促進する．FGF23はビタミンDを介しP吸収を抑制する．そのほか，EGF（epidermal growth factor），グルココルチコイド，甲状腺ホルモン，スタニオカルシン，TNF-αなども腸管P吸収調節因子と考えられているが，これらの役割の詳細は不明である．
食事中のP含有量と腸管P吸収：食事性P含有量は腸管P吸収活性の重要な調節因子である．食事性のP含量増加はP吸収活性を抑制し，P含量の低下は促進する．

■表Ⅳ-6-2　透析患者の高P血症がもたらす病態

- 副甲状腺に対する作用：PTH分泌亢進，過形成→二次性副甲状腺機能亢進症
- 骨代謝障害：骨吸収の亢進（線維性骨炎）
- 異所性石灰化
- 血管石灰化・動脈硬化症→心血管系疾患・心血管死*

*心疾患や大動脈瘤など心血管病変による死亡．

3 症状

▶高P血症では，低Ca血症をきたし，テタニーなどの低Ca血症の症状がみられる．

▶高P血症が重要な位置を占めるのは，高度な高P血症をきたす腎機能低下時である．

▶透析患者では，高P血症が生命予後の有意な危険因子であることが知られている．

▶高P血症はPTHの分泌亢進をきたし，全身に異所性石灰化を惹起する．動脈の内膜下および中膜に生じた石灰化は血管の弾性・伸展性低下をきたし，全身各臓器の血流障害・虚血・機能障害を引き起こす．

▶透析患者の高P血症がもたらす多彩な症状を表Ⅳ-6-2に示す．

▶低P血症では筋力低下，筋肉痛，知覚障害，不安感，意識障害がみられる．

▶低P血症はエネルギー中間体であるATPをはじめとした細胞内のいろいろなP化合物の欠乏をきたし，あらゆる細胞が機能障害に陥る．

4 鑑別診断

▶血清P濃度異常の鑑別診断では，病歴，家族歴，薬歴，生活習慣（不動，偏食・アルコール）が重要である．

▶血液検査では，PTH，活性型VD$_3$，CaおよびpHの測定を行う．

▶尿中P排泄量の測定を行う．

▶画像診断により骨病変の有無を確認する．

▶種々の疾患により血清P濃度異常をきたすので，上記以外に病状にあわせ尿中コルチゾール排泄量や悪性腫瘍の検索などを行う．

5 治療

■高P血症

▶低P食とともにP吸収阻害薬（P吸着薬）の投与，透析療法が行われる．

▶透析患者に対する血清P値上昇抑制薬は，消化管中のPを吸着し腸管からの吸収を抑制するものと，腸管におけるP吸収機構を障害するものに分類できる．

▶P吸収阻害薬にはCa系（炭酸Ca，乳酸Ca，酢酸Ca）と非Ca系（塩酸セベラマー，炭酸ランタンなど）があり，P吸収抑制薬にはNHE3阻害薬のテナパノールがある．

■低P血症

▶急性では，経静脈的に緩徐にP含有輸液を投与する．

▶慢性では，原疾患の治療とともにPの経口投与を行う．Pの経口摂取時には，Caとのバランスが重要となる．

📝MEMO

細胞内のP化合物：PはATP，ADPなどのエネルギー代謝，DNAやRNAなどの核酸代謝に必須の物質である．

P吸収阻害薬（P吸着薬）：高P血症は透析患者においては生命予後に関与する重大な合併症である．慢性腎臓病（CKD）ではCKDにともなう骨ミネラル代謝異常という概念のもとに血清P値の管理が重要課題である．おもなP吸収阻害薬はCa系P吸収阻害薬（炭酸Caなど），合成ポリマーの塩酸セベラマーやビキサロマー，炭酸ランタン，鉄含有リン吸着剤のスクロオキシ水銀化鉄やクエン酸第二鉄などである．

6 栄養ケア

■高P血症

▶P摂取量🖉と食品に含まれるPにつき，知る必要がある．

▶Pは多くの食品に含まれ，加工食品を多用する現在では通常P不足はほとんどないと考えられるが，過剰摂取が危惧される．しかし，腎機能が正常であれば過剰摂取された必要のないPは尿中に排泄される．

▶Pの過剰摂取の原因には，コンビニエンスフードや調理済み食品の増加にともない，リン酸添加物を含む加工食品の消費の増加，あるいはリン酸を含む清涼飲料水の消費の増加など，さまざまな要因がある．

▶保存療法期の慢性腎臓病では，食事性のPの多少が残腎機能に大きく影響する．低P食は残腎機能の低下を抑制する．

▶透析患者では，透析治療前の血清P値を3.5〜6.0mg/dL（目標値）にコントロールすることが求められている．

▶目標値を超えている場合には，低P食も考慮する．

▶たんぱく質中にはPが多く含まれており，低たんぱく食にすることで低P食ともなる．

▶たんぱく質・P制限食は，低アルブミン血症やCaおよび鉄摂取量の低下を招きやすいことに留意する．

■低P血症

▶第一に実施するのは，食事摂取量の調査である．

▶嗜好品を取り入れ，食べやすい食形態・温度などとともに，食事時間の習慣づけと食事環境の整備も大切である．

▶喫食率が不良の場合には，一時的に経腸栄養食品の併用も考慮する．

補遺 Appendix　くる病

■概要・分類

▶骨や軟骨の石灰化障害により類骨（石灰化されない骨基質）が増加する病気で，骨端線閉鎖前の小児に発症したものは「くる病」，骨端線閉鎖後に発症したものは「骨軟化症」とよばれる．

▶①ビタミンD欠乏症性くる病，②低リン血症性くる病・骨軟化症（家族性🖉，腫瘍性，ファンコニー症候群，未熟児くる病あるいは糖尿病性ケトアシドーシスなど多彩），③ビタミンD依存性くる病（I型およびII型）に分類される．

▶ビタミンD依存性くる病I型は腎臓での25(OH)Dから1,25(OH)$_2$Dへの変換が欠損しているか障害されている常染色体性劣性疾患であり，II型は1,25(OH)$_2$Dレセプターの突然変異である．レセプター機能不全により，1,25(OH)$_2$Dが十分であっても無効である．

📝MEMO

P摂取量：P摂取量については，推定平均必要量および推奨量を算定するのに十分な科学的根拠が得られず，推奨量（RDA：recommended dietary allowance）は策定されていない．目安量（AI：adequate intake）と耐容上限量（UL：tolerable upper intake level）が策定されている．「日本人の食事摂取基準（2025年版）」では，Pの目安量を18歳以上の男性は1,000mg，女性は800mgと策定した．Pの成人耐容上限量は3,000mg/日と策定された．

家族性低リン血症性くる病：責任遺伝子の違いにより4つの病型に分かれる．

7 アシドーシス，アルカローシス

1 症候の概要

▶エネルギーの供給には過剰な酸（H^+およびCO_2）の産生がともなう．三大栄養素の代謝によりエネルギー中間体のATPの産生とともに炭酸（H_2CO_3）が生じ，たんぱく質からは硫酸やリン酸などの酸も生じる．生成された酸は体外に排泄され，血液の酸塩基平衡の恒常性は維持されている．炭酸は速やかにCO_2と水になりCO_2は肺から排出され，硫酸やリン酸などの酸は腎臓から排泄される．

▶酸塩基平衡（pH）の調節は主として肺と腎臓で行われる．pHは腎臓がおもな産生部位であるHCO_3^-濃度と呼吸調節によるPco_2により決まる．動脈血のpHは弱アルカリ性に保たれており（表Ⅳ-7-1），基準値は7.35～7.45である．

▶血液のpHを調節しているのは主として炭酸-重炭酸イオン緩衝系（90％）である．そのほか，ヘモグロビン系（8％）やたんぱく質系（1.6％），有機リン酸系（0.3％）などの緩衝系がある．

▶HCO_3^-の異常を代謝性障害といい，CO_2の異常を呼吸性障害という．4つの酸塩基平衡障害の型がある（図Ⅳ-7-1）．実際には，これらの合併した混合性酸塩基障害が多くみられる．

▶Naと水分の喪失により血液が濃縮されると，HCO_3^-の喪失がないので代謝性アルカローシスとなる．

▶細胞外液のK^+とH^+は相互に影響している．H^+が増加すると，これを抑制するために細胞内液のK^+と交換にH^+を細胞内に取り込み，反対に細胞外液のH^+の低下はK^+の低下をきたす（H^+の低下によりpHが0.1上昇するとK^+は0.6mEq/L低下する）．

▶血清のアニオンギャップ（AG：anion gap）は，$AG = Na^+ - (Cl^- + HCO_3^-)$のように定義され，主たる陰イオンの$Cl^-$と$HCO_3^-$を除く他の陰イオンから$Na^+$以外の陽イオンを引いたものに相当する．AGの基準は12±2mEq/Lである．

▶AGの組成は，血漿中のアルブミンと乳酸，リン酸，硫酸，ケトン体などである．AGの増加は正常のアルブミン濃度であれば，酸の増加を意味しており，代謝性アシドーシスの存在を示す．代謝性アシドーシスの鑑別にはAGの測定が有用である．

■表Ⅳ-7-1 動脈血ガスと静脈血ガスの比較

	動脈血（実測値）	静脈血（実測値）
pH	7.40（7.37～7.43）	7.37（7.32～7.38）
Po_2（Torr）	95（95～98）	40（40～42）
Pco_2（Torr）	40（36～44）	48（42～50）
HCO_3^-（mEq/L）	24（22～26）	26（23～27）
BE（mEq/L）	0	2.0
O_2 Sat（％）	96（96～99）	75（70～75）

MEMO

呼吸調節：細胞呼吸により産生されたCO_2は呼吸により肺から排泄される．pHの恒常性維持には腎臓とともに呼吸機能が重要である．肺は換気，換気血流比，拡散の3つの重要な因子によりPo_2・Pco_2調節を行っているが，Pco_2に影響を与える因子は肺胞換気量で，Pco_2の蓄積は肺胞換気量の障害である．

アニオンギャップ：陰イオンギャップと同義．通常の血清電解質測定ではPO_4^{-2}やSO_4^{-2}は測定されない．そのためアニオンとカチオンは測定値からは同数にはならない．そこで，アニオンギャップ（AG）＝$Na^+ - (Cl^- + HCO_3^-)$と定義された．AGが上昇するのはケトン体などの陰イオンが増加する場合である．

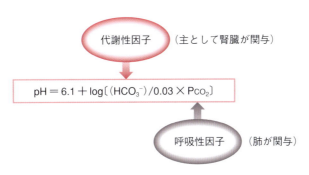

■図Ⅳ-7-1　酸塩基平衡障害の4つの基本型
*4つの基本型の酸塩基障害には，細胞外液のpH変化を最小限に止めようとする代償作用がともなう．たとえば，代謝性アシドーシスでは呼吸促進によりPco₂が低下する（代償性呼吸性アルカローシス）．この代償機能は生体の恒常性維持機能・防御反応である．

▶血清アルブミン値の1g/dLの低下はAG 2.5mEqLの低下をきたす．AGを求める際には常にアルブミン値による補正が必要である．

・補正AG＝実測AG＋（4－アルブミン）×2.5

▶生体では基本型の酸塩基障害をきたすと，代償作用によりpHの異常を最小限にする．代謝性アシドーシスでは，呼吸促進によりP_{CO_2}の低下をきたし代償性の呼吸性アルカローシスとなる．実際，糖尿病患者のケトアシドーシス性意識障害時には呼吸数が増加し深い呼吸（**チェーン・ストークス呼吸**）となっている．

2　病態

▶pHが7.35以下をアシドーシス，7.45以上をアルカローシスという．
▶アシドーシス，アルカローシスは，血液が酸性あるいはアルカリ性になるような病態や過程を示す言葉である．
▶アシデミアは血液のpHが基準値より下がった酸性側に傾いた状態を示す言葉であり，アルカレミアは血液がアルカリ側に傾いている状態を示す言葉である．血液の酸性あるいはアルカリ性の状態を示す言葉である．
▶代謝性アシドーシス（HCO_3^-低下時）は酸産生過剰および酸排泄障害などで起こる．
▶酸産生過剰による代謝性アシドーシスは，ケトアシドーシス，乳酸アシドーシスや薬剤などでみられる．
▶酸排泄障害による代謝性アシドーシスは，慢性腎不全や尿細管性アシドーシスなどでみられる．
▶高K血症，下痢，回腸瘻・人工肛門，低アルドステロン症においても代謝性アシドーシスをきたす．また，アミノ酸製剤とくにアミノレバン®投与時にも代謝性アシドーシス

MEMO
チェーン・ストークス呼吸：呼吸期と無呼吸期が周期的に繰り返される．始め小さく呼吸が起こり，しだいに大きな呼吸となり，さらに深い呼吸となったあと，再び無呼吸となる．重症の腎疾患・心疾患・脳疾患や薬物中毒などで観察される．

■表IV-7-2 酸塩基障害の原因

代謝性アシドーシス	
腎臓からの酸排泄障害	腎不全，遠位尿細管性アシドーシス，低アルドステロン症
酸の負荷	体内負荷：ケトアシドーシス（糖尿病，飢餓，アルコール中毒） 乳酸アシドーシス（低酸素，ショック，ビタミンB_1欠乏） 体外負荷：サリチル酸やメチルアルコールなどの中毒
腎臓からHCO_3^-の喪失	近位尿細管性アシドーシス，副甲状腺機能亢進症，ダイアモックス投与
腸管からHCO_3^-の喪失	下痢，膵液・胆汁のドレナージ，回腸瘻・人工肛門，尿管結腸瘻
代謝性アルカローシス	
水素イオン（H^+）過剰喪失	腎からの喪失：原発性アルドステロン症，副甲状腺機能低下症，利尿薬 腎以外からの喪失：消化管（嘔吐，胃液の吸引） 便中（先天性下痢性アルカローシス） 細胞内移行（低K血症）
HCO_3^-過剰	$NaHCO_3$過剰投与，大量輸血，ミルクアルカリ症候群
血液濃縮	脱水症，利尿薬
呼吸性アシドーシス	
呼吸中枢抑制	高CO_2時のO_2投与，中枢神経疾患，薬（麻酔薬，鎮痛薬）
肺胞でのガス交換障害	拘束性，閉塞性および混合性換気障害
呼吸筋や障害	筋麻痺胸壁，胸椎強度彎曲，胸腔内異常（胸水，気胸，血胸，膿胸），ピックウィック症候群
呼吸性アルカローシス	
過換気による低CO_2血症	過換気症候群
低O_2血症	心臓疾患，肺疾患，高度貧血
呼吸中枢障害	脳炎，髄膜炎，脳出血，頭部外傷
代謝異常	甲状腺機能亢進症，グラム陰性菌感染症，肝硬変
薬物中毒	サリチル酸，パラアルデヒド

に注意が必要である．

▶代謝性アルカローシス（HCO_3^-上昇時）は，嘔吐・胃液吸引，二次性および偽性アルドステロン症，低K血症，重曹投与，大量輸血などでみられる．

▶呼吸性アシドーシス（Pco_2上昇時）は，肺炎や喘息・肺気腫でみられる．

▶呼吸性アルカローシス（Pco_2低下時）の代表的なものに過換気症候群がある．

▶混合性酸塩基障害は，基本の4つの酸塩基障害のいずれか2つ以上が合併した状態である．有機酸製剤のサリチル酸中毒では細胞障害や呼吸中枢刺激をきたすが，前者による代謝性アシドーシスと後者による呼吸性アルカローシスの混合性酸塩基障害を惹起する．

▶表IV-7-2に酸塩基障害の原因を示す．

3 症　状

▶アシデミアでは，高K血症，不整脈，心機能低下，末梢血管機能低下などとともに，長期的には骨融解や腎障害の進行などさまざまな症状・徴候をきたす．

▶アルカレミアでは，低K血症，Ca低下によるテタニー，末梢での低酸素血症をきたし，また<u>肝性昏睡</u>では，低K血症に引き続く

> **肝性昏睡**：肝細胞機能不全と門脈‒大循環短絡による肝不全にともなう精神神経症状と定義される．発生因子としてアンモニア説，多因子説，GABA説などあるが，明確には不明である．原因の大多数は肝硬変である．昏睡度はI（軽度）〜V（深昏睡）に分類される．

> **血液ガス分析**（→p.167）：抗凝固薬が添加された採血管（シリンジ）を用いて，大腿動脈（鼠径部），上腕動脈（肘），橈骨動脈（手首）などから採血する．採血後ただちに血液ガス分析器で測定する．採血シリンジ内に気泡があるとPo_2は上昇，Pco_2は低下するので，できるだけ検体が空気に触れないようにする．

■表Ⅳ-7-3 酸塩基平衡異常が生体に及ぼす悪影響

アシドーシスの悪影響	アルカローシスの悪影響
高K血症 不整脈の出現 心筋収縮力の低下（とくにβ拮抗薬あるいはCa拮抗薬の存在下） 末梢血管の拡張⇒ショック 肺水腫 骨融解 筋肉の異化 腎障害の進行（補体の活性化），腎石灰化，尿路結石	低K血症 テタニー 脱水（HCO_3^-排泄時にNa牽引） 末梢神経の低O_2血症（酸素解離曲線の左方移動） 脳血管の収縮 肝性昏睡の悪化 心臓への影響（冠動脈血流低下，不整脈，ジギタリス中毒）

(Gennari FJ, et al：Acid-base disorders and their treatment, Taylor & Francis, 2005より)

アンモニア産生増加により症状の悪化をきたすなどさまざまな症状・徴候がみられる．
▶表Ⅳ-7-3に酸塩基平衡異常が生体に及ぼす悪影響を示す．

4 鑑別診断

▶アシドーシスおよびアルカローシスの鑑別診断は血液ガス分析につきるが，いろいろな疾患で酸塩基異常が生じることを理解する必要がある．

5 治療

▶原疾患の治療が優先される．
▶輸液による補正を必要とする．
▶代謝性アシドーシスでは，HCO_3^-の欠乏量を推定し，まず欠乏量の1/3～1/2を投与し，その後は緩やかに補正を続ける．
- HCO_3^-の欠乏量（mEq/L）
 ＝（目標HCO_3^-濃度－実測HCO_3^-濃度）
   ×体重×0.5

補正には，$NaHCO_3$液が用いられる．

▶代謝性アルカローシスの治療は，尿中のCl濃度により異なる．
- Cl濃度10mEq/L以下の場合（Cl反応性代謝性アルカローシス）：低K血症があればK投与による補正を，脱水があればNaおよび水分を補給する．
- Cl濃度20mEq/L以上の場合（Cl抵抗性代謝性アルカローシス）：原疾患の治療とともに低K血症に対するK補給を行う．

▶呼吸性アシドーシスおよび呼吸性アルカローシスでは，呼吸不全をきたしている原疾患の治療である．
▶過換気症候群による急性呼吸性アルカローシスでは，精神的鎮静と息を吐く時間を長めにとることが有効である．

6 栄養ケア

▶糖尿病や慢性腎臓病などの経過中には食事管理の不適切が代謝性アシドーシスをきたし，脳障害を起こしかねないことを周知し，食事内容の調査を定期的に行う．

MEMO

輸液による補正：輸液とは水分，電解質，栄養素などを水溶液（特殊な脂肪乳剤もある）のかたちで静脈内に点滴投与することであり，「何を」「どのくらいの量」「どこから」投与するかを考慮する．輸液の目的は大きく2つに分かれ，1つは体液の量的・質的補正，もう1つは栄養の維持あるいは補給である．

$NaHCO_3$液（重炭酸ナトリウム溶液，メイロン）：市販されている$NaHCO_3$液は，8.4％と7％の濃度のものがある．この中には，HCO_3^-がそれぞれ1mEq/mL，0.835mEq/mL含まれているが，大量のNaも含まれている．そのために，メイロン投与時には高Na血症に注意が必要である．

8 熱傷

1 症候の概要

▶体表面の皮膚に熱が及ぼす外傷であるが，身体部位によっては皮膚以外の臓器に障害が及ぶ．
▶炎や熱風などの気体の接触，熱湯や油など液体の接触，熱溶解する前の金属など固体の接触によって受傷するが，体内では吸気によって気道に入った煙でも受傷する．

2 症状

▶熱によって皮膚に起こる障害で，温度，暴露時間などによって，病状が異なり，深さによって，発赤，水疱，黒色変化を示す．熱傷は体表面の外傷であるが，口の近くなど内臓の開口部近傍では受傷する位置によっては臓器障害が強く現れるため，注意が必要である．一般的に受傷面積が大きいときに全身への影響が大きくなり，合併症としての臓器障害が発症しやすくなると考えてよいが，火災で発生したガスを吸入した場合，高温でなくとも熱傷と類似した全身反応が現れることがあるため，熱傷と同様の全身管理を開始する．
▶熱傷によって各種炎症性メディエーターによって全身性炎症反応が惹起され，大きな代謝変動の引き金になるため，全身管理は必須である．熱傷の重症度は受傷範囲と深度によって規定され，予後には年齢的な要素も大きく影響する．重症熱傷では，急性期には血管外へ体液の著しい移動が生じ，高度な全身性浮腫を生ずる．循環血液量は著しく減少し，血液は濃縮する．この時期には，大量の電解質輸液を行わなければ，ショックから臓器障害，死亡という転帰をたどる．輸液は24時間で20Lに達することもあり，24時間で20kg近い体重増加がみられることになる．急性期には，内因性のエネルギーが動員され，血中のグルコース，アミノ酸，脂肪酸の濃度は著明に増加する．
▶急性期を脱した後に上皮化していない組織が残存する症例では，全身的炎症反応が遷延し，臓器障害や感染症などの合併症の頻度が増加する．

3 鑑別診断

▶熱傷の深さは，Ⅰ度（発赤），Ⅱ度（水疱），Ⅲ度（全層性）に分けられ，その広さは，体表面積に占める割合（％）で表す．この広さと深さから算出する熱傷指数が重症度評価に使用される．さらに，高エネルギー電撃症や化学熱傷も熱傷の一部と位置づけられる．

4 治療

▶急性期はショックなど全身状態の異常に対する治療と感染防止を中心とする局所治療を行う．重症度判定に基づいて，気道熱傷があれば呼吸管理，肛門周囲の受傷があれば排便管理を行う．局所治療としては受傷深度に合わせたクリーム軟膏治療と全身状態の悪化を防ぐために壊死皮膚を除去し，植皮を行う．
▶急性期は全身への侵襲によって腸管浮腫や

MEMO

炎症性メディエーター：ブラジキニン，セロトニン，ヒスタミン，プロスラグランジン，ロイコトリエンや炎症性サイトカイン（TNF-α，IL-1β，IL-6など）の生理活性物質のことで血管透過性亢進，血管拡張，白血球の遊走・浸潤，組織破壊などの作用を引き起こす．

熱傷指数（burn index）：一般的に成人で体表面積の30％以上，幼小児で15％以上の場合を重症熱傷と定義される．

自律神経失調が起きているため，腸管を使用した栄養が困難であることが多い．急性輸液療法に引き続いて完全静脈栄養を行う．急性期は内因性のエネルギーが動員され，血中のグルコース，アミノ酸，脂肪酸の濃度は増加しているので体外からの投与は慎重に行う．

▶気道熱傷がなく，消化器に異常がなければ，早期から経口摂取がスタートできる．

▶数日内に受傷前の食生活に戻れる場合は，急性侵襲期を乗り切るための基本治療で十分であるが，食事開始後に合併症が予想される場合や経口摂取が困難な場合は特殊栄養法を含めた栄養管理の準備が必要となる．熱傷指数が10～15以上を重症熱傷として集中治療の適応となり，栄養管理の対象となる．

▶高度な脱水と血清たんぱくの血管外逸脱が起きるため，バイタルサイン（呼吸，脈拍，血圧）のみならず，尿量，体温，体重，身体組成の計測が指標となる．血液データとしては，血清アルブミン値，rapid turnover protein，CRP，BUN，ChE，アミノ酸分析などを指標とする．栄養素の必要量を算出する際は，間接カロリーメトリーによって正確な栄養管理が可能となる．窒素平衡を算出し，体内の窒素が失われている状態を把握する．

▶栄養投与は，経口摂取が基本であり，口腔をはじめとする消化管に異常がないときには，できるだけ早く経口摂取を開始する．たとえ経口投与が不可能な症例でも経腸栄養法を積極的に行うことで，臓器障害を軽減することができる．カテーテルの入口は外傷の影響がない場所とし，多くは経鼻だが，数週間以上にわたる場合は，胃瘻などを造設する．しかし，胃がない場合や腹水がある場合などには経食道的胃瘻留置を行う．この経管栄養カテーテルの先端は胃や空腸であるが，胃よりも蠕動が維持されやすい小腸を使用すると早期の開始が可能となる．

▶経静脈ルートは合併症の発生から，中心静脈よりも末梢静脈が使用される．

▶全身状態の悪い症例では腸内細菌の異常が特徴的である．広範囲熱傷患者の生存例では，全身状態の改善とともに崩壊した腸内細菌叢および一部の腸内環境は正常化するが，死亡例では，腸管蠕動不全の進展とともに便中の総偏性嫌気性菌やbifidobacterium数が減少し，緑膿菌，カンジダの爆発的な増加を示す．

▶内因性のエネルギー動員は病状によって異なるため，熱量の過剰投与には注意する．また，血糖値は200mg/dLを超えないようにインスリンを投与する．投与量は1日に100単位を超えないようにし，必要なら投与熱量を減らす．非たんぱく質熱量/窒素比（non-protein calorie/nitrogen）は100程度を目安にし，米国熱傷学会のガイドラインに基づき，TPNにおいては，炭水化物5～7mg/kg/分，アミノ酸2.5～4g/kg，脂肪乳剤1～1.5g/kg/日を基準とする．市販の流動食はNaの含有量が少ないため，血清ナトリウムの低下に注意する．受傷部位からの浸出液が治まるまではビタミン，微量金属の投与を行う．

▶口腔や消化器の障害の程度によって形態を考慮し，たんぱく質の比率をやや高くする．

▶合併症の有無が効果判定の中心となるが，創傷治癒が悪い症例は，アルギニンやオルニチンなど創傷治癒を促進する補助食品によって治癒が促進される．

非たんぱく質熱量/窒素比：（→p.66参照）

9 外傷

1 症候の概要

▶鋭的に体表面から切れるものから，鈍的に打たれるものまで多岐にわたり，日常生活での受傷から交通事故，労働災害や天災，紛争に至るまで原因はさまざまである．

2 病態

▶外傷では，代謝の変動と内因性のエネルギー動員の時相的変化が起きており，受傷後24〜48時間の安静時エネルギー消費量は低下するが，その後は上昇し，数日から数週間持続する．エピネフリン，ACTH，グルココルチコイド，成長ホルモン，グルカゴンなどの分泌は亢進し，異化が亢進することで血中ブドウ糖濃度の上昇，血中アミノ酸濃度の上昇，血中脂肪酸濃度の上昇で示され，耐糖能異常が現れる．ミトコンドリア内の電子伝達系での酵素が不足し，TCAサイクルが停滞するために解糖系で産生されたピルビン酸が乳酸に転換されることで，高乳酸血症となる．血中アミノ酸濃度上昇によって尿中窒素排泄量が増加する．体たんぱくが崩壊し，lean body massが減少する．**全身性炎症反応症候群（SIRS：systemic inflammatory response syndrome）**が遷延すると臓器障害や合併症の発生率が上昇する．重症の外傷では組織損傷にともない免疫細胞や血管内皮細胞などから放出される**炎症性サイトカイン**などの伝達物質が複合的に作用して，炎症反応が起きることで二次的に病状が進行する．この化学伝達物質によって代謝亢進状態，異化の亢進が進む．SIRSでは代謝が亢進し，インスリン抵抗性高血糖や，脂肪分解亢進，たんぱく異化が起きる．この病態に重ねて，栄養摂取量が不足したときには除脂肪体重が減少する．

3 症状

▶外傷の程度は体表面から判断できないことがあるので注意が必要である．鋭的外傷は体表面の傷が大きいほど重症であることが多いが，強い力が加わった場合の鈍的外傷では全身への影響が大きいことがあり，内臓障害に及ぶことがある．

4 鑑別診断

▶X線CTスキャンや超音波断層診断など画像診断の進歩により，損傷臓器の判断や出血量の判断などが正確になり，判断を遅らせないための試験的手術が減った．外傷による障害に加えて，従来は治療法の侵襲が大きいために重症病態に陥ったような外傷であっても，カテーテルを用いたinterventional radiologyなど治療法の進歩により，治療による侵襲の軽減化が進み，臓器障害の状況が変わってきた．

5 治療

▶手術的治療においては，身体が外傷による

MEMO

全身性炎症反応症候群：細菌感染以外のさまざまな侵襲によって敗血症と同様の病態を示すことが指摘され，この病態を指してSIRSという言葉が使われた．SIRSの本質は，侵襲に対応して免疫細胞が血中に放出した大量の炎症性サイトカインによる全身性の急性炎症反応である．SIRSを誘発しうる侵襲としては，細菌感染のほかに外傷や手術，出血性ショック，熱傷，膵炎などがある．基準は①体温：（36℃または）38℃，②脈拍数：90/分以上，③呼吸数：20回/分以上，またはPaCO₂＜32 torrによって示される過換気の存在，④WBC：12,000/mm³以上か4,000/mm³以下，または10％以上の幼若白血球である．

ストレスを大きく受けている時期に，臓器切除などの根本治療を目指すのではなく，まず，ガーゼパッキングなどのダメージコントロールを行い，全身状態の安定化を待ってから根本的な手術を行う治療法が普及している．急性期には生命を維持することが優先であり，栄養管理を開始することは困難である．そこで，搬送された救急病院では，いかに早い段階で栄養管理が開始できるかを模索することになる．

6 栄養ケア

▶外傷の部位や程度によって経口摂取不可能な場合が多いため，静脈栄養法が選択されることが多いが，消化器の損傷などを評価し，少しでも早く食事を開始する．

▶急性期に内因性のエネルギー動員が起きている時期は，体外からの栄養素の投与は有効利用されないことが多い．したがって血糖値測定や，血中CRPの推移などから投与量の増量時期を推定し，栄養管理の段階を決定する．

▶重症病態時には，浮腫や脱水などによって栄養アセスメントが妨げられることが多く，体重変動での評価は不正確となる．罹患前の状況を調べ，現状と比較検討する．絶食期間や摂食量や飲水量を聴取し，身体にとって不十分な栄養法であるか否かを判定し，病状を予測する．そして，炎症の状況は，CRP，IL-6が内因性エネルギー動員の状況などを推測するのに役立つ．合併症予防の観点からは，免疫指標としての末梢血リンパ球数を評価する．

▶重症例では絶食として，静脈栄養を選択する．1～2時間で病状を判断し，腸管が使用できると判定されたら経口，経腸投与による補給を開始する．補助栄養法が必要な場合は末梢静脈栄養法（peripheral parenteral nutrition：PPN）で十分である．重症病態に対する治療開始後48時間以内に経腸栄養を開始し，5～7日間で目標エネルギー量に到達することを目指す．

▶口腔の障害によって咀嚼が困難な症例や咽頭機能障害によって嚥下障害に陥っている症例では，食道以下，多くは経鼻胃管による経管栄養を行う．経口摂取の可能性は連日評価し，経口摂取が困難な場合でも，経腸栄養法が優先的に選択される．

▶投与臓器としては胃の排出能が低下している場合は，蠕動が維持されやすい小腸を使用する．経鼻ロングチューブを用いることが多いが，必要なら胃瘻などの消化管瘻を造設する．重症病態の治療として経腸栄養法は有用で，経管栄養の場合，カテーテルの入口は外傷の影響がない場所，つまり，多くは経鼻を選択し，これが数週間以上にわたる場合には，胃瘻などを造設する．しかし，胃がない場合や腹水がある場合などには経食道瘻的胃管留置（経皮経食道的胃管挿入術など）を行う．

▶経腸栄養の投与量が目標に到達できない場合には，補助的な静脈栄養を加えることが推奨される．比較的多くのエネルギーを投与するときには完全静脈栄養法（total parenteral nutrition：TPN）を選択する．

①エネルギー：基礎エネルギー消費量（basal energy expenditure：BEE）を算出し，活動係数，ストレス係数を乗じて決定する．活動係数は1.2～1.3とし，ストレス係数は中等症から重症では1.3～1.4である．

しかし，臓器障害の進行ではストレス係数1.5以上の場合もある．急性期のエネルギー源は糖質が中心となるが，血糖値は180mg/dL以下の管理が推奨されている．

②たんぱく質：感染症など異化亢進状態では，1.5〜2.0g/kg/日を目安にして，分岐鎖アミノ酸（branched chain amino acid：BCAA）が強化された製剤を選択する．非たんぱく質熱量/窒素比🖉は220よりも低く設定するが，簡易式の熱量25kcal/kg，たんぱく質1.2〜1.59/kgでも算出できる．

③脂質：原則として脂肪乳剤を併用するが，膵リパーゼにより分解されたトリグリセリドが病状を悪化させるおそれがあるため，経静脈投与での脂質投与量は1.0〜1.5g/kg/日を超えないようにし，n-6系の不飽和脂肪酸には注意する．

④ビタミン：救急患者はチアミン（thiamin, ビタミンB_1）欠乏状態のことがあるため，チアミンの投与は必要である．ブドウ糖代謝に見合うだけのチアミンが投与されていないと乳酸アシドーシスに陥る．その他の水溶性ビタミンも治療初期から投与し，病態を把握しながら，脂溶性ビタミンを投与する．感染性合併症の発生，宿主免疫能低下の抑制のため積極的に経腸栄養を考慮し，bacterial translocationの防止にプロバイオティクス🖉，プレバイオティクス🖉の投与を行う．免疫栄養でアルギニンの含有量が多いものは，敗血症では投与を慎重に検討する．

▶合併症の有無が効果判定の中心となるが，創傷治癒が悪い症例にはアルギニンやオルニチンなどの補助食品によって治癒が促進される．

📝 **MEMO**

非たんぱく質熱量/窒素比：（➡p.66参照）
プロバイオティクス（probiotics）：乳酸菌やビフィズス菌など腸内フローラのバランスを改善し，宿主生体機能に良い作用をもたらす生きた微生物のこと．
プレバイオティクス（prebiotics）：プロバイオティクスの働きを助ける物質のことで腸内で消化されにくい，オリゴ糖類や食物繊維などをさす．

10 るいそう

1 症候の概要

▶ 原因は、①食事摂取量不足からの**たんぱく質・エネルギー摂取不足**（PEM：protein energy malnutrition）、②栄養素消化吸収障害、③代謝亢進・消耗性疾患、④慢性薬物中毒、⑤症候性要因、⑥身体的痛みの継続などがある。重複症候も多くみられる（表Ⅳ-10-1）。

▶ 食事摂取量不足は心理的原因、神経疾患、食欲減退の要因がある。

2 病態

▶ 標準体重（表Ⅳ-10-2）から20％以上の体重減少をいい、皮下脂肪の減少と骨格筋減少の**マラスムス**（marasmus）タイプとマラスムスと**クワシオルコール**の**混合型**がある（図Ⅳ-10-1）。表Ⅳ-10-3は20％以上の体重減少とBMIの関係を示したものである。

▶ 低体温、低血糖、貧血、循環器系、電解質の異常が起きやすい。

■ 表Ⅳ-10-1　るいそうの原因と基礎疾患

食事摂取量不足	心理的原因	神経性やせ症、慢性的食欲不振、心労・睡眠不足、ストレス、経済性、食べない（食欲不振以外）
	神経疾患	脳卒中・脳血管障害、脳腫瘍、うつ病、統合失調症、咀嚼・嚥下障害（球麻痺）
	食欲減退	悪性腫瘍、感染症（高熱）、心肺疾患（呼吸不全、慢性閉塞性肺疾患、肺結核、重症気管支喘息）、過労、加齢、食べられない〔咬合障害（義歯）〕、飢餓、化学療法
	身体的痛みの継続	癌、火傷、外傷、膵炎、口内炎
栄養素消化吸収障害		胃腸障害（消化性潰瘍、たんぱく漏出性胃腸症、吸収不良症候群、腸閉塞、クローン病、胃下垂）、慢性膵炎、膵腫瘍、消化器疾患術後、慢性下痢、嘔吐、下剤の乱用、加齢による消化器機能の低下
代謝亢進	消耗性疾患	基礎代謝亢進、内分泌疾患（ホルモン代謝異常：甲状腺ホルモン・女性ホルモン・成長ホルモン、甲状腺機能亢進、アジソン病、褐色細胞腫、骨粗鬆症）、悪性腫瘍、感染症、肺結核、膠原病
慢性薬物中毒		アルコール中毒、やせ薬の乱用
症候性		筋ジストロフィー、摂食中枢の障害、糖尿病

■ 表Ⅳ-10-2　標準体重（理想体重 IBW：ideal body weight）

- 成人
  標準体重(kg)＝身長(m)×身長(m)×22
- 学童期
  標準体重(kg)＝身長(m)×身長(m)×身長(m)×13
- 5〜17歳
  成長曲線50％の値

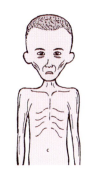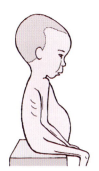

■ 図Ⅳ-10-1　マラスムスとクワシオルコールのイメージ

MEMO

マラスムス：エネルギーとたんぱく質の不足による栄養失調症で、体重の減少が著明。肝臓でのたんぱく合成能は比較的保たれている。感染症、疾病や創傷治癒の遅延などのリスクが高い。
クワシオルコール：エネルギー不足はないが、たんぱく質摂取不足、異化亢進、合成障害などにより低たんぱく栄養状態になる。体重変化はないが、低アルブミン血症による浮腫が現れる。
マラスムスとクワシオルコールの混合型：体重減少と血清アルブミンの低下がみられる。体型ではマラスムス型で、損傷係数の高い疾患（高熱、感染症、消化器系の手術、呼吸器疾患など）などで引き起こされる。

■表Ⅳ-10-3　20％以上の体重減少（身長とBMI）

身長	145cm	150cm	155cm	160cm	165cm	170cm
IBW（標準体重）（kg）	46.3	49.5	52.9	56.3	59.9	63.6
やせ度20％の体重	37.0	39.6	42.3	45.0	47.9	50.9
やせ度20％のBMI			17.6			
やせ度25％のBMI			16.5			
やせ度30％のBMI			15.4			

$$やせ度 = \frac{現在の体重 - 標準体重}{標準体重} \times 100$$

3 症状

- ▶各症候により症状は異なる（図Ⅳ-10-2）.
- ●悪心・嘔吐，各原因疾患からくる痛み，下痢，味覚障害．
- ●微量栄養素・ビタミンの不足からの症状（⇒「ビタミン欠乏症・過剰症」の項p.178参照）．
- ●低栄養状態から頭のふらつき，めまい，動悸，息切れ，浮腫，便秘，全身倦怠．
- ●貧血の各症状（爪の変化：スプーン爪，立てすじ），顔色，生理不順，無月経．
- ●皮膚乾燥，弾力性，褥瘡．

4 鑑別診断

- ▶口腔器・食道・胃・小腸・大腸・肝臓・膵臓などの基礎疾患がある場合や，心疾患，呼吸器系疾患，内分泌系疾患，糖尿病などの原因疾患が考えられる場合には，各臨床検査をもとに鑑別診断を行う．
- ▶個人の栄養基準の算出と経口摂取量からの栄養量を算出し，充足率を把握する．
- ▶薬物などの服用，薬物療法の相互作用も把握する．
- ▶身体計測からのやせ・低栄養のレベルの診断：TSF（上腕三頭筋背側部皮下脂肪厚），AMC（上腕筋周囲長）において60〜80％は中等度の栄養障害．
- ▶鑑別診断のために次の項目をチェックする．
- ●バイタルサイン：徐脈，低血圧，低体温．
- ●血液検査：総たんぱく，血清アルブミン，ラピッドターンオーバープロテイン（トランスフェリン，プレアルブミン，レチノール結合たんぱく）．
- ●免疫検査：末梢血総リンパ球数（1,200〜800は中等度の栄養障害），遅延型皮内反応（PPDなど），リンパ球幼若化反応．
- ●クレアチニン身長指数（筋肉量）．
- ●低血糖，電解質異常（低K血症からの不整脈），脂質異常症の検査（低コレステロール）．
- ●貧血の検査，栄養代謝とかかわる肝機能も把握する．
- ▶神経性やせ症が疑われるときは診断基準を参照する（⇒p.400参照）．

5 治療

- ▶基礎疾患がある場合には，各疾患の病態に応じた治療を優先する．
- ▶病態に応じて経腸栄養（経口栄養，経管栄養），静脈栄養を選択する（図Ⅳ-10-2）．
- ▶経口摂取が可能だが摂取栄養量が不足している場合や摂食困難な場合は経管栄養（経

MEMO

膠原病（connective tissue disease）（→p.173）：全身の臓器の炎症．自己免疫疾患・結合組織疾患・リウマチ性疾患があり，この3つの疾患の病態を示す．

PPD：精製ツベルクリンたんぱく質
リンパ球幼若化反応：細胞性免疫機能の異常を確認する．栄養障害，ウイルス感染症，白血病，進行癌，先天性・後天性免疫不全症などでは低値を示す．

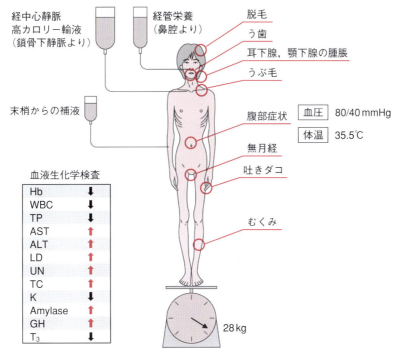

■図Ⅳ-10-2　神経性やせ症の身体症状・血液生化学所見と非経口栄養方法
（竹越　至ほか：神経性食欲不振症．目でみる臨床栄養学, p.197, 医歯薬出版, 1995より）

鼻・胃瘻・腸瘻），末梢静脈栄養（PPN）を選択する．
▶経腸栄養が病態悪化にかかわる症候や生命維持にかかわる病態の場合は，中心静脈栄養（TPN，IVH）で栄養補給を実施する．

6 栄養ケア

▶栄養補給法，栄養教育，多領域の専門医療職との連携が重要である．行動変容を促し，るいそうの改善を実施し，維持するために，患者の心理・精神面の問題と病態の変化を十分に理解し，臨機応変に対応し支援をする．
▶各病態に応じた治療と予防を実施するために，栄養管理計画（短期・長期のケア目標）を作成する．

▶体たんぱく質の維持と崩壊を防ぐために，エネルギーとたんぱく質の確保をする．
①症候によりエネルギー代謝は異なるが，基礎代謝×ストレス係数×活動係数から摂取エネルギーを算出する．
②たんぱく質は1.2〜1.5g/kg，侵襲期では1.5〜2.0g/kgを目安として算出する．
③患者の食欲，嗜好，食品選択にも配慮した食事ケアを実施する．
④消化吸収の良い食事とし，食事量の不足は頻回食とすることで補う．
▶不足の栄養素の補給法はチーム医療・NSTで検討し改善していく．
▶栄養教育はカウンセリング（信頼関係），コーチング（良い変化を褒める）をもとに，栄養の正しい知識を正確に伝達する．

11 食欲不振

1 症候の概要

▶食欲は神経系調節と体液性調節とがあり，これらの調節の障害により食欲不振が生ずる．
▶神経系調節には，①摂食調節をつかさどる脳の視床下部にある満腹中枢（摂食を抑える働き）と摂食中枢（摂食を誘発する働き），②生体の感覚（視覚，嗅覚，味覚，聴覚，触覚，皮膚感覚，温度感覚など），③認知，運動（摂食動作），自律神経系などが関与する．
▶体液性調節には血糖値などの変動を伝える化学的感受性機構と神経伝達物質（ドーパミン，ノルアドレナリン，セロトニン，サイトカインなど）が関与している．
▶食欲不振は食物に対する生理的欲求の低下した状態，あるいは消失した状態をいう．

2 病態

▶食欲不振の要因には，心理的・精神的要因と疾患的要因，その他の要因がある（表Ⅳ-11-1）．
▶満腹中枢と摂食中枢は，グルコース，血中遊離脂肪酸の刺激，ホルモンなどの濃度により抑制・促進される．
▶消化管に食物が滞る状態は，アドレナリンが交感神経を刺激し，消化管の蠕動運動の抑制，消化液の分泌を抑制することで起こる．
▶食欲不振が起こる要因は，胃の膨張による満腹感，血糖値濃度，血中遊離脂肪酸の刺激の低下，インスリンの働き，気温，感覚（視覚・嗅覚・聴覚）などがある．

■表Ⅳ-11-1　食欲不振の分類

心理的・精神的要因		神経性やせ症，うつ病，自律神経失調症，悩みごと，ショックなイベント（家族との別れ），不安感
疾患的要因	消化器系疾患	口腔器障害（口内炎・咬合障害），嚥下障害，食道癌，食道炎，急性・慢性胃炎，胃潰瘍，胃癌，胃下垂，幽門狭窄症，クローン病，腹痛，肝臓障害，胆嚢炎，黄疸，膵炎，慢性便秘，下痢，術前術後，胃瘻，大腸癌，人工肛門設置，癌性疼痛
	循環器疾患	うっ血性心不全，脳血管障害
	腎疾患	腎不全，尿毒症
	呼吸器疾患	慢性閉塞性肺疾患，重症気管支喘息，肺結核，肺気腫
	内分泌・代謝系疾患	アジソン病，下垂体前葉機能低下症，糖尿病（シックデイ）
	免疫疾患	悪性リンパ腫，AIDS（後天的免疫不全症候群）
	血液疾患	白血病，貧血
	感染症	各種感染症（感染菌），高熱時（味覚・嗅覚の低下），敗血症
その他の要因	薬剤性	抗癌薬，ジギタリス中毒，モルヒネ使用（癌性疼痛），ニコチン中毒，抗コリン薬，覚醒剤中毒
	栄養性	アルコール依存症，過剰な嗜好飲料摂取，ビタミンB群不足
	味覚障害	放射線治療（頸部癌），亜鉛欠乏症
	生理的要因	つわり・妊娠悪阻，加齢による生理機能の低下，睡眠不足，過労，運動不足（身体活動・ADL低下）

MEMO

血糖値濃度：ストレスなどで起きる一過性の高血糖と，糖尿病などの持続性高血糖がある．高血糖状態では意識障害などが起き，食欲を抑制する働きがある．

遊離脂肪酸：脂肪組織の中性脂肪が加水分解されて，血液中ではアルブミンと複合体を形成している．絶食状態，空腹時に増加する．

3 症状

▶食べたくない，食べない状態の心理的症状．
▶摂取量不足からの低栄養症状として，体重減少，低血圧，低体温，徐脈，下肢の浮腫などがみられる．
▶口腔内の乾き，唾液分泌低下，塩味などの味がわからない，苦味を感じる，化学的な味を感じる，甘味を強く感じるなどの味覚障害．
▶器質的症状の影響として口内炎，食道炎，胃痛，腹部膨満感，腹水などがある．
▶悪心・嘔吐，脱水症による頭痛．
▶摂取量不足からの便秘．
▶低血糖状態からのふらつき，全身性倦怠感．

4 鑑別診断

▶各疾患の臨床検査から疾患別，精神・心理的疾患の診断をする．
▶栄養スクリーニングとして摂食態度調査票，食生活調査，食事摂取量調査が用いられる．
▶神経性やせ症は，米国精神医学会によるDSM-5の診断基準（⇒p.400参照）が用いられている．

5 治療

▶食欲不振の要因・原因の診断から，各疾患の根本的治療を優先する．
▶心理的・精神的な食欲不振の場合，心理療法としてカウンセリング，行動療法，精神分析療法などが行われる．
▶食事摂取と水分摂取が困難な場合は静脈栄養（点滴）や経腸栄養剤を併用する．
▶生命維持 にかかわる食欲不振は入院して，経腸栄養法，静脈栄養法の強制治療を行う．

6 栄養ケア

▶栄養アセスメントでは体重の変化，%IBW，%UBW，上腕筋周囲長（AMC＝上腕周囲長－π×上腕三頭筋背側部皮下脂肪厚÷10），体脂肪率，筋肉量推定などの身体計測から栄養状態を把握する．
▶臨床検査では血清総たんぱく，血清アルブミン，ヘモグロビン，総コレステロール，尿素窒素，コリンエステラーゼ，尿生化学検査（クレアチニン，窒素出納），末梢血リンパ球数（TLC）から栄養状態を把握する．
▶経口摂取量の少ない場合は全栄養素の摂取不足とかかわるので，経腸栄養剤の併用と栄養補助食品（サプリメントなど）を活用する．
▶栄養教育は，食欲不振の各疾患の病態に応じた栄養食事支援を行う．
▶栄養カウンセリングの傾聴・受容・信頼関係を築き，共感的理解をもち患者自身が自己管理できるまで継続体制を築き，食欲不振の回復を図る．
▶食欲の改善のために，以下のことを行う．
①食事内容は味覚・視覚・季節感を生かした食品・調理の選択と工夫をする．患者の嗜好を適宜取り入れるが偏食に注意する．量的摂取が難しい場合は頻回食とする．栄養素の不足は栄養補助食品で補う．
②楽しい食環境と生活環境の改善を支援する．
③規則正しい生活（睡眠・休養），食生活（食事時間・夕食・朝食）の支援．
④適度な身体活動（3～4メッツの運動）により空腹感を取り入れる．

MEMO

徐脈：脈拍数が異常に減少する状態．1分間に60以下に低下する．
器質的症状：人体構造における形態学的にはっきり証明できる病変があって起きる症状．口内炎，嚥下機能障害，食道炎，食道癌，胃炎，胃潰瘍，胃癌，炎症性腸炎，膵炎，肝炎，胆嚢炎，大腸癌などの病態の症状．
生命維持：人体は外部環境の変化に対しての恒常性を維持する作用（ホメオスタシス）がある．体温，呼吸数，脈拍，血圧の測定と意識状態，瞳孔散大（対光反射の有無）のバイタルサインは生命維持の証である．

ビタミン欠乏症・過剰症

1 症候の概要

▶ビタミンは**水溶性ビタミン**（B_1，B_2，ナイアシン，B_6，B_{12}，葉酸，パントテン酸，ビオチン，C）と**脂溶性ビタミン**（A，D，E，K）に分類される．

▶水溶性ビタミンのCを除く8種のB群は主としてたんぱく質と結合した状態で存在している．吸収と代謝速度は速く，必要量以上に摂取した場合は速やかに排泄される．脂溶性ビタミンは脂肪と同様の吸収経路で肝臓に蓄積される．

▶**ビタミンA**はレチノールエステル（動物性食品），カロチノイド（プロビタミンA，植物性食品）として小腸吸収細胞でレチニルパルミチン酸となりカイロミクロンに結合してリンパ管に入る．**ビタミンD**は**複合ミセル** を形成して脂肪とともに吸収される．**ビタミンE**はアポたんぱくとともにカイロミクロンに取り込まれリンパ管に入る．**ビタミンK**はカイロミクロンに結合しリンパ系から血流に入る．

▶欠乏症の原因には，①摂取量不足，②長期間の経口摂取不能，③吸収障害，④生体内の消費量の増加がある．

2 病態・症状

▶欠乏症については表IV-12-1，過剰症については表IV-12-2を参照されたい．

3 鑑別診断

▶ビタミンの血液生化学検査と各疾患の栄養状態から**ビタミンのデシジョンレベル**（**欠乏状態の判定指数**）で診断する．

4 治療

▶ビタミンの必要量はmg単位，μg単位で，生体ではまったく合成できないか十分に摂取できない場合があるため，不足分はビタミン強化食品，補助食品，ビタミン剤などで補う．

▶「日本人の食事摂取基準」の各ビタミンの摂取基準を参考とする．

▶水溶性ビタミンで**耐容上限量** が設定されているのはナイアシン，B_6，葉酸である．

▶脂溶性ビタミンでは，ビタミンKには耐容上限量が設定されていない．

▶不足による各ビタミンの欠乏症は治療をチーム医療・NSTで実施する．

▶消化管術後や肝障害などの欠乏症は食事摂取量を調査し，不足のビタミンを計算し，経口ビタミン剤の内服を開始する．

▶長期の高カロリー輸液管理にはビタミン製剤の添加は不可欠なので添加されるが，長期投与による過剰摂取に注意する．

5 栄養ケア

▶栄養アセスメントにあたっては全身の栄養状態とビタミン欠乏症と関連する疾患の病態を把握する．

MEMO

複合ミセル：親水性コロイド粒子，ゲル状態の微結晶．
ビタミンのデシジョンレベル：ビタミンA：28〜80 μg/dL，D：20〜70 pg/mL，E：0.75〜1.41 mg/mL，B_1：20〜50 ng/mL，B_2：65〜130 ng/mL，ニコチン酸：4.7〜7.9 μg/mL，B_6：3.6〜18.0 ng/mL，B_{12}：260〜1,040 pg/mL，葉酸：2.4〜9.8 ng/mL，C：5.5〜16.8 μg/mL
耐容上限量：ある母集団に属するほとんどすべての人々が，健康障害をもたらすリスクがないとみなされる習慣的な摂取量の上限を与える量．ビタミン類では，ビタミンA，D，E，ナイアシン，B_6，葉酸で耐容上限量が設定されている．

■表Ⅳ-12-1　ビタミンの欠乏症

	栄養素	生理作用	症状・欠乏症	含有量の多い食品
水溶性ビタミン	ビタミンB_1 thiamine	●ブドウ糖代謝の酵素 ●摂取量不足：偏食，欠食，ダイエット ●エネルギー代謝増大：外傷，胃術後，感染症 ●エネルギー消費増大：長期の高カロリー輸液の栄養補給時，メッツの高い筋肉運動時 ●アルコール多飲による吸収阻害，乳酸アシドーシス	ウエルニッケ脳症（意識障害，運動失調，外眼筋麻痺），脚気（全身倦怠，腱反射障害，末梢神経障害），神経炎，心肥大，心不全	豚肉，レバー，うなぎ，魚卵，大豆，玄米，小麦胚芽，オートミール，栄養強化シリアル食品
	ビタミンB_2 riboflavin	●電子伝達，酸化還元反応，皮膚・粘膜の機能に関与 ●吸収障害：肝障害・糖尿病・副腎皮質機能低下，脂質摂取過多・アルコール多飲 ●必要量増大：筋肉運動時	口角炎，舌炎，口唇炎，脂漏性皮膚炎，成長不良，創傷治癒遅延	肉類，魚類，卵，大豆
	ナイアシン ニコチン酸	●脱水素酵素の補酵素として末梢血管拡張，代謝促進の働き ●先天性トリプトファン尿症の代謝障害 ●慢性アルコール中毒では欠乏	ペラグラ症状（胃腸症状神経・精神障害，紅斑・瘙痒・灼熱感の皮膚症状），認知症，運動感覚障害	肉類，魚類，豆類，玄米，胚芽米，カシューナッツ，ごま，ひまわりの種，落花生
	ビタミンB_6 pyridoxine	●たんぱく質（アミノ酸）代謝と糖代謝を連携する補酵素 ●糖新生，ナイアシン産生，赤血球機能改善（ヘモグロビン合成），神経伝達物質の産生に関与	口角炎，口唇炎，鉄芽球性貧血，多発神経炎，痙攣，食欲不振，悪心，嘔吐，下痢，ペラグラ様皮膚炎，吸収不良症候群，慢性アルコール中毒症	肉類，魚類，豆類，玄米，胚芽米，ごま，くるみ，ひまわりの種，落花生，ピスタチオ
	ビタミンB_{12} cobalamin	●人体では合成されない ●胃液内因子（胃液細胞から分泌される糖たんぱく），分泌量はガストリンやヒスタミン刺激で亢進，十二指腸で結合し，回腸末端で吸収 ●吸収障害・摂取不足：内因子欠乏	悪性貧血，巨赤芽球性貧血，末梢神経障害，小腸疾患，食欲不振症，トランスコバラミンⅡ欠損症	レバー，魚類，たらこ，貝類（あかがい，あさり，しじみ，ほたてがい）
	葉酸 folic acid, プロテイルモノグルタミン酸	●プリンやピリミジンの合成，細胞分裂に関与，空腸で吸収 ●生体内ではビタミンB_{12}とともに補酵素として造血機能にかかわる ●吸収障害：経口避妊薬，抗てんかん薬内服	巨赤芽球性貧血，神経管閉塞障害	レバー，うなぎきも，かき，ほたてがい，さくらえび，生うに，卵黄，緑黄色野菜，種実類
	パントテン酸	●糖質，脂質，たんぱく質の代謝の補酵素として関与．脂質を中心に作用 ●副腎皮質ホルモンの抗体の合成に関与	欠乏の危険性：慢性アルコール中毒，糖尿病	鶏レバー，子持ちかれい，納豆，ししゃも
	ビオチン biotin	●脂肪酸やアミノ酸の代謝を促進 ●腸内細菌叢で合成 ●長期の抗生物質の服用では合成が阻害，短腸症候群では吸収と合成が阻害	脱毛，湿疹，皮膚炎，神経症	肉類の内臓，魚類の臓物，牛乳，酵母，卵，豆類
	ビタミンC アスコルビン酸	●コラーゲン生成機序の補因子 ●細胞間組織形成，造血機能維持 ●欠乏は偏食，飲酒多飲，感染症，ストレス	創傷治癒の遅延・阻害，壊血病（結合組織の脆弱により毛細血管抵抗が減弱し出血傾向），紫斑，粘膜出血	柑橘類，キウイフルーツ，いちご，いも類
脂溶性ビタミン	ビタミンA レチノール	●網膜に多量に貯蔵 ●ロドプシン：網膜の光受容色素の生成 ●生理機能維持，成長作用，皮膚粘膜の形成，細胞増殖の働き ●血中ではたんぱく質と結合	夜盲症，眼球乾燥症，角膜乾燥症，皮膚炎，味覚・嗅覚異常，発育障害，生殖機能低下，低たんぱく状態，肝障害	レバー，うなぎ，卵黄，ほたるいか，すじこ，魚の内臓，海藻類，緑黄色野菜
	ビタミンD コレカルシフェロール，エルゴカルシフェロール	●CaとPの吸収，骨の再吸収・石灰化，骨や歯の成長の促進 ●血中副甲状腺ホルモン濃度，血中25-ヒドロキシビタミンD濃度，日光照射がかかわる	小児ではくる病：骨の発育不良，成人では骨軟化症，更年期以降の女性は骨粗鬆症，病的骨折の発症 欠乏：腎疾患・血液透析患者，肝臓障害，妊娠・授乳期，未熟児	レバー，さんま，にしん，さけ・ます類，しらすぼし，あんこうきも，まぐろ脂身，きくらげ，しろきくらげ

（次頁へ続く）

■表IV-12-1　ビタミンの欠乏症（続き）

	栄養素	生理作用	症状・欠乏症	含有量の多い食品
脂溶性ビタミン	ビタミンE トコフェロール	・発育促進，細胞増殖機能維持，生体の細胞膜の抗酸化作用，末梢血管拡張作用 ・閉塞性黄疸，慢性膵炎などの病態では血中濃度が低下	血行低下により冷え性，肩こり ホルモンバランス：月経不順 過酸化脂質の増加：動脈硬化症，心筋梗塞，脳卒中	アーモンド，落花生，米ぬか油，サフラワー油，とうもろこし油，マーガリン，アボカド，かぼちゃ，赤ピーマン，モロヘイヤ，うなぎ，イクラ，いわし油漬，たらこ
	ビタミンK群 フィロキノン(K_1)，メナキノン(K_2)	・腸内細菌叢で産生 ・血液凝固因子（Ⅱ，Ⅶ，Ⅸ，Ⅹ）を肝臓で産生するのに必要 ・血液凝固能維持と活性化，骨形成に関与 ・欠乏：閉塞性黄疸，重度の脂肪性下痢，脂肪吸収不全，長期間の抗生物質の投与	①頭蓋内出血：新生児メレナ，新生児ビタミンK欠乏症（腸内細菌叢の形成がない，胎盤からのビタミンKの移行性が悪い，母乳中の含有量が少ない，吸収能が低いなどが原因） ②抗生物質投与での腸内細菌叢と還元酵素の抑制 ③肝胆疾患ではビタミンK貯蔵スペースの減少，還元酵素低下による再利用障害，胆汁分泌不全，γ-カルボキシラーゼ活性低下	納豆，モロヘイヤ，かぶの葉，ほうれんそう，つるむらさき，なばな類，ひじき，のり類，こんぶ，わかめ，クロレラ，青汁

■表IV-12-2　ビタミンの過剰症

	栄養素	代謝作用	症状・過剰症	備考
水溶性ビタミン	ナイアシン	動物性食品はニコチンアミド，植物性食品はニコチン酸．小腸で吸収	消化器系（消化不良・重篤な下痢・便秘），肝臓障害（機能低下・劇症肝炎）	強化食品，サプリメント
	ビタミンB_6	ピリドキシン大量摂取 活性型補酵素，エネルギー産生，脂質代謝，アミノ酸代謝に関与	感覚性ニューロパシー，感覚神経障害	食品で1mg/100gを超える食品は存在しない．サプリメント，薬剤による過剰
	葉酸	アミノ酸・たんぱく質の生合成，ビタミンB_{12}とともに補酵素	発熱，紅斑，かゆみ，呼吸障害，悪性貧血のマスキング，神経障害（アメリカの報告）	食品で300μg/100gを超える食品は，肝臓を除き存在しない．サプリメント，薬剤による過剰
	ビタミンC		腎機能障害を有する場合は腎シュウ酸結石のリスク	サプリメント類から1g/日以上の摂取に注意
脂溶性ビタミン	ビタミンA	小腸吸収上皮細胞で加水分解によりレチノールとなって細胞内に取り込まれる．レチノイン酸は骨芽細胞を阻害し，破骨細胞を活性化する	胎児催奇形（3,000μgRE/日以上摂取），頭痛の急性毒性は脳脊髄液圧の上昇，慢性は頭蓋内圧亢進症，筋肉痛，肝線維症，肝脾腫大，骨粗鬆症	レバー・レバー製品，あんこうきも，うなぎ，卵，サプリメント
	ビタミンD D_2 D_3	肝臓で25-ヒドロキシビタミンDに代謝，腎臓で1α，25-ジヒドロキシビタミンDに代謝 血中Ca濃度・PTH（副甲状腺ホルモン）・カルシトニン・血中P濃度によって調整	筋肉・腎臓へのカルシウムの沈着は高カルシウム血症，腎障害．軟組織の石灰沈着	魚介類，サプリメント，薬剤による過剰
	ビタミンE	胆汁酸などによってミセル化され，小腸から吸収	出血傾向，骨粗鬆症	食品からではなく，サプリメントや薬剤による過剰
	ビタミンK	血液凝固，骨形成	K_3過剰は溶血性貧血，高ビリルビン血症	合成品のK_3は使用禁止

▶身体計測と栄養状態を把握し，欠乏症改善の支援を優先する．

▶サプリメントと薬剤の過剰摂取防止のため，定期的に摂取量をチェックする．

▶栄養教育には各種ビタミンのおもな摂取源である食品の説明と調理方法を指導する．

▶行動変容の把握には継続栄養指導を実施する．

13 貧血

1 症候の概要

▶血液中の細胞成分には，赤血球，白血球，血小板があり，そのうち赤血球には**ヘモグロビン**があり，酸素を取り入れ組織に運ぶ働きをしている．
▶**貧血**の原因には，赤血球産生の障害，赤血球破壊の亢進，赤血球の喪失の3つがある（表Ⅳ-13-1）．
▶貧血は，赤血球のサイズとヘモグロビン量により，小球性低色素性貧血（赤血球のサイズが小さくヘモグロビン量が少ない），正球性正色素性貧血（赤血球のサイズ，ヘモグロビン量ともに正常），大球性高色素性貧血（赤血球のサイズが大きく，ヘモグロビン量が多い）の3タイプがある（表Ⅳ-13-2）．
▶一般に，成人男性でヘモグロビン値13g/dL未満，女性で11g/dL未満が貧血とみなされる．
▶貧血と同時に，白血球減少や血小板減少をともなうことがあり，その場合は汎血球減少症という．
▶栄養療法が実施されるのは**鉄欠乏性貧血**と**巨赤芽球性貧血**である．

■表Ⅳ-13-1 貧血の原因

赤血球産生の障害	栄養性貧血（鉄欠乏，ビタミンB₁₂欠乏，葉酸欠乏），再生不良性貧血，腎性貧血
赤血球破壊の亢進	溶血性貧血
赤血球の喪失	外傷，消化管出血（吐血，下血），性器出血

■表Ⅳ-13-2 貧血の分類

小球性低色素性貧血	鉄欠乏性貧血，鉄芽球性貧血，サラセミア，無トランスフェリン血症，症候性貧血
正球性正色素性貧血	溶血性貧血，急性出血，再生不良性貧血，赤芽球癆，腎性貧血，症候性貧血，骨髄異形成症候群，骨髄癆，白血病，骨髄線維症，脾機能亢進症
大球性高色素性貧血	巨赤芽球性貧血（ビタミンB₁₂欠乏，葉酸欠乏），溶血性貧血，再生不良性貧血，骨髄異形成症候群，肝障害，アルコール多飲

2 病態

▶鉄はヘモグロビンの合成に不可欠であるため，鉄が欠乏するとヘモグロビンの合成が減少し貧血が生じる．健常人の生体内鉄量は男性50mg/kg，女性35mg/kgであり，その約2/3はヘモグロビンの**ヘム鉄**として，約1/3は貯蔵鉄として**フェリチン**や**ヘモジデリン**などに存在する．
▶成人男性では1日平均1mg，成人女性では1.3mgの鉄が汗，尿，便などから失われている．生体は鉄を積極的に対外に放出するという仕組みを有しておらず，生体内の鉄の大部分が**再利用**によってまかなわれているため，食事から1～2mg摂取することにより，排泄と吸収のバランスが保たれる（図Ⅳ-13-1）．
▶鉄欠乏状態になった場合，まず貯蔵鉄が使用されるため，すぐに貧血を生じるわけではない．
▶**ビタミンB₁₂**や**葉酸**は，核酸（DNA）の合成に重要なビタミンであり，これらが欠乏すると，赤血球の核成熟が障害され貧血が生じる．また，ビタミンB₁₂は，神経細胞の修復にも関係している．

再利用：赤血球は寿命（約120日）がくると脾などの網内系組織で壊され，1日に約20mgの鉄がヘモグロビンから遊離する．この鉄は再び骨髄へ運ばれ，ヘモグロビンの合成に利用される．

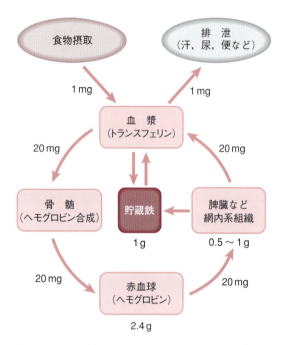

■図Ⅳ-13-1　鉄の1日の体内での動態

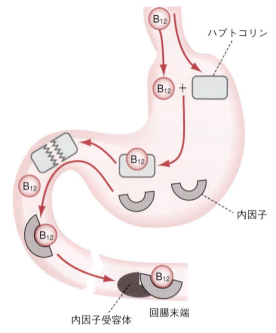

■図Ⅳ-13-2　ビタミンB₁₂の吸収

▶ビタミンB_{12}は回腸末端で吸収されるが，胃酸と胃壁から分泌される内因子が必要であり，胃粘膜が萎縮している高齢者や胃切除患者，内因子の働きを阻害する抗内因子抗体の保有者，厳格な菜食主義者では不足する恐れがある（図Ⅳ-13-2）．

▶葉酸の欠乏は，偏った食事，アルコール依存症 ，ダイエット食などで生じる．また，妊娠時は葉酸の需要が増大し，とくに出産日近くで最大となるため，葉酸欠乏を招く恐れがある．

▶ヘモグロビン量の減少により，血液酸素の組織への運搬能が低下し酸素供給不全となり，代償性に心拍室量の増加が起こる．

3 症　状

▶おもな自覚症状は，全身倦怠感，疲労，動悸，息切れ，めまい，耳鳴り，立ちくらみなどであり，貧血の程度に比べ症状が強いときには貧血が急激に起こったことを示唆し，慢性に起こった貧血では自覚症状に乏しく，無症状か，せいぜい易疲労感がある程度である．

▶巨赤芽球性貧血では，手足のしびれ感，脱力，平衡感覚障害などの神経症状がしばしばみられる．

▶他覚症状では，蒼白がもっともみられるが，日本人の場合には皮膚が黄色調を帯び，黄疸と見誤ることがあるので注意が必要である．

▶鉄欠乏性貧血では，舌乳頭の萎縮，口角炎，スプーン状爪などがみられる．

▶巨赤芽球性貧血では，ハンター舌炎，腱反射の亢進と位置覚・振動覚低下がみられる．

📝MEMO

アルコール依存症と葉酸欠乏：アルコール依存症では食物の摂取不良により，葉酸の摂取量が減り欠乏をきたすとされている．

4 鑑別診断

▶貧血は，ひとつの症候に過ぎないため原因を特定することが重要である．もっとも頻度が高いのは鉄欠乏性貧血であるが，その原因もさまざまである．
▶膠原病，炎症性疾患，感染症などにしばしばみられる貧血は，症候性貧血という．
▶表Ⅳ-13-2に貧血の分類と鑑別疾患をまとめた．
▶葉酸欠乏による神経症は，ビタミンB_6欠乏のアルコール依存症との鑑別が必要である．

5 治療

▶鉄欠乏性貧血の治療は，鉄化合物でなされる．空腹時の吸収がもっとも良いため，食前や食間の内服が好ましいが，副作用として悪心，胸やけ，下痢や便秘などの胃腸症状が出現するときには，食後に内服する．しかし，食後の内服は空腹のときよりも鉄の吸収が40〜50％減少する．
▶鉄の吸収不全や副作用のため経口薬が内服できない場合には，貯蔵鉄の補充に**鉄剤**の静脈注射が行われる．
▶ビタミンB_{12}は筋肉注射，葉酸は経口薬で補充されるが，胃酸の分泌を強力に抑えるH_2ブロッカーやプロトンポンプ阻害薬などの長期間服用では吸収が低下する可能性があり，要注意である．

6 栄養ケア

▶食品の鉄は，**ヘム鉄**と**非ヘム鉄**として十二指腸から空腸上部において吸収される．ヘム鉄は，動物性食品（獣鳥魚肉，肝臓など）にヘモグロビンやミオグロビンとして存在し，一般的には食品中のヘム鉄の5〜10％が吸収されるが，吸収率は年齢や性別，体内の鉄貯蔵量によって異なる．
▶非ヘム鉄は，豆，果物，野菜，乳製品などに存在し，食事中の鉄の80〜90％を供給している．
▶鉄の吸収は，食物繊維や，カテキン，タンニン，ポリフェノール，あるいは穀類や豆類に含まれるフィチン酸などで抑制され，**動物性たんぱく質**（肉，鶏肉，魚介類），ビタミンCの存在により促進される．また，インスタント食品や加工食品に含まれるシュウ酸塩，リン酸塩，炭酸塩などの食物添加物も吸収を阻害する．
▶植物はビタミンB_{12}を作ることができないので，植物性食品にはビタミンB_{12}は含まれていない．したがって，ビタミンB_{12}を多く含む食品は例外なく動物性で，しじみ，あさり，イクラ，煮干し，いわしなどの魚介類や牛，鶏，豚のレバー，乳製品，卵などがある．植物性食品でも海苔には多く含まれているが，これは海苔に付着している微生物に由来していると考えられている．
▶**葉酸**は，緑黄色野菜，果物，酵母，きのこ類，動物性たんぱく（肝臓，腎臓）に多く存在する．しかし，葉酸は15分以上の加熱調理によって容易に壊れやすく，炒めると50〜95％が喪失するため，調理法を工夫する必要がある．

MEMO

鉄の吸収と動物性たんぱく質：肉や魚などの良質な動物性たんぱく質にはヘム鉄を有効に利用されるのを助けたり，非ヘム鉄が消化管内で溶解するのを助ける因子が含まれており，これをミートファクターというが，その詳細については不明な点が多い．

14 吐血，下血

1 症候の概要

▶患者の栄養ケアマネジメントにおいて，消化管出血による病態の変化は基礎疾患治療に大きな影響を与える．トライツ靱帯より口側の上部消化管からの出血が口腔から排出されることを吐血といい，肛門側の出血が腸管蠕動によって大腸へ送られ肛門から排出されたときに下血といわれる（図Ⅳ-14-1）．

▶微少な出血は体調への影響が少ないが，大量になると全身状態への影響が現れ，循環動態が変動し生命が脅かされる．疾患の中心が消化吸収を司る消化管であることが，栄養障害の発生や治療効果の良否に大きく影響する理由となる．

2 病態

■吐血

▶口腔，鼻腔，咽頭，食道，胃・十二指腸の出血が大量のときに，血液が腸管蠕動による肛門側への移動と同時に口腔から排出される．少量の場合には腸管蠕動によって下血となることもある．

▶原因疾患としては，食道静脈瘤破裂，マロリー・ワイス（Mallory-Weiss）症候群，胃潰瘍，十二指腸潰瘍，急性胃粘膜病変や各部位の外傷や腫瘍などがある．

■下血

▶血液が消化液と混ざり，黒色の排泄物となったものをタール便とよぶ．また，血液が排泄される場合には血便とよび，これには鮮血便と粘血便がある．口腔，鼻腔，咽頭，食道，胃，小腸，結腸，直腸，肛門のすべてが出血源となりうるが，臨床的には排出物の性状を観察することで，出血部位を推定することができる．

▶小腸より肛門側の病変が多いことから，クローン病や潰瘍性大腸炎などの炎症性腸疾患，メッケル（Meckel）憩室を含む憩室症，虚血性腸炎，腸重積，アメーバ赤痢や腸チフスなどの感染症，そして各部位の外傷や悪性腫瘍が原因として考えられる．

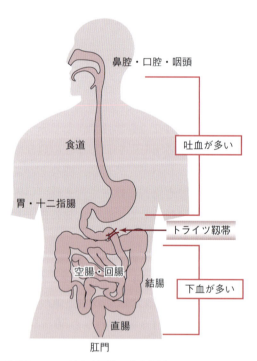

■図Ⅳ-14-1 吐血と下血の出血部位

MEMO

トライツ（Treiz）靱帯：後腹膜腔を走行している十二指腸が結腸間膜の中から前方の腹腔へ出てくる手前で固定されているところをトライツ靱帯とよぶ．実際には強い靱帯はなく，膜構造で支えられている．

タール便：血液の含有量が多い便はタールのように黒褐色であり，鮮やかな血液便とはまったく異なるためこのようによばれる．

3 症状

■吐血
▶出血部位によって併発する症状が異なる．食道静脈瘤の場合には心窩部不快感が初発症状となり，新鮮血を吐くという症状が多い．胃・十二指腸潰瘍や胃炎出血の場合には初めの症状として腹痛が存在することが多く，食物残渣とともに暗赤色の血液を吐くことが多い．

▶鼻出血が少量の場合，吐物は胃から排出されることが多いため，胃潰瘍出血のような暗赤色であるが，大量出血の場合は，咽頭や食道内の凝血塊が中心となるため鮮やかな赤色となる．

▶小腸や大腸が原因の腸閉塞では，出血というよりも消化管内容物が中心の吐物であり，血液の混入を確認することが困難な場合がある．大量出血の場合には循環動態の変動から，頻脈，低血圧，精神錯乱などの症状が現れ，ショック状態 に陥ることがある．

■下血
▶出血部位と出血量によって症状が異なる．肛門疾患のうち，裂孔や内痔核は肛門痛をともなうことがあり，訴えをもとに，まず検査すべきであるが，直腸から口側の病変では痛みをともなわないことが多いので，注意が必要である．

▶クローン病や潰瘍性大腸炎などの炎症性腸疾患，メッケル憩室を含む憩室症，虚血性腸炎，腸重積，アメーバ赤痢や腸チフスなどの感染症では，やや茶色暗赤色の下血であり，腹痛と発熱をともなうこともある．出血と比較すると，腸閉塞や腹膜刺激症状の有無が大切で，下部消化管出血では上部消化管出血と比較してショックに陥る症例は少ない．

4 鑑別診断

▶既往歴の聴取としては，肝疾患の有無，消炎鎮痛薬の内服歴が重要で，出血のきっかけとして飲酒があったか否かの聴取も必要である．吐血においては，喀血 との鑑別が必要で，吐物に気泡が混入されているか否かは重要な所見である．

▶感染症では，渡航歴によって感染源の可能性を推定できるうえ，さらなる感染の危険性もあるため，受診から時間を置かずに確認する．

▶若年者では炎症性腸疾患の頻度が高いので，同症状の繰り返しを確認する．

▶身体所見として，腹水，黄疸，口臭，クモ状血管腫，全身の出血傾向，外傷の有無，腹膜刺激症状の有無を確認したうえで，精密検査へ向かう．

5 治療

▶治療方針を決定するために血液生化学検査を行い，炎症の状態や貧血の程度を評価する．これをもとに，循環動態を安定させ，迅速に止血することが治療の軸となる．

▶一般的には静脈路を確保し，輸液や輸血を施行，必要ならカテコールアミンなどの循環作動薬の静脈注射を行う．そして，臨床所見に基づいて上部消化管内視鏡検査，下部消化管内視鏡検査，直腸鏡や肛門鏡を行う．

▶診断が困難な場合は，腹部CTスキャン，腹部超音波断層検査，血管造影が有効なことがあるため併用する．

MEMO

ショック状態：大量出血や心臓機能低下などさまざまな身体侵襲のために，低血圧や頻脈を起こし，意識障害や臓器障害を起こす病態をショック状態という．

喀血：肺からの出血を咳嗽とともに吐き出した場合に喀血とよぶ．

▶迅速に出血源を同定し，視野が確保され，内視鏡的処置が可能な場合には，検査に引き続いて止血クリップ，エタノール注入，トロンビンなどの止血剤や経肛門的縫合術による止血を図る．

▶腸間膜動脈から血管内コイル留置によって血流をコントロールし止血する方法もあるが，コントロール困難な場合には，遅れることなく，開腹，または開胸による止血術を行わなければならない．

⑥ 栄養ケア

▶発症から，治療方針決定までは絶食とするため，この間は静脈栄養などの特殊栄養法が選択される．通常は細胞外液補充液の静脈投与が行われ，検査結果によって，血漿たんぱく製剤や輸血が選択される．

▶この間の栄養補給は侵襲による内因性エネルギー動員があるため低エネルギー量とするが，循環動態が安定したあと，食事開始までに数日かかる場合には，完全静脈栄養法（TPN：total parenteral nutrition）や経腸栄養法（EN：enteral nutrition）を計画する．

▶止血が確認されたら，可能な限り，早期から腸を使った栄養を開始するほうがよい．

MEMO

内因性エネルギー動員：侵襲が大きいとき，ホルモンやケミカルメディエーターの作用により，筋などは分解されブドウ糖など熱量源が作られる．異化期とよばれ，体外からブドウ糖を投与することで減らすことはできない．

15 血尿

1 症候の概要

▶血尿とは尿に赤血球が混入した状態であり，腎・泌尿器系疾患の診断・治療のための重要な症候である．
▶顕微鏡的血尿は加齢とともに増加し，女性に多い．
▶フローサイトメトリー法で尿中赤血球数20個/μL以上，顕微鏡400倍拡大1視野（HPF）で赤血球数5個以上を血尿と定義する．
▶わが国の血尿者数は500万人近くになると推測される．
▶血尿は以下の4つに分類される．
①肉眼的血尿：本人が気づく色調の血尿である．尿1L中に血液が1～2mL以上含まれると肉眼的血尿となる．
②顕微鏡的血尿：尿潜血反応または顕微鏡によって観察される血尿である．新鮮尿（採尿後4時間以内）の沈渣をHPFで検鏡する．赤血球数は，健康人で男女とも4個/HPF以下である．
③無症候性血尿：何らの症状もともなわず偶然の機会に検尿で発見される血尿（チャンス血尿）である．
④症候性血尿：臨床症状をともなう血尿である．

2 病態

▶血尿の原因は，以下に大別できる．
①糸球体からの赤血球の漏出
②腎・尿路系および前立腺からの出血
③出血傾向に基づくもの
▶血尿は種々の疾患でみられる（表Ⅳ-15-1）．
▶成人の肉眼的血尿をきたすおもな疾患は，膀胱癌・腎盂尿管癌，腎癌，前立腺肥大症，尿路結石症，出血性膀胱炎，溶連菌感染後急性糸球体腎炎，IgA腎症，腎動静脈奇形，腎梗塞，特発性腎出血などがある．
▶小児の肉眼的血尿をきたすおもな疾患は，腎血管性病変によるナットクラッカー症候群，尿路結石症，出血性膀胱炎，悪性腫瘍などである．
▶顕微鏡的血尿をきたすおもな疾患は，糸球体腎炎，腎尿路系悪性腫瘍，尿路結石症，膀胱炎，前立腺肥大症，腎動静脈奇形，腎嚢胞・多発性嚢胞腎，腎下垂（遊走腎）などである．

■表Ⅳ-15-1 血尿をきたす疾患

糸球体疾患	糸球体腎炎，IgA腎症，アルポート症候群，菲薄基底膜病
間質性腎炎	薬物過敏症
血液凝固異常	凝固線溶異常（DIC，血友病），抗凝固療法
尿路感染症	腎盂腎炎，膀胱炎，前立腺炎，尿道炎，尿路結核
尿路結石症	腎結石，尿路結石，膀胱結石
尿路性器腫瘍	腎細胞癌，腎盂腫瘍，尿管腫瘍，膀胱腫瘍，前立腺癌
尿路外傷	腎外傷，膀胱外傷
腎血管性病変	腎動静脈血栓，腎梗塞，腎動静脈瘻，ナットクラッカー症候群
憩室症	腎杯憩室，膀胱憩室
その他	壊死性血管炎，紫斑病，多発性囊胞腎，海綿腎，腎乳頭壊死，前立腺肥大症，放射線性膀胱炎，間質性膀胱炎

（血尿診断ガイドライン，日腎会誌 55(5)(Suppl)，2013より作表）

MEMO

尿潜血反応：肉眼的には尿中に血液の混入が確認されない程度の少量の血液混入が認められる場合，尿潜血反応陽性という．顕微鏡的血尿と同義である．ただし，尿潜血反応陽性と尿沈渣による赤血球の有無とが一致しない場合もある．

尿沈渣：尿を遠心分離器にかけると，赤血球，白血球，上皮細胞，円柱細胞，尿酸結晶などの固形成分が沈殿する．この沈殿した固形成分を尿沈渣という．これらを顕微鏡で観察することは，腎疾患など種々の疾患の鑑別や治療効果判定などに非常に有用である．

3 症状

■ **赤血球の糸球体からの漏出により，血尿をきたす代表的疾患の血尿以外の症状・徴候**

- 急性糸球体腎炎：たんぱく尿，浮腫，高血圧，ASO/ASK値上昇，低補体値
- 慢性糸球体腎炎・慢性腎不全：たんぱく尿，糸球体濾過量低下，血中尿素窒素値上昇
- グッドパスチャー症候群：肺出血・血痰，たんぱく尿，抗BGM抗体陽性
- シェーンライン・ヘノッホ紫斑病：紫斑，出血傾向，関節炎，たんぱく尿
- 多発血管炎：発熱，関節・筋肉痛，高血圧，肺出血・間質性肺炎，たんぱく尿，MPO-ANCA陽性

■ **腎出血により血尿をきたす代表的疾患の血尿以外の症状・徴候**

- 腎結核：膿尿・酸性無菌性膿尿，結核菌の同定
- 腎癌・ウイルムス腫瘍（小児疾患）：側腹部痛，画像診断（CT・MRI・超音波診断などにより腎腫瘤を鑑別）
- 囊胞腎：側腹部痛，側腹部腫瘤，画像診断（CT・MRI・超音波診断などにより腎腫瘤を鑑別）
- 腎下垂（遊走腎）：腹痛，腰背部痛，腎移動

■ **尿管出血により血尿をきたす代表的疾患である尿管結石症の血尿以外の症状・徴候**

- 側腹部痛，腹部仙痛発作，画像診断所見で尿路に結石

■ **膀胱出血により血尿をきたす代表的疾患の血尿以外の症状・徴候**

- 膀胱炎：頻尿，排尿痛，混濁尿・膿尿，細菌尿
- 尿路感染症：発熱，腰背部痛，排尿痛，混濁尿・膿尿，細菌尿
- 膀胱癌：頻尿，膀胱鏡・画像診断

■ **前立腺出血により血尿をきたす代表的疾患の血尿以外の症状・徴候**

- 前立腺肥大症：頻尿，排尿困難，腫瘤触知
- 前立腺癌：頻尿，排尿困難，腫瘤触知，腫瘍マーカー（PSA，γSm）高値

■ 表IV-15-2　尿路上皮癌のリスクファクター

- 40歳以上の男性
- 喫煙歴
- 化学薬品曝露
- 肉眼的血尿
- 泌尿器科疾患
- 排尿刺激症状
- 尿路感染の既往
- 鎮痛剤（フェナセチン）多用
- 骨盤放射線照射歴
- シクロホスファミド治療歴

（血尿診断ガイドライン，日腎会誌 55(5)(Suppl)，2013 より）

4 鑑別診断

▶ 病歴・家族歴の聴取が重要である．
▶ 尿検査（新鮮随時尿）：尿たんぱく，尿沈渣，尿細胞診，ヘモグロビン尿・ミオグロビン尿
▶ 血液生化学検査：免疫グロブリン（IgA，IgG），補体（CH_{50}，C3，C4），CK，ASO/ASK，腫瘍マーカー
▶ 腎機能検査・腎生検
▶ 画像診断：超音波，X線検査（腎盂造影やCT），MRI
▶ 膀胱鏡検査
▶ たんぱく尿の出現がなく，顕微鏡的血尿の場合には，尿路の上皮癌のリスクファクター（表IV-15-2）に注意する．

📝 **MEMO**

ASO/ASK値：溶血性連鎖球菌が産生する毒素のストレプトリジンOに対する抗体がASO（抗ストレプトリジンO）であり，酵素のストレプトキナーゼに対する抗体がASK（抗ストレプトキナーゼ）である．

MPO-ANCA：ANCA（anti-neutrophil cytoplasmic antibody：抗好中球細胞質抗体）は，蛍光抗体法で細胞質が染まるPR3-ANCA（C-ANCA）と，核の周囲が染まるMPO-ANCA（P-ANCA）の2種類に分けられる．

膿尿：尿路の細菌感染時には，多数の白血球が尿中に含まれる．多数の白血球が存在する尿を膿尿という．

■表Ⅳ-15-3 尿潜血反応（試験紙法）と尿沈渣結果の不一致

尿潜血反応陽性・尿沈渣赤血球陰性	● 低張尿 ● アルカリ性尿 ● ヘモグロビン尿 ● ミオグロビン尿 ● 細菌のペルオキシダーゼ過酸化物の混入 ● 高度な白血球尿/細菌尿 ● 精液の大量混入（ジアミンオキシダーゼ） ● 見落とし
尿潜血反応陰性・尿沈渣赤血球陽性	● アスコルビン酸含有尿（その他の還元物質の存在） ● 高比重尿（高たんぱく尿） ● カプトプリル含有尿 ● 尿の撹拌が不十分のとき ● 多量の粘液成分の混入 ● 誤認（酵母，白血球，上皮の核，シュウ酸，でんぷん粒，油滴，脂肪球，精子の頭部など）

（血尿診断ガイドライン，日腎会誌 48(Suppl)，2006 より）

■表Ⅳ-15-4 抗凝固療法適応疾患

- 頻脈性不整脈：心房細動
- 心筋梗塞，動脈瘤
- 弁膜症・人工弁置換術後
- 心房内・心室内の血栓・腫瘍など
- 肺高血圧症：
  　急性および慢性閉塞性肺塞栓症，膠原病類縁疾患
- 末梢性動脈疾患：
  　末梢動脈瘤，急性・慢性末梢動脈閉塞症
- 抗リン脂質抗体症候群
- ネフローゼ症候群

▶試験紙法による尿潜血反応と尿沈渣による赤血球検査は，必ずしも一致しないことを知る必要がある（表Ⅳ-15-3）．

5 治療

▶血尿は，腎糸球体から尿道までのいずれかの部分から出血をきたしており，前述するように多様な疾患により血尿がみられる．

▶それぞれの血尿をきたす原疾患に応じた治療となる．

6 栄養ケア

▶顕微鏡的血尿をきたす代表的疾患である糸球体腎炎などについては，「Ⅴ．治療となる栄養ケア」の項を参照のこと．

▶ここでは，経年的に増加傾向にある抗凝固療法中の患者の栄養ケアにつき述べる．血栓塞栓症の予防に努める必要がある疾患はいろいろである．表Ⅳ-15-4には，病態に応じて抗凝固療法が適応される疾患を示す．

▶抗凝固療法には，ヘパリン療法とワルファリン（ワーファリン）療法があり，前者は経静脈的に，後者は経口的に投与される．ワルファリンは，プロトロンビンはじめ種々の凝固因子の生成に必要なビタミンKの作用を抑制することにより，抗凝固作用を発揮する．

▶ワルファリン投与時の栄養ケアは，ビタミンK含有食品を控えることと，腸内細菌によるビタミンK産生の抑制が必要である．

▶ビタミンKは納豆，緑色野菜（ほうれんそう，しゅんぎく，ブロッコリーなど），健康食品のクロレラに多く含まれる．

▶納豆菌は，腸内でビタミンKを大量に産生する．

▶ワルファリン投与時には，凝固時間が治療範囲内にあることをトロンボテスト(TT)，PT-INRで確認する必要がある．

▶抗凝固薬使用中の血尿の頻度はコントロール群と変わらないと報告されている．

▶凝固時間の過度な延長は，脳出血や血尿の原因となる．

MEMO

尿潜血反応（試験紙法）：尿潜血反応用の試験紙には過酸化物とクロモゲンが含まれている．過酸化物はヘモグロビンのペルオキシダーゼ様活性により活性酸素を遊離し，これにより還元型クロモゲン（無色）が酸化され，酸化型クロモゲン（青色）となる．この発色反応により赤血球の有無を判定する．

トロンボテスト(TT)，PT-INR：トロンボテスト（TT）もPT-INRもワルファリン（warfarin）コントロールのため，あるいはヘパリンやワルファリンなどによる抗凝固療法のモニターとして開発された検査法であり，出血傾向の予知や抗凝固療法のコントロールに適している．

16 浮腫

1 症候の概要

▶水は人体の主要な構成物質であり，成人男子では体重のほぼ60％，女性や肥満者の水分量は体重の55％，乳幼児では65％を占めている．このうち40％は**細胞内液**，20％が**細胞外液**として存在する．**細胞外液**は，その1/4（5％）は血管内を流れる循環血漿として，3/4（15％）は血管外の細胞間の**組織間液**（間質液，組織液）として存在する．

▶**浮腫**とは，組織間隙に間質液が異常に貯留した状態をいう．浮腫には，全身性の場合，特殊な部位や臓器に限局性のものがある．

▶臨床的には，通常，皮下に**触知**される場合をいい，液貯留のメカニズムは同じであっても，心膜腔，胸膜腔や腹膜腔などの体腔内に貯留したものをそれぞれ心嚢水，胸水，腹水とよび区別される．肺において，同様なメカニズムによって血管外水分量が増加した状態は肺水腫とよばれるが，水腫と浮腫は同義語であり，どちらも英語ではedemaである．

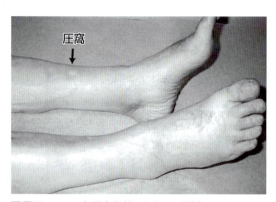

■図Ⅳ-16-1　心不全患者にみられた浮腫

（提供：奈良信雄）

2 病態

▶毛細血管とその周囲の組織との間の液の還流は，毛細血管内の血圧，組織液圧，血液と組織液の膠質浸透圧による．毛細血管の動脈側は約30mmHg，静脈側では約10mmHgであり，組織液圧は－6mmHg，組織の膠質浸透圧は4mmHg程度であり，血液の膠質浸透圧は約28mmHgである．

▶浮腫は，血漿からの液体濾出が起こり腎のNa・水貯留が二次的に起こるか，腎のNa，水の排泄障害が起こり血漿からの液体が組織間隙に滲出するほかに，各種の因子が関連している．

▶浮腫はその成因により，毛細管圧の変化，毛細管透過性の亢進，血液膠質浸透圧の低下，組織圧低下，リンパうっ滞などに区分される．

▶静脈圧の上昇は毛細血管静脈側での吸引力を弱め，たとえば，右心不全，上大静脈症候群や血栓症などによる静脈の閉塞などで**圧窩**が認められる（図Ⅳ-16-1）．

▶リンパ管の閉塞による浮腫は，進行すると不可逆性の非圧窩性浮腫となり，完全に治癒させることは困難になる．たとえば，乳癌根治手術による腋窩リンパ節の郭清後，腫瘍による圧迫，フィラリアのリンパ管内寄生などで認められる．

▶毛細血管の障害による毛細血管壁の透過性の亢進は，高分子たんぱく質が血管外に出るため組織液の**膠質浸透圧**を上昇させ，静脈側での吸引力を低下させる．たとえば，敗血症，ウイルス性出血熱，急性呼吸窮迫症候群，高

MEMO

触知：触診による情報．手掌や指の腹面で触れ，触診している手掌や指の片側の手を添える．乱暴で粗雑な触診は避け，手掌，指のみに限らず頭髪なども清潔にし，患者に不快感を与えない．触診により下肢や足背部の浮腫の有無を確認できる．

圧窩：圧迫した部位が凹となり，すぐに戻らない状況．

山病，炎症による浸出液の貯留などで認められる．

▶血液膠質浸透圧の低下は，微小循環動脈側で間質液を押し出す力を強め，静脈側での吸引力を弱める．たとえばネフローゼ症候群によるアルブミンの尿中への排泄，低たんぱく血症，飢餓，肝機能障害などで認められる．

③ 症状

▶全身性に浮腫がみられる状態は，体重が増加するほど細胞外液が増加している．全身性の浮腫で，身体検査で浮腫が認められ明らかな圧窩を判定するまでに，体重は約5～10kg増加する．

▶肝硬変では，肝線維化により脈管系を圧迫し門脈圧が亢進し，腹腔内毛細管圧が上昇し，一方，アルブミン合成能の低下により，低たんぱく血症をもたらし血漿膠質浸透圧が低下する．また，下大静脈の部分的な圧迫が，下肢の浮腫をもたらす．

▶肺水腫は，左心不全による左右心室拍出量の不均衡による肺静脈圧の上昇により起こる．

▶気管支喘息での呼吸困難時の顔面浮腫は，組織圧の低い眼窩部に生じやすい．

▶毛細血管透過性の亢進により，たんぱくは血管外液に移行し，血液の膠質浸透圧が低下し，浮腫を生じ，火傷，外傷，アノキシア，アレルギー，毒素などにみられる．浮腫液中のたんぱく質含有量は高い．

▶血漿たんぱく濃度が5g/dL以下になると，血液の膠質浸透圧が低下のため浮腫を生じる．これは，飢餓や栄養失調，ネフローゼ症候群にみられる．

▶リンパ節切除，リンパ管炎などのリンパ管閉塞は，リンパうっ滞による浮腫を生じる．

▶うっ血性心不全では，心拍出量は減少し，腎機能に変化を及ぼし，糸球体濾過値は減少し，Na，Clが貯留しやすくなる．一方，副腎皮質の機能亢進によりアルドステロンが上昇しNaが貯留する．さらに抗利尿物質の増加により水の再吸収も増加し，浮腫を生じる．

▶内因性の疾患，腎外性ホルモンの影響により尿細管のNa，水の再吸収能が亢進することにより浮腫が生じる．

▶急性腎炎の浮腫は毛細血管透過性亢進により毛細血管壁を通してたんぱくが出，膠質浸透圧が低下し，浮腫を生じる．慢性腎炎は高血圧による二次的心不全により浮腫を生じ，ネフローゼ症候群では多量のたんぱく尿と低アルブミン血症により膠質浸透圧が著明に低下し，浮腫を生じる．

▶過剰の食塩摂取（20～30g/日）があれば，静脈圧上昇，体重増加とともに軽度の浮腫を生じる．

④ 鑑別診断

▶臨床症状としては，浮腫の部位，血圧，心肥大，心雑音，呼吸の状況をみる．尿・血液検査の所見では，血清アルブミン濃度，たんぱく尿を確認する．そのうえで，浮腫の成因を，毛細血管内静水圧，血漿膠質浸透圧の低下，毛細血管の血管透過性の増加，間質の膠質浸透圧の上昇などを治療方法とともに鑑別する（表Ⅳ-16-1）．

▶臨床的には，局所性浮腫と全身性浮腫に分けられる．局所性浮腫の原因は，静脈やリンパ還流の一方または両方が局所性閉塞により生じるものである．全身性浮腫の原因はうっ

MEMO

アノキシア（anoxemia, hypoxaemia：無酸素症）：体組織の酸素不足状態を低酸素症といい，その極端な場合を無酸素症という．原因には，動脈血の酸素飽和が正常でない場合，血中Hb濃度の減少または化学変化のため酸素を運搬できない場合，うっ血または虚血による場合，酸素の供給より需要が上回る場合などがあげられる．

血性心不全，心膜疾患，急性腎炎，粘液水腫，片麻痺，特発性浮腫などがあげられる（表Ⅳ-16-2）.

▶全身性に浮腫がみられる疾患として頻度が高いのは，腎疾患（急性糸球体腎炎，ネフローゼ症候群，腎不全など），心疾患（右心不全，心臓弁膜症など），肝疾患（肝硬変，肝静脈血栓など）である.

5 治療

▶浮腫の治療は，原因となっている疾患を突き止め，疾患への治療を行い，補助的治療として**食塩制限**をする.

▶浮腫そのものは，肺水腫を除いて，個体の生存を脅かし，緊急に治療を必要とする場合は少ない．食塩制限による効果が不十分な場合には最低必要量の利尿薬を投与するが，**利尿薬**の種類によりカリウムなどの電解質異常を招く可能性があるので注意を要する.

▶糖尿病性腎症や心疾患も原因となる.

▶特殊な浮腫は，甲状腺機能低下時にみられる．これは組織間隙にヒアルロン酸やコンドロイチン硫酸などのムコ多糖類が沈着し，非圧窩性の浮腫（浮腫部の皮膚を指で圧迫しても圧痕は残らない）を呈する粘液水腫で，ホルモン療法が必要となる.

▶そのほか，浮腫は薬剤が原因となり生じる場合があり，病歴をよく聴取し，原因となる薬剤の同定と使用状況を把握しておく.

▶高血圧症に対する治療薬では，Ca拮抗薬，β遮断薬，ACE阻害薬により浮腫を生じる可能性がある．糖尿病に対する治療薬では，インスリン抵抗性を改善するチアゾリジンは，腎集合管上皮細胞の**Naチャネル**を活性化

■表Ⅳ-16-1　浮腫の成因と分類

毛細血管内静水圧の上昇
A．腎でのNa貯留にともなう血漿量の増加 　1．心不全（肺性心を含む） 　2．一次性の腎でのNa貯留（primary renal sodium retention） 　　a．ネフローゼ症候群を含む腎疾患 　　b．薬剤（ミノキシジル，ジアゾキシド，Ca拮抗薬，NSAIDs，フルドロコルチゾン，エストロゲン） 　　c．リフィーディング浮腫 　　d．肝硬変早期 　3．妊娠・月経前期の浮腫 　4．突発性浮腫（利尿薬誘発性） B．静脈系の閉鎖 　1．肝硬変・肝静脈系の閉塞 　2．急性肺水腫 　3．局所の静脈閉塞 C．動脈系血管抵抗の減弱 　1．Ca拮抗薬 　2．突発性浮腫
血漿膠質浸透圧の低下 **（血清アルブミン濃度 <1.5～2.0g/dLの場合）**
A．血清たんぱくの喪失 　1．ネフローゼ症候群 　2．たんぱく漏出性胃腸症 B．アルブミン合成の低下 　1．肝硬変 　2．低栄養・飢餓
毛細血管の血管透過性の増加
1．突発性浮腫 2．熱傷 3．外傷 4．炎症・敗血症 5．アレルギー反応（血管性浮腫，アナフィラキシーを含む） 6．成人性呼吸促迫症候群 7．糖尿病 8．インターロイキン2治療 9．癌性腹水
間質の膠質浸透圧の上昇（またはリンパ系の閉塞）
1．リンパ浮腫 2．甲状腺機能低下症 3．癌性腹水

(Rose BD, Post TW : Clinical physiology of acid base and electrolyte disorders. 5th ed, p.478-538, McGraw-Hill, New York, 2001 より)

📝**MEMO**

利尿薬：利尿薬にはサイアザイド薬，ループ利尿薬，K保持性利尿薬などがある．サイアザイド薬の副作用には低K血症，低Mg血症，高尿酸血症，耐糖能低下，光線過敏症，脂質代謝障害がある．ループ利尿薬の副作用はサイアザイド薬に準じる．K保持性利尿薬の副作用は，女性化乳房，倦怠感，またACE阻害薬との併用で高K血症などを生じる.

■ 表IV-16-2 浮腫の分類と原因疾患

分類		原因疾患
全身性浮腫	腎性浮腫	急性糸球体腎炎，ネフローゼ症候群，急性腎不全，慢性腎不全
	心性浮腫	うっ血性心不全，収縮性心膜炎
	肝性浮腫	肝硬変，バッド・キアリ症候群
	内分泌性浮腫	甲状腺機能低下症（粘液水腫），甲状腺機能亢進症，クッシング症候群，月経前浮腫
	栄養障害性浮腫	脚気，たんぱく漏出性胃腸症
	薬剤性浮腫	甘草，グリチルリチン，経口避妊薬など
	突発性浮腫	原因疾患なし
局所性浮腫	静脈性浮腫	上・下大静脈症候群，四肢静脈血栓症，静脈瘤，静脈弁不全
	リンパ性浮腫	先天性家族性リンパ浮腫（ミルロイ病），リンパ管炎，フィラリア症，癌転移，放射線照射
	炎症性浮腫	血管炎，アレルギー，炎症
	血管神経性浮腫	遺伝性血管神経性浮腫（HANE），クインケ浮腫

（石川兵衞，全内雅夫：臨床腎臓病学（本田西男ほか編），p.129，朝倉書店，1990より）

してNa再吸収を促進し，浮腫を生じる場合がある．

▶インスリンには尿細管でのNa再吸収と血管透過性亢進作用があり，Naの貯留が起こる可能性があるため，インスリンの急激な補充には留意を要する．

が優先される．

▶疾患による浮腫に対する食事療法は，原疾患のガイドラインに準拠する．腎性浮腫のうち慢性腎不全を除き，急性腎炎症候群の急性期と高度の難治性浮腫をともなったネフローゼ症候群以外は水の制限は行わない．

6 栄養ケア

▶血清Na濃度は，体内に存在するNaと水の総量の割合で決まり，細胞外液量が増加している浮腫性疾患では，Na総量が増加しているにもかかわらず，低Na血症を呈する．

▶血清Na濃度の低下が著しい場合には，食事療法での2〜5 g/日の食塩摂取制限に加えて，1,000 mL/日以下の水分摂取制限を行う．

▶静脈やリンパ管の物理的な原因による閉塞など局所的な原因によって生じる浮腫や，血管壁の透過性の亢進による浮腫に対しては，食塩制限の効果は期待できず，原疾患の治療

Naチャネル（→ p.192）：細胞の内と外の間では，電位差が常に存在している．通常，細胞外と比べ細胞内の電位がマイナスとなっている．活動電位とは，この電位差がなんらかの刺激によって一時的に逆転する現象であり，素早く組織間・内で情報を伝えることができる．この活動電位の発生には通常，電位依存性Na⁺チャネルの存在が不可欠である．

17 腹水

1 症候の概要

▶腹水（ascites）の語源は，ギリシア語でワインを入れる革袋（askos）からきており，健常者であっても生理的な範囲の20～50mLの非炎症性の漏出液の腹水は存在している．これを超えて貯留した状態を**腹水**というが，一般的には広義に解釈し，腫瘍性や炎症性の浸出液も腹水という．

▶腹水は1,000mL以上貯留すると他覚的に確認でき，仰臥位では蛙腹（frog abdomen）とよばれる状態がみられる．

▶人体を構成する細胞は，血液と組織間液との間の水分の移動によって生命が維持されている．組織中に水分を押し出そうとする毛細血管内圧と血液中に保持しようとする血漿膠質浸透圧のバランスで，毛細血管の動脈側では押し出し，静脈側では再吸収される．

▶正常では，毛細血管の静脈側で再吸収しきれなかった組織間液は，リンパ液となり，リンパ管に流入し，体循環に戻る（図Ⅳ-17-1）．

▶何らかの原因により，収支バランスが崩れ，組織間に液体貯留をきたした病的状態を浮腫とよび，さらに進行し，体腔内にまで貯留したものを**腹水，胸水，心嚢水**とよぶ．

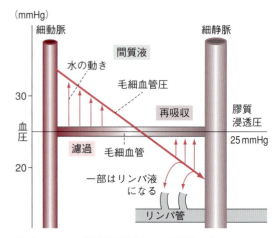

■図Ⅳ-17-1　微小循環領域での間質液の流れ
毛細血管領域では血液の膠質浸透圧に比較して血圧は細動脈側では高く，細静脈側では低いため，動脈側で濾過され，滲み出した間質液は静脈側で吸収される．しかし1/10から1/100の間質液は吸収されず，組織内に残され，リンパ液と名を変えリンパ管に流入して，左右の静脈角（内頸静脈と鎖骨下静脈の合流部）から静脈に回収される．
（坂井建雄，岡田隆夫：系統看護学講座専門基礎分野，解剖生理学，人体の構造と機能Ⅰ，第8版，p.208，医学書院，2009より）

2 病態

▶発生の機序を，局所性因子と全身性因子に分ける．局所性因子には，毛細血管内圧の上昇，組織圧の低下，毛細血管壁の透過性の亢進，リンパ液の還流障害などがある．全身性因子には，**血漿膠質浸透圧**の低下，腎臓でのNaと水の貯留，そのほか内分泌因子，神経性因子などがある．

▶腹水の貯留は疾患によりこれらの因子のかかわり方に違いが認められている．剖検時の所見で，腹水と胸水がともに認められるのは慢性糸球体腎炎では全例，肝疾患では50％以下とされ，慢性糸球体腎炎では全身性因子が，肝疾患では全身性因子と局所性因子の両者が強く関与していると考えられている．

3 鑑別診断

▶一般に600mL以下の少量の腹水は身体診

MEMO

腹水，胸水，心嚢水：腹水は腹腔内に貯留している漏出液，滲出液をいい，胸水は胸膜腔内に溜まっている漿液性液をいい，心嚢水は心膜内に溜まった漿液性液をいう．腹腔内に1リットル以上貯留すると腹部は上部より側方に膨隆する．

■表Ⅳ-17-1 腹水の原因

肝・門脈系疾患	肝硬変症，肝癌，日本住血吸虫症，特発性門脈圧亢進症，門脈血栓
心血管疾患	うっ血性心不全，収縮性心膜炎，下大静脈閉塞（バッド・キアリ〈Budd-Chiari〉症候群）
腹膜疾患	癌性腹膜炎，結核性腹膜炎，急性腹膜炎，腹膜仮性粘液腫
生殖器疾患（女性）	悪性腫瘍（悪性絨毛上皮腫など），良性卵巣腫瘍（囊胞腺腫，線維腫～メーグス〈Meigs〉症候群）
膵疾患	膵性腹水，膵囊胞の破裂，膵癌
腎疾患	ネフローゼ症候群，腎悪性腫瘍
血液・リンパ系疾患	リンパ腫，悪性腫瘍，寄生虫によるリンパ系の閉塞，腸リンパ管拡張症
低たんぱく血症，ビタミン欠乏症	消耗性疾患，栄養障害
内分泌疾患	粘液水腫
外傷性，急性の原因	腹膜内臓器の破裂
その他	膠原病（SLE，リウマチ熱）

察では認めにくいが，CTや超音波検査による画像診断により，100mL程度の腹水貯留を描出できる．

▶腹水を認めた場合，腹水穿刺🖉を行い，たんぱく質濃度2.5g/dL以下，比重1.016以下の漏出液か，それ以外の浸出液かに分け診断し，治療が進められる．

▶表Ⅳ-17-1に腹水の原因となる各種の病態を示す．臨床上遭遇するのは肝硬変70％，悪性腫瘍とネフローゼ症候群がそれぞれ約10％，心不全その他10％である．

■肝硬変

▶肝臓の微小循環は身体の他の部位に比べて，解剖学的に特殊な構造をもっている．

▶安静時には，腹大動脈から分岐する腹腔動脈，上腸間膜動脈，下腸間膜動脈の血液は，全身の約30％を占める腹腔循環をなす．

▶また，消化管，膵臓，脾臓を毛細血管となって還流した静脈血は合流し門脈となって，腹腔動脈の枝である栄養血管としての固有肝動脈とともに肝臓に流入する．肝臓に流入する血液量の約70％は門脈から，30％は肝動脈からのものであり，これらはともに微小血管となり，肝小葉内で再度，特有な毛細血管網である類洞（シヌソイド）に流入し，肝実質細胞を還流して，中心静脈，肝静脈となり，下大静脈に流出する（図Ⅳ-17-2）．

▶類洞は体循環での毛細血管に相当し，内皮細胞は細胞間に300 Å🖉から0.5ミクロン（μm）の間隙を認め，たんぱく質そのほかの高分子を自由に通過させ，リンパ液として肝細胞索を取り囲むディッセ（Disse）腔に入り，毛細リンパ管に流出する．

▶肝静脈の下大静脈流入部の狭窄は，肝内に流入した血液の流出を障害し，透過性が亢進した類洞から押し出されて増加したリンパが，組織間隙から肝被膜を越え，腹腔内に漏出し，貯留することが動物実験で示され，肝うっ血が腹水の発生因子と考えられるようになった．

▶腹水は，門脈圧の亢進のみでは生じるとは限らない．右心不全や肝硬変で肝静脈の循環障害により，門脈圧が上昇し，類洞の圧が上がり，リンパ管への流入量を上回った血漿成分を含むリンパ液が肝臓から漏れて，大量の血漿たんぱく質を含む腹水となる．同時に，門脈圧上昇と血液膠質浸透圧の低下が加わることにより，腹膜面の毛細血管からも細胞外液が流出する．

▶肝硬変の進行による肝機能障害の悪化にともない，血漿たんぱく合成能は低下し，血漿の膠質浸透圧が下がるにつれて，肝小葉の門脈域の炎症による線維化が進み，門脈系静脈血の肝臓への流入が妨げられ，門脈圧はさら

📝MEMO

腹水穿刺：診断や治療の目的で行われ，肝硬変，ネフローゼ症候群，うっ血性心不全などで行われる．たとえば，非代償性肝硬変の腹水のたんぱく質濃度が4.0g/dL以上ならば滲出液とされ，血清と腹水のアルブミン濃度差が1.1g/dL以上であれば漏出液，1.1g/dL未満であれば滲出液と鑑別される．また，腹水中の白血球や好中球数も鑑別に用いられる．

Å：オングストロームと読み，長さの単位で電磁波の波長，膜の厚さ，表面の粗さ，結晶格子にかかわる長さの計量に使用される．1 Åは10^{-10}m＝0.1ナノメートル（nm）＝100ピコメートル（pm）となる．

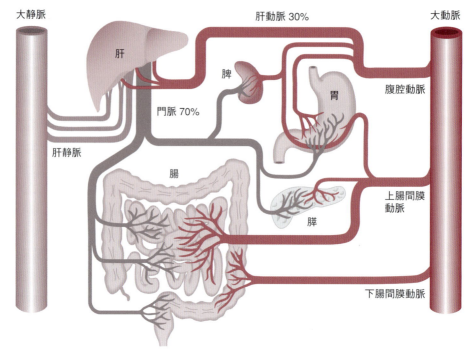

■図Ⅳ-17-2　腹腔循環
大動脈から分岐した3本の動脈は腹腔内臓器に微小循環を形成し、酸素と必要物質を供給した後、門脈となって、肝動脈をともなって肝臓に流入し、肝小葉内に入り、類洞で再度微小循環を形成する.

に上昇し、腹膜面の毛細血管から細胞外液の漏出が増加し、腹水貯留量が増加する.
▶その結果、門脈系の相対的循環血液量の減少を補正しようとして、腎糸球体濾過率の低下、レニン放出による副腎皮質からのアルドステロンの分泌、脳下垂体からの抗利尿ホルモンの分泌の増加が起こり、遠位尿細管での水とナトリウムの再吸収が増加し、腹水はさらに増加する.
▶心房性ナトリウム利尿ペプチドは心不全により心房圧が上昇すると分泌され、腎臓からのNa再吸収を抑制し、浮腫の増悪因子に対抗して働く.
▶しかし、肝硬変では心房性Na利尿ペプチドに対する反応性の低下などにより、腎でのNa貯留が循環血漿量を増大させ、門脈圧を

上昇させ、浮腫と腹水を生じることがある.

■うっ血性心不全
▶右心不全では、体静脈系のうっ血が起こり、静脈圧の上昇により毛細血管内圧が上昇し、毛細血管の透過性が亢進する.
▶肝硬変でみられるのと同様に、心拍出量の低下に対する代償機序として、水とナトリウムの貯留が静脈うっ血を増悪させ、進行するとうっ血肝による肝機能障害、浮腫、さらには腹水貯留にまで至る.
▶左心不全でも、右心不全に同様で、心拍出量低下から静脈系のうっ血を招き、浮腫、腹水貯留となる.

■ネフローゼ症候群
▶ネフローゼ症候群では、多量のたんぱく尿により低たんぱく血症をきたし、血液膠質浸

MEMO
浮腫の増悪因子：Naの貯留、Naの再吸収の促進、門脈圧の低下.
心拍出量：心筋の収縮と弛緩の繰り返しが心臓をポンプとして機能させ、拡張期には心房・心室ともに弛緩し、右心房と右心室は静脈血、左心房と左心室は動脈血で満たされる. この時点で心室に存在する血液量（心室拡張末期容量）は心室の収縮により2/3量が駆出し、これを1回の心拍出量という. 成人の場合の安静時仰臥位での心拍出量は約75mL/回である.

透圧の低下により循環血漿量が減少する．
▶循環血漿量の低下は，腎臓からレニン，膠質浸透圧の低下により，視床下部から抗利尿ホルモンが分泌される．
▶レニン・アンジオテンシン・アルドステロン系が賦活されると，アンジオテンシンⅡは近位尿細管で，アルドステロンは遠位尿細管と集合管でNaの再吸収を促進する．抗利尿ホルモンは集合管で水の再吸収を，ヘンレ係蹄でNaの再吸収を促進する．
▶さらにアンジオテンシンⅡと循環血漿量の低下は交感神経系を興奮させ，血漿ノルアドレナリンが増加し，細動脈収縮による血管抵抗を上昇させ，糸球体濾過値の低下，近位尿細管での水，Naの再吸収を促進する．再吸収された水，Naは血漿膠質浸透圧が低下しているために血管内に保持できず，血管外に移行し，処理能力を超えるため，浮腫，腹水貯留となる．

■腹膜炎，腹膜癌症
▶腹膜炎は，細菌やアレルギー反応によって産生される起炎物質✎により毛細血管の拡張と透過性の亢進が起こり，たんぱく質濃度の高い血管内成分が浸出する．
▶膵炎では豊富な消化酵素を含む膵液の腹腔内流出により腹膜に強い炎症反応を生じる．膵炎による腹水の貯留は，この膵液の腹腔内流出によるものである．
▶腹膜癌症では，腫瘍細胞の浸潤によるリンパ管の吸収障害，増大した腫瘍の浸潤や圧迫による血液循環障害，血管透過性の亢進，悪液質にみられる低栄養状態などの因子が複合して腹水が貯留する．

4 治療

▶腹水は症状であるので，原因となる疾患を判別し原疾患の治療を行う．とくに浸出液の貯留する炎症や腫瘍に起因する場合は最優先に原疾患の治療を行う．
▶次いで補助手段としてNa制限を行い，そのうえで最低必要量の利尿薬を用いる．有効となる各種の利尿薬が用いられるが，利尿薬による貯留体液の除去は電解質異常を招く可能性がある．また，Naを保持しにくくなった腎不全患者では，厳重なNa制限と利尿薬により脱塩状態を招き，尿毒症の原因となる可能性もある．一方，Na制限によって得られる自然な体液の是正は安全性が高い．
▶腹水を貯留する疾患は多岐にわたるため，原疾患に対応して行う．肝硬変では，栄養食事療法，アルブミン補充，利尿薬の投与を行い，難治性腹水では腹水濾過濃縮再静注，腹膜頸静脈シャントなどを行う．

5 栄養ケア

▶腹水の貯留は腹部膨満感を招いて食欲を低下させる．さらに，消化吸収能の低下も起こすので，食品選択・調理法✎などを考慮する．
▶ネフローゼ症候群では食塩摂取量を1日0〜6g未満に，うっ血性心不全では1日3〜6g未満に制限する．肝硬変で腹水貯留をみる場合には，肝臓の血流を悪化させないように安静臥床を厳守し，食塩摂取量を1日2〜5gに制限する．
▶血清Na値が130mEq/L以下の場合には，希釈性低Na血症を考えて，状況に応じて水分摂取制限を考慮する．

MEMO

起炎物質：白血球の増加，好中球数の増加，膿など．

食品選択・調理法：胃内停滞時間が短く，消化吸収しやすい食品を選択する．調理法は煮る・蒸す・炊くなどの調理法とする．

18 口内炎

1 症候の概要

▶口の粘膜や舌に起こる炎症性疾患を総称して口内炎という．舌や口の中の粘膜が赤または白くなり，水ぶくれや潰瘍ができて，痛みをともなう．口臭や熱をともなうこともある．

▶口内炎は歯や歯肉の衛生状態不良（う歯，歯肉炎，義歯が合わないなど），口腔内の清潔習慣，免疫能の低下（糖尿病合併，ステロイドの使用），ビタミン欠乏症などが危険因子と考えられている．もっとも一般的なアフタ性口内炎は1週間程度で自然に治ることもある．

▶一方，口内炎は癌化学療法時の副作用として約30〜40％と高い頻度で出現することが知られている．激しい疼痛により食事摂取量が減り，コミュニケーション機能が阻害され，QOL低下の重要な因子となっている．

▶口内炎のなかでも，舌に起こる炎症を舌炎という．舌乳頭が赤く腫れ，舌の先端・背部が発赤し灼熱感をともない，やがて乳頭が消失し，舌は赤く平滑になる．鉄欠乏性貧血やビタミンB_{12}欠乏症である悪性貧血（ハンター舌炎），薬剤による反応，全身感染，化学的刺激や物理的刺激などによって起こる．

▶口腔栄養アセスメントや栄養調査をきちんと行うことが不可欠であり，予防と治療には，口腔内のセルフケアの維持・継続が非常に重要となる．

2 病態

1—口内炎の種類

▶もっとも一般的なアフタ性口内炎のほか，カタル性口内炎（虫歯や義歯の不具合で起きる），潰瘍性口内炎（不規則な潰瘍をつくり灰白色の苔で覆われ，痛みが強い），壊疽性口内炎（壊疽を起こす口内炎で全身の抵抗力が弱っているときに起きる），その他の特殊な口内炎（ヘルペス，手足口病，口腔カンジダなど）がある．

2—口内炎の発症要因

■ 機械的損傷

▶入れ歯が合わない，歯並びが悪く粘膜に当たる，熱いものを食べ，やけどしたときや口腔内の粘膜が乾燥しているときに発症する．

■ 口腔衛生の不良

▶水分や食事の摂取が不十分で，唾液の分泌が不足している，歯みがきやうがいなど，口の中を清潔にすることができないときなどに発症する．

■ 全身状態の低下

▶病気や過労などで体力が衰えている，食事がとれずビタミン不足（とくにビタミンB_2）である，貧血など栄養状態が悪い，抗生物質やステロイド剤を多く使用している，呼吸困難のために口呼吸をして口の中が乾燥しているときに発症する．

■ 癌の治療

▶抗癌薬の直接作用による口内炎：抗癌薬の直接作用により，口腔粘膜や唾液中にフリー

MEMO

癌化学療法：腫瘍などに特効的に作用する化学物質（抗生物質，ステロイド剤など）を用いて治療する方法で，癌化学療法の薬剤を総称して抗癌薬という．おもに抗癌薬は経口，経静脈的に投与され，その副作用は全身的である．

フリーラジカル（活性酸素）：摂取した食物を肺からの酸素で燃やす（酸化作用）エネルギー代謝によって，一種の燃えカスとして発生するのが活性酸素．活性酸素はヒトの遺伝子(DNA)を酸化させる作用が活発なため遺伝子に傷をつけ病気の要因をつくる．抗癌薬は活性酸素を大量発生させる．

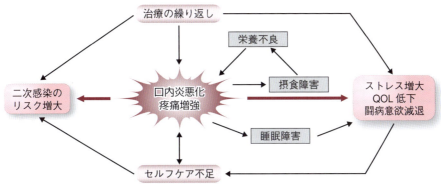

■図Ⅳ-18-1　口内炎が及ぼす問題点の相互関連

ラジカル（活性酸素）が産生され，粘膜の破壊や炎症を起こし，粘膜再生が阻害され口内炎が発症する．

▶好中球減少による局所感染性（二次的作用）の口内炎：抗癌薬の副作用として，骨髄抑制による白血球の減少によって口腔内が易感染状態（免疫低下）となり，粘膜に局所感染を生じて口内炎が生じる．

3　症状

▶口内炎の発症は口腔粘膜上皮の細胞周期と関連しており，口腔粘膜は通常7～14日サイクルで再生している．アフタ性口内炎は直径5～6mm以下の丸く白っぽい潰瘍が口腔内にできるもので，潰瘍のまわりが赤い輪になっており，痛みをともなう．

▶口内炎による疼痛は主として粘膜組織の炎症による．熱感，腫脹感（腫れぼったい）が発生し，神経因性疼痛（しびれる，刺す）や接触痛などが持続的に起こる．さらに痛みは刺激により増強し，食事摂取量の低下，含嗽などのセルフケアの低下，コミュニケーション機能や活動性の低下をきたす．これらは栄養不良，睡眠障害，精神的ストレスを引

き起こし，QOL低下や二次感染による口内炎発症あるいは増悪を招く要因となる．

▶経口摂取の低下は，栄養状態の悪化につながり，口腔内の粘膜再生能力が低下し，口内炎の治療が遷延するという悪循環に陥る（図Ⅳ-18-1）．

4　鑑別診断

▶口内炎は症状が急激に悪化することが多い．口腔内全体の色調と口臭の有無，頬粘膜や歯肉，舌の辺縁や裏側，口唇とその裏側，口蓋，口角の色調の変化，アフタ，出血，舌苔，歯垢，潰瘍，びらんの有無などを継続的に観察して，統一したアセスメント基準で評価する．
▶NCI-CTC（National Cancer Institute-Common Toxicity Criteria）による分類は潰瘍の病態で分類しているので，正確な評価ができる（表Ⅳ-18-1）．

5　治療

▶口腔粘膜は，口腔内ケアの状況，食生活のスタイル，健康状態，薬剤の投与などによって著しく影響を受ける．歯周病やう歯などの

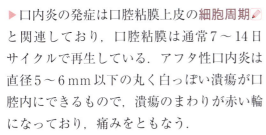

細胞周期：細胞は分裂をしてその数を増やしていく．DNAの複製が起こる時期をS（synthesis）期といい，実際に染色体が現れて有糸分裂が起こる時期をM（mitosis）期という．M期とS期の間にあるギャップ期間をG1期，S期とM期の間をG2期という．細胞が数を増やしていくときに繰り返す，この

ような周期を，細胞周期（cell cycle）という．細胞はM期以外のG1，S，G2期（間期：interphase）の間に必要な物質を合成し，成長しており，ほとんどのたんぱく質やほかの物質は間期の間ずっと合成され続けている．

■表Ⅳ-18-1 NCI-CTC（National Cancer Institute-Common Toxicity Criteria）による口内炎の評価

毒性	Grade 0	Grade 1	Grade 2	Grade 3	Grade 4
口内炎／咽頭炎（口腔／咽頭粘膜炎）	なし	軽度の紅斑または病変を特定できない軽度の疼痛	疼痛がある紅斑，浮腫，潰瘍．摂食・飲水は可能	疼痛がある紅斑，浮腫，潰瘍．静注補液を要する	重症の疼痛と潰瘍．経管栄養，静脈栄養を要する

■図Ⅳ-18-2 口腔ケア用スポンジブラシ
清潔を保つ方法として，まずブラッシングを行う．表面の汚れや歯垢の除去は柔らかいナイロンブラシを，歯肉，歯の境界などには刺激の少ない毛先が細くて柔らかいブラシを，口腔粘膜に変化があったときは口腔ケア用スポンジブラシを用いる．

口腔疾患の有無や治療状況，歯列，義歯の調整状況を確認し，口内炎の発生要因を除去し，次のような治療を行う．
▶軟膏：口内炎の治療にはステロイドを含有する口腔用軟膏が有効である．アフタの部分を物理的刺激から軟膏の基剤で保護する．
▶ビタミン剤：ビタミンＢ群の不足が原因の口内炎を治療するときに用いられる．おもに内服薬として処方するが，注射や点滴などを用いて投与する場合もある．
▶レーザー治療：レーザー光を用いてアフタの部分を焼く．
▶疼痛対策：局所麻酔薬などの薬剤を用いる．
▶抗生物質：二次感染や出血などがみられるときは，培養検査によって感染の起因菌を同定し，抗生物質を投与する．

6 栄養ケア

▶口内炎は，抵抗力の低下，ストレスがきっかけで発生しやすい．口中を清潔にし，細菌の増殖を防ぐ．食事の後には歯をみがき，うがいをひんぱんに行う．水分を補給し乾燥を防ぐなどの口腔内ケア（図Ⅳ-18-2）のほかに，十分な睡眠をとり，ストレスを溜めない．タバコや酒は控える，刺激物の飲食は控える．バランスよい食事，とくにビタミン（A，B_2，B_6，C）やミネラル（亜鉛，鉄）を補給するなど，生活習慣を見直すことが大切である．
▶癌化学療法時の副作用で発症する口内炎の場合，栄養管理は，口内炎の回復だけでなく，全身状態にも影響する．食事による粘膜の刺激を軽減するため，熱い食品を避ける，味付けは控えめにする，口内でつぶせる程度の軟らかさにするなど，栄養の経口摂取を促す工夫が大切である．栄養摂取ができない状態では，高カロリー輸液などで栄養の確保を行い，全身状態の改善に努める．栄養管理により免疫機能が回復すれば，口内炎の治癒も促進する．補液に頼らない「食」への充実に向けたケアが必要である．
▶口内炎が生じたとき，疼痛時でも摂取しやすいように工夫した食事の留意点を次に示す．
- 刺激のある食品は避け（熱い，辛い，酸っぱい，固いもの），味を薄味にする．
- 柑橘類，スパイス系香辛料，生野菜は避ける．
- 軟らかく調理し，刻み，ペースト状，ミキサー食とする．飲み物はストローを使用．
- 食べやすい温度でとろみを付ける．
- 量を少なく品数を多くする．
- 口当たりの良い食品や水分の多い食品を供する．

MEMO
含嗽（→p.199）：うがい，口をすすぐこと．含嗽は口腔内全体を清潔に保つために有効なので，起床時，毎食後，就寝時の1日7～8回以上行う．
二次感染（→p.199）：抗癌薬の副作用として，骨髄抑制による白血球の減少によって口腔内が易感染状態（免疫能低下）となり，粘膜に局所感染を生じて口腔粘膜炎が発症する．好中球減少など骨髄抑制がみられる患者は，真菌，細菌，ウイルス感染など全身感染を引き起こすリスクが大きくなる．これら二次感染によって悪化する．

19 歯肉炎, 歯周炎

1 症候の概要

▶歯肉炎は局所因子（細菌とその産生物を含む）の刺激に対する歯肉の炎症性反応で, 歯肉にのみ炎症が起こり, 歯肉が腫脹し出血しやすい状態となる.

▶歯肉炎を放置すると炎症が歯根膜や歯槽骨（図Ⅳ-19-1）に及び, 歯周炎に進行する危険性が高い. 歯周炎に進行すると, 歯周ポケットは深くなり, 歯槽骨は吸収され, 歯根膜も破壊される. この状態になると, プラーク（歯垢）を除去しても歯肉の付着や骨吸収は元に戻らない. ポケットが3mm以内で歯槽骨の破壊が起こっていない状態の場合は, ほとんどが完治する.

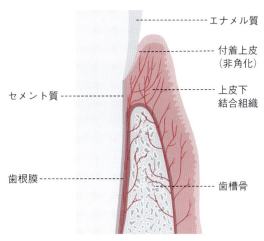

■図Ⅳ-19-1 天然歯の歯周組織

（エナメル質／付着上皮（非角化）／上皮下結合組織／歯槽骨／歯根膜／セメント質）

2 病態

1―歯肉炎, 歯周炎の分類

■**単純性歯肉炎**
▶局所因子（プラーク）により歯肉に炎症が生じたもので, 全身性因子の関与は少ない. ほとんどの歯肉炎がこれに分類される.

■**複雑性歯肉炎**
▶全身性あるいは局所の特殊因子が修飾しているもの. たとえば, 妊娠性歯肉炎, ニフェジピン性歯肉炎, フェニトイン（ダイランチン）性歯肉炎, 急性壊死性潰瘍性歯肉炎, 慢性剥離性歯肉炎などである.

▶これらは, 妊娠のため, フェニトイン（抗てんかん薬）服用のために歯肉炎が起こるのではなく, プラークによって引き起こされた歯肉炎が妊娠や薬の服用により修飾されて増悪しているのであり, プラークによる歯肉炎が存在しなければこのような歯肉炎は生じてこない.

■**辺縁性歯周炎**
▶もっとも一般的な歯周炎で, 歯肉炎から進展する.

2―歯肉炎, 歯周炎の発症要因

▶歯肉炎・歯周炎の原因は, 歯面および歯周組織に付着するプラークであり, プラーク内の細菌の毒素〔リポ多糖（LPS）〕で歯肉に炎症が起きる. 歯肉炎の炎症は歯肉に限局し歯根膜や歯槽骨に病変は生じていない. 歯周炎に進展するとLPSにより, 歯周組織の破壊, 歯槽骨吸収を起こし歯の脱落にいたる.

▶菌性因子としては, **嫌気性グラム陰性桿菌**（Pg菌：*Porphyromonas gingivalis*, Aa菌：*Actinobacillus actinomycetemcomitans*）などが病態に深く関与している. Pg菌はトリプシ

MEMO

歯槽骨吸収：歯槽骨（歯肉に包まれて歯を支えている顎の骨の一部）が, 後退して小さくなること. 歯周病による歯槽骨の破壊, 歯を失って刺激がなくなることなどにより引き起こされる.

プラークコントロール（→p.203）：歯肉炎の原因であるプラークの付着をコントロール（制御）することであり, 歯科治療の中でもっとも重要で基礎となる. 患者自身が行うセルフコントロールはプラークを歯ブラシなど（歯間ブラシやデンタルフロスを含む）で取り除く方法が基本となる.

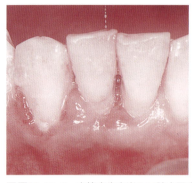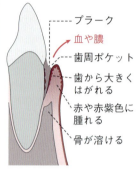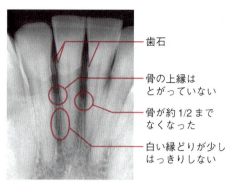

■図Ⅳ-19-2　中等度歯肉炎の口腔内写真と模式図，X線写真
(小西昭彦ほか：歯周病―わかる・ふせぐ・なおす―，医歯薬出版，2006より引用)

ン様酵素を産生し，歯肉を破壊するだけでなく，抗体やサイトカインを分解するなどして，宿主防御機構を回避し病原性を発揮する．また，Aa菌から産生されるロイコトキシンが宿主の防御機構を破綻させることが病因と考えられている．また，Aa菌の菌体表層成分であるLPSは，強い骨吸収活性をもち，歯周炎の歯槽骨吸収の進行とかかわっている．

3　症　状

▶歯周病の初期症状として，歯肉の発赤，腫脹，疼痛，歯肉からの出血である．侵入してきた歯周病細菌に対し，免疫反応として白血球を歯周組織に送り込むため，歯肉の内部に毛細血管が張り巡らされ，そのため歯肉が赤みを帯び，少しの刺激でも出血しやすくなる．歯茎が赤っぽく炎症を起こし，細菌の進入は歯肉部で止まっている．
▶歯周炎に進行すると，歯肉がやせて根がむき出しになり，歯槽骨，歯根膜が破壊されていく．深い病的歯周ポケットが形成され，出血，排膿，歯の動揺が起こり，ついには歯が脱落する（図Ⅳ-19-2）．

4　鑑別診断

▶診断手順は，歯周ポケットの測定，歯の動揺度測定，歯茎からの出血の測定を行う．歯肉炎の基本的な病理組織像では，付着上皮直下の歯肉結合組織内に限局した充血，血管腫脹，浮腫，および好中球，マクロファージ，リンパ球などの炎症性細胞浸潤がみられる．
▶正常歯肉から歯肉炎を経て歯周炎に至る発症と進行の過程は，つぎのように分類されている（Page & Schroederの説）．
①開始期病変：プラーク付着後2〜4日以内に起きる．歯肉表層部の急性滲出性炎で，付着上皮直下の結合組織に血管腫脹，浮腫，好中球，マクロファージの遊走を認める．
②早期病変：プラーク付着後1週間で，臨床的に確認できる歯肉炎が起きる．付着上皮内には好中球数が増え，歯肉結合組織にT細胞主体のリンパ球，マクロファージ，形質細胞が浸潤し，コラーゲン線維は喪失する．
③確立期病変：歯肉結合組織の炎症性細胞浸潤がさらに広い範囲に広がり，リンパ球もB細胞が多くなる．付着上皮は深部増殖し，セメント・エナメル境を越える．

MEMO

スケーリング（→p.203）：歯に付着したプラーク，歯石，その他の沈着物を機械的（超音波スケーラーやハンドスケーラー）に除去することである．歯周治療では歯周組織に炎症を引き起こす原因であるプラークを除去することがもっとも重要であり，プラーク付着促進因子である歯石を取り除く必要がある．歯石は歯面に付着したプラークが石灰化したものであり，その表面は粗糙でプラークが付着しやすい構造となっている．

④発展期病変：確立期病変の炎症が歯肉にとどまらず，歯根膜，歯槽骨まで波及し，歯周炎と言いうる状態となる．歯周ポケットは深くなり，歯槽骨は吸収され，歯根膜も破壊される．

5 治療

▶歯肉炎は虫歯と同じ細菌感染症であり，細菌を媒介するのがプラーク（歯垢）である．そのため，プラークコントロールや歯石（プラークが石灰化したもの）の除去が再発予防や治療のうえで重要となる．ブラッシング指導によるプラークコントロールの徹底とスケーリング（歯肉縁の上の歯石除去），定期的スケーリング・ルートプレーニング（SRP：歯肉縁の下の歯石・セメント質の除去）を行い，歯垢および歯石形成を阻止する．

▶プラーク中の細菌は菌体外多糖を合成し，それを糖衣としてまとっている．この構造はバイオフィルムとよばれ，この構造により薬剤の浸透が阻害され，抗菌薬に対しても抵抗性を示す．このことから薬剤によるうがいでは効果はなく，プラークは歯ブラシなどにより機械的に除去する必要がある．

▶口中を清潔にし，細菌の増殖を防ぐため，毎食後に歯みがきをすることは非常に重要である．同時に，歯肉の炎症に対する抵抗力をつけ，口腔の健康を回復し，歯周組織の健康維持，免疫力の強化を図るため低栄養にならないような栄養ケアが必要となる．

6 栄養ケア

▶歯肉炎の治療中，次のような点に留意する．

- 歯垢形成予防：粘着性が高く，歯に付着しやすい軟らかい食べ物は避ける．
- 歯肉の炎症抑制：ビタミンCの重度の欠乏症は歯肉炎の原因となることがある．ビタミンCはコラーゲン合成に関与し，コラーゲンは歯周組織を含む生体組織の必須成分であり，創傷治療にも必要とされる．ビタミンCは多型核白血球の走化性，貪食性，したがって宿主の免疫反応にも関与する．さらに，ビタミンCは抗ヒスタミン作用をもち歯肉の炎症を抑える．一方，ビタミンCの不足により，歯周粘膜の浸透性が増加し，関連細菌や有害物質の歯周組織への侵入が容易になることが確認されている．
- 歯周組織の修復：良質のたんぱく質は歯肉の炎症の軽減や抵抗力を強化し，歯周組織を修復する．
- 歯肉の出血抑制：ビタミンKは血液凝固に関与するビタミンであり，止血に効果がある．
- 唾液の自浄作用：唾液には歯の表面や歯間に付着したプラークや食べ物の残渣を洗い流す作用がある．さらに，唾液には抗菌作用をもつ物質，ラクトフェリン，リゾチームなどが含まれ，細菌の増加を抑える．よく噛んで食べることにより，唾液の分泌が促される．繊維性食物も自浄作用が高い．
- 喫煙または熱い食物または辛い食物など，刺激を回避する．
- 歯肉の炎症が全身に多くの影響を与えることが明らかになり，歯周病とメタボリックシンドロームの関連性が注目されている．毎日の食生活を含めた生活習慣を見直し，歯周病を予防することが全身の生活習慣病を予防することにつながる．

MEMO

ルートプレーニング：ポケット内に露出した歯根面にはプラークや歯石が付着し，その一部はセメント質の中に入り込んでいることが多い．スケーリング終了後，歯面に付着した歯石などを除去した後，ポケットに面する歯根面の汚染セメント質を特殊な器具（グレーシーのキュレットなど）で除去し，表面をツルツルにし再び汚れや細菌が付かないようにすること．

20 下痢

1 症候の概要

▶健常者の消化管を通過する内容物は，水，食物，唾液，胃液，腸液，胆汁，膵液などで毎日約7〜9Lにも及ぶといわれている．ほとんどが小腸で吸収され，残りの約1〜1.5Lが大腸へ流入する．このうち90％が大腸を通過する間に吸収され固形の便が形成される（図Ⅳ-20-1）．

▶通常の便は，1日1回約150g程度で，その水分含有率は約70％前後である．これが80〜90％になると軟便となり，90％以上になると水様便になる．

▶**下痢**は，水分吸収不良状態や腸管からの過分泌などによって便中の水分が80％以上と多くなり，液状またはそれに近い状態になったものをいう．一般に排便回数は増加することが多いが，便が硬ければ排便回数が増えても下痢とはいわない．

2 病態

▶下痢の分類を表Ⅳ-20-1に示す．原因別に**浸透圧性下痢**，**分泌性下痢**，**滲出性下痢**，**腸管運動異常による下痢**に分けられる．

▶下痢は発症のしかたによって急性と慢性に分けられる．急性下痢は感染性，薬剤性のものが多く，急に発症して腹痛をともなうことが多い．一方，慢性下痢は，非感染性のものが多く，軟便や水様便が3週間以上持続する．

3 症状

▶下痢では軟便や水様便，排便回数の増加，腹痛，発熱，嘔吐などの症状がみられる．軟便や水様便は，腸管粘膜の水分の吸収障害や分泌物の過剰，吸収能力を超えた水分が腸管内に存在することによって起こる．腸管壁に炎症などがあり刺激に対して過敏になっている場合は，わずかな刺激でも腸管が収縮して便意をもよおし排便回数が増加する．また，腸管の強い痙攣性の収縮によって腹痛が生じる．

▶下痢が長く続くと，水分や電解質が多量に失われ，体液バランスや電解質バランスが崩れて脱水症状をきたす．カリウムの過度な喪失による低カリウム血症，重炭酸ナトリウムの喪失による**代謝性アシドーシス** を引き起こす．

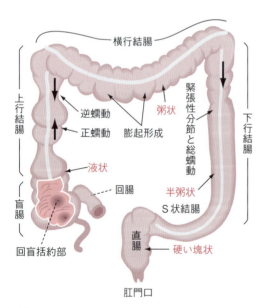

■図Ⅳ-20-1 大腸の機能からみた形状と内容物の性状

MEMO

代謝性アシドーシス：血液のpHが7.35以下になった状態．糖尿病・飢餓などによるケトン体産生のほか，下痢などによりアルカリが体外へ喪失した場合にも起きる．アシドーシスの悪化にともない，意識障害，血圧低下，昏睡，死に至る場合もある．

■表Ⅳ-20-1　下痢の分類

下痢の分類	機序	具体例
浸透圧性下痢	● 吸収されにくい高浸透圧性の物質が腸管内に多量に存在する場合に水分が腸管内へ移動して起こる	● 経口摂取された食べ物の消化不良 ● 吸収されない薬品の大量摂取 ● 高濃度の経腸栄養剤の投与
分泌性下痢	● ウイルスや種々の細菌性毒素に感染したり，消化管ホルモンの過剰分泌，非吸収性食物性脂肪の摂取により，腸管壁からの電解質と水分の分泌が吸収を上回った場合に起こる	● 感染性腸炎 ● 消化管ホルモンの過剰分泌 ● 非吸収性食物性脂肪の過剰摂取
滲出性下痢	● 腸管の広範囲な炎症性潰瘍病変により腸管壁の透過性が亢進し，多量の滲出液が腸管内へ排出されて起こる．腸管粘膜の障害もあるため水分，電解質，栄養素などの吸収障害も生じ，これらが相まって頻回の下痢をきたす	● 感染性腸炎，潰瘍性大腸炎，クローン病による腸管の広範な炎症性潰瘍病変
腸管運動異常による下痢	● 運動亢進による場合と運動低下による場合がある ● 運動亢進による場合は，胃・結腸反射の亢進や直腸壁の急激な伸展により排便反射が亢進し，腸管内容物の輸送が早められて水分が十分に吸収されずに起こる ● 運動低下による場合は，自律神経障害や糖尿病などによる末梢神経障害により消化管の自律神経や平滑筋が傷害される．これにより腸管内容物の通過が遅延し，腸内の細菌が異常に増殖して胆汁酸の脱抱合をきたすために，脂肪や水分の吸収が障害されて下痢を生じる	● 甲状腺機能亢進症，潰瘍性大腸炎，クローン病による腸管運動亢進 ● 糖尿病性神経症やアミロイドーシスによる腸管運動低下

4 鑑別診断

▶下痢の原因を明確にするためには，便の性状，既往歴，食歴，海外渡航歴の有無，心理的要因を問診する．また，脱水症状の程度，発熱の有無，腹痛の程度などの身体所見についても把握する．そのほか血液検査，便検査（病原菌の有無，潜血反応，寄生虫，便培養など），X線検査，内視鏡検査，CT検査なども行う．

5 治療

▶下痢に対しての治療は対症療法的に行われる．下痢という現象は，腸管内の病原体や有害物質を体外へ排出する一つの生体防御機構でもあるため，とくに感染性の下痢に対しては止痢薬や整腸薬を使用して無理に抑えるのは好ましくない．状態に応じて安静，絶食，水分や電解質の補給を行う．
▶症状が激しいときには経静脈的に水分・電解質を補給するが，経口摂取が可能な場合は**低脂質，低残渣，易消化性**の食事とする．炎症性腸疾患，吸収障害，薬物使用などにともなう下痢の場合は原因疾患の治療を行う．

6 栄養ケア

▶急性下痢の発症初期は絶食とする．食物の摂取は症状の回復に合わせ進め，悪心，嘔吐，腹痛がなく，経口摂取が可能となれば流動食から固形食へと移行させる．症状が激しく経口摂取が不可能な場合や**脱水症状**があれば経静脈的補液が必要となる．
▶慢性下痢は原因疾患を治療し，長期にわたる場合は栄養価と易消化に配慮した食事を与える．**腸管を刺激・増悪させる食品** は控える．下痢が持続する場合は，脱水，アシドーシス，電解質，pHに注意する．下痢を誘発する食品は個人で異なるため，食事調査を実施し指導をすることが必要である．

腸管を刺激・増悪させる食品：冷たいもの，熱過ぎるもの，脂質や不溶性食物繊維を多く含む食品，香辛料，炭酸飲料，カフェインなどの摂取は控える．

補遺 Appendix　消化不良症・周期性嘔吐症

消化不良症

■概要

▶急性胃腸炎や乳児下痢症の一つとして，大量の水分と電解質を喪失する状態をいい，下痢症と同義に用いられる．

▶原因は多様だが，細菌やウイルスによる感染性の急性胃腸炎の頻度が高い．感染により腸上皮細胞が障害され吸収不良を生じたり，細菌の出す毒素により分泌が亢進することで，水分や電解質の喪失が起こると考えられる．

▶乳児では水分代謝のターンオーバーが速いため，脱水症になりやすい．

■診断

▶下痢のほかに嘔吐，食欲不振が出現する．その他，脱水症の症状として，体重減少，皮膚や口唇の乾燥，尿量の減少，不機嫌などがみられ，重症ではけいれんなども起こる．下痢は1週間以内に改善し消失する．

▶原因を確定するには，便の細菌培養，ウイルス診断キットなどを使用するが，一般的には脱水症の診断，体重減少，皮膚や口唇の乾燥，皮膚の緊張低下，ヘマトクリット値の高値などで判断する．

■治療

▶下痢や嘔吐によって腸液が排泄され水分と電解質が失われる病態のため，脱水症対策と消化吸収のよい食物摂取により胃腸機能回復を図る．

▶母乳や人工乳はそれまで同様に与えてよく，希釈の必要はない．食事は症状の程度により異なるが，湯ざまし，薄い番茶（麦茶），野菜スープ・リンゴ果汁などで水分補給を行い，脂質の多い食品を控えた易消化食とする．

周期性嘔吐症

■概要

▶突然に発生する嘔吐，悪心を特徴とする疾患で，アセトン血性嘔吐症・自家中毒といわれる．2～10歳の小児に好発し，とくに6歳以下に多い．

▶原因は不明だが，精神的緊張，疲労，感染などが誘因となって大脳辺縁系の興奮が嘔吐中枢，交感神経を刺激して頻回の嘔吐が出現すると考えられている．交感神経の緊張は脂質代謝を亢進し，インスリンの作用も低下するため血中，尿中にケトン体（アセトン，アセトン酢酸，β-ヒドロキシ酪酸）が高くなる．

■診断

▶症状は，突然発症する嘔吐発作を特徴とし，一定の周期で数日間嘔吐が続く．嘔吐物に胆汁や血液が混ざることがあり，随伴症状として腹痛や脱力感がみられる．呼気はアセトン臭を呈し，尿中ケトン体の陽性，血中ケトン体の上昇で判断する．

■治療

▶確立された治療法はなく，脱水に対しては輸液療法をし，嘔吐が激しいときには鎮吐剤の投与を行う．また，予防的に抗痙攣薬などを使用することもある．

▶嘔吐が消失したら経口より糖質，電解質（Na，Cl，K），水分（イオン飲料，果汁，番茶など）を補給し，症状の回復にともない軟食，常食へと移行する．エネルギーは「日本人の食事摂取基準」の80％前後，たんぱく質は完全回復までは50％前後，脂質の多い食品は消化管の安静のために控え，段階的に増量する．とくに水分はナトリウム，カリウムと合わせて十分な補給が必要なため，経口イオン飲料（ソリタ®-T顆粒3号，アクアライト®）の併用を行う場合もある．

📝MEMO

脱水症の診断：乳幼児の脱水の重症度判定は，健康時に比べた体重の減少率が3％未満を軽度，3～9％を中等度，10％以上を重度とする．

21 便秘

1 症候の概要

▶胃に食べ物が入ると胃・結腸反射が起こり、腸全体の運動が亢進して便は直腸に送られる。これにより直腸の壁が伸展されると便意をもよおし、排便反射が誘発され便は体外へ排出される。

▶便秘は何らかの原因で腸内容物が大腸内に停滞し通過が遅延した状態である。腸内容物が大腸内に停滞すると水分の吸収がすすみ便が硬くなるため、排泄時に苦痛をともなったり、腹部膨満感、排便後の残便感、その他の不快感を生じることがある。

▶便秘とは、医学的には「本来体外に排出すべき糞便を十分量かつ快適に排出できない状態」と定義される。また、便秘によって症状が現れ、検査や治療を必要とする場合を便秘症といい、排便回数減少によるもの、硬便によるもの、便排出障害によるものがある。

2 病態

▶便秘の分類と成因を表Ⅳ-21-1に示す。便秘は、大腸の形態的変化をともなう「器質性便秘」と形態的変化をともなわない「機能性便秘」に分けられる。また、症状から「排便回数減少型」と「排便困難型」に、病態から「大腸通過正常型」「大腸通過遅延型」「便排出障害型」に分類される。

3 症状

▶便秘時には、排便回数の減少、硬便、便量減少、腹部膨満感、残便感などの消化器症状が出現する。また、便秘は長期にわたると腸内容物が腐敗・発酵してガスを発生し、腸管内でガスが吸収されることにより食欲不振や悪心・嘔吐、頭痛、いらいら感、不安、不眠などの全身症状を引き起こす。

▶肝不全患者においては、腸内細菌の作用に

■表Ⅳ-21-1 便秘の分類と成因

原因分類	症状分類	病態分類		原因となる病態・疾患
慢性便秘	機能性	排便回数減少型	大腸通過遅延型	特発性
				症候性：全身疾患（糖尿病、甲状腺機能低下症、強皮症、アミロイドーシス、慢性腎不全など）、神経疾患（パーキンソン病、脳血管疾患、多発性硬化症など）、精神疾患（うつ病、心気症など）など
				薬剤性：向精神薬、抗コリン薬、オピオイド系薬など
			大腸通過正常型	経口摂取不足（食物繊維摂取不足を含む）
				便秘型過敏性腸症候群など硬便による排便困難・残便感
		排便困難型	便排出障害型	骨盤底筋協調運動障害、腹圧低下、直腸感覚低下、直腸収縮力低下など
	器質性			大腸癌等の大腸腫瘍や慢性炎症性腸疾患、虚血性大腸炎、巨大結腸、直腸癌、直腸重積、巨大直腸、小腸瘤、S状結腸瘤など

(日本消化器病学会関連研究会慢性便秘の診断・治療研究編：慢性便秘症診療ガイドライン2017、南江堂、2017より一部修正して作成)

MEMO

胃・結腸反射：食べ物が胃の中に入り胃が膨らむと、胃から大腸に信号が送られる。そうすると、大腸が反射的に収縮し便を直腸へ送り出そうとする。つまり、食事がきっかけとなり排便を起こすしくみのことをいう。

より発生したガス（アンモニア）がアンモニア血症を悪化させるおそれがあるため注意を要する．

4 鑑別診断

▶便秘の原因を明確にするためには，排便習慣の状況，食歴，生活習慣，服用薬剤，既往疾患などの問診が行われる．また，腹部の視診・触診，肛門や直腸の指診，血液検査，腹部X線検査，大腸内視鏡検査，大腸通過時間調査，排便造影検査などが行われる．

▶食事量の不足が便秘の要因になることもあるので，食事の摂取量，体重変化などを観察する．

5 治療

▶大腸の形態的変化をともなう器質性便秘と何らかの疾患や薬剤が原因となって便秘をきたしている場合は，その原因に対する治療を行う．一般的には，規則正しい食事摂取と排便習慣を整えることを基本とする．

6 栄養ケア

▶まずは生活リズムを規則正しく整え，適度な運動を心がけ，日常生活のなかで自然排便のリズムをつくるようにする．適量の食事をとって腸を刺激し，便量を増やし便意を促すことを心がける．食物繊維が便秘改善に有効であるとする報告は少なくないため，食物繊維の摂取を増加し催便性食品と十分な水分の摂取を心がける．また，ヨーグルトなどの乳酸菌食品や納豆，漬物などの発酵食品は，腸内細菌叢の改善に役立つとの報告が多数あり，腸内環境を改善することで便秘の治療に有効であると考えられているため適宜摂取することが望まれる．一つの食品にこだわらず，あくまでも全体のバランスを考えた食事をとる．

▶精神的ストレスや不安が誘因となっている症例では生活状況を把握しストレスの解消につとめる．

催便性食品：適度な香辛料や脂質の摂取は腸管の蠕動運動を促す．また，腸管内で発酵しガスを発生しやすい豆類やいも類なども有効である．

V 治療となる栄養ケア

Part2 疾患と栄養ケア

学習の目標

- 疾患の概要，病因，疫学，症状，そして診断基準を概説できる．
- 疾患の治療，栄養生理を理解し，栄養食事療法を説明できる．
- 治療による疾患ならびに病態の経過を学び，患者のQOLや心理状況をふまえて全人的に理解する．
- 疾患・病態に対応した，栄養評価，栄養補給法，補給する栄養素成分・量を修得する．

1 骨粗鬆症

1 疾患の概要

▶骨粗鬆症は全身性の疾患で，「骨強度の低下を特徴とし，骨折のリスクが増大しやすくなる骨格疾患」と定義されており，原発性骨粗鬆症および続発性骨粗鬆症に大分される（表V-1-1）．なお，骨粗鬆症と同様に低骨量を呈する疾患には，各種の骨軟化症，悪性腫瘍の骨転移などがある．

▶骨強度は，骨密度(BMD：bone mineral density)と骨質により規定される．骨質は，微細構造，骨代謝回転，微小骨折，石灰化に依存する．

▶骨粗鬆症を診療する目的は，骨折の発症を予防し，治療することにある．骨折はQOL，ADLを著しく低下させる要因となることから，予防・治療が重要である．

2 病因

▶骨粗鬆症は多因子疾患であり，遺伝要因と生活習慣（食事，運動，喫煙，アルコールな

■表V-1-1 骨粗鬆症の臨床病型（低骨量を呈する疾患）

低骨量を呈する疾患	原発性骨粗鬆症		閉経後骨粗鬆症，男性骨粗鬆症，特発性骨粗鬆症（妊娠後骨粗鬆症など）
	続発性骨粗鬆症	内分泌性	副甲状腺機能亢進症，甲状腺機能亢進症，性腺機能不全，クッシング症候群
		栄養性	吸収不良症候群，胃切除後，神経性やせ症，ビタミンAまたはD過剰，ビタミンC欠乏症
		薬物性	ステロイド薬，性ホルモン低下療法治療薬，SSRI（選択的セロトニン再取り込み阻害薬），その他の薬物（ワルファリン，メトトレキサート，ヘパリンなど）
		不動性	全身性（臥床安静，対麻痺，廃用症候群，宇宙旅行），局所性（骨折後など）
		先天性	骨形成不全症，マルファン症候群
		その他	関節リウマチ，糖尿病，慢性腎臓病（CKD），肝疾患，アルコール依存症
	その他の疾患		①各種の骨軟化症，②悪性腫瘍の骨転移，③多発性骨髄腫，④脊椎血管腫，⑤脊椎カリエス，⑥化膿性脊椎炎，⑦その他

（骨粗鬆症の予防と治療ガイドライン作成委員会編：骨粗鬆症の予防と治療ガイドライン2015年版，ライフサイエンス出版，2015より作表）

MEMO

骨密度：骨の単位面積あるいは単位体積当たりの骨塩量のこと．骨塩量は，一般的に骨塩の主成分であるヒドロキシアパタイト（カルシウムとリンが主成分）の量で表される．

■表V-1-2　骨粗鬆症の危険因子

除去できない危険因子	加齢，性（女性），人種，家族歴，遅い初経，早期閉経，過去の骨折
除去できる危険因子	カルシウム不足，ビタミンD不足，ビタミンK不足，リンの過剰摂取，食塩の過剰摂取，極端な食事制限（ダイエット），運動不足，日照不足，喫煙，過度の飲酒，多量のコーヒー

（骨粗鬆症の予防と治療ガイドライン2015年版，骨粗鬆症検診・保健指導マニュアル第2版，ライフサイエンス出版，2014より作表）

■表V-1-3　骨折の危険因子

危険因子	成　績
低骨密度	BMD 1 SD 低下 RR 1.5 腰椎BMD：椎体骨折 RR 2.3，大腿骨近位部BMD：大腿骨近位部骨折 RR 2.6 大腿骨頸部BMD 1 SD低下で65歳男大腿骨近位部骨折 RR 2.94，65歳女 RR 2.88
既存骨折	既存椎体骨折：椎体骨折 RR 4，その他の組み合わせ RR 2 既存骨折：すべての骨折 RR 1.86
喫煙	喫煙：RR 1.25 喫煙：すべての骨折 RR 1.26，大腿骨近位部骨折 RR 1.39，椎体骨折 RR 1.76
飲酒	1日3単位（1単位：エタノール8〜10g）*以上：骨折 RR 1.23，骨粗鬆症性骨折 RR 1.38　大腿部近位部骨折 RR 1.68
ステロイド薬使用	骨粗鬆症性骨折 RR 2.63〜1.71，大腿骨近位部骨折 RR 4.42〜2.48 GPRD：骨折 RR 1.33，大腿骨近位部骨折 RR 1.61，椎体骨折 RR 2.6，手首骨折 RR 1.09 その他：骨折 RR 1.91，大腿骨近位部骨折 RR 2.01，椎体骨折 RR 2.86，手首骨折 RR 1.13
骨折家族歴	親の大腿骨近位部骨折：大腿骨近位部骨折 RR 2.3 親の骨折：骨折 RR 1.17，骨粗鬆症性骨折 RR 1.18，大腿骨近位部骨折 RR 1.49
運動	大腿骨近位部骨折リスク20〜40％抑制 最大で50％の抑制効果
体重，BMI	BMDを調整しない場合，BMIが1単位高いと骨粗鬆症性骨折 RR 0.93 大腿骨近位部骨折では，骨密度にかかわらずBMIが低いと骨折リスク増加，その他の部位については，骨折部位によって影響が異なる
カルシウム摂取	カルシウム補助薬：椎体骨折 RR 0.77（0.54〜1.09），非椎体骨折 RR 0.86（0.43〜1.72）：有意ではない

BMD：骨密度，RR：相対リスク，GPRD：general practice research database
*本項目の「単位」は英国の基準値である．

（骨粗鬆症の予防と治療ガイドライン2015年版より）

ど）がその発症に大きく影響する（表V-1-2）．
▶骨粗鬆症の予防・治療が目的とするのは骨折予防であるが，骨折の危険因子も多岐にわたる（表V-1-3）．

3　疫学

▶わが国における40歳以上の骨粗鬆症患者数は1,280万人（男性300万人，女性980万人）と推計されている．また，骨粗鬆症の発生率は，腰椎では0.76％/年，大腿骨近位部では1.8％/年で，男性ではほとんど発生がないと報告されている．これを2010年の年齢別人口構成に当てはめて推定すると，わが国の女性における骨粗鬆症の発生数は腰椎での診断で50万人/年，大腿骨近位部で105万人/年と推計される．

▶「国際骨粗鬆症財団（IOF）」は，この30年間にアジア地域で股関節部の骨折発生率が2〜3倍に増加したことを，「アジアの骨粗鬆症の疫学・医療費・負担2009」に発表している．

▶大腿骨近位部骨折数は，理由は明らかではないが，日本を含むアジア地域では増え続けているとされてきた．しかし，2000年以降

> **MEMO**
>
> SD（standard deviation：標準偏差）：データのばらつきを表す統計用語．一般に測定値の半分以上が，±1SD以内に収まるとされる．
>
> 骨粗鬆症患者数：わが国の近年の調査で得られた一般住民での40歳以上の年代別骨粗鬆症有病率（腰椎または大腿骨での診断を総合）を，2005年の年齢別人口構成に当てはめて推計した結果．（骨粗鬆症の予防と治療ガイドライン2015年版より）

■表V-1-4　原発性骨粗鬆症の診断基準(2012年度改訂版)

低骨量をきたす骨粗鬆症以外の疾患または続発性骨粗鬆症を認めず，骨評価の結果が下記の条件を満たす場合，原発性骨粗鬆症と診断する．

Ⅰ．脆弱性骨折[注1]あり
1. 椎体骨折[注2]または大腿骨近位部骨折あり
2. その他の脆弱性骨折[注3]あり，骨密度[注4]がYAMの80％未満
Ⅱ．脆弱性骨折なし
骨密度(注4)がYAMの70％以下または－2.5 SD以下

YAM：若年成人平均値(腰椎では20～44歳，大腿骨近位部では20～29歳)
[注1] 軽微な外力によって発生した非外傷性骨折．軽微な外力とは，立った姿勢からの転倒か，それ以下の外力をさす．
[注2] 形態椎体骨折のうち，3分の2は無症候性であることに留意するとともに，鑑別診断の観点からも脊椎X線像を確認することが望ましい．
[注3] その他の脆弱性骨折：軽微な外力によって発生した非外傷性骨折で，骨折部位は肋骨，骨盤(恥骨，坐骨，仙骨を含む)，上腕骨近位部，橈骨遠位端，下腿骨．
[注4] 骨密度は原則として腰椎または大腿骨近位部骨密度とする．また，複数部位で測定した場合にはより低い％値またはSD値を採用することとする．腰椎においてはL1～L4またはL2～L4を基準値とする．ただし，高齢者において，脊椎変形などのために腰椎骨密度の測定が困難な場合には大腿骨近位部骨密度とする．大腿骨近位部骨密度には頸部またはtotal hip (totalproximal femur)を用いる．
これらの測定が困難な場合は橈骨，第二中手骨の骨密度とするが，この場合は％のみ使用する．
付記：骨量減少(骨減少)[lowbone mass (osteopenia)]：骨密度が－2.5 SDより大きく－1.0 SD未満の場合を骨量減少とする．
(Osteoporosis Japan vol.21 no.1, 2013より)

■表V-1-5　医療面接での質問項目

- 受診の目的
- 症状およびADL
- 年齢および閉経時期
- 既往歴および現在治療中の病気
- 過去の骨粗鬆症検査の有無と結果
- 服薬状況
- 骨粗鬆症・骨粗鬆症性骨折の家族歴
- 骨折の既往
- 食事内容
- 嗜好品
- 運動の頻度および程度
- 子どもの有無

(骨粗鬆症の予防と治療ガイドライン2015年版より)

の調査ではヨーロッパ，北米では発生率が低下に転ずる国が増えてきている．また，オーストラリア，ニュージーランド，シンガポールでも低下に転じ，香港はまだ上昇しているが，その上昇率は著しく鈍化したと報告されている．

▶現在の日本では，大腿骨近位部骨折は依然として増加，椎体骨折は減少の可能性が報告されている．なお，国際比較すると，日本の大腿骨近位部骨折発生率は欧米と比べまだ低いが，椎体骨折発生率は同程度かそれ以上であると推計されている．

▶国民健康・栄養調査によると，日本人の**カルシウム摂取量**の平均値は，成人の食事摂取基準と比較して，常に1割程度下回っており，各個人の摂取状況をみても半数以上の人で不足が懸念される．また，その不足はとくに若年成人において顕著である．さらに，FAO/WHOが定めたカルシウム推奨摂取量(成人)が1日1,000～1,300 mgであるのに対し，アジア地区の平均摂取量は450 mgと報告されている．

4　症　状

▶骨粗鬆症の症状は，骨量減少および骨折，それにともなう腰背部痛などである．
▶骨折が起こるおもな部位は，脊椎，大腿骨頸部，橈骨遠位端，上腕骨近位部である．なお，胸椎・腰椎における骨粗鬆症では圧迫骨折による急性の腰背部痛，変形，慢性腰背部痛，身長低下などがみられるが，無症状であることも少なくない．

5　診断基準

▶**原発性骨粗鬆症**の診断基準を**表V-1-4**に示す．
▶従来，原発性骨粗鬆症(退行期骨粗鬆症)は，閉経後(Ⅰ型)骨粗鬆症と老人性(Ⅱ型)骨粗鬆症に分類されていたが，最近はⅠ型と

MEMO

FRAX® (→p.212)：FRAX®は，2008年にWHOが発表した個人の10年以内の骨折確率を求めるツールで，この内容は，骨粗鬆症の予防と治療ガイドライン2011年版に薬物治療開始基準として取り入れられている．FRAX®は簡便であり，また骨密度測定機器を設置していなくでも使用できることから，日常診療や骨粗鬆症検診におけるスクリーニングに利用できる．FRAX®に用いられる危険因子は，年齢，性，体重・身長，両親の大腿骨近位部骨折歴，現在の喫煙，ステロイド薬の使用，関節リウマチ，続発性骨粗鬆症，アルコール摂取(1日3単位：エタノールで24～30 g以上)，大腿骨近位部骨密度である．

■表V-1-6　骨粗鬆症に用いられる薬剤

分類	薬の種類	効果
骨の吸収を抑える薬	女性ホルモン	女性ホルモンの分泌が減る閉経期の女性が対象で，更年期症状を改善し骨量の減少を抑える
	カルシトニン	骨量の減少を抑え，背中や腰の痛みをやわらげる
	ビスホスホネート	骨量を明らかに増加させ，骨折を予防する
	SERM	骨量を増加させ，骨折を予防する
	デノスマブ	骨密度を増加させ，骨折を予防する
骨の形成を促進する薬	ビタミンK_2	骨量の減少を抑え，骨の形成を助ける
	副甲状腺ホルモン薬	骨リモデリングの促進とともに，骨組織量が増加する．重症例に推奨され，腰痛改善効果も示されている
吸収と形成を調節する	活性型ビタミンD	腸からのカルシウムの吸収と骨の形成を助ける
	カルシウム剤	食事からカルシウムが十分とれない場合，長期に服用すれば骨量減少の防止になる

Ⅱ型を区別せずに一括して**閉経後骨粗鬆症**とし，男性の骨粗鬆症を別に扱うようになっている．**続発性骨粗鬆症**には，内分泌性，栄養性，薬物性，不動性，先天性，その他がある（**表V-1-1**）．

▶「骨粗鬆症の予防と治療ガイドライン2015年版」には，骨粗鬆症性骨折の危険因子を把握し，識別診断のための情報を得るための質問項目（**表V-1-5**）が示されており，とくに，両親の大腿骨近位部骨折歴，身長低下，喫煙，飲酒などについての聴取が重要とされている．

6 治療

▶日常生活の中で骨量を増やす努力を継続し，その努力を積み重ねることが重要である．

▶骨粗鬆症予防の三原則である「食事（カルシウムの摂取）」「運動」「**日光浴**」が治療においても必須で，初期の骨量減少は，この3つを心がけることで骨量増加が期待される．

▶「骨粗鬆症の予防と治療ガイドライン2015年版」において，栄養ケア（カルシウム，ビタミンD，ビタミンKの十分な摂取）の重要性が示されており，骨粗鬆症の薬物療法を行う際にも，基礎治療として栄養ケアがなされるべきである．

▶**運動**療法は，骨量増加を期待して行うだけでなく，骨折予防を目的とした**転倒予防**のためにも積極的に取り入れられる．

▶腰背痛があるときは，飲み薬や注射によって痛みを軽減する治療が行われる．

▶患者の年齢や骨密度などから，薬物療法を開始する時期を医師が患者と話し合って決定する．近年では，FRAX®を薬物治療開始基準に取り入れるようになってきている．

▶現在使用されている薬は，**骨吸収**（骨破壊）抑制薬，**骨形成**促進薬，骨代謝調節薬の3つに大別される（**表V-1-6**）．

▶最近，早期治療により，骨粗鬆症による骨折がかなり防げるようになっている．

7 栄養生理

▶骨代謝は**カルシウム代謝調節ホルモン**（副甲状腺ホルモン，カルシトニン，活性型ビタミンD）や**性ホルモン**のエストロゲンのほか，カルシウム摂取状況や身体活動などにより調整されている（**図V-1-1**）．

日光浴：紫外線により皮下でビタミンDが合成されるため，骨粗鬆症の予防につながる．

骨吸収：骨は，常に代謝され作り変わっているが，破骨細胞の作用によって古い骨が壊される（骨から骨塩が溶出する）ことを意味する．骨吸収が亢進すると一般に骨密度は低下する．

骨形成：骨代謝における，骨芽細胞による骨を作る作用を意味する．骨形成が促進されると一般的に骨密度が増加する．

性ホルモン：骨代謝に大きく影響する性ホルモンは女性ホルモンのエストロゲンである．近年，男性ホルモンのアンドロゲンが骨代謝に関与することも注目されつつある．

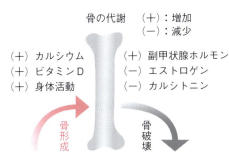

■図Ⅴ-1-1　骨の代謝

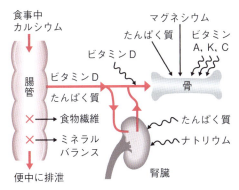

■図Ⅴ-1-2　カルシウムおよび骨代謝に影響を及ぼす栄養素など

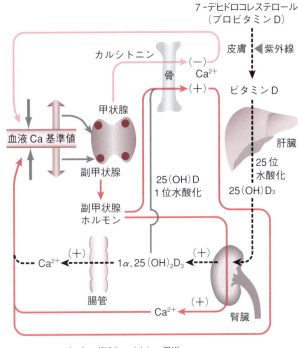

■図Ⅴ-1-3　骨代謝バランス

▶骨代謝に関係する栄養的因子は多岐にわたる．骨の材料として重要な栄養素は，たんぱく質，カルシウム，リン，マグネシウムなどである．一方，ビタミンDはカルシウム代謝・骨代謝に必須であり，ビタミンKも骨関連のたんぱく質代謝に必須である．また，ビタミンCは骨基質たんぱく質であるコラーゲン代謝に必須である．さらに，乳糖，オリゴ糖類，アミノ酸，ペプチド類，食物繊維，脂質などは腸管カルシウム吸収に影響する．ナトリウムやカフェインなどは尿中カルシウム排泄量に影響を及ぼす（**図Ⅴ-1-2**）．

▶骨は，たんぱく質（おもにコラーゲン）からなる基質に，カルシウムおよびリンなどからなる骨塩が沈着してできている．血中カルシウム濃度の恒常性維持のために，カルシウムの摂取不足や腸管における吸収低下，尿中排泄の増加などにより負のカルシウムバランスが誘因され，骨代謝バランスをくずし，骨吸収（骨破壊）を亢進する原因となる（**図Ⅴ-1-3**）．

▶カルシウム代謝調節ホルモンの一つである活性型ビタミンD（$1\alpha,25(OH)_2D_3$）は，骨代謝にかかわる重要な因子である．ビタミンDは，食事からの摂取のほか，適度に日光を浴びることで皮下にあるプロビタミンD（7-デヒドロコレステロール）から作られる．ビタミンDは，肝臓において一部活性化され$25(OH)D_3$となった後，さらに腎臓において活性化され，$1\alpha,25(OH)_2D_3$となる．これが，カルシウムの腸管からの吸収を促進したり，骨形成に関与したりする（**図Ⅴ-1-3**）．

▶基質中のオステオカルシンなどのたんぱく

MEMO

骨芽細胞（→p.214）：骨形成を担う細胞．間葉系幹細胞から分化誘導される．骨基質を生成し，骨塩を沈着させる．最終的に骨細胞に分化し，骨基質内に埋め込まれる．

破骨細胞（→p.214）：骨吸収（骨破壊，骨塩溶出）を担う多核の細胞．酸を分泌し，骨基質を溶解し，骨塩を溶出させる．

さまざまな骨代謝関連のサイトカインなどを分泌する．

骨と食塩（→p.214）：食塩などの過剰摂取によるナトリウム摂取の増加は，体内のミネラルバランスを壊し，尿中カルシウム排泄量を増加（尿細管でのカルシウム再吸収の低下）させたりすることで，骨密度の低下をもたらす．

質は，グルタミン酸残基がγ-カルボキシル化（gla化）されているが，その反応にはカルボキシラーゼとその補酵素としてビタミンKが必要で，骨に対するビタミンKの作用は，骨芽細胞に作用して石灰化を促進させること，および破骨細胞による骨吸収（骨破壊）を抑制することである．

▶リンは，カルシウムとともに骨の主要成分であるが，過剰に摂取した場合，腸管からのカルシウム吸収を阻害し，さらに腎臓へのカルシウム蓄積を高め，腎臓へ過大な負荷をかけることが懸念される．

▶最近，カルシウム摂取量に対するマグネシウムの相対的摂取不足がさまざまな疾患の誘因として重要視されているが，マグネシウム摂取不足によりカルシウム代謝が乱れ，骨に影響すると考えられている．また骨塩中のマグネシウムの比率も骨強度と深くかかわっているといわれている．

8 栄養食事療法

1―基本方針

①骨粗鬆症の薬物療法を行う際にも，基礎治療としてまず栄養ケアがなされるべきで，カルシウム，ビタミンD，ビタミンKの十分な摂取は，治療の基礎としてきわめて重要である．

②骨代謝に関係する栄養的因子は多岐にわたり，カルシウム，ビタミンD，ビタミンK以外に，リン，マグネシウム，乳糖，必須アミノ酸，たんぱく質，食物繊維，脂質，エネルギー摂取，ビタミンC，ビタミンAなどが直接あるいは間接的に骨代謝に深くかかわっていることから，これらの過不足のない適切かつ十分な摂取が重要となる．

③食塩の過剰摂取をしない．

④骨粗鬆症の危険因子である極端な食事制限をしない（欠食，少食，偏食を含む）．

⑤喫煙習慣を見直す．過度の飲酒を控える．

⑥多量のコーヒーを摂取しない．

2―栄養アセスメント

▶治療の目的は骨折の予防であり，そのために骨密度と，骨粗鬆症および骨折の危険因子を評価しなければならない．

■アセスメント・モニタリングの項目

①骨量測定（腰椎が困難な場合，橈骨，第2中手骨，大腿骨頸部，踵骨でも可）

②胸・腰椎正面および側面X線撮影

③身長（身長の短縮），体重，BMI，円背・脊柱彎曲の有無，腰背部痛の有無など

④既存骨折の有無，糖尿病など骨代謝に影響を与える疾患の既往歴，家族歴，女性の場合の閉経の有無

⑤食生活習慣，運動習慣を含む生活習慣に関する問診

⑥血液・尿検査（骨形成マーカー，骨吸収マーカーなど）の臨床検査

■アセスメント・モニタリングのポイント

①骨量測定を，前回と同じ測定方法により測定し，骨量の変化を検討する．

②身長計測により，身長の短縮がないか（短縮している場合は胸椎，腰椎を骨折している可能性が高い）を検討する．

③骨形成・骨吸収マーカーを測定し，骨代謝動態（の変化）を検討する．

④カルシウム摂取状況などを含む栄養素等摂取状況，食事回数などを含む食習慣を調査する．

MEMO

骨とコーヒー：コーヒーを多飲する人の骨密度が低いことが報告されている．多量摂取による尿中カルシウム排泄量増加の可能性が考えられ原因物質はカフェインであると指摘されている．

骨形成マーカー，骨吸収マーカー：骨形成マーカーには，血清骨型アルカリホスファターゼ活性，血清オステオカルシンなどがある．骨吸収マーカーには，血清酒石酸抵抗性酸性ホスファターゼ（TRAP5b），尿中デオキシピリジノリン，尿中・血中コラーゲンN末端テロペプチド（NTx）などがある．これらの代謝マーカーによって骨形成と骨吸収の状態（バランス）を知ることができる．

3 栄養食事管理と管理目標

▶カルシウムの十分な摂取を基本とし，ビタミンD，ビタミンKの不足にも注意する．さらに，骨代謝には多くの栄養素が関与することから，主食，主菜，副菜，牛乳・乳製品，果物の過不足のない適正な摂取を心がけるよう指導する．

a 栄養素処方

① カルシウム：「骨粗鬆症の予防と治療ガイドライン2015年版」では食品から700～800 mgの摂取を推奨している（サプリメントやカルシウム薬を使用する場合には注意が必要であるとされ，現時点ではサプリメントやカルシウム薬として1回に500 mg以上摂取しないようにと，上記ガイドラインに示されている）．なお「日本人の食事摂取基準（2025年版）」では，骨の成長充実や骨折リスクを考慮し，年齢性別ごとのカルシウムの推奨量が示されている．

② ビタミンD：上記のガイドラインでは10～20 μgの摂取が推奨されている．戸外に出ることの少ない患者や高齢者，および肝臓あるいは腎機能低下症の患者ではビタミンDの不足が懸念されることから，とくに注意が必要である．

③ ビタミンK：上記のガイドラインでは250～300 μgを摂取するよう推奨している．

④ リン：カルシウムとリンの比率が0.5～2.0の範囲となるようにする．

⑤ マグネシウム：「日本人の食事摂取基準」の推奨量を参照してマグネシウムの摂取を指導することも忘れてはならない．また，カルシウムとマグネシウムの摂取比率は，ほぼ2：1が望ましいといわれている．

⑥ ナトリウム：過剰にならないよう注意する．

⑦ カフェイン：過剰にならないよう注意する．

⑧ エネルギー摂取：不足しないよう注意する．

⑨ たんぱく質：不足しないよう注意するとともに，サプリメント利用などによる過剰摂取にも注意する．

⑩ アルコール：適度な摂取とする．

b 食品・料理・献立の調整

■食品

●推奨される食品

① カルシウムを多く含む食品：牛乳・乳製品，骨ごと食べられる小魚，野菜（こまつな，だいこんの葉，かぶの葉，切干しだいこんなど），海藻類（ひじきなど），大豆製品など

② ビタミンDを多く含む食品：魚類（さけ，さんま，うなぎ，まいわし，まぐろなど），きのこ類

③ ビタミンKを多く含む食品：納豆，ほうれんそう，こまつな，ブロッコリーなど

④ 良質のたんぱく質源

⑤ イソフラボン（フィトエストロゲン）含有食品：大豆製品など

⑥ 抗酸化物質（ビタミンC，A，E，カロテノイドなど）を多く含む食品：果物，野菜など

●避けたほうがよい食品

① リンを多く含む食品や飲料：インスタント食品や加工食品（リン酸塩の形で食品添加物として添加），一部の清涼飲料水

② ナトリウムを多く含む食品

③ イソフラボンを強化した食品（サプリメントや強化食品による過剰摂取の害も報告されているので，過剰摂取への注意は必須）

MEMO

カルシウムサプリメントの健康リスク：海外からの報告（日本とはカルシウム摂取水準，血清脂質状態，肥満度などが異なる）では，カルシウム薬やカルシウムサプリメントの使用により，心血管疾患のリスクが高まる可能性が指摘されている．なお，同じ量のカルシウムを食品として摂取した場合にはリスクは上昇しないとされる．

抗酸化物質：余剰の活性酸素の除去に有効で，その結果骨代謝にも効果的であることが示唆されている．なお，活性酸素は，骨吸収を担う破骨細胞活性を上昇させることが知られている．

④カフェインを多く含む飲料など
⑤食物繊維を多く含む食品（過剰摂取でミネラル吸収を阻害するため）

■ 献立

① 食事回数は1日3食を基本とし，欠食しない．
② カルシウムを多く含む食品を使用した献立を，毎食1品取り入れる．
③ コップ1杯（約200mL）分の牛乳・乳製品を1日1～2回摂取する．
④ 主食，主菜，副菜を整え，さまざまな食品を摂取することができる献立とする．
⑤ 塩辛い料理を控える．
⑥ 抗酸化成分を含有する食品を積極的に献立に取り入れる．

C 栄養指導

■ 指導のポイント

① QOL，ADLの維持・向上のために，骨折を予防することが重要で，そのためには骨量増加が必要であることを説明する．
② 骨量には，栄養素などの摂取状況を含む食習慣，運動習慣などの生活習慣が大きくかかわっていることを説明し，食事療法と運動療法が治療の基本となることを説明する．
③ 食事療法などの効果がみられる一定期間以上の実施が必要で，半年～1年以上の長い期間を要することを説明する．
④ 治療目標値あるいは治療効果を設定する．
⑤ 患者の栄養に関する一般的な知識の程度，外来受診の動機，食事療法に対する態度，食事療法を妨げる要因を評価する．
⑥ 栄養食事療法に関連した食生活状況を主とした栄養評価を行い，問題点を抽出する．
⑦ カルシウムが，日本人の食習慣においては摂取しにくい栄養素であることを十分認識させ，個々の患者の食生活の実態と照らし合わせて，十分摂取できるような方法を指導する．
⑧ 不足しがちなカルシウムに加え，各種栄養素のバランスのとれた食品構成および調理法を工夫することが重要であることを指導する．
⑨ 塩辛い味付けを避けることを指導する．
⑩ 飲酒者にはアルコールの摂取を控えるよう指導する．
⑪ 喫煙者には禁煙を勧める．
⑫ 骨粗鬆症および骨折に関連する排除しうる危険因子は多数ある．一人ひとりの生活習慣と照らし合わせて，できるだけ危険因子を取り除くよう指導する．
⑬ 食事療法の維持継続は，治療への理解と動機づけが鍵となる．また，成功事例などのエビデンスの提示と精神的ケアにより支援していくことが大切である．
⑭ 食事療法の継続のためには，次回受診までの目標を設定し，受診時にその評価を行う．目標にし得る事象（カルシウム摂取の増加，節酒，禁煙など）が多岐にわたるので，同時に多数の目標を設定するのではなく，一つずつ目標を設定し，一つ改善されたら，目標をもう一つ増やすなどの工夫をする．

4 ─ 栄養食事療法の効果・判定

① 骨量の増加の有無による判定には長い年月を要するので，骨代謝マーカーの測定などにより，骨代謝動態を把握する．
② 食生活習慣そのものの変化（カルシウム摂取量の増加など），運動習慣の変化なども効果判定の材料とする．

骨量増加の期間：骨代謝は，ダイナミックであるが，ゆっくりと進む．劇的な骨量減少がみられる閉経期の女性でも，その骨密度減少は年3％程度である．骨粗鬆症治療における骨密度増加を期待する強力な薬剤投与でも，骨密度に明らかな変化がみられるのは早くても3～4カ月以上経過してからである．

2 鉄欠乏性貧血

1 疾患の概要

▶**鉄欠乏性貧血**は，血液細胞の一種，赤血球の中にある**ヘモグロビン**というたんぱく質の材料である鉄が不足するために起こる．
▶鉄欠乏性貧血を診療する目的は，血液の酸素運搬能力の低下を防ぎ，十分な酸素が脳や筋肉，心臓，消化器などへ行きわたるようにするため，治療することにある．

2 病因

▶摂取量不足のほかに吸収障害，鉄需要の増大，慢性の出血などがあり，これらによって鉄の喪失と供給のバランスが崩れて鉄欠乏となる．
▶摂取量不足の原因として，偏食，過度のダイエット，少食，摂食障害，胃腸障害などがあげられる．
▶鉄需要の増大の原因としては，発育の盛んな幼児期，思春期から青年期にみられる急激な身体の成長，妊娠，出産，授乳などがあげられる．

3 疫学

▶鉄欠乏性貧血は全貧血の60〜80％を占め，世界でもっとも頻度の高い**貧血**である．
▶平成29年国民健康・栄養調査によれば（20〜70歳代），年齢階級別でのヘモグロビン低値（男性13g/dL未満，女性12g/dL未満）を示す人の総数割合は，男性9.3％，女性14.3％であり，とくに40歳代の女性では23.2％，30歳代の女性では22.4％に達しており，約5人に1人が貧血である．
▶成人男性では少なく，2％以下といわれている．

4 症状

▶ヘモグロビンは赤血球中にあり，組織へ酸素を供給するので，貧血になると全身の細胞が酸素不足になり，**表V-2-1**のような症状がみられる．
▶一般に鉄欠乏性貧血は緩徐に進行することが多いので，かなり進行しないと自覚症状がみられない．

5 診断基準

▶鉄欠乏性貧血診断のためのフローチャートを**図V-2-1**に示す．その他，赤血球形態（**表V-2-2**），症状，身体所見とともに診断する．

6 治療

▶原因疾患がある鉄欠乏の場合は，その治療を進める．

■表V-2-1　鉄欠乏性貧血のおもな症状

倦怠感，労作時の動悸，息切れ，めまい，頭痛，易疲労感，浮腫，微熱，耳鳴り，立ちくらみ，食欲不振，口内の痛み，舌炎，嚥下困難，便秘，頻脈，心悸亢進，収縮期心雑音，悪心，嘔吐，下痢，腹部不快感，精神機能低下，筋力低下，失神，寒気，口角炎，胃粘膜萎縮，無気力，手足の冷え，顔面蒼白，皮膚・口腔内粘膜・眼瞼結膜の蒼白，舌乳頭の萎縮，爪の反り返り（スプーン状爪），無月経，インポテンス，異食症など

MEMO
ヘモグロビン：ヒトを含むすべての脊椎動物や，一部のその他の動物の血液中に存在する赤血球の中にあるたんぱく質である．酸素分子と結合する性質をもち，肺から全身へと酸素を運搬する役割を担っている．赤色素であるヘムを持っているため赤色を帯びている．

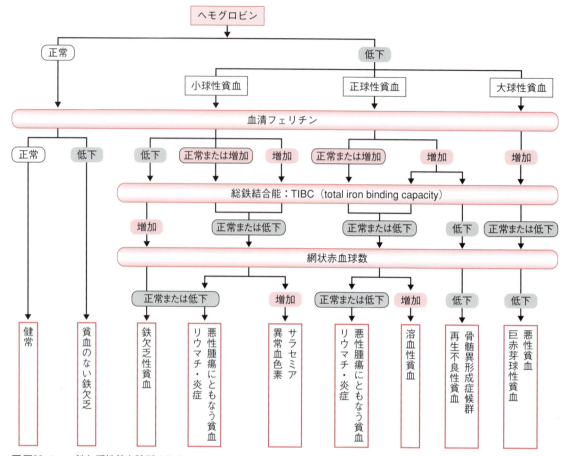

■ 図Ⅴ-2-1 鉄欠乏性貧血診断のためのフローチャート
（日本鉄バイオサイエンス学会治療指針作成委員会編：錠剤の適正使用による貧血治療指針，改訂［第2版］，響文社，2009より）

▶鉄補給は，食事療法を基本とするが，効果が十分でないときには，鉄剤の投与を行う．
▶薬物療法では，経口鉄剤が治療の原則であるが，経口薬の副作用が強いときや急速に鉄の補給をする必要があるときは，鉄剤の静注を行う．
▶静注の過剰投与は，体内組織に鉄沈着（ヘモジデローシス）を起こすために注意が必要である．
▶貧血が改善しても体内の貯蔵鉄（フェリチン）が十分に補われるまで継続投与が必要である．ヘモグロビンが正常化しても，さらに数カ月間，貯蔵鉄が正常化するまで治療を続ける．

7 栄養生理

▶鉄は体内を循環して再利用されている．鉄の体での動態は図Ⅳ-13-1（⇒p.182）を参照．
▶赤血球が作られるまでの生成過程に異常をきたし貧血が生ずる．骨髄の多機能性幹細胞から，腎臓で生成されるエリスロポエチンなどの作用を受け，前赤芽球から網赤血球へと分化・成熟し，およそ7〜9日で血中へ放

📝MEMO
鉄沈着（ヘモジデローシス）：非経口鉄の過剰投与は体内組織に鉄沈着を起こす可能性があるので，注意が必要である．

エリスロポエチン：（⇒p.347参照）

■表Ⅴ-2-2　赤血球形態からの貧血分類

赤血球の形態	平均赤血球指数			おもな貧血症
	MCV	MCH	MCHC	
小球性低色素性	低下	低下	低下	鉄欠乏性貧血，鉄芽球性貧血，サラセミア，慢性貧血
正球性正色素性	正常	正常	正常	再生不良性貧血，溶血性貧血，腎性貧血
大球性正色素性	上昇	上昇	正常	巨赤芽球性貧血，ビタミンB_{12}による悪性貧血，葉酸欠乏症

出される．

▶ヘモグロビンは，赤血球中にあって酸素を運ぶ役割をしている．ヘモグロビンはグロビンというたんぱく質とヘムという赤色の化合物からできている．ヘムには二価鉄🖉（Fe^{2+}）が結合している．健康成人では体内に約3～5gの鉄があり，その約2/3はヘモグロビンのヘム鉄である．ヘム鉄は酸素と結合して，酸素を全身に運搬する．残り約1/3は，フェリチンやヘモジデリンの状態で骨髄，脾臓，肝臓などの臓器に貯蔵鉄として存在する．そのほか約4％がミオグロビンやチトクロームなどの含鉄組織の形で組織鉄として存在している．

▶血清中の鉄（血清鉄）は，トランスフェリン（βグロブリン）と結合しており，全体の0.1％と非常に少ないが，鉄の移送に関連し，重要な役割を示す．

● 吸収

▶成人の1日の食物中には10～20mgの鉄が含まれるが，小腸から吸収される鉄分は約1mg（10％）に過ぎない．多くはまず胃の胃酸でイオン化（Fe^{3+}）され，ついで腸で腸内細菌やビタミンCにより還元（Fe^{2+}）され水溶性になって小腸上部（おもに十二指腸）から吸収される．ヘモグロビンを含むヘム鉄，アミノ酸鉄などは吸収されやすい．また鉄の吸収は体内鉄の不足の際に増大し，非ヘム鉄の吸収は肉食やビタミンCによって増加する．

▶血球中のヘモグロビンに含まれる鉄は血漿中の鉄を運搬するたんぱく（トランスフェリン）と結合し，骨髄に運ばれて再び赤芽球に取り込まれ，ヘモグロビン合成に利用される．

● 喪失

▶体内の鉄の欠乏状態は大量に出血しない限り急激に起こることはない．症状の現れない滞在性の鉄欠乏状態から鉄欠乏性貧血に徐々に進行していくものである．

▶鉄の排泄は1日約1mgで，主として腸管（上皮細胞の脱落など）から，また皮膚，毛髪や汗，尿としても排泄されるが，その総量は吸収量にほぼ相当する．

▶鉄欠乏でもっとも多いのは出血で，胃潰瘍などによる消化管出血，性器出血（月経，分娩，異常出血）などである．女性では生理的に月経によって1日平均1.3mgの鉄分を失う．この損失量を満たすために食物からの鉄の摂取や，体内では貯蔵鉄をはじめとする鉄の動員が行われる．

8 栄養食事療法

1—基本方針

①偏った食生活や生活習慣を是正する．
②造血機能を高めることを目的として，たんぱく質と鉄を十分に補給するとともに，適正なエネルギーをとり，バランスのとれた食生活を送る．

MEMO

二価鉄：三価鉄は，ビタミンCなどの働きにより吸収のよい二価の鉄となり，胃粘膜より吸収される．吸収後，血中では再び三価鉄イオンとなり，トランスフェリンと結合して全身の組織へ運ばれる．経口鉄剤は，二価鉄である．

造血機能を高める：鉄は，たんぱく質のグロビンと結合して，赤血球中の主成分であるヘモグロビンを作っている．たんぱく質をとることにより，鉄の吸収がよくなる．また，還元作用があり，鉄の吸収をよくするビタミンC，造血作用のあるビタミンB_2，ビタミンB_6，ビタミンB_{12}，葉酸と，貯蔵鉄の動員作用を促す銅を多く含む食品を積極的にとるとよい．

2 — 栄養アセスメント

▶アセスメントの目的は，血液の酸素運搬能力低下の予防を評価することである．

■アセスメントの項目とポイント

①身体計測：身長，体重，皮下脂肪厚，体脂肪率，上腕筋囲，上腕周囲長などの測定により，エネルギーや体たんぱくの貯蔵状態をみる．

②臨床検査：ヘモグロビン値の低下，赤血球数の減少，赤血球容積⬚が非常に小さいこと，血清鉄の低下，不飽和鉄結合能の上昇，血清フェリチン値の低下，ヘマトクリット値⬚の低下が顕著である．感染症，内分泌疾患，リウマチ，腎臓病など血液疾患以外の基礎疾患が原因で起こる二次性貧血と鉄欠乏性貧血とを鑑別するには，総鉄結合能は鉄欠乏性貧血で上がり，二次性貧血では正常または下がることに着目する．

③臨床診査：「症状」の項に記した症状の有無を確認する．

④食事調査：下記の問診や食事記録に着目しながら，食事摂取量を推定する．

〈問診〉食事摂取時間，偏食の有無，嗜好品（タバコ，アルコール），間食，外食の頻度，減量経験の有無，食欲の有無，菜食主義，加工食品の摂取頻度など．

〈食事摂取量〉エネルギー，たんぱく質，鉄，ビタミンB群，ビタミンC，鉄などの摂取量の算定を行う．

3 — 栄養食事管理と管理目標

a 栄養素処方

▶貧血の栄養基準（例）を表V-2-3に示す．

■表V-2-3　一般成人の貧血の栄養基準（例）

エネルギー (kcal)	たんぱく質 (g)	脂質 (g)	炭水化物 (g)	鉄 (mg)
2,000〜2,200	90	50〜60	300	13

b 食品・料理・献立の調整

■食品

●推奨される食品

①鉄を多く含む食品⬚を食事に取り入れる．
②良質なたんぱく質，ヘム鉄⬚の多い食品を組み合わせて摂取する．
③非ヘム鉄を摂取する際には，鉄の吸収を高めるビタミンC，動物性たんぱく質を一緒に摂取する．
④酢・柑橘類・香辛料（しょうが，わさび，カレー粉など），梅干しなどの酸味の強い食品は，胃粘膜を刺激し胃酸の分泌を亢進し，鉄の吸収をよくするため，取り入れる．
⑤造血作用を促進する栄養素（ビタミンB_2，B_6，B_{12}，葉酸，銅）は貯蔵鉄の動員作用があるので組み合わせて摂取する．

●注意する食品

▶鉄は，タンニンと結合するとタンニン鉄となり，水に溶けずに吸収の悪いものになるため，食事前後1時間はコーヒー・紅茶・緑茶は控えたほうよい．ただし，鉄剤を服用している場合は，鉄量が多く，吸収も高まっているので，禁茶する必要はない．

▶インスタント食品・加工食品に含まれるリン酸塩などは，消化器内で鉄と結合して吸収を悪くする．

▶アルコールの飲み過ぎは，鉄の吸収の妨げになるので適量を守る．

MEMO

赤血球容積：①摂取量不足（偏食など），②吸収障害（胃の術後など），③需要の増大（成長期，妊娠など），④喪失（過多月経，消化管出血など）などが原因として，赤血球容積が小さくなる．
ヘマトクリット値：(⇒p.44参照)

鉄を多く含む食品：レバーなど肉類，煮干し，あさり，しじみ，こまつななど．
ヘム鉄：レバー，豚，牛，鳥，魚などの赤身の肉に含まれている鉄分であり，鉄の吸収は非ヘム鉄より10倍高いので，積極的に摂取する．

■ 献立

① 適正なエネルギーをとる．食事中に含まれている鉄は約10％しか吸収されない．食物中の鉄の量は食品の種類によって異なるが，一般的には摂取総エネルギー量1,000kcal当たり6mgとされている．適正な食事の量を摂取していないと鉄欠乏に陥りやすい．

② 鉄は食品に少しずつ含まれているので，献立作成にあたってはビタミンCやたんぱく質を含む食品を入れる．

③ 鉄含有量がとくに少ない小麦粉製品は，鉄分の摂取が少ないので，鉄を多く含む食品を上手に取り入れる．

C 栄養指導

■ 指導のポイント

① 鉄欠乏性貧血の治療の必要性を説明する．
② 治療の基本が食事療法と薬物療法であることを説明する．
③ 患者の食事療法に対する知識，態度，行動の程度，栄養指導の受講の動機，食事療法を妨げる要因を評価する．
④ 食生活状況を主とした栄養評価を行い，問題点を抽出する．
⑤ 治療目標値（ヘモグロビン，ヘマトクリット，赤血球数，赤血球容積，血清鉄，総鉄結合能，フェリチンなど）や治療効果を設定する．
⑥ 夜更かし，寝不足などは造血機能を弱めるため，規則正しい生活を送る．
⑦ 欠食をすると必要な栄養素が十分にとれなくなるため，食事は1日3食規則正しく，バランスよく食べる．
⑧ 鉄含有の多い食品ならびに造血に必要な栄養素を多く含む食品の摂取を勧める．
⑨ 鉄の吸収を阻害する因子は取り除く．
⑩ 鉄製の調理器具を使用する．防錆加工をしていない鉄製の鍋やフライパンから調理中に溶出する鉄は二価鉄イオンのために吸収率が良い．微量であるが，鉄が補給される．
⑪ ゆっくり，よく咀嚼することで，胃液の分泌が三価鉄を二価鉄に変え，鉄の吸収を高める．
⑫ 栄養補助食品の利用．食事で十分な量の鉄が摂取困難な場合は，鉄補強食品（加工乳，ヘム鉄飲料，鉄ゼリー，鉄クッキー，サプリメントなど）を上手に利用する．
⑬ 食事療法の効果を上げるには，初診，2週間後，1カ月後，以後は随時行い，半年は続けることが望ましい．
⑭ 食事療法の継続のためには，治療の理解が必要である．精神的ケアを行いながら，焦らず，長期的に取り組む．

4 ─ 栄養食事療法の効果・判定

① 臨床症状や栄養状態のモニタリング・評価により，栄養必要量の再評価を行う．とくに，症状が改善し，治療経過中にヘモグロビン値やヘマトクリット値が改善しても，フェリチン値などの貯蔵鉄の改善は遅れるので，赤血球容積が正常化してすぐに治療を終了すると再発の頻度が高いため，3～6カ月くらいは治療を継続する必要がある．
② 患者の食事内容について栄養バランス，鉄の摂取食品および摂取状況，吸収率を高めるような食事をしているか，食行動などを多面的に分析し，継続的に栄養教育の効果を確かめることが必要である．

MEMO

鉄の吸収を阻害する因子：①タンニン酸（三価鉄と結合して不溶性の化合物をつくり，鉄吸収されにくくなる．茶，コーヒーなど），②フィチン酸（穀類，豆類の外皮にあり，鉄と結合して不溶性になる），③食物繊維（鉄，銅，カルシウム，マグネシウムなどと結合して，吸収を妨げる．とくに干しかんぴょう，干しわかめ，豆類，とうがん，乾しいたけなど食べ過ぎに注意），④加工食品に含まれるリン酸塩などの食品添加物や野菜に含まれるシュウ酸塩は，消化器内で鉄と結合して鉄の吸収を悪くする．⑤胃酸不足，⑥胃酸分泌抑制薬（H_2受容体阻害薬，プロトンポンプ阻害薬）の併用に注意．

3 胃食道逆流症

1 疾患の概要

▶胃食道逆流症（逆流性食道炎）は，「胃内容物の食道内逆流によって起こる不快な症状あるいは合併症があるものとする」（モントリオール定義）．
▶内視鏡で食道炎がみられたものを逆流性食道炎，酸が逆流して胸やけなどの症状はあるものの食道炎のないものを非びらん性胃食道逆流症（NERD）という．両方で治療を要するものを胃食道逆流症（GERD）とよぶ．
▶悪性疾患ではないが，食欲不振や睡眠障害など，QOLが損なわれる疾患である．

2 病因

▶ある特定の原因だけでなく，下部食道括約筋の機能低下，胃酸過多，食道の知覚過敏など，いくつかの原因が重なって起こる．
▶不適切な食事習慣，暴飲暴食，高脂質食，胃運動異常，胃排出遅延，薬剤性LES圧低下（抗コリン薬，カルシウム拮抗薬）が原因で，一過性の下部食道括約筋（LES）の機能低下（弛緩）が起こる．
▶妊娠，肥満，便秘，コルセットなどによる締め付け，姿勢（猫背，前かがみ，食直後に横になる）など，噴門機能を超える腹圧の上昇で逆流が起こる．
▶食道裂孔ヘルニア（図V-3-1），食道蠕動運動機能低下でも起こりやすい．
▶そのほか，胃酸過多（ピロリ菌に感染していないことが多い），食道知覚過敏，ストレス，消化管術後逆流食道炎（胃全摘術，噴門切除術）によることもある．

3 疫学

▶日本における胃食道逆流症の有病率は報告により4.0％から19.9％と差がある．
▶有病率は男性に高い傾向であるが，女性では60歳以上で頻度が増加し，重症度が高くなる．過体重に有病率が高い．
▶1990年以降増加傾向であるバレット食道からの食道腺癌への報告がある．

4 症状

▶食道症状：胸やけ，呑酸（胃から液体が上がり酸味や苦みを感じる），げっぷ，飲み込んだときのつかえ感，食欲不振，心窩部痛・灼熱感などがある．重症化すると，狭窄，出血，バレット食道を合併することがある．
▶食道外症状：喉の違和感，嗄声，声帯ポリープ，慢性的な咳，喘息症状，睡眠障害，睡眠時無呼吸症候群．無症状の場合もある．

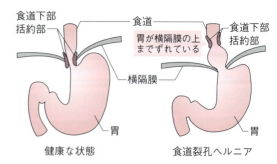

■図V-3-1　食道裂孔ヘルニア

> **MEMO**
>
> **下部食道括約筋（LES）**：食道と胃の境目は噴門とよばれ，食道へ食べ物や胃酸が逆流するのを防止している．
> **食道裂孔ヘルニア**：胸部と腹部の間には横隔膜という筋肉でできた膜がある．食道が通る横隔膜の孔を食道裂孔という．胃の一部がこの食道裂孔から上の胸部に脱出してしまっている病気．
> **バレット食道**：食道は，体表の皮膚と類似した扁平上皮という粘膜で覆われている．その粘膜が，胃の粘膜に似た円柱上皮に置き換わった状態．逆流性食道炎が長期的に続くことが原因と考えられている．

5 診断基準

▶自覚症状と内視鏡検査で診断する．
▶QUEST，FSSGなどの問診票があり，診断に有効である．
▶内視鏡による診断は，食道炎の程度が確認でき，癌などのほかの疾患，NERDとの鑑別診断ができる．炎症の重症化分類はロサンゼルス分類（炎症所見のないものをN，ごくわずかなものをM，以降A〜Dに分類）が使われる．しかし，自覚症状と内視鏡診断結果は一致しないこともある．
▶食道への酸の逆流状態を連続的に観察する24時間pHモニタリングの方法もある．
▶胃酸分泌抑制薬のプロトンポンプ阻害薬（PPI）を短期間投与して症状が改善したかをみるテストを行い，約2週間の投与で，症状が改善すればGERDを診断する．

6 治療

▶逆流性食道炎には，PPIがもっとも有効な治療薬である．H_2受容体拮抗薬も胸やけを改善して有効である．制酸剤，アルギン酸，消化管運動改善薬なども使用される．
▶消化管術後逆流食道炎の酸逆流や十二指腸液（膵液と胆汁）の逆流には，たんぱく分解酵素阻害薬が有効である．
▶薬物療法で効果がみられない，または体内より胃内容物が戻る食道裂孔ヘルニアがあるときに手術適応となる．多くは腹腔鏡下で行われ，裂孔ヘルニアの修復と噴門の働きを強化する．
▶食後すぐに横にならないようにし，眠らないようにする．衣服での腹部を締め付け，内臓肥満による腹圧の上昇を避ける．就寝時は，上半身を高くする（fowler位），または左側臥位にし，逆流の防止を行う．

7 栄養生理

▶高脂質食は，消化管からのコレシストキニンというホルモンの分泌を促進する．このホルモンは一過性のLES弛緩を引き起こし，げっぷや胃酸の逆流を起こす．
▶食事が摂取できれば，栄養的には問題がない．しかし，食欲不振や睡眠障害が長期間続く場合や狭窄や出血，バレット食道が合併すると栄養不良が起こる可能性がある．

8 栄養食事療法

1—基本方針

■胃酸を過剰分泌させる食品を控える
▶飲酒と喫煙を制限する．過度の香辛料と食塩を避ける．高脂質，高たんぱく質の食事を控える．
▶LES弛緩を誘発させやすい嗜好飲料，チョコレート，柑橘類，甘味・酸味を控える．
▶胃内停滞時間の長い脂質，繊維の多いものを避ける．
▶規則正しい食生活をし，暴飲暴食を避ける．就寝直前の食事を控える．
▶狭窄や出血がある場合は，症状に合わせた食品選択をする．

2—栄養アセスメント

■アセスメント・モニタリングの項目
①食事摂取量：食欲不振などによる必要栄養量の不足を評価する．肥満者では，その改

MEMO
QUEST：Dentらによって考案された自己記入式質問表で，逆流性食道炎の診断方法の一つ．日本版の問診票（QUEST日本語版）もある．
FSSG：草野らによって考案された問診票．

善のための実施を評価する.
② 不快症状の有無：胸やけや呑酸などの症状を評価する.
③ 身体計測・血液検査：体重，BMI，体重変化率，血清アルブミン，血清鉄（出血時），ヘマトクリットなどで栄養状態を評価する.
④ 生活状況：食事時間や就寝時間，飲酒や喫煙などの状況を確認する.

■ アセスメント・モニタリングのポイント
▶ 原因や症状に個人差がある. 胸やけを起こす食品も，一様ではない. 病態と症状が一致しないことも多い. 患者の訴えをよく聞き，問題点を明確してプランを立てる.

3─栄養食事管理と管理目標

a 栄養素処方
▶ 軽症では，栄養吸収障害や代謝障害はみられないので，「日本人の食事摂取基準」の各栄養素量を参考にする.
① エネルギー：肥満をともなう場合は，25〜30 kcal／標準体重／日を目標に減量する.
② たんぱく質：推奨量以上を目標とする.
▶ 狭窄や出血がある場合は，経口可能かを評価する. 経口で十分な栄養が摂取できない場合は，経管栄養や静脈栄養を考える. 栄養素量は軽症と同様である. 症状の改善に従い，静脈栄養，経管栄養，流動食，ピューレ食，軟食と食事形態を上げる.

b 食品・料理・献立の調整
■ 食品・献立
● 推奨される食品・献立
① 炭水化物：粥，軟飯，うどん，パンなど.
② たんぱく質：脂質の少ない魚，ささみ肉，卵，乳製品など.
③ 野菜類：難消化性の食物繊維を除き，軟らかく煮炊きする料理.
④ 果物：酸味の少ない食品，コンポート.

● 避けたほうがよい食品・献立
① 胸やけしやすいもの：高脂質食品，酸味の強い食品，香辛料，その他（アルコール，炭酸飲料，コーヒー）.
② 胃内停滞時間が長い食品・料理：揚げ物料理，炒め物料理，ベーコン，豆類.
③ 繊維が多い食品：ごぼう，たけのこ，など.

c 栄養指導
■ 指導のポイント
① 食品の選択方法・調理法・食事量：胸やけの原因食品や調理法は患者個々で異なる. 胸やけの可能性のある食品をすべて禁止するのではなく，不快症状の出ない食品や調理法を探すようにする. 食べ過ぎは一過性のLESの弛緩を起こしやすい. 腹八分目にする. 胸やけのときには水や牛乳を飲む.
② 禁酒，禁煙を勧める.
③ 肥満の場合は，肥満を是正する.
④ 規則正しい生活. 食事時間，睡眠時間を確保する. 食後すぐに横にならない. 就寝直前の食事は控える.

4─栄養食事療法の効果判定

① 栄養摂取量：重症の場合は，栄養量が適正であるか，栄養補給ルートが適切であるかを身体計測や血液検査より判断する.
② 不快症状の軽減：胸やけや睡眠障害などの不快症状が改善されたか評価する. 症状が改善していない場合は，原因を究明し新たに計画を作成する.

4 胃・十二指腸潰瘍

1 疾患の概要

▶胃・十二指腸潰瘍は消化性潰瘍と総称され，消化管壁に欠損を生じる病態である．胃潰瘍の分類を図Ⅴ-4-1に示すが，粘膜上層が傷害された状態を「びらん」，粘膜下層より深部組織が傷害された状態を「潰瘍」という．予後は良好であるが，薬の服用など治療中断や不規則な食事やストレスなどにより再発しやすい疾患である．

2 病因

▶おもな病因としては，①ヘリコバクター・ピロリ（Helicobacter pylori：H. pylori）感染，②非ステロイド性抗炎症薬（NSAIDs：non-steroidal anti-inflammatory drugs）の副作用，③防御因子と攻撃因子のバランスの崩れが考えられており，そのほかには，血流障害による組織損傷，NSAIDs以外の薬剤による傷害，アルコール多飲による粘膜傷害，ストレスなどが考えられている．

▶H. pylori感染：H.pyloriはセクレチンやコレシストキニンなどの胃酸抑制作用因子の分泌を抑制する．また，H. pyloriはアンモニアや炎症性サイトカインを産生する．アンモニアは消化管粘膜を刺激し，炎症性サイトカインは胃酸分泌作用のあるガストリンを増加させ，胃・十二指腸における酸のコントロールや粘膜保護機構が傷害される．

▶NSAIDs：鎮痛作用，解熱作用，抗炎症作用を有し，広く使用されている薬剤である．また，血小板凝集抑制作用もあり，心筋梗塞や脳梗塞予防目的に使用されている．NSAIDsはアラキドン酸からのプロスタグランジン（PG）合成を阻害してその薬効を示すが，PGには粘膜保護作用があり，この合成阻害により粘膜が傷害される．

▶防御因子と攻撃因子のバランスの崩れ：消化管粘膜は粘液で保護されている．防御因子（粘液，粘膜の血流，細胞増殖因子など）と攻撃因子（胃酸やペプシンなど）のバランスが崩れ，攻撃因子が優位になると粘膜が傷害される．

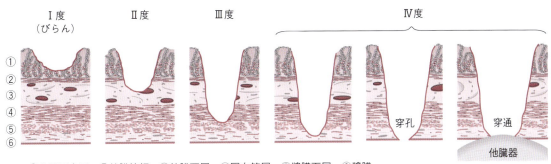

■図Ⅴ-4-1　胃潰瘍の分類

MEMO
ヘリコバクター・ピロリ（Helicobacter pylori）：胃に生息するらせん型の細菌．単にピロリ菌とよばれることも多い．

アラキドン酸：必須脂肪酸であるリノール酸から生合成されるn-6系の脂肪酸．

3 疫学

▶厚生労働省調査による胃・十二指腸潰瘍の患者数は2008年50万2千人，2017年22万4千人，死亡率は2008年2.6/10万人，2017年2.0/10万人と報告されている．

4 症状

▶おもな症状には，心窩部痛，腹部膨満感，悪心，胸やけ，げっぷ，食欲不振などがあり，合併症には出血，穿孔，幽門狭窄などの通過障害がある．出血については，胃潰瘍では**吐血**，十二指腸潰瘍では**下血**が多く，いずれも貧血の原因となる．食事と痛みについては，胃潰瘍では食後に疼痛をきたし，十二指腸潰瘍では空腹時痛が多いとされている．腹部膨満感は腸管内ガスの産生亢進および腸運動の低下によるものとされている．

5 診断基準

▶問診による自覚症状を把握する（前項）．高齢者やNSAIDs服用者では，突然の吐下血で発症する場合もある．鑑別検査として，X線診断，内視鏡診断，H. pylori感染診断などがある．X線診断では，潰瘍の粘膜欠損部に造影剤が貯留して**陰影（ニッシェ）**が確認される．

6 治療

▶出血，穿孔，狭窄，H. pylori感染，NSAIDs服用など，原因・病態に応じて，内視鏡的止血術，保存的治療，薬剤の変更などの治療法が選択される．H. pylori感染が原因の場合には除菌治療が行われる．

▶栄養療法として急性期は静脈栄養法，回復期には流動食や易消化食が適応となる．エネルギー，たんぱく質，ビタミン，ミネラルなど各栄養素を補給し，治療との相乗効果を高めて疾病の早期回復・再発予防を図る．

7 栄養生理

▶胃には咀嚼した食べ物を貯留し，胃液と混和して十二指腸へ徐々に送りこむ働きがある．十二指腸へ移動した粥状の消化物は，さらに，膵液や胆汁，腸液の作用を受けて消化されて，小腸において栄養素が消化吸収される．胃や十二指腸に潰瘍があるとこれらの働きが障害されて，消化管の蠕動運動低下や狭窄による食物の胃内停滞，消化吸収不良などの障害が生じる．

▶高たんぱく食，高脂質食は胃内停滞時間が長く胃酸の分泌を促進し，粘膜への刺激となる．胃液の過剰分泌を抑え，粘膜を保護するためには，消化のよい食事が適応となる．空腹時間が長いと粘膜が胃酸など消化液の刺激を受けるので，規則的に食事をとることが望ましい．また，消化管機能障害による栄養素の消化吸収率の低下を考慮する必要がある．

8 栄養食事療法

1―基本方針

▶消化性潰瘍における軟流動食の有効性を示すエビデンスは見当たらないが，とくに急性期では，軟らかい食事は口当たりがよく，摂取しやすい．粘膜の庇護を考慮しながら，体

📝MEMO

陰影（ニッシェ）：胃のX線検査では，バリウム（造影剤）を服用して胃壁表面に付着した造影剤を透視することにより胃の状態を評価する．バリウムが溜まった像を「ニッシェ」と称する．

力回復のため十分な栄養を補給する．

▶栄養療法は，出血のある急性期，出血のない治癒期に分けて考える．急性期は絶食とし，静脈栄養法の適応となる．止血後は2～3日の絶食とし，流動食，易消化食と経口摂取を進める．出血のない場合は全粥食とし，潰瘍部を庇護する．

▶厳格な食事療法は，食材や調理法が限定され食欲が低下する，ストレスを感じる，などのおそれがあるので，過度に神経質にならないようにする．食欲が低下している場合には，経腸栄養剤の併用や分食も検討する．

2 栄養アセスメント

■アセスメント・モニタリングの項目

①摂取栄養量：エネルギー，たんぱく質，鉄，ビタミンC，亜鉛など，とくに創傷や貧血の回復に必要な栄養素の摂取量を評価する．

②食欲・食後不快感の有無：必要な栄養素が確保できる状態かどうか評価する．

③身体計測：身長・体重の計測により，BMI，通常体重比，標準体重比を評価する．

④血液検査：アルブミン，ヘモグロビン，ヘマトクリット値など，体たんぱくの消耗や貧血について評価する．とくに摂取栄養量や病態の改善と関連づけて評価する．

⑤生活状況の聞き取り：欠食や早喰い，過食，不規則な食事，ストレスなどは潰瘍に悪影響を及ぼすので，生活習慣に問題がないか評価する．

■アセスメント・モニタリングのポイント

▶摂取栄養量，体格，血液検査など客観的なデータと，食欲，食後の不快感や痛みなど主観的なデータを合わせてアセスメントする．

■表V-4-1 胃・十二指腸潰瘍食の栄養基準（例）

	エネルギー(kcal)	たんぱく質(g)	脂質(g)	炭水化物(g)
流動食	800	30	25	115
三分粥食	1,000	50	30	130
五分粥食	1,200	60	35	170
全粥食	1,600	65	45	230
常食	2,000	75	50	310

3 栄養食事管理と管理目標

a 栄養素処方

▶必要栄養量は栄養消耗状態により異なるので，個別に栄養アセスメントを行い，適切なプランを作成する（食事の硬軟度別に栄養基準の例を表V-4-1に示す）．

①エネルギー：30～35 kcal/kgを目安とし，栄養状態，食欲，病態を勘案し決定する．

②炭水化物：炭水化物は胃に対する負担の少ない栄養素であり，エネルギー源の主体となる．エネルギーの55～60％程度を炭水化物から摂取する．

③たんぱく質：傷害された粘膜の修復や貧血の改善にはたんぱく質の補給が必要である．また，摂取エネルギー不足時にはたんぱく質の利用効率が低下すること，ストレス下ではたんぱく代謝が異化傾向にあることなどから十分量摂取したい．たんぱく質量は，消化吸収率の低下を考慮して，1.2～1.5 g/kgを目安として個別に設定する．

④脂質：脂質エネルギー比率は20％程度を目安とする．

⑤そのほか，ミネラルやビタミンは「日本人の食事摂取基準」に準じて，各病態や回復の状態を見ながら勘案する．

異化：（⇒p.11参照）

b 食品・料理・献立の調整

▶炭水化物，たんぱく質，脂質，ビタミン・ミネラルなど栄養バランスのよい食事とする．食事摂取量が少ない場合は栄養補助食品（経腸栄養剤・デザート類）を献立に組み入れる．

■食品・献立

●推奨される食品・献立

①炭水化物：穀類やいも類，はるさめなどの多糖類を中心に食品を選ぶ．

②たんぱく質：アミノ酸組成を考慮して肉，魚，卵，大豆製品，乳製品など，種類の異なる食品を組み合わせた献立を工夫する．魚は脂肪の少ない種類とし，肉は薄切り肉や挽肉を軟らかく調理する．

③脂質：消化されやすい乳化油脂（バター，生クリーム，マヨネーズなど）や植物油を使用する．

④貧血の場合には，鉄分，葉酸，ビタミンCなど造血に必要な栄養素を補給する．鉄分の多い食品としては，かつおなど赤身の魚，牡蠣（かき），卵黄，レバーペーストなどがある．

⑤創傷治癒を促進する亜鉛は，牛肉や牡蠣，カニなどに多く含まれる．

●避けたほうがよい食品・献立

①食物繊維の多い食品：玄米や雑穀，山菜，ごぼう，たけのこ，きのこ，こんにゃく，表皮が硬いとうもろこし・豆などは消化が悪いので控える．

②脂質の多い食品や料理：胃内停滞時間が長く消化液の分泌を促し，胃への負担となるので，揚げ物，油の多い炒め物，チャーハン，インスタントラーメンなどは避ける．

③香辛料，嗜好品：香辛料は粘膜への刺激となり，炭酸飲料は膨満感など食後の不快感につながることがあるので控える．アルコール飲料は粘膜への刺激，血管拡張作用などがあるので原則として勧めない（調味料としての香辛料や酒類は使用可）．

④咀嚼しにくい食品や料理：いか・たこなど噛み切れない食品，ラーメン・そばなどの麺類，納豆ご飯やどんぶり物など，よく噛まずに飲み込む料理は避ける．

c 栄養指導

■指導のポイント

①ゆっくりよく噛み，消化を助けるように指導する．

②潰瘍創部保護のため軟らかい食事とする．

③熱いもの，冷たいものを避け，口腔内で適温の食事とする．

④胃酸分泌を促進しない刺激の少ない食事にする．

⑤栄養バランスのよい食事とする．

⑥食事量は腹八分目として食事時間はなるべく規則正しくする．

⑦空腹時に痛みや不快感がある場合には軽い間食をとるようにする．

⑧食べていけない食事を指導するよりも，望ましい食事を提案するように心がける．

▶消化性潰瘍の治療において，内視鏡的治療法や *H. pylori* 除菌治療，薬物療法など有効な治療法が確立し栄養療法は緩やかになってきているが，食事や生活の指導も病態の改善，健康を維持するためには重要である．

4―栄養食事療法の効果・判定

①栄養評価データの改善：体重増加や血液検査結果（ヘモグロビン，アルブミン）の変化．

②主食，主菜，副菜のそろった食事の摂取：エネルギー，たんぱく質，各種ビタミン，ミネラルなど必要栄養素の補給．

③潰瘍の再発がない：易消化食，4～6時間ごとの規則的な食事，適度な間食，咀嚼など食習慣の評価．

5 慢性肝炎

1 疾患の概要

▶慢性肝炎は，C型，B型などの肝炎ウイルスの持続感染によって起こる肝臓の慢性炎症を主とする病態とされる．また，感染による細胞免疫反応によって肝細胞がダメージを受けることで，慢性の炎症を引き起こすことが一因と考えられている．慢性肝炎は，6カ月以上という長期間にわたって炎症が持続する疾患である．

▶活動性と非活動性に分類される．活動性の慢性肝炎では，炎症性病変が門脈域にとどまらず肝実質にまで及ぶ．非活動性の慢性肝炎では，炎症性病変が門脈域に限定される．

2 病因

▶慢性肝炎の原因の大部分は，ウイルスによる肝炎から進行したものである．C型肝炎ウイルス（HCV）は，輸血や血液を介した接触で感染し，C型肝炎に罹った70％が慢性肝炎へと進むといわれる．B型肝炎ウイルス（HBV）は輸血，性行為，出産時の母子感染などで感染し，B型肝炎ウイルスのキャリアの10％が慢性肝炎に進むとされる．このほか，アルコールの過剰摂取や肥満，脂肪肝などの生活習慣から慢性肝炎になる場合もある．A型肝炎，E型肝炎ウイルスは慢性肝炎には移行しない．

▶慢性の炎症を引き起こす一因として，免疫システムの過剰反応が考えられている．

3 疫学

▶2002年4月1日から老人保健法に基づき，厚生労働省が全国市町村で実施している健康診査によれば，40歳以上の人に5年間隔のウイルス検診で1年で3万人の新たなHCV感染者が発見された．現在，わが国のC型肝炎キャリア数は150〜200万人，HCV抗体陽性率1.4〜1.7％であり，1989年の献血血液におけるHCVスクリーニング導入により，血液製剤使用でのC型肝炎の新規患者数は激減している．

▶慢性肝炎，肝硬変，肝癌患者の約75％がHCV感染，15％がHBV感染によるものとみられる．

4 症状

▶慢性肝炎の患者は，無症状のことが多い．症状がある再燃時には体調不良，食欲不振，疲労感，微熱，不定の上腹部不快感など急性期と同様の症状を訴えることが多い．他覚的症状として肝の腫大を触知する．

▶多くの患者で慢性肝炎があっても，肝臓への障害がみられないまま何年も経過するので，徐々に病気が悪化する．

5 診断基準

■B型慢性肝炎

▶HBVキャリアの診断には，HBs抗原の測定を行う．HBs抗原陽性であれば，HBVに

HCVスクリーニング：HCV抗体の力価を半定量的に測定する．高力価群はHCVに感染している，陰性・低力価群は感染していないと判定する．中力価群は二次スクリーニング検査として核酸増幅法により判定を行う．

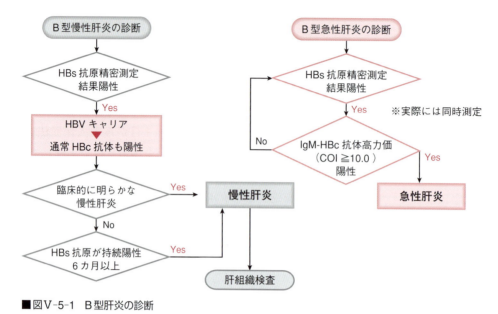

■図V-5-1　B型肝炎の診断

（日本肝臓学会編：慢性肝炎の治療ガイド2019 をもとに作成）

感染していることを示す．近年，HBs抗原測定法は非常に高感度となり，キャリアと非キャリアの鑑別はHBs抗原測定のみで十分とされている．B型慢性肝炎およびB型急性肝炎の診断については図V-5-1のフローシートに示す．

■C型慢性肝炎

▶HCV RNAが陽性でALT値が30 U/L以上が6カ月以上持続すればC型慢性肝炎と診断できる．HCV RNAが陽性の場合，急性期の症例以外の多くはHCV抗体陽性である．ALT値が40 U/L未満でも多くの症例で組織学的に慢性肝炎が存在する．慢性肝炎の診断にともなって肝の線維化の進展度を診断する．進展度の確定には肝生検が必要である．肝線維化進展度の評価を非侵襲的に測定し，推定する方法が広く行われるようになってきた．また，肝硬変および肝細胞癌のスクリーニングのための検査が行われる．

6 治療

▶日本肝臓学会編「慢性肝炎・肝硬変の診療ガイド2019」では，HBV持続感染者に対する抗ウイルス療法の治療目標は，「肝炎の活動性と肝線維化抑制による慢性肝不全の回避ならびに肝細胞癌発生の抑止，およびそれらによる生命予後ならびにQOLの改善」としている．そのために長期目標としてHBs抗原消失，陰性化をあげている．現在，わが国で使用可能な抗ウイルス薬は，インターフェロン，核酸アナログ製剤（ラミブジン，アデホビル，エンテカビルなど）である．

■C型慢性肝炎

▶「慢性肝炎・肝硬変の診療ガイド2019」では，治療目標として慢性肝疾患の長期予後の改善，すなわち，肝発癌ならびに肝疾患関連死を抑止することとあり，これを達成するために抗ウイルス療法を行い，HCVの排除

■図V-5-2　B型肝炎の栄養生理

を目指すとしている．高発癌リスク群，中発癌リスク群，低発癌リスク群のそれぞれのリスクを考慮した抗ウイルス療法の適応が決められる．C型肝炎ウイルスの遺伝子型を問わず，初回治療・再治療とも**直接型抗ウイルス薬（DAA）**併用によるインターフェロンを用いない治療が推奨される．

7　栄養生理

▶肝臓は，摂食時，食間，絶食時を問わず，消化管から吸収された単糖類とアミノ酸を調節し全身に供給すること，アルブミン，グロブリンをはじめとする重要な血漿たんぱく質の合成，グリコーゲン分解によるブドウ糖の放出，糖新生，また胆汁をつくり分泌するなどさまざまな役割を担っており，慢性肝炎による栄養素代謝への影響は大きい．しかし，実質上栄養障害があらわれないことから，栄養素代謝にかなり大きな代償機能が関与しているものと考えられる（**図V-5-2**）．

▶**ヘプシジン**は肝臓で産生されるペプチドホルモンで，生体の鉄代謝を制御する因子である．ヘプシジンが低下すると腸管からの鉄の取り込みが増加して肝臓に蓄積される．とくにC型慢性肝炎では鉄分が肝臓に過剰に蓄積し，鉄依存性の酸化ストレスが高まり，肝障害を引き起こす．鉄が肝細胞内で3価の鉄イオンになるときに生じるフリーラジカルが細胞膜傷害，DNA傷害を引き起こし，肝病変の進展，肝細胞癌の発生に影響を与えているものと考えられている．

8　栄養食事療法

1ー基本方針

▶慢性肝炎の治療は，肝硬変や肝癌への進展を防ぐため外来での治療が中心となる．肝硬変の栄養療法はいくつかの制約がともなうことから栄養管理がよりむずかしくなる．

▶慢性肝炎の患者の多くが自覚症状がないため食事摂取は十分にできる状態にあり，食事内容は健常者の食事摂取基準（推奨量）程度を実施することが重要である．慢性肝炎症例では健常者より栄養素代謝の調節に，より大きな負荷がかかっていることを考慮して栄養療法を実施する．

▶自覚症状が強く現れないことによって，日々の食事摂取が無計画であったり，摂取栄養素のむらや偏った食事が長期間続く場合は，低たんぱく栄養状態などの悪影響が出やすいので注意が必要である．

📝**MEMO**

直接型抗ウイルス薬（DAA）：ウイルス増殖のための遺伝子複製に直接阻害作用を示す薬．

▶C型慢性肝炎では他のウイルス性肝炎と比較し脂質代謝異常を起こしやすく，さらに肥満があると肝の脂肪化が高頻度で発生するといわれている．内臓脂肪は，いくつかの炎症性サイトカインを分泌していることから，慢性肝炎において肥満を防ぐことは病態進展防止のうえからも重要なことである．

▶C型慢性肝炎では，鉄分が肝臓に過剰に蓄積することで酸化ストレスや肝細胞傷害が起きるとされる．これを防ぐために，治療上，しばしば鉄制限食が指示される．

▶炎症性疾患では生体内で，サイトカイン，n-6系多価不飽和脂肪酸誘導体など，さまざまな炎症性物質がその発症の機序にかかわっていると考えられている．栄養療法では生体内の代謝過程で抗炎症性物質に変化するとされるn-3系多価不飽和脂肪酸の割合を考慮し，n-3系脂肪酸/n-6系脂肪酸比を上げるとともに，抗酸化物質であるビタミンC，E，カロテン類が不足しないようにする．

▶肝細胞の傷害，修復が繰り返し続くことによるトランスアミナーゼなどの逸脱は，ビタミンB_6，B_{12}，葉酸の消耗をともなうことが推測される．これらのビタミンは食事摂取基準の推奨量を下回らないようにする．

▶腸内での有害アミン発生予防，腸管免疫増強のためにたんぱく質過剰摂取を避け，食事中の食物繊維補充，乳酸菌摂取が重要となる．

▶慢性肝炎であっても，入院適応となる急性増悪期には急性肝炎に似た症状を訴えるので，このときの食事は急性肝炎の急性期に準じて対応する．

▶慢性肝炎の栄養ケアは長期間継続する必要があり，また在宅において患者自身や家族のサポートで栄養管理を行うために，栄養療法の実施能力を見極め外来受診時のフォローアップ体制を整え，長期対応のプランを立てなければならない．

2─栄養アセスメント

▶長期間にわたって炎症が持続することから，栄養アセスメントは重要である．患者の食事摂取量の継続的調査および身体計測は，外来受診時に定期的に実施する．また病態把握のための臨床検査データ（血液・尿の生化学検査）のうち，栄養パラメーターとなりうる項目を用いて栄養アセスメントを実施する．

■アセスメント・モニタリングの項目

①家族構成・家族歴，年齢，既往歴，飲酒歴など

②食生活状況，食事摂取状況，栄養摂取量の問診

③体成分組成測定または身体計測データから，肥満，体脂肪分布，除脂肪体重，筋肉量などの推測を行い評価する．

④血液・生化学検査は，血糖，HbA1c，総たんぱく質，アルブミン，A/G比，UN，AST(GOT)，ALT(GPT)，ChE，T-Bil，フェリチン，TLC（総リンパ球数）を評価する．

■アセスメント・モニタリングのポイント

①食生活状況の問診では，1日の栄養摂取量を評価するだけではなく，3食のバランス，摂取時間も含め評価する．

②慢性肝炎では長期間でみると体脂肪量より筋肉量に変化が現れるとされる．体重のモニタリングは除脂肪体重の変化に注意する．

③アルブミン，A/G比，ChE，TLCは病態パラメーターであると同時に，栄養状態を評価するパラメーターでもある．

④慢性肝炎ではAST＜ALTをとるが，肝硬

MEMO

炎症性サイトカイン：IL-1，TNF-α，IL-6など，発熱を誘導したり，CRPを誘導することが知られている．

急性肝炎：肝炎とは肝細胞や肝臓組織が傷害された際に起こり，この原因を排除，駆逐して再生・修復をするための反応である．この反応は生体防御的な意義がある．急性とは発症の原因に関係なく，短い期間で急激に発症するものを称する．頻度の高いものとしてA型肝炎，成人発症のB型肝炎，薬剤性肝障害，アルコール性肝炎などがある．A型肝炎の多くは強い免疫を獲得し，一過性の急性症状で治癒するが，その他の急性肝炎は慢性肝炎に移行することもある．

変ではAST＞ALTと逆転することが多い．肝病態の変化・進展は栄養療法の変更の必要性を意味する（表Ⅴ-6-1, p.235参照）．
⑤**血清フェリチン濃度**は貯蔵鉄量と相関し，鉄過剰状態をよく反映する．とくに慢性C型肝炎の場合，肝臓の鉄過剰蓄積の診断上有用である．

3 — 栄養食事管理と管理目標

▶表Ⅴ-5-1に示した栄養基準に基づき栄養量を確保する．摂取エネルギーをはじめとする栄養素の3食の適正配分，規則正しい生活リズムを心がけ，1日3食を中心に食事摂取のタイミングを重視する．食事の摂取と消化管運動に失調をもたらさない時間帯に食事時間を設定する．

a 栄養素処方 （表Ⅴ-5-1）

① エネルギー：30〜35 kcal/IBW・kg/日
② たんぱく質：1.3 g/kg/日
③ 脂質エネルギー比率：20〜25％
　n-3系脂肪酸/n-6系脂肪酸比0.4以上
④ 炭水化物エネルギー比率：60〜65％
⑤ 食塩：8 g未満/日
⑥ 食物繊維：25 g/日
⑦ ビタミン：E，カロテン類，C，B_6，B_{12}，葉酸の補給
⑧ 鉄の過剰蓄積のある場合は，1日の鉄摂取量をできるだけ抑える．
⑨ アルコールは禁止する．

b 食品・料理・献立の調整

▶慢性肝炎の安定期では献立が単調にならないように工夫する．とくに消化器症状が出ていない場合は易消化食を避け，食物繊維の補

■ 表Ⅴ-5-1　慢性肝炎の栄養基準（例）

栄養素	給与栄養量/日	
	慢性肝炎急性増悪期	慢性肝炎安定期
エネルギー（kcal/kg）	25〜30	30〜35
たんぱく質（g/kg）	1.0〜1.2	1.3
脂質エネルギー比率（％）	20	20〜25
n-3系脂肪酸/n-6系脂肪酸比	0.4以上	0.4以上
炭水化物エネルギー比率（％）	65	60〜65
食塩（g/日）	6	8未満
食物繊維（g/日）	20	25
3食配分の目安（％）	朝30　昼30〜35　夕35〜40	
鉄の過剰蓄積があるとき	鉄過剰摂取を避ける	
標準体重60 kgの場合　エネルギー（kcal/kg）　たんぱく質（g/kg）	1,500〜1,800　60	1,800〜2,000　75〜80

給に心がける．ビタミン，ミネラルの需要が高まるので，補給食品も含め積極的に取り入れる．

■ **食品**

● **推奨される食品**

① ビタミンC，E，カロテン類の補給食品
② 食物繊維の補給食品
③ 乳酸菌飲料
④ n-3系脂肪酸/n-6系脂肪酸比を上げる食品．肉類を減らし魚類を増やす，魚脂質を多くする．

● **避けたほうがよい食品**

① 酸化脂質を含むもの：揚げ菓子類，繰り返し使用した油を使った炒め物，魚の干物
② 酒粕を使用した食品
③ 少量でも**有害アミン類**を含む可能性のあるもの：発酵食品の古くなったもの，みそ，しょうゆ，塩辛，チーズなどの製造後長期間経たもの

A/G比（→p.232）：アルブミン/グロブリン比．基準値1.0〜2.0．アルブミンが減少し，グロブリンが増加することによって比が低下する．

有害アミン類：アンモニア，カダベリン，ヒスタミン，チラミンなど食品に含むもののほか，腸管内で未吸収のたんぱく質の腐敗でも生する．

● 注意する食品
① アルコール飲料は禁止．
② 鉄制限のある場合，含血食品：レバー，魚の血合の部分などは制限する．

■ 献立
① 食事回数は1日3回以上にする．
② 朝昼夕食の摂取時間をなるべく同じ時間になるようにする．
③ 3食のエネルギー配分は，朝：30％，昼：30〜35％，夕：35〜40％程度にする．
④ 主食のエネルギー配分は55〜60％にする．
⑤ 野菜類，海藻・きのこ類を積極的に取り入れる．メインディッシュの付け合わせやお浸し，和え物，煮物などの小鉢，中鉢料理2品以上を献立にうまく組み込むようにする．生野菜やサラダ類だけではビタミンの補給はあまり期待できない．

C 栄養指導

■ 指導のポイント
① 慢性肝炎の治療における栄養療法の意義・必要性について説明する．
② 長期間続ける必要性があるが，基本的にはバランス食であり，生活リズムの中で規則正しく食事することの重要性を説明する．
③ 治療目的，最終目標を設定する．
④ 患者の栄養に関する知識・理解レベルおよび栄養療法を実行できる可能性を評価する（患者自身だけではなく，家族のサポートについても考慮してフォローアップする）．
⑤ 可能な限り，患者または家族に食事摂取記録をつけるように指導する．食事摂取記録は，さまざまな問題点を明らかにするとともに，具体的な改善点をアドバイスするときに役に立つものとなる．
⑥ 栄養療法の実行を妨げる要因があれば，問題点を抽出，リストアップして問題解決のための対策を立てる．
⑦ 栄養療法を長期間継続するためには，患者の外来受診時に必ずフォローアップを行い栄養状態の評価を知らせ，次回までの目標を示すようにする．

4 栄養食事療法の効果・判定

① 慢性肝炎の治療は，肝硬変や肝癌への進展を防ぐことが目標である．現病態の維持安定に意味があり，基本的に検査データに変化がなくとも，それを治療の効果とみることがある．
② 慢性肝炎の栄養食事療法では，低栄養も肥満も防がなければならない．そのためには，体成分測定により，筋肉量の変化，脂肪量の変化を経時的にモニタリングし，効果・判定することが，次の段階での栄養食事療法の方向性を決めることにつながる．
③ 食事内容に大きい問題がないこと．栄養パラメーター，病態パラメーターともに大きい変化がなく，患者自身のQOLが低下するようなことがなければ，栄養食事療法の効果が出ているとみてよい．

6 脂肪肝

1 疾患の概要

▶中性脂肪が肝湿重量の5％を超えて，肝細胞内に蓄積した状態を脂肪肝という．多くは可逆的で，光学顕微鏡的には肝小葉の1/3以上の肝細胞に脂肪化を認める病態である．

2 病因

▶脂肪肝の発生機序は，肝臓での脂肪酸合成促進，脂肪酸供給の増加，脂肪酸分解能の低下などが考えられる．原因は過栄養による肥満，アルコール飲料の過飲，薬剤，糖尿病など多岐にわたる．

3 疫学

▶脂肪肝は生活習慣病の増加とともに年々増えている．男性に多く，女性の脂肪肝は45歳以上で増加している．男女比は約2：1と男性に多い．女性は閉経後に急増する．

4 症状

▶脂肪肝には自覚症状がないため，定期的健診を受けることが重要である．
▶初期には，自覚症状，痛みはほとんどない．症状が進行すると，食欲不振，腹部の膨満感，右上腹部に痛みを感じるなどの一般的な肝臓病の症状が現れる．さらに進行すると，全身の痙攣（けいれん），黄疸，胸やけ，上腹部の痛みなどの症状が強まってくる．

5 診断基準

▶脂肪肝の診断は，画像検査〔腹部超音波検査（エコー），CT検査〕により容易であるが，BMIが25以上であれば50％，30以上であれば80％に脂肪肝がみられるといわれている．ただし，肝臓への脂肪沈着の程度は，正確には肝組織検査によらざるをえない．
▶血液生化学検査では，血清AST（GOT）およびALT（GPT）の軽度異常（表V-6-1），血清γ-GT，血中脂質（コレステロール，中性脂肪），コリンエステラーゼの増加などを認めるが，成因によってその程度は異なる．糖尿病合併例では，血糖，HbA1cの異常をみる（基準範囲は巻末付録参照）．

6 治療

▶肥満，耐糖能異常，脂質異常症，高血圧など生活習慣病の合併の有無を確認し，それぞれの病態に見合った栄養食事療法を行うのが基本である．過栄養による過体重や運動不足を認める例では運動療法も併用する．

■表V-6-1 ASTとALTに異常をきたす肝疾患の鑑別

肝疾患	AST		ALT
急性肝炎[*1]	↑↑↑	<	↑↑↑
慢性肝炎[*2]	↑～↑↑	<	↑～↑↑
肝硬変	↑～↑↑	>	↑～↑↑
肝癌	↑～↑↑	>	↑～↑↑
脂肪肝	↑～↑↑	<	↑～↑↑
アルコール性肝障害	↑～↑↑↑	>	↑～↑↑

[*1] ごく初期にはAST＞ALT
[*2] 急性増悪期にはAST＞ALT

MEMO

エコー：人間の可聴範囲外の波動（音波）を利用した検査．音響インピーダンス（おもに組織の物質密度）の異なる臓器の境界で出る反射波を見て断層像を作成する．反射波を見るので，自由な断層が作成可能．しかし，正確な診断をするためには，断層解剖の理解が必須である．

CT検査：画像検査．画像のアトラスなどを見て，横断解剖をよく理解することが第一である．基本は軸位断であり，多画像で連続する各臓器の位置を理解する必要がある．

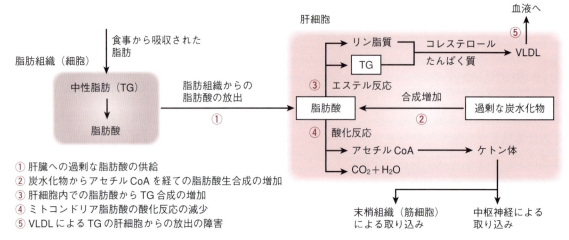

① 肝臓への過剰な脂肪酸の供給
② 炭水化物からアセチルCoAを経ての脂肪酸生合成の増加
③ 肝細胞内での脂肪酸からTG合成の増加
④ ミトコンドリア脂肪酸の酸化反応の減少
⑤ VLDLによるTGの肝細胞からの放出の障害

■図Ⅴ-6-1 脂肪肝発生の機序

▶薬物療法として,血中脂質異常の改善薬,血糖改善薬,インスリンなどを適宜選択する.

7 栄養生理

▶脂肪肝は肝細胞の**中性脂肪(TG)**の貯留である.TGの貯留は肝臓における脂肪酸代謝の障害(異常)によって生ずる(図Ⅴ-6-1).
▶TGは,グリセロールの3個の水酸基のそれぞれに脂肪酸がエステル結合したものである.脂肪肝における肝細胞内TGは,肝細胞において脂肪酸とグリセロールから合成される.グリセロールは,解糖の過程でグルコースから生成される.脂肪酸は,末梢の脂肪組織より由来したものと,肝細胞内においてグルコース,アミノ酸から生成したものとの2種類がある.
▶TGは腸から肝臓に輸送され,また摂取した炭水化物は過剰であると,肝臓でTGは脂肪酸に分解され,おもに心臓や心血管系などの筋肉のエネルギーとして使用される.余剰なものは皮下や腸間膜の脂肪細胞に蓄積され,エネルギーの不足下で動員される.
▶水溶性食物繊維は,胆汁酸の吸収を抑制し,LDL受容体活性を増加させ,**LDL-C**を低下させる.さらに,腸内での糖,脂質の消化酵素の活性を阻害し,食後の吸収を抑制しインスリン抵抗性を改善する.
▶アルコールの過剰摂取は,肝臓でVLDLの合成を高め,LPL活性を阻害し,血清TGの上昇と**HDL-C**の低下を招く.

8 栄養食事療法

1―基本方針

① 摂取エネルギー量を適正量にする.
② 肝臓でのVLDL合成作用抑制のために,エイコサペンタエン酸,ドコサヘキサエン酸の相対的増量を勧める.また,単糖類や二糖類の摂取を制限する.
③ 肝臓でのVLDLの合成作用の抑制とHDLの低下の阻止に,アルコールを制限する.
④ 血液中のカイロミクロン濃度の抑制に,高カイロミクロン血症では脂肪制限をする.

⑤LDLの酸化修飾の防止に，抗酸化物質を積極的に摂取する．

2 栄養アセスメント

▶治療の目的は，動脈硬化やさまざまな生活習慣病を引き起こす原因となる脂肪肝を改善することにある．

■アセスメント・モニタリングの項目
①食生活状況・栄養摂取量・生活スタイル・生活活動について問診する．
②身体計測（身長・体重，腹囲，上腕筋囲，上腕三頭筋背側部皮下脂肪厚）を評価する．
③血圧，血糖値，HbA1cを測定し，評価する．
④血中脂質（総コレステロール，中性脂肪，HDL・LDLコレステロールを測定し，脂質異常を評価する．
⑤血液検査でTTT，ZTTを評価する．

■アセスメント・モニタリングのポイント
①LDL-Cは，フリードワルド（Friedewald）の式（LDL-C = TC − HDL-C − TG/5）で求められるが，この式はTG 400 mg/dL未満での適応となる．
②LDL-C，総コレステロールは随時の採血による測定で評価できる．
③TG値は，12時間以上の空腹時の採血で評価する．
④栄養食事療法による効果は，LDL-C，総コレステロールは2カ月以上，TGは1週間程度で現れる．
⑤血清脂質値は体重の変化とともに変化することが多いので，体重の計測は必須である．
⑥身体計測（腹囲，上腕筋囲，上腕三頭筋背側部皮下脂肪厚）の正確な分析値を得るには，計測法に対する理解が求められる．

3 栄養食事管理と管理目標

▶脂肪肝は肝細胞に脂肪が蓄積し，これが原因で肝機能低下が起こるものであるが，NASHのような壊死炎症反応をともなう重症型も含まれると推定すると，栄養スクリーニング実施による過剰栄養のハイリスクグループおよびメタボリックシンドロームの診断基準を満たす症例についての栄養食事療法を実施する．

▶患者の多くは自覚的症状がみられず，現実には入院していない例がほとんどであることから，栄養教育によって強い動機づけとともに長期のフォローアップが必要になってくる．

▶急激な体重減少は脂肪肝の悪化を招来することがあるため2～3kg/月の減量を目標とする．

a 栄養素処方

▶栄養過多が原因で生じる脂肪肝は，エネルギーをコントロールし，たんぱく質，その他の栄養素を確保する．

①摂取エネルギーの適正化
- 適正エネルギー摂取量＝標準体重×25～30（kcal）/日
  肥満および過体重の者は是正する．

②栄養素配分の適正化
- 炭水化物：60％
- たんぱく質：15～20％（獣鳥肉より魚肉，大豆たんぱく質を多くする）
- 脂質：20～25％（動物性脂質を少なくし，植物性，魚類性脂質を多くする）
- コレステロール：1日300 mg以下
- 食物繊維：25 g以上とする
- アルコール：25 g以下（他の合併症を考慮して検討）

- ビタミン：C，E，B_6，B_{12}，葉酸などを多くとる．

b 食品・料理・献立の調整

■ 食品
① 炭水化物や脂質の多い食品のとり過ぎに気をつける．
② 空腹感を満たすために，野菜類，海藻類，きのこ類，こんにゃくなど積極的に使用し，かさを増やす工夫をする．
③ アルコール摂取は極力控えるか禁止する．
④ 過剰な食塩，香辛料などの刺激を控える．

■ 料理・献立
① 食事の回数は1日3回，規則的に食べる．
② 1日の摂取エネルギーの50％は穀類からとる．
③ 肉類より，魚，大豆製品などを主菜とした献立とする．
④ 毎食，野菜・海藻類・きのこなどの食品の料理を献立に取り入れる．
⑤ 抗酸化成分を含有する食品を積極的に献立に取り入れる．

c 栄養指導

■ 指導のポイント
① 脂肪肝の治療の必要性を説明する．
② 治療の基本が食事療法と運動療法であることを説明する．
③ 食事療法の効果が上がるには，一定期間の実施が必要である．
④ 治療目標値，治療効果を設定する．
⑤ 患者の栄養に関する一般的な知識の程度，受診の動機，食事療法に対する態度，食事療法を妨げる要因を評価する．
⑥ 食生活状況を評価し，問題点を抽出する．
⑦ 摂取エネルギー量を算出し，肥満の場合は体重の5％減量を目標とし，段階的に行う．
⑧ たんぱく質は，肉類より魚や大豆たんぱく質などの摂取により，LDL-Cを低下させる．
⑨ VLDLが増加する糖質の過剰摂取，とくに単純糖質の砂糖や果糖の過剰摂取に気をつける．
⑩ 飲酒者にはアルコール摂取を制限する．
⑪ セルフコントロールを目的に体重，食事内容，運動量などのモニタリングを勧める．
⑫ 指導は初診，2週間後，1カ月後，その後は月1回行うのが望ましい．
⑬ 食事療法を継続させるには，初回指導が重要なポイントになる．
⑭ 食事療法の継続のためには，次回受診までの目標を設定し，受診時に評価し記入して患者に返すと，より効果がある．

4 栄養食事療法の効果・判定

① 栄養食事療法の効果は，2～3カ月厳守後に確認する．
② 栄養食事療法により，LDL-Cは15％低下，TGは20～25％低下する．
③ 肥満者の減量の程度が血清脂質の改善に影響する．

補遺 Appendix　NAFLD・NASH

NAFLD
■概要
▶ 非アルコール性脂肪性肝疾患（nonalcoholic fatty liver disease：NAFLD）は，組織診断あるいは画像診断で脂肪肝を認め，アルコール性肝障害など他の肝疾患を除外した病態である．NAFLDの多くは，肥満，糖尿病，脂質異常症，高血圧などを基盤に発症することから，メタボリックシンドロームの肝病変としてとらえられている．

■病因
▶ NAFLDのおもな背景疾患はメタボリックシンドロームと共通する因子が多い．とくに肥満とインスリン抵抗性が発症要因として重要である．

■疫学
▶ 有病率は欧米諸国で20〜40％，アジア諸国で12〜30％，わが国では9〜30％．年齢分布は，わが国では男性は中年層，女性は高年層に多い．有病率の性差は，わが国を含め世界的に男性が女性よりも高頻度である．NAFLDの有病率は，わが国を含め世界的に増加傾向にあり，肥満人口および平均BMIの増加にともなっている．

■症状
▶ 無症状の場合が多い．症状としては，倦怠感がもっとも多く，倦怠感の強さと身体の活動性低下とが関連する．さらにNAFLDでは自律神経失調症が多く，倦怠感は起立性低血圧や夜間低血圧などの自律神経失調症状と関連する．

■診断基準
①特異的な症状や身体所見はない．
②飲酒歴の基準は，エタノール換算で男性210g/週（30g/日）未満，女性140g/週（20g/日）未満．
③メタボリックシンドロームやインスリン抵抗性の評価を行う．

▶ 図V-8-1にNAFLDとNASHの診断フローチャートを示す．

■治療
①体重減少
②運動療法（30〜60分，週3〜4回の有酸素運動を4〜12週間継続することで，肝脂肪化が改善する）

■栄養生理
▶ NAFLD患者の内臓脂肪と肝細胞内脂肪に正の相

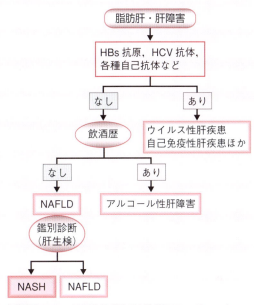

■図V-8-1　NAFLD/NASH診断フローチャート

関が報告されている．摂取する糖質，脂質の種類によってもNAFLDの病態に与える影響は異なる．de novo脂肪酸（肝細胞で生成される脂肪酸）の増加は脂肪的形成を誘導する．

■栄養食事療法
①エネルギー摂取量の適正化
②脂質の制限（エネルギー量の20％以下，とくに飽和脂肪酸を抑える）

NASH
■概要
▶ 非アルコール性脂肪肝炎（nonalcoholic steatohepatitis：NASH）は，病歴で明らかな飲酒歴がなく，肝組織で壊死・炎症や線維化をともなう脂肪性肝炎を認める症例をいう．NASHは，脂肪変性，炎症性細胞浸潤，肝細胞傷害（風船様変性）が特徴である．現在ではNASHはNAFLDの重症型と考えられている．

■病因
▶ ほとんどが無症状で発症し，肝生検にてアルコール性肝炎と同様の画像を呈する．飲酒暦はないが，アルコール性肝炎と同様に，肝硬変，肝癌になりうる．

■疫学
▶人口の1〜3％と予測されてきた．しかし最近では3〜5％と推定されるようになっている．NASHの年齢分布については，わが国においては男性が中年層，女性は高齢層ほど多い．わが国の肝硬変に占めるNASH肝硬変の罹患率は2.1％程度である．2型糖尿病や耐糖能異常と関連している．

■症状
▶NASHはほとんど自覚症状がみられず，診断時にはすでに肝硬変の場合もあることから，肝細胞癌のリスクの抑制のためにも，早期発見・診断・治療が求められる．
▶進行すると，食欲不振，全身倦怠感，右季肋骨の圧迫感などがみられる．

■診断基準
①非飲酒者であること（エタノール換算：男性20g/日以下，女性10g/日以下）．
②肝組織像が脂肪肝炎．
③他の成因による肝障害の除外である（ウイルス肝炎，自己免疫性肝炎，代謝性肝炎など）．

■治療
①インスリン抵抗性の改善
②生活習慣の改善
③薬物治療

■栄養生理
▶過食による過剰エネルギーは，肝細胞における中性脂肪の合成を促進する．
▶中性脂肪の酸化障害，リポたんぱく質合成・分泌障害などの代謝障害がある．
▶NASHでは，さらに酸化ストレスの亢進などの肝細胞障害が加わり肝炎が生じる．

■栄養食事療法
①摂取エネルギー量を適正量にする（25〜30kcal/標準体重kg）．
②栄養のバランスを図る（炭水化物55〜60％，たんぱく質15〜20％，脂質20〜25％）．
③十分なビタミンおよびミネラル，食物繊維を摂取する．

7 肝硬変（代償期・非代償期）

1 疾患の概要

▶肝細胞の壊死による肝実質細胞の減少，線維化が肝臓全体にびまん性に起こってくる．この結果，肝小葉（肝臓組織の最小単位）の破壊，再生結節（偽小葉）の形成，肝血流経路（門脈-大循環短絡，シャント形成）の変化，肝血流量低下が起こり，肝機能が著しく低下する疾患である．

▶肝臓の機能が代償維持されているものを代償期にある肝硬変（**代償期肝硬変**または代償性肝硬変）といい，肝性脳症，黄疸，腹水，浮腫，出血傾向を示し肝機能の代償維持ができなくなった状態に陥ったものを，非代償期の肝硬変（**非代償期肝硬変**または非代償性肝硬変）と分類している．

▶肝硬変は肝細胞癌のハイリスクグループとされる．

▶肝不全とは，非代償期肝硬変がさらに進行した重篤な状態をいう．

2 病因

▶肝硬変の原因として，C型肝炎ウイルス（HCV）とB型肝炎ウイルス（HBV）によるものが約60％を占める．とくにC型肝炎ウイルスによる肝硬変は，全体の肝硬変の約半数を占め，重要な原因となっている．近年，**非アルコール性脂肪肝炎（NASH）**：non-alcoholic steatohepatitisが原因の一つとして注目されている．そのほか，アルコール性，薬物中毒，代謝異常症やうっ血性心不全によるもの，自己免疫性などがある．これらの原因によって肝臓が侵され，これが数年から数十年を経て肝硬変となる．

3 疫学

▶わが国の肝硬変成因別調査（2018年）では，C型肝炎がもっとも多く48.2％で，多いほうからアルコール性19.9％，B型肝炎11.5％，非アルコール性脂肪肝炎（NASH）6.3％，胆汁うっ滞型3.4％，自己免疫性2.7％，B型肝炎＋C型肝炎0.7％，うっ血性0.4％，代謝性0.2％，薬物性0.06％，特殊な感染症0.01％で，原因不明は6.6％であった．2008年の調査結果に比較してC型肝炎に起因する割合が低下した一方，アルコール性やNASHの割合が増加傾向にある．

4 症状

▶肝硬変の代償期では自覚症状はほとんどみられない．

▶肝硬変の非代償期では全身倦怠感，食欲不振，手足の浮腫，皮膚瘙痒感などの自覚症状がみられ，ほかに黄疸，腹部膨満，便通異常，尿の色が濃くなるなどの症状があげられる．また肝細胞壊死の結果，肝の線維化，肝内・肝外の側副血行路（シャント）の形成，肝血流量の低下（肝臓内の血液循環障害）が起きる．これらは門脈圧の亢進，肝臓での合成能，解毒能の低下を招き，これが原因で，黄疸，肝・脾腫大，食道静脈瘤，腹壁静脈怒張，腹水，

📝MEMO
非アルコール性脂肪肝炎（NASH）：（⇒p.239参照）

■表V-7-1 肝硬変の重症度分類（チャイルド・ピュー分類）

評点	1点	2点	3点
肝性脳症	なし	軽度（Ⅰ・Ⅱ）	昏睡（Ⅲ以上）
腹水	なし	軽度	中度量以上
血清ビリルビン値（mg/dL）*	2.0未満	2.0〜3.0	3.0超
血清アルブミン値（g/dL）	3.5超	2.8〜3.5	2.8未満
プロトロンビン時間活性値（%） 国際標準化（INR）	70超 1.7未満	40〜70 1.7〜2.3	40未満 2.3超

評価：チャイルド・ピュー分類　A〈5〜6点〉：代償期，B〈7〜9点〉・C〈10〜15点〉：非代償期
*血清ビリルビン値は，胆汁うっ滞の場合は4.0 mg/dL未満を1点，10.0 mg/dL以上を3点とする．

出血傾向，クモ状血管腫，女性化乳房，手掌紅斑などが症状として現れる．
▶**肝不全徴候**として，**黄疸**，**腹水**，精神神経症状（**肝性脳症**：意識障害，興奮，異常行動など），血液凝固障害などがあげられる．

5 診断基準

▶日本消化器病学会・日本肝臓病学会編「肝硬変診療ガイドライン2020（改訂第3版）」では，本人のもつ疾患，飲酒歴と家族の既往歴を含めたリスク群と身体所見をもとに，生化学的検査と画像診断・組織学的診断（肝生検）によって肝線維化のステージを診断することが示されている．
▶重症度の把握は，臨床症状と肝機能検査の結果から判断し，的確な肝予備能の評価を行うことが重要とされる．**表V-7-1**に**肝硬変の重症度分類（チャイルド・ピュー〈Child-Pugh〉分類）**を示す．
▶黄疸，脱水，浮腫，意識障害がみられない肝硬変初期を肝硬変代償期といい，これらのうちいずれかの症状がみられる場合を非代償期肝硬変という．
▶血小板の低下，血清アルブミン，コリンエステラーゼ，コレステロールの低下，T-Bil，AST（GOT），ALT（GPT），LD，ALP，γグロブリン，ZTT，TTTが高値を示す．
▶肝硬変，肝不全の臨床検査成績の大きな特徴としては，多くの症例で低アルブミン血症（3.5 g/dL以下）を示す．血清トランスアミナーゼの成績として，多くの慢性肝炎で，AST＜ALTを示すのに対し，肝硬変ではAST＞ALTと逆転する．
▶血漿アミノ酸の異常が認められる，いわゆる**アミノ酸インバランス**（不均衡）を示す．肝硬変の代償期ではアミノ酸濃度の全体的上昇がみられ，非代償期の肝硬変，肝不全ではAAA（芳香族アミノ酸）およびメチオニン，トリプトファンが上昇し，BCAA（分岐鎖アミノ酸）が低下を示す．
▶BCAAとAAAのモル比を**フィッシャー比**（以下，F比と略す）というが，健常者のF比は3.5程度であるのに対し，非代償期の肝硬変，肝不全患者ではF比が1.0（同モル比）から1.0以下（BCAA＜AAA，F比の逆転）を示すようになる．

6 治療

■薬物療法
▶肝機能改善薬（グリチルリチン製剤），利

フィッシャー比：（⇒p.76参照）

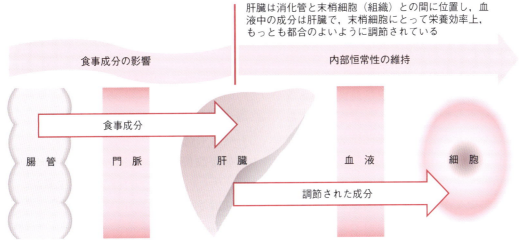

■図V-7-1　肝臓の栄養生理機能

胆薬（ウルソデオキシコール酸），浮腫・腹水に対する利尿薬（抗アルドステロン薬，ループ系利尿薬），低アルブミン血症改善（アルブミン製剤），肝性脳症予防・是正（分岐鎖アミノ酸輸液，ラクツロース，ラクチトール），血漿アミノ酸インバランス是正（分岐鎖アミノ酸顆粒，肝不全用経腸栄養剤）など，肝硬変の病態，代謝・症状に対応した薬物療法が行われる．

■ 外科的療法
▶腹水，食道静脈瘤，肝細胞癌に対する外科的療法としてはそれぞれ，腹水穿刺，食道静脈結紮術・食道静脈硬化療法，ラジオ波焼灼療法（RFA），肝動脈塞栓療法，エタノール局注療法，肝切除，化学療法，放射線療法などがある．

7 栄養生理

▶生体の内部恒常性維持のなかでも血液成分を一定に保つことは，末梢組織に効率のよい栄養素組成を供給するうえで重要な意味があ

る．通常，この重要な機能の大部分を肝臓が担っている（図V-7-1）．肝硬変のような肝組織の退廃は，肝臓内・外の血流経路の変化と肝血流量の低下をもたらし，血中栄養素成分のインバランスとなる．また肝硬変症例の多くがインスリン抵抗性を示すことから，細胞内におけるブドウ糖の利用低下が起こる．このような極端な栄養効率の低下はやがて高度の栄養障害を起こし，肝硬変病態をより悪化させる原因となる．

8 栄養食事療法

1ー基本方針

▶肝硬変の栄養療法では，的確な病態の把握（黄疸，浮腫・腹水，肝性脳症，消化管出血）が必要であり，重症度，門脈大循環短絡の有無（シャントの存在），耐糖能異常の有無を把握することによって，これらに応じた適正な栄養量や栄養補給を選択していく．
▶基本的には体成分測定または，体重・除脂肪体重および検査データをモニターしながら

MEMO
ラクツロース：高アンモニア血症の治療に用いられる合成二糖類．ラクチトールという合成二糖類アルコールもある．大腸内で分解し，pHを低下させる．腸内細菌に対する作用があり，複数の機序で血中のアンモニアを改善する．

栄養療法を進めていく（図V-7-2）.
▶摂取エネルギーの設定量は身体活動性が低下している一方，過消耗性になっていることが推測されることから，標準体重当たり30〜35 kcal/kgとなる．また耐糖能異常がある場合はこれより少し抑えたエネルギーとする．
▶たんぱく質量の設定は，病態によって幅がある．代償期・非代償期にある肝硬変では軽度補強，肝不全では制限する．高アンモニア血症，肝性脳症がある場合は制限する．改善後は肝不全用経腸栄養剤を用い，アミノ酸インバランスの是正を図る．
▶血漿アミノ酸インバランスには，BCAA製剤を食事と併用して経口補充する．
▶脂質制限はしない．脂質摂取は便秘予防効果もある．抗酸化物質であるビタミンC，E，カロテン類が不足しないようにする．また脂溶性ビタミン（A，E，D，Kなど）の多くが代謝上，肝臓で重要な役割を担っているので，これらのビタミンの不足は消化管粘膜・上皮組織の正常化と正常状態維持を障害する．
▶食塩は浮腫，腹水があるときは制限する．
▶食物繊維は腸内細菌によって腸管上皮細胞に必要な短鎖脂肪酸となり，腸管免疫を活性化させるといわれる．また便秘を防ぎ，腸内での腐敗による有害アミン，アンモニア産生を予防する．食道・胃静脈瘤などがなければ，食物繊維を補給する．腸内環境を良好にするために，食物繊維にオリゴ糖，乳酸菌摂取を併用することが勧められる．
▶耐糖能異常がある場合は1日の食事を4〜6回に分割する．また，肝硬変症では肝細胞減少，グリコーゲン合成能低下などの理由から肝臓に蓄積されているグリコーゲン量が著しく低下している．通常，健常者例では肝グリコーゲンは睡眠時間10時間程度で消費され枯渇するが，肝硬変症例では6〜7時間で肝グリコーゲンの枯渇が起こり，睡眠中・覚醒時間前の早朝時には糖質不足状態となっている．これを防ぐために就寝前に糖質中心の200 kcal程度の軽食摂取を勧める．
▶経腸栄養法として肝性脳症や高アンモニア血症が改善した後，BCAAを豊富（BCAAリッチ）に含んだ肝不全用経腸栄養剤が食事に併用される．
▶肝性脳症時には静脈栄養法として分岐鎖アミノ酸輸液が行われる．
▶肝硬変の栄養ケアは慢性肝炎と同様，長期間継続する必要がある．在宅において患者自身や家族のサポートで栄養管理を行うために，栄養療法の実施能力を見極め外来受診時のフォローアップ体制を整え，長期対応のプランを立てる必要がある．

2─栄養アセスメント

▶肝臓は栄養素代謝の中心となる臓器である．肝細胞の壊死，線維化は，肝臓で処理されるべき血流量の低下と血流経路の変化をもたらし，全身栄養状態への影響は大きい．
▶日常生活における安静の指示が，誤って患者に理解され，身体活動性を極度に低下させることで筋肉量が低下する例も少なくない．日々の食事記録と定期受診時の身体計測によるモニタリングが必要である．
▶患者の食事摂取量の継続的調査と身体計測は外来受診時に定期的に実施する．また病態把握のための臨床検査データ（血液・尿の生化学検査）のうち，栄養パラメーターとなりうる項目を用いて栄養アセスメントを行う．

MEMO

短鎖脂肪酸：食物繊維の分解物の約80％が酢酸，プロピオン酸，酪酸などの短鎖脂肪酸となり，大腸の上皮細胞，肝臓で消費される．大腸内のpHを低下させ，正常細菌叢の維持，大腸血流量を増加させ，腸管免疫を高めるといわれている．

グリコーゲン合成能低下：肝臓でのアルブミンをはじめとする種々のたんぱく質の合成は，おもにグルコースを分解して得られるエネルギーを用いて行われる．グリコーゲン枯渇はたんぱく質合成能低下に直接つながってくる．

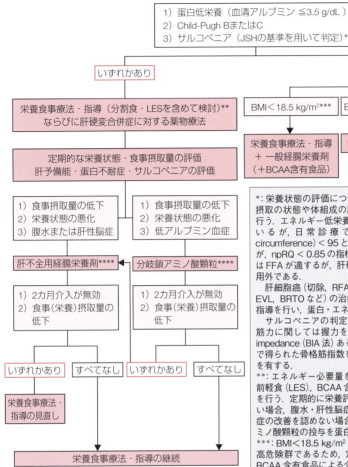

■図V-7-2 肝硬変診療ガイドライン2020の栄養療法フローチャート
(日本消化器病学会,日本肝臓学会,編.肝硬変診療ガイドライン2020 改訂第3版:南江堂;2020. p.xixより)
参照先の必要な記述(CQ/BQ)を一部省略.実際に使用する際には必ず原典を参照すること.

■アセスメント・モニタリングの項目
①家族構成・家族歴,年齢,既往歴,飲酒歴など.
②食生活,食事摂取状況,栄養摂取量の問診
③体成分組成測定または身体計測データから,肥満,体脂肪分布,除脂肪体重,筋肉量など.
④血液・生化学検査は,血糖,HbA1c,総たんぱく,アルブミン,A/G比,UN,AST,ALT,ChE,T-Bil,TLC(総リンパ球数),コレステロールなど.

■アセスメント・モニタリングのポイント
①食生活状況の問診では,1日の栄養摂取量を評価するだけではなく,3食のバランス,

■表V-7-2　肝硬変症の栄養基準

栄養素	給与栄養量/日			
	代償期肝硬変	非代償期肝硬変		脳症出現時肝不全
		栄養状態維持	BCAA補給*	BCAA補給*
エネルギー（kcal/kg）	25～30	30	30	25～30
たんぱく質（g/kg）	1.0～1.2	1.2～1.3	1.3	0.5～0.8
脂質エネルギー比率（％）	20～25	20～25	25	25
n-3系脂肪酸/n-6系脂肪酸比	0.4以上	0.4以上	0.4以上	
炭水化物エネルギー比率（％）	60～65	60～65	60～65	70
食塩（g/日）	8未満	6未満	6未満	6未満
食物繊維（g/日）	25	20	20	15以上
3食配分の目安（％）	朝30　昼30～35　夕35～40		※場合により夕からLESとして200kcalを分食（LES：late evening snack 就寝前軽食）	
標準体重60kgの場合　エネルギー（kcal/kg）　たんぱく質（g/kg）	1,500～1,800　60～70	1,800　70～80	1,800　80	1,500～1,800　30～50

*エネルギー・たんぱく質の20～30％をヘパンED®，アミノレバン®ENなどから補給することになる．リーバクト®顆粒使用の場合，成分として，BCAAのみであるから20g使用で約80kcalとなる．

摂取時間も含め評価する．
②肝硬変では体脂肪量より筋肉量に変化が現れるとされる．体重のモニタリングは除脂肪体重の変化に注意する．
③アルブミン，A/G比，ChE，TLCは病態パラメーターであると同時に，栄養状態を評価するパラメーターでもある．
④コレステロールにより肝臓での合成能を評価する．

3―栄養食事管理と管理目標

▶肝硬変，肝不全は，栄養利用効率が著しく障害されている病態である．肝細胞と全身栄養状態との代謝上の悪循環を軽減させることが，食事・栄養療法の最大の目的となる．栄養ケアの実際では，栄養療法のポイントを日常の食生活の中で実行していくことが重要となる．

▶摂取エネルギーをはじめとする栄養素の3食の適正配分，規則正しい生活リズムを心がけ，1日3食を中心に食事摂取のタイミングを重視する．食事の摂取と消化管運動に失調をもたらさない時間帯に食事時間を設定する．

a 栄養素処方

▶肝硬変症における経口栄養法のステージ別栄養基準を表V-7-2に示す．

①エネルギー：設定量は身体活動性が低下している一方，過消耗性になっていることが推測される．標準体重当たり30～35kcal/kgとし，耐糖能異常がある場合は30kcal/kg/日を目安とする．
②たんぱく質量の設定は，病態によって幅がある．代償期・非代償期にある肝硬変では軽度補強，肝不全では制限する．たんぱく質は標準体重当たり1.2～1.3g/kg/日程度とし，高アンモニア血症，肝性脳症，肝不全の場合は0.5～0.8g/kg/日（40～60％に抑える）とする．
③**BCAA経口補充療法**の場合，BCAAリ

BCAA経口補充療法：肝硬変症例の多くが血漿BCAAが低下し，F比が2以下に低下している．普通食のF比はおよそ3.0であり，食事のみで血漿F比を改善することはできない．BCAAリッチの製品を食事と併用することによって，食事のF比を7.5～8.5に上げることができる．

ッチであるアミノレバン®EN，ヘパンED®から由来するエネルギー・たんぱく質は1日基準量の20〜30％（処方包数による）になる．BCAAそのものの製剤であるリーバクト®は20g使用で約80kcalとなる．

④脂質エネルギー比率：20〜25％．n-3系多価不飽和脂肪酸/n-6系多価不飽和脂肪酸比🖉を上げる．

⑤抗酸化物質であるビタミンC，E，カロテン類が不足しないようにする．

⑥炭水化物エネルギー比率：60〜65％．脳症，肝不全がある場合，たんぱく質を制限するため結果として炭水化物エネルギー比率70％以上になることもある．

⑦食塩：8g未満/日．浮腫，腹水がある場合は6g未満に制限する．

⑧食物繊維：25g/日

⑨ビタミン：E，カロテン類，C，B_6，B_{12}，葉酸の補給

⑩アルコールは禁止する．

b 食品・料理・献立の調整

▶献立が単調にならないように工夫する．計画された栄養基準を満たし，日々の摂取成分の変動が最小となるような献立の工夫が必要である．食膳を構成する主食，主菜，副菜の料理品数，量を決めてスタイルを定型化することも有効である．食道・胃静脈瘤，消化器症状がなければ易消化食を避け，食物繊維の補給に心がける．ビタミン，ミネラルの需要が高まるので，補給食品も含め積極的に取り入れる．

■食品

●推奨される食品

①ビタミンC，E，カロテン類の補給食品

②食物繊維の補給食品

③乳酸菌飲料

●避けたほうがよい食品

①酸化脂質を含むもの：揚げ菓子類，繰り返し使用した油を使った炒め物，魚の干物

②酒粕を使用した食品

③少量でも有害アミン類を含む可能性のあるもの：発酵食品の古くなったもの，みそ，しょうゆ，塩辛，チーズなどの製造後長期間経たもの，古漬けなど

●注意する食品

①アルコール飲料は禁止．

②洋酒を多く使用した洋菓子．

■献立

▶BCAA補充療法を行う場合，これらのエネルギー，たんぱく質量は1日の栄養基準量に含める．ヘパンED®，アミノレバン®ENの場合，1日の栄養基準エネルギー・たんぱく質量の20〜30％を占める（指示される包数によって異なる）．リーバクト®顆粒使用の場合，成分としてBCAAのみであり，20g使用で約80kcalとなる．残りが食事から摂取する栄養素となる．食事の配分を明らかにすることが重要である．

①食事回数は1日3回以上にする．

②朝昼夕食の摂取時間をなるべく同じ時間になるようにする．

③3食のエネルギー配分は朝：30％，昼：30〜35％，夕：35〜40％程度にする．分割食もよい．

④主食のエネルギー配分は55〜60％にする．

⑤野菜類，海藻・きのこ類を積極的に取り入れる．メインディッシュの付け合わせやお浸し，和え物，煮物などの小鉢，中鉢料理2品以上を献立にうまく組み込むようにす

📝**MEMO**

n-3系多価不飽和脂肪酸/n-6系多価不飽和脂肪酸比：普通食でこの比は1/4程度である．この比を大幅に変えることはできないが，献立の工夫でn-3系脂肪酸を相対的に増すことが可能である．

る．生野菜やサラダ類だけではビタミンの補給はあまり期待できない．
⑥BCAA経口補充の場合は水分補給がともなうので，腹部膨満感，食欲低下を招かない程度に汁物などは制限する．
⑦BCAA経口補充療法では，食事から摂取するエネルギー・たんぱく質が1日基準量の70〜80％となるため，ビタミン，ミネラルが不足する．不足するビタミン，ミネラルはそれらの補給・補助食品を積極的に利用する．

C 栄養指導

■指導のポイント

①肝硬変の治療における栄養療法の意義・必要性について説明する．
②肝硬変の病態によって，食事内容が大きく変わることを伝える．
③長期間続ける必要性がある．生活リズムの中で規則正しく食事を摂取することの重要性を説明する．
④治療目標・栄養療法の目標を設定する．患者の栄養に関する知識・理解レベルおよび栄養療法を実行できる可能性を評価する（患者自身だけではなく，家族のサポートについても考慮してフォローアップする）．
⑤可能な限り，患者または家族に食事摂取記録をつけるように指導する．食事摂取記録は，さまざまな問題点を明らかにするとともに，具体的な改善点をアドバイスするときに役に立つものとなる．
⑥栄養療法の実行を妨げる要因があれば，問題点を抽出，リストアップして問題解決のための対策を立てる．
⑦栄養療法を長期間継続するためには，患者の外来受診時に必ずフォローアップを行い栄養状態の評価を知らせ，次回までの目標を示すようにする．

4 栄養食事療法の効果・判定

▶肝硬変症例では健常者と同レベルの栄養量摂取であっても，大きく栄養利用効率が低下する．このことを考慮して，栄養・食事摂取基準は設定されているが，一度に大量摂取するなどの摂取方法によっては，それが肝臓の負荷となることもある．摂取方法と摂取量，栄養状態を照らし合わせ，栄養利用効率低下の程度を推測することが重要である．

①代償期にある肝硬変においては非代償期肝硬変や肝不全へ陥ることを防ぐことがもっとも大きな目標となる．現病態の維持安定に意味があり，基本的に検査データに変化がなくても，それを治療の効果とみることがある．
②肝硬変の栄養食事療法では，低栄養を防がなければならない．そのためには，体成分測定により，筋肉量の変化，脂肪量の変化を経時的にモニタリングし，効果・判定することが，次の段階での栄養食事療法の方向性を決めることにつながる．
③食事内容に大きい問題がないこと．栄養パラメーター，病態パラメーターともに大きい変化がなく，患者自身のQOLが低下するようなことがなければ，栄養食事療法は効果が出ているとみてよい．
④肝性脳症，肝不全は入院の適応となる．食事摂取量は，必ず患者の食べ残しを見て確認し評価すること．

8 胆囊炎，胆石症

胆嚢炎

1 疾患の概要

▶胆嚢炎は**急性胆嚢炎**と**慢性胆嚢炎**に分けられる．

▶急性胆嚢炎は，そのほとんどが胆嚢胆石の胆嚢頸部，胆嚢管あるいは胆管胆石の乳頭部嵌頓により発症する．胆石の存在は胆嚢内を有菌状態にし，胆汁は細菌にとって好適な培地となる．なんらかの閉塞機転で，胆嚢組織の虚血性変化から胆嚢粘膜の損傷をきたし，容易に細菌の増殖を示し，急性炎症が発生する．

2 病因

▶**胆汁**はビリルビン，胆汁酸，コレステロール，レシチンなどを含み，胆嚢で4〜10倍に濃縮される．胆汁酸は強力な界面活性作用により脂肪をミセル化し，膵リパーゼ消化を促す．

▶胆汁の流れが悪くなる原因に胆石がある．急性胆嚢炎の約9割が胆石によるものである．

3 疫学

▶糖尿病，脂質異常症，虚血性心疾患，胆石症などの基礎疾患がある人に多い．

4 症状

▶急性胆嚢炎の初期症状は，右上腹部の激痛や呼吸時の右肩の痛みが半日続き，吐き気，嘔吐，発熱の症状がみられる．高齢者は熱を出す確率が低い．

5 診断基準

▶急性胆嚢炎では，血液検査で白血球数の増加とC反応性たんぱく（CRP）上昇，胆道系酵素（ALP，γ-GT）の上昇がみられる．

▶腹部超音波検査で確認する．急性胆嚢炎では**胆嚢の腫大や胆嚢壁の肥厚**，周囲の浸出液貯留を認める．

6 治療

▶急性胆嚢炎は入院，絶飲食とし，輸液と抗菌薬を投与する．

7 栄養生理

▶ヒトの体内の全コレステロールの貯蔵量は75gと推定されている．コレステロールの1,200mgが毎日ターンオーバーし，このうち300〜500mgが食事から摂取され，約80％の700〜900mgが肝臓で合成される．体内で代謝されたコレステロールは，胆汁中のコレステロールや胆汁酸として腸に排泄され，98〜99％は肝臓に戻る．

▶**幹細胞**でコレステロールから合成される胆

汁酸は1日に0.5gにすぎない．
▶胆嚢は迷走神経と十二指腸から分泌されるコレシストキニン（CCK）刺激により収縮し，十二指腸乳頭のオッジ括約筋の弛緩とともに胆汁が十二指腸へ排出される．CCKは脂質やアミノ酸で強く遊離する．
▶胆汁は膵液の消化酵素を助けて栄養素の吸収を促進し，さらにカルシウムや脂溶性ビタミンの吸収も助ける．脂質を多く含む食品は，胆嚢を強く収縮させる．

8 栄養食事療法

1—基本方針

▶急性胆嚢炎の急性期は絶飲食で，電解質，ブドウ糖などの輸液を行う．
▶回復期では流動食から粥食へと，症状や血液検査をみながら食事を漸増していく．
▶食事は低脂質食（10g/日以下）を原則とする．
▶たんぱく質は動物性食品より植物性食品を多く摂取する．
▶水溶性食物繊維を多くとる．

2—栄養アセスメント

▶治療の目的は，再発を繰り返さないよう予防することにある．

■アセスメント・モニタリングの項目
①胆嚢疾患の家族歴，年齢，喫煙歴を問診する．
②食生活状況，栄養摂取量を問診する．
③身長・体重，皮下脂肪厚を測定し，評価する．
④血液・生化学検査では血中たんぱく質，アルブミン，血清脂質値，CRPを測定し，評価する．

■アセスメント・モニタリングのポイント
①コレステロール過剰摂取は，コレステロール溶存能が低下し胆石が生成されやすくなる．
②胆石生成を促進させる因子である肥満，糖尿病，脂質異常症の評価を要する．
③LDL-C，総コレステロールは随時の採血による測定で評価する．
④栄養食事療法による効果は，LDL-C，総コレステロールは2カ月以上の厳守により現れる．
⑤血清脂質に影響をもたらす摂取栄養素成分の種類と量，1日の食事回数と食事時刻などの食事摂取状況を評価する．

3—栄養食事管理と管理目標

▶一般に胆嚢炎では，規則的に胆嚢を収縮させ，胆汁のうっ滞を防ぐことが必要である．また胆嚢炎は胆石を併発して起こることが多いため，胆石を予防する食事療法が重要になる．

a 栄養素処方

■第1段階：急性期
①疝痛発作のあるときや発熱，悪心，嘔吐があるときは，痛みと炎症を抑制するため絶食とする．
②水分・電解質・ブドウ糖などを静脈栄養法により行う．
③経口への移行は，おも湯・くず湯，果汁などの流動食から順次進める．
④液状であってもカフェインの多いココア，コーヒーは避ける．
⑤胆嚢収縮や炎症を抑える目的で，脂質は5g/日程度に抑える．

■第2段階：回復期

① 発作がおさまって痛みがやわらぎ，回復に向かい始めると，症状を観察しながら食事の質と量を増やしていく．炭水化物を中心とした軟食とし，脂質は10 g/日以下として，野菜類も硬いものは控える．
② うす味にし，刺激となる香辛料は控える．

■第3段階：安定期

▶ 安定期に入っても，規則正しい食生活を基礎とし，暴飲暴食を避け脂質をとりすぎないなどの原則を守った食事内容とする．

b 食品・料理・献立の調整

■食品

●推奨される食品
① 脂質の少ない大豆製品
② ビタミンの補給食品
③ 食物繊維の補給食品

●避けたほうがよい食品
① コレステロールの含有量が多い食品
② 脂質含有量が多い食品
③ 香辛料，アルコール飲料，カフェイン飲料

■献立

① 食事回数は1日3回規則正しく．
② 1日の摂取エネルギーの約半分は穀類とする．
③ コレステロールを多く含有する食品を控えた献立とする．
④ 味つけはうす味にし，材料の持ち味を生かす．
⑤ 脂質制限のあるなかで調理法に工夫をする．

c 栄養指導

■指導のポイント

① 胆嚢炎の食事管理の必要性を説明する．

■表V-8-1　治療目標値

体重	適正体重値に近づける
血清アルブミン	4.1～4.9 g/dL
総コレステロール	130～220 mg/dL
CRP	0.6 mg/dL以下
ALP	104～338 U/L
γ-GT	男性 7～60 U/L 女性 7～38 U/L
AST	13～35 U/L
ALT	8～48 U/L

② 食生活状況（栄養食事療法に関連した）を手段とした栄養評価を行い，問題点を抽出する．患者の栄養に関する一般的な知識の程度，食事療法に対する態度，食事療法を妨げる要因を評価する．
③ 治療目標値あるいは治療効果を設定する．脂質制限が重要になってくるので脂質を制限する意義と食品の選択，調理法について支援する．
④ セルフコントロールを目的に体重，食事内容などのモニタリングを勧める．
⑤ 指導は，入院中は少なくとも食形態が変わるごとに評価し，回復期の常食に移行したら以後は随時行う．
⑥ 食事療法の継続は，治療への理解と動機づけが鍵となる．退院後の食事療法が継続実行できるような支援が大切である．
⑦ 食事療法の継続のためには，次回受診までの目標を設定し，受診時に評価する．

4—栄養食事療法の効果・判定

▶ 絶食期間が長く続く場合は，栄養状態の悪化に注意する．体重，血中アルブミン，コレステロール値，CRP，ALP，γ-GT，AST，ALTの検査値の評価をする（表V-8-1）．

胆石症

1 疾患の概要

▶胆石症とは，肝臓で生成された胆汁が胆嚢で4～10倍に濃縮され貯蔵された後，十二指腸へ排泄され，脂質の消化過程で胆嚢・胆管にコレステロール石，ビリルビンカルシウム石が生ずるものをいう．

2 病 因

▶生活習慣（肥満，過食，アルコール過飲，アンバランスな食生活，ホルモン，薬の作用，ストレス，疲労など）が乱れた生活を続けていると，胆汁が胆嚢や胆管内に溜まってしまい，胆石になりやすい．
▶体質的に胆汁酸が不足ぎみな人，座業の習慣，妊娠子宮による圧迫のため，胆汁が胆道や胆嚢に長く停滞すると，コレステロール系の結石ができることがある．
▶ビリルビンは肝臓から胆道系に分泌され，胆嚢内で濃縮される．胆管系で胆汁が大腸菌などの腸内細菌の感染を受けると，ビリルビンにカルシウムが結合してビリルビン系胆石ができる．

3 疫 学

▶近年，胆石症患者の増加がみられ，国民の約15～20％が胆石を保有している．わが国では胆管内のビリルビン系石が多かったが，近年はコレステロール系石が約80％みられる．
▶とくに女性ホルモンが減少する高齢女性，糖尿病，肥満，脂質異常者に多い．

4 症 状

▶症状は，高脂質や過食した30分後くらいから誘発されることが多い．右季肋部痛の圧痛と反跳痛がみられる．
▶胆管結石では胆汁排出障害から黄疸（閉塞性黄疸）がみられるが，軽度の場合は尿の濃染のみのことがある．
▶発作時には発熱がみられ，感染が肝内胆管まで波及すると敗血症を併発しエンドトキシンショックに至る（急性閉塞性化膿性胆管炎）．

5 診断基準

▶胆石の局在診断と治療法の選択には，エコー検査，間接的および直接的胆道造影，X線CT検査が用いられる．
▶血液生化学検査では，ALP，LPA，γ-GT，AST，ALTの検査を行う．

6 治 療

▶経口溶解療法：胆嚢のコレステロール胆石には治療対象条件範囲内であれば経口溶解薬で溶解する方法がある．
▶直接溶解療法：溶解薬を直接胆石に接触させる方法．
▶対外衝撃波結石破砕療法
▶内視鏡的治療法
▶開腹手術：総胆管結石の嵌頓による胆嚢の緊満や感染が疑われる場合は，US下経皮的胆道ドレナージにより感染胆汁を排除し，待機的に腹腔鏡下あるいは開腹下で胆嚢摘出術

MEMO

経口溶解薬（内服的胆石溶解薬）：経口的服用を持続することにより，胆石を溶解し消失させることを目的にした薬．ケノデオキシコール酸やウルソデオキシコール酸を有効成分としたものがある．胆嚢のコレステロール胆石は，肝臓から胆汁中へのコレステロール排出が過剰になり溶解限界を超え，沈殿，凝集し発育したものであるが，経口溶解薬は胆汁酸の一種で，コレステロール塊を包み，その表面を親水性にして胆汁中に溶解促進させ，流出除去させる．外殻石灰を認めるコレステロール結石，色素結石などに対しては有効ではない．投与には，患者の肝疾患状態や多剤併用などについて注意する必要がある．

を行う．

■胆石生成の予防
①脂質の多い食事は胆汁の分泌を促し，発作の引き金になるので脂質制限する．
②コレステロール胆石ではコレステロールの多い食品摂取を制限する．
③水溶性食物繊維は胆汁酸の吸収を抑制し，LDL受容体活性を増加させ，LDL-Cを低下させる．
④胆石生成を促進させる因子である肥満，糖尿病，脂質異常症の治療．

7 栄養生理

▶コレステロール胆石の生成の場は主として胆囊内であり，ここに貯留するコレステロール飽和胆汁からコレステロール結晶が析出し，結晶に成長する．胆汁中のコレステロールは胆汁酸とレシチンとともに混合ミセルを形成するかレシチン-コレステロール小胞を作って胆汁中に溶存し，その溶存能はコレステロール/胆汁酸＋レシチン比に依存する．

▶食物繊維は，消化管でコレステロールや胆汁酸の吸収を抑制する作用があり，胆石の生成を阻害する．また，便秘は腸の内圧を高め，胆石発作の誘因となるため，便秘解消にも食物繊維を積極的にとる．

8 栄養食事療法

1—基本方針

①肥満者には摂取エネルギー量を適正量まで制限する．
②肉類より魚，大豆たんぱくを積極的にとる．
③血清コレステロール濃度の抑制に，食事性コレステロールを制限する．
④胆汁酸の排泄の促進・吸収抑制に，水溶性食物繊維の増量摂取を勧める．
⑤胆汁酸排泄の増加作用のあるビタミンC，Eを積極的にとる．

2—栄養アセスメント

■アセスメント・モニタリングの項目
①家族歴，年齢，喫煙歴を問診する．
②食生活状況，栄養摂取状量を問診する．
③身長，体重を測定する．
④血液生化学検査は，血中たんぱく質，アルブミン，コレステロール値を測定する．

■アセスメント・モニタリングのポイント
①胆石発作にともなう発熱，疼痛などの臨床症状，ストレス状態はカルテより把握する．
②胆囊や胆管内の石の確認と石の種類を鑑別する．
③血液検査では，白血球の増加，CRPの上昇による炎症反応がみられる．
④胆道系酵素のALP，γ-GTが上昇する．
⑤胆石発作により絶食期間が続く場合は，体重，血中総たんぱく，アルブミン，コレステロール値により，栄養状態を評価する．
⑥胆石生成のリスクとなる肥満，糖尿病，脂質異常症についても評価する．

3—栄養食事管理と管理目標

▶胆石症の食事は，発作の症状の程度や結石の種類によっても，食事内容が異なってくる（表V-8-2）．

a 栄養素処方

①無症状胆石の場合も，発作予防のために脂質の過剰摂取，過食を控える．

■表V-8-2　胆石症の栄養基準

区分	エネルギー（kcal）	たんぱく質（g）	脂質（g）	炭水化物（g）	コレステロール（mg）
I	800	25	5	150	300以下
II	1,300	50	10	200	
III	1,600	65	20	300	
IV	1,700〜1,800	70〜75	25	350	

②胆石生成の予防には，脂質（飽和脂肪酸，コレステロール）を減らす．
③動物性たんぱく質よりは，植物性たんぱく質を主とする．
④食物繊維を十分にとる．

■疝痛発作時
▶水分・電解質・ブドウ糖などを静脈栄養法により行う．
▶経口への移行はおも湯，くず湯，果汁などの刺激の少ない炭水化物を主とした流動食から段階的に順次進める．
▶胆囊収縮や炎症を抑える目的に，脂質は5g/日程度に抑える．

■回復期
▶胆石疝痛発作を誘導させない食事とする．炭水化物を中心とした軟食とし，脂質は10g/日以下とする．香辛料，アルコール，カフェインなどの刺激物は極力避ける．
▶胆石の生成予防をはかる．主成分になるコレステロールの制限をする．

■無症状安定期
▶原則として食事は普通食でよいが，脂質は控え，食物繊維は十分にとり，バランスのとれた食事内容とする．胆石の生成予防のため暴飲暴食は避ける．

b　食品・料理・献立の調整

■献立（無症状安定期）
①1回の食事量が多くなることは避ける．
②摂取エネルギーの約半分は穀類にする．
③たんぱく質は肉より魚，大豆たんぱくを中心にする．
④コレステロールを1日300mg以下にした食事管理にする．
⑤食物繊維は1日25g以上摂取できる食事内容とする．

c　栄養指導

■指導のポイント
①胆石症の治療の必要性を説明する．
②症状に応じた治療目標あるいは治療効果を設定する．
③食生活状況から，問題点を抽出する．
④摂取エネルギー量を算出し，肥満の場合は体重減量を目標にエネルギー制限をする．
⑤たんぱく質は，肉類より魚や大豆たんぱくで補う．
⑥脂質を控えた食事管理について支援をする．
⑦コレステロール含有量の食品は極力避ける．
⑧セルフコントロールを目的に，体重，食事内容などのモニタリングを勧める．
⑨指導は症状の段階に応じ随時行う．

4―栄養食事療法の効果・判定

①体重，血中総たんぱく，アルブミン，コレステロール値により評価する．
②定期的な排便．再発防止には便秘にならないことが大切である．

9 慢性膵炎

1 疾患の概要

▶慢性膵炎は，持続的にまたは反復的に膵組織が炎症を起こし，膵組織の脱落と線維化により膵臓全体が硬化し萎縮する疾患である．
▶膵外分泌である膵液は，消化酵素や重炭酸を豊富に含んでおり，アミラーゼ・トリプシン・リパーゼなどの膵酵素の血中濃度の上昇を確認した場合は慢性膵炎が強く疑われる．
▶また，内分泌能が障害される慢性膵炎では，内分泌腺からのインスリン分泌の低下による糖尿病発症への注意が重要である．

2 病因

▶慢性膵炎は成因によってアルコール性と非アルコール性に分類される．
▶慢性膵炎は，アルコール性によるものがもっとも多く，非アルコール性の胆石性慢性膵炎と原因が不明の特発性慢性膵炎がある．他の原因として，膵管奇形，脂質異常症などがある．
▶アルコール性慢性膵炎は，主としてアルコール摂取による持続的な膵外分泌亢進の誘導などによると考えられている．

3 疫学

▶厚生労働省難治性疾患克服研究事業難治性膵疾患に関する調査研究班による全国調査では，2002年1年間の慢性膵炎推計受療患者数45,200人であったが，2007年1年間の慢性膵炎推計受療患者数は47,100人と，慢性膵炎の有病患者数は年々増加してきている．その原因としては飲酒によるアルコール性が67.5％ともっとも多く，男性の割合が圧倒的に高い．女性では原因不明の特発性がもっとも多い．

4 症状

▶慢性膵炎は臨床的に代償期，間欠期（移行期），非代償期に分けられる．
▶代償期のおもな症状は，飲酒後や脂質の多い食事の後に増悪する上腹部痛や背部痛，嘔吐，下痢などである．これらが持続的に認められる場合に慢性膵炎が疑われる．一般に痛みは食後すぐではなく，数時間後に現れることが多いといわれている．
▶非代償期の腹痛は代償期に比べ軽減もしくは消失するので，消化吸収障害と糖尿病が主症状となる．
▶移行期では，代償期と非代償期の症状が混在し，腹痛は無痛から持続的な鈍痛状態となる（表V-9-1）．

5 診断基準

▶厚生労働省難治性膵疾患に関する調査研究班，日本膵臓学会，日本消化器病学会の「慢性膵炎臨床診断基準2019」による定義では次のように示されている．
▶膵臓の内部に不規則な線維化，細胞浸潤，実質の脱落，肉芽組織などの慢性変化が生じ，進行すると膵外分泌・内分泌機能の低下をと

MEMO
線維化：結合組織が異常に増殖する現象で，膵線維化は外分泌部の小葉間結合組織にみられ，小葉が硬変様を示す．

■ 表V-9-1　慢性膵炎の臨床経過と治療方針

	代償期	間欠期（移行期）	非代償期
腹痛	非常に強い腹痛や背部痛	無痛から持続的な鈍痛状態	疼痛は代償期に比べ軽減
血中膵酵素	急性膵炎を併発した場合に異常高値		異常低値
外分泌機能	重炭酸塩濃度低下 膵液量低下 アミラーゼ分泌低下	重炭酸塩濃度低下 膵液量低下 アミラーゼ分泌低下	消化吸収障害
糖代謝異常	耐糖能異常	糖尿病	糖尿病
治療方針	急性再燃期における対策 内科的：急性膵炎に準じた保存療法 外科的：合併症などに対する手術	a. 臨床症状に対する対策 b. 急性再燃の予防 内科的：日常生活の管理 外科的：合併症および膵炎進展因子の除去	膵機能荒廃に対する対策 a. 糖尿病コントロール b. 消化酵素補助

（厚生労働省難治性膵疾患に関する調査研究班・日本膵臓学会：慢性膵炎の臨床経過の図より）

■ 表V-9-2　慢性膵炎臨床診断基準

慢性膵炎の診断項目
①特徴的な画像所見 ②特徴的な組織所見 ③反復する上腹部痛発作 ④血中または尿中膵酵素値の異常 ⑤膵外分泌障害 ⑥1日60g以上（純エタノール換算）の持続する飲酒歴 ⑦急性膵炎の既往
慢性膵炎確診：a, bのいずれかが認められる
a. ①または②の確診所見 b. ①または②の準確診所見と、③④⑤のうち2項目以上
慢性膵炎準確診
①または②の準確診所見が認められる
早期慢性膵炎
③〜⑦のいずれか2項目以上と早期慢性膵炎の画像所見が認められる

（日本膵臓学会：慢性膵炎臨床診断基準2019. 膵臓 34：279-281, 2019より）

もなう病態である．膵内部の病理組織学的変化は，基本的には膵臓全体に存在するが，病変の程度は不均一で，分布や進行性もさまざまである．これらの変化は，持続的な炎症やその遺残により生じ，多くは非可逆性である．
▶慢性膵炎では，腹痛や腹部圧痛などの臨床症状，膵内・外分泌機能不全による臨床症候をともなうものが典型的である．臨床観察期間内では，無痛性あるいは無症候性の症例も存在し，このような例では，臨床診断基準を

より厳密に適用すべきである．**自己免疫性膵炎**と**閉塞性膵炎**は，治療により病態や病理所見が改善することがあり，可逆性である点より，現時点では膵の慢性炎症として別個に扱う．

▶分類：①アルコール性慢性膵炎，②**非アルコール性慢性膵炎**（特発性，遺伝性，家族性など）

▶「慢性膵炎臨床診断基準2019」による診断基準と診断の手順を表V-9-2と図V-9-1に示す．

6 治 療

■ 代償期

▶急性再燃期では，非常に強い腹痛や背部痛，食欲不振，悪心，嘔吐，発熱などがみられる．腹痛はアルコールの多飲や高脂質食の過食が誘引となることが多く，治療は**急性膵炎**に準じる．

▶再発の初期は，膵外分泌の抑制と膵の安静の確保のために，経口摂取，飲水は厳禁とする．再発の炎症にともなう循環血漿量の低下を補うために細胞外液補充液を用いて，60〜

📝 MEMO

保存療法：弱った膵臓への負担を軽減し保護するとともに，膵炎による他の臓器への傷害を防ぐための治療．
急性膵炎：活性化された膵酵素による膵局所の自己消化で生じた病態で，成因はおもにアルコールと胆石である．自覚症状では腹痛の頻度がもっとも高く，非常に強い腹痛や背部痛などが

みられる．発症初期は，膵臓の安静・庇護のために経口摂取，飲水は厳禁であるが，遅くとも48時間以内に経腸栄養を開始することが望ましい．経口摂取の開始は，腹痛の消失，血中膵酵素（リパーゼ）値などを指標として決定する．

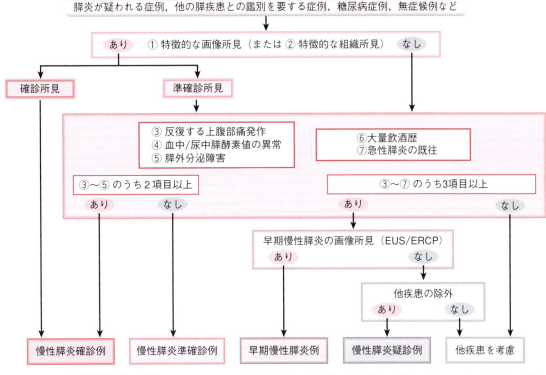

■ 図V-9-1 慢性膵炎診断の手順　　　　（日本膵臓学会：診断手順の概要と経緯．膵臓 24(6)，2009 を一部改変，一部追加）

160 mL/kg/日を点滴静注する．また，食事の再開時期を誤ると病状が再燃することになるので，食事の開始は腹痛のコントロールと血中リパーゼの推移を指標とする．

■ 間欠期（移行期）
▶代償期や非代償期との区別がつきにくい時期であり，無痛から持続的な鈍痛状態の臨床症状を示す．この時期の膵機能は比較的保たれており，膵外分泌への刺激を抑制することが重要である．膵臓の安静を保ち，疼痛や再燃による非代償期への移行を抑制するには，膵外分泌抑制の食事療法と胃酸分泌抑制薬などの薬物療法がある．

■ 非代償期
▶膵外分泌能が低下するため，疼痛は代償期に比べ軽減する．膵機能の低下により消化吸収障害や，膵性糖尿病（二次性糖尿病）が生じる．

▶消化吸収障害には，消化酵素剤を投与し，膵性糖尿病にはインスリンの投与と糖尿病に準じた食事療法を行う．また，膵島（ランゲルハンス島）障害のためにグルカゴン分泌も低下することから低血糖に対する注意も必要である．

7 栄養生理

▶膵臓は，ピストル形の横長の淡紅色の臓器である．胃の後方で後腹壁に密着しているために，腹腔を切開してもただちに確認するこ

とはできない．十二指腸の湾曲に囲まれている右端部は幅が広く膵頭とよばれ，中央部分の膵体と脾臓に接する膵尾からなる．

▶膵臓は，強力な消化液である膵液を分泌する消化腺である．膵臓は，内分泌機能であるランゲルハンス島を除くと，ほとんどの部分が外分泌機能で占められている．外分泌である膵液は，1日700～1,000mL分泌され，アルカリ性で胃酸を中和する．外分泌機能は，たんぱく質分解酵素のトリプシノーゲン，脂質分解酵素のリパーゼ，糖質分解酵素のアミラーゼなどの消化酵素を合成する腺房組織と，アルカリ性の重炭酸イオン（HCO_3^-）を分泌する導管組織から構成されている．

▶膵液の分泌は，胃酸の刺激によって十二指腸の上皮細胞から分泌されるセクレチンによるHCO_3^-の分泌と，食べ物に含まれるたんぱく質や脂質の刺激にともない分泌されるコレシストキニンよる膵臓の腺房からの消化酵素の分泌とで調整されている．

▶内分泌機能は，グルカゴンを分泌するα細胞（A細胞）とインスリンを分泌するβ細胞（B細胞）などから構成される．慢性膵炎は，なんらかの原因によって反復的にあるいは持続的に膵組織に炎症が生じ，膵組織の線維化によって外分泌機能と内分泌機能の低下をきたした状態である．

❽ 栄養食事療法

1―基本方針

▶栄養食事療法の基本方針は，患者の症状を軽減し，QOLを向上させることである．長期にわたって栄養管理を行う必要があり，病期に対応した栄養アセスメントが重要である．

2―栄養アセスメント

▶体重，BMI，体重変化率，%平常時体重などの身体計測指標，血清総たんぱく，アルブミン，コレステロールなどの血液・生化学的指標は，患者の全般的な栄養状態を定量的に評価するのに優れた静的栄養評価である．これらの低下はたんぱく質・エネルギー低栄養状態（PEM：protein energy malnutrition）が進行していると判断できる．とくに，代償期での非常に強い腹痛や食欲不振，嘔吐はPEMを助長するので，速やかに中心静脈栄養などでの栄養補給を行う必要がある．

▶また，アルブミンのように半減期の長い栄養指標は，短期間の栄養状態を評価できないが，代償期にアルブミンが低値を示している場合は，再燃前の移行期ですでに重篤なPEMを意味している．したがって，予後への影響を考慮し，移行期にPEM対策としてアルブミン値の変化に注目すべきである．非代償期では，消化吸収障害から軽度の脂肪便や脂肪性の下痢をきたすことがあり，便性状が栄養指標として重要である．

3―栄養食事管理と管理目標

■代償期

▶急性再燃期の食事療法は，急性膵炎の発症初期の基準を適用する．再発の初期は，膵外分泌の抑制と膵の安静の確保のため経口摂取，飲水は厳禁とし，十分な輸液による体液管理を行う．栄養補給法は，軽症例では早期から経腸栄養を用いることが推奨されている．

■間欠期（移行期）

▶急性再燃を予防するために禁酒，脂質制限（30g/日以下）が重要である．精神的ストレ

ランゲルハンス島：膵臓にあって血糖を低下させるインスリンを分泌するβ細胞，グルカゴンを分泌するα細胞などからなる細胞塊である．

%平常時体重：%通常時体重ともいう．%平常時体重＝現体重（kg）÷平常時体重（kg）×100

脂肪便：脂肪を過剰に含む酸臭便（すっぱい臭い）である．

■表V-9-3　急性膵炎の回復期および安定期の栄養基準（例）

分類	回復期Ⅰ	回復期Ⅱ	回復期Ⅲ	安定期
エネルギー　(kcal)	500〜600	800〜1,000	1,200〜1,500	1,600〜2,000
たんぱく質　(g)	5〜10	10〜30	30〜50	50〜70
脂質　(g)	1以下	5以下	5〜10	30以下
炭水化物　(g)	100〜150	180〜220	250〜300	300〜400

■表V-9-4　慢性膵炎の代償期・間欠期・非代償期の栄養基準（例）

分類	代償期	間欠期	非代償期
エネルギー　(kcal)	1,000〜1,200	1,600〜1,800	1,600〜1,900
たんぱく質　(g)	40〜50	60〜80	60〜80
脂質　(g)	10〜15	20〜30	40〜50
炭水化物　(g)	200〜250	280〜300	250〜280

スが誘引となることがあるので，心身ともに十分な休養が必要である．栄養補給法は経口栄養で，栄養基準・食料構成は急性膵炎の安定期を準用する．炭水化物を主としたエネルギー源とし，たんぱく質補給にも心がける．

■非代償期

▶食事療法の考え方は，糖尿病のコントロールと消化吸収機能の補助が中心となる．各栄養素の配分は糖尿病の食事療法に準じることになる．非代償期の腹痛は代償期に比べ軽減し，脂質摂取による誘発は少ない．したがって，脂質摂取量は，とくに制限する必要はない．ただし，食事の回数を増やすことで，摂取エネルギー量を確保し，**脂溶性ビタミン**やビタミンB_{12}，葉酸，微量元素，抗酸化物質も摂取することが重要である．たんぱく質は良質なもので，「日本人の食事摂取基準（2025年版）」の推奨量を少し上回る1.0〜1.3 g/kg/日程度を確保する．

▶消化吸収機能の補助には薬剤がおもに用いられ，膵機能の荒廃による膵酵素不足を補う目的で消化酵素剤の投与が必要となる．したがって，胃酸分泌を促進するカフェイン飲料や香辛料などの食品は避けることが望ましい．

a 栄養素処方

- 代償期は，経腸栄養も適応する．
  急性再燃時：経口摂取，飲水は厳禁．
  回復期から安定期：**表V-9-3**を参照．
- 間欠期，非代償期における栄養食事管理は次のとおりである（**表V-9-4**）．
① エネルギー：25〜30 kcal/kg・IBW/日（膵性糖尿病を生じた場合は糖尿病の食事療法に準ずる）
② たんぱく質：15〜20％（1.0〜1.3 g/kg/日）
③ 脂質：間欠期は15％以下，非代償期はとくに制限を必要とはしない．
④ アルコール：間欠期，非代償期ともに厳禁．

b 食品・料理・献立の調整

● 推奨される食品

- **中鎖脂肪酸**（MCT：medium chain triglyceride）は，膵リパーゼによる加水分解を受けずに速やかに体内に吸収され，門脈を経由して肝臓へ運ばれエネルギーに変換される．MCTは，腸管内膵リパーゼ濃度

中鎖脂肪酸：炭素分子が8個のカプリル酸などを主成分とし，門脈から直接肝臓に入って酸化される．

の低下でも吸収されることが明らかになっており，慢性膵炎の間欠期，非代償期には，通常の食事に用いられる油脂である長鎖脂肪酸より適している．ニューマクトンビスキー®などのMCT加工食品を用いることでエネルギーを確保することも可能である．

- 粉あめ：脂質を含まず，甘味が低く，エネルギーを上げる甘味料として優れている．ただし，膵性糖尿病を生じた場合は血糖コントロールに影響する可能性があることに注意する．
- 脂質をほとんど含まない乳製品：脱脂粉乳，無脂肪乳，無脂肪ヨーグルトなど．

● 避けたほうがよい食品
- 膵外分泌を刺激する炭酸飲料，カフェイン飲料，香辛料など．
- 間欠期：多脂性食品（脂質含量の多い肉類・魚類，ウインナーソーセージなど脂質の多い加工肉類），揚げ物などの料理．

C 栄養指導

■指導のポイント

▶慢性膵炎の発症原因として，**アルコール**によるものが半数以上を占める．したがって，栄養指導ではアルコールに関することが中心となる．栄養素処方にもあるように，アルコールは間欠期，非代償期ともに厳禁である．当然，栄養指導ではアルコールについて厳しく指導しなければならない．しかしながら，多くの慢性膵炎患者にとって，アルコールを簡単に禁酒し，それを継続することはきわめて難しく，再燃の引き金であることを認知しながら止められない実態がある．

▶アルコールはとくに嗜好性が高く，飲酒習慣のある患者にはこだわりがある．たとえば，飲み慣れたビール→低アルコールビール→ノンアルコールビールテイスト飲料のように簡単に切り替えられるものではない．また，切り替わっても炭酸を含む飲料であることには変わりがない．アルコールは習慣性があり，生活の潤いやコミュニケーション，ストレスの緩和に役立っているという一面もある．このような患者の**コンプライアンス**の向上を図るには，継続したモニタリングが重要である．身体症状や検査データの変化をいち早く察知し，再燃予防に対応した迅速な栄養指導体制を築くことが求められる．

4 ― 栄養食事療法の効果・判定

■効果

① 血中や尿中の膵酵素濃度（アミラーゼ，リパーゼ，トリプシン，エラスターゼ）の沈静化で確認する．
② 脂肪便，下痢の状態を確認する．
③ 疼痛の緩和，再燃の軽減を評価する．
④ 代償期では，体重，BMI，血液生化学検査（総たんぱく，アルブミン，コリンエステラーゼ，コレステロール，中性脂肪，微量元素），脂溶性ビタミンによる栄養状態を確認する．
⑤ 非代償期では，消化吸収障害の減弱，栄養状態の維持，糖尿病例では血糖コントロール状態により効果をみる．

■判定に与える影響

▶消化吸収機能に対応した薬物療法および保健用食品の使用の有無を確認し，栄養食事療法の効果を判定する．

▶アルコールの禁酒を継続することが必要であり，患者自らによる急性再燃の遅延する意思を動機づけることが重要となる．

MEMO

アルコール：1日60 g以上（純エタノール換算）の持続する飲酒歴，ビール500 mL 3本/日，日本酒3合/日以上に相当する．

コンプライアンス：法令遵守を意味し，この場合は食事療法を規則正しく守ること．

10 糖尿病

1 疾患の概要

- 糖尿病はインスリン作用の不足による慢性の高血糖状態を主徴とする代謝症候群である．
- 糖尿病は発症の機序により，4つに分類される（表V-10-1）．
- 1型糖尿病：自己免疫を基礎にした膵β細胞の破壊病変によるインスリン欠乏によって発症する．HLAなどの遺伝因子にウイルス感染などの何らかの誘因・環境因子が加わって発症する．家系内の発症は2型に比べ少ない．小児期から思春期にかけての発症が多い．中高年でも認められる．肥満との関係はない．
- 2型糖尿病：インスリン分泌不足やインスリン抵抗性をきたす遺伝的な素因と環境因子によって発症する．家系内血縁者に糖尿病がみられる場合が多い．40歳以上の発症が多いが，近年，若年が増加している．肥満または肥満歴がみられる．
- その他：遺伝子異常，膵疾患，肝疾患などで二次的に発症する糖尿病もある．

■表V-10-1 糖尿病と糖代謝異常の成因分類

I．1型
膵β細胞の破壊，通常は絶対的インスリン欠乏に至る A．自己免疫性 B．特発性
II．2型
インスリン分泌低下を主体とするものと，インスリン抵抗性が主体で，それにインスリンの相対的不足をともなうものなどがある
III．その他の特定の機序，疾患によるもの
A．遺伝因子として遺伝子異常が同定されたもの 　①膵β細胞機能にかかわる遺伝子異常 　②インスリン作用の伝達機構にかかわる遺伝子異常 B．他の疾患，条件にともなうもの 　①膵外分泌疾患 　②内分泌疾患 　③肝疾患 　④薬剤や化学物質によるもの 　⑤感染症 　⑥免疫機序によるまれな病態 　⑦その他の遺伝的症候群で糖尿病をともなうことの多いもの
IV．妊娠糖尿病

現時点ではいずれにも分類できないものは分類不能とする．
（日本糖尿病学会糖尿病診断基準に関する調査検討委員会：糖尿病の分類と診断基準に関する委員会報告．糖尿病 55(7)：490, 2012 より）

2 病因

- 1型糖尿病：自己免疫性で，免疫反応を規定する遺伝子に環境因子が加わって，自己免疫機序によって膵β細胞の破壊が生じる．
- 2型糖尿病：糖尿病の多くは多因子遺伝病タイプである．インスリン分泌不全，インスリン抵抗性などの遺伝因子に，環境因子が加わって発症する．
- 二次性糖尿病：慢性膵炎により，インスリンの分泌障害で発症する．膵臓の外傷や切除などで膵β細胞の欠損により発症する．
- そのほかクッシング症候群，甲状腺機能亢進症などの内分泌疾患により発症する場合もある．

3 疫学

- 令和元年国民健康・栄養調査の結果によると，「糖尿病が強く疑われる人（20歳以上）」は男性では19.7％，女性では10.8％である．このうち現在治療を受けている者の割合は男性では78.5％，女性では74.8％であり，男女

MEMO

環境因子：肥満（BMI 22 kg/m² 以下に比べて24.0〜24.9 kg/m² でも糖尿病発症の相対危険度は5倍とされる），高脂質食（総エネルギーより脂質摂取の関与が大きい），運動不足（身体活動の低下はインスリン抵抗性を惹起する），低出生体重，心理的ストレスなどがあげられる．胎児期に母体が低栄養状態にあると，成人後に糖尿病など生活習慣病のリスクが高まる．

自己免疫機序：ヒトの体には，細菌やウイルスなどの自己とは異なる「異物」が体内に侵入したときに，それを排除しようする働きが備わっている．しかし，この機序が，誤って，自己が持っている物質を「異物」として認識してしまうこと．

■表V-10-2 医師から糖尿病といわれた人における合併症の状況（20歳以上）

		神経障害	網膜症	腎症	足壊疽
なし		88.2% (757)	89.4% (766)	88.9% (760)	99.3% (850)
あり		11.8% (101)	10.6% (91)	11.1% (95)	0.7% (6)
内訳	・現在治療を受けている	78.2% (79)	73.6% (67)	73.7% (70)	66.7% (4)
	・以前治療を受けたことがあるが現在受けていない	9.9% (10)	8.8% (8)	9.5% (9)	16.7% (1)
	・ほとんど治療を受けていない	11.9% (12)	17.6% (16)	16.8% (16)	16.7% (1)

（平成19年国民健康・栄養調査 結果の概要をもとに作成）

■表V-10-3 糖代謝異常の判定区分と判定基準

① 早朝空腹時血糖値注1) 126 mg/dL 以上
② 75g OGTT で2時間値 200 mg/dL 以上
③ 随時血糖値 200 mg/dL 以上
④ HbA1c が 6.5% 以上
─────────────────
⑤ 早朝空腹時血糖値 110 mg/dL 未満
⑥ 75g OGTT で2時間値 140 mg/dL 未満

- ①〜④のいずれかが確認された場合は「糖尿病型」と判定する．糖尿病の診断は，高血糖が慢性に持続していることを証明することによって医師が行う．
- ⑤および⑥の血糖値が確認された場合には「正常型」と判定する．
- 上記の「糖尿病型」「正常型」いずれにも属さない場合は「境界型」と判定する．

注1) 血糖値は，とくに記載のない場合には静脈血漿値を示す．
（日本糖尿病学会編・著：糖尿病治療ガイド2022-2023, 文光堂, 2022より）

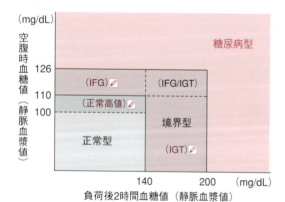

■図V-10-1 空腹時血糖値および75g OGTTによる判定区分
（日本糖尿病学会編・著：糖尿病治療ガイド2022-2023, 文光堂, 2022より）

📝MEMO

壊疽：血液の供給が途絶えたり，減少したりすることにより組織の壊死が起きた状態．糖尿病では神経障害・血管障害が原因となる．
IFG：空腹時血糖値が 110〜125 mg/dL で，2時間値を測定した場合には 140 mg/dL 未満の群を示す（WHO）．ただし米

とも他の年代より40代で治療を受けている割合が低く，また，75歳以上の女性で糖尿病治療の課題が示唆されている．

▶平成19年国民健康・栄養調査では，医師から糖尿病と診断を受けていても治療を受けていない人が10〜16％に及んでいる（表V-10-2）．

4 症　状

▶高血糖によるもの：口渇，多飲，多尿，体重減少
▶合併症によるもの：視力障害，神経症状（手足のしびれ感，冷感，疼痛），消化器症状（下痢，便秘，胃内容物停滞による悪心，嘔吐），足病変（潰瘍，壊疽）
▶その他：易感染性，創傷治癒の遷延化
▶糖尿病では，診断時点の体重だけでなく，過去の肥満歴や急激な体重減少などの体重変化の把握が重要である．

5 診断基準

▶糖尿病の診断基準として「糖代謝異常の判

国糖尿病学会（ADA）では空腹時血糖値 100〜125 mg/dL として，空腹時血糖値のみで判定している．
正常高値：空腹時血糖値が 100〜109 mg/dL は正常域ではあるが，「正常高値」とする．この集団は糖尿病への移行やOGTT時の耐糖能障害の程度からみて多様な集団であるため，

■ 表V-10-4　血糖コントロール目標

目標[注1]	血糖正常化を目指す際の目標[注2]	合併症予防のための目標[注3]	治療強化が困難な際の目標[注4]
HbA1c（％）	6.0未満	7.0未満	8.0未満
治療目標は年齢，罹病期間，臓器障害，低血糖の危険性，サポート体制などを考慮して個別に設定する			

注1）いずれも成人に対しての目標値であり，また妊娠例は除くものとする．
注2）適切な食事療法や運動療法だけで達成可能な場合，または薬物療法中でも低血糖などの副作用なく達成可能な場合の目標とする．
注3）合併症予防の観点からHbA1cの目標値を7％未満とする．対応する血糖値としては，空腹時血糖値130 mg/dL未満，食後2時間値180 mg/dL未満をおおよその目安とする．
注4）低血糖などの副作用，その他の理由で治療の強化が難しい場合の目標とする．

（日本糖尿病学会編・著：糖尿病治療ガイド2022-2023，文光堂，2022より）

定区分と判定基準（表V-10-3）」および「空腹時血糖値および75 g OGTTによる判定区分（図V-10-1）」が示されている．
▶判定基準は血糖値からの診断基準であって，実際は，現病歴，既往歴，家族歴，治療歴，身体所見などから総合的に診断される．検査結果が判定基準を満たさなくても，糖尿病の既往歴がある場合は糖尿病の疑いで対応する．

6 治療

▶治療の目標は，健康な人と変わらない日常生活の質（QOL）の維持，寿命の確保を目指し，合併症の発症・進展の阻止にある．
▶このためには，血糖，体重，血圧，血清脂質の良好な管理が大切である．日本糖尿病学会では，管理目標を表V-10-4, 5のように示している．
▶食事療法については後述する．
▶腎症を有する症例では血圧の十分なコントロールが腎症の進行を遅らせる．
▶運動療法は，表V-10-6に示した効果が期待できる．有酸素運動は，中強度（最大酸素摂取量の50％前後）で週に150分かそれ以上，週に3回以上，運動しない日が2日間以上続かないように行い，レジスタント運動は，連続しない日程で週2〜3回行うことが勧めら

■ 表V-10-5　血糖以外のコントロールの目標値

目標体重	[身長(m)]² × 22〜25（目標BMI）＊
血圧	130/80 mmHg未満 （家庭血圧125/75 mmHg未満）
LDL-C	冠動脈疾患なし　120 mg/dL未満 冠動脈疾患あり　100 mg/dL未満
中性脂肪	150 mg/dL未満（早朝空腹時）
HDL-C	40 mg/dL以上
non HDL-C	冠動脈疾患なし　150 mg/dL未満 冠動脈疾患あり　130 mg/dL未満

LDL-C：LDLコレステロール，HDL-C：HDLコレステロール，non HDL-C：non HDLコレステロール（＝総コレステロール－HDLコレステロール）．
＊目標BMIは年齢や合併症に応じて異なる．65歳未満は22，高齢者は22〜25を目標にする．BMI 25以上は肥満とし，当面は現体重の3％減を目指す．達成後は20歳時の体重や個人の体重変化の経過，身体活動量などを参考に目標体重を決める．
（日本糖尿病学会編・著：糖尿病治療ガイド2022-2023，文光堂，2022より作成）

■ 表V-10-6　糖尿病の運動療法の効果

1.	運動の急性効果として，ブドウ糖，脂肪酸の利用が促進され血糖値が低下する．
2.	運動の慢性効果として，インスリン抵抗性が改善する．
3.	エネルギー摂取量と消費量のバランスが改善され，減量効果が期待できる．
4.	加齢や運動不足による筋萎縮や，骨粗鬆症の予防に有効である．
5.	高血圧や脂質異常症の改善に有効である．
6.	心肺機能が向上する．
7.	運動能力が向上する．
8.	爽快感，活動気分など日常生活のQOLを高める効果も期待できる．

（日本糖尿病学会編・著：糖尿病治療ガイド2022-2023，文光堂，2022より）

📝MEMO
OGTTを行うことが勧められる．
IGT（→p.262）：WHOの糖尿病診断基準に取り入れられた分類で，空腹時血糖値126 mg/dL未満，75 g OGTT 2時間値140〜199 mg/dLの群を示す．

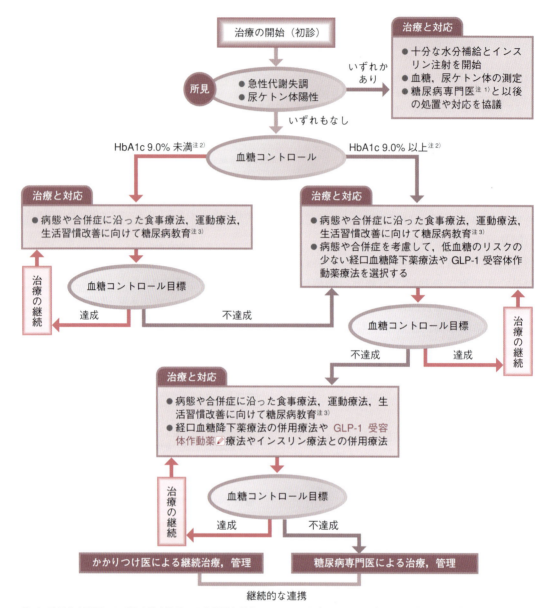

注1) 糖尿病専門医および認定教育施設は日本糖尿病学会ホームページ（www.jds.or.jp）上で都道府県別に検索できる．地域ごとの情報については地域医師会や糖尿病専門外来をもつ病院などに問い合わせるとよい．
注2) 参考指標であり，個別の患者背景を考慮して判断する．
注3) 施設・地域の医療状況や，社会的リソース・サポート体制などの患者背景を考慮し，糖尿病専門医への紹介を考慮する．また，糖尿病専門施設での糖尿病教育入院なども考慮する．
その他，以下の場合，糖尿病専門医へ紹介を考慮する．
①口渇・多尿・体重減少などの症状がある場合，②低血糖を頻回に繰り返し糖尿病治療の見直しが必要な場合，③糖尿病急性増悪やステロイド使用や膵疾患や感染症に伴い血糖値の急激な悪化を認めた場合，④周術期あるいは手術に備えて厳格な血糖コントロールを必要とする場合，⑤糖尿病の患者教育が改めて必要になった場合，⑥内因性インスリン分泌が高度に枯渇している可能性がある場合．

■図V-10-2　インスリン非依存状態の治療　　（日本糖尿病学会編・著：糖尿病治療ガイド2022-2023，文光堂，2022より）

MEMO

GLP-1（glucagon-like peptide-1）受容体作動薬：インクレチン治療として使用される薬剤の一種．エキセナチド，リラグルチドなどがある．インクレチンは胃酸分泌の刺激を受けて分泌される消化管ホルモンで，膵β細胞に働いてインスリン分泌を促進する．この働きを利用した，糖尿病の薬物療法．

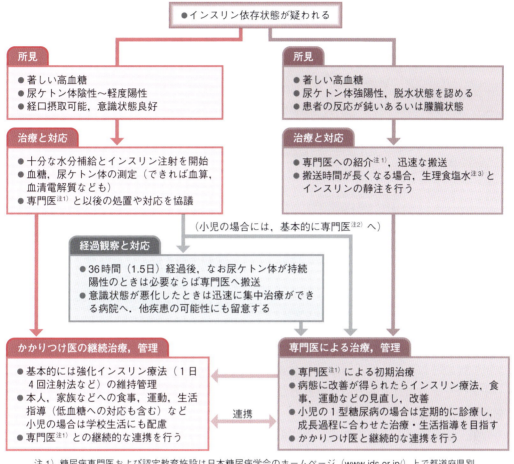

■図V-10-3　インスリン依存状態の治療（日本糖尿病学会編・著：糖尿病治療ガイド2022-2023，文光堂，2022より）

れ，禁忌でなければ両方の運動を行う．日常の座位時間が長くならないようにして，軽い活動を合間に行うことが勧められる．運動療法開始前にはメディカルチェックを受ける．
▶薬物療法には経口血糖降下薬とインスリンがあり，病態，合併症，薬剤の作用特性を考慮して選択する．
▶糖尿病の治療法の選択は，インスリン依存性（治療にインスリンが不可欠な病態をいう），非依存性（インスリンは必要に応じ使用する病態）により，おのおの図V-10-2,3の手順で行われる．

MEMO

糖新生（→p.266）：炭水化物でない物質（アミノ酸，乳酸，グリセロールなど）から，ブドウ糖が産生される過程をいう．
糖毒性（→p.266）：高血糖がインスリンの分泌低下，インスリンの作用低下を起こすことをいう．慢性的な高血糖は，これにより悪い循環を招くことになる．

アシドーシス（→p.266）：血液はたえず一定のpHを保とうとしている．酸塩基平衡で血液を酸性にしようとする状態をいう．糖尿病で，コントロールが悪く糖の利用がうまく行われないと脂肪酸の代謝が亢進しケトン体が産生される．このケトン体によってアシドーシスを招く．

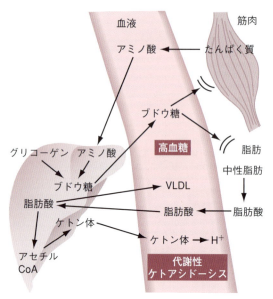

■図Ⅴ-10-4　糖尿病における糖の流れの異常
（杉本恒明，矢崎義雄編：内科学 第9版，朝倉書店，2008より）

7 栄養生理

▶糖尿病では，インスリンの分泌不全やインスリン抵抗性のどちらか，あるいは両者が原因で，インスリンの相対的あるいは絶対的な不足をきたす．

▶この結果，血中のブドウ糖の筋肉，脂肪組織，肝臓への取り込みが悪くなり，血中のブドウ糖濃度が上昇する（図Ⅴ-10-4）．さらに，インスリンの不足によって，肝臓での糖新生 🖉 が抑制されなくなり，ブドウ糖が肝臓から血中へ放出される．

▶血中のブドウ糖が増加すると，これがインスリンの分泌低下を起こす（糖毒性 🖉）．

▶脂肪細胞では，インスリン作用の低下により，脂肪が分解されて，血中に遊離脂肪酸が増加する．

▶遊離脂肪酸はVLDLとして血中に放出されるか，一部はアセチルCoAとなる．TCAサイクルでアセチルCoAが処理できなくなると，血中にケトン体が増加しアシドーシス 🖉 をきたす．

8 栄養食事療法

1―基本方針

▶摂取エネルギーの適正化により，インスリンの需要が減り，インスリン作用不足が改善される．

▶たんぱく質は，栄養状態を適切に保つために重要であり，エネルギー制限下にあっては不足に注意を払う．とくに高齢者で低栄養のリスクがある患者，フレイル・サルコペニアの状態にある場合には腎機能障害を勘案しながら十分なたんぱく質を補給する．

▶腎機能障害がみられる場合には，たんぱく質制限食を考慮してもよいとされているが，十分なエネルギー摂取のもとで行い低栄養のリスクを回避する．サルコペニアがみられる場合には，個別の病態に応じたんぱく制限を緩和する．

▶IGTのうちから総エネルギーの適正化によってインスリン分泌を補完し，肥満のある場合にはこれを解消し，運動療法を加味することによって2型糖尿病の発症抑制が検証されている．

▶1回に摂取する炭水化物の量を考慮することは1型糖尿病の血糖コントロールに有用である（カーボカウント 🖉）．

▶食物繊維は，栄養素の吸収を緩やかにしたり阻害するなどの働きがあり，食後の血糖値の抑制や血清コレステロールの増加を防ぐ．

▶ショ糖（砂糖）を含んだ甘味やジュースは血糖値や中性脂肪を上昇させるのでなるべく

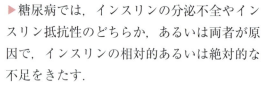

カーボカウント：食後の血糖値を決めるのは，炭水化物の摂取の寄与率が高いという考えをもとに，炭水化物を摂取する時，どの位のインスリンが必要か（インスリン/カーボ比），逆に1単位のインスリンでどの位の炭水化物が摂取できるか（炭水化物g/インスリン比），この2つの要因を基本とする食事療法．

インスリンと炭水化物との関係は，人によって違うので，カーボカウントを始める前にこの値を決める．食後の血糖値は，食前血糖値の影響を受けるため，目標とする食後の血糖値を決めておき，インスリンや摂取する炭水化物の量の補正を行う．食後の血糖管理を行うのに有効とされている．

控えるべきである．ショ糖は中性脂肪の上昇を招く．また，果糖は循環器疾患への好ましくない影響が危惧されている．

▶合併症の発症や進展防止には血圧管理が重要である．食塩の過剰摂取は，血圧上昇に作用する．

▶アルコールは，合併症・肝疾患がなく，長期に血糖コントロールがよければ禁止しなくてもよいが，1日25gを目安とし，毎日は摂取させない．ただし，自分で飲酒のコントロールができない場合には禁酒が望ましい．

▶健康食品・サプリメントは効果のエビデンスが少ないので，積極的には勧められない．

2 栄養アセスメント

▶治療の目的は，血糖，体重，血圧，血清脂質の良好な管理により，合併症の発症・進展を阻止することにある．

■アセスメント・モニタリングの項目

①糖尿病の家族歴，体重の経緯，糖尿病特有の症状の有無，喫煙歴の問診

②食生活の状況：脂質，単純糖質，アルコールなど

③臨床検査
- 血液：血糖，HbA1c，グリコアルブミン，1,5-AG，インスリン，Cペプチド，血中ケトン，LDLコレステロール，HDLコレステロール，中性脂肪，尿素窒素，尿酸，クレアチニン，コリンエステラーゼ，その他
- 尿：尿糖，尿ケトン，Cペプチド，たんぱく尿，微量アルブミン尿，その他

④血圧

⑤神経症状：アキレス腱反射，圧覚検査

⑥眼底検査，視力

3 栄養食事管理と管理目標

a 栄養素処方

①総エネルギー摂取量（kcal/日）＝目標体重（kg）×エネルギー係数
※原則として年齢を考慮に入れた目標体重を用いる．

〈目標体重〉
65歳未満　身長（m)^2×22
65～74歳　身長（m)^2×22～25
75歳以上　身長（m)^2×22～25*

*75歳以上の後期高齢者では現体重に基づき，フレイル，（基本的）ADL，併発症，体組成，身長の短縮，摂取状況や代謝の評価を踏まえ，適宜判断する．

〈身体活動レベルと病態によるエネルギー係数（kcal/kg）〉
- 軽い労作（大部分が座位の静的活動）：25～30
- 普通の労作（座位中心だが運動・家事・軽い運動を含む）：30～35
- 重い労作（力仕事，活発な運動習慣がある）：35～

高齢者のフレイル予防には，身体活動レベルより大きな係数を設定できる．また，肥満で減量をはかる場合には，身体活動レベルより小さい係数を設定できる．いずれにおいても目標体重と現体重との間に大きな乖離がある場合には上記を参考に柔軟に係数を設定する．

②炭水化物は総エネルギーの40～60％とし，食物繊維の多い食品を選択することが望ましい（1日20g以上）．中性脂肪が高い場合には，ショ糖・果糖の摂取を控える．果物は1日1単位までが勧められている．

MEMO

アルコール1日25g：日本酒200mL，焼酎25度100mL，ビール670mL（大びん1本に相当）がそれぞれ目安である．

圧覚検査：感覚障害の有無や程度をみるのに行われる検査．太さの異なるモノフィラメントを皮膚の表面に当てて，押された感覚の有無により，圧覚を調べる検査．

③たんぱく質は，20％までとし，残りを脂質で摂取するが，総エネルギーの25％を超える場合は脂肪酸組成に配慮する．腎機能低下がある場合にはたんぱく質の制限を配慮してもよい．
④脂質は飽和脂肪酸を控え，多価不飽和脂肪酸（n-6系，n-3系），一価不飽和脂肪酸が勧められる．**高コレステロール血症**の場合にはコレステロールの制限を検討する．
⑤ビタミン・ミネラルの不足をまねかないようにする．
⑥高血圧合併の場合には食塩摂取を6g/日未満とする．

b 食品・料理・献立の調整

■食品・献立

●推奨される食品・献立
①**食物繊維**の多い穀類・野菜
②脂質含有量の少ない獣鳥肉類
③**n-3系多価不飽和脂肪酸**の多い魚
④食物繊維が多く，エネルギーが少ない海藻，きのこ類，こんにゃく
⑤ビタミンC，E，カロテン，ポリフェノールの多い野菜
⑥蒸す，焼く，ゆでるなど，油脂を使用しない料理
⑦お浸し，酢の物のように油脂・食塩の使用が少なくてすむ料理
⑧酢，柑橘類，香味野菜などを使用した薄味料理

●避けたほうがよい食品・献立
①脂質含有量の多い獣鳥肉類
②脂質・ショ糖・食塩が多い加工食品・菓子
③フライ，天ぷら，唐揚げなど油脂の使用が多くなる料理
④脂の多いひき肉を使用した料理（ハンバーグ，肉団子，麻婆豆腐など），シチュー，酢豚など，目に見えにくい脂質が多くなる料理
⑤かつ丼，天丼，焼きそばなど，脂質が多く，食べ過ぎになりやすい料理
⑥主食の食べ過ぎを招きやすい味の濃い料理
⑦抗凝固薬（ワルファリン），降圧薬（Ca拮抗薬）などの薬物療法で，禁止すべき食品（納豆，グレープフルーツなど）

c 栄養指導

■指導のポイント
①糖尿病の治療に食事療法が果たしている役割を説明する．
②治療の基本は運動療法・食事療法にあり，薬物療法を行っていても必要であることを説明する．
③「**糖尿病食品交換表**」やフードモデルを用いるなどして，具体的かつ実践的な内容にする．
④本人の食習慣や嗜好，生活パターンを尊重した内容にする．
⑤薬物療法を行っている患者には，**低血糖**，**シックデイ**の対応を説明する．
⑥体重・食事記録などのセルフモニタリングを勧め，気づきを促す．
⑦食事療法が負担なく行えるように患者に寄り添いサポートする．

■指導効果の把握
▶体重，検査値，摂取栄養量，食べ方の変化を観察する．

4 ─ 栄養食事療法の効果・判定

■客観的評価
①体重・検査値の変化
②エネルギー量，栄養素摂取量・比率，食べ方（時間，食事回数），間食や飲酒などの変化
③運動量・身体活動量の変化

■主観的評価
①患者の満足度
②家族の患者に対する態度

補遺 Appendix　糖尿病性腎臓病

■概要
▶糖尿病性腎臓病（diabetic kidney disease：DKD）は，アルブミン尿が増加したんぱく尿が出現した後に腎機能が低下する典型的な糖尿病性腎症（p.366参照）と，アルブミン尿の増加がないにもかかわらず，糖尿病が腎機能低下に関与する非典型的な糖尿病関連腎疾患を含めた概念である．

▶糖尿病性腎症と糖尿病性腎臓病を厳密に区別することは現段階では困難である．

補遺 Appendix　高齢者糖尿病

■概要
▶高齢者の糖尿病には高齢者特有の問題点がある．
▶心身機能の個人差が著しいことや重症低血糖をきたしやすいことなどである．
▶これらの背景にともない，日本糖尿病学会と日本老年医学会の合同委員会では「高齢者糖尿病の血糖コントロール目標」を作成し，その基本的な考え方を示している．

■基本的な考え方
①血糖コントロール目標は患者の特徴や健康状態：年齢，認知機能，身体機能（基本的ADLや手段的ADL），併発疾患，重症低血糖のリスク，余命などを考慮して個別に設定すること．
②重症低血糖が危惧される場合は，目標下限値を設定し，より安全な治療を行うこと．
③高齢者ではこれらの目標値や目標下限値を参考にしながらも，患者中心の個別性を重視した治療を行う（図）．

患者の特徴・健康状態		カテゴリーⅠ ①認知機能正常 かつ ②ADL自立		カテゴリーⅡ ①軽度認知障害～軽度認知症 または ②手段的ADL低下，基本的ADL自立	カテゴリーⅢ ①中等度以上の認知症 または ②基本的ADL低下 または ③多くの併存疾患や機能障害
重症低血糖が危惧される薬剤（インスリン製剤，SU薬，グリニド薬など）の使用	なし	7.0%未満		7.0%未満	8.0%未満
	あり	65歳以上75歳未満 7.5%未満 （下限6.5%）	75歳以上 8.0%未満 （下限7.0%）	8.0%未満 （下限7.0%）	8.5%未満 （下限7.5%）

図　高齢者糖尿病の血糖コントロール目標（HbA1c値）

（日本糖尿病学会編・著：糖尿病治療ガイド2022-2023，文光堂，2022より）

補遺 Appendix　小児糖尿病

■概要
- わが国の小児1型糖尿病の発症率は，2005～2010年で人口10万当たり2.25人/年と，欧米諸国に比べ低い．
- わが国の小児2型糖尿病発症率は欧米に比べて高い．東京都予防医学協会の報告によると，小児・思春期2型糖尿病の87%が肥満を有していた．80%以上が肥満を有するが，約15%の症例は肥満度が20%未満の非肥満である．小児人口10万当たり2.58人/年と推定される．

■治療
- 小児1型糖尿病の治療は，健常人の生理的なインスリン分泌パターンに近くなるようにインスリンを補充する．
- 小児2型の治療は生活習慣（生活リズム）の修正を基本とし，コントロール不良の場合に薬物療法を行う．
- 小児1型で肥満をともなわない場合には，健康な小児と同等のエネルギーおよび栄養素（「日本人の食事摂取基準」を参考に，患児の病態・体位・活動量などで調整する）を摂取し正常な成長を促す．血糖はインスリンでコントロールする．
- 食事療法は，「日本人の食事摂取基準」を参考に成長に必要なエネルギー・栄養素を摂取する．肥満がある場合には，間食・ファストフードなど，過食を招きやすい食事がないかを見直し，若干のエネルギーの制限を行う．
- 1型糖尿病の患者と家族の心理的なサポートを行い，社会生活・学校生活が円滑に行くようサポートする．

（日本糖尿病学会・日本小児内分泌学会：小児・思春期糖尿病コンセンサス・ガイドライン2024，南江堂，2024をもとに作成）

補遺 Appendix　妊娠糖尿病

■概要
- 妊娠は，糖代謝，脂質代謝が変化するため，糖代謝異常を起こしやすい状態となる．
- 妊娠中に取り扱う「糖代謝異常」には，1)「妊娠糖尿病」，2)「妊娠中の明らかな糖尿病」，3)「糖尿病合併妊娠」の3つがある．
- 妊娠糖尿病（GDM：gestational diabetes mellitus）は，「妊娠中にはじめて発見または発症した糖尿病に至っていない糖代謝異常である」と定義され，妊娠中の明らかな糖尿病，糖尿病合併妊娠は含めない．

■診断
- GDMの診断基準は下記のとおりである．
  75g OGTTにおいて次の基準の1点以上を満たした場合に診断する．
  - ①空腹時血糖値≧92mg/dL
  - ②1時間値≧180mg/dL
  - ③2時間値≧153mg/dL

  ただし，臨床診断において糖尿病と診断されるものは除外する．
- 妊娠中の血糖コントロールは，朝食前血糖値95mg/dL未満，食後1時間値140mg/dL未満または食後2時間血糖値120mg/dL，HbA1c 6.0～6.5%未満（妊娠週数や低血糖のリスクを考慮し，個別に設定する）を目標とする．

■治療
- 妊娠中の薬物療法はインスリンを用いる．
- エネルギーは，標準体重(BMI 22)×30kcalを基本とし，健常妊婦の付加量(妊娠初期50kcal，中期250kcal，後期450kcal)を加える．肥満がある場合には，付加量を加えないことを基本とするが，妊婦の体重増加を観察し，胎児が順調に成長するよう適正な体重増加を配慮する．
- たんぱく質は，「日本人の食事摂取基準（2025年版）」の推奨量（妊娠中期5g，後期25gを付加），エネルギー比率は，脂質20～30%，炭水化物50～65%を目安に，病態に応じ調整する．
- 糖質制限は，ケトーシスのリスクがあるので勧められない．
- 食後血糖が高くなる場合，インスリン使用者で食前の血糖が低くなりやすい場合には4～6回の分割食を行うことで適切な血糖コントロールが期待できる．

11 脂質異常症

1 疾患の概要

▶**脂質異常症**とは，血液中の脂質のうち，**LDLコレステロール**（LDL-C, low density lipoprotein：低密度リポたんぱく），**中性脂肪**（トリグリセリド〈TG：triglyceride〉），**HDLコレステロール**（HDL-C, high density lipoprotein：高密度リポたんぱく）のうち，いずれか1つ以上が異常値を示す疾患である．

▶脂質異常症を診療する目的は，冠動脈疾患や脳血管障害などの**動脈硬化性疾患**の発症や進展を予防し，治療することにある．

2 病因

▶大部分の高LDL-C血症や，高TG血症，低HDL-C血症は，多様な**遺伝素因**と**食習慣**の欧米化や運動不足などを原因とし，発症する．

▶**高LDL-C血症**や**高TG血症**，**低HDL-C血症**は，カイロミクロン，VLDL（very low-density lipoprotein：超低密度リポたんぱく），IDL（intermediate density lipoprotein：中間密度リポたんぱく），レムナント，LDL，HDLなどのリポたんぱくの合成増加や異化低下など，リポたんぱく代謝の障害により発症する．

3 疫学

▶TGやコレステロールが高い，あるいは，これらの血清脂質濃度の境界域の者は，2,200万人と推定されている（平成12年厚生労働省循環器疾患基礎調査）．このうち家族性高コレステロール血症の頻度は5％，家族性複合型高脂血症の頻度は10％である．

▶国民健康・栄養調査によると，男性は30代から，女性は50代からほぼ2人に1人が脂質異常症であると推定されている．

4 症状

▶脂質異常症は，ほとんど自覚症状はない．しかし脂質異常の状態が続くと，血管壁に**プラーク**ができ，このプラークにより血管イベントが起こる．心臓での血管イベントは心筋梗塞や不安定狭心症，脳での血管イベントは脳梗塞，一過性脳虚血発作として発症する．

▶家族性高コレステロール血症，家族性複合型高脂血症，家族性Ⅲ型高脂血症は前述の血管イベントを発症しやすいことも知られる．

5 診断基準

▶診断基準値（**表Ⅴ-11-1**）はスクリーニングのための基準値で，将来，動脈硬化性疾患，とくに**冠動脈疾患**の発症を促進させる危険性の高い病的脂質レベルとして設定されている．診断のための採血は空腹時とするが，食後採血やTG 400 mg/dL以上のときには総コレステロール値からHDL-Cを減じたnon HDL-Cが用いられる．また，動脈硬化性疾患の病態を把握するために，危険因子の重症度を評価する．

▶脂質異常症は，体質・遺伝子異常に基づいて発症し，他の基礎疾患を否定できる原発性

MEMO

プラーク：血管内に起こる持続する炎症病変により血管内皮細胞が障害を受け，血管の壁の中に形成される粥状物をプラークという．プラークが壊れることにより，血栓が形成され梗塞などが起こると一説には考えられている．

冠動脈疾患：冠動脈疾患の危険因子はLDL-C値が第一にあげられ，これ以外の主要危険因子は，加齢（男性≧45歳，女性≧55歳），高血圧症，糖尿病（耐糖能異常を含む），喫煙，冠動脈疾患の家族歴，低HDL-C（＜40 mg/dL）である．

■表V-11-1 脂質異常症：診断基準

LDL-C	140 mg/dL 以上	高LDLコレステロール血症
	120〜139 mg/dL	境界域高LDLコレステロール血症[*2]
HDL-C	40 mg/dL 未満	低HDLコレステロール血症
TG	150 mg/dL 以上（空腹時採血）[*1]	高トリグリセライド血症
	175 mg/dL 以上（随時採血）[*1]	
non-HDL-C	170 mg/dL 以上	高non-HDLコレステロール血症
	150〜169 mg/dL	境界域高non-HDLコレステロール血症[*2]

[*1] 基本的に10時間以上の絶食を「空腹時」とする．ただし水やお茶などエネルギーのない水分の摂取は可とする．空腹時であることが確認できない場合を「随時」とする．
[*2] スクリーニングで境界域高LDL-C血症，境界域高non-HDL-C血症を示した場合は，高リスク病態がないか検討し，治療の必要性を考慮する．
- LDL-CはFriedewald式（TC − HDL-C − TG/5）で計算する（ただし空腹時採血の場合のみ）．または直接法で求める．
- TGが400 mg/dL以上や随時採血の場合はnon-HDL-C（= TC − HDL-C）かLDL-C直接法を使用する．ただしスクリーニングでnon-HDL-Cを用いる時は，高TG血症を伴わない場合はLDL-Cとの差が+30 mg/dLより小さくなる可能性を念頭においてリスクを評価する．
- TGの基準値は空腹時採血と随時採血により異なる．
- HDL-Cは単独では薬物介入の対象とはならない．

（日本動脈硬化学会：動脈硬化疾患予防ガイドライン2022年版，2022より）

■表V-11-2 脂質異常症のWHO表現型分類

表現型	I	IIa	IIb	III	IV	V
増加するリポたんぱく分画	カイロミクロン	LDL	VLDL LDL	VLDLレムナント（IDL）	VLDL	カイロミクロン VLDL
コレステロール	➡ または ↑	↑〜↑↑↑	↑〜↑↑	↑↑	➡ または ↑	↑
中性脂肪（TG）	↑↑↑	➡	↑↑	↑↑	↑↑	↑↑↑

（一次性）と，他の基礎疾患に基づいて生じる続発性（二次性）に分けられる．**続発性高脂血症**は，糖尿病・甲状腺機能低下症・**クッシング症候群**・先端巨大症・褐色細胞腫などの内分泌疾患，ネフローゼ症候群・慢性腎不全などの腎疾患，閉塞性黄疸・原発性胆汁性肝硬変・原発性肝癌などの肝疾患がある．また，ステロイド剤・経口避妊薬の使用時や，アルコール過飲によって発症することもある．
▶脂質異常症の病態は，リポたんぱくの増加状態により分類される（**WHO表現型分類**，**表V-11-2**）．I型はカイロミクロン，IIa型はLDL，IIb型はVLDLとLDL，III型はVLDLレムナント（IDL），IV型はVLDL，V型はカイロミクロンとVLDLが増加した病態である．

6 治療

▶原発性と続発性を鑑別診断し，後者は原疾患の治療をまず行う．原発性高脂血症は病態や遺伝子異常に基づき分類し，治療する．続発性は原因を治療，もしくは取り除くことにより改善する．原発性は個々の患者の危険因子を評価して，危険因子に応じた治療方針を決定する（**図V-11-1**）．

📝 MEMO

クッシング症候群：副腎皮質ホルモン，とくに糖質ホルモン分泌亢進により起こる疾患．病因は，下垂体性のもの，下垂体の機能亢進によるACTH亢進と副腎皮質のホルモン産生腫瘍によるものに分けられる．症状は，顔，体幹などに異常脂肪の沈着が認められ，無気力，高血圧症，骨粗鬆症を呈する．

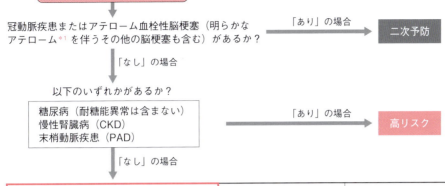

■図V-11-1　動脈硬化性疾患予防から見た脂質管理目標値設定のためのフローチャート

*1 頭蓋内外動脈に50％以上の狭窄，または弓部大動脈粥腫（最大肥厚4 mm以上）．
*2 久山町研究によるスコアは，①性別，②収縮期血圧，③糖代謝異常（糖尿病は含まない），④血清LDLコレステロール，⑤血清HDLコレステロール，⑥喫煙の6項目の危険因子のポイントを合計して算出する．詳細は原典を参照のこと．

注：家族性高コレステロール血症および家族性Ⅲ型高脂血症と診断された場合はこのチャートを用いずに原典の第4章「家族性高コレステロール血症」，第5章「原発性脂質異常症」の章をそれぞれ参照すること．

（日本動脈硬化学会：動脈硬化疾患予防ガイドライン，2022年版，2022より）

▶原発性で冠動脈疾患の既往のない症例では，第一に生活習慣の改善を行う．冠動脈疾患のある症例では，食事療法や運動療法とともに薬物治療を考慮する．生活習慣の改善を2～3カ月実施した後，血清脂質値が管理目標値に達しない場合は，個々の症例の有する危険因子を総合的に評価し，薬物治療適用の是非を考慮する．

▶薬物療法で用いられる薬剤は，肝臓のコレステロール合成を抑えLDL-Cを減らしHDL-Cを増やすHMG-CoA還元酵素阻害薬，脂肪細胞での脂肪の分解・肝臓での中性脂肪合成を抑えるフィブラート系薬剤，コレステロールの排泄を促し吸収を抑えるプロブコール薬などがあり，脂質異常症のタイプに応じて処方される．

▶そのほか，インスリン抵抗性，耐糖能異常（糖尿病および境界型），肥満や高血圧などの危険因子を取り除き，治療を進める．治療目標は，冠動脈疾患の罹病歴がなく危険因子ももたない者，冠動脈疾患の罹病歴はなく冠危険因子を有する者，冠動脈疾患既往の者により分けて，設定する．LDL-C以外の主要危険因子は加齢，高血圧，糖尿病（耐糖能異常を含む），喫煙，冠動脈疾患の家族歴，低HDL-C血症，動脈硬化性疾患既往歴（冠動脈疾患，

■表V-11-3　リスク区分別脂質管理目標値

治療方針の原則	管理区分	脂質管理目標値（mg/dL）			
		LDL-C	non HDL-C	TG	HDL-C
一次予防 まず生活習慣の改善を行った後，薬物治療の適応を考慮する	低リスク	<160	<190	<150（空腹時）[*3] <175（随時）	≧40
	中リスク	<140	<170		
	高リスク	<120 <100 [*1]	<150 <130 [*1]		
二次予防 生活習慣の是正とともに薬物治療を考慮する	冠動脈疾患またはアテローム血栓性脳梗塞（明らかなアテローム[*4]を伴うその他の脳梗塞を含む）の既往	<100 <70 [*2]	<130 <100 [*2]		

[*1] 糖尿病において，PAD，細小血管症（網膜症，腎症，神経障害）合併時，または喫煙ありの場合に考慮する．
[*2] 「急性冠症候群」，「家族性高コレステロール血症」，「糖尿病」，「冠動脈疾患とアテローム血栓性脳梗塞（明らかなアテロームを伴うその他の脳梗塞を含む）」の4病態のいずれかを合併する場合に考慮する．
[*3] 10時間以上の絶食を「空腹時」とする．ただし水やお茶などエネルギーのない水分の摂取は可とする．それ以外の条件を「随時」とする．
[*4] 頭蓋内外動脈の50％以上の狭窄，または弓部大動脈粥腫（最大肥厚4mm以上）．

（日本動脈硬化学会：動脈硬化疾患予防ガイドライン2022年版，2022より）

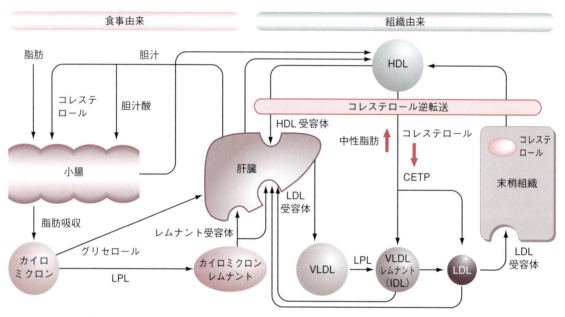

■図V-11-2　リポたんぱく代謝

脳血管疾患，末梢動脈硬化症）である．

▶治療の目標値（**表V-11-3**）は，LDL-Cは個々の患者の危険因子により設定し，TGは150 mg/dL未満（空腹時），HDL-Cは40 mg/dL以上とする．また，糖尿病（耐糖能異常）の患者，脳血管疾患や末梢動脈硬化症の既往がある者は，他の危険因子の数にかかわらず慎重な対応となる．

7　栄養生理

▶ヒトの体内の全コレステロールの貯蔵量は

アポたんぱく（→p.275）：特殊なたんぱく質で，リポたんぱく粒子の表層に分布し，そのたんぱくの種類（A-Ⅰ，A-Ⅱ，B-48，B-100，C-Ⅰ，C-Ⅱ，C-Ⅲ，E）により機能が異なる．アポA-Ⅰ，A-ⅡはHDL-Cの主要なアポたんぱくで，アポBはカイロミクロンとVLDLの産生と構造の維持に関与している．

75gと推定されている．コレステロールの1,200 mgが毎日ターンオーバーし，このうち300〜500 mgが食事から摂取され，約80％の700〜900 mgが肝臓で合成される．体内で代謝されたコレステロールは胆汁中のコレステロールや胆汁酸として腸に排泄され，98〜99％は再吸収され肝臓に戻る（図V-11-2）．

▶TGは腸から肝臓に輸送され，また摂取した炭水化物は過剰であると肝臓でTGに合成される．肝臓から血液中に放出されたTGは脂肪酸に分解されて，おもに心臓や心血管系などの筋肉のエネルギーとして使用され，余剰のものは皮下や腸間膜の脂肪細胞に蓄積され，エネルギーの不足下で動員される．

▶コレステロールや脂質は，**アポたんぱく**と複合体を形成することにより可溶性となり，血液中に存在することができる．**リポたんぱく**には，カイロミクロン，VLDL，LDL，レムナントなどがある．**カイロミクロン**は，食事からの脂質が腸管で吸収された後に小腸で合成されリンパ管から血液に入り，肝臓に運ばれる．**VLDL**は，食事中の脂質と炭水化物から肝臓で合成され血液中に分泌され，急速に代謝されIDL（VLDLの中性脂肪が分解されLDLに変わる中間のリポたんぱく），さらにはコレステロールが豊富なLDLに変化する．このように，LDLはコレステロールを身体の各組織へ配送（転送）し，末梢組織から肝臓へのコレステロールの転送（逆転送）はHDLによりなされる．LDLは過剰になると血管の内膜に蓄積・酸化し，脂質異常の状態が続くと，血管イベントが起こる．

▶摂取エネルギーの制限下では，肝臓でのVLDLの合成亢進が抑制され，コレステロールの生合成も抑制される．また，摂取コレステロールの制限は，肝臓のコレステロール合成を抑制し，LDLレセプター活性を亢進させ，LDLを減少させる．

▶血液中のカイロミクロンは吸収された長鎖脂肪酸の量に比例し，摂取量が多ければ血中濃度は高まる．脂肪酸組成のうち**飽和脂肪酸**（SFA）は血清コレステロールやTGを上昇させ，**多価不飽和脂肪酸**（PUFA）はこれを低下させる．n-3系PUFAは，HDLを低下させずにLDLの低下とVLDLの分泌を減少させ，TGの転送を下げ，VLDLのクリアランスを亢進する．

▶**一価不飽和脂肪酸**（MUFA）はHDLの低下を起こさず，LDLを低下させる．また，**トランス不飽和脂肪酸**はSFAと同じ程度にLDLを増加し，HDLを下げるだけでなく，血管内皮機能の障害やインスリン抵抗性を惹起させる．トランス脂肪酸の摂取を控え，冠動脈疾患を予防する．

▶**水溶性の食物繊維**は，胆汁酸の吸収を抑制し，LDL受容体活性を増加させLDLを低下する．さらに，腸内での糖・脂質の消化酵素の活性を阻害し食後の吸収を抑制し，インスリン抵抗性を改善する．

▶ビタミンC，E，B_6，B_{12}，葉酸，ポリフェノールは，LDLの**酸化修飾**を防止する．

▶血清TG値の増加は糖質の摂取過剰により起こり，糖質のうちでも体内への吸収が速いグルコース，ショ糖，乳糖，マルトースはVLDL合成作用が強い．また，アルコールの過剰摂取は，肝臓でVLDLの合成を高め，LPL活性を阻害し，血清TGの上昇とHDLの低下を招く．

▶代謝状態は，脂肪の酸化に影響し，絶食や

📝 MEMO

リポたんぱく：コレステロールや中性脂肪は水に溶けない．そのため，表面を親水性のアポたんぱくとリン脂質，中間層をリン脂質および非エステル型コレステロールの脂肪酸鎖，中心核に疎水性のコレステロールや中性脂肪という複合体構造にして，血液中に存在している．この複合体をリポたんぱくという．

酸化修飾：生体内で酸化ストレスを受け変化することで，LDLは酸化修飾により酸化LDLとなり，血管内皮細胞傷害，泡沫細胞形成など動脈硬化の広範囲な過程にかかわる．

長時間の運動下では脂質の分解と酸化を増加する．1日の摂取エネルギーが同じ場合，食事回数を増やすとコレステロール合成速度は低下する．

8 栄養食事療法

1—基本方針

①インスリン抵抗性の改善に，摂取エネルギー量を適正量まで制限する．
②血清コレステロール濃度の抑制に，食事性コレステロールを制限し，SFAは制限し，PUFA・MUFAの相対的増量を勧める．
③肝臓でのVLDL合成の抑制に，エイコサペンタエン酸，ドコサヘキサエン酸の相対的増量を勧める．
④胆汁酸の排泄促進・吸収抑制に，水溶性食物繊維の増量摂取を勧める．
⑤肝臓でのVLDL合成作用の抑制に，単糖類や二糖類の摂取を制限する．
⑥肝臓でのVLDL合成作用の抑制とHDLの低下の阻止に，アルコールの摂取を制限あるいは禁止する．
⑦血液中のカイロミクロン濃度の抑制に，高カイロミクロン血症では，脂質を1日30g以下に制限する．
⑧LDLの酸化修飾の防止に，抗酸化物質は積極的に摂取する．

2—栄養アセスメント

▶治療の目的は，動脈硬化性血管障害の発症を予防することにあり，脂質異常症以外の冠動脈疾患の危険因子も評価する．

■アセスメント・モニタリングの項目
①冠動脈疾患の家族歴，年齢，喫煙歴を問診する．
②食生活状況，栄養摂取量を問診する．
③身長，体重，皮下脂肪厚，内臓脂肪蓄積面積を測定し，肥満，体脂肪分布を評価する．
④血圧，血糖値，HbA1c値を測定し，評価する．
⑤血液・生化学検査は，血清脂質値，血清リポたんぱく分画を測定し，脂質異常を評価する．

■アセスメント・モニタリングのポイント
①LDL-Cは，フリードワルド（Friedewald）の式で求められるが，この式はTG 400mg/dL未満での適応となる．
②LDL-C，総コレステロールは随時の採血による測定で評価できる．
③TG値は，12時間以上の空腹時の採血による測定で評価する．
④non HDL-Cは，TGが400mg/dL以上および食後採血の場合に用いる．non HDL-Cは，総コレステロールからHDL-C値を減じ求める．高TG血症の場合にLDL-Cの管理目標値を達した後の二次目標である．
⑤栄養食事療法による効果は，LDL-C，総コレステロールは2カ月以上の厳守により，TGは1週間程度で現れる．
⑥血清脂質値は体重の変化とともに変動することが多いので，体重の計測は必須である．
⑦治療目標とする血清脂質値は，冠動脈疾患の危険因子の数により異なるので，危険因子である加齢（男性45歳以上，女性55歳以上），高血圧症，糖尿病，喫煙，冠動脈疾患の家族歴，低HDL-C血症の病態を評価する．
⑧血清脂質値に影響をもたらす摂取栄養素成分の種類とその量，1日の食事回数と食事

フリードワルド（Friedewald）の式：LDL-C値の推定式で，LDL-C＝TC－HDL-C－TG/5で計算する．この推定式の適応はTG 400mg/dL未満の場合であり，適応の除外はカイロミクロンの存在，Ⅲ型の高脂血症（高リポたんぱく血症）となる．

■表V-11-4 栄養成分基準例

段階・病型	エネルギー(kcal)	たんぱく質(g)	脂質(g)	コレステロール(mg)	炭水化物(g)	食物繊維(g)	食塩(g)
動脈硬化性疾患予防	1,800	75～85	40～50	200未満	230～270	25以上	6未満
高LDL-C血症	1,800	75～85	40以下	200未満	250～300	25以上	6未満
高TG血症	1,800	75～85	40～50	200未満	230～270	25以上	6未満
高CM血症	1,800	75～85	30以下	200未満	300～315	25以上	6未満

*高CM血症で短鎖脂肪酸やステアリン酸を用いる場合は、脂質量50g/日を可とする.

時刻などの食事摂取状況を評価する.

3 ─ 栄養食事管理と管理目標

▶総摂取エネルギーの適正化を基本とし，標準体重までの体重の是正を図る．摂取エネルギー量が過剰であれば，コレステロールの合成が亢進するので摂取エネルギー量の適正化は重要となる．脂質エネルギー比率，コレステロール量，炭水化物エネルギー比率，食物繊維，食塩，アルコールなどの摂取量に準拠し，栄養食事療法にあたる．

a 栄養素処方 （表V-11-4）

■ 動脈硬化性疾患予防のための食事

① エネルギー：25～30 kcal/kg・IBW/日（エネルギー摂取量と身体活動量を考慮して標準体重〔身長$(m^2) \times 22$〕を維持する）
② 炭水化物：50～60%
③ たんぱく質：15～20%（獣鳥肉より魚肉，大豆たんぱくを多くする）
④ 脂質：20～25%，飽和脂肪酸を4.5%以上7%未満，n-3系多価不飽和脂肪酸の摂取を増やす．
⑤ 食物繊維：25g以上
⑥ アルコール：25g以下（他の合併症を考慮する）
⑦ ビタミン：C，E，B_6，B_{12}，葉酸などを増やす.
⑧ コレステロール：200mg未満
⑨ 食塩：6g/日未満

■ 危険因子を改善する食事

① 高LDL-C血症：飽和脂肪酸エネルギー比率7%未満とし，飽和脂肪酸，コレステロール，トランス不飽和脂肪酸の摂取を減らす．LDL-C低下作用を有する水溶性食物繊維，植物ステロールの摂取を増やす．
② 高TG血症：糖質を多く含む菓子類，飲料，穀類の摂取を減らす．アルコールの摂取量を控える．
③ 高カイロミクロン（CM：chylomicron）血症：脂質由来のエネルギーを15%以下にする．
④ 低HDL-C血症：TGに異常がなければ適量の飲酒は許容する．トランス不飽和脂肪酸，n-6系多価不飽和脂肪酸の過剰摂取を制限する．
⑤ メタボリックシンドローム：総摂取エネルギー量の制限と炭水化物エネルギー比率の食事を基本とする．
⑥ 高血圧症：食塩制限を強化し，野菜・果物を多く摂取する．過度のアルコール摂取は制限する．
⑦ 糖尿病：2型糖尿病では，肥満を改善し，摂取エネルギー量を朝・昼・夕の3食に均

📝MEMO
薬物代謝酵素チトクローム（→p.278）：薬物の代謝酵素の代表的なものがチトクロームP450（CYP）である．おもに肝ミクロソームに存在する酵素で，約80％の薬物の代謝に関与している．飲食物のなかにはCYPなどの薬物代謝酵素を阻害，誘導するものがあり，治療効果に影響を及ぼすので注意する．たとえば，アルコールによりCYPは誘導される．

等に配分し高血糖を是正する．1型糖尿病では適正体重を維持する摂取エネルギー量と栄養素バランスをとる．

b 食品・料理・献立の調整

■ 食品

● 推奨される食品

①一価不飽和脂肪酸の相対的増量に，オリーブ油，綿実油，とうもろこし油，ごま油，菜種油など．

②n-3系多価不飽和脂肪酸の相対的増量に，えごま油，なたね油，魚油あるいは青背の魚など．

③ビタミンE，ビタミンC，カロチンやポリフェノールの補給に，ブロッコリー・にんじん・いんげんまめ・トマト・緑茶など．

④食物繊維の補給に，玄米・胚芽米やライ麦パン・全粒粉パンなどの穀類，しいたけ・えのきたけ・しめじなどのきのこ類，こんぶ・わかめ・ひじきなどの海藻類，ごぼう・切干しだいこん・たけのこ・なばな・しゅんぎくなどの野菜類，いも類など．

⑤イソフラボン，サポニン，ビタミンE，食物繊維の補給に，大豆および大豆製品．

● 避けたほうがよい食品

①コレステロールの含有量が200 mg以上の食品

②魚類の内臓・卵

③飽和脂肪酸の多い食品

④トランス不飽和脂肪酸の多い食品

⑤高TG血症：アルコール飲料，清涼飲料，和菓子・洋菓子，果物類など

⑥高カイロミクロン血症：脂質含有量の多い食品

● 注意する食品

①薬物療法でワルファリンを投与されている場合は，ビタミンKを含有する納豆，クロレラ，ほうれんそう，ブロッコリーなどを制限する．

②薬物代謝酵素チトクロームP450（CYP）3A4で代謝されている薬剤が投与されている場合は，グレープフルーツを制限する．

■ 献立

①食事回数は1日3回以上にする．

②1日の摂取エネルギーの約半分は穀類にする．

③肉類より魚・大豆製品などを主菜とした献立とする．

④コレステロールを多く含有する食品を控えた献立とする．

⑤毎食，野菜・海藻・きのこなどの食品の料理を献立に取り入れる．

⑥精製度の低い穀物を主食に取り入れる．

⑦抗酸化成分を含有する食品を積極的に献立に取り入れる．

c 栄養指導

■ 指導のポイント

①脂質異常症の治療の必要性を説明する．

②治療の基本が食事療法と運動療法であることを説明する．

③食事療法の効果が上がる一定期間の実施が必要である．

④治療目標値あるいは治療効果を設定する．

⑤患者の栄養に関する一般的な知識の程度，外来受診の動機，食事療法に対する態度，食事療法を妨げる要因を評価する．

⑥食生活状況（栄養食事療法に関連した）を主とした栄養評価を行い，問題点を抽出する．

精製度の低い穀物：（→p.370参照）

⑦摂取エネルギー量を制限し，肥満の場合は体重の5％減量を目標とし，体重減少は段階的に行う．
⑧飽和脂肪酸の制限，あるいは飽和脂肪酸を多価不飽和脂肪酸に置き換える．
⑨コレステロール含有量の多い食品は極力避ける．
⑩胆汁酸の排泄を促進する水溶性の食物繊維の積極的摂取を勧める．
⑪たんぱく質は，肉類より魚や大豆たんぱくなどの摂取によりLDL-Cを低下させる．また，大豆・大豆製品の主たる成分であるイソフラボンの摂取が冠動脈疾患や脳梗塞の発症抑制と関連することから，肉類に替え大豆・大豆製品の食品を摂取する．
⑫VLDLが増加する糖質の過剰摂取，とくに単純糖質の砂糖や果糖の過剰摂取を避ける．
⑬飲酒者には，アルコールの摂取を制限する．
⑭喫煙者には禁煙を勧める．
⑮動脈硬化の促進の阻止に，食塩を適正量までに是正する．
⑯セルフコントロールを目的に体重，食事内容などのモニタリングを勧める．
⑰指導は，初診，2週間後，1カ月後，以後は随時行う．
⑱食事療法は2～3カ月間継続する．継続させるには指導方法が重要なポイントとなる．
⑲食事療法の維持継続は，治療への理解と動機づけが鍵となる．また，成功事例などのエビデンスの提示と精神的ケアにより支援していくことが大切である．
⑳食事療法の継続のためには，次回受診までの目標を設定し，受診時にその評価を行う．目標には，体重，血清脂質値などを用いる．

4─栄養食事療法の効果・判定

①食事療法の効果は，2～3カ月厳守後に確認する．
②食事療法により，LDL-Cは15％低下，TGは20～25％低下する．
③脂質異常症と診断されてから早期の患者は，食事療法の効果が上がりやすい．
④飽和脂肪酸の制限による効果は，血清LDL-Cが高い症例ほど大きいので，ガイドラインよりも飽和脂肪酸の制限を厳しくする．
⑤肥満者の減量の程度が血清脂質の改善に影響する．
⑥食事性のコレステロール制限に対して，**レスポンダー，ノンレスポンダー**が存在する．
⑦家族性高コレステロール血症など，食事療法のみでは十分な血清脂質の是正が得られない患者もいる．

MEMO

レスポンダー，ノンレスポンダー：反応がある，反応がないことの意である．同一の食品を摂取しても生体反応は異なる場合がある．たとえば血清LDL-C 180 mg/dLの症例と血清LDL-C 130 mg/dLの症例が鶏卵を摂取し，その後，前者の血清LDL-Cはさらに上昇し，後者の血清LDL-Cが不変の場合では，前者はレスポンダー，後者はノンレスポンダーとなる．

12 肥満症

1 疾患の概要

▶肥満とは，体内の脂肪組織に脂肪（中性脂肪）が過剰に蓄積した状態をさす．

▶肥満の判定には，体重(kg)/身長(m)^{2}で算出される **BMI**（body mass index）が国際的に汎用されており，WHOでは表V-12-1に示すように，BMI ≧ 30 kg/m^2 を肥満（obese）と判定しているが，日本肥満学会ではBMI ≧ 25 kg/m^2 を肥満，BMI ≧ 35 kg/m^2 を高度肥満としている．

▶肥満症は，肥満に起因ないしは関連して発症する健康障害をともなうか，臨床的にその発症が予測され，医学的に減量を必要とする病態と定義されている．

2 病因

▶肥満には，明確な原因がなく過食や生活習慣が関与し，肥満者の大部分を占める**原発性肥満**と，ホルモンの作用や分泌の異常，特定の疾患によって肥満を生じる**二次性肥満**がある．

■表V-12-1 肥満度分類

BMI (kg/m^2)	判定		WHO基準
< 18.5	低体重		Underweight
18.5 ≦ ~ < 25	普通体重		Normal range
25 ≦ ~ < 30	肥満（1度）		Pre-obese
30 ≦ ~ < 35	肥満（2度）		Obese class I
35 ≦ ~ < 40	高度肥満	肥満（3度）	Obese class II
40 ≦		肥満（4度）	Obese class III

（日本肥満学会：肥満症診療ガイドライン2022, p.2, 表1-3, 2022より）

📝MEMO
ストレス誘導過食：ストレスが引き金になって過食することをストレス誘導過食という．空腹を満たすためだけではなく，精神の安定や心地よさを求めて，もしくは何かから逃避するなどのために食べる例で，ストレスが強くなるほど，これらの行動をとりやすくなる．

▶二次性肥満には，内分泌性肥満，薬剤性肥満，遺伝性肥満，視床下部性肥満がある．

▶原発性肥満の成因には，生活習慣や生活環境が大きくかかわる．運動不足や不規則な生活習慣を背景に，身体活動による消費エネルギーよりも過食による摂取エネルギー過多により体重増加をきたす．精神的ストレスに誘導された早食いや**過食** ，多量飲酒によるエネルギー摂取過剰，重度の喫煙，睡眠不足などの生活環境要因により体重増加をきたす．

▶また，摂食を促進するグレリンは，毎回の食事摂取に対応して胃から分泌され，脂肪細胞から分泌される食欲抑制物質の**レプチン** は，その欠損やレプチン受容体活性化の抑制によるレプチン抵抗性などが食欲調節に関係し肥満の成因となる．

▶女性の妊娠や閉経をきっかけに性ホルモンが体組成に影響を与える．胎児期の栄養状態や低出生体重とその児の将来の肥満との関連が，疫学研究により報告されている．

3 疫学

▶令和元年国民健康・栄養調査による肥満者（BMI ≧ 25 kg/m^2）の割合は，男性は20歳代23.1％，30歳代29.4％であり，40歳代と50歳代は実に4割近く（39.7％，39.2％）を肥満者が占める．女性は60歳代28.1％，70歳以上26.4％であり，男性と女性で肥満者の多い年代が異なっている．また，男性のBMI ≧ 30 kg/m^2 は，平成28年国民健康・栄養調査と比較して，40歳代7.9％から11.2％，

レプチン：脂肪細胞から分泌されるホルモンで，視床下部に作用して食欲と体重を調整する働きをしている．通常，細胞の表面にあるレプチン受容体に結合して作用するが，肥満ではレプチン抵抗性となって食欲抑制ができなくなる．

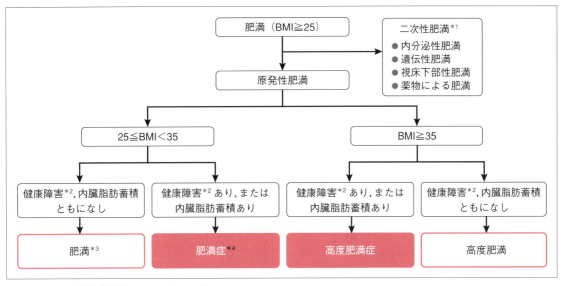

■ 図V-12-1 肥満症診断のフローチャート

*1 常に念頭において診療する．詳細は「肥満症診療ガイドライン2022」のp.14「二次性肥満の判定と評価」参照のこと．*2 表V-12-2の1に相当．
*3 BMI≧25 kg/m² の肥満のうち，高度ではない肥満．*4 BMI≧25 kg/m² の肥満のうち，高度ではない肥満症．

(日本肥満学会：肥満症診療ガイドライン2022, p.2, 図1-1, 2022より)

50歳代5.3％から9.8％に漸増している．
▶わが国の30歳以上の成人15万人を対象にした研究結果では，BMIが25～28 kg/m² の肥満者でも，2型糖尿病，脂質代謝異常，高血圧などの生活習慣病を発症する危険率は普通体重の2倍になることが報告されている．

4 症 状

▶肥満そのものに特別な自覚症状はない．
▶しかし，肥満症では肥満に起因ないしは関連して発症する健康障害に対応した自覚症状がみられる．

5 診断基準

▶肥満（BMI≧25 kg/m²）と診断された者のうち，①，②のいずれかの条件を満たす場合が肥満症である．また，高度肥満（BMI≧35 kg/m²）で①，②のいずれかの場合は，高度肥満症である（図V-12-1）．

①表V-12-2に示す肥満に起因ないし関連する健康障害がある場合か，健康障害の合併が予測される場合で減量を必要とする場合．
②ウエスト周囲長によるスクリーニングで内臓脂肪蓄積を疑われ，腹部CT検査によって確定診断された内臓脂肪型肥満は，高リスク肥満とされる．

▶高度肥満症では，睡眠時呼吸障害が多くみられる．
▶内臓脂肪の蓄積（内臓脂肪面積≧100 cm²）に，インスリン抵抗性を基盤とした脂質異常，高血圧，高血糖など動脈硬化性疾患の危険因子が増大した状態をメタボリックシンドロームという．メタボリックシンドロームの診断基準を表V-12-3に示す．

表V-12-2　肥満に起因ないし関連する健康障害

1．肥満症の診断基準に必要な健康障害
1) 耐糖能障害（2型糖尿病・耐糖能異常など）
2) 脂質異常症
3) 高血圧
4) 高尿酸血症・痛風
5) 冠動脈疾患
6) 脳梗塞・一過性脳虚血発作
7) 非アルコール性脂肪性肝疾患
8) 月経異常・女性不妊
9) 閉塞性睡眠時無呼吸症候群, 肥満低換気症候群
10) 運動器疾患（変形性関節症：膝関節・股関節・手指関節, 変形性脊椎症）
11) 肥満関連腎臓病
2．肥満症の診断には含めないが，肥満に関連する健康障害
1) 悪性疾患：大腸がん・食道がん（腺がん）・子宮体がん・膵臓がん・腎臓がん・乳がん・肝臓がん
2) 胆石症
3) 静脈血栓症・肺塞栓症
4) 気管支喘息
5) 皮膚疾患：黒色表皮腫や摩擦疹など
6) 男性不妊
7) 胃食道逆流症
8) 精神疾患

（日本肥満学会編：肥満症診療ガイドライン2022, p.1, 表1-2, 2022より）

■表V-12-3　メタボリックシンドロームの診断基準

下記のA項目に，B〜Dのうち2項目以上を満たす場合	
A. 腹腔内脂肪蓄積	ウエスト周囲長 男性≧85 cm, 女性≧90 cm
B. 脂質	中性脂肪（TG）≧150 mg/dL かつ／または HDLコレステロール＜40 mg/dL
C. 血圧	収縮期血圧≧130 mmHg かつ／または 拡張期血圧≧85 mmHg
D. 空腹時血糖	空腹時血糖値≧110 mg/dL

・CTスキャンなどで内臓脂肪量測定を行うことが望ましい．
・ウエスト周囲長は立位，軽呼気時，臍レベルで測定する．脂肪蓄積が著明で臍が下方に偏位している場合は，肋骨下縁と前上腸骨棘の中点の高さで測定する．
・メタボリックシンドロームと診断された場合，糖負荷試験がすすめられるが，診断には必須ではない．
・高TG血症，低HDLコレステロール血症，高血圧，糖尿病に対する薬物治療を受けている場合は，それぞれの項目に含める．

（メタボリックシンドローム診断基準検討委員会：メタボリックシンドロームの定義と診断基準，日本内科学会雑誌94，2005より）

治療

▶肥満症の治療法には，食事療法，運動療法，行動療法，薬物療法，外科療法があるが，食事療法と運動療法に行動療法を取り入れた生活指導が基本になる．肥満症治療指針を図V-12-2に示す．

■運動療法

▶運動療法を行う前に，必ずメディカルチェックを行い，膝・関節などの障害の有無，冠動脈疾患などの虚血性変化の有無をチェックして，運動療法を開始する．

▶運動により分解された脂肪組織の中性脂肪は，酸素を使って代謝される．そのため有酸素運動が奨励されるが，筋力の低下した高齢者では，レジスタンス（筋力）トレーニングも併用することで減量中の骨格筋量の減少を抑制できる．

▶運動種目としては，散歩，ジョギング，ラ

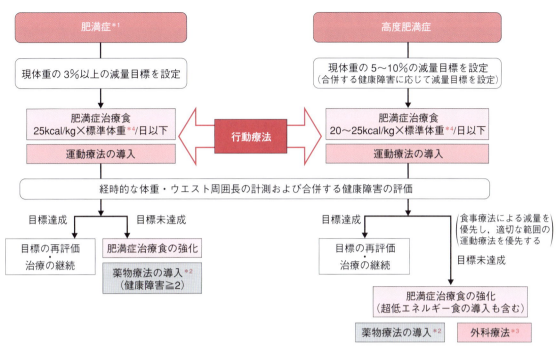

■ 図V-12-2　肥満症治療指針（日本肥満学会：肥満症診療ガイドライン2022, p.3, 図3, 2022より）
3〜6カ月を目安に各治療成果を評価.
*1 高度肥満症でない場合.
*2 薬物療法の実施にあたっては，添付文書上の用法をふまえ，作用機構や有効性，安全性などを総合的に判断したうえで決定される必要がある.
*3 BMI＜35であっても，合併する健康障害の種類や程度によっては外科療法が適切な場合がある.
*4 BMI 22×（身長［m］^{2}）となる体重を標準体重とし，年齢などを考慮して目標体重を設定する.

ジオ体操，自転車，水泳などの全身の筋肉を用いる有酸素運動が適しており，運動強度は，運動しながら会話ができる程度（最大運動強度の50％程度）が目安である.
▶1回の運動時間は10〜30分で最大60分まで，週に3〜5日行うことを目標にする（**表V-12-4**）. BMI≧35 kg/m^{2}の高度肥満症では，運動を実践することが困難な場合が多い. この場合，食事療法のみで減量支援を行うこととなる.

■ **薬物療法**
▶薬物療法は食事療法，運動療法，行動療法からなる生活習慣の改善を約3〜6カ月間実施し，1カ月当たり0.5〜1.0 kgの減量ができずにリバウンドを繰り返す場合や早急に減量が必要な肥満症例に薬物療法の併用を検討する.
▶適応基準は，BMI≧25 kg/m^{2}で，内臓脂肪面積≧100 cm^2，かつ**表V-12-2**に示す1.の健康障害を2つ以上有する場合，またはBMI≧35 kg/m^{2}で**表V-12-2**に示す1.の健康障害を1つ以上有する肥満症である.
▶肥満症に糖尿病を合併している場合は，GLP-1受容体作動薬や体重減少効果を示すほかの糖尿病治療薬が使用できる. 糖尿病の有無にかかわらず肥満度が70％以上あるいはBMI 35 kg/m^{2}以上の高度肥満症に対しては，マジンドール（商品名：サノレックス®

■表V-12-4　健康づくりのための身体活動基準2013

血糖・血圧・脂質に関する状況		身体活動 （生活活動・運動）*1		運動		体力 （うち全身持久力）
健診結果が基準範囲内	65歳以上	強度を問わず，身体活動を毎日40分 （＝10メッツ・時/週）	今より少しでも増やす （例えば10分多く歩く）*4	—	運動習慣をもつようにする （30分以上・週2日以上）*4	—
	18〜64歳	3メッツ以上の強度の身体活動*2を毎日60分 （＝23メッツ・時/週）		3メッツ以上の強度の運動*3を毎週60分 （＝4メッツ・時/週）		性・年代別に示した強度での運動を約3分間継続可能
	18歳未満	—		—		—
血糖・血圧・脂質のいずれかが保健指導レベルの者		医療機関にかかっておらず，「身体活動のリスクに関するスクリーニングシート」でリスクがないことを確認できれば，対象者が運動開始前・実施中に自ら体調確認ができるよう支援したうえで，保健指導の一環としての運動指導を積極的に行う．				
リスク重複者またはすぐ受診を要する者		生活習慣病患者が積極的に運動をする際には，安全面での配慮がよりとくに重要になるので，まずかかりつけの医師に相談する．				

*1「身体活動」は，「生活活動」と「運動」に分けられる．このうち，生活活動とは，日常生活における労働，家事，通勤・通学などの身体活動を指す．また，運動とは，スポーツなどの，とくに体力の維持・向上を目的として計画的・意図的に実施し，継続性のある身体活動を指す．
*2「3メッツ以上の強度の身体活動」とは，歩行またはそれと同等以上の身体活動．
*3「3メッツ以上の強度の運動」とは，息が弾み汗をかく程度の運動．
*4 年齢別の基準とは別に，世代共通の方向性として示したもの．

（健康づくりのための身体活動基準2013，2013より）

■表V-12-5　抗肥満薬の種類

分類	一般名	効果
食欲抑制薬	フェンフルラミン	中枢神経系の食欲に関係するセロトニン系に働きかけて，食欲を抑制する．
	フルオキセチン	
	マジンドール*	満腹中枢を刺激して食欲を抑制しエネルギー消費を亢進させる．
消化吸収阻害薬	アカルボース	二糖類から単糖類へ分解する酵素（α-グルコシダーゼ）の働きを阻害し，糖質の吸収を抑制する．
	ボグリボース	
	リパーゼインヒビター	摂取した脂質の小腸での分解を抑制し，摂取エネルギーの減少を図る．

*現在日本ではマジンドール（商品名：サノレックス®錠）が唯一，肥満症治療薬として承認されているが，肥満度が70％以上あるいはBMI≧35kg/m²の高度肥満症に対して，投薬期間3カ月以内に限って使用が認められている．中枢作動性の抗肥満薬で，直接視床下部の食欲調節中枢に作用し空腹感を抑え，同時に満腹感を亢進させる．

錠）がわが国で唯一，肥満症治療薬として適用できる（表V-12-5）．
▶薬物療法を行う場合でも，食事療法や運動療法を継続していくことが大切である．

■行動療法
▶食事療法，運動療法は行動療法を併用して，その効果をあげることが基本である．
▶日常生活の中のどのような行動が肥満の助長・改善と結びついているのかを明らかにし，そこに働きかけるのが行動療法である．
▶行動療法には，表V-12-6に示すようにセルフモニタリング，ストレス管理，先行刺激のコントロール，問題行動の抽出と解決，修復行動の報酬による強化，認知の再構築，社会的サポートの7つの要点がある．
▶肥満症の発症因子あるいは治療の阻害因子となっている問題行動を，問診や体重・食事の自己記録によって抽出することから始まる．

■表Ⅴ-12-6　行動療法の7つの要点

セルフモニタリング	体重，食事や運動の内容と量，日常の生活行動を自分で観察して記録することである．記録することにより，自己の問題点を整理でき，自己評価をして望ましい行動のための工夫を考えるようになることが期待できる
ストレス管理	ストレスの有無やストレスの内容を把握し，ストレスが生じたときにどのように反応し，対処しているかを本人が気づき，自覚を促したあとに，ストレスの解消法を患者に工夫させる
先行刺激のコントロール	望ましい行動を起こしやすくするように環境を整える工夫をする（先行刺激のコントロール）
問題行動の抽出と解決	減量にとってもっとも効果があると考えられる問題行動を取り上げて，患者自身が自覚し，実施できる範囲の解決策を工夫する．効果が期待できて実行可能な目標を設定する
修復行動の報酬による強化	望ましい行動を増やすために，望ましい行動の直後に，報酬を与えて患者の治療意欲を高める
認知の再構築	望ましくない考え（不都合な認知）などを変えるために，患者自身に気づかせ，望ましい現実的な考えを具体的に表す練習をする
社会的サポート	減量のために，ぜひとも修復しておかなくてはならない行動を患者が自覚し，その行動を実施しようとするときには，社会的サポートが重要である．家族，友人，職場の同僚などがそのことを理解し，励ましてくれることは大きな効果を発揮する

（日本肥満学会：肥満症治療ガイドライン2006，肥満研究12，2006より）

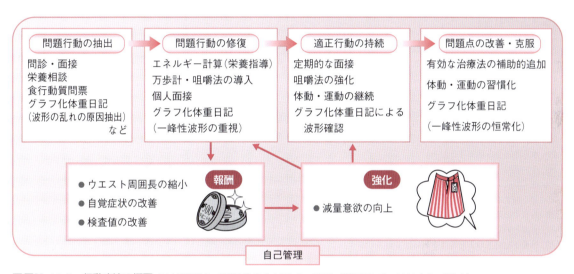

■図Ⅴ-12-3　行動療法の概要（日本肥満学会：肥満症治療ガイドライン2006，肥満研究12，2006より一部改変）

▶肥満症患者には特有の食行動の「ずれ」と「くせ」が存在する．病歴聴取や食行動質問票，グラフ化体重日記などを用いて，できるだけ多くの情報をつかむことが重要である．

▶つぎに，問題行動の修復（ストレスへの対処や過食を誘発する刺激の回避など）を図る．

▶さらに適正行動を持続し，それによって肥満者自身が問題点を改善・克服することが重要である．

▶問題行動の修復，適正行動の継続には強い動機が必要であり，この動機水準を向上・強化・維持していくためには体重減少や臨床データの改善，周囲からの支援など，一定の結果・報酬が重要な意味をもつ．行動療法の概要は図Ⅴ-12-3に示すとおりである．また，行動療法の具体的な手法として，食行動質問票（表Ⅴ-12-7）やグラフ化体重日記などがある．

■表V-12-7 食行動質問表

氏名(　　　　　　　　)　年齢(　　　)　性別(男・女)
身長(　　　　cm)　体重(　　　kg)
次に示す番号で以下の問いにお答え下さい
(1. そんなことはない　2. ときどきそういうことがある　3. そういう傾向がある　4. まったくそのとおり)

1. 早食いである　(　)	30. ハンバーガーなどのファストフードをよく利用する　(　)
2. 肥るのは甘いものが好きだからだと思う　(　)	31. 何もしていないとついものを食べてしまう　(　)
3. コンビニをよく利用する　(　)	32. たくさん食べてしまった後で後悔する　(　)
4. 夜食をとることが多い　(　)	33. 食料品を買うときには,必要量よりも多めに買っておかないと気がすまない　(　)
5. 冷蔵庫に食べ物が少ないと落ち着かない　(　)	34. 果物やお菓子が目の前にあるとつい手が出てしまう　(　)
6. 食べてすぐ横になるのが肥る原因だと思う　(　)	35. 1日の食事中,夕食が豪華で量も多い　(　)
7. 宴会・飲み会が多い　(　)	36. 肥るのは運動不足のせいだ　(　)
8. 人から「よく食べるね」といわれる　(　)	37. 夕食をとるのが遅い　(　)
9. 空腹になるとイライラする　(　)	38. 料理を作る時には,多めに作らないと気がすまない　(　)
10. 風邪をひいてもよく食べる　(　)	39. 空腹を感じると眠れない　(　)
11. スナック菓子をよく食べる　(　)	40. 菓子パンをよく食べる　(　)
12. 料理があまるともったいないので食べてしまう　(　)	41. 口一杯詰め込むように食べる　(　)
13. 食後でも好きなものなら入る　(　)	42. 他人よりも肥りやすい体質だと思う　(　)
14. 濃い味好みである　(　)	43. 油っこいものが好きである　(　)
15. お腹一杯食べないと満腹感を感じない　(　)	44. スーパーなどでおいしそうなものがあると予定外でもつい買ってしまう　(　)
16. イライラしたり心配事があるとつい食べてしまう　(　)	45. 食後すぐでも次の食事のことが気になる　(　)
17. 夕食の品数が少ないと不満である　(　)	46. ビールをよく飲む　(　)
18. 朝が弱い夜型人間である　(　)	47. ゆっくり食事をとる暇がない　(　)
19. 麺類が好きである　(　)	48. 朝食をとらない　(　)
20. 連休や盆,正月はいつも肥ってしまう　(　)	49. 空腹や満腹感がわからない　(　)
21. 間食が多い　(　)	50. お付き合いで食べることが多い　(　)
22. 水を飲んでも肥るほうだ　(　)	51. それほど食べていないのにやせない　(　)
23. 身の回りにいつも食べ物を置いている　(　)	52. 甘いものに目がない　(　)
24. 他人が食べているとつられて食べてしまう　(　)	53. 食前にはお腹が空いていないことが多い　(　)
25. よく噛まない　(　)	54. 肉食が多い　(　)
26. 外食や出前が多い　(　)	55. 食事の時は食べ物を次から次へと口に入れて食べてしまう　(　)
27. 食事の時間が不規則である　(　)	
28. 外食や出前を取るときは多めに注文してしまう　(　)	
29. 食事のメニューは和食よりも洋食が多い　(　)	

(日本肥満学会:肥満症診療ガイドライン2022, p.65, 2022より)

■外科療法

▶肥満症の外科療法の目的は,①食事摂取量の減少,②摂取した食事の消化吸収を抑制することにある.適応となる肥満症患者は,原則として年齢が18歳から65歳までの原発性肥満症患者であり,6カ月以上の内科的治療を行ったにもかかわらず,有意な体重減少および肥満にともなう合併症の改善が認められず,図V-12-4のいずれかの条件を満たすものとする.

▶肥満症における外科療法は,周術期管理や術後に長期にわたる体重管理を実施するために,医師,管理栄養士,看護師やその他の医療スタッフによるチーム医療で実施する.

▶メタボリックシンドロームの治療は,食事療法,運動療法などの生活習慣改善により,現体重の3％以上の減量,および内臓脂肪を減少させる.

> [手術適応]
>
> 1) 減量が主目的の手術（Bariatric Surgery）の適応は BMI 35 kg/m² 以上である.
> 2) 合併疾患（糖尿病, 高血圧, 脂質異常症, 肝機能障害, 睡眠時無呼吸症候群など）治療が主目的の手術（metabolic surgery）の適応は, 糖尿病か, または糖尿病以外の2つ以上の合併疾患を有する場合はBMI 32 kg/m² 以上とする
> 3) BMI 35 kg/m² 未満への適応は臨床研究として取り扱うのが妥当であり, 厳格なインフォームドコンセント, 追跡調査, さらに臨床登録を必須とする

> [手術術式]
>
> - 食事摂取量の減少を目的
>   ・腹腔鏡下調節性胃バンディング手術
>   ・腹腔鏡下胃縮小術
>   　（スリーブ状切除によるもの）*
>
> - 食事の消化吸収を抑制することを目的
>   ・腹腔鏡下胃バイパス手術
>   ・腹腔鏡下袖状（スリーブ）バイパス手術
>
> * 日本では, 腹腔鏡下胃縮小術（スリーブ状切除によるもの）が唯一, 保険診療が認められている（2014年4月現在）. その算定要件としては, 6カ月以上の内科的治療によっても十分な効果が得られず, BMIが 35 kg/m² 以上, かつ, 糖尿病, 高血圧症または脂質異常のうち1つ以上を合併していることが条件となる

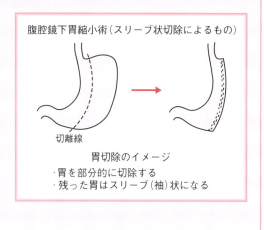

腹腔鏡下胃縮小術（スリーブ状切除によるもの）
切離線
胃切除のイメージ
・胃を部分的に切除する
・残った胃はスリーブ（袖）状になる

■図Ⅴ-12-4　肥満症の外科療法の適応とその術式
（日本肥満症治療学会：日本における高度肥満症に対する安全で卓越した外科治療のためのガイドライン2013年版より）

7 栄養生理

▶肥満症治療の最終目的は, 体重減少により肥満から生じる健康障害や合併症を改善することである.

▶脂肪細胞からは, さまざまな脂肪組織由来生理活性物質アディポサイトカイン（Adipocytokine）が分泌される. アディポサイトカインは, 糖代謝や脂質代謝, また動脈壁の恒常性維持に関与している（図Ⅴ-12-5）.

▶脂肪細胞は単なるエネルギーの貯蔵庫だけではなく, 内分泌器官の調整機能をもち, とくに肥大化した脂肪細胞の蓄積による内臓脂肪がアディポサイトカインの産生・分泌の異常を惹起させる.

▶日本人は皮下脂肪にエネルギーを蓄積するよりも, 内臓脂肪の蓄積をきたしやすく, 欧米人と比べて肥満が軽度であるにもかかわらず, 肥満に起因する疾患の有病率が高い傾向もある. 内臓脂肪を基盤とするリスク集積状態（メタボリックシンドローム）に対応するためにも内臓脂肪減少を目標とする.

▶中年期の肥満は高齢期の認知症発症のリスクとなるので注意する.

▶脂肪組織1 kg中の**脂肪細胞の燃焼エネルギー**は約7,000 kcalに相当する. 何kgの体脂肪をどのくらいの期間で減量するかを計画し, 毎日の食事のエネルギーを減量していく.

MEMO

脂肪細胞の燃焼エネルギー：脂肪1 kgが燃焼すると約9,000 kcalのエネルギーが発生するが, 生体内の脂肪は約20%の水分を保持しているので, 減量で体脂肪を1 kg減らすためには, 9,000×0.8＝7,200（約7,000）kcal分のエネルギーを消費する必要がある.

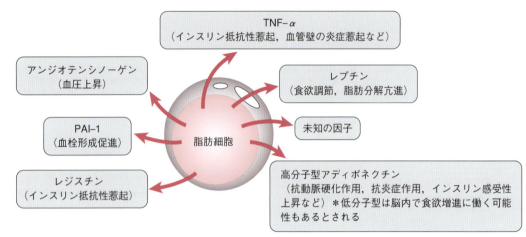

■図V-12-5 脂肪細胞から分泌されるおもなアディポサイトカイン

8 栄養食事療法

1—基本方針

▶肥満症の栄養食事療法の基本は，減量のために消費エネルギー量より摂取エネルギー量を制限することである．脂肪量を減少させるために体重を減らし，とくに内臓脂肪量を減少させることは，肥満にともなう種々の健康障害を改善する．

▶食事を摂らない飢餓療法などは危険なため実施しない．

2—栄養アセスメント

■アセスメント・モニタリングの項目

①20歳時の体重，20歳以降における最低体重，最大体重，最近の体重の変動を確認する．

②身長，体重，体脂肪率，皮下脂肪厚，上腕筋周囲長，内臓脂肪面積，ウエスト周囲長などを測定し，肥満度，体脂肪分布を評価する．

③尿中クレアチニン排泄量，基礎代謝量測定，呼気ガス分析などを実施し，エネルギーバランス，窒素バランス，減量効果を評価する．

④身体活動量の増加は体重減量に関係することから，身体活動量の把握と日常の生活活動状況を問診する．

⑤食生活状況，食習慣，飲酒量，食行動，栄養摂取量を問診する．

⑥総たんぱく，アルブミンを測定，合併症に関連する生化学検査を実施し，評価する．

■アセスメント・モニタリングのポイント

①除脂肪組織の減少をできるだけ抑えて体脂肪が減少しているかどうか，食事療法開始後3～6カ月後に評価を行う．

②目標とする治療効果に達していない場合は低エネルギー食を強化する．

③減量による体たんぱくの異化，栄養状態を尿中クレアチニン排泄量，アルブミン，RTPの測定などにより評価する．

④合併症に関連した血液・生化学検査（HbA1c，血清脂質，血圧など）をモニターする．

⑤食生活調査，食行動調査などから，食生活における行動変容の変化を評価する．

MEMO

飲酒量：肥満者の飲酒量のアセスメントは重要で，少量～中等量の飲酒は非飲酒者と比較しても体重増加のリスクとはならないが，多量飲酒者では男女ともに体重増加リスクが上昇する．

■表V-12-8 低エネルギー食の種類

	低エネルギー食（LCD）	超低エネルギー食（VLCD）
エネルギー量	・25≦BMI＜35：25 kcal/kg 目標体重 ・BMI≧35：20～25 kcal/kg 目標体重	600 kcal/日以下
体重減少効果	小さい，緩徐	大きい 300 g/日，5～10 kg/月
期間	長期的に可能	困難 （1～2週間，最長3カ月）
治療方法	外来	入院
栄養素バランスの注意点	たんぱく質，ビタミン，ミネラルが不足しないようにする	水分を十分に摂取する ※2 L/日

3—栄養食事管理と管理目標

a 栄養素処方 （表V-12-8, 9）

■25 kg/m² ≦ BMI ＜ 35 kg/m² の場合

▶現在の体重から3～6カ月で3％以上の減量目標を設定する．

▶減量のためには，摂取エネルギー量を消費エネルギーよりも低く設定し，摂取エネルギーを制限することが有用である．目標とする1日あたりの摂取エネルギー量は，25 kcal×目標体重（kg）以下とする．目標体重は，60歳未満はBMI 22 kg/m²を目安とし，65歳以上はBMIを一律にするのではなく22～25 kg/m²の範囲で患者個々に応じて設定する．

▶エネルギー産生栄養素バランスは，指示エネルギー量に対して，たんぱく質13～20％，脂肪エネルギー20～30％，炭水化物50～65％とする．体重減少のためには短期的に糖質を40％程度まで制限することが有効である．

▶食物繊維は「日本人の食事摂取基準」に準じた摂取量を目標とし，目標量を満たすよう十分な摂取を心がける．

▶必須アミノ酸を含むたんぱく質，ビタミン，ミネラルを十分に摂取する．

▶フォーミュラ食 ✎ （表V-12-10）を1日1回だけ交換することでも有効な減量が期待できる．

▶少量の飲酒は体重増加のリスクにならないことが示されているが，アルコールのエネルギー量が約7 kcal/gであることを指導する．

■35 kg/m² ≦ BMI の場合

▶合併する健康障害に応じて現在の体重から3～6カ月で5～10％の減量目標を設定する．

▶目標とする1日あたりの摂取エネルギー量は，20～25 kcal×目標体重（kg）以下〔低エネルギー食（LCD：low-calorie diet）〕とする．減量が得られない場合は，600 kcal/日以下〔超低エネルギー食 ✎ （VLCD：very low-calorie diet）〕の利用を考慮する．

▶1,000 kcal/日未満では，たんぱく質，ビタミン，ミネラルが不足することが多いので，必須アミノ酸を含むたんぱく質，ビタミン，ミネラルの十分な摂取が必要となる．

▶フォーミュラ食は，必要なたんぱく質量を確保したうえでLCD療法を実施できることから，食事療法の補助として有用である．

▶VLCD療法は，禁忌症例（表V-12-10）を除き入院管理下で実施する．VLCD療法導入後は，脂肪燃焼から血中に増加したケトン体の排泄にともなう尿酸排泄の低下により，

✎MEMO
フォーミュラ食：フォーミュラ食とは，減量を目的に必要最小限の摂取エネルギーと各種栄養素の質および量で，筋肉や骨に影響もなく重篤な副作用を起こさないよう調整された食品のことで，短期間に大きな減量効果が認められている．

超低エネルギー食：超低エネルギー食とは600 kcal/日以下の食事をいい，迅速かつ大幅な体重減少が必要な場合に，専門医の管理下で入院治療を原則とする．短期間での急速な減量には効果を発揮するが，長期的な体重維持には向いていない．

■表V-12-9 VLCD（超低エネルギー食）の禁忌

1. 心筋梗塞，脳梗塞発症時および直後
2. 重症不整脈およびその既往
3. 冠不全，重篤な肝・腎障害
4. 1型糖尿病
5. 全身性消耗疾患
6. 妊婦および授乳中の女性

（日本肥満学会：肥満症診療ガイドライン2022, p.55, 2022 より）

■表V-12-10 フォーミュラ食（オベキュア®）の栄養成分一覧（1袋50g当たり〈ココア味〉）

エネルギー	171 kcal	ビタミンK	10 μg
たんぱく質	23 g	葉酸	300 μg
脂質	1.7 g	パントテン酸	3 mg
糖質	15.2 g	ナイアシン	15 mg
食物繊維	5.1 g	カルシウム	330 mg
食塩相当量	0.6 g	マグネシウム	165 mg
ビタミンA	300 μg	鉄	6 mg
ビタミンB$_1$	1.4 mg	亜鉛	3.5 mg
ビタミンB$_2$	1.6 mg	カリウム	500 mg
ビタミンB$_6$	1.4 mg	リン	300 mg
ビタミンB$_{12}$	2.4 μg	セレン	20 μg
ビタミンC	50 mg	ヨウ素	20 μg
ビタミンD	2.5 μg	クロム	18 μg
ビタミンE	10 mg		

血中尿酸濃度が上昇することがあることから，尿酸排泄を促すために水分を2L/日を摂取する．

b 食品・料理・献立の調整

■食品

●推奨される食品

①低脂質の肉類・乳および乳製品と，魚および大豆製品．
②食物繊維を多く含む精製度の低い穀類．
③野菜・海藻・きのこ類．
④果物（1日80～100 kcal以内）．

●避けたほうがよい食品

①人工甘味料を使用した観察研究において肥満リスクが上昇する報告があり，積極的に摂取しない．
②食塩含有量の多い食品．食塩は食欲を亢進し，食べ過ぎにつながるとともに，高血圧予防のためにも減塩は重要である．
③油脂を多く含む食品（揚げ物，サラダなど）．
④砂糖を多く含む菓子類・清涼飲料水など．
⑤アルコール飲料．

■献立

①食事のポーションサイズを知り，さまざまな食材を少しずつ摂る
②3食の栄養価（炭水化物，たんぱく質，脂質など）の配分を均等にし，とくに夕食に偏らないようにする．
③脂質の少ない肉および魚・大豆製品を主菜とした献立とする．
④揚げ物，炒め物などの油料理は控える．
⑤毎食，野菜・海藻・きのこ類を積極的に献立に取り入れる．
⑥精製度の低い穀類を主食に取り入れる．
⑦「早食い」の人には，食べるのに一手間かかる料理を献立に取り入れる．
⑧副菜に低エネルギーの食品を取り入れて，献立にボリューム感を出す．
⑨食材や料理を計量する習慣をつける．
⑩砂糖や食塩を控えた献立とする．

c 栄養指導

■指導のポイント

①肥満症治療の基本が食事療法と運動療法にあり，継続していくことの重要性を説明する．
②食生活状況，食習慣，食行動を評価し，そこから行動変容のステージ，減量阻害行動などの個人の問題点を明確にし，具体的な

アドバイスをする．
③摂取エネルギー量を決定し，脂肪細胞の質的異常による肥満症では3カ月で現体重の3％減，量的異常による肥満症では3カ月で現体重の5～10％減を目標とする．
④患者自身に食生活改善の気づきを促すため体重を毎日測定，変動をグラフ化し，食行動の記録を実践させることは重要である．
⑤エネルギー制限が厳しくなるほど，たんぱく質，ビタミン・ミネラルの不足に留意するよう注意を促す．
⑥ゆっくり噛む習慣を身につけるよう指導する（1口20～30回以上）．
⑦欠食，どか食い，まとめ食いなど摂食行動の異常が肥満につながることを指導する．
⑧外食・中食にも注意するよう指導する．
⑨指導は初診，2週間後，1カ月後，以後は随時行う．
⑩食事療法は少なくとも3カ月は継続し，その時点で問題行動を修復し，体重減少のための行動が定着するよう支援する．
⑪医学的に特別な場合を除き，急激な減量はリバウンドを繰り返し，除脂肪体重を減らすので，適正な減量スピードで徐々に減量（1～2kg/月）するよう支援する．
⑫特殊な食事療法や，短期に減量する方法，偏った食品の摂取法など誤った食事療法も多いので，正しい情報の伝達を行う．
⑬個人教育と集団教育を併用し，個人の特性に対応しつつ，継続的にできる栄養教育の場の提供を考える．
⑭日常的なストレスおよび食事療法におけるストレスを理解し，患者自身が解消法を見つけられるよう精神的ケアにより支援する．
⑮友人からの励まし，賞賛は大きな励みになるので，社会的なサポートの構築を図る．
⑯食事療法継続のために，次回受診時までの目標を設定し，受診時にその評価を行う．目標には体重，ウエスト周囲長，臨床検査値などを用いる．

4 栄養食事療法の効果・判定

①栄養食事療法の効果は，3～6カ月後に体重が3％減少する．
②体重減少率が3～5％以上であった場合には，血圧，HDL-C，トリグリセライド，空腹時血糖などの改善がみられる．
▶栄養食事療法を実施して体重減少がみられないときでも，行動変容など何らかの変化を認めることが大切である．

補遺 Appendix 小児肥満

■判定法

▶小児の肥満判定法には，①体格指数を用いる方法（BMI，ローレル指数，肥満度），②体脂肪率を推定する方法（皮脂厚測定，生体インピーダンス法・二重X線吸収法など），③体脂肪分布を評価する方法（腹部CTの内臓脂肪面積，ウエスト周囲長，ウエスト身長比），④肥満の動態を評価する方法（身長，体重の発育曲線）など，さまざまな種類がある。

▶欧米では，BMIのパーセンタイル値やZ-スコアが用いられているが，わが国の小児の肥満判定法では肥満度が用いられている。しかし，小児の場合も過剰な内臓脂肪蓄積が健康障害を引き起こすため，体脂肪分布の評価も重要である。

▶「小児肥満症診療ガイドライン2017」による小児の肥満の判定法は表に示すとおりであるが，肥満判定基準は幼児と学童で異なる点に注意する。標準体重は，1歳以上6歳未満では幼児用式，6歳以上17歳未満では学童用式を用いる。身長および体重計測値の標準値は，平成12年度（2000年度）を基準値とする。

■対策

▶生活習慣病の中核である肥満対策は小児期から行われるべきであり，小児期に医学的管理を要する肥満症を診断することはきわめて重要である。小児肥満症の診断は，成人と同様に，「肥満に起因ないし関連する健康障害（医学的異常）を合併する場合で，医学的に肥満を軽減する治療を必要とする状態をいい，疾患単位として取り扱う」である。小児肥満にともなう健康障害として，①高血圧，②呼吸障害・睡眠時無呼吸，③2型糖尿病，耐糖能障害，④内臓脂肪型肥満，⑤早期動脈硬化，⑥非アルコール性脂肪性肝疾患（NAFLD），⑦脂質異常症，⑧高尿酸血症，⑨運動器疾患・運動器機能障害，⑩黒色表皮症，月経異常，腎障害など，⑪精神的・心理社会的問題などがあげられている。

表 小児肥満の判定法

1	肥満の判定には肥満度を用いる 肥満度（％）＝｛（実測体重－標準体重）÷標準体重｝×100
2	6歳から17歳では，肥満度が＋20％以上を肥満とし，＋20％≦肥満度＜＋30％を軽度肥満，＋30％≦肥満度＜＋50％を中等度肥満，肥満度＋50％以上を高度肥満と分類する
3	幼児の場合は，肥満度が＋15％以上を肥満とし，＋15％≦肥満度＜＋20％を太り気味，＋20％≦肥満度＜＋30％をやや太り過ぎ，肥満度＋30％以上を太り過ぎと分類する
4	体脂肪蓄積の判定には体脂肪率を用いる。推定法にかかわらず，体脂肪率が18歳未満の男児は25％以上，11歳未満の女児は30％以上，11歳以上18歳未満の女児は35％以上なら過脂肪状態と判定する
5	体脂肪分布の評価は，臍レベルの腹部CTの内臓脂肪面積をゴールドスタンダードとし，60cm^{2}以上なら内臓脂肪蓄積ありと判断する。簡易法として，ウエスト周囲長やウエスト身長比を用いる。ウエスト周囲長は中学生80cm以上，小学生75cm以上の場合，ウエスト身長比は0.5以上の場合に内臓脂肪蓄積の疑いとし，CTで60cm^{2}以上の場合に内臓脂肪蓄積と判断する

（日本肥満学会：小児肥満症診療ガイドライン2017，小児肥満の判定と小児肥満症の診断基準．p.3，2017より）

■治療

▶日常生活のなかで身体を動かすことを推奨し，肥満の予防・治療を含め，中～高強度の運動を，1日当たり合計して少なくとも60分は行う。

▶日中においてテレビをみたりゲームをしたりするような座りがちな時間を1日当たり120分未満にする。

▶栄養素配分は，「日本人の食事摂取基準」を参考にする。

▶身体の筋肉を減らさずに体脂肪を減らすには高たんぱく質，低炭水化物とするが，基準となる配分はエネルギー比率で，たんぱく質20％，脂質25～30％，炭水化物50～55％を目安とする。

13 高尿酸血症

1 疾患の概要

▶**高尿酸血症**の成因は，尿酸の産生量と腎臓や腸管からの尿酸排泄能のバランスが崩れ体内の尿酸プールが増大する方向に働いたときに起こる．尿酸はプリン体の最終代謝産物であり，約2/3が腎臓から，残り約1/3が腸管から体外に排泄される．その機序により，尿酸排泄低下型高尿酸血症，腎負荷型（尿酸産生過剰型と腎外排泄低下型）高尿酸血症，混合型高尿酸血症に分類される．尿酸排泄低下型は約60％，混合型は約30％，尿酸産生過剰型が約10％で，排泄低下型の特徴をもった高尿酸血症が大半を占めている．病型の形成には，遺伝要因と環境要因の両方が関与している．ほとんどの高尿酸血症・痛風に関連する遺伝要因は，尿酸の輸送にかかわる複数のトランスポーター遺伝子多型と推定されており，尿酸排出の低下をもたらす．環境要因としては，過激なダイエット，プリン体過剰摂取，果糖過剰摂取，肥満，激しい運動や飲酒などの生活習慣が考えられる．

▶高尿酸血症は，尿酸塩沈着症（痛風関節炎，腎障害など）の病因であり，性別，年齢を問わず，血清尿酸値が7mg/dLを超えるものと定義されている．成人女性の血清尿酸値は成人男性より明らかに低いが，閉経後に上昇し差が小さくなる．さらに血清尿酸値7mg/dL以下であっても，血清尿酸値の上昇とともに生活習慣病のリスクが高くなり潜在する疾患の検査と生活習慣病の予防指導が重要である．

▶高尿酸血症は痛風発症の必須条件であるが，高尿酸血症状態が持続するものの全員に痛風発作が出現するわけではない．関節内・軟部組織内に尿酸一ナトリウム（monosodium urate monohydrate：MSU）結晶の検出が確定診断となる．高尿酸血症と痛風は同義ではない．

2 病因

▶尿酸は，細胞の核などに含まれる**プリン体**の代謝や細胞の新生・崩壊などによって作られる老廃物である．体内で不要になったプリン体は，肝臓で尿酸に変換されて大部分は腎臓から尿中に排泄され一定量を保持している．

▶しかし今日，食生活の欧米化や過食，アルコール摂取量の増加による生活習慣の変化は，食事由来のプリン体摂取量の増加につながり腎臓での尿酸排泄能力の限界を超え，体内の蓄積量が増し血清尿酸値の上昇となっている．

3 疫学

▶食生活の欧米化・多様化にともなってわが国の高尿酸血症患者数は年々増加し，2010年頃には成人男性の20〜25％に高尿酸血症が認められる．また，高尿酸血症の頻度は全人口の男性で20％，女性で5％と報告されている．高尿酸血症により引き起こされる痛風の有病率は，30歳以上の男性では1％を超えていると推定され，首都圏に勤務する職域集団の調査報告から増加傾向にあると考えられ

プリン体：細胞中の核酸を構成する成分の一つ．核酸は，遺伝にかかわる物質で，あらゆる生物の細胞に含まれており，細胞数が多い食品ほど多く含まれ，食品の中では精巣，卵巣，内臓や，乾燥によって細胞が凝縮されている干物などに多く含まれている．プリン体が分解されると老廃物として「尿酸」を生じる．

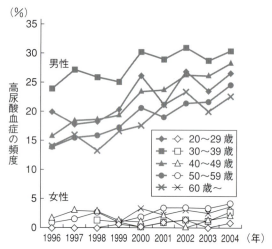

■図V-13-1　高尿酸血症の頻度の推移
〈対象〉首都圏で勤務する約4万人の職域集団（1996-2004, 日本）
〈方法〉血清尿酸値の平均値を，性，年齢，年度別にプロットした．
〈結果〉男性において20～60歳代のすべての年齢層で高尿酸血症は増加傾向であった．
（冨田眞佐子，水野正一：高尿酸血症は増加しているか？；性差を中心に．痛風と核酸代謝 30：1-5, 2006 より改変）
（日本痛風・核酸代謝学会 ガイドライン改定委員会：高尿酸血症・痛風の治療ガイドライン第3版, p.20, 診断と治療社, 2019 より）

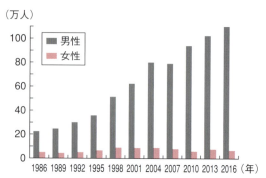

■図V-13-2　国民生活基礎調査から推定される痛風患者数
（厚生労働省ホームページ，国民生活基礎調査．https://www.mhlw.go.jp/toukei/list/20-21.html より算出）
（日本痛風・核酸代謝学会 ガイドライン改定委員会：高尿酸血症・痛風の治療ガイドライン第3版, p.20, 診断と治療社, 2019 より）

る（図V-13-1）．

▶高尿酸血症患者のおよそ80％には高血圧，肥満，耐糖能異常や脂質異常症といった生活習慣病が合併し，1人の高尿酸血症患者に複数の生活習慣病が重複することが多い．その背景には内臓脂肪蓄積やインスリン抵抗性が関与することが示唆されている．このため高尿酸血症は動脈硬化，脳卒中，虚血性心臓病，心不全などの臓器障害とも密接に関連している．国民生活基礎調査で推定される痛風患者数は，2016年の時点では全国で100万人を超えているとされている（図V-13-2）．これらの調査による痛風患者数も急速に増加傾向にある．

4　症　状

▶高尿酸血症単独では自覚症状はみられない．
▶尿酸の排泄低下または産生過剰により高尿酸血症が持続することで関節や腎臓などに尿酸が沈着結晶化し，**痛風関節炎**や尿路結石，腎機能障害を引き起こす．
▶同時に肥満，耐糖能異常，高血圧症，脂質異常症などを合併することが多く，動脈硬化を起こしやすくなる．
▶尿酸値が高いままに放置すると，痛風関節炎（痛風発作）が再発し痛みが慢性的に続くようになり，第1中足趾節関節などに多く発症し，疼痛，腫脹，発赤が強くなる．繰り返すと**痛風結節**，関節の変形などにより歩行困難になり，日常生活に支障をきたす．

MEMO

痛風結節：痛風発作を何回も繰り返すことにより，皮膚の下にも結晶がたまり赤く腫れた状態となる．

5 診断基準

▶高尿酸血症は，尿酸排泄低下型，腎負荷型（尿酸産生過剰型と腎外排泄低下型），両者の混合した混合型に大別される．

▶病型分類は，高プリン食制限下絶飲食負荷時の尿中尿酸排泄量（E_{UA}），尿酸クリアランス（C_{UA}），および腎機能に関する補正のためのクレアチニンクリアランス（C_{Cr}）をあわせて測定する（表V-13-1）．$E_{UA} > 0.51\,mg/kg/$時なら腎負荷型（尿酸産生過剰型と腎外排泄低下型）とし，$C_{UA} < 7.3\,mg/$分なら尿酸排泄低下型と判定する．両病型基準に合致すれば混合型と判定する（表V-13-2）．しかし，治療中に尿酸値・症状が改善することで病型が変化することがあるので注意が必要である．

▶治療効果の減弱など，疑わしい所見があれば約2週間の休養後，病型の再評価を行う．

▶性・年齢を問わず，血清尿酸値が7mg/dL以上を高尿酸血症と診断する．血清尿酸値が8mg/dL以上で薬物療法の対象となる．

6 治療

▶高尿酸血症の治療目標は，体組織への尿酸沈着を解消し，痛風関節炎の発症予防，腎障害や尿路結石の発症回避，進展防止である．血清尿酸値を4.6〜6.6mg/dL以下にコントロールしたときが，もっとも痛風関節炎の発症率が低いという成績がある．よって，治療中の血清尿酸値は6mg/dL以下にコントロールすることが望ましい．

▶同時に肥満，高血圧，糖代謝異常，脂質代謝異常などの生活習慣病にも配慮し，生活指導，栄養・食事療法などを十分に行い，腎不全，虚血性心疾患，脳血管障害などの発症を未然に防ぎ，生命予後の改善を図ることが最終的な治療目標となる．

▶循環器疾患の患者に対しては，血清尿酸値を上昇させる利尿薬，サリチル酸，ニコチン酸などの服用を確認し，循環器作用薬そのものの調整が必要となることがある．

▶痛風関節炎を繰り返す症例や痛風結節を認める症例は血清尿酸値に関係なく薬物療法の適応となり，尿路結石を合併した場合は，アロプリノール（尿酸産生を抑制し痛風発作を予防する．日本での商品名はザイロリック®）が適応となる．

▶痛風関節炎をきたしていない無症候性高尿酸血症への薬物治療の導入は，血清尿酸値8mg/dL以上を一応の目安とする（治療方針，図V-13-3）．

■表V-13-1　C_{UA}およびC_{Cr}試験実施法（60分法）

3日前	高プリン食・飲酒制限
起床後	絶食 飲水コップ2杯
外　来	30分前：飲水30 mL 0分：30分後排尿 ［血中クレアチニン測定］ 60分後：60分間の全尿採取 ［尿量測定］ ［尿中尿酸・クレアチニン測定］

（日本痛風・核酸代謝学会 ガイドライン改定委員会：高尿酸血症・痛風の治療ガイドライン第3版，p.96，診断と治療社，2019より）

■表V-13-2　痛風・高尿酸血症における尿中尿酸排泄量とC_{UA}による病型分類

病　型	尿中尿酸排泄量 (mg/kg/時)		(C_{UA}) (mL/分)
腎負荷型	＞0.51	および	≧7.3
尿酸排泄低下型	＜0.48	あるいは	＜7.3
混合型	＞0.51	および	＜7.3

（日本痛風・核酸代謝学会 ガイドライン改定委員会：高尿酸血症・痛風の治療ガイドライン第3版，p.96，診断と治療社，2019より）

MEMO

高プリン食：食品100g当たりにプリン体を200mg以上含むもので，動物の内臓（レバー，白子など），魚の干物，乾物など．干ししいたけはきわめてプリン体の多い食品になっているが，100g当たりの量である．通常食する量は2〜3g程度であるので，とくに神経質になる必要はないが，プリン体は親水性のため戻し汁は使わないほうがよい．

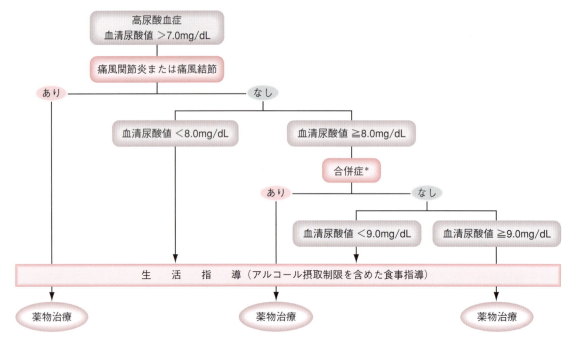

■ 図Ⅴ-13-3　高尿酸血症・痛風の治療方針

（日本痛風・核酸代謝学会 ガイドライン改訂委員会：高尿酸血症・痛風の治療ガイドライン第3版，2019より）

7 栄養生理

▶RNA，DNAなど**核酸**の骨格を構成する重要な物質のプリン体は，細胞機能に不可欠な成分である．

▶ヒトでは分解・吸収され過剰になると肝臓で尿酸に変換され，腎臓から尿中に排泄される（**図Ⅴ-13-4**）．

▶健常者の生体内には，通常約1,200mgの**尿酸プール**が存在する．尿酸産生量はおよそ700mg/日，このうち500mg/日が尿中に排泄され，残り200mg/日は発汗や消化管分泌などの腸外性処理もあり，体内量は一定に保持されている（**図Ⅴ-13-5**）．

8 栄養食事療法

1—基本方針

▶尿酸値は特定の要因で上がるものではなく，過食，肥満，常習飲酒，激しい運動にストレスが重なり，長期間続くことで徐々に高くなることを認識し，尿酸の前駆体であるプリン体を多量に含む食品の制限と，肥満者には減量を目的とした食事ならびに生活習慣の改善を行うことが基本となる．

①肥満の是正：体重増加は尿酸値を上昇させ，減量により低下する．

②**プリン体の制限**：プリン体を多く含む肉類・魚介類の過剰摂取を避ける．

③飲酒制限：プリン体負荷はビールにおいて顕著であるが，プリン体を含まなくてもア

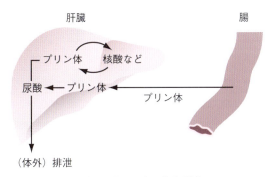

■図V-13-4 プリン体と尿酸の体内動態
（日本病態栄養学会編：病態栄養ガイドブック改訂第6版, p.205, 南江堂, 2019より）

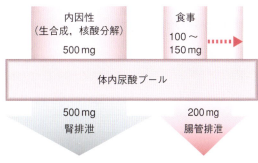

■図V-13-5 体内の尿酸のin-outバランス
（日本病態栄養学会編：病態栄養ガイドブック改訂第6版, p.205, 南江堂, 2019より, 一部改変）

ルコール代謝に関連して尿酸値を上昇させるため, 種類を問わず制限する.

④水分摂取の励行：乏尿では尿酸の再吸収が促進し, 尿量増加は尿酸の尿中排泄を促進させる.

⑤激しい運動は避ける：尿酸値が上昇するが, 適度な運動は血圧低下と**インスリン感受性**の改善をもたらす.

⑥食塩摂取制限：生活習慣病の予防, 血圧低下につながり, かつ利尿薬使用に制約があるため.

⑦ストレス管理

2─栄養アセスメント

▶治療の目的である尿酸値を下げる, 痛風関節炎の発症予防, 高率に併発する脂質異常症, 高血圧, 糖代謝異常, 肥満などの生活習慣病の予防を食生活の改善を中心に, 評価する.

■ アセスメント・モニタリングの項目

①性, 年齢, 家族歴, 喫煙歴

②食生活状況, 通常の食事摂取量, 水分量, アルコール, 間食などを記録させ, 摂取量, とくにプリン体摂取量を調査する.

③身長, 体重, BMI, 腹囲径, 内臓脂肪蓄積面積, 血糖値, インスリン分泌能, 血清脂質, 血圧, 血清尿酸値, 尿酸産生量または尿中尿酸排泄量, 尿pHなど

■ アセスメント・モニタリングのポイント

①尿酸産生量は, 直接の定量は困難であるので, 高プリン食制限下絶食飲水負荷時のE_{UA}, C_{UA}, および腎機能に関する補正のためのC_{Cr}を測定して行う. 各基準値を表V-13-3に示す.

②高尿酸血症は, 尿酸産生量の増加である尿酸産生過剰型, 尿中尿酸排泄能の低下である尿酸排泄低下型, 両者が混在した混合型に大別される.

③内臓脂肪蓄積は, 遊離脂肪酸の分解・代謝により肝臓での中性脂肪（TG）合成を亢進させ, 尿酸生成が促進する. よって血清TG値と尿酸値は相関する.

④高尿酸血症を合併した**皮下脂肪型肥満者**は大部分が尿酸排泄低下型を示すが, **内臓脂肪型肥満者**は尿酸排泄低下型より尿酸産生過剰型のほうが高率にみられる. 過食, 飲酒, 運動不足が要因ととらえる.

⑤高尿酸血症における適正な尿pHは6.0以上, 7.0未満である.

■表V-13-3 尿中尿酸排泄量，尿酸クリアランス，クレアチニンクリアランスの基準値

尿中尿酸排泄量 (E_{UA})	0.496 (0.483～0.509) mg/kg/時
尿酸クリアランス (C_{UA})	11.0 (7.3～14.7) mL/分
クレアチニンクリアランス (C_{Cr})	115 (83～146) mL/分
C_{UA}/C_{Cr}比	8.3 (5.5～11.1) %

■表V-13-4 栄養基準（例）

エネルギー量（kcal/kg/日）	25～30
たんぱく質（g/kg/日）	1.0～1.5
脂質（%エネルギー比率）	20～25
炭水化物（%エネルギー比率）	55～60
食塩（g/日）	8.0未満
プリン体（mg/日）	400以下

⑥肥満者に関しては，適正な食事摂取量と減量の確認が必須である．肥満者では，食生活・食習慣の改善と減量で尿酸値の低下が期待できるので，体重測定は必須である．

⑦高度肥満者の減量は困難をともなうことが多い．痛風発作や腎障害の対策として尿酸降下療法を行いながら減量を実施する．

⑧尿酸値を下げるには食生活の自己管理と家族の協力も不可欠である．

3 栄養食事管理と管理目標

▶適正な食事量摂取とプリン体の制限，軽い運動を基本に標準体重に近づける．肥満を解消することにより，耐糖能異常や内臓脂肪の減少，インスリン抵抗性を改善し尿酸産生量を抑制する．また，水分を十分に補給し尿酸の排泄を促進する．

a 栄養素処方 （表V-13-4）

①エネルギー量の適正化
- 肥満者には現体重の5%減を目安に減量目標を設定する．食事の総量が多いと体内で合成されるプリン体が増える．

②たんぱく質・プリン体の摂取量
- たんぱく質量は，1.0～1.5g/kg/日とし，過剰摂取を避ける．
- プリン体は核酸由来のため，細胞密度の高い牛，豚，鶏，魚介類の内臓や魚の干物には多く含まれるので注意する．
- プリン体は親水性のため，調理の過程で浸出する．魚肉ソーセージやかまぼこなどにはプリン体は少ない．しかし，煮干しや鶏がらの浸出液（だし汁やスープ）には，高濃度に含まれるので使用を控える．
- プリン体の目安量は400mg/日以下とする．

③脂質量
- 脂質のとり過ぎは，肥満や脂質異常症，尿酸排泄阻害につながるので，揚げ物，炒め物を控える．

④アルカリ食品の摂取
- 尿酸は尿の酸性度が高いと尿中に溶けにくく結晶化する．反対に尿のアルカリ度が高いと溶けやすく，尿路での尿酸析出を防止し尿路結石の予防となる．腎臓，心臓に疾患がなければ尿をアルカリ化する食品🖉，海藻，野菜，果物類を積極的に勧める．しかし，果物の食べ過ぎや清涼飲料水の過飲による過剰なフルクトース（果糖）摂取🖉は高尿酸血症をきたすので注意する．

⑤十分な水分摂取の励行
- 水分を多くとることにより尿量を増やし，尿の酸性濃度の低下による尿路管理🖉，尿酸排泄を促進させる．患者の日常生活も考慮し，1日2,000mL以上の尿量を保つよう

✍MEMO

アルカリ化する食品：アルカリ化する食品（海藻，野菜，果物など）はカリウム（K）を多く含む．Kは体内に吸収された後，余分な量は尿に溶かして排泄するが，腎臓機能が低下しているとKの排泄能が低下しており血中に蓄積され，高K血症をきたす要因となる．高K状態が続くと不整脈の出現や心臓の筋肉が痙攣を起こし，最悪，突然死を招くこともある．

フルクトース（果糖）摂取：果物や清涼飲料水の過剰摂取による高フルクトース血症により，ATP（アデノシン三リン酸）の消費・分解が進み尿酸が上昇し，高尿酸血症をきたすことになる．

に飲水指導をする．とくに就寝前や夜間の飲水は重要である．水分補給には水やお茶などエネルギーを含まないものとする．ただし，肝臓，腎臓，心疾患などで水分制限のある症例は注意する．

⑥食塩摂取量
- 合併症などの予防として8g/日未満，高血圧や心血管病合併症例は6g/日未満とする．

⑦アルコールの禁酒，節酒
- ビールにおいてプリン体負荷は顕著であるが，プリン体を含まなくてもアルコール代謝に関連して血清尿酸値を上昇させるため，アルコールは種類を問わず過剰摂取は禁忌となる．

b 食品・料理・献立の調整

■ 食品

● 推奨される食品
① 炭水化物，いも類，卵，乳製品，野菜，果物を主にし，**プリン体含有量が少ない魚・肉類**を選択する．
② 尿をアルカリ化する食品（ひじき，わかめ，こんぶ，大豆，ほうれんそう，ごぼう，さつまいもなど）を選択する．

● 避けたほうがよい食品
① プリン体含有量が食品100g中200mg以上含むものを高プリン食品とよぶ．とくに，プリン体は核酸由来のため，細胞密度の高い牛，豚，鶏，魚介類の内臓や魚の干物には多く含まれるので注意する．
② プリン体が食品100g中100mg以下であっても大量に食べることが多い食品（うなぎ，わかさぎ，豚肉，牛肉（肩），牛タン，マトン，ハム類など）．
③ アルコール全般

● 禁止食品
① 貝類，軟体動物，動物の内臓およびその加工品
② かつお節・煮干しのだし汁，鶏スープ，肉汁
③ **イノシン酸**を含む複合化学調味料

■ 献立
① 推奨される食品を中心に，主食・主菜・副菜をバランスよく組み合わせる．
② 食事回数は1日3回とし，夜食は，過食，肥満のもとになるので控える．
③ プリン体は親水性のため，ゆでる調理作業で減少する．
④ 揚げ物は控える．
⑤ 尿をアルカリ化する食品，海藻，野菜類を積極的に取り入れる．

c 栄養指導

■ 指導のポイント
① 尿酸値の上昇に生活習慣が大きくかかわっており，治療の基本は，食事を主とした生活習慣の改善が必要であり，たとえ薬物療法をしていても生活習慣の改善は必須事項であることを強調する．
② 急性関節炎発作や高尿酸血症が持続した結果起こる結晶誘発性関節炎（痛風）の予防が目的であることを説明する．
③ 食生活の改善は，食事の量と内容を見直す．
- エネルギー量：適正量とし，肥満者はエネルギー量を調整し肥満を是正する．絶食するなど極端な摂取エネルギー量の制限は，体内でエネルギー源として脂肪が利用される結果，ケトン体が発生する．血液中のケトン体濃度が高くなると尿酸は排泄されにくくなり，尿酸値が逆に上昇してくる．ま

MEMO

尿路管理（→p.298）：尿酸はおもに尿に溶けて体外に排出されるが，酸性の尿には溶けにくい性質があり，溶けきれなくなった尿酸が結晶化し尿路にたまり，尿路結石や腎障害を起こしやすくなる．飲水量を増やして尿量を確保したり，低プリン食により酸性尿を是正することで結石を防止すること．

プリン体含有量が少ない魚・肉類：100g中50〜100mg以下の食品としては，うなぎ，わかさぎ，豚ロース，豚バラ，牛肩ロース，牛タン，マトン，ラム，ボンレスハム，ベーコン，つみれ，コンビーフ，魚肉ソーセージ，豆腐，かまぼこなどがある．大量に食べるとプリン体も多くなるので注意する．

た，急な減量で細胞が壊れ，核酸からプリン体が放出され尿酸値が上がるので注意する．
- たんぱく質，脂質，ビタミン・ミネラル，アルコール，水分については，「栄養素処方」の項参照．
④禁煙：メタボリックシンドロームや動脈硬化，脳梗塞，心筋梗塞などの合併症の発症率を低下させる効果が期待できる．
⑤適度な運動の奨励：ウォーキングなどの有酸素運動は血清尿酸値に影響せず，インスリン抵抗性の改善や肥満の解消，血圧コントロールなど高尿酸血症に合併しやすい種々の病態を改善するのに効果的である．しかし，酸素供給が断たれる過激な無酸素運動は，プリンヌクレオチド分解が亢進して尿酸産生が増加し血清尿酸値を上昇させる．
⑥ストレスの解消：ストレスを受けると体内での尿酸の合成が亢進されるのではないかと考えられているが，まだ仕組みは解明されてない．ストレス解消のための多量飲酒や過食はプリン体の分解亢進や尿酸の産生を促進し，尿酸値を上げることになるので注意が必要である．
⑦栄養食事指導は，初診，その後は1カ月に1回，6カ月間継続する．
⑧症状が落ち着くと患者独自の判断で中断することが多いので，生活習慣の改善がみられるまで，継続支援することが望ましい．指導する管理栄養士の指導技術，能力がポイントになる．
⑨薬物療法は，長くて一生，短くても5～10年続けることが必要となる．食事を主とした生活習慣の改善で，薬の量の減量や服薬中止になることも伝える．

4 ─ 栄養食事療法の効果・判定

①食事療法の効果は，1カ月1回の外来受診ごとに確認する．体重は，食事療法が厳守されている場合は，1～2kgは顕著に下がる．
②高尿酸血症状態を放置すると痛風関節炎を起こす．痛みは2～3週間で治まるが再発を繰り返す．6カ月から1年の経過の観察と継続指導を要する．
③血液検査，尿検査ではおもに血清尿酸値，尿pHを確認する．血清尿酸値は，性・年齢を問わず7.0mg/dL未満，尿pHは6.0以上，7.0未満であること．
④食事記録，飲水量の記録から十分な水分摂取量と尿の回数・量を確認する．尿中の尿酸濃度の低下や尿路管理，尿酸の排泄促進に必要な1日2,000mL以上の尿量を確保する．
⑤効果が薄い場合は，指導内容，問題点を抽出し再度アセスメント，モニリングを実施し，場合によっては指導内容を変更する．
⑥薬物療法を併用している症例では，薬物療法の効果が大きいと考える．しかし，基本は食生活を中心とした生活習慣の改善を促す継続指導が重要である．

MEMO

イノシン酸（→p.299）：核酸の一種で旨み成分のこと．煮干やカツオ節などに大量に含まれ，プリン体を多く含んでいる．
無酸素運動：競技中に呼吸をしていないことでなく，組織におけるエネルギー産生方法が，筋肉内に存在するアデノシン三リン酸（ATP）を利用するか，筋肉内のグリコーゲンや血糖を利用して無酸素的にATPを作るなど，無酸素的であることで，瞬発的に大きなパワーを必要とする短距離走や重量挙げなどの競技が該当する．
プリンヌクレオチド：核酸を構成する成分の一つ．

14 先天性代謝性疾患（糖原病を除く）

1 疾患の概要

▶先天性代謝異常症（IEM：inborn errors of metabolism）とは，特定の遺伝子に先天的な変異が存在し，そのために通常の物質代謝が行われずに症状を呈する疾患である．

▶有効な治療法があり，ある程度発生頻度が高い疾患については，1977年から公費により全国的に新生児マススクリーニングが開始された．

▶2012年度よりタンデムマスによる新生児マススクリーニングが公費で全国的に行われるようになり，表V-14-1に示す疾患の早期発見・早期治療が可能になった．

2 病因

▶特定の遺伝子に先天的な変異が生じ，その

■表V-14-1 新生児マススクリーニング対象疾患

群別	疾患名	病因（欠損酵素）	発見頻度[*2]	検査異常
糖質代謝異常症	ガラクトース血症	ガラクトース代謝に関与する酵素 I 型（GALT），II 型（GALK），III 型（GALE）	1： 4万	嘔吐，下痢，肝障害，腎尿細管障害
アミノ酸代謝異常症	フェニルケトン尿症	Phe 水酸化酵素	1： 7万	発達遅延
	メープルシロップ尿症	分岐鎖ケト酸脱水素酵素複合体	1： 52万	アシドーシス発作
	ホモシスチン尿症	シスタチオニン合成酵素	1： 23万	知的障害，血栓症
	シトルリン血症1型	アルギニノコハク酸合成酵素	1： 26万	高アンモニア血症
	アルギニノコハク酸尿症	アルギニノコハク酸合成酵素	1：170万	高アンモニア血症
有機酸代謝異常症	メチルマロン酸血症	メチルマロニル CoA ムターゼ	1： 12万	アシドーシス発作
	プロピオン酸血症	プロピオニル CoA カルボキシラーゼ	1： 5万	アシドーシス発作
	イソ吉草酸血症	イソバレリル CoA 脱水素酵素	1：112万	アシドーシス，体臭
	メチルクロトニルグリシン尿症	3-メチルクロトニル CoA カルボキシラーゼ	1： 22万	Reye症候群
	ヒドロキシメチルグルタル酸血症	3-ヒドロキシ3-メチルグルタリル-CoA リアーゼ	―	低血糖，アシドーシス
	複合カルボキシラーゼ欠損症	ビオチンを補酵素とする4種のカルボキシラーゼ[*1]	1：112万	高乳酸血症，湿疹
	グルタル酸血症1型	グルタリル CoA 脱水素酵素	1： 52万	不随意運動発作
脂肪酸代謝異常症	MCAD 欠損症	中鎖アシル CoA 脱水素酵素（MCAD）	1： 13万	低血糖発作
	VLCAD 欠損症	極長鎖アシル CoA 脱水素酵素（VLCAD）	1： 8万	低血糖，筋肉・心筋障害
	三頭酵素/LCHAD 欠損症	長鎖ヒドロキシアシル CoA 脱水素酵素など	1：169万	低血糖，心筋障害
	CPT1 欠損症	カルニチンパルミトイルトランスフェラーゼ1	1： 84万	低血糖発作

[*1] プロピオニル-CoA カルボキシラーゼ，メチルクロトニル-CoA カルボキシラーゼ，ピルビン酸カルボキシラーゼ，アセチル-CoA カルボキシラーゼ
[*2] シトルリン血症1型以下の発見頻度は平成23〜29年度のタンデムマス法による検査の受検者数により算出している．
（特殊ミルク共同安全開発委員会編：タンデムマス導入にともなう新しいスクリーニング対象疾患の治療指針，母子愛育会，2007，特殊ミルク情報第47号，母子愛育会，2011一部改変，発見頻度；特殊ミルク情報55号，母子愛育会，2019より）

MEMO

新生児マススクリーニング：日本で生まれたすべての早期新生児に対して，その病気の有無をチェックする検査．生後5〜7日の新生児の踵から数滴の血液を採取し，血液濾紙をサンプルに各都道府県で検査が行われる．

タンデムマス・スクリーニング：これまでの新生児スクリーニングの手法は1項目1疾患の検査が必要であったが，タンデムマス・スクリーニングでは，1回の検査で3つの疾患を同時に発見することができる．また，多項目同時測定であることから，検査にかかる時間も手間も大幅に省くことができ，より多くの先天性疾患をもつ子どもに対して効果的な治療が期待される．

■表Ⅴ-14-2　栄養管理が有効な先天性代謝異常症の症状

疾患名	臨床的特徴			
	知的障害	代謝性アシドーシス	高アンモニア血症	その他
フェニルケトン尿症（PKU） 高フェニルアラニン血症（HPA）	+	−	−	痙攣 メラニン欠乏
メープルシロップ尿症（MSUD）	+	+	−	意識障害，痙攣，呼吸障害
ホモシスチン尿症（HCU）	+	−	−	血栓症，水晶体脱臼，蜘蛛状手指
尿素サイクル異常症	+	−	+	意識障害，けいれん，嘔吐，呼吸障害
メチルマロン酸血症	+	+	+	意識障害，嘔吐，呼吸障害，肝腫大
プロピオン酸血症	+	+	+	同上
ガラクトース血症Ⅰ型	+	−	−	黄疸，肝脾腫，白内障
ガラクトース血症Ⅱ型	−	−	−	白内障

（大和田 操：先天性代謝異常症と栄養．小児科臨床　57：2542-2546，2004より）

■表Ⅴ-14-3　新生児マススクリーニングにおける測定物質および陽性基準

対象疾患	測定する物質	陽性基準	健常児の濃度
フェニルケトン尿症	フェニルアラニン（Phe）	2mg/dL以上	1～2mg/dL
メープルシロップ尿症	ロイシン（Leu）＋イソロイシン（Ile）	4.5mg/dL以上	2～3mg/dL
ホモシスチン尿症	メチオニン（Met）	1.2mg/dL以上	0.5mg/dL前後
ガラクトース血症	ウリジルトランスフェラーゼ活性（ボイトラー法）	蛍光なし	蛍光あり
	ガラクトース	3mg/dL以上	4mg/dL以下

（日本先天代謝異常学会編：新生児マススクリーニング対象疾患等診療ガイドライン2019，および大和田 操：新生児マス・スクリーニング検査．小児科診療　68：931-936，2005より）

遺伝子に支配されている酵素に異常が生じ，通常の物質代謝が行われずに症状を呈する．

3　疫　学

▶タンデムマス・スクリーニングによる発見頻度を**表Ⅴ-14-1**に示す．

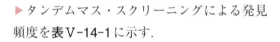

4　症　状

▶IEMの種類は数千種に及ぶが，そのなかには進行性の神経症状を示す疾患，急性あるいは慢性に種々の症状が出現し，生命予後が不良の疾患，検査上の異常以外は無症状な代謝異常など疾患によりさまざまな病像が示される（**表Ⅴ-14-2**）．

5　診断基準

▶新生児マススクリーニングにおける測定物質および陽性基準を**表Ⅴ-14-3**に示す．

6　治　療

▶食事療法や薬物療法が開発されている疾患とその治療法を**表Ⅴ-14-4**に示す．
▶**表Ⅴ-14-5**に食事療法が有効なIEMの制限物質と治療基準・効果判定の目安，および併用療法を示す．食事療法が有効なIEMの治療の基本は，体内に蓄積する物質の食事制限であり，発見後ただちに特殊ミルクに移行し，治療は終生続けることが必要である．フェニルケトン尿症は，全年齢を通じて2～

📝MEMO
代謝性アシドーシス：（➡p.204参照）

■表V-14-4 先天性代謝異常症に対する治療法

治療法	疾患名
食事療法	フェニルケトン尿症，メープルシロップ尿症，ホモシスチン尿症，尿素サイクル異常症，メチルマロン酸血症，プロピオン酸血症，ガラクトース血症，肝型糖原病
薬物療法	ウィルソン病，先天性副腎皮質過形成症，甲状腺ホルモン合成障害，BH_4欠乏症，尿素サイクル異常症，メチルマロン酸血症，プロピオン酸血症
酵素補充療法	ゴーシェ病，ファブリ病，ハーラー病，ハンター病，ポンペ病
肝移植	OTC欠損症，糖原病I，IV型，ウィルソン病など

(大和田 操ほか：先天性代謝異常症．食事指導のABC（中村丁次監修），改訂第3版，p.279, 日本医師会, 2008 より)

■表V-14-5 先天性代謝異常症の食事療法の要約（治療はいずれの疾患でも終生必要）

疾患名	摂取制限をする物質	治療基準と効果判定の目安	併用療法
フェニルケトン尿症 高フェニルアラニン血症	フェニルアラニン（Phe）	●血中Phe維持濃度を2〜6 mg/dLに保つ	
メープルシロップ尿症	ロイシン（Leu） イソロイシン・バリン	●血中Leuを5 mg/dLに保つ	ビタミンB_1
ホモシスチン尿症	メチオニン（Met）	●血中メチオニン（Met）を1 mg/dL以下に保つ ●ベタイン投与時は血中Met 15 mg/dL以下に保つ	ビタミンB_6 ベタイン （幼児期以降）
尿素サイクル異常症	たんぱく質	●血中アンモニアを140 μg/dL以下に保つ ●血漿グルタミン酸を1,000 μmol/L以下に保つ	安息香酸ナトリウム フェニル酢酸
メチルマロン酸血症	イソロイシン・バリン メチオニン，スレオニン	●制限アミノ酸を正常域に保つ ●血中アンモニアを正常域に保つ	L-カルニチン ビタミンB_{12}
プロピオン酸血症	イソロイシン・バリン メチオニン，スレオニン	●制限アミノ酸を正常域に保つ ●血中アンモニアを正常域に保つ	L-カルニチン
ガラクトース血症I	乳糖，ガラクトース摂取禁	●I型では血中Gal-1-Pを5 mg/dL以下に保つ	

(日本先天性代謝異常学会編：新生児マススクリーニング対象疾患等診療ガイドライン2019, 診断と治療社, 2019 より)

6 mg/dL（120〜360 μmol/L）に維持するように第三次改定基準勧告治療指針（2019年）が示されている．

▶高フェニルアラニン（Phe）血症が見出された新生児は**ビオプテリン（BH_4）**の反応の有無を確かめて，生後1カ月以内に食事療法を開始する．血中Phe維持範囲が2〜6 mg/dLになるようにPhe投与量を調節する．Pheの許容摂取量は症例により異なるので，治療開始後1カ月以後も乳児期は週1回程度，幼児期は月1〜2回程度血中Pheを測定してPhe摂取量を調節する．

▶PKUの女性が食事療法を行わずに妊娠すると，母体の血中Phe高値が胎児に悪影響を及ぼし，発育障害，知能障害，小頭，心奇形などを生じる．これを**マターナルPKU**の胎児障害という．PKU妊婦の胎児障害を予防するためには，妊娠前から妊娠末期まで血中Phe値を2〜6 mg/dLに維持するようにコントロールする．

MEMO

ビオプテリン（BH_4）：テトラヒドロビオプテリン（BH_4）はPAHの補酵素で，この酵素遺伝子の異常でも高Phe血症となるが，BH_4の経口投与により血中Phe値は低下する（**図V-14-1**参照）．

マターナルPKU：妊娠中のPKU女性患者．マターナルPKUの子どもの障害は母体の高Phe毒性によるものと理解されているが，機序は不明である．

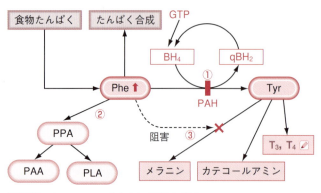

■図V-14-1 フェニルケトン尿症の成因
(特殊ミルク共同安全開発委員会編：改訂2008食事療法ガイドブック，アミノ酸代謝異常症・有機酸代謝異常症のために，p.6，母子愛育会，2008より)

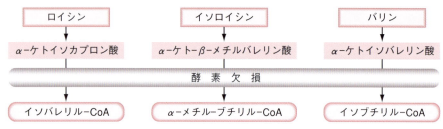

■図V-14-2 メープルシロップ尿症の代謝異常
(特殊ミルク共同安全開発委員会編：改訂2008食事療法ガイドブック，アミノ酸代謝異常症・有機酸代謝異常症のために，p.14，母子愛育会，2008より)

7 栄養生理

▶ IEMは遺伝子に先天的な変異が存在し，その遺伝子に支配されている酵素に異常が生じて通常の物質代謝が行われず症状を呈する．ここでは1977年からの新生児マススクリーニングの対象疾患について解説する．

■フェニルケトン尿症（PKU）

▶ PKUの成因を図V-14-1に示す．
▶ PKUはPhe水酸化酵素（PAH）の異常またはPAHの補酵素であるBH₄の欠乏により，フェニルアラニン（Phe）をチロシンに代謝できず，Pheが体内に蓄積する．
▶ BH₄欠乏による場合はBH₄服用による治療が行われるが，PAH欠損による高Phe血症は蓄積物質であるPheの摂取制限の食事療法が行われる．

■メープルシロップ尿症（MSUD）

▶ 図V-14-2にMSUDの代謝異常を示す．
▶ 分岐鎖アミノ酸（ロイシン，イソロイシン，バリン）は第一段階で脱アミノ反応によりα-ケト酸になるが，MSUDは第二段階の分岐鎖α-ケト酸脱水素酵素複合体（BCKAD複合体）の遺伝的欠損により，分岐鎖アシルCoAの代謝障害が生じる．
▶ そのため血中に分岐鎖アミノ酸およびそれらのα-ケト酸が蓄積しアシドーシスとなり，新生児期より痙攣，呼吸障害，意識障害などが現れ，また感冒など発熱により異化作用が亢進するとアシドーシスを生じることがある．

📝MEMO

T₃，T₄：いずれも甲状腺ホルモン．チロシンがヨード化されてT₃（トリヨードサイロニン），T₄（テトラヨードサイロニン，別名サイロキシン）の2種類の甲状腺ホルモンが形成される．

メープルシロップ尿症：楓糖尿症（maple syrop urine disease）ともいう．尿や汗などがメープルシロップのような甘いにおいがすることから，この病名がついている．

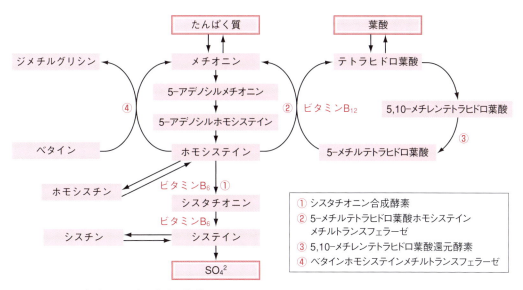

■図V-14-3 含硫アミノ酸と葉酸の代謝
（浜嶋直樹，杉山成司：ホモシスチン尿症の食事療法．小児内科 26：93-98，1994より一部改変）

▶MSUDでは分岐鎖アミノ酸の摂取制限を行うが，自然たんぱく質に含まれる3種のアミノ酸の比率はほぼ一定で，もっとも量の多いロイシンを基準にして食事からの摂取量を調節する．

■ホモシスチン尿症（HCU）
▶ホモシスチン尿症は，シスタチオニン合成酵素欠損により蓄積したホモシスチンが再メチル化によりメチオニンが再合成され，高メチオニン血症となる．
▶図V-14-3に含硫アミノ酸と葉酸の代謝経路を示す．
▶ホモシスチンからシスタチオニンを合成する補酵素としてビタミンB_6を必要とし，大量にビタミンB_6を投与したときの反応によりビタミンB_6依存症と非依存症に分類される．
▶ビタミンB_6依存症の場合，食事療法は不要となるが，B_6非依存症の場合はメチオニンを制限し，シスチンを多く摂取する．

■ガラクトース血症
▶ガラクトース血症はⅠ型：ガラクトース-1-リン酸ウリジルトランスフェラーゼ（GALT）欠損症，Ⅱ型：ガラクトキナーゼ（GALK）欠損症，Ⅲ型：ウリジン2リン酸ガラクトース-4′-エピメラーゼ（GALE）欠損症の3種類があり，ガラクトースまたはガラクトース-1-リン酸（Gal-1-P）が蓄積するために発症する．
▶Ⅰ型はガラクトースとGal-1-Pの著増があり，とくにGal-1-Pの蓄積は肝細胞などに強い臓器障害をもたらすので，ただちに乳糖除去ミルクを開始する．
▶Ⅱ型ではガラクトースは著増するがGal-1-Pは認められず，乳糖除去ミルクによりガラクトース値は容易に低下する．
▶Ⅲ型はガラクトースの軽度の増加とGal-1-Pウリジン2リン酸ガラクトースの増加があるが，わが国においては無症状である末梢型のみが発見されており，末梢型では乳糖除

▮MEMO
ビタミンB_6依存症：新生児マススクリーニングで発見されたHCU患者にビタミンB_6を大量に与えることで治療できる病型．大部分はビタミンB_6不応型（B_6非依存症）で早期から食事療法を行い，生涯継続する必要がある．

■表V-14-6 先天性代謝異常症用特殊ミルク

疾患名		制限物質	特殊ミルク名	品名記号
糖質代謝異常症	ガラクトース血症	無乳糖, 無ガラクトース	ガラクトース除去フォーミュラ（可溶性多糖類・ブドウ糖含有）	明治110
アミノ酸代謝異常症	フェニルケトン尿症（PKU）	フェニルアラニン	フェニルアラニン除去ミルク配合散「雪印」	薬価掲載
			フェニルアラニン無添加総合アミノ酸粉末	雪印 A-1
			低フェニルアラニンペプチド粉末	森永 MP11
	メープルシロップ尿症（MSUD）	Leu, Ile, Val	Leu, Ile, Val 除去ミルク配合散「雪印」	薬価掲載
	ホモシスチン尿症（HCU）	メチオニン	メチオニン除去粉乳	雪印 S-26
	シトルリン血症・高アンモニア血症	たんぱく質	たんぱく除去粉乳	雪印 S-23
	アルギニノコハク酸尿症		高アンモニア血症・シトルリン血症フォーミュラ	明治 7925-A
有機酸代謝異常症	メチルマロン酸血症 プロピオン酸血症	Ile, Val, Met, Thr, Gly	Ile, Val, Met, Thr, Gly 除去粉乳	雪印 S-22
	イソ吉草酸血症 メチルクロトニルグリシン尿症 ヒドロキシメチルグルタル酸血症	ロイシン	ロイシン除去フォーミュラ	明治8003
	グルタル酸血症 1 型	リジン, トリプトファン	リジン・トリプトファン除去粉乳	雪印 S-30
脂肪酸代謝異常症	極長鎖アシル CoA 脱水素酵素欠損症 シトリン欠損症	長鎖脂肪酸	必須脂肪酸強化 MCT フォーミュラ	明治721

Leu：ロイシン, Ile：イソロイシン, Val：バリン, Met：メチオニン, Thr：スレオニン, Gly：グリシン

（特殊ミルク情報54号, 母子愛育会, 2018より作成）

去は不必要とされている.

8 栄養食事療法

1—基本方針

▶食事療法が有効なIEMにおける治療を表V-14-4に示す.

▶PKU, MSUD, HCUは特定のアミノ酸の摂取制限を要するが, それ以外のアミノ酸摂取制限は不要であり, 成長, 発育に必要な窒素分は, 制限を要するアミノ酸以外のアミノ酸混合物をたんぱく質代替物（**特殊ミルク**）（表V-14-6）として十分に与える.

2—栄養アセスメント

▶IEMの治療基準と効果判定の目安を表V-14-5に示す.

▶PKUでは小学校入学までは原則4週ごとに血中Pheを測定し, 3カ月ごとに血液一般検査, 血液生化学検査を行う. 血中Phe値を2〜6 mg/dLに維持する.

▶MSUDは空腹時血中分岐鎖アミノ酸がそれぞれ2〜5 mg/dLの間に維持されるように分岐鎖アミノ酸量を定める. 3種類のアミノ酸のなかで血中濃度の一番高いLeuの値が目安となる.

▶HCUは空腹時血中メチオニン（Met）量

特殊ミルク：先天性代謝異常の治療のために使用されるミルク. 医師が「特殊ミルク事務局」へ供給申請を行い, 審査の結果, 製造管理している乳業会社より出荷される. 公費で助成され, 対象児の負担は一切ない.

■表V-14-7　各年齢別Phe摂取量のおよその目安

年齢	摂取Phe値（mg/kg/日）
0～3カ月	70～50
3～6カ月	60～40
6～12カ月	50～30
1～2歳	40～20
2～3歳	35～20
3歳以後	35～15

（特殊ミルク共同安全開発委員会編：改訂2008食事療法ガイドブック，アミノ酸代謝異常症・有機酸代謝異常症のために，p.116，母子愛育会，2008より）

■表V-14-8　メープルシロップ尿症（楓糖尿症）の暫定的治療指針

	摂取分枝鎖アミノ酸量（mg/kg/日）		
	ロイシン	イソロイシン	バリン
0～3カ月	160～80	70～40	90～40
3～6カ月	100～70	70～50	70～50
6～12カ月	70～50	50～30	50～30

（特殊ミルク共同安全開発委員会編：改訂2008食事療法ガイドブック，アミノ酸代謝異常症・有機酸代謝異常症のために，p.117，母子愛育会，2008より）

■表V-14-9　ホモシスチン尿症の暫定的治療指針

	メチオニン（mg/kg/日）	シスチン（mg/kg/日）
0～6カ月	40	150
6カ月～1歳	20	150
1歳以後	10～15	150

（特殊ミルク共同安全開発委員会編：改訂2008食事療法ガイドブック，アミノ酸代謝異常症・有機酸代謝異常症のために，p.117，母子愛育会，2008より）

が1.0 mg/dL以下に保たれるように摂取Met量を定める．定期的に肝機能，血小板粘着度，眼科所見などを観察する．

▶尿素サイクル代謝異常症は血中アンモニアおよび血中イソロイシンを正常に保つ．メチルマロン酸血症，プロピオン酸血症は血中アンモニアおよび制限アミノ酸を正常に保つ．脂肪酸代謝異常症では低血糖を予防する．

▶ガラクトース血症は明確な基準はないがGal-1-P，血中ガラクトースがコントロールの良否の指標に用いられる．また尿中ガラクチトールを測定し，白内障，骨密度などの検査を行う．

▶いずれも定期的に身体発育値，DQ🖉，IQ🖉，脳波所見などを観察しながら治療を続ける．

3　栄養食事管理と管理目標

a　栄養素処方

▶PKUのPhe摂取量のおよその目安を表V-14-7に，MSUDとHCUの治療指針を表V-14-8，9に示す．

▶食品に含まれるアミノ酸量は「日本食品標準成分表」の「アミノ酸成分表　編」を参照する．食品に含まれるフェニルアラニン（Phe），ロイシン（Leu），メチオニン（Met）の平均含有率はPhe 5 %，Leu 8 %，Met 2 %であり，アミノ酸量が不明の場合は平均含有率を使用する．

▶各疾患の制限アミノ酸の許容摂取量は症例により個体差があるので血液検査の値を確認し，小児専門医と相談しながら決定する．

▶同年齢の健常児における「たんぱく質推奨量」（日本人の食事摂取基準）に基づいてたんぱく質摂取量を算出し，たんぱく質代替物（特殊ミルク）の摂取量を指示する．エネルギー，ビタミン，ミネラルについても同年齢の健常児の食事摂取基準に準ずる．

▶尿素サイクル異常症においては総窒素量の制限が必要であり，炭水化物を増加させてエネルギー不足にならないように注意する．

▶ガラクトース血症については，乳糖，ガラクトースの摂取を制限し，栄養摂取量は同年齢の健常児の食事摂取基準に準ずる．

📝MEMO

DQ：発達指数．発達年齢と生活年齢の比で表す．「新K式発達検査」を用いて行われる場合が多い．「姿勢・運動」「認知・適応」「言語・社会」の3分野に分けて数値が出される．

IQ：知能指数．知能検査法によって得られた知能年齢（月齢）を同人の生活年齢（月齢）で除した商を100倍したもので，90～110が正常．

b 食品・料理・献立の調整

▶食事療法が有効なIEMでは早期診断後ただちに食事療法が開始され，新生児，乳児期においては母乳，調製粉乳投与を中止し，特殊ミルクを使用する．

▶**アミノ酸代謝異常症，有機酸代謝異常症**は，特殊ミルクを中心に食事計画を立案し，制限アミノ酸の許容摂取量に合わせて自然たんぱく質摂取量を決定する．

▶主食は低たんぱく質食品を利用し，いも類，くだもの，野菜類を中心とした料理にする．

▶フェニルケトン尿症ではフェニルアラニンの制限が必要であるが，人工甘味料のアスパルテーム（L-フェニルアラニン化合物）はフェニルアラニンを含むため，これを含む食品や薬の摂取は避ける．特殊ミルク事務局ホームページ（http://www.boshiaiikukai.jp/milk.html）で一部食品と薬のL-フェニルアラニン化合物の含有量が参照可能である．

▶**ガラクトース血症**は乳糖，ガラクトース除去食で乳製品が制限されるためにカルシウム，鉄が不足しやすいので注意する．離乳期のベビーフードをはじめ市販食品に含まれる乳糖，ガラクトースの含有量にも注意を要する．日本食品成分表2020年版（八訂）の炭水化物成分表編には，乳糖，ガラクトースの含有量が掲載されている．

c 栄養指導

■指導のポイント

▶栄養指導では1日の食品構成，特殊ミルクの量と配分を示し，成長に合わせて生活時間を考慮してミルクを含めた食事時間，食事内容などを随時継続的に指導を行う．

▶制限アミノ酸は治療指針に示されている最少必要量より少なくする場合もあり，血中アミノ酸濃度を確認しながら小児専門医と相談し，必要量を決める．

▶アミノ酸制限が必要なIEMでは自然たんぱく質摂取制限が必要で，少なくとも2歳までは特殊ミルクを食事の中心とする．

▶離乳食も野菜，果実，いも類を中心として，将来制限しなければならなくなる高たんぱく質の食材の味は覚えさせないようにする．

▶成長につれて可能な範囲で自然食品と治療用食品を組み合わせ満足感が得られるようにし，成人後も食事療法が継続できるようにする．

▶生まれて間もないわが子が代謝異常症と医師から告げられた家族の気持ちを察し，食事療法を正しく継続することで障害を防ぎ，普通の子どもとまったく変わりない生活ができることを家族に理解してもらい，将来は患児自身で食事管理ができるよう栄養指導を行う．

4 栄養食事療法の効果・判定

▶アミノ酸代謝異常症，有機酸代謝異常症では食事療法がうまくいっていれば血清アミノ酸は許容範囲となるが，特殊ミルクの摂取が不十分なためにエネルギーやたんぱく質の摂取量が不足していると異化作用により血中の蓄積物質が高値になることがある．

▶IEMにおいては症状の改善と検査所見が治療基準の範囲内に収まり，正常に成長・発育していることが食事療法および栄養指導の効果判定といえる．

📝**MEMO**

有機酸代謝異常症：タンデム質量分析計を用いたマススクリーニングでは22疾患の代謝異常症を新生児期に発見できる．メチルマロン酸血症，プロピオン酸血症など有機酸代謝異常症でも特殊ミルクを用いた食事療法が行われる．

甲状腺機能亢進症・低下症

1 疾患の概要

▶甲状腺の位置の男女の違いを図Ⅴ-15-1に示した．

■甲状腺機能亢進症

▶甲状腺ホルモン過剰を生じる病態を総称的に**甲状腺中毒症**といい，その原因疾患を大きく，甲状腺におけるホルモンの合成・分泌が高まった甲状腺機能亢進症と，甲状腺機能亢進をともなわない甲状腺中毒症に分類される．前者の代表が**バセドウ病**であり甲状腺中毒症の90％以上を占める．後者の代表は亜急性甲状腺炎を代表とする破壊性（炎症性）甲状腺中毒症である．

■甲状腺機能低下症

▶甲状腺ホルモン分泌低下によって生じる病態である．もっとも頻度の高い甲状腺機能低下症の病因は**慢性甲状腺炎（橋本病）**である．

2 病因

■甲状腺機能亢進症

▶バセドウ病は甲状腺刺激抗体による自己免疫疾患である．甲状腺過機能結節は甲状腺の腫瘍性病変が自律的にホルモンを過剰産生する．亜急性甲状腺炎と無痛性甲状腺炎は，甲状腺濾胞細胞の破壊により貯蔵されていたホルモンが血中に流出されることにより一時的に甲状腺中毒症状を起こす．

■甲状腺機能低下症

▶橋本病は抗甲状腺自己抗体による自己免疫疾患である．甲状腺自体の原因により甲状腺機能低下を起こすものは原発性甲状腺機能低下症とよばれ，視床下部，下垂体の異常による甲状腺機能低下は中枢性甲状腺機能低下症とよばれる．また，**ヨウ素（ヨード）**の欠乏した地域ではヨウ素不足による甲状腺機能低下症がみられる．一方，ヨウ素の過剰摂取も甲状腺機能低下症の原因となる場合もある．

3 疫学

▶厚生労働省の患者調査によると，2017年10月の調査時に甲状腺疾患により継続的に治療を受けている総患者数は44万2千人で，男性が7万3千人，女性が31万6千人で，甲状腺疾患は女性に多い疾患である．甲状腺中毒症（ほとんどがバセドウ病と考えられる）

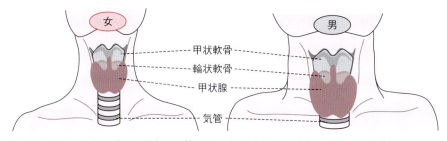

■図Ⅴ-15-1　甲状腺位置の男女での差　(阿部好文：診断と治療 89(2)：199, 2001より)

ヨウ素（ヨード）：70〜80％は甲状腺に存在しており，甲状腺ホルモンを構成している．甲状腺ホルモンは生殖，成長，発達などのプロセスを制御しており，全身の基礎代謝を亢進させる．

■表V-15-1 バセドウ病の診断ガイドライン

a) 臨床所見		
1. 頻脈，体重減少，手指振戦，発汗などの甲状腺中毒症所見		
2. びまん性甲状腺腫大		
3. 眼球突出または特有の眼症状		
b) 検査所見		
1. 遊離T_4，遊離T_3のいずれか一方または両方高値		
2. TSH低値（0.1 μU/mL以下）		
3. 抗TSH受容体抗体（TRAb，TBII）陽性，または刺激抗体（TSAb）陽性		
4. 放射性ヨード（またはテクネシウム）甲状腺摂取率高値，シンチグラフィでびまん性		
診断	①バセドウ病	a)の1つ以上に加えてb)の4つを有するもの
	②確からしいバセドウ病	a)の1つ以上に加えてb)の1, 2, 3を有するもの
	③バセドウ病の疑い	a)の1つ以上に加えてb)の1と2を有し，遊離T_4，遊離T_3高値が3カ月以上続くもの

では男性3万5千人，女性9万7千人である．また甲状腺炎では男性8千人，女性5万7千人である．自己抗体の検出頻度は高齢になると高くなるが，20歳代からでも発症する．

4 症 状

■甲状腺機能亢進症

▶甲状腺機能亢進症による甲状腺中毒症の特徴は倦怠感，暑がり，いらいら，頻脈，体重減少，食欲亢進，軟便，下痢，手指振戦，発汗増加などである．

▶バセドウ病では食後血糖値の急激な上昇を認めることが多い．また血清総コレステロール低下，アルカリホスファターゼ上昇，クレアチニン低下は高頻度に認められる．バセドウ病長期罹病患者は低カリウム血症性周期性四肢麻痺をきたすこともある．

■甲状腺機能低下症

▶症状，所見に乏しいことが多い．しかし無気力，易疲労感，眼瞼浮腫，寒がり，体重増加，動作緩慢，嗜眠，記憶力低下，便秘，嗄声などの症状がみられることがある．

▶血清総コレステロール上昇，中性脂肪上昇，AST，ALT，CKなどの上昇を示すことが多い．

5 診断基準

■バセドウ病の診療ガイドライン

▶日本甲状腺学会の「バセドウ病診断ガイドライン」（表V-15-1）の臨床所見の一つに加えて，検査所見の該当項目数および異常所見の継続期間により，診断する．

■甲状腺機能低下症のガイドライン

▶原発性甲状腺機能低下症は，臨床所見として無気力，易疲労感，眼瞼浮腫，寒がり，体重増加，動作緩慢，嗜眠，記憶力低下，便秘，嗄声などのいずれかの症状に加え，検査所見で遊離T_4低値およびTSH高値を有するもの，とされている．

▶中枢性甲状腺機能低下症は，原発性甲状腺機能低下症ガイドラインでの臨床所見のいずれかがあり，検査所見で遊離T_4低値，TSHが低値～正常であるもの，とされている．

▶原発性甲状腺機能低下症の病因の一つである慢性甲状腺炎（橋本病）は，表V-15-2の診療ガイドラインでの臨床所見および検査所見の1つ以上を有するものとされている．

📝 MEMO

手指振戦：不随意の震え．
嗄声：声帯の炎症により声がかすれること．発声困難，発声障害．

■表V-15-2 慢性甲状腺炎（橋本病）の診断ガイドライン

a) 臨床所見
びまん性甲状腺腫大，ただしバセドウ病など他の要因が認められないもの
b) 検査所見
1. 抗甲状腺マイクロゾーム（またはTPO）抗体陽性
2. 抗サイログロブリン抗体陽性
3. 細胞診でリンパ球浸潤を認める
診断　a) およびb) の1つ以上を有するもの

6 治療

■甲状腺機能亢進症

▶バセドウ病：①抗甲状腺薬治療，②放射線治療，③外科治療の3つの治療法が行われる．

①抗甲状腺薬治療は日本でもっとも多く選択されている治療法である．甲状腺ホルモンレベルを低下させ中毒症状を消失させるもので，低侵襲であり，永続性甲状腺機能低下症を起こす危険が少ないため，小児，若年者，妊婦に対しては第一選択としている．

②放射線治療は，放射性ヨウ化ナトリウム（Na-^{131}I）を用いた内服治療である．甲状腺の細胞を破壊し，甲状腺ホルモンの合成を抑制するもので，欧米ではもっとも多く選択されているが，妊婦に対しては禁忌となる．小児に対しても，成人に比べて数倍放射線感受性が高いため，第一選択としない．

③外科治療は抗体から刺激を受ける側の甲状腺を切除することによりホルモンの合成を抑制するもので，その適用は，抗甲状腺薬治療が困難な場合，妊婦において有用とされている．

▶無痛性甲状腺炎：甲状腺機能亢進症状が強い場合には対症療法としてβ遮断薬や抗不安薬を用いるが，基本的には自然寛解する疾患のため，ほかに特別な治療をしていないのが一般的である．

▶亜急性甲状腺炎：基本的には非ステロイド抗炎症薬の内服のみで自然寛解を得られる．甲状腺機能亢進症状への対症療法は無痛性甲状腺炎と同様である．

■甲状腺機能低下症

▶慢性甲状腺炎（橋本病）は甲状腺機能が正常であれば通常は治療の対象とならない．しかし，まれに甲状腺腫大が顕著で圧迫症状を呈した場合に外科治療を考慮することがある．

▶甲状腺機能低下が認められたら，甲状腺ホルモン製剤による補充療法を行い，通常は合成T$_4$製剤を用いる．

7 栄養生理

▶甲状腺ホルモンは，サイロニン（L-thyronine）を基本骨格とするヨード化アミノ酸である（図V-15-2）．甲状腺より主として分泌されるのはサイロキシン（T$_4$：thyroxineまたは3, 5, 3′, 5′-tetraiodothyronine）であり，ホルモン作用を有するものはトリヨードサイロニン（T$_3$：3, 5, 3′-triiodothyronine）である．甲状腺ホルモンは正常な脳の発達，成長を促進し，代謝を促進する．

▶甲状腺ホルモンの生合成は濾胞腔内サイログロブリン（Tg：thyroglobulin）分子内のチロシン残基で行われる．甲状腺は血中からヨードを能動的に取り込み，血清中のヨードを20～100倍に濃縮する．これにはNa$^+$/I$^-$ symporter（NIS）が関与し，ヨードはI$^-$の形でNa$^+$と共に取り込まれる．

▶ヨードはその後細胞膜に結合した酵素の

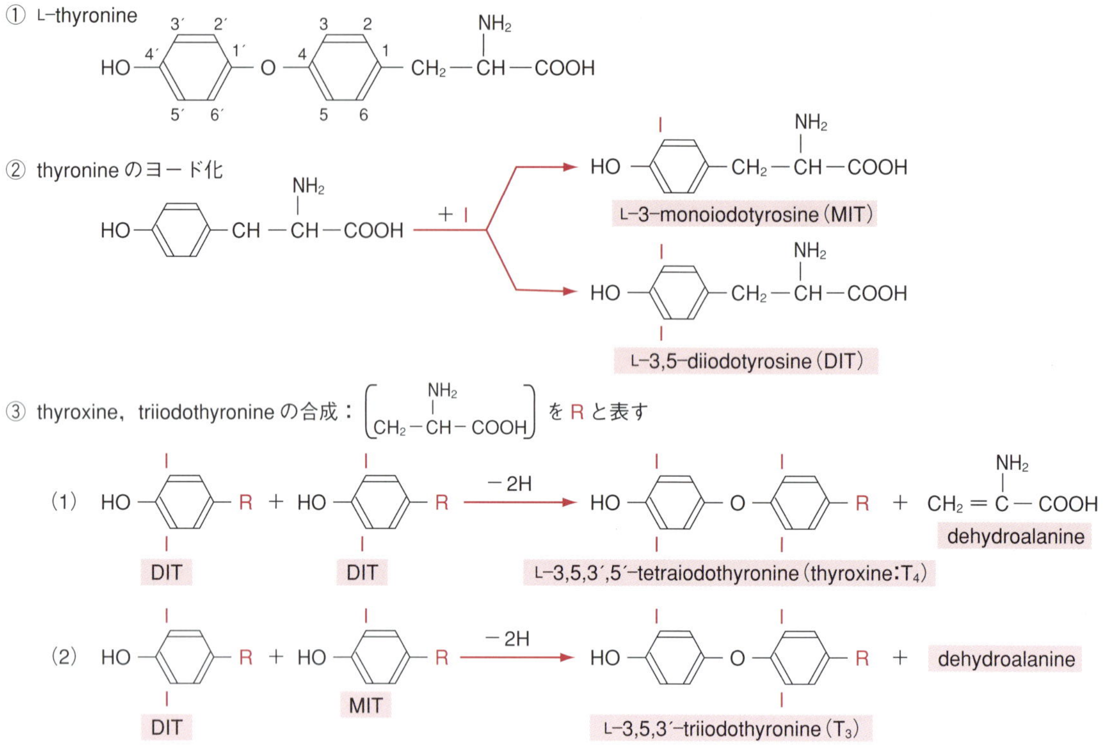

① L-thyronine

② thyronine のヨード化
→ L-3-monoiodotyrosine（MIT）
→ L-3,5-diiodotyrosine（DIT）

③ thyroxine，triiodothyronine の合成：$\begin{pmatrix} NH_2 \\ CH_2-CH-COOH \end{pmatrix}$ を R と表す

(1) DIT + DIT → L-3,5,3′,5′-tetraiodothyronine（thyroxine：T_4） + dehydroalanine

(2) DIT + MIT → L-3,5,3′-triiodothyronine（T_3） + dehydroalanine

■図V-15-2　甲状腺ホルモンの骨格と合成
（西川光重ほか：甲状腺ホルモンの合成・分泌・代謝－診断と治療のための基礎知識－. Medical Practice 22（4）：581-587，2005 より）

甲状腺ペルオキシダーゼ（TPO：thyroid peroxidase）により酸化され，Tg上のチロシン残基がヨード化され，モノヨードチロシン（MIT：monoiodothyrosine）やジヨードチロシン（DIT：diiodothyrosine）が合成される．この反応は**甲状腺刺激ホルモン（TSH**：thyroid stimulating hormone または thyrotropin）で促進され，抗甲状腺薬，スルホンアミド，大量のヨード，オチシアネートなどで阻害される．2個のDITの縮合によりT_4ができ，DITとMITの縮合によりT_3ができる．T_4，T_3を含むTgは，濾胞腔内から細胞に取り込まれる．Tgからたんぱく分解酵素によりT_4，T_3が切り離され，甲状腺細胞内に遊離し血中に分泌される．

▶バセドウ病ではTSHの作用を伝達するための糖たんぱくであるTSHレセプターの働きを阻害する自己抗体（TRAb：anti-TSH receptor antibody）が生産されることにより甲状腺ホルモン産生が高まり，甲状腺機能亢進となる．一方，無機ヨードとチロシンの結合過程が障害されるヨードの有機化障害や，MIT，DITが縮合する過程に異常があるヨードチロシン縮合障害，NISの異常によるヨード濃縮障害など，甲状腺ホルモンの合成過程における要素が障害されると甲状腺ホルモン分泌が低下し，TSH分泌が亢進する．障害の程度が軽度であれば甲状腺機能は正常を保つが，重篤であると代償しきれず甲状腺機能低下症となる．

8 栄養食事療法

1 — 基本方針

■ 甲状腺機能亢進症

① バセドウ病の場合，抗甲状腺薬の服用により甲状腺機能は1〜2カ月で正常化し，甲状腺炎でも亢進期間は数カ月であるので栄養食事療法の期間は短時間である．

② 甲状腺ホルモンの産生が高まり代謝が亢進しているため，体重減少が起きやすくなっている．エネルギー，たんぱく質，水溶性ビタミンとビタミンA，カルシウムを十分に摂取する．

③ 不感蒸泄や発汗増加による水分不足を招かないよう水分補給を十分にする．

④ 甲状腺ホルモンの材料となるヨウ素の摂取はできるだけ控える．

■ 甲状腺機能低下症

▶ 甲状腺機能低下症では甲状腺ホルモンが投与され，血中ホルモン値が正常になれば症状は消失するので持続的に栄養食事療法を行う必要はない．しかし，過剰なヨウ素摂取により甲状腺機能が低下することがあるので，食事調査を行い，ヨウ素過剰がみられた場合はヨウ素摂取を制限する．

2 — 栄養アセスメント

① 甲状腺機能亢進症では耐糖能異常をきたしやすく，甲状腺機能低下症では脂質異常をきたしやすい．アルブミンなど栄養状態の指標のほか，血糖値，総コレステロール，中性脂肪，遊離脂肪酸などを検討する．

② エネルギー代謝の変化が生じるので，体重，BMI，体重変化，上腕三頭筋部，肩甲骨下部の皮下脂肪厚，上腕筋囲など身体状況を観察する．間接熱量計を用いて安静時のエネルギー消費量を測定する．

③ 下痢や便秘の有無，排便回数，脈拍を観察する．

3 — 栄養食事管理と管理目標

a 栄養素処方

■ 甲状腺機能亢進症

① エネルギー代謝亢進が進んでいるため，エネルギーは35〜40 kcal/kg/日とし，体重の変化により調整する．甲状腺機能亢進による耐糖能異常が認められた場合にも甲状腺機能亢進が改善されれば食後高血糖や高インスリン血症も改善されるため，原則的には甲状腺機能の治療を優先する．

② たんぱく質は1.2〜1.5 g/kg/日とする．

③ ビタミンA，B_1，B_2，B_6，B_{12}，Cを十分摂取する．

④ ミネラルは十分に摂取する．とくにカルシウムは600〜1,000 mg/日摂取する．

■ 甲状腺機能低下症

① 甲状腺ホルモン療法の効果が現れるまではエネルギー25〜30 kcal/kg/日とする．

② たんぱく質は1.0〜1.2 g/kg/日とする．

③ 甲状腺機能低下による脂質異常症は，甲状腺ホルモン療法により甲状腺機能が改善すれば同時に改善されるが，コレステロール値高値が持続する場合には脂質異常に対する食事療法を行う．

b 食品・料理・献立の調整

■ 甲状腺機能亢進症

① ヨウ素（ヨード）を多く含む昆布の使用は

不感蒸泄：発汗以外の皮膚および呼気からの水分喪失のこと．安静時の成人で1日約900 mLの水分喪失がある．

間接熱量計：呼気中の酸素および二酸化炭素の濃度と容積からエネルギー消費量を計算する方法を間接熱量測定法といい，測定のために用いる装置として，ダグラスバックや携帯型の代謝測定装置を用いる．

避ける．また昆布を使用しただし汁での汁物や煮物にも多量のヨウ素が含まれているので献立，調理には留意する．

②インスタントの出しの素を使用した料理や昆布を加工した食品の過剰摂取を避ける．

③寒天や寒天を使用した料理の過剰摂取にも注意する．

④放射性ヨード摂取率測定および**シンチグラフ**🖊を行うときは，検査前1週間，また，Na–^{131}Iでの治療時には，Na–^{131}I服用前1〜2週間前より服用後4日目までヨウ素の多い食品，ヨウ素を含有する薬剤，造影剤を禁止する．日常摂取しているヨウ素量が多いと放射性ヨードの甲状腺摂取を抑制してしまう．

■甲状腺機能低下症

①ヨウ素（ヨード）は，「日本人の食事摂取基準（2025年版）」における耐容上限量3,000 μg/日以下の摂取とする．

②肥満や脂質異常症がある場合はエネルギー摂取過剰にならないように主食，菓子類，果物類の過剰摂取に注意する．

C 栄養指導

■指導のポイント

①日本人の成人における1日**ヨウ素摂取必要量**は100 μg，推奨量は140 μg，耐容上限量は3,000 μgである．日本人の食生活では1日ヨウ素摂取量が500〜3,000 μg程度であり，ヨウ素摂取不足の日本人はまれである．一方，海藻類や魚介類にはヨウ素含有量が多いため，甲状腺機能亢進症の場合，過剰摂取にならないよう制限する（表Ⅴ-15-3）．

②便秘，下痢，食欲不振がみられる場合があ

■表Ⅴ-15-3 常用量当たりのヨウ素（ヨード）含有量

	常用量	ヨウ素含有量
まこんぶ（乾）	3〜10 g	6,000〜20,000 μg
刻み昆布	5 g	11,500 μg
昆布つくだ煮	5〜10 g	550〜1,100 μg
ひじき（乾）	5〜7 g	2,250〜3,150 μg
ところてん	100 g	240 μg
カットわかめ（乾）	1〜2 g	100〜200 μg
焼きのり	2 g	42 μg
うずら卵（生）	1個（10 g）	14 μg

（文部科学省：日本食品標準成分表2020年版（八訂），2020より）

るので，患者の嗜好に合った食事とし，症状の改善を図る．

③体重の経過に対応して摂取エネルギー量を調整する．

④肝機能障害が起きる場合があるため，アルコール摂取は避ける．

4 栄養食事療法の効果・判定

①バセドウ病の場合，抗甲状腺薬による治療では3カ月程度，放射線治療では1カ月程度の間，血中FT$_4$，FT$_3$，TSHを観察し，甲状腺ホルモン濃度を判定し治療効果を確認する．この間，エネルギー，たんぱく質不足を招かないように食事摂取状況を確認する．この際，体重減少のなかった患者が代謝の正常化とともに体重増加をきたす場合があるので，総エネルギー，炭水化物，脂質の摂取量をも評価する．

②甲状腺機能低下症は，甲状腺ホルモンの補充による効果は4〜6週で現れる．その間は体重の推移を観察し，肥満を招かないよう留意する．

📝MEMO

シンチグラフ：体内に投与した放射性同位体から放出される放射線をカメラでとらえ，その分布を画像化したもの．画像診断法の一つ．

16 ウィルソン病，糖原病

ウィルソン病

1 疾患の概要・病因

▶常染色体劣性遺伝形式をとる遺伝性銅代謝異常症の代表的な疾患である．
▶肝臓をはじめ大脳基底部，角膜および肝臓，腎臓などに過剰な銅の蓄積を認め，種々の臓器障害を呈する．

2 疫学

▶わが国を含めて一般に発症頻度は，約3万人に1人とされている．
▶保因者は約100～120人に1人．
▶発症年齢は病気のタイプによって異なるが，3～50歳代と幅広く分布している．

3 症状

▶肝障害：慢性肝炎，急性肝炎
▶症状：黄疸，嘔吐，食欲不振など
▶神経症状：錐体外路症状，筋緊張亢進と構音障害，運動失調，振戦
▶カイザー・フライシャー（Kayser-Fleischer）角膜輪
▶腎障害：血尿，たんぱく尿，アミノ酸尿

4 診断基準

▶血清セルロプラスミン値，カイザー・フライシャー角膜輪の存在，尿中の銅排泄量，肝の銅含有量で行われる．
▶ウィルソン病のための典型的臨床症状（スコア表）を示す（表V-16-1）．

5 治療

▶治療の目的は，初期には体内の銅の蓄積を排出し，その後は，肝臓をはじめ臓器の銅蓄積を阻止することにある．
▶食事療法：低銅食
▶薬物療法：銅キレート剤（D-ペニシラミン，塩酸トルエン），消化管からの銅の吸収阻害を目的に亜鉛製剤．
▶血液浄化法（肝臓移植までの応急処置）
▶肝臓移植
▶病型や病態により一概にはいえないが，早期あるいは発症前に診断し治療を開始すれば，十分な社会復帰は可能である．

6 栄養生理

▶摂取した銅の一部は肝臓へ吸収される．
▶吸収された銅のうち，必要以上の銅は胆汁から排泄されるが，ウィルソン病では，この働きを担う遺伝子が欠損しているため，肝臓に銅が蓄積し，これが肝臓の機能の障害の原因となる．
▶肝臓に蓄積された銅の一部は血中に遊出され，アルブミンやアミノ酸と結合し，全身に送られる．組織（脳・角膜など）に蓄積し，これが臓器障害の原因となる．

MEMO

錐体外路症状：骨格筋の随意運動を行っている伝導回路には錐体路と錐体外路がある．錐体外路は，運動を円滑に行うためコントロールを行っている．ウィルソン病では，筋緊張亢進-運動減退症候群がみられる．

構音障害：精神の緊張，脳損傷，会話に用いる筋肉の麻痺・失調・痙攣などによる発音障害．

カイザー・フライシャー角膜輪：ウィルソン病にみられる角膜周辺の異常で，眼球の正面像では，角膜周辺の虹彩と鞏膜（きょうまく，強膜）の境界の不明瞭化，その部分に帯状の茶褐色の色素沈着が認められる症状をいう．

■表V-16-1　Wilson病診断のための典型的臨床症状（スコア表）

典型的臨床症状・所見	スコア	補足
Kayser-Fleischer輪 　あり 　なし	 2 0	神経型では約90％で陽性 肝型では約50％で陽性
神経症状 　高度 　中等度 　なし	 2 1 0	錐体外路障害：歩行障害，構音障害，パーキンソン病様の不随運動（振戦など），書字拙劣
血清セルロプラスミン 　20 mg/dL以上 　10～20 mg/dL 　10 mg/dL以下	 0 1 2	WDでも低下していない例がまれにある．保因者はやや低下傾向が多い．
クームス陰性溶血性貧血 　あり 　なし	 1 0	
尿中銅量 　100 μg/日以上 　40～100 μg/日 　40 μg/日以下（基準）	 2 1 0	酸処理し金属汚染を除去した蓄尿容器などを使用する．
ペニシラミン負荷尿中銅排泄 　1,600 μg/日以上 　1,600 μg/日未満	 1 0	小児のみに適用できる．
肝臓銅濃度 　250 μg/g乾重量 　50～250 μg/g乾重量 　50 μg/g乾重量（基準値）	 2 1 −1	本症患者でも劇症肝炎型では，肝細胞壊死のため，針生検では正確に分析できないことがある．
ATP7B遺伝子解析 　両方の染色体で変異同定 　1つの染色体で変異同定 　変異同定できず	 4 1 0	

Ferenci et al: Diagnosis and phenotypic classification of Wilson's disease. Liver International 23: 139-142, 2003.の表を引用改変
4点以上：Wilson病の可能性が高い，2～3点：Wilson病の可能性がある（診断にはさらなる検査が必要），0～1点：Wilson病ではない可能性が高い．

（日本小児栄養消化器肝臓学会ほか編：Wilson病診療ガイドライン2015，2015より）

▶血中に遊出された銅は，腎臓から尿となって排泄されるため，ウィルソン病では尿中の銅の排泄が増加する．さらに，銅は腎臓にも蓄積し，腎臓に障害をきたす．

7　栄養食事療法

1―基本方針

▶銅の多い食品（甲殻類，肝臓，ナッツ類）を控える．
▶当該年齢の必要な栄養を充足する．
▶食事摂取と服薬のタイミングを整える．

2―栄養アセスメント

■アセスメント・モニタリングの項目
①家族歴，栄養摂取状況，銅含有量の多い水道水の使用，サプリメントなどで銅の過剰摂取がないかを確認する
②食生活の状況，身体の栄養状態
③検査
● 血液・尿中の銅，血清セルロプラスミン値
● 肝臓・腎臓の検査（ALT，たんぱく尿，アミノ酸尿，尿糖など）
● 錐体外路症状，カイザー・フライシャー角

📝MEMO

キレート剤（→p.315）：キレートはミネラルイオンが2分子から3分子のアミノ酸に結合した状態のことをいう．ミネラルがキレートを作ることによって吸収率が変わってくる．この性質を利用した薬剤をいう．
ウィルソン病の薬剤と食事摂取（→p.317）：D-ペニシラミンは胃・小腸から吸収され血中に入り，そこで銅とキレートを作り尿に排泄させる働きをもつ薬のため，吸収が速やかな空腹時に服薬することが大切となる．亜鉛製剤は胃や腸で食物中のCuの吸収を阻害する働きがあり，食前1時間以上前もしくは食後2時間以降に服用する．

膜輪の存在や白内障・緑内障
- 肝の銅含有量

④服薬状況

⑤小児期であれば発育

3 ― 栄養食事管理と管理目標

a 栄養素処方

①銅以外の栄養成分は，原則として当該年齢の小児期，青年期の栄養処方に準拠する．

②銅の摂取を医師の指示範囲にとどめる．食品中の銅の含有量は表V-16-2のとおり．亜鉛製剤による治療を行っているときの銅制限は医師の指示に従う．

③水道水，サプリメント，健康食品などの銅摂取にも注意をはらう．

④ウィルソン病の薬剤は食事摂取とのタイミングを考慮する必要があるので正しい服用が重要である（食前1時間以上かつ食後2時間以降）．

b 食品・料理・献立の調整

■ 食品

● 推奨される食品・料理

▶ とくに推奨される食品・料理はない．

● 避けたほうがよい食品・料理

①甲殻類および甲殻類を含む加工食品

②ナッツ類およびナッツ類を含む加工食品

③チョコレートおよびチョコレートを含む菓子・飲料

④銅管を使用した水・湯

⑤サプリメント・健康食品は銅の多い食品の使用や銅の添加を確認する．使用にあたっては，主治医・薬剤師の許可を得る．

■ 献立

▶ 家族との食事に患者が差別を感じないよう配慮するのが望ましい．

■ 表V-16-2 食品中の銅含有量

食品名	100g当たりの含有量（mg）
牛・肝臓	5.30
ほたるいか	3.42
さくらえび（ゆで）	2.05
カシューナッツ（フライ，味付け）	1.89
ごま（乾）	1.66
ヘーゼルナッツ（フライ，味付け）	1.64
アーモンド（乾）	1.17
くるみ（いり）	1.21
豚・肝臓	0.99
湯葉	0.70
糸引き納豆	0.61
落花生（乾）	0.59
ミルクチョコレート	0.55
毛がに	0.47
あまえび	0.44
たらばがに	0.43
くるまえび・養殖	0.42
えだまめ	0.41
ずわいがに	0.35
鶏・肝臓	0.32
ぎんなん	0.25

（文部科学省：日本食品標準成分表2020年版（八訂）より）

c 栄養指導

■ 指導のポイント

①食品中の銅の含有量を理解させる．

②低栄養にならないように注意する（とくに成長期）．

③ウィルソン病の薬剤は食事摂取とのタイミングについて理解させる．

④栄養成分表示の見方，食品中の銅の含有量の情報の入手方法を教育する．

⑤小児期の場合には，学校の先生，養護教諭，栄養教諭，友人が患児の食事療法について理解できるよう配慮する．また，学校給食の対応を学校側と調整する．

⑥患児の親族（祖父母や同居者）が食事療法を理解し，実践できるようにサポートする．

⑦患児および家族の精神的なサポートを図る．ウィルソン病友の会への参加も，患児や家族の精神的なサポートに有効な場合もある．

4 — 栄養食事療法の効果・判定

■ 客観的評価
① 検査成績：血液・尿中の銅，血清セルロプラスミン値，肝臓中の銅量
② 栄養摂取（銅，エネルギー，たんぱく質などの基本的な栄養成分），適切な服薬

■ 主観的な評価
① 患者および家族の食事療法の受容．
② 社会生活・学校生活への適応．

糖原病（グリコーゲン病）−Ⅱ型を除く−

1 疾患の概要・病因

▶ グリコーゲンに代謝の関与する酵素が遺伝的に欠損しているために，肝臓や筋肉にグリコーゲンが病的に蓄積し臓器障害を起こす．病型により低血糖を起こす．

▶ Ⅰ，Ⅲ，Ⅳ，Ⅵ，Ⅸ（Ⅷ）型は肝型糖原病，Ⅴ，Ⅶは筋型糖原病と分類される．Ⅱ型はポンペ（Ponpe）病に分類される．

2 疫学

▶ 正確な人数は判明していないが，難病情報センターによると肝型糖原病の患者数は約1,200人と推定されている．

3 症状

▶ 病型により異なるので，おもなものを記す．
- 肝型糖原病：低血糖発作，肝腫，成長障害．程度は病型によって異なる．
- 筋型糖原病：労作時筋痛，運動時の易疲労感，ミオグロビン尿症，横紋筋融解症．程度は病型によって異なる．
- 混合型：Ⅱ型糖原病

4 診断基準

▶ 病型によって異なる．
- Ⅰ型糖原病：末梢血を用いた遺伝子診断，ブドウ糖負荷試験
- Ⅲ型糖原病：異常グリコーゲンの蓄積の有無をみる．または酵素診断，ブドウ糖負荷試験，グルカゴン負荷試験．
- Ⅳ型糖原病：肝生検の病理的検索
- Ⅵ型糖原病：酵素診断
- Ⅸ（Ⅷ）型糖原病：酵素診断
- Ⅴ型糖原病：筋生検でホスホリラーゼの活性測定，遺伝子診断
- Ⅶ型糖原病：筋生検でホスホフルクトキナーゼの活性低下とグリコーゲンの含有量の増加をみる．

5 治療

▶ 肝型糖原病では，低血糖を防ぎ血糖を維持することが目的である．
① 高炭水化物，頻回食を基本とする．
② 低血糖予防のために，グルコースまたは糖原用ミルクの夜間持続経鼻注栄養療法が必要になることがある．
③ 非加熱のコーンスターチ療法（コーンスターチはアミラーゼにより消化管で徐々に分解・吸収されるため，血糖維持に有効）は低血糖を予防する．
④ ガラクトース，乳糖，果糖，ショ糖は全体

MEMO

酵素診断：糖原病，フェニルケトン尿症，ガラクトース血症のような酵素欠損による代謝異常の診断に用いる．

グルカゴン負荷試験：インスリンの分泌能を調べる目的で，グルカゴンを負荷した後，尿中Cペプチドや血中Cペプチドを測定する検査．糖原病の補助検査で行われ，Ⅲ型の糖原病では，空腹時には血糖の上昇がなく，負荷後2時間で上昇する特徴的なパターンを示す．

夜間持続経鼻注栄養療法：夜間に持続的に経鼻胃管で栄養剤を注入する経腸栄養法をいう．夜間，就寝中に行うため，昼の行動制限が軽減できるなどの利点がある．

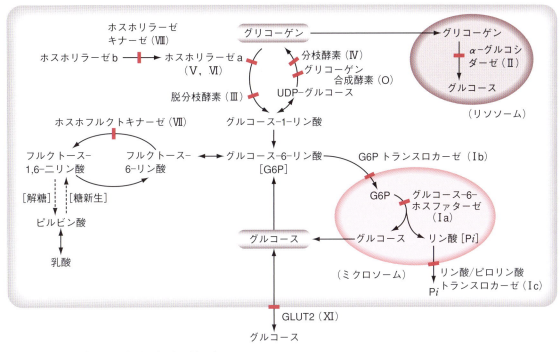

■図Ⅴ-16-1　グリコーゲン代謝経路と糖原病
肝臓と筋の代謝系を併せて示した．（　）内は糖原病の病型を示す．（大関武彦，近藤直実編：小児科学，第3版，医学書院，2008より）

の炭水化物の5％以下．少量の果物や野菜，ミルク以外は避ける．
▶筋型糖原病では激しい運動は避ける．ビタミンB_6の補充療法や運動前の糖分の補給などを行う場合もある．

6 栄養生理

▶グリコーゲンの代謝経路を図Ⅴ-16-1に示した．一部を解説する．
- Ⅰ型糖原病：生体のブドウ糖の多くはグリコーゲンの分解や糖新生でできたG6Pの加水分解で生じるが，Ⅰ型糖原病ではG6Pからブドウ糖への転換ができないため，肝臓，腎臓，腸管に多量のグリコーゲンが蓄積する．低血糖と肝腫大が出現する．
- Ⅲ型糖原病：グリコーゲンの脱分枝酵素が欠損しているため，肝や筋に異常グリコーゲンが蓄積する．
- Ⅳ型糖原病：グリコーゲンの分枝酵素が欠損しているため，直鎖状のグリコーゲンが全身に蓄積する．機能障害は肝に顕著に現れる．低血糖は認めない．
- Ⅵ型糖原病：肝型ホスホリラーゼの欠損のため，肝にグリコーゲンが蓄積する．糖新生は保たれているので低血糖の程度は軽い．

7 栄養食事療法

1─基本方針

▶血糖維持のための栄養食事療法を行う．
①高炭水化物の食事を頻回に摂取させる．
②ブドウ糖の吸収を緩やかにする目的で非加熱のコーンスターチを摂取させる（コーンスターチ療法）．
③必要に応じ糖原病用のミルクを利用する（糖原病用フォーミュラ：乳たんぱく質昼用・夜用，大豆たんぱく質昼用・夜用）．
④必要に応じ，夜間持続経鼻注栄養療法を行う場合もある．

▶ I型では，**脂質異常症**をともなうため，脂質制限を行う．
▶ 病態に応じ，ビタミンB_6の補充や高たんぱく食などを行う場合もある．

2 栄養アセスメント

① 食生活の状況，栄養状態，成長
② 検査：血糖値，乳酸，中性脂肪，コレステロール，尿酸，尿のトランスアミラーゼ，アンモニア，好中球，CK，**ミオグロビン尿**✎，心電図，心エコー
③ 運動後の身体状況

＊いずれも病型によるので，病型に応じたアセスメントを行う．栄養食事療法では，血糖維持の把握が重要．

3 栄養食事管理と管理目標

a 栄養素処方

▶ 糖原病に特化した点を解説する
① 炭水化物の種類の選択
・I型では，ガラクトース，乳糖，果糖，ショ糖は利用されないので，全体の糖の5％以下にする．
・夜間に非加熱のコーンスターチを投与する．
② 脂質異常症がある場合には，脂質の制限を行う．
③ 体内のビタミンB_6のうち80％が肝ホスホリラーゼの補酵素のため，V型糖原病では二次的なビタミンB_6の不足があると考えられ，ビタミンB_6の投与が試みられている．

b 食品・料理・献立の調整

▶ 糖原病に特化した食品や料理・献立はないが，低血糖予防のために，炭水化物の種類や量，摂取時間（食事と食事との間隔）の調整が重要となる．

c 栄養指導

■ 指導のポイント
① 栄養食事療法の目的（意義）を理解させる．
② 食品に含まれる炭水化物の種類（でんぷん，果糖，ショ糖，乳糖など）を理解させる．コーンスターチ療法の意味を理解させる．
③ 患者の生活時間に合わせ，実施しやすい頻回食の内容で指導する．
④ 治療用の特殊ミルクが必要な場合には，医師と連絡をとり，入手方法を教える．
⑤ 患者が，自分が食べた食事内容と血糖値のセルフモニタリングができるように支援する．
⑥ 必要に応じ，運動前の補食を指導する．
⑦ 小児期の場合には，学校の先生，養護教諭，栄養教諭，友人が患児の食事療法への理解ができるよう配慮する．
⑧ 患児の親族（祖父母や同居者）の食事療法のサポートを図る．
⑨ 患児および家族の精神的なサポートを図る．

4 栄養食事療法の効果・判定

■ 客観的評価
① 検査成績：血糖値，乳酸濃度，中性脂肪，コレステロール，尿酸，尿のトランスアミラーゼ，アンモニア，好中球，CK，ミオグロビン尿，心電図，心エコー
② 栄養摂取（エネルギー，たんぱく質などの基本的な栄養成分）

■ 主観的な評価
① 患者および家族の食事療法の受容．
② 社会生活・学校生活への適応．

✎**MEMO**

ミオグロビン尿：ミオグロビンは筋肉中に含まれる色素であり，尿は赤色となる．筋肉の損傷があったことを示している．糖原病では，赤血球中で解糖系が障害されるために溶血が引き起こされる．

17 高血圧

1 疾患の概要

▶高血圧（HT：hypertension）とは、血管の内圧が基準値以上の状態をいい、多くは自覚症状がないため、知らないうちに高血圧が進行し、やがて動脈硬化や脳卒中、心不全、腎不全などの合併症を引き起こす病気である。

▶治療は、高血圧による心血管病の発症、進展、再発を抑制して死亡を減少させ、患者のQOLの向上を促すことである。

2 病因

▶高血圧症は、腎性高血圧（腎実質性高血圧、腎血管性高血圧）、原発性アルドステロン症、褐色細胞腫など原因が明らかな**二次性高血圧**（表V-17-1）と、原因がはっきりしていない**本態性高血圧**に分けられる。高血圧症の90％以上は本態性高血圧である。

▶本態性高血圧のおもな危険因子はストレス、塩分の過剰摂取、肥満であり、さらに体質的素因が関与する。また、収縮期性高血圧は高齢者に多く、加齢にともなうネフロンの減少、中膜硬化などが関与する。

3 疫学

▶高血圧患者は現在約4,000万人にのぼるといわれ、国民の3人に1人が罹患している。その発症には日本人特有の生活習慣の歪みが大きく関与し、加齢により増加する特徴がある。

▶血圧水準が高いほど、脳卒中、心筋梗塞、心疾患、慢性腎臓病などの罹患率および死亡率は高い。高血圧は脳卒中との関連性が強く、脳卒中罹患率が心筋梗塞罹患率よりも高い。

▶メタボリックシンドロームないしはリスクの集積している人では、循環器疾患の罹患リスクや死亡リスクが、そうでない人に比べて1.5～2.4倍高い。心血管病の危険因子には、①高齢（65歳以上）、②喫煙、③脂質異常症、④肥満（BMI≧25）（とくに腹部肥満）、⑤糖尿病、⑥慢性腎臓病（CKD）、⑦若年（50歳未満）発症の心血管病の家族歴、がある。

■表V-17-1　二次性高血圧症

腎性	腎実質性	糸球体腎炎、慢性腎盂腎炎、糖尿病性腎症、水腎症、痛風腎、腎腫瘍など
	腎血管性	動脈硬化症、大動脈炎症候群、血栓・塞栓など
内分泌性		原発性アルドステロン症、クッシング症候群、褐色細胞腫、先端巨大症、甲状腺機能亢進症など
中枢神経系		脳出血、脳腫瘍、脳炎、脳圧亢進など
その他		妊娠高血圧症候群、薬物（ピル、ステロイド、甘草など）

4 症状

▶本態性高血圧では、初期において自覚症状は少ない。また、高血圧の症状（頭痛・頭重感、肩こり、めまい・耳鳴り、動悸・息切れなど）の感じ方には個人差がある。進行すると、脳や心臓、腎臓などに重篤な障害を引き起こす。

▶二次性高血圧では、原因疾患による症状がともなう。

ネフロン：腎臓は糸球体と尿細管とで1本のネフロンを形成しており、ネフロンは片方の腎臓に約100万個あるといわれている。各ネフロンでは濾過、再吸収、分泌、濃縮が行われ、原尿が作られていく。ネフロンの80％は皮質に、20％は傍髄質部分に位置する。

5 診断基準

▶ 高血圧患者の診療にあたっては，①本態性高血圧か二次性高血圧かを診断，②心血管リスク因子の存在，③その背景となる生活習慣を把握，④心血管疾患の合併や臓器障害，⑤家庭血圧を参考にした高血圧の重症度を考慮する．日本高血圧学会では，成人における血圧値を表Ⅴ-17-2のように分類している．

▶ 血圧は日内変動があるため，1回の測定で判断してはいけない．家庭血圧の測定法を表Ⅴ-17-3に示す．

▶ 家庭血圧，および自動血圧計による24時間自由行動下血圧の測定（ABPM：ambulatory blood pressure monitoring）は，高血圧，白衣高血圧，仮面高血圧の診断と高血圧治療の効果判定に有用である（表Ⅴ-17-4）．

▶ 白衣高血圧は，家庭での血圧測定値が正常範囲にあるにもかかわらず，医療環境下（外来など）での測定で高血圧を示すタイプをいい，外来測定高血圧のうちの約20〜30％にみられる．

■ 表Ⅴ-17-2　成人における血圧値の分類（mmHg）

分類	診察室血圧（mmHg）	
	収縮期血圧	拡張期血圧
正常血圧	<120　かつ	<80
正常高値血圧	120〜129　かつ/または	<80
高値血圧	130〜139　かつ/または	80〜89
Ⅰ度高血圧	140〜159　かつ/または	90〜99
Ⅱ度高血圧	160〜179　かつ/または	100〜109
Ⅲ度高血圧	≧180　かつ/または	≧110
（孤立性）収縮期高血圧	≧140　かつ	<90

（日本高血圧学会：高血圧治療ガイドライン2019より）

■ 表Ⅴ-17-4　異なる測定法における高血圧基準（mmHg）

	収縮期血圧	拡張期血圧
診察室血圧	≧140　かつ/または	≧90
家庭血圧	≧135　かつ/または	≧85
自由行動下血圧		
24時間	≧130　かつ/または	≧80
昼間	≧135　かつ/または	≧85
夜間	≧120　かつ/または	≧70

（日本高血圧学会：高血圧治療ガイドライン2019より）

■ 表Ⅴ-17-3　家庭血圧測定の方法・条件・評価

1. 装置	上腕カフ・オシロメトリック法に基づく装置
2. 測定環境	1）静かで適当な室温の環境[*1]，2）原則として背もたれつきの椅子に脚を組まず座って1〜2分の安静後，3）会話を交わさない環境，4）測定前に喫煙，飲酒，カフェインの摂取は行わない，5）カフ位置を心臓の高さに維持できる環境
3. 測定条件 1）必須条件 a. 朝	起床後1時間以内，排尿後，朝の服薬前，朝食前，座位1〜2分安静後
b. 晩（就床前）	座位1〜2分安静後
2）追加条件	指示により，夕食前，晩の服薬前，入浴前，飲酒前など．その他適宜．自覚症状のあるとき，休日昼間，深夜睡眠時[*2]
4. 測定回数とその扱い[*3]	1機会原則2回測定し，その平均をとる 1機会に1回のみ測定した場合には，1回のみの血圧値をその機会の血圧値として用いる
5. 測定期間	できる限り長期間
6. 記録	すべての測定値を記録する
7. 評価の対象	朝測定値7日間（少なくとも5日間）の平均値 晩測定値7日間（少なくとも5日間）の平均値 すべての個々の測定値
8. 評価	高血圧：朝・晩いずれかの平均値　≧135/85 mmHg 正常血圧：朝・晩それぞれの平均値　<115/75 mmHg

[*1] ことに冬季，暖房のない部屋での測定は血圧を上昇させるので，室温への注意を喚起する．
[*2] 夜間睡眠時の血圧を自動で測定する家庭血圧計が入手しうる．
[*3] あまり多くの測定頻度を求めてはならない．
注1：家庭血圧測定に対し不安をもつ者には測定を強いてはならない．
注2：測定値や測り忘れ（ただし頻回でないこと）に一喜一憂する必要のないことを指導しなければならない．
注3：測定値に基づき，自己判断で降圧薬の中止や降圧薬の増減をしてはならない旨を指導する．
注4：原則として利き手の反対側での測定を推奨する．ただし，血圧値に左右差がある場合などは，適宜，利き手側での測定も指導する．

（日本高血圧学会：高血圧治療ガイドライン2019より）

MEMO

上腕カフ・オシロメトリック法：家庭血圧測定には，ある個体で聴診法との較差が5 mmHg以内である裏づけを得たカフ・オシロメトリック法に基づく上腕カフ血圧計を用いる．装置の精度確認は使用開始時とともに，使用中も定期的な実施が推奨される．

■表V-17-5 診察室血圧に基づいた脳心血管病リスクの層別化

リスク層 \ 血圧分類	高値血圧 130〜139/ 80〜89mmHg	I度高血圧 140〜159/ 90〜99mmHg	II度高血圧 160〜179/ 100〜109mmHg	III度高血圧 ≧180/ ≧110mmHg
リスク第一層 予後影響因子がない	低リスク	低リスク	中等リスク	高リスク
リスク第二層 年齢（65歳以上），男性，脂質異常症，喫煙のいずれかがある	中等リスク	中等リスク	高リスク	高リスク
リスク第三層 脳心血管病既往，非弁膜症性心房細動，糖尿病，たんぱく尿のあるCKDのいずれか，または，リスク第二層の危険因子が3つ以上ある	高リスク	高リスク	高リスク	高リスク

JALSスコアと久山スコアより得られる絶対リスクを参考に，予後影響因子の組み合わせによる脳心血管病リスク層別化を行った．層別化で用いられている予後影響因子は，血圧，年齢（65歳以上），男性，脂質異常症，喫煙，脳心血管病（脳出血，脳梗塞，心筋梗塞）の既往，非弁膜症性心房細動，糖尿病，たんぱく尿のあるCKDである．

（日本高血圧学会：高血圧治療ガイドライン2019より）

▶仮面高血圧は，白衣高血圧とは逆に，医療環境下の血圧は正常で，家庭での血圧値が高血圧状態であるタイプをいう．

6 治療

▶治療の対象はすべての高血圧患者（血圧140/90mmHg以上）であり，高血圧のレベルと，心血管病に対する危険因子の評価，および心血管合併症を総合的に評価して，リスクの層別化（表V-17-5）に応じた治療計画を決定する．表V-17-6に降圧目標を示す．降圧治療は生活習慣の修正（第1段階）と降圧薬治療（第2段階）により行われる．初診時の高血圧管理計画を図V-17-1に示す．

■生活習慣の修正
▶生活習慣の修正項目は，食塩摂取量の制限，減量，運動療法，アルコール摂取量の制限，果物や野菜の摂取の促進，飽和脂肪酸や総脂質量摂取の制限，禁煙などである．

■薬物療法
▶生活習慣の修正のみでは，多くの高血圧患者は目標とする降圧は得られないことが多い．降圧薬の使用上の原則は，1日1回投与の薬物で，低用量から開始する．副作用の発現を抑え，降圧効果を増強するためには，適切な降圧薬の組み合わせ（併用療法）を考慮する．
▶食事，運動など非薬物療法の実施で改善がみられない場合は，表V-17-7，8に示した薬物療法が用いられる．

7 栄養生理

▶レニン・アンジオテンシン系の血圧を上げる作用では，レニンは血液中にあるアンジオテンシノーゲンに作用し，アンジオテンシンIに変換する．この物質はアンジオテンシン変換酵素によってアンジオテンシンIIへと変換される．アンジオテンシンIIは強い血管収縮作用と心収縮増強作用をもち血圧を上昇させる．さらに副腎にも作用し，アルドス

副作用：降圧薬の副作用は，どんな薬でもその人の体質に固有の症状が出るケースもある．非特異的副作用は中毒性，あるいはアレルギー性の反応により現れ，特異体質の人に起こるもので，ただちにその薬の服用をやめなければならない．一方，特異的副作用は薬の作用が予想以上に強く出てしまい，服用者に不都合な症状が現れる場合をいう．一般に薬を飲んでいることによる副作用とは，この特異的副作用のことをいう．薬によっては頭痛や咳などの軽い副作用がでることがあり，医師や薬剤師から説明を聞くことが大切である．
レニン：（⇒p.346参照）

■ 表V-17-6 降圧目標

	診察室血圧 (mmHg)	家庭血圧 (mmHg)
75歳未満の成人[*1] 脳血管障害患者（両側頸動脈狭窄や脳主幹動脈閉塞なし） 冠動脈疾患患者 CKD患者（たんぱく尿陽性）[*2] 糖尿病患者 抗血栓薬服用中	＜130/80	＜125/75
75歳以上の高齢者[*3] 脳血管障害患者（両側頸動脈狭窄や脳主幹動脈閉塞あり， または未評価） CKD患者（たんぱく尿陰性）[*2]	＜140/90	＜135/85

[*1] 未治療で診察室血圧130〜139/80〜89mmHgの場合は，低・中等リスク患者では生活習慣の修正を開始または強化し，高リスク患者ではおおむね1カ月以上の生活習慣修正にて降圧しなければ，降圧薬治療の開始を含めて，最終的に130/80mmHg未満を目指す．すでに降圧薬治療中で130〜139/80〜89mmHgの場合は，低・中等リスク患者では生活習慣の修正を強化し，高リスク患者では降圧薬治療の強化を含めて，最終的に130/80mmHg未満を目指す．

[*2] 随時尿で0.15g/gCr以上をたんぱく尿陽性とする．

[*3] 併存疾患などによって一般に降圧目標が130/80mmHg未満とされる場合，75歳以上でも忍容性があれば個別に判断して130/80mmHg未満を目指す．

降圧目標を達成する課程ならびに達成後も過降圧の危険性に注意する．過降圧は，到達血圧のレベルだけでなく，降圧幅や降圧速度，個人の病態によっても異なるので個別に判断する．

（日本高血圧学会：高血圧治療ガイドライン2019より）

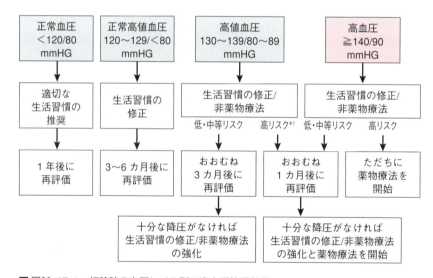

■ 図V-17-1 初診時の血圧レベル別の高血圧管理計画

[*1] 高値血圧レベルでは，後期高齢者（75歳以上），両側頸動脈狭窄や脳主幹動脈閉塞がある．または未評価の脳血管障害，たんぱく尿のないCKD，非弁膜症性心房細動の場合は，高リスクであっても中等リスクと同様に対応する．その後の経過で症例ごとに薬物療法の必要性を検討する．

（日本高血圧学会：高血圧治療ガイドライン2019より）

■ 表V-17-7 主要降圧薬の積極的適応

	Ca拮抗薬	ARB/ACE阻害薬	サイアザイド系利尿薬	β遮断薬
左室肥大	●	●		
LVEFの低下した心不全		●*1	●	●*1
頻脈	●(非ジヒドロピリジン系)			●
狭心症	●			●*2
心筋梗塞後		●		●
たんぱく尿/微量アルブミン尿を有するCKD		●		

*1 少量から開始し，注意深く漸増する．
*2 冠攣縮には注意．
（日本高血圧学会：高血圧治療ガイドライン2019より）

■ 表V-17-8 主要降圧薬の禁忌や慎重投与となる病態

	禁忌	慎重投与
Ca拮抗薬	徐脈（非ジヒドロピリジン系）	心不全
ARB	妊娠	腎動脈狭窄症*，高カリウム血症
ACE阻害薬	妊娠，血管神経性浮腫，特定の膜を用いるアフェレーシス/血液透析	腎動脈狭窄症*，高カリウム血症
サイアザイド系利尿薬	体液中のナトリウム，カリウムが明らかに減少している病態	痛風，妊娠，耐糖能異常
β遮断薬	喘息，高度徐脈，未治療の褐色細胞腫	耐糖能異常，閉塞性肺疾患，末梢動脈疾患

*両側性腎動脈狭窄の場合は原則禁忌．
（日本高血圧学会：高血圧治療ガイドライン2019より）

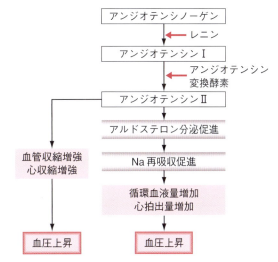

■ 図V-17-2　レニン・アンジオテンシン・アルドステロン系の昇圧機序
（田辺晃久：図説・病気の成立ちとからだⅡ，中野昭一編，p.132，医歯薬出版，2001より）

テロンを放出させる．アルドステロンは強いNaの再吸収を促し，循環血液量を増加し，血圧を上昇させる（図V-17-2）．

▶交感神経（カテコラミン合成過程）：交感神経を刺激すると，血管平滑筋が収縮し，血管抵抗が増して血圧が上昇する．また，副腎髄質も刺激され，カテコラミン分泌を促進し，心拍出量増加とともに血圧が上昇する．カテコラミンはエピネフリンとノルエピネフリンに大別される．ノルエピネフリンは血管平滑筋のα受容体に作用し，血管収縮に作用して血圧を上昇させる．一方，エピネフリンはα受容体に作用して血管収縮を起こすとともに，β受容体にも作用して血管拡張を起こす（図V-17-3）．

▶血圧を上昇させる環境要因でもっとも関連性が高いのは，食塩の過剰摂取と体重増加である．血圧に影響を与えるそのほかの要因とともに述べる．

■ 食塩

▶食塩は血漿量を増加させるとともに交感神経の緊張を高めるために血圧が上がる．本態性高血圧の約50%は食塩感受性高血圧症であり，食塩摂取量が多くなると血圧が上昇しやすい．逆に，降圧効果は食塩制限により現れやすい．腎臓の灌流圧と尿中ナトリウム排泄量は相関するが，食塩感受性高血圧では灌流圧が高くないとナトリウム排泄量が維持泄量は増減する．腎臓のNa代謝は尿細管の再吸収量を変化させて調節されているため，通常のレベルの変化に際しても変動する．

MEMO
灌流圧：高血圧性腎障害の多くは腎臓の灌流圧に起因する．すなわち，灌流圧とは血圧のことであり，食塩感受性高血圧では腎灌流圧の影響が強くみられる．腎機能の関係では，通常のレベルの腎灌流圧の変化に際しても，腎血流量，糸球体濾過量は一定である．一方，腎灌流圧の変化に応じてNa排泄量，水排

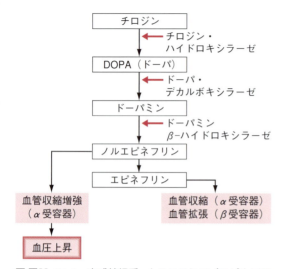

■図Ⅴ-17-3 交感神経系-カテコラミン（エピネフリン，ノルエピネフリン）の合成過程
（田辺晃久：図説・病気の成立ちとからだⅡ，中野昭一編，p.132，医歯薬出版，2001より）

できない．

■体重増加
▶体重が増加すると体液量が増えて血圧が上がる．さらに，体重増加にともなう高インスリン血症が血圧を上昇させる．インスリンは腎臓からのナトリウム排泄量を抑制し，交感神経機能の亢進，細胞増殖の促進により，高血圧，動脈硬化に関連する可能性がある．体重が1kg増加すると血圧は1〜2mmHg増加する．

■アルコール
▶エタノール換算量で1日60g以上の過量のアルコール摂取は，心肥大，不整脈を起こしやすく血圧が上昇する．

■カリウム
▶ナトリウムを尿中に排泄させる効果があり，循環血液量を減らして血圧を下げる．

■マグネシウム
▶効果は弱いが降圧に作用する．**マグネシウム**は，細胞内カルシウム濃度を低下させる作用があり，マグネシウム不足は高血圧に関連する可能性がある．

■カルシウム
▶効果は弱いが降圧に作用する．**カルシウム**摂取不足は血圧上昇に関連し，カルシウム摂取量を増加すると血圧が下がる．そのメカニズムは，高血圧により腎臓の灌流圧が上昇し尿中カルシウム排泄量の増加がみられ，カルシウムの恒常性を保つために副甲状腺ホルモンとその類似物質が増加し，血圧が上昇するためである．

■喫煙
▶ニコチンの作用で喫煙時に一過性に血圧が上昇する傾向があるが，持続性はない．

■食物繊維
▶**食物繊維**の適正摂取（目安は1,000kcal当たり10g）でインスリンの過剰分泌が抑制され，血圧の上昇を抑制する効果がある．とくに，水溶性食物繊維はナトリウムを包み込み，排泄する作用がある．便秘をすると血圧は上昇しやすくなり，食物繊維は便量を増し，腸の働きを活発にする．

8 栄養食事療法

1─基本方針
①食事療法は，薬物療法が開始される前に実施する高血圧の基本的な治療手段である．
②重症でない限り，まず肥満者は体重を是正し，食塩制限，アルコール制限，有酸素運動，禁煙などを組み合わせた総合的な生活習慣の修正を行う．「高血圧治療ガイドライン2019（JSH2019）」における**生活習慣の修正**項目については，**表Ⅴ-17-9**に示す．
③高血圧の栄養ケアは，食塩感受性あるいは

MEMO
マグネシウム：マグネシウムはカルシウムやリンとともに骨を構成する重要な成分であり，神経の興奮を抑えたり，血管をひろげて血圧を下げたりする作用がある．カルシウムとマグネシウム，カリウムとナトリウムなどは互いにその性質がよく似ている．よく似た成分では，それぞれお互いに代替して作用しあったり，拮抗したりする．カルシウムを多くとるほどマグネシウムの排泄量が増えること（不足状態）から，マグネシウムとカルシウムの摂取バランスは1：2が望ましい．

■ 表V-17-9　生活習慣の修正項目

1. 食塩制限6 g/日未満
2. 野菜・果物の積極的摂取*
　飽和脂肪酸，コレステロールの摂取を控える
　多価不飽和脂肪酸，低脂肪乳製品の積極的摂取
3. 適正体重の維持：BMI（体重［kg］÷身長［m］^{2}）25未満
4. 運動療法：軽強度の有酸素運動（動的および静的筋肉負荷運動）を毎日30分，または180分/週以上行う
5. 節酒：エタノールとして男性20〜30mL/日以下，女性10〜20mL/日以下に制限する
6. 禁煙

生活習慣の複合的な修正はより効果的である．
*カリウム制限が必要な腎障害患者では，野菜・果物の積極的摂取は推奨しない．
肥満や糖尿病患者などエネルギー制限が必要な患者における果物の摂取は80kcal/日程度にとどめる．

（日本高血圧学会：高血圧治療ガイドライン2019より）

■ 表V-17-10　1日当たりの栄養基準量（例）

エネルギー（kcal/kg）	30〜35（肥満：25〜30）
たんぱく質（g/kg）	1.0〜1.2
脂質（エネルギー比率%）	20〜25
食塩（g）	6未満
カリウム（g）	2〜4
食物繊維（g）	10g/1,000kcal

インスリン抵抗性を診断し，適切な栄養治療を行い，降圧効果を高め，コンプライアンスの向上を図る．

2 ― 栄養アセスメント

▶合併症を予防することが治療の主要目的であるが，同時に生活習慣の修正について評価することは重要である．

■ アセスメント・モニタリングの項目

①高血圧の家族歴，病歴，喫煙歴，生活習慣などを問診する．
②食生活状況，栄養摂取量を問診する．
③身長，体重，皮下脂肪厚，内臓脂肪蓄積面積を測定し，肥満，体脂肪分布を評価する．インピーダンス法を用いた検査結果からの評価もある．
④血圧，血糖値，HbA1c値，たんぱく尿（尿微量アルブミン排泄を含む），eGFR（<60mL/分/1.73m^2）を測定し，評価する．
⑤血液・生化学検査は，血清脂質値，血清リポたんぱく分画を測定し，脂質異常症を評価する．

■ アセスメント・モニタリングのポイント

①血圧は目標レベル（表V-17-6）までの到達状況を把握する．患者に家庭血圧を測定・記録した血圧管理手帳を持参してもらい，真の血圧の変動を評価する．
②メタボリックシンドロームの概念も取り入れ，高血圧の管理計画と連携して「リスクの層別化」を行い，心血管疾患の危険因子に留意した評価を行う．
③生活習慣の修正項目である減塩，食塩以外の栄養素，減量，運動，節酒，禁煙などについて実践状況を評価する．

3 ― 栄養食事管理と管理目標

▶減塩食を基本とし，標準体重までの体重の適正化を図り，至適血圧レベルの維持，脂質異常症，インスリン抵抗性の改善，および腎機能低下を阻止することである．

▶1日当たりの栄養基準量の例を表V-17-10に示した．

a 栄養素処方

①食塩は1日6g未満とする．減塩効果には個人差はあるが，減塩1g/日ごとに収縮期血圧が約1mmHg減少するというメタ解析があり，徐々に減塩を実行するのがよい．
②エネルギーは「日本人の食事摂取基準」を目安に摂取する．肥満をともなう高血圧者（⇒p.355参照）．

MEMO

eGFR：腎機能はGFR（glomerular filtration rate：糸球体濾過量）を用いて評価し，体表面積1.73m^{2}当たりに換算したものとして表現される．2008年，日本腎臓学会では日本人に適合したGFR推算式を公表した．血液検査項目（血清クレアチニン）と年齢，性別から計算でGFRを求めることができる

では，標準体重を目標に減量する（25～30 kcal/標準体重 kg/日）．

③たんぱく質の摂取は 1.0～1.2 g/標準体重 kg/日とする．動物性たんぱく質に偏らないようにし，大豆製品などの植物性たんぱく質食品も摂取する．

④脂質エネルギー比率は 20～25％とする．コレステロールや飽和脂肪酸を制限する．魚油の摂取増加は降圧効果，冠動脈疾患予防効果をもたらす．

⑤アルコール摂取は制限する．**エタノールで男性 20～30 mL/日以下**🖉，女性 10～20 mL/日以下の節酒をする．

⑥カリウムは 1 日 2～4 g とする．

b 食品・料理・献立の調整

■ **食品**

● 推奨される食品

①野菜や豆類，穀類，いも類，海藻類，果物などのカリウムの補給食品

②コレステロールや中性脂肪などの血中濃度を下げる作用がある大豆や大豆製品

③牛乳，乳製品などのカルシウムの補給食品

④タウリンを多く含む魚介類や貝類

⑤ポリフェノール，フラボノイドの補給食品

● 避けたほうがよい食品

①食塩含有量の多い調味料，漬物，加工品

②ヤシ油やココナッツ油などの飽和脂肪酸の多い食品

● 注意する食品

①カルシウムイオン拮抗薬が投与されている場合は，グレープフルーツジュースを飲用すると薬効が増強するので禁止する．

■ **献立**

①食事は 1 日 3 回にする．1 食のエネルギー量は指示量の約 1/3 を目安にする．間食をとる場合は 100～150 kcal 前後にする．

②肉類，魚類，卵，豆・大豆製品を主にした主菜，副菜を決める．

③食塩 6 g 未満の減塩にするために，塩蔵品，加工品などの食塩含有量の多い食品の使用は控える．

④野菜類は，1 食 100～150 g を目安にし，食物繊維，カリウムの摂取量を増やす．

c 栄養指導

■ **指導のポイント**

①高血圧治療の必要性を説明する．

②治療の基本は減塩とバランスのとれた食事，適正体重の維持，運動療法であることを説明する．

③治療目標値あるいは治療効果を設定する．

④患者の栄養に関する一般的な知識の程度，外来受診の動機，食事療法に対する態度，食事療法を妨げる要因を評価する．

⑤食生活状況を主とした栄養評価を行い，問題点を抽出する．

⑥減塩食については，まず食塩摂取の現状を把握し，食塩過剰摂取の要因と考えられるものから優先的に改善を進める．減塩の目標を，実行できる範囲から 8 g 未満，6 g 未満へと段階的に変えてもよい．

⑦塩蔵品や加工品などは食塩含有量が多いので摂取を避ける．包装食品の栄養表示より，Na (g) を 2.5 倍すれば食塩量 (g) となるので，この換算式を指導する．

⑧外食利用時は，食塩だけでなくエネルギーや脂質の含有量，野菜の使用量など全体の栄養バランスに心がけたメニューを選択し，他の 2 食で調整する方法を指導する．

📝 **MEMO**

メタ解析（→p.327）：過去の信頼できる，独立した複数の臨床研究のデータを収集・統合し，体系的，組織的，統計学的，定量的に研究結果をレビューする解析方法．臨床研究では，対象，研究方法，評価基準がさまざまで，各種のバイアスが入りやすく，研究の質のばらつきが大きい．このため，評価基準を統一し，客観的・科学的に研究結果を総括的に評価しようとして考案された解析法である．

エタノールで男性 20～30 mL/日以下：日本酒 1 合，ビール中瓶 1 本，焼酎半合弱，ウイスキー・ブランデーのダブル 1 杯，ワイン 2 杯弱に相当する．

⑨重篤な腎障害をともなう患者は，高カリウム血症をきたすリスクがあり，野菜，果物の積極的摂取は推奨されない．また糖分が多い果物の過剰摂取は，肥満者や糖尿病患者などのエネルギー制限が必要な患者では勧められない．
⑩セルフコントロールを目的に体重，食事内容，運動量などのモニタリングを勧める．
⑪指導は食事療法の効果があがる，一定期間の実施が必要である．指導は初診，1カ月後に実施し，以後は随時行う．
⑫食事療法は3〜6カ月間継続させる．
⑬食事療法の維持継続は，治療への理解と動機づけが鍵となる．
⑭食事療法の継続は，次回受診までの目標を設定し，受診時にその評価を行う．目標には血圧値，体重などを用いる．

4―栄養食事療法の効果・判定

①食事療法の効果は，2〜3カ月厳守後に確認する．
②食事療法により収縮期血圧は，6mmHg（**DASH食**），5mmHg（平均食塩摂取減少量が4.6g/日の減塩）低下する．
③肥満者はBMIが目標値に達しなくても，4〜5kgの減量で降圧効果が期待できる．同じBMIでも**腹囲**の大きいほうが血圧は高いので，腹囲を減らす．腹囲の基準は，男性85cm未満，女性90cm未満である．非肥満者はBMI 25未満を維持すること．
④中等度の強度の有酸素運動（毎日30〜60分間，少し汗をかく，または少し脈が速くなる程度）を中心に，定期的に運動が実施されていること．
⑤ヘビースモーカーは高い血圧値が日中持続し，仮面高血圧を生じる可能性が指摘されている．禁煙の努力がみられること．
⑥アルコールは節酒が守られていること．
⑦生活習慣の修正は複合的に行うと，その効果はあがりやすい．

DASH食：dietary approaches to stop hypertension（高血圧を防ぐ食事方法）の略語．野菜，果物，低脂肪乳製品などを中心とした食事摂取（飽和脂肪酸とコレステロールが少なく，Ca，K，Mg，食物繊維が多い）の臨床試験が行われ，有意な降圧効果が示された．

腹囲：エネルギーの過剰摂取や運動不足から，内臓脂肪の増加をきたし腹部肥満（内臓脂肪型肥満）となり，内臓脂肪から種々の生理活性物質が放出されインスリン抵抗性を生じ，メタボリックシンドロームと関係する．メタボリックシンドロームでは食塩感受性が亢進して，血圧の上昇を助長させることになる．

脳出血，脳梗塞，くも膜下出血

1 疾患の概要

▶脳血管疾患のうち，突然神経症状が現れるものを「卒然として（にわかに）邪風に中る」語源から脳卒中と総称されていた．血管が詰まる**脳梗塞**，脳内で血管が破れる**脳出血**，脳を覆う軟膜とその上のくも膜の間で出血する**くも膜下出血**に病型分類される（図Ⅴ-18-1）．

2 病因

▶直接的な病因は脳内血管の血流障害や動脈瘤の破裂であるが，その背景には動脈硬化と血栓の生成があるため，危険因子として高血圧症，糖尿病，脂質異常症，心房細動，喫煙，飲酒があげられる．また，リスクを高める因子として**睡眠時無呼吸症候群（SAS），メタボリックシンドローム，慢性腎臓病（CKD）**が指摘されている．このほか，高血圧を誘発する運動不足，睡眠不足，ストレスなども間接的に病因となる．

3 疫学

▶1950年代から日本人の死亡原因の第1位であったが，1970年頃をピークに漸減し，現在は悪性新生物，心疾患について第3位となっている．しかし，脳卒中の入院受診率はがんの1.5倍，心疾患の3.5倍であり，寝たきりや認知症の原因では第1位であるため，

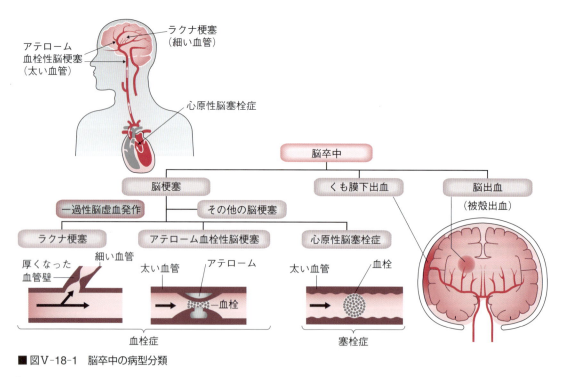

■図Ⅴ-18-1 脳卒中の病型分類

予防と重症化予防の治療が重要である.
▶かつては死亡原因の大半が脳出血であったが，食生活の欧米化などにより脳梗塞が増えたこと，血圧管理により脳出血が減ったことから，現在は脳梗塞が死亡原因の半数以上を占める.

4 症 状

▶発症時のおもな症状は**片麻痺**（49.3％），**構音障害**（23.5％），意識障害（20.1％）などであるが，ダメージを受ける脳の領域によって出現する症状はさまざまで，重症度も個々に異なる．嚥下障害や利き手の麻痺など，食事摂取に影響する症状が慢性期まで残る症例もある.

5 診断基準

▶神経学的評価（病歴，発症時刻，既往歴，脳卒中スケールによる評価）に加えて，必ず頭部CTやMRIによる画像を専門医が読影して診断する.

6 治 療

■急性期
▶呼吸，血圧，脳浮腫，栄養などを確実に管理し，生命維持と予後改善を図る.

■亜急性期
▶感染症や消化管出血，発熱などの合併症対策を講じつつ，痙攣，頭痛，嚥下障害などの症状改善の対症療法や訓練を行う.

■慢性期
▶リハビリテーションを行う．残された機能を最大限に引き出し，実用的な生活動作を獲得させる．患者ごとに可能なかたちで日常生活・社会に復帰させる.

7 栄養生理

▶急性期には6〜60％の頻度で低栄養状態を認める.
▶糖尿病の既往がない患者においても30〜40％に高血糖を認める.
▶嚥下障害をともない経口摂取が困難な場合，脱水やエネルギー・栄養素不足になりやすい.

8 栄養食事療法

1—基本方針

▶急性期には栄養障害の回避を，慢性期には再発予防を目的とし，適切なエネルギー・栄養素および水分を摂取させる.
▶急性期には経静脈栄養，経鼻胃管（NGT）を行うが，最終的には可能な限り経口で必要量を摂取できるよう訓練する．重度の嚥下障害に対しては経皮的内視鏡的胃瘻（PEG）を検討する（図Ⅴ-18-2）.

2—栄養アセスメント

▶発作直後の急性期から亜急性期においては，投与栄養量とその方法の決定を目的とした栄養評価が主となる．慢性期においては，再発予防のため基礎疾患の治療・管理に必要な栄養評価も加えて行う.

📝MEMO

片麻痺：同じ側の上下肢が運動麻痺を呈する状態.
構音障害：ことばとして意図した音が正しく生成されない状態．音の脱落（省略），音の置換，音の歪みなどがあり，恒常的な誤りであったり変動的であったりする.

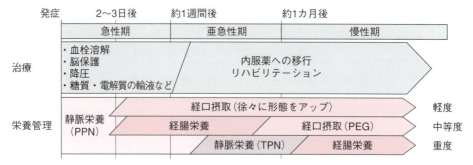

■図V-18-2 治療と栄養管理方法の経過
(三原千恵:脳卒中後の嚥下リハビリテーションの栄養管理. 静脈経腸栄養 26:35-42, 2011より)

3 — 栄養食事管理と管理目標

a 栄養素処方

▶エネルギーおよび栄養素摂取基準はない.「日本人の食事摂取基準」に準じることを基本とし,再発のリスクになりうる基礎疾患がある場合は,各疾患の管理に適した栄養素量を処方する.

b 食品・料理・献立の調整

■嚥下機能への対応

▶嚥下障害のレベルに合わせて食品や料理を選択する(⇒p.442参照).
▶水分の摂取が困難な場合に,液状の食品や料理を献立から外すこともあるが,水分摂取不足に陥らないよう,粘度調整剤を添加し摂取可能な形態とする.

■食事動作機能への対応

▶両手を使った食事ができない場合は,料理を一口大にカットしたり,串に刺したり,食卓上で滑らない器に盛り付けたりすることで,食事動作の自立度を高めることができる.
▶半側空間無視がある場合は,鏡を患者と食事の前に置き,すべての料理が患者の視野に入るよう配慮する.

■再発予防への配慮

▶発症のリスクとなる身体所見や,患者が有する基礎疾患の食事療法に準じる.

c 栄養指導

■指導のポイント

▶入院時には病院食の分量や形態について説明し,適切に摂取するよう促す.
▶再発予防のため,基礎疾患の栄養食事療法について指導する(減塩はほぼすべての患者に必要と考え指導する).
▶退院時以降も嚥下障害が残存する場合は,調理者に食品選択や調理方法,水分の粘度調整方法などを指導する.また患者本人にも,安全に過ごすため,医師や言語聴覚士が適切と判断する食形態や摂取方法を遵守するよう説明し,理解度を確認する.

4 — 栄養食事療法の効果・判定

▶入院期間中に栄養に関連する合併症(誤嚥性肺炎,褥瘡など)を発症しないこと,低栄養(過栄養)が適切に改善され維持されること,患者なりの栄養食事摂取方法を獲得できること,将来にわたり発作を再発せず過ごせることをアウトカムと考える.

MEMO

粘度調整剤:液体や食物・料理中の水分にとろみをつける増粘剤や,液体を流動性のないゼリー状に変えるためのゲル化剤.
半側空間無視:脳のダメージを受けた箇所に支配される身体の片側半分で,あらゆる刺激(視覚,聴覚,触覚)を認識できず,意識して見る空間の片側半分が見えない症状.

19 虚血性心疾患（狭心症，心筋梗塞）

1 疾患の概要

▶虚血性心疾患は，冠動脈の動脈硬化が進行し，冠動脈狭窄になることで，心臓への酸素および栄養不足の状態により引き起こされる疾患である．

▶虚血性心疾患は，狭心症と心筋梗塞に代表される．狭心症と心筋梗塞の違いは，心筋の回復の状態である．狭心症では心筋の回復が期待できるのに反し，心筋梗塞は回復が困難である．

▶狭心症を経過状況からみると，症状が3週間以上安定している安定狭心症と，3週間以内に発作の頻度や程度が増していたり安静時にも胸痛を自覚する不安定狭心症があり，後者は心筋梗塞に移行しやすいとされている．

2 病因

▶虚血性心疾患の病因は，冠動脈粥状硬化症の進行による冠動脈狭窄である．

▶冠動脈粥状硬化症は血管内膜の肥厚を起こし，まず内皮下組織へのコレステロールの蓄積，血管平滑筋細胞の遊走および増殖，さらに細胞外基質の蓄積といった要素が重なり形成される．

▶それら冠動脈への損傷を引き起こす危険因子に影響を及ぼす食事因子として，以下がある．
①血圧の上昇：ナトリウムやアルコールの摂取が多いこと，肥満，n-3系多価不飽和脂肪酸の摂取が少ないこと．
②脂質の酸化促進：飽和脂肪酸の摂取量が多いこと，鉄や銅などの栄養摂取過多，ビタミンE・ビタミンC・セレンなどの抗酸化作用効果が高い栄養素の摂取不足．
③炎症促進要素：n-3系多価不飽和脂肪酸の摂取量が少ないこと．

▶狭心症の発症からみると，冠動脈の粥状動脈硬化（アテローム硬化）による器質性狭心症と，攣縮（痙攣）が関与している冠攣縮性狭心症と，一過性の冠動脈内血栓形成による冠血栓性狭心症に分類される．

▶循環器病の診断と治療に関するガイドラインである「虚血性心疾患の一次予防ガイドライン（2012年改定版）」に，冠危険因子の評価として，以下の9項目があげられている．
①脂質異常症
②高血圧
③糖尿病
④肥満
⑤メタボリックシンドローム
⑥慢性腎臓病（CKD）
⑦家族歴
⑧喫煙
⑨精神保健

　それぞれの項目は冠危険因子の重症度に従って各専門学会のガイドラインによって評価が示され，目標値が推奨されている．

▶以上の冠危険因子のリスクをいかに低くするかが，虚血性心疾患の予防に重要である．

MEMO

安定狭心症：症状が安定しており，発生機序分類では器質性狭心症（冠動脈の器質的狭窄）の場合が多い．

不安定狭心症：狭心症の症状の安定性により分類され，安定狭心症に比べ増悪しやすい．薬物効果が低くなる場合も含まれる．

器質性狭心症：器質的狭窄の原因は動脈硬化によるものが多い．

冠攣縮性狭心症：冠動脈の痙攣により心筋血症が低下して起こる．

冠血栓性狭心症：一過性の冠動脈内血栓形成により起こる急性冠症候群（ACS）．

3 疫　学

▶全世界の死因の1位は虚血性心疾患である．WHOの死亡統計（1997～2003年）によると，日本の虚血性心疾患の死亡率は東欧，北欧の1/8～1/10，西欧，北米の1/5で先進国の中では低い．また男女比較では男性は女性の2倍のリスクがある．

▶日本における虚血性心疾患の増加要因の主たるものは高齢化であるが，そのほか危険因子としては，高血圧や肥満，脂質異常症，耐糖能異常などの代謝性疾患に加え，喫煙や精神的ストレスとされている．とくに近年代謝性疾患の増加をきたす生活習慣の変化を考えると，今後，虚血性心疾患の増加が懸念される．

4 症　状

■狭心症

▶痛みを感じる部位は，胸部，前胸部胸骨裏側であるが，そこから部位が放散することもある．痛みは，不快感や圧迫感，胸やけや肩こり様の症状が多い．痛みの持続時間は数分から10分程度である．発作のタイプとしては，動作やストレスで誘発される労作狭心症と，睡眠中や安静時に生じる安静狭心症がある．

■心筋梗塞

▶主症状は，激しい胸痛，呼吸困難，嘔気嘔吐，冷汗などであり，痛みの持続時間は長く，15分以上，数時間単位で続く．

▶心筋梗塞のタイプは壊死を起こす部位により，前壁梗塞（左冠動脈の前下行枝の梗塞），側壁梗塞（左冠動脈の回旋枝の梗塞），下壁梗塞（右冠動脈の梗塞）に分類される．

5 診断基準

▶診断手順は一般的に，胸痛，呼吸困難，悪心，嘔吐の症状を訴える患者に対しては，病歴や症状の確認をした後，心電図（①），尿・血液一般検査，生化学検査にてスクリーニング検査を行い，その後心筋関連生化学検査（④）を行う．

①心電図検査：虚血の有無や心筋梗塞の有無を確認する．狭心症では，心電図変化は，発作時のみに現れるため，運動中の発作を診断する運動負荷心電図や，24時間携帯して記録し，自然の発作や不整脈の診断をするホルター心電図が有効である．マスター法ではST水平低下（＞0.5mm），ST右下り低下（＞0.5mm）で陽性．トレッドミル法ではST低下（＞1mm）で陽性．

②心筋血流シンチグラフィー：アイソトープを使用し，心筋の血流状態を観察する．負荷直後は，虚血部に共通して欠損像，3～4時間で遅延像が現れる．

③冠動脈造影：直接冠動脈の中へ造影剤を投入し，X線撮影を行う．冠動脈狭窄の有無，部位，程度について検査し，診断する．

④血液生化学検査：心筋障害マーカーとして，ヒト心臓型脂肪酸結合たんぱく（H-FABP），トロポニンT，CK，CK-MBの測定と炎症反応，栄養指標の測定を行う．

⑤狭心症と心筋梗塞の鑑別については，表Ⅴ-19-1を参照．

6 治　療

▶虚血性心疾患の治療は，冠動脈狭窄の解消が第一であり，不足した酸素の供給を回復し，

運動負荷心電図：発作時の心電図変化を検査するため，階段昇降（マスター法），ランニングマシン（トレッドミル法），自転車こぎ（エルゴメーター）などの負荷方法がある．

■ 表V-19-1 狭心症と心筋梗塞の鑑別

	狭心症	心筋梗塞
胸痛	前胸部の締め付けられる圧迫感. 1〜5分程度, 長くても15分以内で安静により寛解.	締め付けられるような激しい痛み. 15分以上継続し, 安静により寛解しない.
診断	心電図：ST低下 血液検査：WBC, CK, AST, LD上昇せず	心電図：T波上昇, ST上昇, Q波の異常, 冠性T波 血液検査：WBC, CK, AST, LD上昇
ニトログリセリン効果	多くの場合著効	無効

（医療情報科学研究所：病気が見える, 循環器, 第2版, p.101, メディックメディア, 2009より改変）

■ 表V-19-2 狭心症治療薬の特徴

分類	機序	作用部位	臨床的意義
硝酸薬 　ニトログリセリン 　硝酸イソソルビド 　亜硝酸アミル	一酸化炭素に変換され血管平滑筋を弛緩	静脈系	前負荷を軽減させ酸素需要を軽減させる.
		動脈系	血圧を低下させ, 負荷を軽減し, 酸素需要を減少させる.
		冠動脈	冠動脈を拡張させ冠血流量を増やし, 酸素供給を増加させる.
β遮断薬 　プロプラノロール 　ピンドロール 　アテノロール	交換神経のアドレナリン作動性β受容体を遮断	心臓のβ受容体	心拍数, 血圧, 心筋収縮力を低下させ心筋酸素需要量を減少させる.
Ca拮抗薬 　ニフェジピン 　アムロジピン 　ジルチアゼム 　ベラパミル	細胞内へCa流入を阻害し, 血管平滑筋収縮を抑制	動脈系	血圧を低下させ負担を軽減し, 酸素需要を減少させる.
		冠動脈	冠動脈を拡張させ冠血流量を増やし, 酸素供給を増加させる. 冠攣縮を抑制し, 冠縮性狭心症にはきわめて有効.
	心筋においてCa流入を阻害する	心筋	心筋収縮を低下させ酸素需要を減少させる.

（相澤義房：メディカルノート循環器疾患がわかる, p.102, 西村書店, 2009より）

■ 表V-19-3 PCIの種類

PCIの種類	用いるデバイス	方法
POBA	バルーン	バルーンにより, 狭窄部位を拡張させる.
BMS	ステント	ステントを留置し, 狭窄部位を拡張させる.
DES	ステント	ステントを留置しそのステントから狭窄予防の薬剤が溶出する.
DCA	カッター	カッターでアテロームを削り取る.
ロータブレータ	バー	ダイヤモンドでできたバーを高速回転させ, プラークを削り取る.

（相澤義房：メディカルノート循環器疾患がわかる, p.103, 西村書店, 2009より）

酸素の需要を減少させるよう薬物療法やPCI（経皮的冠動脈インターベンション）を行う.
▶薬物療法では, 硝酸薬, β遮断薬, Ca拮抗薬などが原因と症状により処方される（表V-19-2）. またPCIでは, バルーンカテーテルにより狭窄部位を拡張させるPOBAや, ステントを留置するBMS, アテロームを削り取るテレアクトミーなどが施行される（表V-19-3）.
▶さらに急性期を脱した後は, 栄養療法や運動療法などが組み合わされて, 日常生活への復帰を目標とする.

7 栄養生理

▶血中のLDLコレステロールが酸化されて酸化LDLとなり，内皮下へ蓄積し，これをマクロファージがスカベンジャー受容体を介して貪食する．酸化LDLを貪食したマクロファージは泡沫細胞となり，やがてその処理能力を超えて死滅蓄積する（図V-19-1）．

▶冠動脈硬化症は，発生後ただちに狭窄をきたし症状を発生するわけではなく，脂質の蓄積した粥腫が冠動脈断面の40％となってから冠動脈の内腔の狭窄が始まるとされている．

▶また，安静時の血流が減少するのは狭窄度80％以上であり，運動時に相当する最大血流量が減少するのも狭窄度が50％に達してからとされている．

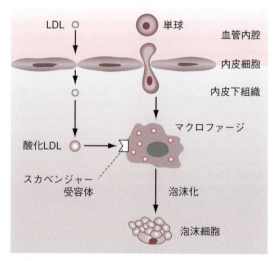

■図V-19-1　動脈硬化病変における泡沫細胞の形成
（相澤義房：メディカルノート循環器疾患がわかる，p.44，西村書店，2009より）

8 栄養食事療法

1—基本方針

■心筋梗塞：急性期

▶心筋梗塞急性期は胸痛が消失するまで，またはクレアチンキナーゼが最高値に達するまで，絶食と静脈栄養が優先する．

▶食事摂取することは，心拍，血圧の上昇を起こし，心筋の酸素必要量が増して負荷をかけるため，量，形態とも病態にあわせて安全な範囲でステップアップする．

▶炭水化物を中心とした流動食から，三分粥食，五分粥食，全粥食と進める．

■心筋梗塞：安定期

▶再発防止を目的として，脂質異常症，高血圧症の基本方針に準ずることとなるが，適正な穀物摂取，n-3系多価不飽和脂肪酸の積極的摂取，ビタミンE，ビタミンB_6，ビタミンB_{12}，葉酸の積極的摂取は心筋梗塞の再発防止に有意な効果が示されているので，栄養計画に組み込むこと．

2—栄養アセスメント

■アセスメント・モニタリングの項目

①体位，身体構成成分の測定：年齢，性別，身長，体重，BMI，腹部断面積，骨格筋量，体脂肪量，ミネラル量，水分量，浮腫の程度など全身のアセスメントの実施と評価．

②危険因子のアセスメント：血圧，脂質異常症の程度，糖尿病の有無およびコントロールの状況（空腹時血糖，随時血糖，HbA1c）．

③栄養状態の評価：総たんぱく，アルブミン，ヘモグロビン，ヘマトクリット，白血球数，赤血球数，リンパ球数，体重の増減の程度．

④生活習慣のアセスメント
- 食生活習慣の傾向：日々の摂取栄養量の傾向（総エネルギー，たんぱく質，脂質，炭水化物の比率，ビタミン，ミネラル類の過

MEMO

マクロファージ：（⇒p.413参照）

■表V-19-4　虚血性心疾患の栄養基準

区分（形態）	エネルギー（kcal）	たんぱく質（g）	脂質（g）	炭水化物（g）	食塩（g）
急性期（流動）	650	20	15	120	2
急性期（三分）	900	40	20	140	3
回復期（全粥～常食）	1,500	65	30	260	5
安定期（全粥～常食）	1,800	75	40	300	6

不足），食塩摂取量，食事の日内分布（朝食の欠如，夕食の多食，嗜好食品の利用程度など）．
- 喫煙率，アルコール歴，精神的ストレス．

■アセスメントのポイント

▶上記アセスメント項目を分析し，虚血性心疾患の誘発要因となっている事項について，脂質異常の内容，血圧の安定，肥満の是正，血糖の正常化を中心に評価をする．同時に日常の食事摂取内容についても，詳細な分析を行う（エネルギー，たんぱく質，脂質，脂質構成，ビタミン，ミネラル，水分，食塩など）．

3─栄養食事管理と管理目標

▶外科治療や薬物療法の治療ステージに合わせて，心臓への負荷を軽減し，必要な栄養素を効率よく供給できるように，個々に計画をする．

▶指標については「虚血性心疾患の一次予防ガイドライン（2012）」「心筋梗塞二次予防ガイドライン（2011）」を基準に決定する．虚血性心疾患の栄養食事指導は，疾患の原因因子としての高血圧や脂質異常症，耐糖能異常，体重管理の栄養食事指導内容に準ずる．

a 栄養素処方

▶虚血性心疾患の栄養成分基準例を表V-19-4に示す．

①エネルギー：標準体重×20～25 kcal/kgとする．肥満を避けBMI 18.5～24.9 kg/m²の範囲にコントロールし，心筋の負担を軽減する．

②たんぱく質：標準体重×1～1.2 g/kgあるいは総エネルギーの15～20％とし，不足のないようにする．高たんぱく食が高脂質食を誘因することがあるため，注意する．

③脂質：総エネルギーの20～25％とする．多価不飽和脂肪酸，とくにn-3系多価不飽和脂肪酸の摂取量を増やすことが推奨されている．さらに，EPAとDHAを合わせて1 g/日以上摂取することが望ましい．総コレステロール量は300 mg/日以内とする．

④炭水化物：総エネルギーの50％以上（60％以下）程度が望ましい．とくに穀物としての摂取はビタミン，ミネラル，繊維の観点からも重要視される．

⑤食塩：状況に応じて5～6 g/日とする．心臓への負担軽減と血圧の安定を目標とし減塩とする．

⑥ビタミン・ミネラル：心筋が円滑に機能できるよう，摂取基準の推奨量あるいは目安量とする．とくに，カルシウム，カリウム，葉酸，ビタミンB_6，B_{12}，Eについては，不足のないように注意する．総食品摂取重量が過剰にならないよう，機能食品の利用も視野に入れるのもよい．

⑦食物繊維：便秘や下痢の予防など消化器コントロールも心臓への負担を軽減するために重要である．とくに便秘は排泄時の血圧を上昇させるため，便通に効果的な食物繊維の不足がないよう注意する．10 g/1,000 kcalを目安とするが，疾病の特徴上，水溶性の食物繊維の摂取効果が期待される．

⑧その他：禁酒，禁煙とする．日常生活での二重負荷（食事，排便，入浴，運動）をしない．各動作の間には休息をとる．

b 食品・料理・献立の調整

■ 食品

●推奨される食品・避けたほうがよい食品

①脂質含有量の多い食品や食塩含有量の多い食品は好ましくないが，量や頻度によって考慮すべきことで，病状のステージにより異なる．

②急性期は炭水化物主体となるが，血糖上昇率の高い食品については注意する．

■ 献立

①心筋梗塞急性期は，流動，三分粥から開始し，病状により，食形態を調整する．

②成分コントロール食（エネルギー，脂質，食塩）として基準を作成する．

③肉類，魚類は，脂質含量5％以下の食品を選択する．

④三食規則正しく，各食事のボリュームに偏りが生じないよう計画する．

⑤安定期では，穀物エネルギー比率を50％程度とし，大豆製品，魚類，野菜類を毎食，適宜組み込む．

⑥減塩献立となるが，食べやすいようにメリハリのある献立を心がける．

c 栄養指導

■ 指導のポイント

①虚血性心疾患の安定に栄養食事療法は有効であり，とくに予防面から重要であることを説明する．

②適正なエネルギーを知り体重をコントロールすることが，心臓への負荷を軽減することに役立つことを理解してもらう．

③減塩の重要性を理解し，減塩の工夫を実践できるようにアドバイスする．食品の栄養表示で，ナトリウム量から食塩相当量の求め方を指導する．

④脂質を全体の20～25％に調整するための食品構成を具体的に示す．

⑤コレステロール摂取を制限するために，植物性食品を上手に取り入れるように勧める．

⑥定期的な指導を行い，食事内容と生活習慣から再発危険回避を目的に軌道修正を行う．

4―栄養食事療法の効果・判定

①病状の段階に応じた食事内容となっており，症状が抑えられており，安定した生活が可能であること．

②設定された目標の栄養摂取量に近く食事計画が実践されているか．

③栄養食事指導が無理なく行われるための障害が生じていないか（内容・労作強度・嗜好・経済）．

④多面的な評価を定期的に行い，適切なアドバイスを行う．

20 心不全（うっ血性心不全）

1 疾患の概要

▶**心不全**とは，さまざまな原因により心臓のポンプ機能が衰え，全身の組織代謝に必要な血液量を拍出できない状態であり，うっ血性心不全とは心拍出量低下を代償する機序により修飾をうけた心疾患の終末像である．

▶心不全は**急性心不全**（心筋梗塞などに起因し急激に悪化する場合）と，**うっ血性心不全**（高血圧症や心臓弁膜症により徐々に起こる場合）に区別され，左心室の機能低下により起こる心不全を左心不全，右心室の機能低下により起こる心不全を右心不全という．

2 病因

▶心不全の原因としては，虚血性心疾患として狭心症や心筋梗塞，心臓の弁の疾患として僧帽弁狭窄症，僧帽弁閉鎖不全症，大動脈弁狭窄症，大動脈弁閉鎖不全症，三尖弁狭窄症，三尖弁閉鎖不全症，肺動脈弁狭窄症，肺動脈弁閉鎖不全症がある．心筋症としては肥大型や拡張型があり，また高血圧に起因する腎性高血圧がある．

3 疫学

▶慢性心不全は，高齢化社会になるほど有病率が上昇する．とくに75歳以上の高齢者に多発する．基礎疾患の構成比率では，およそ虚血性心疾患が50％，拡張型心筋症が20％，弁膜症15％，高血圧が15％とされ，高齢者では虚血性心疾患が原因として多いが，壮年者では拡張型心筋症も虚血性心疾患と同比率存在する．

4 症状

①左房圧上昇・低心拍出量に基づく左心不全症状：労作時息切れ，呼吸困難については，進行につれ夜間の発作性呼吸困難や**起坐呼吸**が出現する．そのほか**チアノーゼ**，四肢冷感，乏尿，全身倦怠感，頭痛，食欲低下，集中力減退，意識障害など．

②血液うっ滞に基づく右心不全症状：浮腫，胸水，腹水，肝腫大，食欲低下，悪心，腹部膨満感．

③神経体液性因子の賦活化による末梢循環障害症状：頻脈，微弱頻脈，頸静脈怒張，肝頸静脈逆流．呼吸音聴診では湿性ラ音が聴取され，心音聴診ではⅢ音・Ⅳ音が聴取される．

▶不整脈とは，正常な洞調律により心房や心室が一定リズムで収縮することが妨げられた状態をいう．

症状は，胸痛，胸部違和感，易疲労感，倦怠感，めまいなどで，不整脈のために脳虚血をきたし失神することもある．不整脈の分類は**表Ⅴ-20-1**に示すように，頻脈性，徐脈性に大別される．

▶心不全の症状の分類には，**NYHA**（New York Heart Association：ニューヨーク心臓協会）**分類**を使用することが多い（**表Ⅴ-20-2**）．

起坐呼吸：呼吸困難が臥位で増強し，起坐位または半坐位で軽減するという臨床的徴候．

チアノーゼ：毛細血管血液中の還元ヘモグロビンが5g/dL以上で現れる．皮膚や粘膜が青紫色となる状態．

■表V-20-1　不整脈分類

分類	脈拍数		種類
頻脈性不整脈	>100回/分	心房性（上室性）	心房粗動（AFL）
			心房細動（AF）
徐脈性不整脈	<50回/分	心室性	心室頻脈（VT）
			心室細動（VF）

■表V-20-2　NYHAの心機能分類

クラス分類	症状
クラスI	心疾患はあるが，通常の身体活動では症状がない
クラスII	普通の身体活動で疲労，呼吸困難などが出現
クラスIII	普通以下の身体活動で愁訴出現
クラスIV	安静時にも呼吸困難を示す

5 診断基準

①胸部X線検査：右心不全の特徴的所見では，心拡大，右および左第2弓の突出，上大動脈の拡大が起こる．左心不全の特徴的所見では，肺血流の分布異常や間質性肺水腫，実質性肺水腫がみられる．

②心電図：心筋梗塞，心肥大，伝導障害，不整脈，心拍数の変動を検出する．

③血液検査：心不全の状態では以下の検査値に異常をきたす．
BNP（脳性ナトリウム利尿ペプチド），ANP（心房性ナトリウム利尿ペプチド）
- 貧血の指標：ヘモグロビン
- 炎症の指標：白血球数，CRP
- 腎機能の指標：クレアチニン
- 肝機能の指標：AST（GOT），ALT（GPT）

④心機能評価：心内圧基準値，収縮期機能指標基準値を以下に示すが，収縮不全，拡張不全の診断に重要である．さらにドプラ心エコー図は，ベッドサイドで心機能を把握するのに有効である．
- 右房圧（1～5）mmHg
- 左室圧15～30/1～7mmHg
- 肺動脈圧15～30/4～12（9～19）mmHg
- 肺動脈楔入圧（4～12）mmHg
- 左室拡張末期圧5～12mmHg
- 1回拍出量（SV）40～97mL
- 心係数（CI）2.6～4.2L/分/m²
- 左室駆出率（LVEF）53～85%（テイッシュホルツ〈Teichholz〉法）
- 左心室径短縮率（% FS）25～43%
- peak positive dp/dt：>1,200mmHg/秒

⑤心臓カテーテル検査：上腕や下腿の動脈や静脈からカテーテルを挿入し，心臓の圧測定，冠動脈造影，左室造影などを行い，異常部位と程度を診断する．

6 治療

▶急性心不全の治療として血流動態の安定目的に，以下の方法がある．

①一般療法：輸液療法，呼吸管理（酸素療法，人工呼吸など）

②薬物療法：利尿薬（ループ利尿薬，hANPなど），強心薬（ドブタミン，ドパミン，ノエルピネフリン，PDE III阻害薬など）

③補助循環：IABP，PCPS，VAS，ECUM，CAVH，CVVHなど

▶原因に対する治療として，以下が行われる．
①血栓溶解療法
②経皮的冠動脈インターベンション
③冠動脈バイパス術

▶慢性心不全の治療には，以下が行われる．
①前負荷の軽減とうっ血の改善のために食

間質性肺水腫：間質まで水が溜まった状態．胸水は胸腔内に異常に多量の液体が貯留した状態，または液体をさす．

実質性肺水腫：肺胞まで水が溜まった状態．

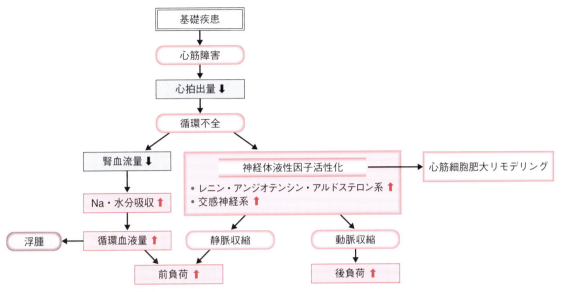

■ 図V-20-1　心不全の代償機序

塩・水分コントロール．
② 低カリウム血症やジギタリス中毒の予防のためのカリウムコントロール．
③ 危険回避のために，必要最低限の運動制限やアルコールコントロール，禁煙．
④ 薬物療法では，利尿薬，血管拡張薬（アンジオテンシン変換酵素阻害薬，β遮断薬），強心薬（ジギタリス）などを使用する．

7　栄養生理

▶心臓ポンプ機能が低下してくるとまず交感神経系，レニン・アンジオテンシン・アルドステロン系，心筋リモデリングが起こり，これらの代償機能は心不全をさらに悪化させ，破綻した場合心肥大，心拡大をきたす．代償機構が有効な場合を図V-20-1に示す．
▶心臓のエネルギー源は，糖質，脂質，一部のアミノ酸を利用し化学的なエネルギー源を作り，これを機械的なエネルギーに変換してポンプ作用を行う．エネルギー源として重要なブドウ糖供給源の糖質では，ソルビトールは心筋内に取り込めない．また果糖はその代謝産物が心臓にとって悪影響が認められるため，注意を要する．
▶栄養生理から心不全を分類すると，エネルギー生成障害性心不全とエネルギー利用障害性心不全に分けることができる．うっ血性心不全はエネルギー生成障害をともなっており，その代謝状態は，心筋中の乳酸，α-グリセロリン酸の増加，NADHの増加，pHの低下，グリコーゲンの減少，ミトコンドリアの酸化的リン酸化能の低下，高エネルギーリン酸ATP，CPの減少を引き起こす．さらに脂質異常症や脂肪乳剤の点滴などで，血中脂肪酸が増加し，呼吸困難や冠硬化で酸素供給が不十分でも同様な代謝状態を呈する．
▶したがって，心不全を治療するとき，十分な酸素と同時にブドウ糖や脂肪酸が至適な状態で心筋細胞に供給される必要がある．この

■表V-20-3　うっ血性心疾患の栄養基準（例）

区分	エネルギー(kcal)	たんぱく質(g)	脂質(g)	炭水化物(g)	食塩(g)	P比(%)	F比(%)	C比(%)
1度	1,200	53	30	175	3～6	18	23	59
2度	1,400	60	35	210	3～6	17	23	60
3度	1,600	65	35	250	3～6	17	20	63
4度	1,800	70	45	270	3～6	16	23	61

ためインスリンの投与や脂肪乳剤の使用制限，経口摂取においても，脂質異常症を改善することも重要である．

▶また，エネルギー利用障害性心不全においては，心筋の収縮作用にとくに関係するミオシンとアクチンがATPの存在下で作用し収縮を起こすが，カルシウムイオンの存在は必須条件であるため，カルシウム拮抗薬により心不全が発生することもある．

8　栄養食事療法

1―基本方針

▶うっ血性心不全の食事療法は，経口摂取，静脈栄養により体内のイオンバランスを整え，水分貯留を減少させることで，心臓の仕事量を軽減し，心筋の強化を図り，全身の栄養状態を改善することにある．

▶うっ血性心疾患の栄養基準を**表V-20-3**に示す．患者個々の病態ステージにおいてアセスメントとモニタリングを行い，本疾患のみならず総合的な全身の病態と栄養状態により基本方針からの調整が必要である．とくに高齢者に多発する病態は複数が混在しているケースが一般的であるので，画一的な栄養管理にとらわれてはいけない．

2―栄養アセスメント

■アセスメント・モニタリングの項目

①体位，身体構成成分の測定：年齢，性別，身長，体重，BMI，腹部断面積，骨格筋量，体脂肪量，ミネラル量，水分量，浮腫の程度．

②関連因子：血圧，脂質異常症の程度，糖尿病の有無およびコントロールの状況（空腹時血糖，随時血糖，HbA1c），服薬している薬の種類と量，家族歴．

③栄養状態：総たんぱく，アルブミン，ヘモグロビン，ヘマトクリット，白血球数，赤血球数，リンパ球数，体重の増減の程度．

④生活習慣

・食生活習慣の傾向：日々の摂取栄養量の傾向（総エネルギー，たんぱく質，脂質，炭水化物の比率，ビタミン，ミネラル類の過不足），食塩摂取量，水分摂取量，食事の日内分布（朝食の欠如，夕食の多食，嗜好食品の利用程度など）

・喫煙率，アルコール歴，精神的ストレス

■アセスメントのポイント

▶上記アセスメント項目を分析し，心不全の誘発の要因について改善する．とくに食塩摂取状況，水分摂取状況，脂質異常の内容，血圧，肥満，血糖濃度を評価をする．

▶同時に日常の食事摂取内容についても，詳

細な分析を行う（エネルギー，たんぱく質，脂質，脂質構成，ビタミン，ミネラル，水分，食塩など）．

3 ─ 栄養食事管理と管理目標

▶食事の質と量をコントロールして，心臓に負担をかけないように計画する．とくに1食の食事量が多過ぎることのないように，時間と配分と食べ方も影響の大きいポイントとなる．

a 栄養素処方

①エネルギー：標準体重を維持することが大切である．急性期にはエネルギーを抑えて，心臓の負荷を軽減するが，消費エネルギーが高まることから，必要エネルギーの摂取について工夫する．

②たんぱく質：低たんぱく血症，低アルブミン血症を起こすことが多く，浮腫を増悪させやすい．栄養状態の改善のために，アミノ酸バランスのよいたんぱく質を給与する．標準体重1～1.5 g/kg/日とし，不足のないよう注意する．

③ナトリウム：ナトリウム摂取量と密接な関係にある高血圧のコントロールは，心臓の負担を軽減し，心臓の筋肉の質的劣化を予防する点から重要である．ナトリウムの過剰摂取は，循環血液量を増加させ，全身の浮腫を引き起こし，心臓への負荷を引き起こすため，ナトリウムコントロールは心不全の栄養ケアとして最優先される．

④水分：浮腫の状況や排泄量を観察し，適正水分量を決定する．水分コントロールはナトリウムコントロールを優先する．

⑤ミネラル類・ビタミン類：カリウム値については，薬剤の使用や排泄機能のアンバランスから，低カリウム血症を起こすこともあるので，血液データを観察し，対応する．ビタミン類は，推奨量，目安量をもとに不足をきたさないよう配慮する．

b 食品・料理・献立の調整

▶減塩食を基本とする．疾患の症状により，食欲不振や胃腸症状をともなうことが多いので，食事の工夫も重要となる．

■ 食品
● 推奨される食品

①胃腸にうっ血のある場合が多いため，胃内停滞時間が短く，負担の少ない食品．

②良質なたんぱく質食品が推奨され，さらに脂質の少ない食品が適するため，白身魚，ささみ，卵，牛乳，豆腐などを優先する．

③便秘予防やビタミン・ミネラル摂取のために，野菜や果物を取り入れる．

● 避けたほうがよい食品・注意する食品

①コーラやサイダーなどの炭酸飲料は，腹部膨満感を起こし，心臓を圧迫するため，避ける．

②納豆は血液の凝固性を高めるので，治療薬にワルファリンを使用している場合は食べないようにする．同様にビタミンKの含有量の高い食品を避ける．

③加工品としての佃煮，漬け物，塩蔵品など食塩含有量の高い食品．

■ 献立

①1食の食事量は負担とならないように，少量，頻回食とする．

②食塩量は原疾患，浮腫の状況で3～6 g/日とし，極端な減塩は食欲低下の原因ともなるため，段階的に進める．NYHA分類Ⅰ度，

Ⅱ度の場合は5〜6g/日とする．
③心臓，消化器の負担を軽減するため，胃内停滞時間が長い高脂質食は避ける．
④腹部膨満感や腹水のある場合は，発酵しやすい食品を軽減し，腸内細菌叢を整える食品を上手に利用する．
⑤便秘を予防し，排便時の血圧上昇の予防を目的に，野菜，果物は適量で食べやすい形態で提供する．
⑥禁酒，禁煙とし，濃いコーヒーやお茶類を控える．
⑦塩味を重点的に利用したり，食材の表面に味付けし，塩気を浸透させない．
⑧酸味を利用する．
⑨香辛料，香り，香ばしさを利用する．
⑩加工食品や練り製品などは，極力控える．

C 栄養指導

■ 指導のポイント

▶うっ血性心不全に関して，食事のコントロールや生活習慣の改善が必要であること，その効果が期待できることを説明する．

①体重，体組成を評価し，標準体重域へのコントロール計画をする．肥満のための体重増加か，浮腫などの水分貯留による体重増加なのかを正しく評価することが重要である．また，患者個々の体重歴や病歴により，目標を設定する．極端なコントロールは，低栄養状態を招いたり，ストレスの増大による影響も考慮する．
②減塩が基本とされるため，現在の食事状況の調査による評価から，改善点を提案し患者の同意のもとに実践を促す．水分コントロールも必要となるが，減塩が優先される．
③具体的な食塩量や調味％についても，資料を提示し指導する．
④便秘予防は血圧の上昇防止となり，心臓の負荷を回避させるので，重要な項目となるため，食物繊維のとり方，腸内細菌コントロールなどにも配慮する．
⑤飲酒歴を確認し，アルコールの摂取をコントロールする．病状の重いときには禁酒となる．
⑥喫煙に関しては，病状に限らず禁煙とする．
⑦日常生活の制限がある場合，調理がどの程度可能か，支援するサポート役が存在するかなど，きめ細かくアドバイスすることが求められる．
⑧生活全般としては，入浴・運動・保温などの注意が必要となる．

4 ― 栄養食事療法の効果・判定

①実際の食事状況を確認し，総エネルギー，たんぱく質，脂質，食塩相当量，各種ビタミン・ミネラル類の推定摂取量を評価し，目標値との乖離についてわりやすく食品量にてアドバイスを繰り返す．
②急性期の入院期間は，チーム医療で病状の変化と栄養摂取状況（水分・食塩はきめ細かく）を評価する．
③苦痛のない，安定した生活が送れることが目標となるので，改善の効果が期待できる内容を中心に指導を重ねる．

21 糸球体腎炎

急性糸球体腎炎

1 疾患の概要

▶急性糸球体腎炎とは，病理組織学的に炎症の首座が糸球体に認められ，急性で初発の発病で，発病後1年未満のものと定義される．
▶急性期から回復期に導き，さらに慢性化に移行させないことが治療目的となる．

2 病因

▶A群β溶血性連鎖球菌感染症後に発症するものが大部分であり，この菌が抗原となることで抗原抗体複合体を形成し，腎糸球体に付着することで炎症を引き起こす．
▶一般的に，扁桃炎，咽頭炎などに感染後，1～3週間で発症する．

3 疫学

▶10万人に4人の発生頻度で，高齢者や3歳以下の乳幼児に少なく，小児期ならびに青年期の男性に多い（男：女＝2：1）．
▶小児で約90％以上が完治するが，成人の治療率は50～80％程度である．

4 症状

▶全身倦怠感，頭痛，咽頭痛，悪心，嘔吐などを生じ，その後に肉眼的血尿，浮腫（上眼瞼，顔面，下腿），高血圧，たんぱく尿などを呈し，尿量も減少する．痙攣や不整脈にも注意が必要で，入院加療となる．
▶通常，発病後1週～10日後には尿量が確保され，浮腫や高血圧は消失する．顕微鏡的血尿は数カ月続くが，しだいに改善する．

5 診断基準

▶確定診断には腎生検による糸球体の観察が必要となる．
▶糸球体内に好中球，単球の浸潤と糸球体内皮細胞の腫大と増殖による糸球体係蹄の腫大，分葉化，半月体形成や糸球体係蹄上皮側に補体第3成分（C3）沈着などを認める．
▶尿検査で，血尿（顕微鏡的血尿100％，肉眼的血尿30～50％），たんぱく尿（0.5～1.0 g/日），尿沈渣で赤血球円柱を認める．
▶血液検査で抗ストレプトリジンO（ASO）値と抗ストレプトキナーゼ（ASK）値の上昇，補体価（CH_{50}），C3の低下がみられる．
▶腎機能は一過性に低下し，血中尿素窒素（UN）や血中クレアチニン（Cr）の上昇，クレアチニンクリアランス（C_{Cr}）減少がみられる．
▶咽頭培養または皮膚培養の細菌検査で，溶連菌を検出する．

6 治療

▶発症直後の「急性期」に，うっ血性心不全，高血圧脳症，急性腎不全を合併すれば重症化

MEMO

糸球体毛細血管圧とボーマン嚢内圧（→ p.346）：輸入細動脈はボーマン嚢の中で糸球体という毛細血管の塊になり，ここで血液濾過が行われる．濾過には糸球体毛細血管の血圧（糸球体毛細血管圧）が直接的に働くが，ボーマン嚢が濾液で充満するとボーマン嚢から逆に濾液を押し戻す力（ボーマン嚢内圧）が働き，糸球体に濾液を押し戻す．また，糸球体毛細血管内の壁を通過できない大きなたんぱく質分子の血漿たんぱくは，毛細血管内に水を引き戻す膠質浸透圧を作る．

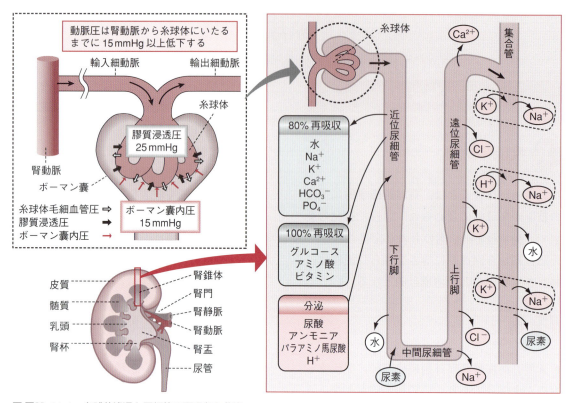

■ 図Ⅴ-21-1　糸球体濾過と尿細管の再吸収と分泌
（坂井建雄，岡田隆夫：系統看護学講座専門基礎分野解剖生理学人体の構造と機能（1），p.224, p.226, 医学書院，2009より）

しやすく，発症初期には薬物療法を主とした治療が行われる．
▶細菌の除去に対してはペニシリン系抗菌薬，浮腫と高血圧には利尿薬や降圧薬，炎症の抑制には副腎皮質ホルモン，腎炎の進展防止に抗血小板薬，高カリウム血症ではポリスチレンスルホン酸カルシウムやグルコン酸カルシウムなどが使用される．
▶腎血流量確保のため，入院当初はベッド上の絶対安静と保温に努める．
▶厳格な食事療法が必要となる．
▶体液のうっ滞が改善し，浮腫や高血圧などの全身症状が消失していく「回復期および治癒期」では，徐々に安静度を解除する．
▶退院後は激しい運動は控え，1年間検尿で

のフォローが必要となる．尿所見は数カ月続くが，しだいに改善する．
▶扁桃炎を繰り返す場合には，予防的に扁桃摘出を行う場合もある．

7 栄養生理 （図Ⅴ-21-1, 2）

▶血漿成分が**糸球体毛細血管圧とボーマン嚢内圧**の差でボーマン嚢へ濾過されたものが原尿で，成人では1日140〜170Lに及ぶ．
▶原尿の大部分は水であるが，尿素などの不要物質や利用可能なグルコースやアミノ酸，各種電解質も濾過され含まれている．
▶長い管の尿細管を原尿が流れる間に，生体に必要な水や電解質，グルコース，アミノ酸

📝MEMO
レニン（→p.347）：輸入細動脈の末端部に存在する顆粒細胞から分泌されるアンジオテンシンⅠを合成するたんぱく質分解酵素の一種．腎血流量が減少するとレニンの分泌は促進し，増加すると抑制する．レニンによって活性化されたアンジオテンシンⅠは，アンジオテンシン変換酵素（ACE）により血圧上昇作用が強力なアンジオテンシンⅡに変化し，さらにアルドステロンを分泌させ，腎のNa⁺再吸収を増加させて血圧を上げる．これをレニン・アンジオテンシン・アルドステロン（RAA）系という．

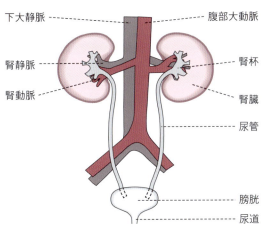

■ 図V-21-2　腎臓，尿管，膀胱，尿道の位置関係

などの再吸収と，不要な尿酸やアンモニア，水素イオンなどを積極的に分泌して，身体の内部環境の恒常性を維持している．

▶原尿の99％は再吸収され，残り1〜1.5Lが尿として腎盂に運ばれ，尿管を介して膀胱へ送られる．

▶腎臓は排泄臓器としての機能以外に，レニン，プロスタグランジン，エリスロポエチンなどの産生や，ビタミンDの活性化などの内分泌臓器としての働きも有する．

8　栄養食事療法

1―基本方針

■ 急性期

①尿毒素の不必要な産生を抑制するため，エネルギーを十分に投与する．経口摂取が不十分な場合は静脈栄養も併用する．
②乏尿状態では溶質の排泄が不十分となるため，厳しいたんぱく質制限を行う．
③浮腫や高血圧の改善のため，食塩制限は必須である．
④電解質バランスが崩れ，血清カリウム値が高ければ，カリウムも制限を要する．

■ 回復および治癒期

①食塩は3〜5gのコントロールが必要であるが，他は制限を要しない．

2―栄養アセスメント

▶急性期では症状に合わせた体液管理が重要で，尿量や補液，食事摂取量，飲水量を正確に把握し，調節することが大切である．

■ アセスメント・モニタリングの項目

①年齢，性別，腎炎の既往歴ならびに全身症状などの主訴を問診する．
②食事摂取量，飲水量，補液量などのinと，尿や出血量などのoutを評価する．
③体重を測定し，体液量管理を評価する．
④浮腫や血圧，呼吸状態の観察が必要．
⑤尿や血液・生化学検査で病変を評価する．

■ アセスメント・モニタリングのポイント

①発病初期は重篤な合併症の予防に，頻回な血圧測定が必要となる．
②絶対安静が必要な「急性期」には，スケールベッドでの体重測定が望ましい．
③1日400mL以下の乏尿期から数L以上の利尿を認める時期まで幅広い．水分出納を細かく把握し，調節することが大切である．
④身体計測では，浮腫例は除脂肪量を参考に体重を補正する．

3―栄養食事管理と管理目標

▶病期と状態に合わせ細やかに栄養素量をコントロールし，重症化と慢性化を防ぐ．

a　栄養素処方　（表V-21-1）

■ 急性期

▶腎機能低下が著しく，厳密なコントロール

MEMO

プロスタグランジン：炭素数20個の不飽和脂肪酸で，血管収縮と拡張作用，血小板凝集，免疫系の調節などさまざまな生理活性をもつ．細胞膜成分の脂肪酸が組織中に放出され，いくつかの酵素によりアラキドン酸に変えられた後，プロスタグランジンとなる．

エリスロポエチン：赤血球の産生を促進するホルモンで，肝臓でも生成されるが，おもに腎臓の尿細管間質細胞で生成される．慢性腎不全では，エリスロポエチンの生成が低下し，腎性貧血が起こる．

■ 表V-21-1 急性糸球体腎炎の栄養基準（例）

		総エネルギー (kcal/kg*/日)	たんぱく質 (g/kg*/日)	食塩 (g/日)	カリウム (g/日)	水分
急性期	乏尿期 利尿期	35**	0.5	0〜3	5.5 mEq/L以上の ときは制限する	前日尿量 ＋不感蒸泄量
回復期および治癒期		35**	1.0	3〜5	制限せず	制限せず

*標準体重．**高齢者，肥満者に対してはエネルギー減量を考慮する．

が必要である．また，利尿が始まれば脱水防止も視野に入れる．
①エネルギーは不足しないように摂取する．
②たんぱく質は0.5 g/kg（標準体重）/日まで制限する．
③食塩は，腎機能や溢水状態に応じて0〜3 g/日で調整する．
④カリウムは血清カリウム値5.5 mEq/L以上で制限を実施する．
⑤水分は前日尿量＋不感蒸泄量とする（不感蒸泄量は，体重kg×15 mLが目安）．

■ 回復期および治癒期
▶体液のうっ滞が改善に向かえば，食事制限は緩和される．
①エネルギーは不足しないように摂取する．
②たんぱく質は1.0 g/kg（標準体重）/日とする．
③食塩は3〜5 g/日で調整する．
④カリウムは制限しない．
⑤水分の制限はない．

b 食品・料理・献立の調整

▶「急性期」は，食欲不振による静脈栄養例も多いため，「回復期および治癒期」での食品，献立の配慮について示す．

■ 食品
● 推奨される食品
①食欲不振時にはエネルギーが高い間食を利用する．
②香味野菜を積極的に活用して，減塩食でも美味しく食べる工夫を取り入れる．
③食塩コントロールに減塩調味料の使用．

● 避けたほうがよい食品
①食塩含有量が多い漬け物や加工食品．
②栄養成分が不明な食品．

● 注意する食品
①降圧薬のカルシウム拮抗薬や免疫抑制薬のシクロスポリン服用時には，グレープフルーツジュースは禁忌とする．

■ 献立
①食欲不振が続くときは1回の食事量を少なくして，4〜5回食/日でコントロールする．
②食塩を含む麺類やパン類の主食利用は1日1回までにする．
③食塩使用量が多くなりがちな汁ものや，水分が多い料理は1日1回までにする．

c 栄養指導

■ 指導のポイント
①体力低下による感染予防のため，規則正しい生活と栄養摂取に努めることを説明する．
②食塩コントロールの必要性を説明する．
③食塩コントロールの手技や工夫を十分に指導する．
④栄養食事療法の遵守を評価するため，食生活調査を定期的に実施し，具体的な改善策

📝 MEMO

24時間蓄尿（→p.349）：検尿の検査結果は尿の濃さによって異なるため，1日24時間の尿を溜め評価するのがもっとも正確といわれる．尿たんぱくだけではなく，1日の尿に含まれる尿素量からたんぱく質摂取量を逆算したり，1日に摂取した食塩量やカリウム，リンなどの量も推測できる．より正確な尿たんぱく量の把握や腎機能の評価，食事療法の評価の指標として用いられる．

をアドバイスする．
⑤食生活調査は，24時間蓄尿のNaやN排泄量から推定した客観的な摂取量と照らし合わせて用いる．
⑥体重は摂取エネルギー量の評価や栄養状態の変化を簡便に推測できることを説明し，体重変化のモニタリングを勧める．
⑦年齢が高くなると治癒率が低く慢性化しやすい傾向にあるため，特に成人では食事療法継続の必要性を強調する．
⑧食事療法は自己管理が重要になるため，本人ならびに調理担当者の知識や理解を確認しながら進める．

4―栄養食事療法の効果・判定

①経時的に体重の変動をチェックし，摂取エネルギーの妥当性を評価する．
②減塩は食塩感受性を改善し降圧薬の効果を高める．血圧が管理目標値内になっているかを評価する．
③24時間蓄尿のNaやN排泄量から客観的に推定した食塩とたんぱく質摂取量をもとに，食生活調査の妥当性を評価・判定する．
④腎機能関連の検査値から栄養食事療法の効果を判定する．

慢性糸球体腎炎

1 疾患の概要

▶1年以上たんぱく尿や顕微鏡的血尿が続く原発性の糸球体疾患で，一般的に尿細管にも病変を認める．
▶尿異常以外に症状を認めないものから高度な腎障害に陥っているものまで幅広く，腎機能障害の進展予防が治療の目的となる．

2 病因

▶免疫学的機序によって形成された免疫複合体が腎糸球体に沈着し発症するものが多い．しかし，さまざまな組織病型があり，その病因は多彩で不明な点も多い．

3 疫学

▶成人の慢性糸球体腎炎では，免疫グロブリンA（IgA）腎症の頻度がもっとも高く，30％以上と報告されている．
▶末期腎不全など予後不良に至る例が多い．

4 症状

▶一般的に自覚症状は乏しく，健診などで尿異常を発見することが多い．
▶最終的に腎不全に陥る例もあり，病期により多彩な症状を呈する．

5 診断基準

▶たんぱく尿，顕微鏡的血尿の持続．
▶確定診断は腎生検による組織学的診断で行われ，IgA腎症，膜性腎症，膜性増殖性糸球体腎炎，巣状糸球体硬化症などに分類される．

6 治療

（⇒これ以降は，「23.慢性腎不全」の項p.355を参照）

MEMO

免疫グロブリンA（IgA）腎症：血清中のγグロブリンというたんぱく成分の主体は液性抗体の免疫グロブリンで，構造の違いでIgG，IgA，IgM，IgD，IgEの5種類のクラスに分類され，それぞれ感染防御機構において特異的な機能を有する．免疫グロブリンA（IgA）腎症は，糸球体のメサンギウム領域にIgAがびまん性顆粒状に沈着した腎疾患である．血尿は必発で，血液検査でIgA高値を認める場合も多く，30～40％が末期腎不全に進行する．

22 ネフローゼ症候群

1 疾患の概要

▶高度のたんぱく尿，低アルブミン血症，浮腫，脂質異常症の臨床症状を呈する一群の腎疾患である．
▶腎臓に原発する糸球体疾患の一次性ネフローゼ症候群と，その他の原因による二次性ネフローゼ症候群に大別される．
▶6カ月の治療期間に軽快（完全寛解ないし不完全寛解Ⅰ型）にいたらないものは難治性ネフローゼ症候群と定義される．
▶治療目標は原疾患および進行程度により異なるが，高度なたんぱく尿や低アルブミン血症，浮腫，脂質異常症の改善，原疾患の治療と腎機能障害の進展抑制である．

2 病因

▶一次性ネフローゼ症候群は，糸球体の炎症や免疫複合体沈着による組織学的障害によって発症する．
▶糸球体組織所見から微小変化型ネフローゼ症候群，膜性糸球体腎炎，メサンギウム増殖性糸球体腎炎，巣状糸球体硬化症，膜性増殖性糸球体腎炎などに分類される．
▶二次性ネフローゼ症候群は，糖尿病やアミロイドーシスに起因するものや，膠原病，悪性腫瘍，循環障害，薬物や化学物質，肝炎などの感染に由来するもの，遺伝性要因や妊娠，移植など多彩な原因で発症する．

3 疫学

▶出現頻度は，微小変化型ネフローゼ症候群が約4割と多い．
▶小児期では80〜90％が微小変化型ネフローゼ症候群で，中高年以降では膜性糸球体腎炎が増加する．
▶微小変化型ネフローゼ症候群や二次性膜性糸球体腎炎以外は腎不全へ進行することが多い．

4 症状

▶もっとも著明な症状は浮腫で，顔面と下肢にみられ，高度になれば頭部や大腿内側，腰，腹部にも指圧で圧窩を認める．
▶浮腫液が腹腔や胸腔まで貯留すると全身倦怠感，頭痛，高血圧，食欲不振，乏尿を呈する．
▶高度なたんぱく尿のため，患者自身が尿の泡立ちを自覚することが多い．
▶血清総たんぱくとアルブミン濃度，アルブミン／グロブリン比（A/G比）の低下，血清総コレステロールと中性脂肪の増加を認める．
▶赤血球沈降速度の亢進，フィブリノゲンの増加，腎機能の低下，血清補体価の低下がみられる場合がある．

5 診断基準

▶成人ネフローゼ症候群の診断基準を表Ⅴ-22-1に示す．
▶診断基準の大量のたんぱく尿と低アルブミ

MEMO

完全寛解：尿たんぱく＜0.3g/日（治療開始後1カ月，6カ月の尿たんぱく量定量）．
不完全寛解Ⅰ型：0.3g/日≦尿たんぱく＜1.0g/日（治療開始後1カ月，6カ月の尿たんぱく量定量）．

■表V-22-1　成人ネフローゼ症候群の診断基準

①たんぱく尿：3.5 g/日以上を持続（随時尿において尿たんぱく/尿クレアチニン比が3.5 g/gCr以上の場合もこれに準ずる）
②低アルブミン血症：血清アルブミン値が3.0 g/dL以下（血清総たんぱく量が6.0 g/dL以下も参考になる）
③浮腫
④脂質異常症：高LDLコレステロール血症

注1）上記のたんぱく尿量，低アルブミン血症（低たんぱく血症）の両所見を認めることが本症候群の診断の必須条件である．
注2）浮腫は本症候群の必須条件ではないが，重要な所見である．
注3）脂質異常症は本症候群の必須条件ではない．
注4）卵円形脂肪体は本症候群の診断の参考となる．

ン血症は診断の必須条件であり，浮腫と脂質異常症は診断の参考条件となる．
▶尿沈渣中，多数の卵円形脂肪体や重屈折脂肪体の検出は診断の参考に用いられる．
▶小児の微小変化型ネフローゼ症候群は急性に発症する．成人の膜性糸球体腎炎は自覚症状が乏しく，健診で見つかることも多いなどの特徴も診断の参考になる．
▶腎生検による糸球体病変の確認で，どの組織型のネフローゼ症候群か確定診断が可能である．

6 治療

▶安静と食事療法，ステロイドホルモンの投与が基本となる．
▶発症初期にプレドニゾロン0.8～1.0 mg/kg/日相当で開始する．微小変化型ネフローゼ症候群では数週間でたんぱく尿が減少し，浮腫も消失する．尿所見の軽快後も半年から1～2年程度は投与が続けられる．
▶たんぱく尿減少に，アンジオテンシン変換酵素阻害薬やアンジオテンシンⅡ受容体拮抗薬，脂質異常症の改善にスタチン系薬剤，浮腫に対しては必要に応じて利尿薬，また免疫抑制薬や抗血小板凝固薬なども用いられる．
▶巣状糸球体硬化症にはLDL吸着療法，ループス腎炎では血漿交換療法，腎不全に陥った例には血液透析治療も行われる．
▶臨床経過は原疾患によっても大きく異なるため，症状や病期に応じた生活や食事，薬物治療が必要．

7 栄養生理（図V-22-1）

▶糸球体基底膜の障害により透過性が亢進してボーマン嚢内へ血漿たんぱくが漏出し，大量のたんぱく尿が出現する．
▶高度なたんぱく尿が続くと血清アルブミン値が下がり，低たんぱく血症を呈する．
▶血清たんぱく量が少なくなると血漿浸透圧が低下し，組織からの水分再吸収が減少，間質液の増加が起こり高度な浮腫を出現させる．

8 栄養食事療法

1─基本方針

①浮腫は消化管まで及び，吸収障害を招きやすい．低栄養状態が進行しないようエネルギーは十分に投与する．
②たんぱく質は，糸球体の過剰濾過を避けるため健常者と同量，必要に応じて軽度制限する．
③浮腫の改善に食塩制限は必須である．
④血清カリウム値が高ければ，カリウムを制限する．
⑤高度の浮腫の場合には水分制限を行う．
⑥糸球体濾過量（GFR）が30 mL/分/1.73 m^{2}未満のステージG4以降では，たんぱく質

MEMO
微小変化型ネフローゼ症候群：小児に多くみられるネフローゼ症候群で，糸球体にほとんど変化を認めない．発病時には大量の尿たんぱくや高度の浮腫を認め症状は劇的であるが，ステロイドホルモンの治療に有効に反応し，治りやすい特徴を有する反面，再発も多い．血液検査でIgEの上昇をみることが多く，花粉や昆虫毒，アレルギー性物質の特異抗原の関与で発症することがある．

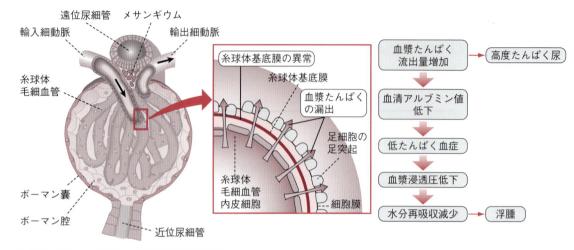

■図Ⅴ-22-1　ネフローゼ症候群の栄養生理
(坂本穆彦ほか：系統看護学講座専門基礎分野病理学疾病のなりたちと回復の促進(1), p.249, 医学書院, 2009より)

制限を0.6～0.8 g/kg体重/日でコントロールする.

2―栄養アセスメント

▶治療の目的は，高度なたんぱく尿や低たんぱく血症，脂質異常症，浮腫の改善ならびに腎機能障害の進展抑制や原疾患のコントロールである.

■アセスメント・モニタリングの項目
①年齢，性別，本症の家族性要因，既往歴，現病歴，使用薬剤を問診する.
②自・他覚症状や浮腫の程度，血圧，尿量を観察する.
③食生活状況，栄養摂取量を問診する.
④身体計測で体液量管理と栄養状態をモニタリングする.
⑤血清総たんぱくや血清アルブミン量から血中たんぱくを評価する.
⑥糸球体濾過量(GFR)，血清Cr，血清UN，尿たんぱく量から腎障害の程度を把握する.
⑦血清総コレステロール値や中性脂肪値で血中脂質を評価する.

■アセスメント・モニタリングのポイント
①たんぱく尿の軽減や消失，血清たんぱくの正常化，臨床症状の改善，再発までの期間やその回数などで治療効果を評価する.
②胃潰瘍など薬剤の副作用の出現の有無を確認する.
③身体計測では，浮腫例は除脂肪量を参考に体重を補正する.

3―栄養食事管理と管理目標

▶減塩食を基本とし，浮腫，高血圧の改善を図る．低栄養状態（低たんぱく血症，低アルブミン血症）やたんぱく尿，腎機能保持を目的として，たんぱく質の過剰摂取を避けながら良質なたんぱく質を確保する.

▶完全寛解以外では「23.慢性腎不全」の項を参照のうえ，食事療法を実施する.

a 栄養素処方　(表Ⅴ-22-2)
①エネルギーは不足しないように摂取する.

MEMO

糸球体濾過量(GFR)（→p.351）：単位時間当たりで糸球体から濾過される血漿量を表し，腎機能評価に用いられる．正確な腎機能の評価にはイヌリンクリアランスやクレアチニンクリアランス検査を行うが，測定が困難な場合には日本人の推算糸球体濾過量（eGFR$_{creat}$）で評価される．るいそうまたは下肢切断者などの筋肉量の極端に少ない場合には血清シスタチンCの換算式（eGFR$_{cys}$）がより適切な評価となる．この推算GFRの値でCKD（慢性腎臓病）の病期ステージが決定される（➡p.355参照）.

■ 表V-22-2　ネフローゼ症候群の食事療法（例）

	総エネルギー (kcal/kg*/日)	たんぱく質 (g/kg*/日)	食塩 (g/日)	カリウム (g/日)	水分
微小変化型ネフローゼ症候群以外	35**	0.8	5	血清カリウム値により増減	制限せず***
治療反応性良好な微小変化型ネフローゼ症候群	35**	1.0〜1.1	0〜6	血清カリウム値により増減	制限せず***

*標準体重．**高齢者，肥満者に対してはエネルギー減量を考慮する．***高度な難治性浮腫の場合には水分制限を要する場合もある．

②たんぱく質は微小変化型ネフローゼ症候群以外で0.8 g/kg（標準体重）/日まで制限し，微小変化型ネフローゼ症候群でも1.0〜1.1 g/kg（標準体重）/日までとする．

③食塩は微小変化型ネフローゼ症候群以外で5 g/日とし，微小変化型ネフローゼ症候群では浮腫や高血圧の程度に応じて0〜6 g/日未満で調整する．

④カリウムは血清カリウム値5.5 mEq/L以上で制限を実施する．

⑤水分は高度な難治性浮腫の場合には制限が必要．

b 食品・料理・献立の調整

■ 食品

● 推奨される食品

①食欲不振時には，たんぱく質含有量が少なく，エネルギーが高い間食．

②良質なたんぱく質を含むアミノ酸価が高い食品．

③たんぱく質制限時には低たんぱく質の治療用特殊食品．

④食塩コントロールに減塩調味料の使用．

⑤コレステロール低下作用を有する食物繊維の補強食品や大豆製品．

● 避けたほうがよい食品

①食塩含有量が多い漬け物や加工食品．

②コレステロール含有量が多い食品．

③基礎疾患に糖尿病を有すれば単純糖質を多く含む食品．

④栄養成分が不明な食品．

● 注意する食品

①降圧薬のカルシウム拮抗薬や免疫抑制薬のシクロスポリン服用時には，グレープフルーツジュースは禁忌とする．

②抗血小板凝固薬のジピリダモールや抗凝固薬のワルファリンカリウム服用時には納豆は禁止し，ビタミンKを制限する．

■ 献立

①食欲不振が続くときには1回の食事量を少なくし，4〜5回食/日でコントロールする．

②食塩を含む麺類やパン類の主食利用は1日1回までにする．

③食塩使用量が多くなりがちな汁ものや，水分が多い料理は1日1回までにする．

c 栄養指導

■ 指導のポイント

①ステロイド投与中は感染に対する抵抗力が弱まるため，規則正しい生活と栄養摂取に努めることを説明する．

②1日に摂取するたんぱく質量が食品に置き換えることが可能かを確認する．

③食塩コントロールの必要性と制限方法を十

MEMO

高度な難治性浮腫の水分制限：利尿薬使用下で低ナトリウム血症となる場合は制限が必要である．浮腫を増悪させないための水分制限は，食事中の水分を含む総水分量として前日尿量＋500 mL（不感蒸泄量—代謝水）がひとつの目安となり，毎日体重を測定したうえで，制限を調整する．

分に指導する．
④ **治療用特殊食品**利用の効果を説明し，患者の嗜好性に合わせて勧める．
⑤基礎疾患や脂質異常症など合併症の食事療法のポイントを含めて指導する．
⑥栄養食事療法の遵守を評価するため，食生活調査を定期的に実施し，具体的な改善策をアドバイスする．
⑦食生活調査は，24時間蓄尿のNaやN排泄量から推定した客観的な摂取量と照らし合わせて用いる．
⑧体重は摂取エネルギー量の評価や栄養状態の変化を簡便に推測できることを説明し，体重変化のモニタリングを勧める．
⑨薬物と食品の相互作用について説明する．
⑩食事療法は自己管理が重要になるため，本人ならびに調理担当者の知識や理解を確認しながら進める．

4─栄養食事療法の効果・判定

①経時的に体重の変動をチェックし，摂取エネルギーの妥当性を評価する．
②浮腫の程度や血圧で減塩の効果を確認する．必要に応じて増減の再調整をする．
③尿たんぱく量からたんぱく質の過剰摂取がないかを評価する．
④血清脂質レベルの変動で飽和脂肪酸制限や食物繊維が確保されているかを評価する．
⑤24時間蓄尿のNaやN排泄量から客観的に推定した食塩とたんぱく質摂取量から，食生活調査の妥当性を評価・判定する．
⑥腎機能関連の検査値から栄養食事療法の効果を判定する．

補遺 Appendix　尿路結石症

■概要
▶尿路系（腎臓，尿管，膀胱，尿道）に発生する結石を尿路結石といい，進行すれば腎盂腎炎や敗血症の誘因になる．上部尿路結石が95％以上占め，男性に多く，30〜40歳に多く発症する．
▶尿中のカルシウム，シュウ酸，尿酸，リン酸などの物質が種々の条件化で結晶化し，有機物も巻き込んで結石となる．結晶化は尿中結石成分濃度が飽和状態時に起こりやすく，食生活も結石形成に起因する．

■症状・診断
▶疝痛発作（腰背部から側腹部，下腹部）とよばれる激痛が特徴的で，悪心，嘔吐，冷汗，顔面蒼白，血圧上昇など自律神経症状をともなうことが多い．
▶痛みの部位と種類の観察を行い，尿検査で潜血やたんぱくを認める．腎超音波検査やX線検査で結石の位置や大きさを確認する．

■治療
▶鎮痛薬や利尿薬，排石促進薬，アシドーシス・酸性尿改善薬を用いて自然排出されるまで経過観察する．感染症による結石の場合は，抗菌薬を使用する．
▶結石が5mm以上の場合には，音波の一種の衝撃波で結石を砕き，砂状にして尿と一緒に体外へと排出させる体外衝撃波結石破砕術や，尿道口から結石直下までワイヤーを留置し，結石を鉗子や衝撃波などを用いて細かく破砕する治療法が選択される．
▶すべての尿路結石において水分摂取（1日2,000mL以上）を行い，規則正しく，バランスのとれた食生活を送ることが基本となる．
①結石形成を阻止するマグネシウムを含む穀類を主たるエネルギー源とする．
②たんぱく質の動物性／植物性の比率は1とする．
③脂質エネルギー比率は20〜25％とする（過剰摂取は結石形成の危険因子となる）．
④結石の発生頻度を減少させるカルシウムは1日600〜800mgを目標とし摂取する．カルシウム排泄を増加させる砂糖の過剰摂取は避ける．
⑤ナトリウムとカルシウム排泄量を増加させる食塩は，1日6g未満とする．
⑥結石発生予防に有用な食物繊維の不足を避ける．
⑦尿酸排泄の増加を招くため禁酒とする．
⑧結石患者の多くに夕食偏重がみられる．朝食欠食，夕食過食を是正し，就寝後の結石促進物質の過剰排泄を防ぐため，夕食から就寝までの時間を4時間程度保つ．

23 慢性腎不全

1 疾患の概要

▶**慢性腎不全**とは，腎機能低下が著しく（正常の30％以下），高窒素血症を認め，さらに進めば体液貯留，浮腫，電解質異常，アシドーシスを認め，尿毒症症状を呈するに至る病態である．高度腎機能低下では乏尿となる．**慢性腎臓病（CKD）**の重症度分類（**表V-23-1**）では**ステージG4，G5**にあたる．

▶腎機能が緩徐に直線的低下傾向を示すのが一般的な経過である．**糸球体**疾患では尿たんぱく排泄量が多いほど腎機能低下の進行が早い．慢性腎不全が末期に至った場合には，人工透析療法が適応される．

2 病因

▶慢性腎不全に至る疾患には，慢性糸球体腎炎，糖尿病性腎症，腎硬化症，多発性囊胞腎，薬物性腎障害などがある．

▶その病因は，疾患により異なる（**表V-23-2**）．

3 疫学

▶健診データなどからeGFR（推定糸球体濾過量）式をもとに，疫学的に推定される日本人の慢性腎臓病患者数は約1,330万人，そのうちステージG3～G5の患者数は1,098万人とされている．

- eGFR（mL/分/1.73m²）式
  = $194 ×$ 血清クレアチニン$^{-1.094} ×$ 年齢$^{-0.287}$
  （女性はこれに $× 0.739$）

▶るいそうまたは下肢切断者など，筋肉量の極端に少ない場合には血清シスタチンC（Cys-C）の推算式（eGFR$_{cys}$）がより適切である．

■ 表V-23-1 慢性腎臓病（CKD）の重症度分類

原疾患	たんぱく尿区分		A1	A2	A3
糖尿病	尿アルブミン定量（mg/日）尿アルブミン/Cr比（mg/gCr）		正常	微量アルブミン尿	顕性アルブミン尿
			30未満	30～299	300以上
高血圧，腎炎，多発性囊胞腎，移植腎，不明，その他	尿たんぱく定量（g/日）尿たんぱく/Cr比（g/gCr）		正常	軽度たんぱく尿	高度たんぱく尿
			0.15未満	0.15～0.49	0.50以上
GFR区分（mL/分/1.73m²）	G1	正常または高値	≧90		
	G2	正常または軽度低下	60～89		
	G3a	軽度～中等度低下	45～59		
	G3b	中等度～高度低下	30～44		
	G4	高度低下	15～29		
	G5	末期腎不全（ESKD）	＜15		

重症度は原疾患・GFR区分・たんぱく尿区分を合わせたステージにより評価する．CKDの重症度は死亡，末期腎不全，心血管死亡発症のリスクを▢のステージを基準に，▢，▢，▢の順にステージが上昇するほどリスクは上昇する．
（日本腎臓学会編：エビデンスに基づくCKD診療ガイドライン2018, 東京医学社, 2018より）

MEMO

慢性腎臓病（CKD : chronic kidney disease）：①尿異常，画像診断，血液，病理で腎障害の存在が明らか，とくに0.15g/gCr以上のたんぱく尿（30 mg/gCr以上のアルブミン尿）の存在が重要．②GFR＜60 mL/分/1.73m²，①②のいずれかまたは両方が3カ月以上持続するものすべて．

糸球体：糸球体はボーマン囊に包まれて，腎臓の皮質の部位にネフロンの数だけ（約100万個）分布している．毛細血管がループ（係蹄）を形成して球状となった構造をしている．1つの大きさは約0.2mmで，肉眼的には見えない．

■表Ⅴ-23-2　腎不全に至るおもな疾患と病因

疾患	病因
慢性糸球体腎炎	免疫機序
糖尿病性腎症	高血糖
腎硬化症	高血圧，加齢
多発性囊胞腎	遺伝が大部分
薬物性腎障害	薬物

- eGFR$_{cys}$（mL/分/1.73m^2）式
  男性 =（104 × Cys-C$^{-1.019}$ × 0.996^{年齢}）− 8
  女性 =（104 × Cys-C$^{-1.019}$ × 0.996^{年齢}
  　　　× 0.929）− 8

▶**慢性維持透析患者数**（2021年12月現在）は約34万人で，2021年の新規透析導入は約40,500人である．新規導入患者の原疾患は糖尿病性腎症がもっとも多く，ついで腎硬化症，慢性糸球体腎炎で大部分を占めている．近年では腎硬化症が急速に増加している．

4 症 状

▶腎臓で通常処理されている終末代謝産物（尿素，クレアチニン，尿酸，β$_2$ミクログロブリンなど）は排泄障害により血中に貯留して高窒素血症を呈する．尿素，クレアチニンの血中濃度は糸球体濾過量低下に対し対数的に上昇する．

▶腎不全期では，水・電解質の排泄障害から体液貯留による浮腫や高カリウム血症，高リン血症を呈する．また，代謝性アシドーシスが起こる．さらにエリスロポエチン分泌低下が生じて**腎性貧血**となり，ビタミンDの活性化障害が生じて低カルシウム血症が起こる．

▶窒素代謝産物の多くは，尿毒症物質として，身体諸臓器の機能障害の原因となる．尿毒素には，尿素，インドキシール硫酸，グアニジノ化合物などさまざまな物質がある．

▶大部分の患者では，検査のうえでは異常値

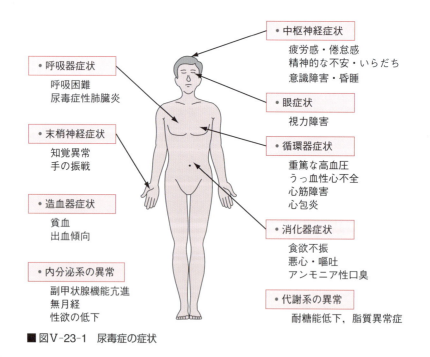

■図Ⅴ-23-1　尿毒症の症状

MEMO

腎性貧血：腎不全が進行すると貧血を認めるようになる．これは，腎臓から作られる造血ホルモンであるエリスロポエチンの産生が低下することが原因である．現在，エリスロポエチンは遺伝子組み換え製剤として使え，この薬によって貧血を改善できる．

を示していても無症状のことが多く、尿毒症症状（図V-23-1）が顕著になるのは糸球体濾過量が5 mL/分以下，もしくは血清クレアチニン8〜10 mg/dL，尿素窒素100 mg/dL以上程度になってからである．しかし，糖尿病性腎症では糸球体濾過量が20〜30 mL/分以下くらいの時点から体液貯留傾向が出やすい．

5 診断基準

▶血清クレアチニンや尿素窒素の上昇を確認することによりなされる．しかし，これらの異常を認めるのは，糸球体濾過量が30〜40 mL/分以下に低下した場合であることに留意しておく必要がある．

▶腎機能は糸球体濾過量（GFR）で評価するので，24時間蓄尿によるクリアランス検査を行うことが基本である．

- 内因性クレアチニンクリアランス（C_{Cr}）（基準値：体表面積 1.73 m^2 につき 90〜120 mL/分）
- クレアチニンクリアランス（mL/分）

$$= \frac{U_{Cr} \times UV}{P_{Cr}} \times \frac{1.73}{A}$$

U_{Cr}：尿クレアチニン（mg/dL），UV：尿量（mL/分），P_{Cr}：血清クレアチニン（mg/dL），A：体表面積

6 治療

■原疾患の治療

▶慢性腎不全の原因となった原疾患に対する治療を継続して行う．

■急性増悪因子の予防・排除

▶脱水や腎毒性薬物使用など急性増悪因子の発生を未然に予防する．発生したときは速やかに排除する．

■薬物療法

▶それぞれの原疾患の治療に対する薬物のほか，体液貯留に対しては食塩の制限と利尿薬の使用，腎性貧血に対しては赤血球産生刺激薬（エリスロポエチン，HIF-PH阻害薬），高カリウム血症に対してはカリウム摂取の制限およびカリウムイオン交換樹脂薬の服用，高リン血症に対してはたんぱく質・リンの制限および沈降炭酸カルシウムなどのリン吸着薬の服用，低カルシウム血症に対してはカルシウム薬や活性型ビタミンDの服用，代謝性アシドーシスに対しては重炭酸ナトリウムの服用が適宜行われる．

▶アンジオテンシン変換酵素（ACE）阻害薬，アンジオテンシンⅡ受容体拮抗薬（ARB）やSGLT2阻害薬は尿たんぱく排泄量減少効果などを介して腎機能低下を抑制する作用があることが証明されている．

■食事療法

▶慢性腎不全の食事療法は薬物療法とともに治療の基本であり，薬物療法によっても腎機能低下の進行を阻止できない症例では食事療法の内容を，たんぱく質制限，食塩制限，必要量のエネルギー摂取とする．たんぱく質が制限されれば，カリウム，リンも同時に制限されることとなる．

▶低たんぱく質食事療法施行時には，体たんぱく質の異化を抑制して低栄養状態に陥るのを防ぐための十分なエネルギーの摂取がきわめて重要である．慢性腎不全患者の基礎代謝量，および活動消費エネルギー量は健常者と差はないとされているので，エネルギー必要量は健常者と同様でよいと考えられる．各個

■表V-23-3 慢性腎不全に対する維持透析適応基準

I. 腎機能	
血清クレアチニン (mg/dL) 〔クレアチニンクリアランス (mL/分)〕	点数
8以上 (10未満)	30
5~8未満 (10~20未満)	20
3~5未満 (20~30未満)	10

II. 臨床症状	
程度	点数
高度	30
中等度	20
軽度	10

III. 日常生活障害度	
程度	点数
高度	30
中等度	20
軽度	10

保存的治療では改善できない慢性腎機能障害,臨床症状,日常生活能の障害を呈し,以下のI~III項目の合計点数が原則として60点以上になったときに長期透析療法への導入適応とする.
I. 腎機能
II. 臨床症状
 1. 体液貯留(全身性浮腫,高度の低たんぱく血症,肺水腫)
 2. 体液異常(管理不能の電解質・酸塩基平衡異常)
 3. 消化器症状(悪心,嘔吐,食思不振,下痢など)
 4. 循環器症状(重篤な高血圧,心不全,心包炎)
 5. 神経症状(中枢・末梢神経障害,精神障害)
 6. 血液異常(高度の貧血症状,出血傾向)
 7. 視力障害(尿毒症性網膜症,糖尿病性網膜症)
これら1~7小項目のうち3個以上のものを高度(30点),2個を中等度(20点),1個を軽度(10点)とする.
III. 日常生活障害度
尿毒症症状のため起床できないものを高度(30点),日常生活が著しく制限されるものを中等度(20点),通勤,通学あるいは家庭内労働が困難となった場合を軽度(10点)とする.
ただし,年少者(10歳以下),高齢者(65歳以上)あるいは高度な全身性血管障害を合併する場合,全身状態が著しく障害された場合などはそれぞれ10点加算すること.

(厚生省科学研究腎不全医療研究班,1991 より)

人のエネルギー必要量は年齢,性別,生活活動強度を勘案して決定する.
▶透析の食事療法では,食塩・水分およびカリウムの制限が第一義的に重要である.食塩・水分許容量は血液透析患者では,透析治療後と次治療前の間での透析間体重増加(体液貯留)が現体重の5%以内に抑制できる量とするべきとされている.また腹膜透析患者では,1日の除水量とちょうどバランスのとれる量とする.腹膜透析患者では高カリウム血症を呈する患者はまれであり,基準値以下の例も多いのでカリウム制限は加えない.エネルギー量および炭水化物,脂質,たんぱく質の三大栄養素摂取量は健常者と同等でよい.

■透析療法,腎移植
▶末期腎不全に至って,尿毒症症状の出現が危惧されるときは,透析療法あるいは腎移植により患者自身の腎機能を代行させる.維持透析への導入基準を表V-23-3に示す.人工透析療法には大きく分けて次に述べる2つの方法がある.また,長期透析患者では表V-23-4に示すような合併症が進行することも多い.

●血液透析療法
▶人工腎臓装置の比較的大がかりな機械を使って行う方法である.通常では1週間に3回,1回約4時間ベッドに寝たまま機械につながって治療を受ける.血液を体外に導いて人工腎臓に循環させ,身体内の過剰な体液や終末代謝産物を除去する.

▶一般的には上腕の皮静脈を穿刺して体外循環血液を得るが,血液透析で良い透析効率を上げるためには1分間に200mL程度の体外循環量が必要なため,あらかじめ前腕の静脈を動脈に手術で吻合して流量を増やす方法(**内シャント**🖉)がとられる.

●腹膜透析療法
▶患者自身の腹膜の血流を介して腎不全の血

内シャント:血液透析を施行するときに,血流をとるため前腕の静脈を動脈に手術でつないで血流を増やす方法である.静脈の細い患者では,人工血管が使われることがある.

■ 表V-23-4　長期維持透析患者の合併症

合併症	予防対策
心機能障害	食塩・水分制限，高血圧コントロール，貧血改善
骨障害	薬物療法，二次性副甲状腺機能亢進症の予防
栄養障害	適切なエネルギー・たんぱく質摂取
皮膚障害	外用薬・内服薬
サルコペニア・フレイル	運動，食事療法
二次性副甲状腺機能亢進症	薬物療法
アミロイドーシス	合成ハイフラックス（高透過型）膜による透析
嚢胞腎（場合によっては腎癌）	
免疫不全・感染症	良好な栄養状態の維持
動脈硬化・血管石灰化	高血圧のコントロール，リンコントロール
腎性貧血	薬物療法
腹膜硬化症（腹膜透析患者のみ）	腹膜炎の予防，生体適合性のよい透析液の使用

＊全てに必要十分な透析量の確保が基本となる

液浄化を行う方法である．あらかじめ手術により腹部に直径5mmくらいのチューブを装着し，このチューブから腹腔に透析液を2L程度入れて治療する．

▶腹腔内の腹膜透析液は1日に3～4回交換するが，1回の交換所要時間は約30分である．透析液交換操作以外の時間は，腹腔内に透析液を貯留したまま自由に社会生活を行う．大きな機械は不要で操作が簡単なので，病院に通院せず自宅で自分で行える．このほか小型の自動腹膜透析装置を使って夜間就寝中に1日分の透析を行う方法もある．

7 栄養生理

■ 減塩の効果

▶糸球体疾患では，食塩の過剰摂取により高血圧をきたしやすいことが明らかにされている．そして高血圧は既存の糸球体疾患の悪化を促進するという悪循環を招くこととなる．糸球体濾過量が低下した腎疾患に合併する降圧薬抵抗性の高血圧が，食塩制限により奏功するようになることが期待できる．

▶糸球体疾患での食塩の過剰摂取では，糸球体過剰濾過による尿たんぱく量の増加をきたす．さらに腎不全では，食塩の排泄障害により体内に貯留すると，細胞外液量の増加を招き浮腫を生じる．こうして細胞外液量の増大，さらには循環血漿量の増大が高度となると心不全，肺水腫となり生命の危険が生じる．

■ たんぱく質の量の考え方

▶たんぱく質制限により残存糸球体の過剰濾過を軽減し，尿毒症物質の産生・貯留を抑制して末期の腎不全の進行を抑制することは古くからの周知の事実である．また，ステージG3～G4でのCKD進行抑制に対する低たんぱく食の効果について，いくつかの多施設前向きランダム化対照試験のメタ解析でも，その有効性が証明されている．

▶CKDに対して，過剰なたんぱく質摂取を控えるべきこと，あるいは低たんぱく食が必要なことに異論をとなえる者はいないが，制限開始時期や量については未だ異論のあるところである．このようなことより，たんぱく

ランダム化対照試験：治験や臨床試験において，データの偏りを軽減するため，被験者を無作為（ランダム）に処置群と比較対照群に割り付けて実施し評価を行う試験方法．

■ 表V-23-5 慢性腎不全患者の栄養アセスメントの項目

1. 栄養摂取量の評価（エネルギー，たんぱく質，食塩など） 　(1) 食事記録調査 　(2) ナトリウム排泄量の算出による食塩摂取量の推定 　(3) たんぱく異化率（PCR：protein catabolic rate）の算出による摂取量の推定	
2. 身体構成成分貯蔵量の評価 　(1) 身体計測：body mass index（BMI），上腕周囲長，上腕骨格筋肉量，皮下脂肪厚 　(2) 生体電気インピーダンス（BIA：bioelectrical impedance analysis）法：筋肉量，体脂肪量 　(3) 二重X線吸収（DEXA：dual energy X-ray absorptiometry）法 　(4) クレアチニン産生率	
3. 血清たんぱく，アミノ酸濃度測定 　(1) アルブミン，トランスフェリン，プレアルブミン 　(2) 非必須アミノ酸/必須アミノ酸比，バリン/グリシン比	
4. その他 　(1) subjective global assessment（SGA） 　(2) geriatric nutritional risk index（GNRI）	

質制限食は主治医の裁量により行われているのが現状である．

■ エネルギー管理のあり方

▶ エネルギー摂取不足が続くと，るいそう，低栄養となり，一方エネルギーの過剰では肥満をきたして動脈硬化性疾患の発症リスクが高まる．

▶ 低たんぱく食では，エネルギー量が必要量を満たしていなければ栄養障害に陥ることとなる．エネルギー不足はたんぱく質を無駄に代謝させることとなり，腎機能低下抑制の治療効果は認められないこととなる．

▶ 適正エネルギー量とは，たんぱく質節約作用を発揮できる量である．これは，個々の年齢，性別，体格，活動量などにより異なるので，経過観察を行いながら適正量が摂取できるようにする．

■ 透析療法

▶ 透析療法患者は腎機能が廃絶している状態なので，食事摂取内容が直接臨床検査に影響を及ぼす．たとえば短期的には，食塩・水分の過剰摂取であれば透析間体重増加量が大となり，たんぱく質の過剰摂取では血清尿素窒素やリン，カリウム値が上昇する．またカリウム摂取量が多ければ高カリウム血症をきたすので食事管理が重要である．

▶ また，中・長期的には，摂取エネルギー量の過不足により肥満や栄養状態の悪化，高リン血症により二次性副甲状腺機能亢進症，血管石灰化などの病態を形成していく．

8 栄養食事療法

1 ─ 基本方針

▶ 食事療法の基本方針は，①腎機能低下の進行をできる限り抑制する，②終末代謝産物の産生を抑制する，③水・電解質の摂取を調整して生体内部の恒常性を維持する，④栄養状態の改善・維持，体力を保持することである．

▶ 具体的には，①食塩量を抑えること，②たんぱく質摂取量を有効量まで抑える，③エネルギー量は適正量を過不足なく摂取すること，④病態や治療方法によって，カリウム，リン摂取の管理が必要となる．

血管石灰化：透析患者において，血清カルシウム×リン積が70以上の場合や，骨がカルシウムやリンの緩衝帯として働かない場合，軟部組織の異所性石灰化が起きやすい．血管に石灰化が起こるのが血管石灰化である．

■ 表V-23-6 CKDステージによる成人の食事療法基準

ステージ（GFR）	エネルギー (kcal/kg体重/日)	たんぱく質 (g/kg体重/日)	食塩 (g/日)	カリウム (mg/日)
1（GFR≧90）	25～35	過剰な摂取をしない	3≦ ＜6	制限なし
2（GFR60～89）		過剰な摂取をしない		制限なし
3a（GFR45～59）		0.8～1.0		制限なし
3b（GFR30～44）		0.6～0.8		≦2,000
4（GFR15～29）		0.6～0.8		≦1,500
5（GFR＜15）		0.6～0.8		≦1,500
5D（透析療法中）	表V-23-7			

注）エネルギーや栄養素は，適正な量を設定するために，合併する疾患（糖尿病，肥満など）のガイドラインなどを参照して病態に応じて調整する．性別，年齢，身体活動度などにより異なる．
注）体重は標準体重（BMI＝22）あるいは目標体重（BMI＝22～25）を用いる．

（日本腎臓学会：慢性腎臓病に対する食事療法基準2014年版より）

2—栄養アセスメント

▶栄養アセスメントは，栄養摂取量，身体構成，血清たんぱく濃度などにより，一つの指標に偏らず多面的に行い，経時的に実施し評価することが必要である．アセスメントの項目を**表V-23-5**に示す．

■栄養摂取量の評価

▶食事摂取内容を調査，問診する．さらに24時間蓄尿検査より推定たんぱく質摂取量や食塩摂取量を算出して客観的評価を行う．

●保存療法患者
- 推定たんぱく質摂取量（g/日）Maroni法
  ＝〔尿UN（mg/dL）×1日尿量（dL）＋31×体重（kg）〕×0.00625
- 推定食塩摂取量（g/日）
  ＝尿Na（mEq/L）×1日尿量（L）/17

■身体構成の評価（筋肉量，体脂肪量の把握）

▶身体構成の評価には，身体計測としてBMI（kg/m^2），上腕骨格筋肉量や皮下脂肪厚の測定，また二重X線吸収法（DEXA），多周波電気インピーダンス法（BIA），クレアチニン産生率から評価を行う．

■血清たんぱく濃度の評価

▶血清アルブミン濃度：慢性腎不全・透析患者の血清アルブミン濃度は，炎症や体液量増大による希釈などさまざまな要因で変動するため，単一の栄養指標とはならないという見解が強いので注意する．

▶トランスフェリン：血中半減期が7～10日と短いため，より短期間での栄養状態の変化を示す指標として用いられている．しかし，アルブミンと同様にさまざまな要因で変動し，鉄欠乏により上昇することに留意しておく必要がある．

3—栄養食事管理と管理目標

a 栄養素処方

▶「慢性腎臓病に対する食事療法基準2014年版」を**表V-23-6**に示す．

▶腎機能が低下している場合は，水分の過剰摂取や極端な制限を避ける．食塩摂取は3g以上6g未満を基本とする．

▶摂取エネルギー量は25～35 kcal/kg体重/日が推奨されるが，性別，年齢，身体活動レ

■ 表Ⅴ-23-7　透析患者の食事療法基準

ステージ5D	エネルギー (kcal/kg体重/日)	たんぱく質 (g/kg体重/日)	食塩 (g/日)	水分	カリウム (mg/日)	リン (mg/日)
血液透析 (週3回)	30〜35[注1,2]	0.9〜1.2[注1]	<6[注3]	できるだけ 少なく	≦2,000	≦たんぱく質(g) ×15
腹膜透析	30〜35[注1,2,4]	0.9〜1.2[注1]	PD除水量(L)×7.5 ＋尿量(L)×5	PD除水量 ＋尿量	制限なし[注5]	≦たんぱく質(g) ×15

注1) 体重は基本的に標準体重（BMI=22）を用いる．
注2) 性別，年齢，合併症，身体活動度により異なる．
注3) 尿量，身体活動度，体格，栄養状態，透析間体重増加を考慮して適宜調整する．
注4) 腹膜吸収ブドウ糖からのエネルギー分を差し引く．
注5) 高カリウム血症を認める場合には血液透析同様に制限する．

（日本腎臓学会：慢性腎臓病に対する食事療法基準2014年版より）

ベルで調整する．
▶摂取たんぱく質量は，CKDステージG1〜G2は過剰にならないように注意し，ステージG3aでは腎臓への負荷軽減のため0.8〜1.0g/kg体重/日，ステージG3b〜G5では0.6〜0.8g/kg体重/日に制限する．
▶摂取たんぱく質0.6〜0.8g/kg体重/日の制限により，腎代替療法（透析，腎移植）の導入が延長できる可能性があるが，実施にあたっては十分なエネルギーの確保を図る．
▶カリウムは，ステージG3aまでは制限せず，G3bでは2,000 mg/日以下，G4〜5では1,500 mg/日以下を目標とする．ただし血清カリウム値を参考に薬剤の副作用や合併症をチェックし，必要に応じて制限することが必要である．また，たんぱく質の制限によりカリウムも制限されるため，具体的な食事指導は画一的でない総合的な対応が必要である．
▶リンは，たんぱく質の指導と関連して考慮し，1日の総摂取量と検査値をあわせて評価する．
▶透析療法に関しては，同様に「慢性腎臓病に対する食事療法基準2014年版」に準じる（表Ⅴ-23-7）．

b 食品・料理・献立の調整

▶慢性腎不全の低たんぱく食事療法では1日のたんぱく質量が40g，30gというように通常の食事の約1/2となる．たんぱく質量は1日量なので，朝食，昼食，夕食の3食に約10〜13g程度を目安にしてもよいし，あるいは1食にたんぱく質量を20gというように重点的に献立を作成してもよい．この場合，主食は治療用特殊食品の利用が理想である．
▶たんぱく質を1食12gで考える場合，通常の米飯180gを使用すると，主食からのたんぱく質量が4.5gとなり，野菜や調味料のたんぱく質量を差し引くと，魚，肉，卵などのおかず（主菜）のたんぱく質量がおおよそ5〜6g程度となり献立作成が難しい．治療用特殊食品の米飯あるいはでんぷん米を使用すると，約4gのたんぱく質量をおかずに増やすことが可能となる．したがって，献立の考えやすさや栄養素内容からの観点より，主食はできる限り治療用特殊食品の利用が好ましい．
▶透析療法では，食塩・水分・カリウム管理が第一の基本で，次に適正エネルギー量の管理，三大栄養素やビタミン，ミネラルの管理となる．

MEMO

治療用特殊食品：疾病の予防や治療，健康の維持増進などに対して特定の目的と用途をもって作られた食品である．腎疾患の食事管理に有用な治療用特殊食品には，エネルギー調整用食品，たんぱく質調整食品，食塩調整食品などがある．

でんぷん米：でんぷん製品は，小麦ととうもろこしのでんぷん粉末を使って作られたもので，たんぱく質が100g当たり0.5g以下とほとんど含まれていない．米状の形態のものがでんぷん米で，麺，もち，せんべい，菓子類などもある．

■食品
●注意する食品
グレープフルーツおよびグレープフルーツジュースは**カルシウム拮抗薬**✏やその他の薬物の効果を増強させるので注意する.

■献立
① 1日のたんぱく質,エネルギー指示量から,おおよその3食の配分を考える.
② 主食を決める.
③ 主菜の食材(動物性たんぱく質が好ましい,加工食品は避ける),主菜料理,副菜を決める.
④ 野菜類は1日300g程度を目安にする.
⑤ 果物は1日150〜200g程度を目安にする.
⑥ 食塩量は6g未満として調味料を使用する.
⑦ エネルギー量,たんぱく質量を調整する.
⑧ エネルギーが不足する場合は,間食,補食を入れる.
⑨ 脂質エネルギー比率は,20〜25%とする.

C 栄養指導

■食塩・水分
▶ 1日の食塩摂取量とは,調味料の食塩量のみではなく,食品(自然食品,加工食品)に含まれるすべての食塩量のことである.腎疾患の食事管理で汁物,麺類,漬物類などを献立に入れると食塩管理がかなり難しくなる.調味料に含まれる食塩量,加工食品に含まれる食塩量,減塩の工夫や外食をする際の注意点を指導する.

▶ 水分は,透析導入前の腎不全保存療法期では,病態によっては制限を要する場合もある.食塩を制限していれば,水分も過剰となることはなく,食塩制限を正しく守ることが重要である.

■たんぱく質
▶ 低たんぱく質食事療法では,治療用特殊食品の使用により,食事内容を量的に充実させることが可能であると同時に,質的内容を充実させる(**アミノ酸スコア**を100とする)ことが可能となる.1日の食事でアミノ酸スコア100を目指すには,摂取たんぱく質量の60%を**動物性たんぱく質**(アミノ酸スコア100の食品を選択する)とすることが望ましい.

▶ 透析療法患者では,過剰なたんぱく質摂取をさけ適正量とするが,アミノ酸スコア100とするには60%を動物性たんぱく質で摂取することが望ましい.

■炭水化物
▶ 食品から摂取した炭水化物は体内で主としてエネルギー源となる.低たんぱく食事療法では,たんぱく質のエネルギー比率が9%以下となるので,炭水化物からエネルギーを摂取することが重要である.炭水化物の内容としては,ブドウ糖,果糖,ショ糖などの単糖類はできるだけ避け,多糖類(でんぷん類など)で摂取することが推奨される.つまり,たんぱく質を制限しながら炭水化物でエネルギーを摂取するには,低たんぱく米飯類やでんぷん米の治療用特殊食品の摂取が必須である.

▶ 透析療法患者でも,炭水化物をしっかりと摂取する.腹膜透析療法では,透析液からのブドウ糖吸収による**エネルギー負荷**✏(4時間貯留で低濃度液70kcal,中濃度液120kcal,高濃度液220kcal)があるので,その分を総エネルギー量より差し引いて食事摂取エネルギー量とするが,単純糖質はできるだけ避けるようにする.

■脂質
▶ 動脈硬化性疾患予防の観点より,脂質のエ

✎MEMO

カルシウム拮抗薬:カルシウムの細胞内への流入を抑えることにより血管の筋肉を弛緩させ,血管を拡張させることにより血圧を下げる薬である.

エネルギー負荷:腹膜透析液にはブドウ糖が含まれており,腹腔に透析液を貯留することにより腹膜よりブドウ糖がエネルギーとして吸収される.透析液の種類によりブドウ糖量は異なる.

ネルギー比率は25％程度とする．脂質の内容は，「日本人の食事摂取基準（2025年版）」で，飽和脂肪酸のエネルギー比率は7％以下とし，n-6系脂肪酸（リノール酸，アラキドン酸など）の摂取目安量は50〜64歳男性では11 g/日，同女性9 g/日，n-3系脂肪酸（α-リノレン酸，エイコサペンタエン酸：EPA，ドコサヘキサエン酸：DHAなど）の摂取目安量は50〜64歳男性では2.3 g/日，同女性1.9 g/日と提唱されている．腎疾患患者の食事管理においても同様に考える．

▶低たんぱく食では，たんぱく質（とくに肉類）からの飽和脂肪酸摂取量は制限されるので，バターなどの動物性油脂類を多量摂取しなければ飽和脂肪酸が過剰になることはほとんどない．脂質エネルギー比率を25％以下にするならば，植物性油脂類からのn-6系脂肪酸も問題なく，むしろ，n-3系脂肪酸の摂取量が少なくなりやすいので，魚類（n-3脂肪酸を含む魚類）を意識して摂取するようにする．透析療法でも同様に考える．

■カリウム

▶カリウムは油や砂糖（黒砂糖を除く）以外のいも類，野菜類，果実類，海藻類，魚介類，肉類と，ほとんどの食品に含まれている．野菜類は食べる部位によって相違はあるが，ゆでることにより約15〜85％減少する．

▶低たんぱく食事療法では，たんぱく質が正しく制限されていれば血清カリウム値もコントロールされることがほとんどである．血液透析療法患者では，高カリウム血症を呈する場合もあるので注意する．

▶血清カリウム値の管理レベルは，基準値を超えても5.9 mEq/L以下ではまず安全で，6.0〜6.4 mEq/Lでは注意，6.5 mEq/L以上では危険，として患者指導を行う．血清カリウムが6.0 mEq/L以上の高値の場合は，患者の日常の食事内容を聴取し，問題点を探し食事摂取方法や食品選択方法について話す．薬剤（ACE阻害薬，ARB，抗アルドステロン薬）の処方により血清カリウムが高値となることもある．

■リン

▶リンはたんぱく質食品に多く含まれる．つまり食事摂取リン量を制限するには，まずたんぱく質を多く含む食品を制限することが重要である．

▶精製された砂糖，植物油にはリンは含有されていないが，他のほとんどの食品にリンは含まれている．リン含有量の多い食品は同時にたんぱく質量の多い食品で，また，骨ごと食べるような丸干しや，たたみいわし，しらす干しなどは，カルシウム，リン含有量が多く，カルシウムを摂取しようとしてこれらの食品を摂取すると，結果的にリン摂取量が多くなるので注意する．

▶食事摂取リン量を制限するには，まずたんぱく質を多く含む食品を制限することなので，低たんぱく食事療法では必然的にリンの摂取量は抑えられるが，透析療法患者では，食事療法に加えてリン吸着薬による薬物療法が必要となる．

■カルシウム

▶低たんぱく食では，カルシウム摂取量は当然不足する．血清カルシウムが低値であれば薬剤が処方される．透析療法患者では，沈降炭酸カルシウムや活性型ビタミンDが処方されている場合，高カルシウム血症をきたさないよう注意が必要であるが，通常の食事でカルシウム摂取量が過剰になることは少ない．むしろカルシウムのサプリメント類を使

MEMO

沈降炭酸カルシウム：沈降炭酸カルシウムは，食物中のリンを腸管内で吸着し，便中にリンを排泄させる．また，分解されてカルシウムとして体に吸収される．高リン血症の治療に用いられる場合は，食物中のリンの吸着をより多くするため食事中か食直後に服用する．カルシウムの補給とする場合は，食事から時間の経っている食間に服用する．

用している場合もありうるので注意する．
▶アルブミン濃度で補正した血清総カルシウム濃度を8.4～10.0 mg/dLに維持すべきことが提唱されている．血清アルブミン濃度が4 g/dL未満では補正カルシウム濃度は以下の式で計算する．

補正カルシウム濃度（mg/dL）
＝実測カルシウム濃度（mg/dL）＋〔4－血清アルブミン濃度（g/dL）〕

4—栄養食事療法の効果・判定

▶食事管理は担当管理栄養士により継続指導が必須である．
▶食事療法遵守度をそのつど評価するが，食事内容，摂取量は患者の持参する食事記録や面談，家族との面談，24時間蓄尿検査からの推定食塩摂取量，たんぱく質摂取量から客観的に判定する．
▶体重の変動から，エネルギー管理状態を判定する．ただし，浮腫による体重増加であれば，食塩管理を徹底させる．
▶透析療法導入前の慢性腎不全では，腎機能低下進行速度が抑制されているか否か判定する．
▶透析療法患者では，短期的には透析間体重増加量，血清尿素窒素，カリウム，リンのコントロールはなされているか否か評価する．また，中長期的に基本体重の変動，体組成変動などにより栄養状態を評価する．

補遺 Appendix　急性腎障害・小児腎臓病

急性腎障害

■診断
▶急性腎障害は，①48時間以内で血清クレアチニン値が0.3 mg/dL以上の上昇，②7日以内に血清クレアチニン値が基準値の1.5倍以上に上昇，③乏尿，無尿（0.5 mL/kg/時以下）が6時間以上持続，この①～③の一つを満たせば診断する．

■栄養食事療法
▶原疾患が重症であればあるほどエネルギー必要量は多くなる．基礎エネルギー消費量に原疾患の侵襲の程度に応じたストレス係数を乗じた量を目安とする．
▶たんぱく質量は，無・乏尿であっても週3回の血液透析を行うという条件であれば，標準体重当たり1日0.9～1.2 gとする．
▶水分・電解質は，利尿期では，糸球体や尿細管機能の継時的回復により日々刻々と必要量が変化することが多い．尿中や腎臓以外の経路からの喪失量を継時的に測定して目安とし，これを体重変化や血清電解質濃度変化を加味して過不足のないように補給する．
▶食事摂取可能のときは経口摂取を優先させる．しかし，実際には食欲不振などで摂取量が不足となりがちなことがほとんどなので，不足分は輸液により補給する．
▶経口摂取不能の場合は，中心静脈からの高エネルギー輸液となる．

小児腎臓病

■栄養食事療法
▶小児CKDでは，健常児と同等の十分なエネルギー摂取が必要である．
▶たんぱく質摂取量は「日本人の食事摂取基準」の推奨量を目安とする．たんぱく質制限は成長障害のリスクともなり得るため，小児CKDでは行うべきでないと考えられている．
▶食塩制限は，溢水や高血圧を認める例に対して，「日本人の食事摂取基準」の目標量を上限とし，患児の食事摂取量を見ながら可能な範囲で制限を行う．高カリウム血症を認める場合はカリウム制限，高リン血症ではリン制限を考慮する．

24 糖尿病性腎症

1 疾患の概要

▶糖尿病性腎症（以下腎症）とは，糖尿病患者にみられる腎障害の総称で，糖尿病神経障害および糖尿病網膜症とともに，糖尿病の三大合併症の一つである．

▶糖尿病期に血糖ならびに血圧のコントロールの不良状態が持続することにより，糸球体や輸出入細動脈に硬化性の病変が生じる．高血糖のほか，高血圧や脂質異常症も腎障害の進行にかかわる．

▶糖尿病罹患後10～15年で発症し，微量アルブミン尿の出現から始まり，やがてたんぱく尿が高度になり，ネフローゼ症候群となって浮腫をきたす．さらに腎機能が悪化してついには慢性腎不全に至る（図V-24-1）．

▶慢性糸球体腎炎など他の慢性腎臓病に比べ，進行が早く予後が悪い．

▶腎機能を示す指標である糸球体濾過量（GFR，推算糸球体濾過量：eGFRで代用）と尿中アルブミン排泄量あるいは尿たんぱく排泄量をもとに5段階に病期分類がされている（表V-24-1）．

2 病因

▶腎症の発症にもっとも重要な因子は糖尿病による高血糖の持続であり，高血糖によって引き起こされるポリオール経路の亢進，ジアシルグリセロール産生亢進，プロテインキナーゼCの活性化，ヘキソサミン産生経路の亢進，酸化ストレスの増加，非酵素的糖化反応の亢

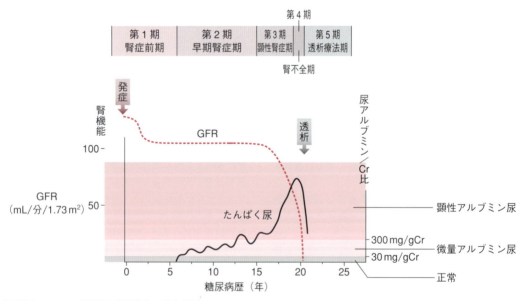

■図V-24-1 2型糖尿病性腎症の臨床経過
（槇野博史：糖尿病性腎症―発症・進展機序と治療．診断と治療社，1999，p.192より引用，改変；日本腎臓学会編：CKD診療ガイド2012，東京医学社，2012より）

📝MEMO

微量アルブミン尿：糖尿病性腎症初期の病変を診断する指標の一つである．糖尿病患者では，試験紙法による尿たんぱくが陰性であっても，すでに腎臓の組織学的変化が始まっているため，微量アルブミン尿を測定することによって，早期に腎障害（第2期：早期腎症）を発見することができる．微量アルブミン尿を呈する症例の多くは後に持続性たんぱく尿を呈し，糖尿病性腎症に移行することが明らかにされている．

表V-24-1 糖尿病性腎症病期分類とおもな治療法

病 期	尿アルブミン値（mg/gCr）あるいは尿たんぱく値（g/gCr）	GFR（eGFR）（mL/分/1.73 m²）	備考（おもな治療法）
第1期（腎症前期）	正常アルブミン尿（30未満）	30以上	血糖コントロール 降圧治療・脂質管理
第2期（早期腎症期）	微量アルブミン尿（30〜299）	30以上	血糖コントロール 降圧治療・脂質管理 たんぱく質の過剰摂取は避ける
第3期（顕性腎症期）	顕性アルブミン尿（300以上）あるいは持続性たんぱく尿（0.5以上）	30以上	適切な血糖コントロール 降圧治療・脂質管理 たんぱく質制限食
第4期（腎不全期）	問わない	30未満	適切な血糖コントロール 降圧治療・脂質管理・低たんぱく食
第5期（透析療法期）	透析療法中		適切な血糖コントロール 降圧治療・脂質管理・水分制限

（日本糖尿病学会編・著：糖尿病治療ガイド2022-2023. 文光堂, 2022をもとに作成）

進，細胞外基質の産生増加と分解の低下などが腎症の成因に関与することが明らかにされている．

▶1型糖尿病，2型糖尿病ともに遺伝的要因も関与している．血糖・血圧の厳格なコントロールにもかかわらず，30〜40％に腎症の進展が認められる．また，家族内に集積が認められることがある．

3 疫 学

▶腎症は，新規血液透析導入原疾患の第1位になった1998年以来，第2位の慢性糸球体腎炎を大きく引き離しているが，ここ数年，増加スピードは鈍化してほぼ横ばいである．しかし，依然として血液透析導入の原因疾患の第1位（約42％）であり，毎年約1万6,000人が新規に導入されている（図V-24-2）．

▶腎症から透析導入された患者の生命予後は5年生存率が約50％と慢性糸球体腎炎の12年と比較してきわめて不良である．

4 症 状

▶初期には自覚症状はないが，微量アルブミン尿の出現から始まり，たんぱく尿が間欠的に出現するようになり，進行すると浮腫や高血圧をきたす．さらに悪化すると腎不全となり，やがて尿毒症症状が出現し，透析導入となる．

▶体液量が過剰になって心不全を起こしやすい．

5 診断基準

▶腎症の確定診断は，腎生検による組織診断によって行うのがもっとも確実であるが，通常は糖尿病罹患期間や血管合併症の有無，尿所見，腎機能検査の結果などを総合的に判断して診断する（表V-24-2）．

▶尿中アルブミン排泄量，腎機能（C_{Cr}，あるいはGFR）から各病期を診断する．

📝 MEMO

腎生検：尿検査・血液検査・画像診断などで，腎臓病の有無やおおよその程度を推測することは可能であるが，正確な診断と治療法決定のためには，腎臓の組織の一部を採取し，顕微鏡による詳しい検査が必要である．

肉眼的血尿と顕微鏡的血尿（→p.368）：肉眼的血尿は，尿1,000 mLに血液1 mL以上の混入で目で見て赤く認識できる．顕微鏡的血尿は，顕微鏡検査でのみ赤血球を認める血尿で，尿中に赤血球が5個/1視野以上ある場合に顕微鏡的血尿とする．

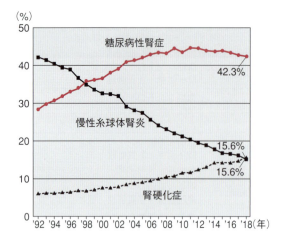

■ 図V-24-2　透析導入患者の三大原疾患の推移
（日本透析医学会：わが国の慢性透析療法の現況 2018年12月31日現在，2019 より）

■ 表V-24-2　糖尿病性腎症の診断基準

① 糖尿病の罹病歴が5年以上である．
② 網膜症や神経症などの糖尿病の合併症が存在する．
③ 尿中たんぱく（アルブミン）排泄量の持続的増加を認める（糸球体腎炎，高血圧性腎障害，痛風腎など他の腎疾患は除外される）．
④ 顕著な顕微鏡的血尿や肉眼的血尿など，他の尿異常が存在しない．
⑤ 初期では，ときに糸球体濾過量（GFR）の高値，腎臓の肥大が存在する．

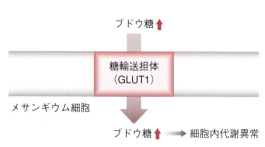

■ 図V-24-3　糖尿病におけるメサンギウム細胞の代謝異常
　ブドウ糖は細胞膜にある糖輸送担体（グルコーストランスポーター：GLUT）により細胞内に取り込まれる．GLUTは5種類存在し，インスリンはGLUT4の発現数を増加させ，ブドウ糖の細胞内への取り込みを増加させる．メサンギウム細胞に存在しているGLUT1はインスリンがなくてもブドウ糖を取り込む．

6 治療

▶腎症治療の原則は，血糖・血圧の管理とたんぱく質制限が基本で，糖尿病性腎症病期分類（表V-24-1）に基づき，病期別に治療が行われる．

▶第1期と第2期では，血糖コントロールが重要で，第3期以降は血圧管理を行う．第3期ではたんぱく制限食を開始，さらに4期ではエネルギー量を一定量確保する．第5期には透析療法を行う．

▶血圧の管理は，すべての病期を通じて重要な治療法である．食事療法で改善されない場合は薬物療法も併用する．降圧薬のなかでもアンジオテンシン変換酵素（ACE）阻害薬とアンジオテンシンⅡ受容体拮抗薬（ARB）は，腎症に対する有用性に関するエビデンスがもっとも豊富な薬剤であり，第一選択薬となっている．さらにCa拮抗薬，少量の利尿薬を併用し，厳重にコントロールすることが重要である．

7 栄養生理

▶ブドウ糖はインスリン存在下には糖輸送担体により細胞内に取り込まれるが，糸球体メサンギウム細胞にはインスリン受容体がほとんど存在しないため，ブドウ糖はインスリンの有無にかかわらず細胞内に取り込まれる．その結果，高血糖状態ではブドウ糖はメサンギウム細胞に過剰に取り込まれ，種々のブドウ糖代謝異常を起こす（図V-24-3）．

▶過剰に細胞内に取り取り込まれたブドウ糖は解糖系で乳酸に，ビリルビン酸からクエン酸回路で代謝される．ブドウ糖が上昇すると

> **MEMO**
> **糸球体メサンギウム細胞**：糸球体は上皮細胞，内皮細胞，メサンギウム細胞の3種類の細胞と，毛細血管およびメサンギウム基質からできている．メサンギウム細胞は糸球体係蹄を形成する毛細血管間膜に存在する細胞で，貪食作用があるといわれている．糖尿病における高血糖状態は生体内の種々のたんぱくの

非酵素的な糖化（グリケーション）を引き起こし，その結果生じた糖化たんぱくは腎臓の糸球体の内皮細胞，メサンギウム細胞を障害し，間質の線維化を生じて糸球体硬化症による糖尿病性腎症を引き起こす．

表V-24-3 糖尿病性腎症に対する食事基準

病　期		エネルギー (kcal/kg*/日)	たんぱく質 (g/kg*/日)	食　塩 (g/日)	カリウム (g/日)
第1期		25～30	1.0～1.2	高血圧があれば6g未満	制限せず
第2期		25～30	1.0～1.2	高血圧があれば6g未満	制限せず
第3期		25～30	0.8～1.0	6g未満	制限せず（高K血症では<2.0）
第4期		25～35	0.6～0.8	6g未満	<1.5
第5期	HD	30～35	0.9～1.2	6g未満	<2.0
	PD	30～35	0.9～1.2	PD除水量(L)×7.5＋尿量(L)×5	原則制限せず

*標準体重.

（日本糖尿病学会編・著：糖尿病治療ガイド2014-2015. 文光堂, 2014をもとに作成）

8 栄養食事療法

1—基本方針

▶腎症の栄養管理は慢性腎臓病の一環として考え，腎症の病期分類に応じた食事基準（表V-24-3）を対応させて行う．

▶摂取エネルギー量の管理は，血糖コントロールのために必要不可欠である．また肥満やメタボリックシンドロームはCKDの危険因子であることから，エネルギー摂取量が過剰にならないよう注意する必要がある．エネルギー摂取量は，腎機能が正常な第1期～第2期では糖尿病食に準じたエネルギー制限の食事療法を基本に行う．第4期ではたんぱく質制限に合わせ，エネルギー摂取を増加し，たんぱく質の異化を防止する．

▶たんぱく質摂取量の管理は，第3期になると腎機能が不可逆的に低下することから，第3期から軽度のたんぱく質制限を開始する．第4期に進行したら，さらに厳しい制限を行う．厳しい制限を行う場合は，必須アミノ酸の欠乏に注意しないと栄養障害をきたす可能性が高くなる．

▶食塩の過剰摂取は細胞外液量の増加を招き，浮腫，高血圧，心不全などの原因になる．とくにCKDの治療では高血圧の管理が重要で，食塩制限をすることにより，循環血漿量が低下し，血圧の低下が期待できる．

2—栄養アセスメント

▶治療の目的は腎症の発症・進行の防止および腎機能の低下阻止であり，定期的にアルブミン尿，尿たんぱく，C_{Cr}を測定し，腎症の病期を把握することが大切である．血糖コントロール，血圧コントロール，栄養食事療法が遵守されているか，また腎症の進行にともなって他の糖尿病合併症も発症・進行していないかを評価する．

■アセスメント・モニタリングの項目

①糖尿病歴，腎症の病期，血糖・血圧のコントロール状態，脂質異常症，その他の糖尿病合併症の有無を確認する．

②食事摂取量（エネルギー，たんぱく質，食塩）をチェックし，食事療法の遵守度を評価する．とくに微量アルブミンが出現した時点から，たんぱく質摂取量を頻回にチェックする．

📝MEMO

たんぱく質異化の防止：たんぱく質摂取を制限すると，同時にエネルギー摂取量も減るため，エネルギーは必要量摂取することができなくなる．エネルギーが不足すると体たんぱく質を燃やしてエネルギーを出すことになり，異化が亢進して尿毒症も悪化する．つまり，エネルギー不足になると体内では身体のたんぱく組織を燃焼させるので，そのときの燃えカスは老廃物となり，これが体内にたまってしまい尿毒症の状態がさらに悪くなる．たんぱく質異化を防止するためには十分なエネルギーをとることが必要である．

③腎機能低下により影響されるミネラル（ナトリウム，カリウム，リン，カルシウム）についても注意する．
④身体計測（身長，体重，BMI，体脂肪率，皮下脂肪厚）とエネルギー・たんぱく質摂取量から栄養状態を判定する．
⑤尿検査（尿たんぱく，尿糖，尿ケトン体），血液生化学検査（Cr, UN, UA, TG, LDL-C, HDL-C, HbA1c, Hb, Na, K, P, Ca）の所見より総合的に評価する．

■ アセスメント・モニタリングのポイント
①血糖は空腹時血糖120 mg/dL以下，食後2時間後血糖180 mg/dL以下，HbA1c 6.5%以下にコントロールする．
②血圧は全病期にわたり厳格なコントロールが腎症の進展抑制に効果的であり，130/80 mmHg以下を目標とする．さらに，たんぱく尿が1 g/日以上の場合では，125/75 mmHg未満とする．
③食事摂取量のうち，たんぱく質と食塩については24時間蓄尿を行い，尿素窒素とナトリウムの排泄量から求める．エネルギー量は体重の変化から過不足がないかを評価する．
④血清カリウム値，血清リン値を確認し，必要に応じ制限をする．
⑤UN, Cr値をモニタリングし，腎機能の状態を確認する．

3 栄養食事管理と管理目標

▶糖尿病期のエネルギー制限主体の栄養食事管理から，適正なエネルギー摂取とたんぱく質・食塩制限を主体としたCKDの栄養食事管理に移行することにより，腎症の進行を抑制し，透析導入を遅延させる．

a 栄養素処方

■ エネルギー
▶「糖尿病治療ガイド2018-2019」では，第1期～第3期では25～30 kcal/kg/日，第4期では25～35 kcal/kg/日，第5期の透析療法期では30～35 kcal/kg/日が推奨されている．
▶ただし，第3期でもeGFR＜45 mL/分の場合は，第4期に変更することも考慮する．肥満例では，体重の変化を観察しながら適正エネルギー量（25～30 kcal/kg/日）の調整を加える．

■ たんぱく質
▶腎症においては，どの時期にどの程度のたんぱく質制限を行うか明らかでないが，「糖尿病治療ガイド2018-2019」では第2期までは1.0～1.2 g/kg/日，第3期では0.8～1.0 g/kg/日（ただし，eGFR＜45 mL/分/1.73 m³の場合は0.6～0.8 g/kg/日），第4期では0.6～0.8 g/kg/日が推奨されている．

■ 食塩
▶食塩摂取量は，第1期～第2期は，高血圧がなければ，「日本人の食事摂取基準（2025年版）」の目標量（男性7.5 g/日未満，女性6.5 g/日未満）とする．第3期，第4期および第5期の血液透析療法では6 g/日未満を推奨している．腹膜透析では，除水量（L）×7.5＋尿量（L）×5 gとする．

■ カリウム
▶高カリウム血症がなければとくに制限はないが，第3期で高カリウム血症があれば2 g/日以下，第4期は1.5 g/日以下，第5期の血液透析は2 g/日以下に制限する．

📝**MEMO**

精製度の低い食品（→p.371）：玄米，ライ麦パン，コーンフレーク，いも類などの精製度の低い炭水化物は，白米や白パンと比較して消化・吸収が遅いため，血糖の急上昇や脂質の吸収を抑えることができる．そのため，主食をこれらの食品に変えることによってエネルギーを補給し，血糖コントロールができる．またこれらの食品は，よく噛むことで満腹感も得られ，ビタミン，ミネラルの摂取も期待できる．

b 食品・料理・献立の調整

■ 食品

●推奨される食品

① 砂糖などの単糖類は吸収が早くインスリンの需要が増すため，多糖類であるでんぷん製品を利用する．

② 食物繊維の多い，精製度の低い食品を利用する．

③ 特殊食品（低たんぱくご飯などのたんぱく質調整食品，低カリウム・低リン食品，減塩食品など）を利用する．

●避けたほうがよい食品

① 加工食品などの食塩含有の多い食品は控える．

② カリウム制限がある場合はカリウム含有の多い食品は控える．

③ カルシウム拮抗薬を服用している場合はグレープフルーツジュースおよびグレープフルーツの摂食を禁止する．

■ 献立

① 不足するエネルギー量は，献立にでんぷん質と油脂類を上手に取り入れ補給する．

② でんぷん製品は加熱時間が長いと溶け，冷めると硬くなるので注意する．

③ たんぱく質が厳しい場合は，指示量の範囲内で良質のたんぱく質をできるだけ多く（動物性たんぱく質比60%）取り入れる．

④ 漬物や汁ものは基本的には禁止する．

⑤ 治療用特殊食品は，患者の嗜好や経済状態などを考慮して使用する．

c 栄養指導

■ 指導のポイント

▶ 腎機能が進行してくると従来のエネルギー制限を主体とした食事療法からたんぱく質制限を中心とした食事療法に移行するため，患者はその違いに戸惑い，容易に受け入れられないことが多い．よって患者に十分説明し，理解を得るためにも繰り返し指導を行うことが必要となる．

① たんぱく質制限の意義を理解させ，低たんぱく食のコツを指導する．なかにはたんぱく質制限を強く意識するあまりエネルギー摂取不足に陥りやすいので，エネルギー補給方法も指導する．

② 食塩制限に対しては急速に減塩を行うと食欲不振や体液の減少，耐糖能の悪化をきたすことがあるので，段階的に減塩を指導する．

③ 必要に応じて治療用特殊食品を紹介し，購入方法や調理法を指導する．

④ 栄養指導の媒体に「糖尿病食事療法のための食品交換表」「腎臓病食品交換表」「糖尿病腎症の交換表」があり，これらをそれぞれの病期に応じて使用するのもよいが，理解しにくい場合は，患者に合った媒体を各自工夫することが必要である．

4 栄養食事療法の効果・判定

▶ 厳密なエネルギー摂取の管理，たんぱく質・食塩の制限などを含めた集約的治療を行うことで，早期であれば寛解・治癒へ，それが無理なら進行を極力抑制できることは多数の報告で明らかにされているが，症例数が少なく，観察期間も短いためエビデンスに乏しい．

▶ 毎回の栄養指導のなかで，栄養摂取量（とくにエネルギー，たんぱく質，食塩）と臨床検査データを対比しながら効果判定を行う．

患者の戸惑い：糖尿病性腎症を合併した患者は，それまでの食事と一転した食事に戸惑いを生じ，食事療法を受け入れられないことが多い．とくに「糖質をとると血糖が上がる」という意識が強いため，エネルギー摂取が不十分であったり，たんぱく質を減らし過ぎて，栄養障害をきたす場合もある．

25 慢性閉塞性肺疾患

1 疾患の概要

▶慢性閉塞性肺疾患（COPD：chronic obstructive pulmonary disease）とは，有害な粒子やガスの吸入によって生じた肺の炎症反応に基づく進行性の気流制限を呈する疾患である．この気流制限にはさまざまな程度の可逆性を認め，発症と経過が緩徐であり，労作性呼吸困難を生じる．

▶COPDの治療は，症状およびQOLの改善，そして，運動耐容能と身体活動性の向上および維持など現状の改善を目標とする．さらに，増悪の予防，疾患進行の抑制および健康寿命の延長など将来リスクの低減につなげることである．

2 病因

▶COPDが起こる最大の原因は喫煙であるが，この病気になるのはタバコを吸う人の約15〜20％にすぎない．加齢とともにタバコを吸う人の肺機能はタバコを吸わない人よりも急速に低下する．禁煙によって肺機能の低下する速度がタバコを吸わない人と同程度になるため，症状の進行はゆるやかになる．

▶COPDは，特定の家族に高い頻度で発症する傾向があるため，遺伝すると考えられている．化学物質のガスやほこりに満ちた環境で働くことによっても，COPDにかかる可能性は高くなる．大気の汚染や近くでタバコを吸っている人の煙（受動喫煙）にさらされると，COPDが発症したり，その症状が悪化したりする．

3 疫学

▶1960年代以降，タバコ販売量や消費量が増加し，これに約20年遅れて「慢性気管支炎および肺気腫」の死亡率が増加している．厚生労働省の人口動態統計（2021年）によると，COPDによる死亡数は1万6千人超，死亡率は13.3（いずれも人口10万対）であり，死因順位は男性では第9位となっている．NICE Studyで得られたCOPD有病率をもとに推測すると，40歳以上の日本人の約530万人がCOPDに罹患していると考えられる．

4 症状

▶中高年の患者で喫煙経験があり，咳，痰，労作時の息切れの自覚症状がある場合は，COPDが疑われる．

5 診断基準

▶咳嗽（がいそう），喀痰（かくたん），労作性呼吸困難などの臨床症状がある場合や，喫煙歴を有する中高年であれば，COPDを疑うべきである．

▶下記①〜③の臨床症状のいずれか，あるいは臨床症状がなくてもCOPD発症の危険因子，とくに長期間の喫煙歴があるときには，常にCOPDである可能性を念頭に入れて，スパイロメトリー（図V-25-1）を行うべきである．

MEMO

労作性呼吸困難：安静時ではなく，歩くなど，何か労作をしたときの呼吸困難は，血中ないし組織の酸素の不足状態である．
NICE Study（Nippon COPD Epidemiology Study：COPD有病率調査）：順天堂大学医学部の福地氏らによる大規模な疫学調査研究．COPDであるのに受診していない人は500万人以上いると推定され，多くの人々が，COPDであることに気づいていない，または正しく診断されていないことになる．また，日本人のCOPD有病率は，喫煙者と喫煙経験のある人のほうが非喫煙者よりも高く，高齢者になるほど高くなる傾向があることがわかった．

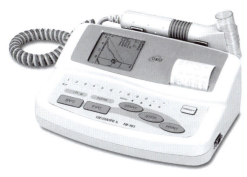

■図Ⅴ-25-1　スパイロメトリー

①慢性の咳嗽
②慢性の喀痰
③労作性呼吸困難
④長期間の喫煙あるいは職業性粉塵曝露

▶スパイロメトリーはCOPDの診断においてもっとも基本的な検査である．この検査は，苦痛をともなわずにできる簡単な検査で，被験者が吐き出す息の量と，吐き出す時間を測定するものである．

- 1秒量（FEV_1）：できるだけ深く息を吸い込んだ後に強く速く吐き出したとき，最初の1秒間で吐き出せる息の量．
- 努力肺活量（FVC）：できるだけ深く息を吸い込んだ後に強く速く吐き出したとき，吐き出せる息の全量．
- 1秒率（FEV_1/FVC）：最初の1秒間に吐き出せる息の量が，全量のどれだけの割合か（すなわち，どれだけ速く肺を空っぽにできるか）の指標．

6 治療

▶COPDの治療でもっとも重要なことは，禁煙である．気道の閉塞が軽度または中程度にとどまっているうちに禁煙すれば，せきは改善し，たんの量は減り，息切れの悪化を遅らせることができる．病気のどの時点で禁煙をしても，ある程度の効果は期待できる．

▶喘鳴や息切れは，気道の閉塞が改善すれば減少する．定量噴霧式吸入器で吸入する抗コリン薬のイプラトロピウムは，息切れの軽減にもっとも良い薬である．

▶長期間，酸素吸入療法を続けると，進行したCOPDの患者や血液中の酸素濃度が著しく低下した患者が，より長期に生存できるようになる．この治療法は，血液中の酸素濃度の低下が原因で起こる赤血球の増加（続発性多血症）を防ぎ，COPDによって起こる心不全を予防し，運動時の息切れも改善する．

7 栄養生理

▶COPD患者では閉塞性換気障害や肺過膨張のために，安定期においても安静時エネルギー消費量（REE：resting energy expenditure）が増え，代謝亢進が認められることが栄養障害の主因と考えられる（図Ⅴ-25-2）．

▶また，体重が肺機能とは独立した予後因子であることは，COPDの診断と治療のための国際的ガイドラインであるGlobal Initiative for Chronic Obstructive Lung Disease (GOLD)においてもエビデンスAの事項として明記されている．

▶REEの増大は主として，閉塞性換気障害や肺の過膨張などによる呼吸筋酸素消費量の増大に基づいている．重症化にともない，食事時の呼吸の乱れのため，経口摂取量が減り，前述の代謝亢進に加わり，負のエネルギーインバランスが助長され，栄養障害がさらに進行する．また，レプチンやグレリンなどのホ

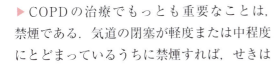

酸素吸入療法：酸素療法の第1の目的は，吸入酸素濃度（FiO_2）を増加させて，動脈血酸素分圧（PaO_2）を正常に保ち，組織に十分な酸素を供給することである．呼吸器疾患などの患者は，長期的に高濃度の酸素を吸入しなければいけないため，医師の処方指導のもと自宅で日常生活をしながら酸素を吸入する在宅酸素療法（HOT：home oxygen therapy）が行われている．動脈血液の酸素ガス濃度を測りながら酸素流量を調節し，使用酸素濃度を調節するなど厳密な管理が必要である．また，外出中でも携帯装置で酸素を吸入することもできる．

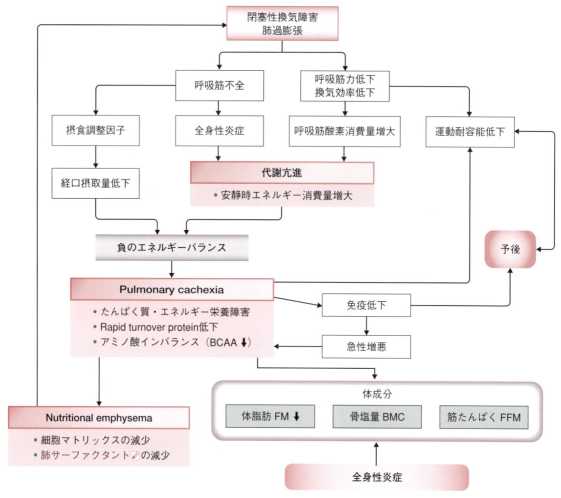

■ 図Ⅴ-25-2 慢性閉塞性肺疾患における栄養障害のメカニズム
(吉川政則ほか：COPDにおける栄養障害のメカニズム．臨床栄養，114(3)，2009より)

ルモンが代償的にはたらき，摂食を抑制する因子として関与することも示唆されている．この場合，エネルギー源として脂肪とともに筋たんぱくも利用され，筋量は減少することも特徴的である．その結果，呼吸筋力や換気効率がさらに低下し，これもREEの増大の要因となる．このような悪循環がpulmonary cachexia（呼吸器悪液質）といわれ，特徴的なたんぱく質・エネルギー栄養障害（PEM）を惹起する．

▶ COPD患者では血中のTNF-α（tumor necrosis factor-α）やIL-6（interleukin-6）などの炎症性のメディエーターやhs-CRP（高感度CRP）の上昇に示される全身性炎症が栄障害に関与している．

▶ 以上のように，COPDでは肺機能の異常のみならず全身への影響，いわゆるsystemic effect（全身作用）の重要性が認識され，マラスムス型のたんぱく質・エネルギー栄養障害が認められる．

MEMO

換気効率：肺における吸入酸素量と排出二酸化炭素のガス交換能力（十分に酸素が吸入ができ，二酸化炭素を十分に吐ききること）のこと．COPDでは，末梢の気管支が閉塞し，肺胞と肺血管の破壊による低酸素血症・高炭酸ガス血症が起こる．

肺サーファクタント：肺サーファクタントは，肺胞が虚脱するのを防ぐため，表面張力を緩和する界面活性剤の役割を果たす物質のこと．

メディエーター：炎症メディエーターとは，損傷された組織，および炎症部位に浸潤した白血球や肥満細胞，マクロファージなどから放出される生理活性物質をさす．

■ 表V-25-1 栄養素別のO₂消費量, CO₂産生量と呼吸商との関係

	O₂消費量(L)/kcal	CO₂産生量(L)/kcal	呼吸商（RQ）
糖質	0.22	0.20	1.0
脂質	0.22	0.15	0.7
たんぱく質	0.24	0.19	0.8

栄養素により炭素（C）や水素（H）を含む割合が違っており、そのために消費される酸素（O_2）と排出される二酸化炭素（CO_2）が異なる。この値は、燃焼する栄養素によって一定の値をとり、エネルギー基質の利用状況を評価するのに有用である．

(Harper, et al, 1979; Filett, 1980より)

■ 表V-25-2 わが国で市販されている経腸栄養剤の三大栄養素の組成（%）

		(容量/kcal)	糖質	たんぱく質	脂質
COPD用	プルモケア®-EX	(250/375)	28.4	16.8	54.8
汎用	エンシュア・リキッド®	(200/200)	54.5	14.0	31.5

8 栄養食事療法

1—基本方針

▶COPD患者は安定期には経口栄養補給療法が中心となる．%IBWが90%未満の体重減少および進行性の体重減少が認められれば栄養補給を検討する．とくに、FFM（fat-free mass）の減少が予測される中等度以上の体重減少患者（%IBW＜80%）は栄養補給療法の絶対的適応とする．

▶総エネルギー摂取量の目標を、実測REEもしくはハリス・ベネディクト(Harris-Benedict)の式より求めた基礎代謝量の1.5から1.7倍として、経腸栄養剤による栄養補給療法を実施する．栄養状態の改善には十分なエネルギー量の投与を最優先し、少なくとも効果が現れる4週間から8週間を到達目安とし、これを3カ月以上継続することが必要と考えられる．

▶著しい換気不全があれば、呼吸商（RQ）の低くなるような脂質主体の経腸栄養剤を考慮する（表V-25-1, 2）．

▶呼吸リハビリテーションとして運動療法を実施する場合、栄養治療も同時に行う必要がある．

2—栄養アセスメント

■推奨される栄養評価項目

①必須の評価項目：体重（%IBW, BMI），食習慣、食事摂取時の臨床症状の有無

②行うことが望ましい評価項目：主観的包括的評価（SGA）食事調査（栄養摂取量の解析），安静時エネルギー消費量（REE），%上腕囲（%AC），上腕三頭筋背側部皮下脂肪厚（%TSF），上腕筋囲（%AMC；AMC＝AC－π×TSF），血清アルブミン

③可能であれば行う評価項目：体組成成分分析（LBM, FFM, FM など），RTP 測定、血清アミノ酸分析（BCAA/AAA），握力、呼吸筋力、免疫能

3—栄養食事管理と管理目標

▶COPD患者では、栄養不良、体重減少をともない、症状、予後を悪化させる．

①使用するエネルギーが増える（エネルギー

MEMO

FFM（fat free-mass：除脂肪体重）：全体重のうち体脂肪を除いた筋肉や骨、内臓などの総量をいう。一般には筋肉量を意味する．

呼吸商（**RQ**：respiratory quotient）：栄養素をエネルギーに変換するときには、酸素を消費して二酸化炭素を排出する．呼吸において、排出される二酸化炭素と、吸収される酸素の体積比を呼吸商といい、単位時間当たりのCO_2排出量/単位時間当たりのO_2消費量で表される．

$$呼吸商 RQ = \frac{単位時間当たりのCO_2排出量}{単位時間当たりのO_2消費量}$$

代謝の亢進）：COPD患者では，呼吸運動によって消費するエネルギーが増える．結果，エネルギーを使わない安静時にも健常人よりもエネルギーを多く使い，体重が減少する．
② 食べる量が減る（摂取エネルギーの低下）：食べ物を噛んだり，飲み込んだりする際に呼吸が乱れたり，食事により満腹になると呼吸が苦しくなり，どうしても食べる量が減少する．
③ その他の要因（うつ病による食欲低下など）：メカニズムは解明されていないが，体重を減らすサイトカインTNF-αが増加していたり，体重を増やす脂肪組織から分泌されるレプチンが減少していることが知られている．

a 栄養素処方

■ 急性期

▶急性期の患者は安定期の場合に比べて発熱・炎症反応が高いことから，代謝は亢進しているものと考えられる．急性増悪期においては，多くの場合，経口摂取は困難であり，栄養投与ルートとして経腸・静脈栄養を選択せざるを得ない．糖質の過剰投与による二酸化炭素産生量の増加をきたし，換気系への負担となるとの指摘もあり，投与エネルギーの組成には留意すべきである．
① エネルギー：まず，実測REE×の1.5から1.7倍，もしくは，ハリス・ベネディクトの式で用いたBEEの1.5〜1.7倍のエネルギー投与を目標とする．定期的に身体計測（体重測定）を行い，減少するようであればさらに投与量を増加する．
② たんぱく質：15〜20％
③ 脂質：35〜55％（エネルギー40％以上を目標）
▶ただし，脂肪乳剤の投与速度にも限界があり，中性脂肪の増加する場合もあり，脂質の多い経腸栄養剤との併用を試みる．しかし，高脂質のため下痢をきたすこともあり，注意が必要である．

■ 慢性期

▶患者は食欲がなく，多くのエネルギーを必要とするにもかかわらず，投与できないのが現状である．脂質の投与に関しては，少量で高エネルギーという利点を用いる程度にし，臨床的な意義を期待し過ぎないように注意する．
① エネルギー：まず，実測REE×の1.3から1.5倍，もしくはハリス・ベネディクトの式で用いたBEEの1.3〜1.5倍のエネルギー投与を行う．
② 炭水化物：50〜60％
③ たんぱく質：15〜20％
④ 脂質：25〜30％

b 食品・料理・献立の調整

① 肺の過膨張があり横隔膜が低位の患者は腹部膨満感を訴えやすいため，少量で高エネルギー，高たんぱく質の食品を選択し，分食により1回の食事量を少なくする．具体的には，魚や肉などのたんぱく性食品を中心に摂取させることに重点をおく．また，生クリームやごまやくるみ，マヨネーズ，アイスクリームなど患者の好みにあわせ献立を工夫する．
② 体調がすぐれない場合には，食事に時間と労力をかけない工夫が必要である．電子レンジで手軽に調理できるものや，栄養剤を

MEMO

IBWの指標（→p.375）：80％≦IBW％＜90：軽度低下，70％≦IBW％＜80：中等度低下，IBW％＜70：高度低下
BMIの指標（→p.275）：低体重：＜18.5kg/m²，普通体重：18.5〜24.9kg/m²，肥満Ⅰ度：25.0〜29.9kg/m²
FM（fat mass：脂肪量）（→p.375）：貯蔵エネルギー量を示す体脂肪量．
RTP（rapid turnover protein）（→p.375）：（⇒p.130参照）

食事に置き換えてもよい．

c 栄養指導
■指導のポイント
① 栄養指導における行動療法は，栄養士・医師・看護師などによるチーム医療が望ましい．
② 消化管でガスを発生する食品は避け，ゆっくり摂取し，空嚥下は避ける．
③ 体重増加のためには，BEEの1.3〜1.5倍以上が必要である．
④ 少量で高エネルギー，高たんぱく質の食品選択が基本であり，分岐鎖アミノ酸を多く含む食品（マグロ，牛肉，卵，牛乳）を摂取する．
⑤ P（穀類，豆類，魚介類，肉類，乳類など），K（肉や野菜，果物，魚），Ca（煮干しや干しえび，海藻類や乳類，ごま），Mg（豆類や海藻類，種実類，小麦胚芽）は呼吸筋の収縮に重要であり，十分に摂取する．
⑥ 骨粗鬆症の頻度が高いため，Ca摂取も重要である．
⑦ 肺性心を合併する場合には食塩制限（6g未満）を行う．
⑧ 利尿薬を投与する際には，Kを十分に補給する．
⑨ 体重や食事内容を記録するセルフモニタリングも有用である．

4 栄養食事療法の効果・判定
① 患者自身が自分の体重に関心をもち，定期的に測定を行うのが望ましく，常に体重を意識することが重要である．とくに1カ月5％，6カ月に10％の体重減少あれば積極的な栄養管理が必要となる．アルブミンはマラスムス型の患者ではあまり動かないことが多いため参考程度とし，可能であれば，プレアルブミン，トランスフェリンなどのrapid turnover protein（RTP）を計測する．
② 栄養指導の効果は，4週間から8週間を到達目安とし，これを3カ月以上継続することが必要と考えられる．
③ 常に患者の喫食時の様子や食事内容などを質問もしくは，記入されたものを確認し，量が減ったりすれば栄養剤などを勧めてみる．脂質の多い栄養剤が推奨されているが，好みの問題もあるので，高エネルギーのゼリーやジュース，ムースやプリンなど一般的な市販の栄養剤や栄養食品でも問題ない．
④ COPD患者は高齢者が多く，脂質の多いものばかりを多く摂取するのは嗜好の面でも困難である．経管栄養の場合には十分量を投与することもできるが，脂質を80g/日以上も投与することは，消化吸収の面でも問題がある．消化吸収されやすいMCTを含んではいるものの，下痢をきたしやすい製剤に変わりはない．したがって，日常生活を営む患者においては，エネルギー補給のための補食としての栄養剤として位置づけられることが多い．
⑤ 通常の食事においても，高齢者は炭水化物中心の食事になりがちなため，バランスよく摂取するための食事指導も重要となる．とくに主菜（魚・肉）の摂取が低下すると必要なたんぱく質や油脂が摂取できなくなるなど，注意が必要である．

MCT（medium chain triglyceride）：炭素数8〜10の中鎖脂肪酸で構成されている油脂．小腸吸収細胞に容易に吸収され，大部分がそのまま門脈系に移動し，肝で代謝され，速やかにエネルギー源となる．

26 気管支喘息・肺炎

気管支喘息

1 疾患の概要

▶気管支喘息は炎症細胞ならびにその細胞成分が関与する気道の慢性炎症性疾患である．気道炎症にともなって気道過敏性の亢進が認められ，治療を行わない状態では気道の狭窄や気道粘膜の浮腫のために気流制限が繰り返し発生し，喘鳴，息切れ，咳，痰，胸苦しさなどの症状を呈す．これらの発作は夜間や早朝に起こることが多い．

▶気流制限（気道狭窄）とは，とくに呼気に気管支（気道）が狭くなることを意味する．可逆性気流制限は，気管支喘息の診断における目安となるもので，気道に気流制限が起きても自然にもとの正常な状態に戻る．喘息の定義では，気流制限は軽度のものから致死的な高度なものまで存在し，自然にまた治療により少なくとも部分的には可逆的であるとされている．一般には呼吸機能検査において，1秒量（息を深く吸い込み，できるだけ思い切り吐き出したときの最初の1秒間の量）の変化が20％以上改善しているときに可逆性があると判断される．

2 病因

▶気管支喘息は好中球，肥満細胞（マスト細胞），好塩基球，リンパ球などの血液由来のさまざまな炎症細胞ならびその細胞成分が関与する気道の炎症疾患である．喘息の危険因子は，喘息発症にかかわるもの（発症因子）と，喘息を増悪させる因子（増悪因子）とに分けられる．

▶発症因子は，素因としてアトピーや気道過敏症を有するヒト，原因因子として吸入抗原（室内塵，カビ類，花粉など），職業性感作物質（木材粉塵，薬剤粉塵，香料），非ステロイド性抗炎症薬（NSAIDs）などである．原因因子への暴露後に喘息発作の可能性を高める寄与因子は，喫煙，大気汚染，ウイルス性呼吸器感染などが関与する．増悪因子としては，運動にともなう過換気，アルコール，心理的要因が関与する．

3 疫学

▶気管支喘息は，もっとも多くみられる慢性呼吸器疾患の1つであり，小児，成人，高齢者，すべての年齢層の人に存在する．喘息患者の性別は，小児では男児が1.5倍多く，成人では，男女ほぼ同数か女性がやや多い．年齢別では，男女とも15〜29歳の若年層で増加の傾向と小児の気管支喘息の増加が注目される．乳幼児の気管支喘息が最近，著しく増加している．小児喘息は，4人に1人は喘鳴が成人まで持続するか，数年後に再発する．

▶病型は小児喘息の大半（70〜90％）はダニを原因アレルゲンとするアトピー型であるが，成人喘息では非アトピー型が多くなる．また，重症度も，近年の喘息治療薬の進歩により以前よりは重症喘息は減少してきたが，

成人は小児に比して慢性化，重症化しやすく，経口副腎皮質ステロイド薬に依存するような難治性喘息が5～10％存在する．重症の発作を起こすと死亡することもあり，年間に6,000人前後が死亡している．死亡例を気管支喘息の重症度別にみたときに小児・成人ともに，軽症，中等症の気管支喘息患者の増加が指摘される．

4 症状

▶成人の気管支喘息は気道の炎症と種々の程度の気流制限により特徴づけられ，発作性の咳，喘鳴，および呼吸困難を示す．気流制限は軽度のものから致死的なものまで存在し，自然に，また治療により少なくとも可逆的である．

▶小児の喘息は発作性の呼吸困難，喘鳴，咳などの気道閉塞による症状を繰り返す疾患であり，その背景として多くの環境アレルゲンによる慢性のアレルギー性炎症をともなう気道の過敏性が存在する．

5 診断基準

▶気管支喘息の診断は，慢性炎症疾患であり特徴的な症状・所見，アレルギー疾患の既往歴・家族歴の問診と生理検査やアレルギーに関連した血液検査や皮膚試験を参考に診断をする．呼吸機能検査による可逆性の気流制限，気道過敏性検査や気道炎症の評価を加える．

▶アトピー素因，喀痰中好酸球の程度なども総合的に診断する（表Ⅴ-26-1）．

▶コントロール状態の評価は喘息予防・管理ガイドラインに基づく（表Ⅴ-26-2）．

6 治療

▶気管支喘息の治療目標がガイドラインに示

■表Ⅴ-26-1 気管支喘息診断の目安となる参考事項

①呼吸機能	スパイログラム，フローボリューム曲線，ピークフロー（PEF），β_2刺激薬に対する反応性・可逆性
②気道過敏性試験	アセチルコリン，メサコリン，ヒスタミン閾値，運動負荷試験
③気道炎症を示す成績	鼻汁中や喀痰中の好酸球，呼気中NO濃度
④IgE	血清総IgE値，特異的IgE抗体，即時型皮膚反応，抗原吸入負荷試験
⑤アレルギー疾患の家族歴，既往歴	

■表Ⅴ-26-2 喘息のコントロール状態の評価

	コントロール良好 （すべての項目が該当）	コントロール不十分 （いずれかの項目が該当）	コントロール不良
喘息症状（日中および夜間）	なし	週1回以上	コントロール不十分の項目が3つ以上当てはまる
発作治療薬の使用	なし	週1回以上	
運動を含む活動制限	なし	あり	
呼吸機能 （FEV₁およびPEF）	予測値あるいは 自己最高値の80％以上	予測値あるいは 自己最高値の80％未満	
PEFの日（週内変動）	20％未満*¹	20％以上	
増悪（予定外受診，救急受診，入院）	なし	年に1回以上	月に1回以上*²

*¹ 1日2回測定による日内変動の正常上限は8％である
*² 増悪が月に1回以上あれば他の項目が該当しなくてもコントロール不良と評価する

（日本アレルギー学会：喘息予防・管理ガイドライン2015より）

■ 表V-26-3　喘息治療の目標

① 健常人と変わらない日常生活を送ることができる
② 非可逆的な気道リモデリングへの進展を防ぎ，正常に近い呼吸機能を保つ．PEF が予測値の 80％以上かつ，PEF の変動が予測値の 20％未満
③ 夜間・早朝を含めた喘息発作の予防
④ 喘息死の回避
⑤ 治療薬による副作用発現の回避

（日本アレルギー学会：喘息予防・管理ガイドライン 2015 より）

されている．治療は吸入ステロイド薬がもっとも局所抗炎症作用に優れ，全身的副作用が少なく，第1選択薬とする．
▶小児の夜間の咳嗽のみで，喘鳴，呼吸困難などの症状を認められない時期は，気管支拡張薬やステロイド薬を投与したのち症状が改善できる．
▶風邪などのウイルス感染の予防，禁煙，運動誘発性の気管支喘息の防止，精神ストレスの解消も発作の発症予防である．表V-26-3 に喘息治療の目標を示す．

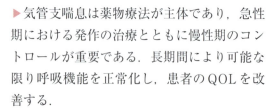

7　栄養生理

▶気管支喘息は薬物療法が主体であり，急性期における発作の治療とともに慢性期のコントロールが重要である．長期間により可能な限り呼吸機能を正常化し，患者の QOL を改善する．
▶原因因子への暴露後に喘息発作の可能性を高める因子としての喫煙，増悪因子としての運動，アルコール，心理的要因を避ける．
▶吸入ステロイドと気管支拡張薬が症状緩和の長期管理薬，増悪予防目的で使用される．

8　栄養食事療法

▶気管支喘息は，慢性炎症による気道狭窄症状であるため，炎症を抑えるビタミンA・C・E，必須脂肪酸のn-3脂肪酸，免疫系の働きを高める食物繊維などを多くする栄養治療によって症状緩和につなげる．

1─基本方針
▶喘息を誘発する強い香りや刺激性のある誘因，アレルゲンとなる食物を除去した食事を提供し，気道過敏性の持続，再発を防ぐ．

2─栄養アセスメント
▶栄養状態を把握し，易感染性にならないようにする．
▶喘息を誘発する因子を明らかにし，症状のコントロールを目指す．
▶妊娠中に疾患のコントロールが悪いと，胎児死亡，早産，出産時の低体重が増加する可能性があるため，喘息のコントロールをする．

3─栄養食事管理と管理目標
▶気管支の炎症を抑制する，喘息発作を起こさないことを目標にする．
▶ビタミンCとE，およびn-3脂肪酸が少ない食事は，喘息と関連があるとされている．

4─食品・料理・献立の調整
▶気管支平滑筋の収縮を促す成分で気道の狭窄を引き起こす可能性のあるヒスタミンやコリン（アセチルコリン）成分を含む，やまいも，さといも，たけのこ，なす，ほうれんそう，くわい，鮮度の落ちた魚介類は，症状があるときは控える．
▶香辛料は喘息の発作を引き起こす場合があるので，症状が不良のときは控える．
▶わさびやからしなどの刺激物にも注意する．

▶食べ過ぎは，横隔膜が押し上げられ，呼吸に支障が出るため摂取量を控え分割食にする．
▶便秘も，満腹時と同様に横隔膜が押し上げられ，それによって喘息の発作を引き起こすことがある．
▶喘息患者の約6割は，アルコールによって喘息の発作が引き起こされるとされるため，禁酒を心がける．
▶子ども，とくに乳幼児では，食物アレルゲンによって喘息の発作を引き起こすので気を付ける．

肺　炎

1 疾患の概要

▶肺炎は細菌やウイルスなどの病原微生物が，体力や抵抗力が低下し身体の肺に入り，防御機能よりも病原微生物の感染力のほうが上回り感染し，肺に炎症を起こす疾患である．高齢者や慢性疾患患者では，とくに肺炎にかかりやすく治りにくい傾向があり，予防や早めの治療が重要である．肺炎の原因には，微生物以外にも，化学物質の刺激やアレルギー反応によるものなどがある．

2 病　因

▶健常成人は，1日に10,000 Lにのぼる大気を吸入しており，さまざまな粉塵，誤嚥，飛沫感染により約10^{10}個の病原微生物などを含んだ粒子が気道系と肺胞に到達すると考えられている．粘液線毛輸送系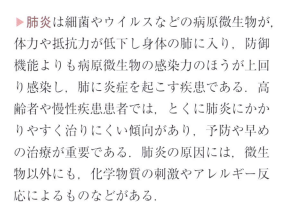は，これらの粒子を咽頭方向に輸送し排出することにより，呼吸器系の恒常性を維持している．粘液線毛輸送系では処理しきれない気道内異物や，過剰に分泌された喀痰は，咳反射により体外に排出される．これらの物理的な破綻が慢性気管支炎や誤嚥性肺炎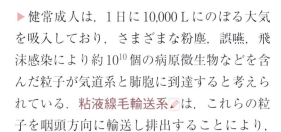などの原因となる．咳や粘液線毛輸送系などの物理的防御機構を突破した病原微生物に対して，生体は自然免疫と獲得免疫の2段階の機構により対処し，病原微生物の体内への侵入を防いでいる．

3 疫　学

▶肺炎は，がん，心臓病に続いて，日本人の原因別死亡率の第3位である．肺炎の罹患率，死亡率は近年増加傾向を示しており，とくに高齢者においてその傾向が著明で，肺炎で死亡する人の92％は65歳以上の高齢者である．85歳以上の高齢者の肺炎による死亡率は，性別にかかわらず若年成人の1,000倍以上であり，90歳以上の男性に限れば死因の第1位である．高齢者や要介護者の増加などの社会的背景を反映して，医療・介護関連肺炎（NHCAP）という新しい肺炎カテゴリーの概念も生み出されるようになった．

4 症　状

▶肺炎のおもな自覚症状は，発熱（高熱），咳・痰，胸が苦しい（呼吸困難），胸腹痛，息切れ，全身倦怠感である．また，食欲不振，関節痛や頭痛，呼吸数や脈の増加などの症状も有す．
▶乳児や高齢者では，さらに異なった症状が現れ，発熱しないこともあり，胸痛が生じないこともあり，胸痛があっても，それを伝えることができない．さらに，唯一の症状が，

✎MEMO

粘液線毛輸送系：気道上皮にはゲル層と，ゲル層の下には粘稠度の低いゾル層（粘膜下腺からの漿液分泌による）があり，ゾル層には気道上皮を覆うように線毛が存在する．ゲル層は外来性異物が粘液に取り込まれやすくなっている．その粘稠な粘液は粘膜下腺から分泌される．線毛は口側に向かって運動する時，背筋を伸ばした形で動くので，その先端はゲル層をとらえ，異物を排除するように働く．そして，線毛が元の位置に戻るときには，背中を丸めた形でゾル層内を動くので，線毛の鞭を打つような運動がスムーズに起こり，同時にゲル層の流れを妨げない．これを粘液線毛輸送系による気道クリアランス機構という．

■表V-26-4　肺炎であるかどうかを調べる検査

画像検査	X線撮影やCTなどの画像検査を行う．炎症を起こしている部分は白く写る
血液検査	・CRPや白血球の増加，赤沈値の上昇 ・血液中の酸素の濃度の低下

■表V-26-5　原因となっている病原微生物を調べる検査

喀痰検査	原因となっている微生物を痰から推定する検査（数時間程度で結果が出る），痰に含まれる菌を培養し，原因となっている微生物を特定する検査（結果が出るまで数日かかる）
迅速検査	鼻腔や咽頭を拭った液から感染を推定する検査，尿から肺炎球菌やレジオネラによる感染かを推定する検査

息が速くなるだけとか，突然食べなくなるだけという場合もある．高齢者では，突然錯乱を起こすこともある．
▶肺炎の合併症は，菌血症・敗血症，ALI（急性肺損傷）/ARDS（急性呼吸促迫症候群），胸膜炎である．菌血症・敗血症は全身感染症で，全身管理が必要となる．また，ALI/ARDSでは，急性呼吸不全を起こし，人工呼吸器での管理が必要となる．

5　診断基準

▶肺炎の診断は，胸部の聴診を行う．肺炎独特の異常音は，気道狭窄や，正常なら空気で満ちた部分が，炎症により細胞や滲出液で満たされるために生じ，この過程を肺の硬化とよぶ．ほとんどの場合，胸部X線検査によって肺炎の診断が確定する．
▶重症で入院が必要な患者では，肺炎の原因となっている微生物を特定するために，痰，血液，尿のサンプルの培養検査を実施する．肺炎は，原因となる病原体（病因微生物）などの種類により細菌性肺炎，異型肺炎，原虫・ウイルスによる肺炎などに分類される．
▶また，患者背景による分類では市中肺炎と院内肺炎に分類される．
▶血液検査，画像検査が行われ，原因病原微生物は，喀痰検査，迅速検査で診断される（表V-26-4，5）．

6　治療

▶肺炎の治療は，気道の分泌物の除去，深呼吸の訓練が有益である．肺炎患者に息切れがある場合や，血液中の酸素濃度が低い場合は，酸素補給が行われる．細菌性肺炎が疑われる場合は，早期に抗生物質を投与し，肺炎の重症化や合併症を予防する．高齢者や乳児のほか，重症，肺や心臓に既往歴がある場合では，入院治療で抗生物質の静脈投与を実施する．酸素補給や輸液が必要な場合もあり，重篤になると，人工呼吸器（呼吸不全と急性呼吸促迫症候群：ARDS）も必要になる．
▶抗生物質は，ウイルス性肺炎には無効である．しかし，RSウイルスに感染している乳児やインフルエンザウイルスの感染者など，少なくとも肺炎に非常にかかりやすい人に対しては，ウイルス性肺炎に続いて細菌性肺炎を起こす可能性がある場合，抗生物質を投与する．
▶一部の肺炎は，ワクチン接種によって予防できる（肺炎球菌ワクチン，インフルエンザワクチン）．

7　栄養食事療法

▶肺炎の多くは，かぜやインフルエンザ罹患後に発症するため，規則正しい生活と十分な

📝 **MEMO**
誤嚥性肺炎（→p.381）：細菌が唾液や胃液と共に肺に流れ込んで生じる肺炎．高齢者の肺炎の70％以上が誤嚥に関係していると報告されている．再発を繰り返す特徴があり，耐性菌リスクが高く，治療困難なことが多く，高齢者の死亡原因となる．

休養と栄養バランスのとれた食事で体調管理を行う．不規則な生活やストレス，疲労などは，免疫力を低下させる．糖尿病や腎不全，肝硬変など慢性疾患では，免疫力が低下し，微生物に易感染性で，肺炎を発症しやすい．高齢者は，肺炎症状の自己認識が乏しく，食欲低下，意欲低下に留意する．

▶長期伏臥の状態は，口腔内の残渣や唾液が気管に入りやすくなり，誤嚥性肺炎を引き起こすことがある．寝たきりの状態は避け，上体を起こした姿勢を保つようにする．口腔内を清潔に保つことが重要である．

1―基本方針

▶高齢者の不顕性誤嚥・免疫力低下の予防，外科手術後の体重減少，感染対策を行う．

2―栄養アセスメント

▶呼吸状態，身体計測，一般生化学検査，食嗜好，口腔観察をする．

3―栄養食事管理と管理目標

▶輸液内容，水分量，エネルギー量が適量摂取できる．

▶栄養状態を維持，改善し，体力の消耗を防ぎ肺炎の再発防止を図る．口腔ケアを行う．便秘，下痢，鼓腸の有無，排便の性状，量を確認し，適切な食材，調理方法と食事形態を整える．

4―食品・料理・献立の調整

▶高齢者，脳梗塞，認知症，逆流性胃炎などの既往歴のある患者には，誤嚥予防の食事献立を提供する．

▶たんぱく質量，エネルギー量，食事形態を徐々に肺炎発症前のもとに戻し，摂取量を増加する．

27 妊娠高血圧症候群

1 疾患の概要

▶妊娠時に高血圧を認めた場合，妊娠高血圧症候群（HDP：hypertensive disorders of pregnancy）と定義している．

2 病因

▶病因はいまだ不明であるが，多くの因子が複雑に関与し，妊娠中の栄養がその発症に大きく関与している．

▶発症の危険因子としては，初産婦，高齢・若年妊婦，多胎妊娠，妊娠高血圧症候群既往などがある．そのほか，非妊娠時の肥満（肥満度30％以上あるいはBMI 24以上），慢性高血圧や糖尿病の合併，高血圧家系，糖尿病家系などがある．

3 疫学

▶妊婦の5〜10％に発症し，母体死亡の原因となったり，子宮内胎児発育遅延，胎児機能不全を発症しやすく，周産期死亡に密接に関係している．

4 症状

▶症候による病型分類は，**表Ⅴ-27-1**に示すように高血圧，たんぱく尿の程度により軽症と重症に分類される．

5 診断基準

▶妊娠高血圧症候群の病型分類には，**妊娠高血圧腎症，妊娠高血圧，加重型妊娠高血圧腎症，高血圧合併妊娠**の4つがある（**表Ⅴ-27-2**）．

■症候による亜分類

①重症については，次のいずれかに該当するものを重症と規定する．なお，軽症という用語はハイリスクでない妊娠高血圧症候群と誤解されるため，原則用いない．
・妊娠高血圧腎症・妊娠高血圧・加重型妊娠高血圧腎症・高血圧合併妊娠において，血圧が次のいずれかに該当する場合
　　収縮期血圧　160 mmHg以上の場合
　　拡張期血圧　110 mmHg以上の場合
・妊娠高血圧腎症・加重型妊娠高血圧腎症において，母体の臓器障害または子宮胎盤機能不全を認める場合
※たんぱく尿の多寡による重症分類は行わない．

②発症時期による病型分類は，早発型（妊娠34週未満に発症するもの）と遅発型（妊娠34週以降に発症するもの）がある．

■ 表Ⅴ-27-1　妊娠高血圧症候群の高血圧とたんぱく尿の診断基準

①収縮期血圧140mmHg以上，または，拡張期血圧が90mmHg以上の場合を高血圧と診断する．
②次のいずれかに該当する場合をたんぱく尿と診断する．
　・24時間尿でエスバッハ法などによって300mg/日以上のたんぱく尿が検出された場合
　・随時尿でprotein/creatinine（P/C）比が0.3 mg/mg・CRE以上である場合
③24時間蓄尿や随時尿でのP/C比測定のいずれも実施できない場合には，2回以上の随時尿を用いたペーパーテストで2回以上連続して尿たんぱく1＋以上陽性が検出された場合をたんぱく尿と診断することを許容する．

（第70回日本産婦人科学会学術講演会，2018より）

■表V-27-2 妊娠高血圧症候群の病型分類

妊娠高血圧腎症	①妊娠20週以降にはじめて高血圧が発症し，かつたんぱく尿をともなうもので分娩後12週までに正常に復する場合 ②妊娠20週以降にはじめて発症した高血圧に，たんぱく尿を認めなくても以下のいずれかを認める場合で，分娩12週までに正常に復する場合 　ⅰ）基礎疾患のない肝機能障害 　ⅱ）進行性の腎障害 　ⅲ）脳卒中，神経障害 　ⅳ）血液凝固障害 ③妊娠20週以降にはじめて発症した高血圧に，たんぱく尿を認めなくても子宮胎盤機能不全を伴う場合
妊娠高血圧	妊娠20週以降にはじめて高血圧が発症し，分娩後12週までに正常に復する場合，かつ妊娠高血圧腎症の定義に当てはまらないもの
加重型妊娠高血圧腎症	①高血圧が妊娠前あるいは妊娠20週までに存在し，妊娠20週以降にたんぱく尿，もしくは基礎疾患のない肝腎機能障害，脳卒中，神経障害，血液凝固障害のいずれかを伴う場合 ②高血圧とたんぱく尿が妊娠前あるいは妊娠20週までに存在し，妊娠20週以降，いずれか，または両症状が増悪する場合 ③たんぱく尿のみを呈する腎疾患が妊娠前あるいは妊娠20週までに存在し，妊娠20週以降に高血圧が発症する場合 ④高血圧が妊娠前あるいは妊娠20週までに存在し，妊娠20週以降に子宮胎盤機能不全を伴う場合
高血圧合併妊娠	高血圧が妊娠前あるいは妊娠20週までに存在し，加重型妊娠高血圧腎症を発症していない場合

（第70回日本産婦人科学会学術講演会，2018より）

6 治療

▶治療の基本は，早期発見，母体循環と子宮胎盤血流の改善，妊娠ターミネーション（児娩出時期決定）である．体循環と子宮胎盤血流の改善には，安静，栄養食事療法，薬物療法がある．

▶予防法には，運動療法，栄養食事療法，薬物療法がある．

▶妊娠高血圧症候群の発症予防には，妊娠前からの食生活，栄養代謝などに考慮した栄養食事管理が重要である．

7 栄養生理

▶出血や慢性Na欠乏などによって糸球体輸入細動脈の血圧が低下し，血漿流量の減少をきたすとレニンが分泌される．血液中に分泌されたレニンは血漿たんぱく中のαグロブリンに属するアンジオテンシンⅠを遊離させ，アンジオテンシン変換酵素によってアンジオテンシンⅡへと変換される．アンジオテンシンⅡはそれ自体血圧を上昇させるが，さらに副腎皮質に作用してアルドステロンの分泌を促す．その結果，アルドステロンが腎の遠位尿細管におけるNa⁺の再吸収を促進，さらには細胞外液の増加をきたし，血液浸透圧を正常化させるとともに血圧を上昇させる（図V-27-1）．

▶妊婦では循環血漿量が20〜25％増加するだけでなく，血漿レニン活性が亢進し，血液中のアルドステロン濃度が上昇し，血圧を上昇させる．しかし，正常妊婦では，末梢血管の昇圧物質に対する反応性が低下するためであると考えられ，血圧が低下する．一方，妊娠高血圧症候群における高血圧は，なんらかの刺激により血管内皮細胞が障害されて末梢血管の抵抗が上昇し，血圧も上昇すると考え

アルドステロン：生理作用は，人体から排泄されるNa⁺の再吸収を促すことである．主たるものは，腎臓の遠位尿細管の上皮細胞に作用してNa⁺の能動輸送を増大させ，その再吸収を促進させる．結果的には，血液水分および細胞外液の増加がみられ，全身性の浮腫をきたしやすくなる．

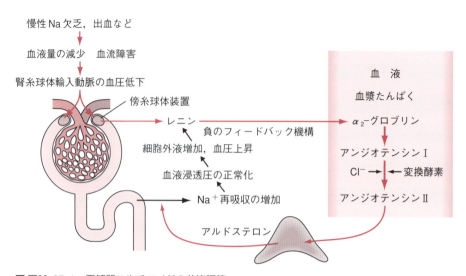

■ 図V-27-1　電解質コルチコイドの分泌調節
（中野昭一：図説・病気の成立ちとからだ，（Ⅱ）疾患別病態生理編，p.202，医歯薬出版，2001より）

られている．
▶肥満は高血圧を発症しやすい．また，そのコントロールを困難にする．肥満あるいは過食はインスリン分泌を促すことから，高インスリン血症が高血圧と深くかかわっており，妊娠高血圧症候群ではインスリン抵抗性がみられる．そこで，肥満の回避と発症後の高血圧の改善は大切であり，栄養食事療法を行う必要がある．
▶妊娠高血圧症候群において，ナトリウム欠乏により尿量減少，尿酸高値がみられる．ナトリウムが不足すると循環血流量が減少し，腎血流量の減少，胎盤血流量の減少により胎児への酸素栄養成分の供給不足が生じる．このような場合は，ナトリウム欠乏を助長しないよう適切な食塩摂取に配慮する．

8　栄養食事療法

1―基本方針

▶栄養食事療法の基本は，適正なエネルギー量摂取による体重管理，食塩制限，たんぱく質の適量摂取などである．
▶妊娠高血圧症候群の生活指導および栄養指導のポイントを表V-27-3に示す．これを基準に栄養補給や栄養指導を行う．

2―栄養アセスメント

▶妊娠中は体重が適切に増加するような栄養食事療法が重要である．

■アセスメント・モニタリングの項目
①高血圧や糖尿病の家族歴，病歴，生活習慣などを問診する．
②食生活状況，栄養摂取量を問診する．
③身長，体重を測定し，評価する．
④血圧，血糖値，HbA1c値を測定し，評価する．
⑤たんぱく尿検査を実施し，評価する．
⑥24時間蓄尿より食塩摂取量を把握する．

■アセスメント・モニタリングのポイント
①過剰体重増加の徴候を早期に発見するための体重測定，血圧測定による高血圧の検査，たんぱく尿検査などを定期的に実施し，

MEMO
妊娠中の適切な体重増加：妊婦は，肥満による母体や胎児への悪影響，妊娠高血圧症候群などの危険性について，また体重増加の抑え過ぎによる低体重児について理解し，適正な体重の増加割合を知る必要がある．非妊娠時の体格が低体重（やせ：BMI 18.5未満）の場合，妊娠全期間を通しての体重増加指導の目安は12～15 kgとし，体格がふつう（BMI 18.5以上25.0未満）では10～13 kg，肥満1度（BMI 25.0以上30.0未満）では7～10 kg，肥満2度以上（BMI 30.0以上）では個別対応（上限5 kgまでが目安）とされている（日本産科婦人科学会，2021）．

■表V-27-3　妊娠高血圧症候群の生活指導および栄養指導

1. 生活指導	● 安静
	● ストレスを避ける
	[予防には軽度の運動，規則正しい生活が勧められる]
2. 栄養指導 （食事指導）	a) エネルギー摂取（総エネルギー） ● 非妊娠時BMI 24以下の妊婦：30 kcal×標準体重（kg）+ 200 kcal ● 非妊娠時BMI 24以上の妊婦：30 kcal×標準体重（kg）
	b) 食塩摂取 ● 7～8 g/日未満程度とする（極端な食塩制限は勧められない）
	c) 水分摂取 ● 1日尿量500 mL以下や肺水腫では前日尿量に500 mLを加える程度に制限するが，それ以外は制限しない． ● 口渇を感じない程度の摂取が望ましい．
	d) たんぱく質摂取量 ● 標準体重×1.0 g/日 [予防には標準体重×1.2～1.4 g/日が望ましい]
	e) 動物性脂肪と糖質は制限し，高ビタミン食とすることが望ましい． [予防には食事摂取カルシウム（1日900 mg）に加え，1～2 g/日のカルシウム摂取が有効との報告もある．また海藻中のカリウムや魚油，肝油（不飽和脂肪酸），マグネシウムを多く含む食品に高血圧予防効果があるとの報告もある．]

注）重症，軽症ともに基本的には同じ指導で差し支えない．混合型（加重型）ではその基礎疾患の病態に応じた内容に変更することが勧められる．

（日本産科婦人科学会周産期委員会，1998より改変）

早期発見，病状の進行抑制に生かす．

② 極端な食塩制限は母体循環血流量を減少させ，高血圧を悪化させる可能性があるといわれているため食塩摂取に注意する．

③ 適正なエネルギー量の摂取による体重管理，食塩制限，たんぱく質の適量摂取などについて実践状況を評価する．

3―栄養食事管理と管理目標

▶栄養食事管理は妊娠高血圧症候群の発症予防，重症化予防に大きな役割を担っている．管理目標は，母子ともにもっとも予後が良好な状態で妊娠を終了することである．

a 栄養素処方

① 非妊娠時BMI 24以下の妊婦では，エネルギーは30 kcal×標準体重（kg）/日に付加量200 kcal/日とする．非妊娠時BMI 24以上の妊婦では，エネルギーは30 kcal×標準体重（kg）/日とする．三大栄養素の摂取エネルギー比率は，たんぱく質12～15％，脂質20～30％，炭水化物55～65％に近づける．

② 食塩は7～8 g未満にする．

③ たんぱく質摂取量は標準体重（kg）×1.0 g/日とする．予防には1.2～1.4 g/日が望ましい．

④ 水分摂取は，尿量500 mL/日以下や肺水腫では前日尿量に500 mLを加える程度に制限するが，それ以外は制限しない．口渇を感じない程度の摂取が望ましい．

⑤ その他の栄養素：動物性脂肪と糖質は制限し，高ビタミン食とする．とくに，葉酸は不足しない量を摂取する．カルシウムは耐容上限量を超えない積極的な摂取が望ましい．食物繊維は10 g/1,000 kcalとする．

b 食品・料理・献立の調整

■ **食品**

● **推奨される食品**
① 牛乳，乳製品などカルシウムの補給食品
② 海藻中のカリウムや魚油，肝油（不飽和脂肪酸），マグネシウムを多く含む食品
③ 減塩食品，減塩調味料
④ n-3系多価不飽和脂肪酸を多く含む食品

● **避けたほうがよい食品**
① 食塩含有量の多い調味料，漬物，加工品
② 飽和脂肪酸や一価不飽和脂肪酸を多く含む動物性食品

■ **献立**
① 指示エネルギー量，食塩，たんぱく質は，朝食，昼食，夕食，間食に配分する．
② 主食は1食当たりご飯で150gぐらいの適量にする．ビタミン，ミネラル，食物繊維を多く含む五穀米や胚芽米などを利用する．
③ 主菜は魚，肉，卵，大豆製品，乳製品など良質のたんぱく質性食品を取り入れる．魚や肉の加工品は，食塩含有量に注意する．
④ 副菜は野菜，海藻，きのこ類を毎食100〜150g程度使用する．
⑤ 果物は1日150〜200gを食後のデザートや間食に取り入れる．
⑥ 減塩 🖉 でもおいしい素材や味つけを工夫した料理などを組み合わせる．

c 栄養指導

■ **指導のポイント**
① 栄養指導は軽快時と予防に向けて実施する．
② 妊娠高血圧症候群は妊娠と分娩期を終えると軽快，全快となる．しかし，将来高血圧になる可能性が高いともいわれており，高血圧症予防の指導を行う必要がある．
③ 安静とストレスを避けることが大切である．予防には軽度の運動，規則正しい生活が勧められる．
④ 食べ過ぎへの注意を促すために，「適量摂取」についてフードモデルや料理カードなどを用いてよく説明する．
⑤ 味つけの嗜好調査などから，食塩の摂取量を減らす工夫について指導する．
⑥ 若い女性の食嗜好を把握して，好みの料理，味つけ，外食，持ち帰り食品，加工品などについて指導する．
⑦ サプリメントを使用する場合は，事前に必ず医師，管理栄養士に相談するよう指導する．

4 栄養食事療法の効果・判定

① 食事療法の効果は，1カ月厳守後に確認する．
② 食事療法により体重，血圧のコントロールは良好であること．
③ 規則正しい生活が維持されていること．
④ 予防には定期的に軽度の運動が実施されていること．

📝 **MEMO**

減塩の工夫：減塩をするには，①塩分量の少ない食品を選ぶようにする（加工食品は控える），②必要に応じて減塩しょうゆや無塩しょうゆ，割りじょうゆなどを上手に利用する，③しいたけ，昆布，かつおなどでだしを効かせる，④レモンや酢を活用する，⑤しょうゆはかけないでつける，などの工夫がある．

28 自己免疫疾患

1 疾患の概要

▶自己免疫疾患とは，身体のなかに微生物や病的物質が侵入してくると，その抗原を認識して，身体を守ろうとする免疫システムが作動する．しかし，何らかの原因によって自己抗原やリンパ球によって細胞が傷害され，自己抗体が産生されてしまい，病気が発症する疾患をいう．

▶自己免疫疾患は<u>膠原病</u>ともいわれるが，膠原病は全身の結合組織（コラーゲン）に炎症が起こり，さまざまな多臓器障害と免疫異常をもたらす一連の疾患群の総称である．病因論的には<u>自己免疫疾患</u>となり，病理組織学的には<u>結合組織病</u>，臨床的には<u>リウマチ性疾患</u>となる．すべての疾患において免疫異常が共通であり自己抗体が出現する．

▶自己免疫疾患には，臓器的自己免疫疾患と全身性自己免疫疾患があり，全身性自己免疫疾患の代表的なものとして全身性エリテマトーデス（SLE）や関節リウマチ（RA），強皮症，シェーグレン症候群などがある（表Ⅴ-28-1）．

■表Ⅴ-28-1　全身性自己免疫疾患

疾患名	自己抗体に対する抗原
全身性エリテマトーデス	核物質（DNA・RNA），赤血球・リンパ球・好中球・血小板
関節リウマチ	IgG，核物質（DNA・RNA）
強皮症	核小体
シェーグレン症候群	核物質（SS-A・SS-B）
多発性筋炎・皮膚筋炎	アミノアシルtRNA合成酵素
混合性結合組織病	U1-RNP

2 病因

■全身性エリテマトーデス（SLE）

▶SLEは，血管が破壊されて，血漿たんぱくが組織に沈着しフィブリノイド変異が起こって，さまざまな臓器に障害を起こす疾患である．全身の結合組織に自分自身に対して結合する抗体（自己抗体）が検出される．SLEによる腎炎はループス腎炎とよばれる．

■関節リウマチ（RA）

▶RAは慢性的に関節炎が起こり，関節障害が起こる．この障害にはマクロファージ，リンパ球B細胞，T細胞，好中球などさまざまな細胞が関与する．マクロファージ，リンパ球B細胞などの抗原提示細胞が活性化されると抗原をヘルパーT細胞に提示する．活性化したヘルパーT細胞はB細胞を活性化して抗原を産生するようになる．このとき，B細胞は<u>リウマチ因子</u>を産生する．このリウマチ因子が好中球によって貪食され活性化し，プロスタグランジン，リソゾーム酵素，活性酸素などを産生して，組織に対して障害を生じる．また，マクロファージが活性化するとIL-1，TNF-αなどのサイトカインが産生され，滑膜細胞の増殖や骨破壊を起こす．

■強皮症

▶強皮症には，全身性強皮症と限局性強皮症があり，限局性強皮症では皮膚のみに硬化が起こるが，全身性強皮症では皮膚と内臓に硬化が発症する慢性疾患である．国際的に全身性強皮症を「びまん皮膚硬化型全身性強皮症」と「限局皮膚硬化型全身性強皮症」の2つに

リウマチ因子：関節リウマチでみられるIgGに対する自己抗体の一つであり，リウマトイド因子ともよばれる．

分類されている．前者は発症より5～6年以内に進行するが，後者は軽症型で進行はほとんどみられない疾患である．原因は複雑でよくわかっていないが，免疫異常（自己抗体産生：トポイソメラーゼ抗体，RNAポリメラーゼ），線維芽細胞の活性化（肺線維症），血管障害（レイノー症状）などの症状が起こる．

■シェーグレン症候群

▶シェーグレン症候群とは，全身性の臓器病変をともなう自己免疫疾患であり，慢性的に経過する炎症性疾患（慢性唾液膜炎・乾燥性角結膜炎）がある．全身性エリテマトーデス，関節リウマチ，強皮症など膠原病に合併する二次性シェーグレン症候群と膠原病の合併がない一次性シェーグレン症候群に分類される．眼の乾燥，口腔の乾燥，鼻腔の乾燥などの症状がある．口唇小唾液腺の生検組織でリンパ球浸潤があり，唾液分泌量の低下，涙の分泌低下，抗SS-A抗体か抗SS-B抗体が陽性となる．

3 疫　学

▶全身性エリテマトーデスの患者数は，2020年度の調査では，全国で約6.4万人，強皮症は全国で4.7万人程度の患者数であると報告されている．全身性エリテマトーデス，関節リウマチ，強皮症およびシェーグレン症候群などは，男女比があり，1：10で女性に多く発症する．

4 症　状

▶全身性炎症疾患であり，発熱などの全身症

■表V-28-2　SLEの診断基準

①頬部紅斑
②円板状皮疹
③光線過敏症
④口腔内潰瘍
⑤関節炎
⑥漿膜炎（胸膜炎・心膜炎）
⑦腎障害 　（0.5g/日以上の持続性蛋白尿，細胞性円柱）
⑧神経障害（けいれん，精神障害）
⑨血液学的異常 　溶血性貧血 　白血球減少（4,000/μL以下が2回以上） 　リンパ球減少（1,500/μL以下が2回以上） 　血小板減少（100,000/μL未満）
⑩免疫学的異常 　抗DNA抗体，抗Sm抗体の存在，抗リン脂質抗体
⑪抗核抗体の検出

（アメリカリウマチ協会，1997より）

■表V-28-3　早期関節リウマチの診断基準

①MRI画像による対称性手・指滑膜炎（1点）
②MRI画像による骨びらん像（2点）
③抗CCP抗体やリウマチ因子（2点）
スコア3点以上を早期関節リウマチと診断

（厚生労働省研究班，2004より）

状に加え，皮膚，関節，腎，肺，神経組織，心臓，筋肉などが障害され複雑な症状を呈する．共通してみられる症状は，発熱，関節痛，筋肉痛，全身倦怠感，易疲労性，体重減少である．シェーグレン症候群は，全身の分泌腺が冒される病気のため，目においては涙の分泌を障害し，口においては唾液の分泌を障害する．

5 診断基準

▶SLE，RA，強皮症，シェーグレン症候群の診断基準を表V-28-2～5に示す．

6 治　療

▶全身性エリテマトーデス（SLE）の治療は，

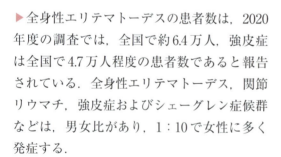

📝MEMO
肺線維症：びまん皮膚硬化型全身性強皮症の合併症であり，空咳や息苦しさを生じ，酸素吸入を必要とすることもある．
レイノー症状：冷たいものにふれると，手指が蒼白や紫色になる．治療は保温である．

■ 表V-28-4 全身性強皮症の診断基準

大基準：手指あるいは足趾を超える皮膚硬化
小基準：①手指あるいは足趾の皮膚硬化 ②手指尖端の陥凹性瘢痕，あるいは指腹の萎縮 ③両側性肺基底部の線維症 ④抗トポイソメラーゼⅠ抗体または抗セントロメア抗体陽性
判定：大基準，あるいは小基準の①および②〜④のうち1項目以上を満たす

(厚生労働省新診断基準，2010 より)

■ 表V-28-5 シェーグレン症候群の診断基準

①生検病理組織検査で陽性所見を認める ②口腔検査で陽性所見を認める ③眼科検診で陽性所見を認める ④血清検査で抗Ro/SS-A抗体陽性，抗La/SS-B抗体陽性
上記4項目のうち，2項目以上を満足する

(厚生労働省特定免疫疾患調査研究班，1999 より)

障害されている臓器によって異なるが，副腎皮質ステロイド薬の投与である．症状改善とともに投与を減量していくが，副作用対策も考慮する．関節リウマチでは，早期発見・早期治療が基本であり，抗リウマチ薬（とくに免疫抑制薬メトトレキサート）が用いられる．治療の過程で，症状緩和のために，非ステロイド性抗炎症薬や副腎皮質ステロイド薬の少量経口投与，または関節内注射が用いられる．強皮症では冷たいものに触れると，手指が蒼白や紫色になるレイノー症状が生じるが，治療は保温である．シェーグレン症候群発症の治療方法は眼の乾燥，口の乾燥への対症的な治療しかないが，唾液の補充，虫歯予防や口内の真菌感染予防など口腔内環境を改善することである．また，QOLの向上を図ることが重要である．

7 栄養食事療法

▶全身性エリテマトーデス（SLE）では障害された臓器によって対応が必要である．腎臓障害の場合は，食塩制限と慢性腎臓病と同じ食事療法が必要である．頬部の紅斑治療のため，副腎皮質ステロイド薬投与により，糖尿病が発症したり，血中コレステロール値の上昇が起こり動脈硬化の促進がみられたりする．この場合は，エネルギーの過剰摂取に注意し，低コレステロール食が必要となる．

▶関節リウマチの場合は，早期の薬物療法が治療の基本となり，抗リウマチ薬による治療効果が認められている．関節付近の骨に骨粗鬆症が生じるので，十分なカルシウム摂取が必要であり，ビタミンD・Kの補充を要する．

補遺 Appendix　免疫不全症

■ 概要

▶免疫不全症とはマクロファージ，T細胞，B細胞などの免疫を司る機能が「機能しない」または「機能が低下」などにより発症する．免疫不全症には生まれながらにして免疫不全を患っている場合を「原発性免疫不全症」といい，生まれたあとに何らかの原因で免疫不全に陥る場合を「続発性免疫不全症」という．

■ 病態生理

▶原発性免疫不全症としては，ADA（アデノシンデアミラーゼ）欠損症がある．ADAは核酸の代謝にかかわり，アデノシンを分解してイノシンを生成する酵素である．この酵素が先天的に欠損している場合，デオキシアデノシン（dATP）が蓄積する．dATPが蓄積すると「NDP→dNDP」への変換過程を阻害してしまい，dNDPを合成できなくなる．これによってDNA合成に必要なヌクレオチドが合成できなくなり，結果としてリンパ球の発生が阻害される．

▶後天性免疫不全症候群はHIVウイルスによって起こる免疫不全症である．HIVウイルスの粒子に含まれるウイルス性糖たんぱく質がヘルパーT細胞と結合して発症する．

29 食物アレルギー

1 疾患の概要

▶食物によって引き起こされる抗原特異的な免疫学的機序を介して生体にとって不利益な症状（皮膚，粘膜，消化器および呼吸器症状，アナフィラキシーなど）が惹起される現象．IgE抗体を介したⅠ型アレルギーと，細胞性免疫が関与すると考えられているⅣ型アレルギーに大別される．

2 病因

▶ある特定の食品のたんぱく質が原因物質（アレルゲン）となり，食物アレルゲンに感作されやすい遺伝的素因と環境要因が関係していると考えられている．発症惹起は，経口，吸入，注射，皮膚への接触など，いずれの場合もありうる（図V-29-1）．

3 疫学

▶わが国における食物アレルギー有病率は，乳児が7.6～10％，3歳児で約5％，保育所児が4％，学童以降が1.3～4.5％程度と考えられ，全年齢を通して約1～2％である．
▶乳児～幼児早期のおもなアレルゲンである鶏卵，乳製品，小麦は，加齢とともに耐性を獲得していくが，学童から成人で新規発症する即時型の甲殻類，小麦，果物，魚類，そば，ピーナッツアレルギーの耐性獲得は乳児期発症の食物アレルギーに比べて低い．

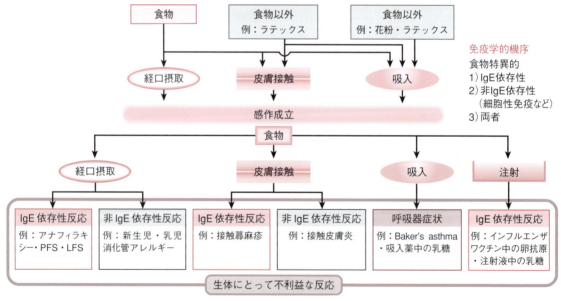

PFS：pollen food allergy症候群，LFS：ラテックス・フルーツ症候群

■図V-29-1 食物アレルギーの定義（宇理須厚雄，近藤直美監修：食物アレルギー診療ガイドライン2012，協和企画，2011より）

MEMO

アナフィラキシー（ショック）：アレルゲンの摂取，皮膚への接触，注射，吸入などにより惹起される急性の全身性かつ重度なⅠ型過敏症のアレルギー反応の一つ．
IgE：免疫グロブリンE．IgE分子は2つの重鎖（ε鎖）と2つの軽鎖（κ鎖およびλ鎖）から構成され，2つの抗原結合部位を有している．アレルギー疾患をもつ患者の血清中で濃度が上昇し，マスト細胞や好塩基球のレセプターに結合し，それらが再度侵入した抗原が結合することにより架橋されたとき，細胞内顆粒中に貯蔵される生理活性物質の放出が誘起される．

■ 表V-29-1　食物アレルギーにより引き起こされる症状

皮膚	紅斑，蕁麻疹，血管浮腫，瘙痒，灼熱感，湿疹
粘膜	眼症状：結膜充血・浮腫，瘙痒，流涙，眼瞼浮腫 鼻症状：鼻汁，鼻閉，くしゃみ 口腔咽頭症状：口腔・咽頭・口唇・舌の違和感・腫脹
呼吸器	喉頭違和感・瘙痒感・絞扼感，嗄声，嚥下困難，咳嗽，喘鳴，陥没呼吸，胸部圧迫感，呼吸困難，チアノーゼ
消化器	悪心，嘔吐，腹痛，下痢，血便
神経	頭痛，活気の低下，不穏，意識障害，失禁
循環器	血圧低下，頻脈，徐脈，不整脈，四肢冷感，蒼白（末梢循環不全）

（厚生労働科学研究班：食物アレルギーの診療の手引き2020より）

■ 表V-29-2　IgE依存性食物アレルギーの臨床型分類

臨床型	発症年齢	頻度の高い食物	耐性獲得（寛解）	アナフィラキシーショックの可能性	食物アレルギーの機序
食物アレルギーの関与する乳児アトピー性皮膚炎	乳児期	鶏卵，牛乳，小麦など	多くは寛解	(＋)	主にIgE依存性
即時型症状 （蕁麻疹，アナフィラキシーなど）	乳児期〜成人期	乳児〜幼児： 　鶏卵，牛乳，小麦， 　ピーナッツ，木の実類， 　魚卵など 学童〜成人： 　甲殻類，魚類，小麦， 　果物類，木の実類など	鶏卵，牛乳，小麦は寛解しやすい その他は寛解しにくい	(＋＋)	IgE依存性
食物依存性運動誘発アナフィラキシー（FDEIA）	学童期〜成人期	小麦，エビ，果物など	寛解しにくい	(＋＋＋)	IgE依存性
口腔アレルギー症候群（OAS）	幼児期〜成人期	果物・野菜・大豆など	寛解しにくい	(±)	IgE依存性

* FDEIA：food-dependent exercise-induced anaphylaxis.

（厚生労働科学研究班：食物アレルギーの診療の手引き2020より）

4 症状

▶IgE抗体を介した症状は多くが**即時型症状**を呈し，アレルゲンを摂取してから数分〜2時間以内に症状が出現する．湿疹などの皮膚症状から**アナフィラキシーショック**まで多彩な症状と，さまざまな重症度を呈する（表V-29-1, 2）．

▶乳児アトピー性皮膚炎に合併して認められるアレルギーを食物アレルギーの関与する乳児アトピー性皮膚炎という．ただし，すべての乳児アトピー性皮膚炎に食物が関与しているわけではない．

▶原因食品（小麦や甲殻類など）摂取後，運動を行ったときにショック症状を引き起こすものを食事依存性運動誘発アナフィラキシーとよぶ．

▶野菜や果物といった原因食品が口腔粘膜へ接触して起こる**口腔アレルギー症候群**は，食物摂取後から始まり，口唇・口腔・咽頭のかゆみ，咽頭違和感，血管浮腫などをきたす．

▶消化器症状を示すアレルギーを消化管アレルギーと総称する．新生児・乳児食物蛋白誘発胃腸症，食物蛋白誘発胃腸炎症候群などがある．

MEMO

口腔アレルギー症候群：生の果物や野菜などの植物性食品が，口腔粘膜へ接触することでアレルギー反応を起こす病態．りんご，メロン，さくらんぼ，もも，キウイフルーツの頻度が高く，花粉症やラテックスアレルギーと交差反応する場合がある．

イムノキャップ（→p.394）：セルロース製のスポンジ状固定層に，アレルゲンまたは食品抽出物を固定し，結合させた患者血清中のIgE抗体と，酵素標識した抗ヒトIgE抗体とを反応させ，最終的に酵素と基質の反応によって発する蛍光物質の蛍光強度を測定する方法．血中抗原特異的IgE濃度を高感度で測定できる．

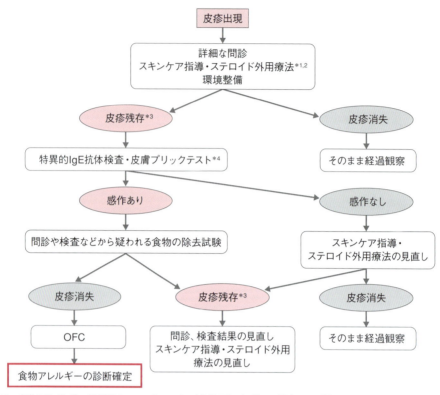

■ 図Ⅴ-29-2　食物アレルギー診断のフローチャート（食物アレルギーの関与する乳児アトピー性皮膚炎）

*1 スキンケア指導：スキンケアは皮膚の清潔と保湿が基本であり，詳細は「アトピー性皮膚炎診療ガイドライン2018」などを参照する．
*2 ステロイド外用療法：ステロイド外用薬の使用方法については「アトピー性皮膚炎診療ガイドライン2018」などを参照する．非ステロイド系外用薬は接触皮膚炎を惹起することがあるので注意する．
*3 皮疹残存：ステロイド外用薬の連日塗布により一時的に皮疹が消失しても，塗布間隔を空けると皮疹が再燃するため連日塗布から離脱できない状態．
*4 皮膚プリックテスト：生後6カ月未満の乳児では抗原特異的IgE抗体は陰性になることもあるので，プリックテストも有用である．

（厚生労働科学研究班：食物アレルギー診療の手引き2014より）

5 診断基準

▶食物アレルギーが疑われる場合には詳細な問診の後，一般血液検査および**イムノキャップ** 等による血中抗原特異的IgE抗体検査を行い，これらの結果から総合的に判断し，疑わしいとされた食品の除去・負荷試験を行いアレルゲンを同定する（**図Ⅴ-29-2**）．

▶食物経口負荷試験（OFC）は，アレルギーが確定しているか疑われる食品を単回または複数回に分割して摂取させ，症状の有無を確認する検査である．食物摂取に関連した病歴，食物の種類，特異的IgE抗体価，原因食物の摂取状況をもとに実施する医療機関を選択する．目的は，「原因アレルゲンの同定」，「安全摂取可能量の決定および耐性獲得の診断」の2つに分類される．また，血中抗原特異的IgE抗体と食物アレルギー症状は必ずしも一致しないため，判断材料の一つであることを念頭におかねばならない．

皮膚テスト（→p.395）：皮膚に存在するマスト細胞がアレルゲン特異的IgE抗体によって感作されているかどうかを判定する方法．プリックテストは前腕屈側の皮膚を専用のプリック針で表皮を傷つけ，アレルゲンを含む診断液を1滴落とし，15分後に発赤径と膨疹径を測定する．プリックプリックテストは，原因食品そのものをプリック針で刺してから皮膚に適用する．

▶**皮膚テスト**（プリックテスト，プリックプリックテスト）は，口腔アレルギー症候群または血中抗原特異的IgE抗体検査で検出されない乳児食物アレルギーの原因抗原の検索において有用である．

▶乳児アトピー性皮膚炎で適切な治療を行っているにもかかわらず湿疹が改善しない，もしくは対症療法を中止すると再燃する場合には，食物アレルギーの関与を疑い**食物除去試験**を行う．食物除去試験は，疑わしい原因食物を1週間程度完全除去し，皮膚の状態を評価する．

6 治療

▶現時点では，原因として原因食品の除去以外に治療法はない．食物アレルギーの原因物質はたんぱく質であり，また原因食物である卵，牛乳，小麦は高い調理特性からさまざまな食品に含まれており，これらの完全除去は栄養不足や食生活におけるQOLを著しく低下させる．したがって除去食は正しい診断に基づいた必要最小限の除去でなくてはならない．「食物アレルギーの栄養指導の手引き2020」における除去食療法は，①食べると症状が誘発される食物だけ除去する，②原因食物でも，症状が誘発されない"食べられる範囲"までは食べることができる，と定義されている．"食べられる範囲"は，食品に含まれる原因食物のたんぱく質量に基づいて考えられる．食物アレルギーの症状が誘発される量は患者によって異なることから，医師の診断のもと患者個々人に対し，症状が誘発されずに安全に食べられる原因食物の量を提示してもらうことが重要である．

▶アナフィラキシーショックで生命が危険な場合，アドレナリン自己注射薬（エピペン）を使用する．

▶**経口免疫療法**（oral immunotherapy：OIT）は，原因食物を医師の指導のもと経口摂取させ耐性獲得を誘導する治療法である．安全面への十分な配慮を要するため，高度で専門的な知識を有する医師が一定の条件下で施行する必要がある．

7 栄養生理

▶健常人はアレルゲンを経口摂取しても，①アレルゲンの消化による抗原性の消失（図V-29-3のⅠ），②腸管免疫により粘膜上皮から消化管内へ**分泌型IgA**が分泌され，アレルゲンと結合し，体内への吸収を抑制する（図V-29-3のⅡ），③消化管を介して進入したアレルゲンに対し免疫反応を抑制する（経口免疫寛容，図V-29-3のⅢ）といったアレルギー抑制機能が備わっているため，発症することはない．しかしこれらの機構が破綻した場合や，消化管の構造・機能が未発達な乳幼児に発症しやすい．したがって早期離乳により早い段階で食物アレルゲンを与えることは，食物アレルギー発症のリスクを高める．

▶食物アレルギー患者の集中する乳幼児～小児は成長期であるため，厳格な食物除去によって成長・発育障害をきたさないよう注意が必要である．妊娠・授乳期の食物除去が乳幼児のアレルギー予防に有効であるか否かについては科学的エビデンスが得られていないため，原則として行わない．また，牛乳の**乳糖不耐性**や，食品中のヒスタミンなどによる**仮性アレルギー**と混同しないよう注意する．

📝 MEMO

分泌型IgA：粘膜面に侵入してくる病原性微生物の上皮細胞への付着，定着，および侵入を阻止するために粘膜免疫において産生される免疫グロブリンA．

乳糖不耐性：消化器で乳糖分解酵素（ラクターゼ）が減少あるいは欠損することにより，牛乳を飲むと消化不良や下痢を起こす症状．

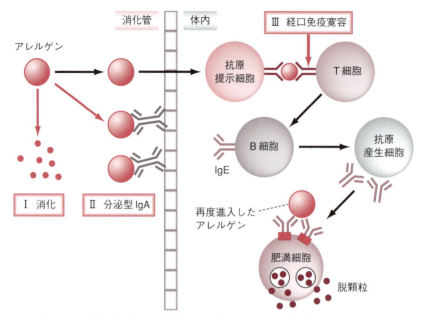

■ 図Ⅴ-29-3　食物アレルギー（Ⅰ型）の発症機序とその抑制機構
Ⅰ～Ⅲ：アレルギーの抑制機構
（日本栄養・食糧学会監修，食物アレルギー，菅野道廣，岸野泰雄編，光生館，1995, p.118の図を改変）

8 栄養食事療法

1─基本方針

▶除去すべき食品，食べられる食品など食物アレルギーに関する正しい情報を提供する．除去食物に関して摂取可能な範囲とそれに応じた食べられる食品を示す．過剰な除去に陥らないように指導し，食物アレルギーに関する悩みを軽減，解消する．

2─栄養アセスメント

▶除去の程度は食物経口負荷試験などの結果に基づいた患者ごとの個別対応である．食物日誌から除去ができていること，症状，誤飲時の症状などを確認する．乳幼児の場合には母子手帳を利用して成長曲線を経過観察し，成長発達をモニターする．食物除去を中止できる可能性を常に考慮する．感作されている食物を初めて食べさせるときは，経口負荷試験に準じる注意が必要である．保育所・幼稚園・小学校入学前には，未摂取の食品に対して経口負荷試験を行い，確定診断しておくことが望ましい．

3─栄養食事管理と管理目標

a 栄養素処方

▶おもにたんぱく質の多い食品が原因食品となる．卵・牛乳・小麦は患者数が多く，**三大アレルゲン**とされる．さらに，そば，ピーナッツ（落花生），くるみ，えび，かにはアナフィラキシーショックの原因となるため，三大アレルゲンと併せて合計8品目の表示が義務づけられている（**表Ⅴ-29-3**）．そのほか20種の食品についても表示が推奨されている．大豆や小麦は糖鎖アレルゲンの関与が

MEMO

仮性アレルギー（→p.395）：免疫反応を介さず，食品中に含まれる化学物質でアレルギー様反応を呈する症状．摂取した直後に即時型アレルギーに似た症状がみられる．原因物質としては，ヒスタミン・セロトニン・チラミンといった生体アミン類や，神経伝達物質の一つであるアセチルコリンなどがある．サバ科の魚に含まれるヒスタミンによるサバ中毒や，古くて過剰に発酵したチーズによるチラミン中毒などがよく知られている．

■表V-29-3 アレルギー表示を必要とする特定原材料

義務	えび，かに，くるみ，小麦，そば，卵，乳，落花生
推奨 (任意)	アーモンド，あわび，いか，いくら，オレンジ，カシューナッツ，キウイフルーツ，牛肉，ごま，さけ，さば，大豆，鶏肉，バナナ，豚肉，まつたけ，もも，やまいも，りんご，ゼラチン

(消費者庁：アレルギー表示に関する情報，2023)

報告されている．

▶アレルギー表示は，容器包装された加工食品および添加物が対象となる．加工食品中に特定原材料が数 ppm 以上の濃度で含まれた場合に表示が必要となる．

▶外食産業や弁当，総菜などの店頭での対面販売は表示の対象外である．

b 食品・料理・献立の調整

▶原因食品が加工食品に含まれている場合も多いため，表示に注意する．加熱や発酵によりアレルゲン性が低下するものもあるため，アレルゲンの特性をよく理解し，献立作成に生かすことが重要である．以下にアレルゲンとなる代表的な食品のアレルゲンとその特性について示す．

①鶏卵：鶏卵アレルゲンのほとんどが卵白のたんぱく質である．なかでも代表的なオボアルブミンは加熱により抗原性が著しく低下するため，除去食解除時にはよく過熱し，生や半熟卵を摂取しないよう注意する．オボムコイドがアレルゲンとなる場合は加熱により抗原性が低下しないので注意を要する．鶏肉や魚卵は鶏卵と原因のたんぱく質が異なるため，除去する必要はない．肉や魚などのたんぱく源の食品を食べれば，鶏卵を除去しても栄養面の問題は生じにくい．市販のクッキーやビスケットなどの菓子類でも鶏卵を含まないものもある．

②牛乳：牛乳の除去はカルシウム不足を引き起こしやすいため，代替食品でカルシウムを補う．加熱やヨーグルトなど発酵による抗原性の低下は認められないため，"食べられる範囲"の具体的な食品例を考えやすい．牛乳のおもなアレルゲンはカゼインと β-ラクトグロブリンである．

③小麦：グルテンは水を加えて練ると特有の粘りを作る性質があり，その調理特性から多くの加工食品に使用される．グルテンは小麦の主要なアレルゲンであるだけでなく，グルテンに含まれる ω-5グリアジンは，FDEIAのおもなアレルゲンである．水溶性たんぱく質である α-アミラーゼ/トリプシンインヒビターは，吸入性アレルゲン（Baker's asthma）の原因物質である．みそやしょうゆに使われている小麦は発酵過程で分解されているため，除去する必要は基本的にはない．米粉パンは小麦グルテンを用いていることが多いため注意する．

④大豆：発酵食品（しょうゆ，みそなど）はアレルゲンが分解されており，食べられる場合が多い．しょうゆやみその除去にともなう QOL の低下は大きいため，除去の必要の有無を主治医に確認する．他の豆類の除去が必要なことは非常に少ない．

c 栄養指導

■指導のポイント

①医師が食物経口負荷試験で"食べられる範囲"をもとに決定した患者に「必要最小限の食物除去」の考え方を伝え，原因食物のたんぱく質の特徴を考慮し，選択できる食品の幅を広げられるよう指導する．加工や

調理によって抗原性が変化しやすいものと変化しにくいものがあるため，その特徴を考慮しながら，食べられる食品を具体的に示す．

②食物除去によって栄養が偏らないよう，主食，主菜，副菜を組み合わせたバランスのよい献立から，十分な栄養素を摂取できるようにする．牛乳アレルギーのカルシウムなど，特定の食物除去で不足しやすい栄養素がある場合には，それを補う食品を十分に摂取できるようにする．体重増加不良がある場合には，身長，体重，臨床検査値，食事記録などをもとに主治医に報告し対策を検討する．

③患者および家族の嗜好や食習慣，食事の内容を確認し，栄養摂取状況に配慮する．除去する食物を使わない調理法や加工食品，低アレルゲン化食品などを活用し，食生活を豊かにする．

④食べる前に加工食品のアレルギー表示を常に確認する習慣をつけてもらう．規格変更があることを伝える．調理や食事の際に原因食物を混入させないための方法（調理器具や食器の洗浄，調理の順番，取り違えしない方法など）を指導する．

⑤微量の原因食物で重篤な症状が出る，除去品目が多い，家族や地域の理解が得られない，氾濫する情報，などにより患者や保護者は過度の負担を感じるため，栄養指導により正しい情報を提供し支援する．

⑥除去食解除にあたっては医師の診断する原因食品の「食べられる範囲」をもとに，患者が安全に食べることができる食品や量を，医師に確認しながら示す．食物アレルギー患者は同時に複数の食物に症状を示す者が多いため，他の原因食物が含まれていないか確認しながら具体的に食べられる食品を示す．解除が進みにくい場合には，患者の悩みにあわせて，好みのメニュー作りなど具体的な方法を検討する．

⑦離乳食は，医師から除去を指示された食品以外は厚生労働省策定「授乳・離乳の支援ガイド」に基づいた離乳食を開始してよいことを説明し，必要に応じて離乳食の作り方を示す．

⑧離乳食は保護者が「念のため」に食物の除去を拡げることがないように，保護者の不安を取り除く．

⑨妊娠中・授乳中の母親の食物除去は母乳が原因で乳児患者の症状が悪化する場合には，まれに母親も原因食物の除去を指示されることもあるが，基本的には患者と同等の除去を長期間必要としない．

⑩保育所給食ではアレルギー疾患生活指導表を，幼稚園・学校給食では学校生活管理指導表（アレルギー疾患用）をもとにした対応を基本とする．

4─栄養食事療法の効果・判定

①除去食開始から半年～1年後の血液検査で特異的IgE抗体が低下していることを確認する．

②食物負荷試験を，はじめは少量から徐々に摂取量および摂取回数を増加し，悪化しないことを確認する．

③除去解除後，特異的IgE抗体の再上昇がみられたら，症状の悪化に注意し経過を観察する．

④アナフィラキシー例では原則的には負荷試験は行わない．

30 心因性の摂食障害

1 疾患の概要

▶食行動に異常がみられる疾患は，**神経性やせ症（神経性無食欲症）**と**神経性過食症（大食症）**，**過食性障害**に大きく分けられる．

▶神経性やせ症は，やせに起因する基礎疾患がなく，明らかな低体重を呈する．摂取エネルギーを極端に制限し，体重が増えることを恐れ，低体重を維持しようとする特徴的な行動を呈する．

▶神経性過食症では，短時間に，自制困難な食欲で，大量の食物を食べる過食エピソードと，自己誘発性嘔吐，下剤や利尿薬の乱用，過剰な運動などが続き，体重増加など自己イメージに対する障害がみられる．

▶過食性障害は，自分で制御できない大食があるが，神経性過食症と違って排泄行動や下剤の乱用といった代償行動は少ないことから，高度肥満をともなうことがある

2 病因

▶摂食障害は，ストレスを適切に処理する能力（**コーピングスキル**）が未熟なため発症する心身症の一つである．摂食障害の原因は人によってさまざまである．過激な**ダイエット**，肉親の死などの精神的ショック，生活環境の変化などによる過度のストレスなどがあげられる．

▶発症しやすい性格傾向としては，まじめ，神経質，完璧主義，努力家，傷つきやすく，いつも人に気を使うなど，まわりの評価に敏感であり，自己評価が低いことが多く，すべてをストレスと受け取ってしまう．親が過保護で患者の自主性発達が妨げられたり，家族内に葛藤があることが多い．便秘やむくみを異常に気にし，若い頃から**下剤**，**浣腸**，**利尿薬**を常用していることがある．

3 疫学

▶日本では1960年代にはじめて報告され，その後急激に患者数は増加し，約1,000人に1人を超える有病率が指摘されている．10～20代女性に多くみられるが，30代以降の女性や男性にもみられる（男性1：女性10）．

▶神経性やせ症は，女子高校生・大学生の0.4～1％，神経性過食症は若年女性の2～3％といわれている．

4 症状

▶神経性やせ症では，**やせ**の程度にともない，身体症状（極端なやせ，乾燥皮膚，脱毛，低血圧，徐脈，低体温，乳房萎縮など），食行動異常（小食，偏食，**自己嘔吐**，緩下薬の自発的使用など）と精神症状（思考力・記憶力の低下など）が現れる．著しい低体重にもかかわらず，活発，活動的になり，治療を拒否し，自分が異常だとは認めない．集中力や判断力は低下し，異常に几帳面となり，情緒不安定となり，**退行化**し，コーピングスキルはさらに低下し，本症はさらに遷延化しやすくなる．

MEMO

コーピングスキル：ストレスに対応する技術のこと．コーピングは，外界から与えられる刺激（ストレッサーとよぶ）によって喚起される，情動的反応や身体的変調を低減するための，あらゆる認知的・行動的努力である．

退行化：病気などの障害で原始，幼稚の状態にまで戻ること．

▶神経性過食症では体重が正常範囲であるため，家族に気づかれないことが多い．患者は過食に嫌悪感をもっているが，ストレス発散の手段としている．過食は慢性化しやすく，過食後の抑うつのため，学校や職場を休むようになる．肥満恐怖はあるが，やせ願望はそれほど強くない．病感や病識を認めることがある．身体イメージは，神経性過食症では正常と異ならないこともある．喜怒哀楽や心の葛藤を言語化できない（失感情症）．正常体重なので，低栄養のための身体的諸症状や検査異常は少ないが，むしろ過栄養による脂肪肝や脂質異常症を認める．嘔吐，下剤乱用により，電解質異常（低 Na，Cl，K 血症），脱水，浮腫をきたす．

▶過食性障害は，代償行動をともなわない過食エピソードが平均して3カ月にわたって少なくとも週1回生じる．過食エピソードは，「通常よりずっと速く食べる」，「身体的に空腹を感じていない時に食べる」，「苦しいくらい満腹になるまで食べる」，「食後になって抑うつ気分，自己嫌悪あるいは罪悪感をもつ」ことに関連している．

5 診断基準

▶極端な体重減少，隠れ食いや嘔吐などに代表される摂食異常症が疑われる現象や行動がみられる．米国精神医学会による診断基準DSM-5（表Ⅴ-30-1～3），およびWHOによるICD-11に従って行う．

▶神経性やせ症では，体重の減少（85%以下），体重増に対する恐怖，低体重の重大さの否認などが診断基準となる．

▶神経性過食症では，むちゃ食いのエピソードの繰り返し，不適切な代償行動（自己誘発性嘔吐，下剤，利尿薬，浣腸などの使用），体型や体重に対する自己評価などについて判断する．

▶過食性障害では過食のエピソードは神経性過食症と共通するが，自己誘発嘔吐や緩下剤，利尿剤の乱用，あるいは絶食や過激な運動など不適切な代償行為をともなわない．また，患者は過食を苦痛に感じていることが多い．

6 治 療

▶はじめに，どうして治療が必要なのかを理解させることが大切である．低体重や過食を続けることで，健康上の問題，学業や生活上，対人関係など，さまざまな問題が生じている．患者自身で適切に食事ができるように指導していく．そのためには，1日の食事や行動の枠を設定し，どの程度実行できたかを評価する行動療法などを用いる．

▶神経性やせ症は，長期の経過のなかで治癒と再燃を繰り返す．発症後，早期から家族を含めた総合的治療を施す．患者との信頼関係を維持させることが長期の予後に大きく影響する．社会適応性が得られており，家族も治療へ理解を示せば外来治療でよい．入院治療の場合，家族や友人から一定期間，距離をおくことにより，母親の態度や患者の不適切な思考や行動の改善に役立つ．栄養状態と情緒面の改善に重点をおいた総合的治療を進めていく．

▶神経性過食症の治療目標は，正常体重範囲内での安定化，身体合併症の治療，治療の動機づけ，バランスの取れた食事摂取，不適応的思考・行動・情動の正常化，家族の支援な

📝MEMO
病感と病識：病感とは病気であると感じること．病識とは病気であることを自覚すること．
代償行動：何かの行動による損害の埋め合わせをすること．この場合は，食べたことに対してその埋め合わせに排出行為を行うこと．

母親の態度：この場合の母親の態度とは，過干渉や相互依存など患者の自立に負の要因となる態度をいう．

■ 表V-30-1　神経性やせ症の診断基準（DSM*-5）

A：年齢・性別・発達的軌跡・身体的健康状態のうえで著しい低体重が生じるような，必要量に比較して抑制されたエネルギー摂取．著しい低体重は，正常の最低より少ない，または子どもや青年では，期待される最低よりも少ないことで定義される
B：著しい低体重にもかかわらず，体重が増えることまたは肥満することに対する強い恐怖，あるいは体重増加を妨げる持続的な行為
C：自分の体重または体型の感じ方の障害，または自己評価に対する体重や体型の不適切な影響，または現在の低体重の重大さに対する認識の持続的な欠如
病型の特定
制限型：最近3カ月間に，再発する症状のなかで，過食や排出行動（自己誘発性嘔吐，下剤，利尿剤，浣腸の乱用）を行ったことがない．この下位分類は，体重減少がおもに食事制限，絶食，または過剰な運動でなされた病態を表している
過食・排出型：最近3カ月間に，過食や排出行動（自己誘発性嘔吐，下剤，利尿剤，浣腸の乱用）反復的エピソードがある
重症度の特定
重症度の最低の水準は，大人では現在のBMIに基づき（下記）を，子どもと青年ではBMI-パーセンタイルに基づく．下記の各範囲は大人のやせの分類をWHOから引用している．子どもと青年では対応するBMI-パーセンタイルが用いられるべきである．重症度の水準は臨床症状や能力低下の程度，そして指導の必要性を反映して強められることもある．
軽度（mild）：BMI ≧ 17 kg/m²
中等度（moderate）：BMI 16 〜 16.99 kg/m²
重度（severe）：BMI 15 〜 15.99 kg/m²
極度（extreme）：BMI < 15 kg/m²

*DSM：Diagnostic and Statistical Manual of Mental Disorder
（足達淑子編：ライフスタイル療法Ⅰ　第4版，医歯薬出版，2014より）

■ 表V-30-2　神経性過食症の診断基準（DSM-5）

A：反復する過食エピソード，症状は下記の2つによって特徴づけられる
①他とはっきり区別される時間帯（たとえば2時間内）にほとんどの人が同じような時間・同じような環境で食べる量よりも明らかに多い食物を食べる
②そのエピソードの間，食べることを制御できないという感覚（たとえば，食べることを止めることができない，何をどれほど多く食べているかを制御できないという感覚）
B：体重増加を防ぐための不適切な代償行為を繰り返す．たとえば，自己誘発性嘔吐，下剤，利尿剤，または，その他の薬剤の乱用，絶食，過剰な運動
C：過食や不適切な代償行為はともに，3カ月間以上，平均して週1回起きている
D：自己評価は，体型と体重の影響を過度に受けている
E：神経性やせ症のエピソードの期間中にのみ起こるものではない
重症度：不適切な代償行為の頻度で判定
軽度：≧1〜3回/週，中等度：≧4〜7回/週，重度：≧8〜13回/週，最重度：≧14回/週

（足達淑子編：ライフスタイル療法Ⅰ　第4版，医歯薬出版，2014より）

■ 表V-30-3　過食性障害の診断基準（DSM-5）

A：反復する過食エピソード．過食エピソードは以下の両方によって特徴づけられる
①他とはっきり区別される時間帯（例：任意の2時間の間）に，ほとんどの人が同様の状況で同様の時間内で食べる量よりも明らかに多い食物を食べる
②そのエピソードの間は，食べることを抑制できないという感覚（例：食べるのをやめることができない，または食べるものの種類や量を抑制できないという感覚）
B：過食エピソードは，以下のうち3つ（またはそれ以上）のことと関連している
①通常よりずっと早く食べる
②苦しいくらい満腹になるまで食べる
③身体的に空腹を感じていない時に大量の食物を食べる
④自分がどんなに多く食べているか恥ずかしく感じるため一人で食べる
⑤後になって，自己嫌悪，抑うつ気分，または強い罪責感を感じる
C：過食に関して明らかな苦痛が存在する
D：その過食は，平均して3カ月間にわたって少なくとも週1回は生じている
E：その過食は，神経性過食症の場合のように頒布する不適切な代償行動とは関係せず，神経性過食症または神経性やせ症の経過の期間のみに起こるのではない

（功刀　浩，阿部裕二：臨床に役立つ精神疾患の栄養食事指導，講談社，2021より）

どによる再発防止である．患者との信頼関係を確立し，何回挫折しても必ず治ることを繰り返し説明する．体重調整のための排出行動（嘔吐，下剤，利尿薬）の有害性を説明し，規則正しい食生活の実践への支援を行う．過食と嘔吐や下剤乱用などの排出行動のパターンを知り，これらを減少させる．心理社会的治療としては，認知行動療法と対人関係療法が有効である．

7 栄養生理

▶身体感覚の認知障害，身体像の歪みに加えて社会心理的環境などの要因があり，ダイエットを開始すると視床下部から副腎皮質刺激ホルモン放出ホルモンの分泌が亢進し，脳内麻薬β-エンドルフィンが分泌される．すると，ダイエットハイに陥り，やせていても活発に活動する．

▶一方，視床下部の食欲中枢では血糖感受性が低下し，空腹を感じなくなる．胃は萎縮し，食物を受け入れなくなり，吐きやすくなる．小腸の絨毛も萎縮し吸収能が低下する．また，間脳下垂体機能低下により，無月経，抑うつ気分，骨減少症が生じる．さらに進行すると脳も萎縮し，判断力が失われ，がりがりにやせた自分をみても，まだ太っていると思い，危機感がもてなくなる．

8 栄養食事療法

1―基本方針

①栄養状態の回復を図る．
②正常な摂食パターンに戻す．
③栄養学の正しい知識を教え，食べてもむやみに体重が増加しないことを理解させる．

2―栄養アセスメント

▶栄養状態，食事摂取状況，月経機能，精神状態，性的および社会的適合性について把握していくことが重要である．

▶緊急入院時や長期飢餓のある場合，再栄養症候群（refeeding syndrome）の高リスク患者を抽出する必要がある．再栄養症候群のリスク因子には，次のようなものが含まれ，1つ以上が該当する場合には入院治療で再栄養を行うことを検討する．

①初診時での栄養不良の程度（思春期の場合はBMI中央値で70％を下回ること，成人の場合はBMIが15を下回ることが，もっとも高リスクである）．
②慢性的な栄養不良で，10日以上にわたり，ほとんどエネルギーを摂取していない．
③過去に再栄養症候群になったことがある．
④現在の体重にかかわりなく，著しい体重減少の量や速さ（直近3～6カ月で体重の10～15％を上回る減少率）がみられる．
⑤過量飲酒歴がある．
⑥肥満外来治療後に，著しい体重減少がある．
⑦利尿剤，下剤，もしくはインスリンの不適切な使用歴がある．
⑧再栄養開始前に電解質異常がみられる．

■アセスメント・モニタリングの項目
①BMI，過去6カ月間の体重減少／変化の量およびその速度，％健常時体重，％IBWなど身体計測に基づく評価
②食事調査（記録法，24時間聞き取り法など）
③アルブミン，総リンパ球数，総コレステロール値など血液検査による栄養状態の把握
④ALT，AST，コリンエステラーゼによる肝機能障害
⑤ヘモグロビン，赤血球数など貧血の把握
⑥血清トリヨードサイロニンの測定
⑦血中ミネラルの把握（カリウム，クロール，ナトリウム，リン，マグネシウムなどの測定）
⑧血糖値の把握
⑨頭髪，うぶ毛の状態を把握
⑩血圧，脈拍，手足の冷え
⑪骨密度の測定
⑫月経の有無（期間）

📝**MEMO**
再栄養症候群（refeeding syndrome）：飢餓状態から急激に栄養補給することに起因して，低リン血症などをともなう全身症状（発熱，痙攣，意識障害，心不全，呼吸不全など）が現れる．

■アセスメント・モニタリングのポイント
① 測定した身長と体重に基づいたBMIの算出．児童期や思春期であれば成長曲線に記入する．
② 摂取栄養量の把握，異常摂取行動の把握．
③ 血液検査により，栄養指標の状態，脂肪肝などの肝障害の有無，貧血の有無の確認，血糖状態の把握．
④ 甲状腺ホルモンによる基礎代謝の低下や性腺ホルモン系の異常の把握．
⑤ カリウム，クロールの低下により，自己誘発性嘔吐，下剤，利尿薬の使用状況を把握．
⑥ 頭髪の脱毛，うぶ毛の密生の有無を把握．
⑦ 低血圧，徐脈，手足の冷えの把握．
⑧ やせ時の骨形成の低下と骨吸収の増加による骨粗鬆症の把握．

3 栄養食事管理と管理目標

▶重症時は生命の維持が困難となるため，状態に応じて静脈栄養法，経腸栄養法を使用し厳密な管理により栄養状態の回復を図る．
▶中等症では食事と経腸栄養法を患者の状態に応じて使用し，徐々に必要量まで漸増する．
▶軽症では患者との話し合いで，摂取可能な量を提供する．行動制限などの治療とあわせて，必要量まで漸増していく．

a 栄養素処方

■エネルギー
▶身長，体重，年齢，生活活動に応じたエネルギーが必要であるが，飢餓状態にあるところに，急に栄養を入れると心不全などの再栄養症候群を起こすので注意する．エネルギーの設定は患者の意見を取り入れ，最初は800〜1,000 kcalから開始し，徐々に増加させる．増加のタイミングは患者の状況に応じて行う．しかしながら，過度な栄養投与不足はさらなる体重減少を招いたり，治療効果の出現を遅らせたりすることがあることから，最適な栄養を検討し，投与することが望ましい．

■たんぱく質
▶体たんぱくの異化亢進状態になっている場合が多く，1.0〜1.2 g/kg（標準体重）の補給が必要である．

■脂質
▶脂質はエネルギーが高く，太りやすい食品として拒否する場合が多いが，必須脂肪酸を補給し，n-3系多価不飽和脂肪酸は精神の安定に働くため取り入れる．

■炭水化物
▶米飯の量に関して敏感に反応するので，患者と同意のうえ，主食の種類・量を決める．菓子類について食べたい欲求が強く，エネルギー量を知りたがる．

■ビタミン・ミネラル
▶「日本人の食事摂取基準」での推奨量・目安量を目標にする．極端な食事制限や偏った食事から欠乏状態になっている場合が多いので，補充する．再栄養症候群を起こす原因に低リン血症などがみられるのでモニタリングを行う．また，低栄養が重度の場合には，ウェルニッケ脳症のリスクを考慮し，チアミンの補給を行う．

■アルコール
▶まれに，アルコールを常用している場合があるが，アルコールは治そうという前向きな気持ちを失わせるため禁酒が望ましい．

b 食品・料理・献立の調整

■食品
①食べていけない食品はなく，バランスガイドなどに準じて，いろいろな食品を組み合わせてとることが大切である．低エネルギー食品を要求する傾向があるが，それも含めていろいろな食品を摂取するように食品構成表を作成する．
②好む食品はこんにゃく，きのこ類，海藻類などエネルギーの低い食品である．
③好まない食品は，脂質の多い肉類，バター，マーガリンなどの油脂類，脂質分の多い魚類など，エネルギーの高い食品である．

■献立
①ノンオイルドレッシングを使用したサラダ，野菜スープ，野菜の煮物，和えもの，焼き魚を好む傾向がある．
②肥満食や糖尿病食，分粥食などエネルギーの少ない食種を希望することが多い．
③好まない献立は揚げ物，チャーハン，カレーライス，クリームシチュー，スパゲティなどである．

c 栄養指導

■指導のポイント
▶患者は食べることの恐怖，体重が増加することを恐れているため，体重が減少して生命が危険な状態にあっても，自分が病気であるとは思っていない．そのため，自分が栄養指導を受けるという必要性を理解していない．また，神経性過食症，過食性障害では，過食を引き起こしたくなる状況や場面，過食前の食事内容など生活状況を含めて把握し，指導を行うことが重要である．

①主治医・看護師から患者の情報を把握して，栄養指導を始める．
②最初に信頼関係を築くことが大切である．
③食事に対して関心が強く，患者側から食事に関する質問や意見を言ってくるので，それに答えることが大切である．
④身長，体重，年齢，生活活動に応じた必要エネルギーについて説明する．
⑤エネルギー以外にもたんぱく質，脂質など体に必要な栄養素の説明を行う．
⑥ビタミン，ミネラル，食物繊維などの働きについても説明する．
⑦正常な摂食パターンを形成する．
⑧患者が実践できそうな調理法や具体量を示す．
⑨栄養改善で得られる身体的な変化を共有する．
⑩食習慣を改善できるよう栄養教育を行い，本人の努力を支持する．

4 栄養食事療法の効果・判定

▶心理的な要因が高いので，長期的に効果をみていくことが必要である．社会生活に復帰できることが目標となるが，やせが問題となる神経性やせ症では，体重の増加とその状態を受け入れることができているかということを判定していく．

▶神経性過食症では，過食とそれに続く自己誘発性嘔吐，下剤や利尿薬を使用する行為の回数が減少し，やがて完全になくなることである．

質問の具体例：患者側から聞いてくる食事に関する質問や意見の具体例としては，油を使った料理やマヨネーズなどは食べられない，食べたいと思う菓子のエネルギー量などがある．

VI 消化機能が十分でない人への栄養ケア

Part2 疾患と栄養ケア

学習の目標

- 疾患の概要，病因，疫学，症状，そして診断基準を概説できる．
- 疾患の治療，栄養生理を理解し，症状に適応した栄養食事療法を説明できる．
- 治療による病態・症状の経過を学び，患者のQOLや心理状況をふまえて全人的に理解する．
- 病態・症状に対応した，栄養評価，栄養補給法，補給する栄養素成分・量を修得する．

1 潰瘍性大腸炎

1 疾患の概要

▶主として粘膜を侵し，しばしばびらんや潰瘍を形成する大腸の原因不明のびまん性非特異性炎症である．

▶多くは寛解と増悪を繰り返す難治性疾患である．長期にわたり，かつ大腸全体を侵す場合には悪性化の傾向がある．

▶病変の範囲から，全大腸炎型，左側大腸炎型，直腸炎型に分類される（図Ⅵ-1-1）．

2 病因

▶原因は未だ不明であるが，近年では，①遺伝的素因，②食物や腸内細菌・化学薬品など環境因子，③腸管免疫細胞の機能異常の3つが重なりあって発症すると考えられている．

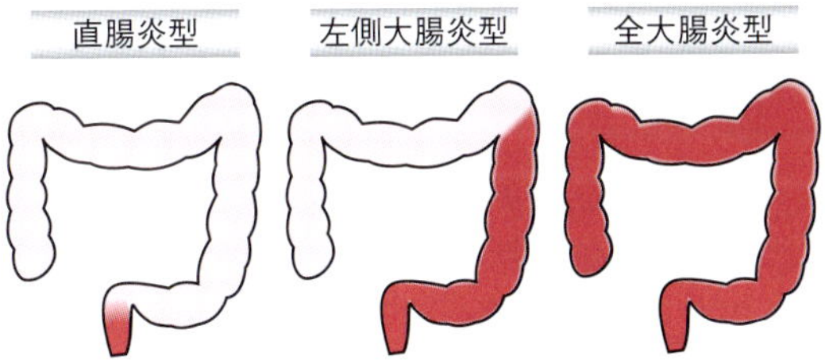

3 疫学

▶若年成人に好発する．発症年齢は，男性20〜24歳，女性25〜29歳にもっとも多い．最近は発症年齢にさらに若年化傾向がみられる．患者数は増加の一途をたどっており，約16万6,000人と推計（平成25年度末の医療受給者証および登録者証交付件数の合計）されている．

4 症状

▶持続性または反復性の血便・下痢がみられ，粘血便のことも多い．

▶重症例では発熱，体重減少，貧血など全身症状をともなう．

▶血便がなく症状が落ち着いている状態を「寛解期」，血便や腹痛などの症状がある時期

■図Ⅵ-1-1 潰瘍性大腸炎の病型

MEMO

びらん：粘膜がただれて上皮が浅く欠損した状態．
びまん性：病変が全周性（まわり全体）に広範囲に広がっている状態．

粘血便：粘液と血液が同時に混じった便．

■ 表Ⅵ-1-1　重症度の分類

	重症	中等症	軽症
1) 排便回数	6回以上	重症と軽症との中間	4回以下
2) 顕血便	(+++)		(+)〜(-)
3) 発熱	37.5℃以上		(-)
4) 頻脈	90/分以上		(-)
5) 貧血	Hb10 g/dL 以下		(-)
6) 赤沈	30 mm/h 以上		正常

重症：1) 2) のほかに，全身症状である3) または4) のいずれかを満たし，かつ6項目のうち4項目を満たすもの．
軽症：6項目すべてを満たすもの．

（難治性炎症性腸管障害に関する調査研究班：潰瘍性大腸炎・クローン病診断基準・治療指針，平成30年度改訂版より，一部改変）

を「活動期」とよぶ．
▶ 重症度分類を**表Ⅵ-1-1**に示す．

5 診断基準

▶ 厚生労働省研究班による診断基準が広く利用されている．

a. 持続性または反復性の粘血・血便，あるいはその既往がある．
b. 1) 内視鏡検査：
①粘膜はびまん性に侵され，血管透見像は消失し，粗ぞう，または細顆粒状を呈する．さらに，もろくなっているため易出血性（接触出血）をともない，粘血膿性の分泌物が付着しているか，②多発性のびらん，潰瘍あるいは偽ポリポーシスを認める．
2) 注腸X線検査：
①粗ぞう，または細顆粒状の粘膜表面のびまん性変化，②多発性のびらん，潰瘍，③偽ポリポーシスを認める．そのほか，ハウストラの消失（鉛管像）や腸管の狭小・短縮が認められる．
3) 生検組織学的検査：

・活動期では粘膜全層にびまん性炎症性細胞浸潤，陰窩膿瘍，高度な杯細胞の減少が認められる．
・寛解期では腺の配列異常（蛇行・分岐），萎縮が残存する．上記変化は通常直腸から連続性に口側にみられる．

6 治療

▶ 活動期治療の目標は，炎症を速やかに鎮静化させ，症状を和らげ寛解状態に導くこと．
▶ 寛解期治療の目標は，再燃を予防し長期に寛解状態を維持し，患者のQOL（生活の質）を向上させること．

1―治療の原則

▶ 潰瘍性大腸炎の患者の多くが再燃寛解を繰り返す慢性の経過をたどることにより，治療は活動期の治療と寛解維持の治療に分けて対応する．
▶ 治療の中心は薬物治療である．
▶ 重症例や全身障害をともなう中等度症例に対しては，入院のうえ，活動期の治療と併行して脱水，電解質異常（とくに低カリウム血

📝 MEMO
粗ぞう：きめがあらいこと．
偽ポリポーシス：小さなポリープをびっしり詰め込んだような粘膜のデコボコ．
ハウストラ：大腸のひだ．

陰窩膿瘍：陰窩（結腸および直腸の内壁を覆う組織に存在する管状の腺）が炎症細胞で充満している状態．
杯細胞：ムチンを分泌する粘液分泌細胞．

症），貧血，低たんぱく血症，栄養障害などへの対策が必要である．

2─治療法

■薬物療法

▶主として重症度と罹患範囲に応じて薬剤を選択する．寛解導入後も，再燃を予防するため維持療法を行う．

①軽症に対しては，サラゾスルファラジン（サラゾピリン®），メサラジン（ペンタサ®）が基本的治療として用いられる．

②①で改善がみられない場合や重症化した場合にはステロイド（プレドニゾロン）を用いる．

③ステロイドの適正な使用にもかかわらず改善が得られない場合で，重症では免疫調整剤（シクロスポリン）や抗TNF-α製剤（インフリキシマブ）」を用いることもある．

■手術

▶内科治療で効果なく，QOLの低下した例では手術を考慮する．

①絶対手術適応
- 大腸穿孔，大量出血，中毒性巨大結腸症
- 重症型，劇症型で強力な内科治療（ステロイド大量静注療法，血球成分除去療法，シクロスポリン持続静注療法など）が無効な例
- 大腸癌

②相対的手術適応
- 難治例：内科的治療（ステロイド，免疫調節薬，血球成分除去療法など）で十分な効果がなく，日常生活が困難になるなどQOLが低下した例，内科的治療（ステロイド，免疫調節薬）で重症の副作用が発現，または発現する可能性のある例

- 局所的腸管合併症

■血球成分除去療法

▶活性化された末梢血中の白血球を体外循環装置により効率よく吸着分離させ，体外へ除去するものである．顆粒球除去療法（GMA，G-CAP）と白血球除去療法（L-CAP）がある．

▶GMA，G-CAPは重症・劇症患者および難治性疾患患者を，L-CAPはステロイド抵抗性の重症または中等症の全大腸炎型および左側大腸炎型の患者を対象とする．

■栄養・食事療法

▶腸管安静を目的とし，活動期には補助療法として位置づけられる．

▶静脈栄養，低残渣食（食事療法）がある．

7 栄養生理

▶潰瘍性大腸炎の病因は不明で，病態形成には多数の要因が複雑に関与しており，大腸粘膜が特異的に障害されることから，発症にはなんらかの免疫異常が深く関与しているものと考えられている．免疫反応を通じて活性化された循環血液中の白血球は，炎症の増悪と腸管粘膜障害の中心的役割を担っている．

▶直腸から連続性に大腸の粘膜を障害するため水分吸収が不良となり，下痢，粘血便を認める．

▶脂肪の消化・吸収のために分泌される胆汁酸は回腸末端部分から再吸収されるが，全大腸炎型で回腸末端部から上行結腸に病変が存在する場合には胆汁酸の再吸収が十分に行われないことが多く，腸管の蠕動運動に著しく刺激を与え，下痢や腹痛の原因となる．

📝MEMO

顆粒球除去療法（GMA，G-CAP）：白血球の中で顆粒球・単球を除去する．

白血球除去療法（L-CAP）：顆粒球・単球・リンパ球・血小板を除去する．

8 栄養食事療法

1 — 基本方針

▶栄養状態の不良を補正し潰瘍の治癒を促す.
▶長期にわたり再燃と寛解を繰り返すため，病期に応じて対応する.
▶発症前より偏食傾向を認めることが多いため，基本的な栄養教育と食生活改善に努める.

2 — 栄養アセスメント

■潰瘍性大腸炎患者の栄養状態のポイント

▶潰瘍大腸炎では小腸機能が障害されていることは少ないので，消化吸収障害はみられず，重症例を除いて栄養障害を起こすことはまれである.
▶活動期には血便が持続するので鉄欠乏性貧血が起こりやすい.
▶下痢の持続は亜鉛欠乏や，血清マグネシウム，血清カリウム低下を引き起こす.
▶薬剤投与や食事制限が長期化した場合には栄養素や微量元素の欠乏が起こることがある. サラゾスルファラジン（サラゾピリン®），メサラジン（ペンタサ®）などのアミノサリチル酸製剤や，ステロイド剤，免疫調整剤の投与により栄養素の吸収阻害が存在することがある.

■アセスメント・モニタリングの項目

① 栄養摂取量調査を行い，栄養素不足の有無を確認する.
② 身体計測
- 体重測定により，%IBW，%UBW，体重減少率などを評価する.
- 上腕三頭筋背側部皮下脂肪厚（TSF）から体脂肪量の過少を評価する. また，上腕周囲長（AC）・上腕筋周囲長（AMC）から%AMCを算出し，筋たんぱくを評価し，栄養状態を判断する.
③ 検査
- 血液検査：白血球数，赤血球数，Hb，Ht
- 血液生化学検査：TP，Alb，T-Chol，TG，コリンエステラーゼ，トランスフェリン，プレアルブミン，レチノール結合たんぱく，ビタミンA・D・E・K・B_{12}，葉酸，銅，カルシウム，マグネシウム，鉄，亜鉛
- 炎症反応：血沈（ESR），CRP

3 — 栄養食事管理と管理目標

▶栄養食事療法は補助的手段として位置づけられ，病期により対応は異なる.
▶腸管の安静を保つためには低脂質・低残渣とするが，寛解期にはバランスのよい食事とする.
① 活動期は低栄養状態になることがあり，腸管の安静を保ちながら中心静脈栄養や経腸栄養により栄養補給を行う.
② 寛解移行期は全身の栄養状態の改善を図る.
③ 活動期・寛解移行期は，高エネルギー・高たんぱく質・高ビタミン，低脂質・低残渣とする. 易消化性の食事とする.
④ 寛解維持期は，バランスのよい食事とし暴飲暴食を避ける.

a 栄養素処方

① エネルギー：35〜40 kcal/理想体重kg/日
② たんぱく質：1.2〜1.5 g/理想体重kg/日
③ 脂質：腸管の安静を保つために，寛解移行期には50 g以下/日とする.
④ 食物繊維：活動期や寛解移行期，狭窄がある場合は制限し10 g/日以下とするが，それ以外は制限の必要はない.

■ 表Ⅵ-1-2　低残渣食（例）

	五分粥低残渣食		全粥低残渣食		低残渣食（米飯軟菜）		
エネルギー　(kcal)	1,400	1,500	1,700	1,900	1,600	2,000	2,400
たんぱく質　(g)	70	70	80	80	70	80	90
脂質　(g)	40	40	50	60	40	50	60
糖質　(g)	190	215	230	260	245	310	375
非水溶性食物繊維　(g)	10	10	10	10	10	10	10

（北里大学東病院より．野口球子氏提供）

⑤ビタミン・ミネラル：「日本人の食事摂取基準」以上
⑥寛解移行期・寛解期の栄養基準（低残渣食）の例を表Ⅵ-1-2に示す．

b 食品・料理・献立の調整

▶病状や病期により対応する．基本的に禁止すべき食品はないが，患者により体調を悪化させる食品は異なるので，患者の自己観察による把握が必要．

●推奨される食品
▶ビフィズス菌発酵乳：潰瘍性大腸炎患者の腸粘膜ビフィズス菌数は健常人の半分以下であるという報告がある．ビフィズス菌発酵乳は腸内細菌叢改善に有用であると認識されつつある．

●注意する食品
▶下痢症状軽減のために，脂質や非水溶性食物繊維の多い食品，香辛料などを多く使用する料理を制限する．
▶牛乳・乳製品は，ミルクアレルギーや乳糖不耐症がある場合は禁止するが，これらがない場合はたんぱく質源として使用してよい．

c 栄養指導

■ 指導のポイント

▶必要以上の食事制限はストレスの原因となり症状の悪化を招くこともあるので，患者の状態を観察しながら進めるとともに，患者自身が病期や症状により適切に自己管理できるよう導く．
①病変は大腸に限局されるが，病変部位により症状・経過の個人差が大であり食事療法も異なることを理解し対処する．
②患者は若年発症が多いので，家族も含め長期的な精神面のフォローアップが大切である．
③寛解期は普通の生活ができることへの理解を促し，患者の不安を取り除くよう対応する．

4─栄養食事療法の効果・判定

▶栄養食事指導後とくに活動期から寛解移行期においては，栄養評価を行い，併せて問診や食事摂取記録により制限が守られているかを確認する．
▶寛解維持期においては，栄養・食事摂取がバランスのとれたものとなっているかを確認する．

2 クローン病

1 疾患の概要

- 主として若い成人にみられ，口腔から肛門にいたる消化管のあらゆる部分に起こりうる原因不明の慢性炎症性腸疾患であり，再燃と寛解を繰り返す．
- 非特異性炎症が回盲部中心に認められる．
- 腸管合併症として，瘻孔，穿孔，狭窄，膿瘍などをきたす．
- 病変範囲より「小腸型」「小腸大腸型」「大腸型」に分ける（図Ⅵ-2-1）．

2 病因

- 原因は不明であるが，近年は遺伝的背景に基づく腸管内容物（食事成分，腸内細菌など腸管内の環境因子）に対する腸管粘膜の異常反応にともなって生じると推定されている．

3 疫学

- 患者数は増加の一途をたどっており，約40,000人と推計（2017年度指定難病医療受給者証交付件数41,608人）されている．好発年齢は10歳代後半〜20歳代に多い．男性は20〜24歳，女性は15〜19歳にピークがみられる．男女比は約2：1である．
- わが国のクローン病発生頻度は，動物性たんぱく質およびミルクたんぱく質の摂取量の増加との間に高度の正の相関関係が，脂質・動物性脂肪の摂取量の増加とも正の相関関係が認められる．また，n-6系多価不飽和脂肪酸の摂取増加とは逆のn-3系多価不飽和脂肪酸の摂取低下によるn-3/n-6比の低下に関連があることが示唆されている．一方，食物繊維の摂取量の低下はクローン病の発生頻度と逆相関している．

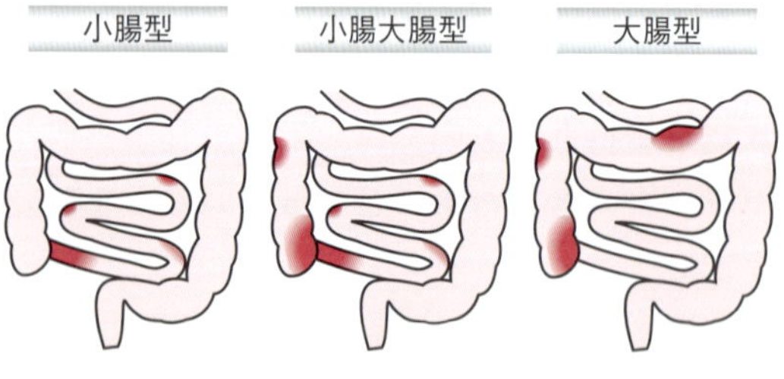

4 症状

- 病変部位や範囲によるが，下痢，腹痛，発熱，体重減少を四主徴とするほか，肛門病変，上部消化管病変，口腔アフタ，貧血，栄養障害，関節炎・虹彩炎・肝障害などを合併する．
- 病勢は，活動性の総合評価指標であるIOIBDスコア，CDAIで評価し，「活動期」と「寛解期」に分ける（表Ⅵ-2-1, 2）．

5 診断基準

- 厚生労働省研究班による診断基準が広く利用されている．内視鏡または消化管造影および病理組織学的所見をもとに確認する．
- 主要所見では，A：消化管病変，B：敷石像，C：非乾酪性類上皮細胞肉芽腫よりなる．副所見は，a：縦列する不整形潰瘍またはアフ

■ 図Ⅵ-2-1 クローン病の病型

MEMO
再燃：わずかに残存した病変が増悪し，進展する状態．
寛解：症状がなく良い状態．
瘻孔：腸管どうしや，腸管と膀胱などが穴や管でつながり，トンネル状になった状態．
穿孔：深い潰瘍ができて臓器に穴があくこと．

IOIBDスコア：1984年 International Organization for the Study of Inflammatory Bowel Diseaseにより作成されたクローン病の臨床的重症度の評価法．CDAIとよく相関し，計算が簡単なためわが国では広く用いられている．

■ 表Ⅵ-2-1　IOIBDアセスメントスコア

1. 腹痛
2. 1日6回以上の下痢または粘血便
3. 肛門病変
4. 瘻孔
5. その他の合併症
6. 腹部腫瘤
7. 体重減少
8. 38℃以上の発熱
9. 腹部圧痛
10. 10g/dL以下の血色素

- 各1項目のスコアを1点とする
- 0または1点で，CRPや赤血球沈降速度が正常であれば寛解期
- 2点以上は活動期

■ 表Ⅵ-2-2　クローン病活動性分類（CDAI）

1	過去1週間の水様または泥状便の回数	（　）×2
2	過去1週間の腹痛 （下記スコアで腹痛の状態を毎日評価し7日間を合計） 0＝なし，1＝軽度，2＝中等度，3＝高度	（　）×5
3	過去1週間の主観的な一般状態 （下記スコアで一般状態を毎日評価し7日間を合計） 0＝なし，1＝軽度，2＝中等度，3＝高度	（　）×7
4	患者が現在もっている下記項目の数 1）関節炎/関節痛 2）虹彩炎/ブドウ膜炎 3）結節性紅斑/壊疽性膿皮症/アフタ性口内炎 4）裂肛，痔瘻または肛門周囲膿瘍 5）その他の瘻孔 6）過去1週間の37.8℃以上の発熱	（　）×20
5	下痢に対してロペミン®またはオピアトの服薬 0＝なし，1＝あり	（　）×30
6	腹部腫瘤 0＝なし，2＝疑い，5＝確実にあり	（　）×10
7	ヘマトクリット（Ht） 男性（47－Ht），女性（42－Ht）	（　）×6
8	体重：標準体重 100×（1－体重/標準体重）	（　）×1
	Total	
CDAIは，1～8のスコアの合計 150以下：非活動期　150以上：活動期		

タ，b：上部消化管と下部消化管の両者に認められる不整形潰瘍またはアフタである．

▶確診例は，主要所見のAまたはBを有するもの，主要所見のCと副所見のいずれか1つを有するものとされている．

6　治療

1―治療の原則

▶いまだクローン病を完治させる治療法はない．

▶治療の目的は，クローン病の活動性をコントロールし，患者のQOL（生活の質）を高めることにある．また狭窄や瘻孔形成などの合併症は，患者のQOLに影響するので，その治療や予防が重要である．

▶治療にあたっては，患者にクローン病がどのような病気であるかをよく説明し，患者個々の社会的背景や環境を十分考慮したうえで，治療法を選択し，エビデンスとともに患者に提示して話し合い決定する．

▶治療の決定には，重症度が重要であるが，重症度は活動度，合併症，疾患パターン（炎症型，狭窄型，瘻孔型）と炎症度合いを加味して決定される．さらに寛解期であっても継続的に治療を行うことが重要とされている．

▶発症早期や再発早期に積極的に治療を行うことは重要と考えられている．

2―治療法

▶栄養療法と薬物療法などの内科的治療法と外科的治療法があり，単独あるいは組み合わせて栄養状態を維持し，症状を抑え，炎症の再燃を予防する．

MEMO

CDAI（→p.410）：Crohn's Disease Activity Index（クローン病活動性分類）の略．

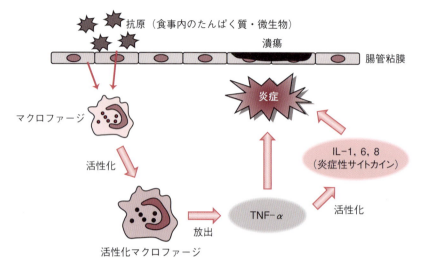

■図Ⅵ-2-2　TNF-αによるクローン病発症のメカニズム（仮説）
(Sands BE, et al：Inflammatory Bowel Dis 3：95, 1997より)

▶多くは外来治療により日常生活や就学・就労が可能であるが，重症あるいは頻回に再燃し外来治療で症状の改善が得られない場合は，入院や外科的治療を考慮する．

■栄養療法
▶栄養療法は，栄養状態の改善のみならず腸管の炎症や潰瘍も改善する効果がある．
▶寛解導入後は寛解維持および術後再発防止を目的に，在宅経腸栄養療法を行う．

■薬物療法
①軽症から中等症に対しては，**5-アミノサリチル酸製剤**（ペンタサ®，サラゾピリン®）が第一選択薬として用いられる．
②①で改善がない場合，**ステロイド**（プレドニゾロン）を用いる．
③ステロイドの効果が不十分，またはステロイド依存例の場合，**免疫調整剤**（イムラン®，アザニン®）を用いることもある．
④**抗TNF-α抗体製剤**（レミケード®）は，クローン病の炎症のもとになっているTNF-αの作用を選択的に抑える治療薬である．5-アミノサリチル酸製剤，ステロイド，免疫調整剤や栄養療法でも効果が認められない中等症から重症の患者に用いる．

■外科療法
▶穿孔，大出血，腹腔内膿瘍，腸管狭窄，瘻孔など，救命救急的処置，内科的治療が困難な合併症などに対して施行する．

7　栄養生理

▶クローン病の原因はいまだ明らかにされていない．遺伝的素因を有する固体に食事などさまざまな環境因子が関与して，腸粘膜の免疫系の調節機構が障害されて炎症が生じるというのが現在の国際的なコンセンサスである．
▶健常者において，たんぱく質はアミノ酸・ペプチドまで分解され小腸上皮細胞から吸収されるが，クローン病患者では粘膜透過性の亢進と免疫反応の異常（たんぱく質に対して抗原反応を示す）が炎症を悪化させると考えられている．

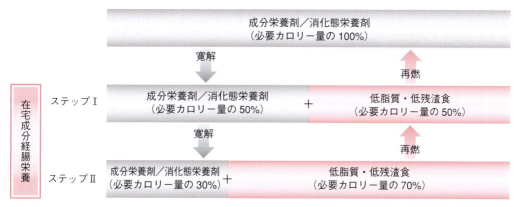

■図Ⅵ-2-3　クローン病におけるスライド方式在宅成分経腸栄養療法（HEEH）
（松枝 啓：スライド方式に基づくHome EDの臨床的意義．JJPEN 10(2)：220-229，1998より）

▶すなわち，クローン病患者では未消化なたんぱく質や腸内細菌，ウイルスなどが腸粘膜を通過しマクロファージを刺激する．活性化したマクロファージはサイトカイン（炎症性物質）を分泌し潰瘍を形成すると考えられている（図Ⅵ-2-2）．
▶TNF-αは代表的な炎症性サイトカインであり，炎症惹起に作用するIL-1, 6, 8などの各種サイトカインの調節・産生に中心的役割を果たす．
▶n-6系多価不飽和脂肪酸は，炎症惹起性のエイコサノイド（プロスタグランジン，ロイコトリエン，トロンボキサンなど）の原料として利用され，腸管粘膜の炎症を悪化させる．さらにロイコトリエンB_4を生成し，活性酸素の活性を高め，有害な酵素を出し，腸管粘膜の炎症を促進させる．

8 栄養食事療法

1―基本方針

▶栄養状態の改善のみならず，腸管の安静と食事中の抗原（食事内のたんぱく質など）を取り除くことで，症状の改善と消化管病変の改善を目標とする．

■完全静脈栄養法（TPN）
▶著しい狭窄や腫瘍などがあり，腸管が使用不可能な場合に行う．
▶重症例では，絶食してTPNによる栄養補給を行う．

■経腸栄養法
▶腸管は使用できるが食事摂取が不可能な場合に行う．
▶成分栄養剤あるいは消化態栄養剤を用いた経腸栄養法は，病勢の鎮静化と栄養状態の改善に有用である．
▶経鼻経管投与，経口投与がある．

■成分栄養剤と低残渣・低脂質食の併用
▶食事摂取可能で寛解維持を目的とする場合は，成分栄養剤あるいは消化態栄養剤と低残渣・低脂質食の併用を基本とする．
▶寛解維持の治療は，成分栄養剤あるいは消化態栄養剤と経口摂取する食事の比率を病勢に応じて適宜変更する．スライド方式に基づく在宅成分経腸栄養療法（図Ⅵ-2-3）を行う．

マクロファージ：白血球の一つ．免疫システムの一部を担うアメーバー状の細胞で，生体内に侵入した細菌・ウイルス，または死んだ細胞を捕食し消化する．

スライド方式：体調に合わせて，必要エネルギーのうち成分栄養剤で摂取する割合を変えていく方法．

▶**在宅成分経腸栄養療法**は，日中は低脂質・低残渣食を摂取し，夜間に自己挿入したチューブより成分栄養剤または消化態栄養剤を注入する．

▶1日摂取エネルギーの半分以上に相当する成分栄養剤や消化態栄養剤の投与は寛解維持に有用である．栄養剤の投与や選択にあたっては，患者個々のQOLやADL，受容性などを考慮すべきである．

▶1日維持投与量として35 kcal/理想体重kg/日を投与する．

2―栄養アセスメント

■クローン病患者の栄養状態のポイント

▶活動期には腹痛・下痢などの症状により食事摂取量が減少する．

▶小腸病変による消化吸収障害や，潰瘍やびらん面からのたんぱく漏出により，PEM病態となる．

▶発熱などによる異化亢進がある．

▶長期にわたり成分栄養剤による栄養療法を行う場合には，必須脂肪酸やセレンを含む微量元素の欠乏を認めることがある．

▶薬剤と食事との相互作用により栄養障害が起こりやすい．

■アセスメント項目

① 視診・触診：亜鉛欠乏，必須脂肪酸欠乏，ビタミン欠乏症などを評価．

② 栄養摂取量調査は，経腸栄養剤と食事摂取量の両方から行う．

③ 身体計測
- 体重測定により，%IBW，%UBW，体重減少率などを評価する．
- 上腕三頭筋背側部皮下脂肪厚（TSF）から体脂肪量の過少を評価する．また，上腕周囲長（AC）・上腕筋周囲長（AMC）から%AMCを算出し，筋たんぱくを評価し，栄養状態を判断する．

④ 検査
- 血液検査：白血球数，赤血球数，Hb，Ht
- 血液生化学検査：TP，Alb，T-Chol，TG，コリンエステラーゼ，トランスフェリン，プレアルブミン，レチノール結合たんぱく，ビタミンA・D・E・K・B_{12}，葉酸，銅，カルシウム，マグネシウム，鉄，セレン，亜鉛
- 炎症反応：血沈（ESR），CRP

■ 表Ⅵ-2-3 クローン病の病期別栄養療法の基本

活動期	腸管安静のため絶食
寛解移行期	成分栄養剤＋低脂質・低残渣食 食事は指示量の範囲で，易消化性，低脂質・低残渣とする
寛解期	成分栄養剤と低脂質・低残渣食の割合を調整 食事は指示量の範囲でライフスタイルに合わせ調整する

3―栄養食事管理と管理目標

▶病期別に適した栄養管理を実施する．表Ⅵ-2-3はクローン病の病期別栄養療法の基本である．

▶病状が安定するまでは消化管への負担の少ない栄養剤を活用する．

▶在宅での栄養管理を目指す．

a 栄養素処方

■活動期から寛解導入時の栄養療法

① エネルギー：35〜40 kcal/理想体重kg/日を目安にする．

② たんぱく質量（窒素源）：たんぱく漏出や代謝亢進があるため1.5〜2.0 g/体重kg/

MEMO

PEM（protein energy malnutrition）：たんぱく質・エネルギー栄養不良

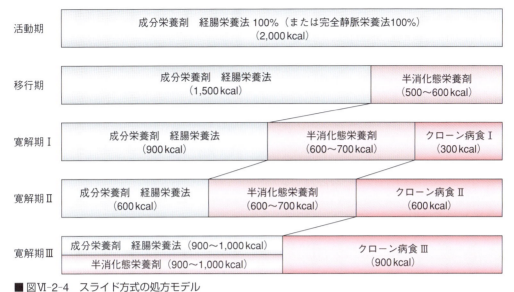

■図Ⅵ-2-4　スライド方式の処方モデル

（北里大学東病院より，野口球子氏提供）

日を目安とする．
③炭水化物：非たんぱく質エネルギーは糖質を主体に補い，経腸的な脂質投与は最小限とする．
④活動期は必須脂肪酸の欠乏を予防するために，経静脈的に脂肪乳剤を投与する．
⑤ビタミン・ミネラル：「日本人の食事摂取基準」の推奨量あるいは目安量以上とする．
⑥食物繊維
- 非水溶性食物繊維は小腸粘膜に物理的刺激を与え粘膜剥離を促進するため制限する．また，狭窄がある場合は腸閉塞の危険性があること，活動期は下痢回数が増えることなどから，非水溶性食物繊維の摂取を制限する．
- 水溶性食物繊維は，水分吸収，胆汁酸吸着能があり，便中の水分を吸収し下痢を軽減する作用を有する．

⑦その他の留意点
- 経管投与する場合は，高浸透圧性の下痢を予防するために0.5 kcal/mLの低濃度から開始し，徐々に濃度・投与量を増やす．
- 成分栄養剤長期投与による脂溶性ビタミンや亜鉛，銅，セレンなど微量成分の欠乏に留意する．

■**寛解期の栄養療法**（図Ⅵ-2-4，表Ⅵ-2-4）
①成分栄養剤と低脂質・低残渣食，または飲みやすい半消化態栄養剤とする．経口食を徐々に増やしていくが，再燃した場合には

■表Ⅵ-2-4　栄養剤の比較

	成分栄養剤	消化態栄養剤	半消化態栄養剤
窒素源	アミノ酸	ペプチド	たんぱく質
糖質	デキストリン	デキストリン	デキストリン
脂質	ごく少量	少量	比較的多い
消化	不要	不要	必要
味・香り	不良	不良	良好
浸透圧	高い	やや高い	低い
おもな栄養剤	エレンタール	ツインライン	ラコール エンシュア

非水溶性食物繊維：植物の細胞壁の構造物が中心．水に溶けず，水分を吸収し便の嵩を増加する．

水溶性食物繊維：植物の細胞内にある貯蔵物質や分泌物で，水に溶け，食品の水分を吸収してゲル化（ゼリー状）する．

経口食を中止する．
②脂質：1日の脂質摂取量が30g以上になると再燃率が高いことが明らかになっているので，経腸栄養剤を含め1日の脂質摂取量は30g未満とする．

b 食品・料理・献立の調整

▶基本は成分栄養療法であるため食事の許容量は少量である．患者の嗜好や食事に対する姿勢を考慮し食事計画を立てることが大切である．

▶寛解移行期（入院治療中）は五分粥食とするが，食事の硬軟度は患者の状態をみながら上げていく．

▶患者は若い成人が多いことから揚げ物や炒め物など油の使用量の多い料理を好む傾向がある．調理においては，低脂質で患者の嗜好を満足させる工夫が必要である．

■ **クローン病食（低脂質・低残渣食）栄養基準**
表Ⅵ-2-5を参照．

■ **食品**

▶基本的に禁止すべき食品はないが，患者により固有の抗原性食品を有する（食べると調子が悪くなる）ことがあるので患者自身による観察を勧め対応する．

● 推奨される食品

①脂質含有量や非水溶性食物繊維含有量に留意し使用量を調整する．

②n-3系多価不飽和脂肪酸（α-リノレン酸，EPA，DHA）には，飽和脂肪酸やn-6系多価不飽和脂肪酸を摂取した際のエイコサノイド，ロイコトリエンB_4の生成を抑える働きがあるとされることから，脂質制限の範囲でこれを多く含む食品を組み入れn-3系/n-6系比を高めるようにする．

（n-3系多価不飽和脂肪酸を多く含む食品　例：しそ油，いわし，あじ，さば，ぶり，さんまほか）

③米，うどん，皮を除いた鶏肉，魚類，果物，ジュース，ヨーグルト（低脂質）など

● 注意する食品

①油脂類（n-6系多価不飽和脂肪酸を多く含む食品：紅花油，ひまわり油，大豆油などリノール酸が多い）

②玄米，ラーメン，コーンフレーク，豆類，海藻類，きのこ類，繊維の多い野菜，アルコール飲料など

c 栄養指導

■ **指導のポイント**

①寛解を維持しながら社会生活を営み，QOLを改善し向上させていくためには，適切な栄養療法の継続が重要である．しかし，長期にわたり再燃と寛解を繰り返す病態において患者が栄養療法を継続していくためには医療側の工夫や支援が必要である．栄養指導はその支援の一環として行う．

②表Ⅵ-2-6に病期別栄養療法と教育目標の例をあげる．

③栄養指導は身近な食事をテーマに実施する

■ 表Ⅵ-2-5　クローン病食栄養基準

	寛解期		
	Ⅰ	Ⅱ	Ⅲ
エネルギー (kcal)	300	600	900
たんぱく質 (g)	15〜20	35	45
脂質 (g)	3〜5	10	15
糖質 (g)	50	100	150
食物繊維 (g)	2	5	7

（北里大学東病院より．野口球子氏提供）

■ 表Ⅵ-2-6 病期別教育目標

病期	栄養療法	目標
活動期	入院・絶食 TPN開始 成分栄養法開始	1. 疾病・栄養療法の理解 2. 経腸栄養療法導入 　経鼻経管栄養法の啓発
寛解移行期	成分栄養法 ＋ 低脂質・低残渣食開始	栄養療法の目的，低脂質・低残渣食の必要性を理解する
寛解期	成分栄養法 ＋ 低脂質・低残渣食 ステップアップ	1. 社会生活に対応するために食生活を自己管理できる 2. 適正な栄養療法を継続できる 3. 基本は成分栄養法であることを再確認する 4. 固有の抗原性食品を知る（自己観察）

（北里大学東病院より，野口球子氏提供）

ものであるだけに，患者の生活環境や精神状態の変化などを把握する契機となる．面接指導においては患者が発する信号をキャッチし，医師やコメディカルが連携して再燃を未然に防止にするよう対応する．

▶患者が栄養療法を継続できなくなる背景を理解し，時機を見計らったフォローアップを行う．

①自覚症状の消失や強弱により患者の受療行動は不安定になりやすく，治療を中断することがある．

②性急な回復への期待から，民間療法や健康食品を求める行動に移ることがある．

③進学・就職・結婚などライフステージにおける生活環境の変化は，栄養療法の継続を阻む要因になりやすい．

▶栄養指導は，患者が食生活を自己管理できるようになることを目指す．指導にあたっては以下のことを考慮する．

①社会生活状況を把握し，実行できる方法について患者・家族とともに考える．

②食事許容量に対し食習慣や嗜好を考慮するとともに，食生活改善を視野に入れた食品構成を提示する．

③「食品選択の基準」を説明する．

● 食品選択は禁止ではなく，いかにして食事を楽しむかを指向する．

● 調理の工夫・外食・市販食品の利用などについて助言する．

4 栄養食事療法の効果・判定

▶クローン病ではさまざまな要因によって栄養障害がみられることが多い．栄養食事指導後は定期的に栄養評価を行い，併せて制限下における食生活が改善されているか否かを問診や食事摂取記録により評価する．また経腸栄養剤が処方どおりに摂取できているか，食事を含む総栄養摂取量が指示量を充足しているかなどを評価の目安とする．

補遺 Appendix　たんぱく漏出性胃腸症・過敏性腸症候群

たんぱく漏出性胃腸症

■概要
▶血液中のたんぱく質，とくにアルブミンが胃腸管壁を通過し管腔内へ異常に漏れ出ることで，低たんぱく血症をきたす．漏出の原因は，腸リンパ系異常，毛細血管透過性の亢進，胃腸管粘膜上皮の異常や潰瘍などである．
▶原因疾患は，潰瘍性大腸炎，クローン病などの炎症性腸疾患，アレルギー性胃腸炎，腫瘍，腸管感染症，リウマチ疾患，心疾患などである．

■症状
▶低たんぱく血症にともなう浮腫がみられる．

■検査・診断
▶血液中のたんぱく質低下と，たんぱくの胃腸管内への漏出を確認する．たんぱくの漏出はα_1-アンチトリプシンがどの程度，腸管に漏出されるかを調べる．
▶原因となる疾患をみつけるため，X線検査，内視鏡検査，生検，リンパ管造影が行われる．

■治療
▶原因疾患の治療が優先される．利尿薬，アルブミン製剤を服用するほか，アレルギーや炎症性腸疾患には副腎皮質ステロイドが大きな効果を発揮することがある．
▶栄養食事療法としては，低脂質・高たんぱく質の食品，腸での吸収が早い中鎖脂肪酸食品が勧められる．
▶広範囲な病変をともなうが，漏出部位が同定できれば手術が検討される．

過敏性腸症候群

■概要
▶精神的ストレスなどが誘因となって腸管の機能異常により，腹部症状や便通異常をきたす症候群である．

■病因・病態
▶不安，緊張，ストレスなどの心理的要因によって影響される．身体的要因では，腸管平滑筋の過敏性や，自律神経の異常も指摘されている．

■症状
▶下痢と便秘を繰り返すことが多いが，下痢症状が多い下痢型や，便秘症状が多い便秘型，下痢と便秘の混合型に分けられる．
▶便意を頻回にもよおし，残便感，腹部不快，膨満感，腹鳴，腹痛がみられる．症状は何度も繰り返し，3週間程度続くこともある．
▶不安，緊張，ストレス，うつ状態などの精神症状をともなうケース（症例）がある．

■診断
▶器質的疾患は除外する．腹痛をともなう下痢や便秘を繰り返し，腹鳴や残便感があり，症状は心理的要因に左右される．

■治療
▶精神症状に対する治療も並行し，薬物療法として消化管機能調節薬や抗不安薬，抗うつ薬を用いることもある．
▶器質的原因による消化・吸収や栄養状態の低下は比較的少なく，ストレスや過度の不安などによる摂食量の低下を確認する．
▶下痢が激しい場合は，脱水や栄養状態の低下に対応する．
▶規則正しい食生活と生活リズムの確立への生活指導を行う．細かすぎる食事指示は，かえってストレスになるので注意する．十分な食物繊維の摂取により腸内環境を整えることが基本となる．

3 消化器の術前・術後

▶消化器領域の外科治療は，本来，ヒトが持っている摂食消化吸収に大きく影響を与えるため，ほかの領域とは異なった配慮が必要である．疾患治療の対象となる臓器と術前術後を通して栄養管理の対象となる臓器が同一のため，生体への影響，とくに損失が大きい分野である．

上部消化器

1 病態

▶消化器とは，食道，胃，小腸，大腸の消化管と肝臓，胆囊，胆管，膵臓などの消化臓器をさす．ここに発生した疾患を治療するために手術を行うが，大きく以下の5つの影響が生体に及ぶ．
①消化管狭窄や肝代謝障害などによる栄養障害．
②手術そのものによる生体への侵襲．
③周術期には麻酔にともなう危険回避を目的に食事を止めるため，これによる栄養障害．
④術後，手術操作を受けた消化器の安静を保つ目的で食止めにすることがあり，栄養障害に陥る．
⑤術後合併症による栄養障害．

1―消化管狭窄や肝代謝障害などによる栄養障害

▶食道癌や胃癌によって狭窄を起こしているときには，通常の固形食が通過しなくなる．流動食は通過することが多いが，十分な栄養量の確保ができなくなることが多いため，癌悪液質とともにるいそうの原因となる．

▶狭窄によって起きる口側の通過障害を腸閉塞というが，完全閉塞の場合にはここからの栄養投与が不可能なだけではなく，唾液や胃液などの減少，排液が必要となる．

▶小腸の病変では，内腔の狭窄だけではなく，腸管の屈曲や捻転，絞扼など複雑な変化による脱水症などによる生体への侵襲と，機能の低下した腸管へは食事が投与できないことによる消耗を考慮しなければならない．

▶また，基礎疾患として肝機能障害があると周術期に投与された栄養素が十分に利用されず，高血糖や高窒素血症などに陥るため，十分な評価と血液データのモニタリングが必要である．

2―手術そのものによる生体への侵襲

▶**手術侵襲**は視床下部‐下垂体系の生体反応を惹起し，アドレナリン，ノルアドレナリン，ドーパミン，ACTHなどのストレスホルモンやIL-1，IL-6，TNF-αなどの炎症性**サイトカイン**が分泌され，糖代謝，たんぱく代謝に変化が現れる．

▶手術侵襲は内因性のエネルギー動員を誘導するため，筋肉が**糖新生**などに利用され，血糖値は高くなる傾向を示す．一般に，侵襲の大きい手術ほどこの反応は大きくなり，継続時間も術後48時間以上と長くなる．

▶開腹術では直接，腹腔内臓器に接触することも影響し，腹腔内の炎症反応惹起と腸管の

MEMO

侵襲：（⇒p.20参照）　　　サイトカイン：（⇒p.11参照）

■ 図Ⅵ-3-1　従来型管理とERASプロトコール型管理の基本コンセプトの違い
(谷口英喜：ERAS (enhanced recovery after surgery). 栄養-評価と治療 25(6)：528-532, 2008 より)

蠕動抑制が出現する．小腸の蠕動は術直後から再開されるが，胃は24時間後，大腸は3～5日後の再開となるため，術後早期経腸栄養法は小腸への投与なら可能となる．

3─食止めによる栄養障害

▶全身麻酔の導入時に，胃の残留物を嘔吐すると窒息や肺炎の原因となるため，きわめて危険である．これを防止するために，術前には食止め🔖として食事をとらないようにして準備する．

▶最近では液体なら2～3時間前まで摂取可能とする施設が増えたが，多くの施設では麻酔導入数時間前から食事を止めるため，術後の食止めとあわせると数日間は栄養補給が不十分となることを意識しなければならない．

4─消化器の手術で臓器が使用できないための栄養障害

▶消化器手術では，疾患治療として直接消化器に操作が加わるため，使用できない期間が生まれる．最近では，術後第1病日に食事を開始する施設があるが，吻合部の安静を保つため，1日～数日間にわたって消化管を使わない施設も多い．

5─術後合併症による栄養障害

▶術後出血や縫合不全などで侵襲が続くと生体は消耗し，これから回復していくためには十分な栄養補給を要する．

▶しかし，上記の理由で事前のルート確保が行われていないと，急場をしのぐ栄養補給を継続することとなる．

2　栄養ケア

▶経験的に伝承されてきた従来の管理から，エビデンスに基づいたERAS (enhanced recovery after surgery：術後の回復力を高める) プロトコールの概念が，栄養ケアの領域にも導入され始めた（図Ⅵ-3-1, 表Ⅵ-3-1）．

1─術　前

▶栄養ケアとしては栄養ルートの選択がきわ

📝**MEMO**

食止め：人間を含めた哺乳類は1日数回の食事をすることで生体機能を維持している．これを何かしらの目的で止めることを「食止め」といい，1食でも食止めということから断食とは異なる．

縫合不全：切離された腸管同士を縫いつなぐことを吻合というが，吻合部が癒合していないことから，新たに内腔を消化物などが通過するときに外へ漏れ出して腹膜炎を起こす状態．

■ 表Ⅵ-3-1　ERASプロトコールに関連した栄養関係のエビデンス

絶飲食の弊害
● インスリン抵抗性増強
● 患者ストレス増大
● 消化管機能低下および回復の遅れ
● 空腹・口渇

糖質負荷の有用性
● インスリン抵抗性軽減
● 周術期耐糖能の安定化
● 患者ストレス軽減

消化管の機械的前処置（消化管洗浄）により，術後縫合不全は増加する

めて重要である．病態が把握できるまでは経口摂取を制限し，腸管が使用できると判定されたら経口・経腸投与による補給を開始する．
▶ 短期間の補助栄養法は**末梢静脈栄養法**（PPN：peripheral parenteral nutrition）で十分であるが，いたずらに期間が延長することに注意しなければならない．
▶ 腸管の使用が禁忌となる病状は，激しい嘔吐，激しい下痢，腸閉塞，汎発性腹膜炎，腸管虚血であり，それ以外の病態では，常に腸管の使用が可能か否かを考慮するべきで，「念のため」に腸管を使用しないときに発生する有害事象には常に気をつけなければならない．
▶ 腸管が使用できないとき，比較的多くのエネルギー量を投与するときには**完全静脈栄養補給法（TPN🖉）**を選択する．
▶ 食道や胃の狭窄がある場合，通常の固形食は通過しなくても，流動物が通過するときには，濃厚流動食や経管栄養剤を用いて工夫する．咀嚼・嚥下機能に問題がない場合には，これで多くが対応可能だが，狭窄部にカテーテルを挿入し，狭窄部の肛門側への**経管栄養**を行う必要がある症例も存在する．
▶ 食道癌に対して，術前に放射線療法や化学療法を行う場合，上記カテーテルを経鼻ルートで留置する期間が長くなることもあるので，胃瘻造設を行い，経管栄養による管理を行うことがある．この場合には，プル法やプッシュ法ではなくイントロデューサー法による**経皮内視鏡的胃瘻造設術**（PEG：percutaneous endoscopic gastrostomy）や開腹術による胃瘻造設術が選択されるが，食道を摘出した後に胃管で再建する場合を想定して胃瘻造設しない施設も多い（図Ⅵ-3-2，3）．術前はTPNや経鼻胃管による経管栄養，または直接の**小腸瘻造設**（direct PEJや二期的手術を想定した開腹による小腸瘻造設）も選択肢となる．
▶ 狭窄部が胃からさらに肛門側となると，細くて長い内視鏡が一般的でないため，経皮内視鏡的な消化管瘻造設が困難となるため，一般的にはTPNが選択される．胃よりも肛門側の腸閉塞は原則としてTPNの適応となり，口側の減圧を行いながら絶食とする．

2─術中

▶ 手術中は麻酔管理が優先されるため，栄養管理は行われないが，術後の管理を行うための準備は大切である．胃瘻造設や小腸瘻造設，予防的な小腸・大腸のストーマ造設などは，術後栄養管理を安全に有効に行うための大切な準備である．
▶ 術後の代謝異常を小さく抑え，合併症を減らすために，術前準備として**immunonutrient（免疫栄養剤🖉）**を投与したり，ステロイドホルモンの注射を行ったりする予防的治療は，一般に行われるようになったが，術中管理に関してはまだ研究段階である．

📝**MEMO**

TPN（total parenteral nutrition）：完全静脈栄養のこと．基本的には上大静脈にカテーテルの先端を置くことから「中心静脈栄養法」とよばれる．これを，あえてcTPNとよぶ国もある．

免疫栄養剤：炎症などの全身反応を制御し，侵襲からの回復をスムースにする能力をもった栄養剤のこと．

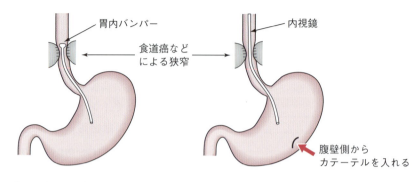

■ 図Ⅵ-3-2　食道狭窄症における経皮内視鏡的胃瘻造設術（PEG）

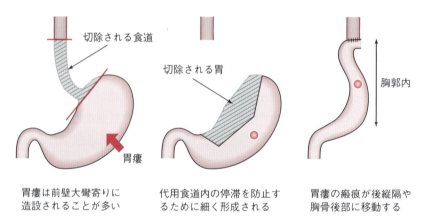

■ 図Ⅵ-3-3　胃を用いた代用食道と術前胃瘻造設

3―術 後

▶術後の栄養ケアとしては，投与ルートの選択がきわめて重要である．早期には循環動態を把握し，まずは絶食として，静脈栄養を選択する．術式と病状を判断し，腸管が使用できると判定されたら経口，経腸投与による補給を開始する．補助栄養法が短期間である場合はPPNで十分である．

▶経腸栄養をいつ開始するかということであるが，ASPENやESPENのガイドラインでは「循環動態が安定してから」と表現されている．腸管の使用が禁忌となる病状は，激しい嘔吐，激しい下痢，腸閉塞，汎発性腹膜炎，腸管虚血であり，それ以外の病態では，常に腸管の使用が可能か否かを考慮するべきで，腸管を使用しない期間は小腸粘膜が萎縮し，bacterial translocationなどの有害事象の危険があることを認識しなければならない．

▶予定どおりの経過で手術が完了した場合には，早期に経口摂取または経腸栄養を開始すると，生体が本来もっている能力を落とすことなく術後管理ができるため，有効であると

MEMO

ASPEN (American Society for Parenteral and Entenal Nutrition)：米国の静脈経腸栄養学会をさす．欧州にはESPEN，わが国にはJSPENがある．

いわれている．腸管が使用できないとき，比較的多くのエネルギーを投与するときにはTPNを選択する．具体的には縫合不全や術後腸閉塞などで，腸管を使用した栄養法が困難な場合が多い．

▶合併症がなく，咀嚼・嚥下機能に問題がない場合には流動食から開始して通常食へ比較的早期に移行できる．手術によって病変への治療が行われた後は，再建の状況と手術にともなう臓器障害が栄養療法決定の大きな因子となる．栄養の内容は侵襲反応にともなう代謝変動を考慮して，術後日数とともに変化させる．

▶手術侵襲から離脱すれば，一般的にいわれている必要量に見合うだけの栄養素を投与することとなるが，合併症，とくに感染症などが併発したときには，ストレス係数が大きくなるため，目標エネルギーや目標たんぱく質が大きくなる．しかし，輸液や経管栄養で投与されたエネルギーは十分に代謝利用されないことが多いため，控えめにコントロールすることが多い．侵襲にともなう**外科的糖尿病**を念頭におき，**血糖値**などを十分にモニターしながら適正な栄養素を投与する．

▶栄養療法は周術期管理の基本であり，合併症治療法ではない．したがって，施行する前に準備する内容が多いことを銘記しておく必要がある．

下部消化器（大腸癌）

1 病態

▶**大腸癌**は，下部消化管に発生する悪性腫瘍

であり，女性のがん死亡率の第1位となっている．発症部位によっては，症状が出にくいこともあるが，検診による便潜血から早期発見が進んでいる．がんの占拠部位が増すことにより症状が現れる．大腸癌の切除は**結腸癌手術**として，結腸右半切除，横行結腸切除，結腸左半切除，S状結腸切除と，直腸癌切除があり，切除部位により，術後症状や栄養管理のポイントも異なる．

▶術前症状でもがん発生部位で異なる．**左側結腸癌**では，便秘や下痢などの便通異常，腹痛，腹部膨満感，下血などの症状が現れるが，**右側結腸癌**（上行結腸癌）では，貧血やしこりなどの症状があり，初期では自覚症状が現れにくい．

▶大腸癌は，上部消化管の癌と異なり，経口摂取障害や，消化吸収障害が少ないため，低栄養の危険性は低いとされているが，癌ステージによっては，持続する下血による貧血や腹膜播種による栄養障害も起こるため，個々の病態と栄養状態を正しく評価することが重要である．また，外科治療に加え化学治療や放射線治療による栄養障害も考慮するが，ここでは外科治療に限定して述べる．

▶外科治療によって低栄養となることは少ないが，切除部位によって排便習慣が変化し，社会生活への影響は大きい．

▶結腸外科術後は軟便，下痢傾向が強いが，時間の経過とともに正常化する．直腸切除の場合は，肛門括約筋の温存の有無により人工肛門となるかが左右されるが，温存されても排便回数の増加や便失禁などに対するコントロールが重要となる．

MEMO

外科的糖尿病：術後には耐糖能が低下して血糖値が上昇傾向となるため，これを外科的糖尿病とよぶ．

2 栄養ケア

1―術前の栄養ケア

▶大腸癌術前は，低栄養への対応は少ないが，個々には下血からの貧血などもあるため，一律なケアはできない．SGA ODAの栄養評価により，低栄養の栄養診断の決定があれば，目標栄養量を達成するため，投与ルートと内容を決定するが，栄養介入の過程は，他の疾患と同様である．食事のみの栄養改善が難しければ，栄養剤の利用なども視野に入れる．検診による大腸癌診断後の治療では，体脂肪過剰，メタボリックシンドロームが存在するケースが多いため，外科治療までの栄養管理により，より安全な外科治療を目指す．エネルギー摂取量は，25 kcal/標準体重kgを目安にバランス食とする．ビタミン，ミネラルは「日本人の食事摂取基準」を満たすよう配慮する．外科治療までの期間がコントロール可能な範囲を決定するため，絶食療法や無理なダイエット計画は避ける．加えて症状があれば，苦痛が改善できるよう栄養食事指導を行う．腹部膨満感が強い場合は，ビールや炭酸飲料などの発泡性の飲料を避け，不溶性食物繊維や豆類の摂取を控え，ストレス解消に散歩なども取り入れ，リラックスした生活管理を勧める．可能な有酸素運動を続けることで，筋肉量の減少も防ぐ．

2―術後の栄養ケア

▶手術直後は，手術侵襲により循環動態が安定せず，異化期があるため，栄養投与量は徐々に増やしてゆくが，ERASプロトコールの導入により，経口摂取が早くなり，食形態の制限も少なくなっている傾向がある．しかしエビデンスが確立されていないため，現状では，各施設チームで検討，研究を進める必要がある．

▶大腸術後では，下痢，軟便傾向による脱水を予防することは栄養管理のなかでも重要である．排便コントロールは術後経過とともに安定するが，症状対策としての食事摂取へのアドバイスは，直接的栄養改善に加え，患者の不安解消となるため積極的な介入を行う．

▶術後は，癒着や通過障害の防止を中心にトラブル回避の食事のとり方を支援する．早食いの防止，1回の食事量を少しずつゆっくりと時間をかけ，咀嚼をしっかりと行うことが求められる．しかし禁止食品はないので，厳格すぎる食事指導はストレスの原因となり，逆効果も予測されるため，患者心理によりそう姿勢が大切である．

3―人工肛門（ストーマ・stoma）の栄養管理

▶ストーマには，消化管ストーマと人工膀胱としての尿路ストーマがある．消化管ストーマは，人工肛門として増設される部位により，コロストミー（colostmy）とイレオストミー（ileostmy）がある（図Ⅵ-3-4）．部位により，便の性状が異なるため，部位に合わせた栄養ケアが必要である．また，大腸癌の治療方針により，永久的ストーマと一時的ストーマがある．

■コロストミー

▶コロストミーは，結腸に造設された人工肛門である．S状結腸の場合は，通常便に近い形状である．

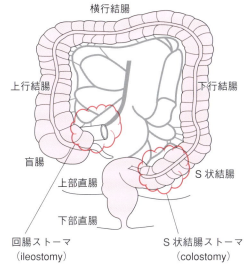

■図Ⅵ-3-4 人工肛門（ストーマ）

■イレオストミー

▶回腸に造設された人工肛門である．水分を多く含んだ水様便であるため，脱水に注意する．廃液量をチェックし，摂取水分量を確保する．また，消化液を含むアルカリ性の便により周辺皮膚が炎症を起こしやすいため，ケアに注意が必要である．下痢を誘発するような，高脂質食や高繊維食，アルコールやカフェイン，炭酸，豆・きのこ類は控える．

▶人工肛門の場合は，ガスを発生しやすいビールやいも類，肉類，根菜類，匂いがきついにんにくやねぎ類などは控え，不快を軽減するレモン水やヨーグルトなど乳酸菌の摂取が勧められる．食物繊維は腸管に溜まりやすいので，繊維に逆らって細かく切ったり，軟らかく調理することも効果的である．食事摂取時に取り込まれる空気は，早食いをすると増えるので，ゆっくりよく噛むことが重要である．ストーマのトラブル防止のため，急激な体重の増減や浮腫を予防する全身の栄養管理も視野に入れて栄養食事指導を行う．また，通勤や社会活動時間を考慮した食事時間と食事内容について，詳細にケアプランを実施する．

4―大腸術後の栄養食事指導

▶大腸術後では食事内容の制限がないことから，栄養食事指導への関心が他の消化管術後より薄いが，癒着防止や通過障害防止などの術後トラブルを予防することはもとより，再発防止への生活管理としてのアドバイスも含め重要である．術後外来日やストーマ外来日と並行し，栄養食事指導を実施する．

①大腸癌術後では，切除部位によらず，食品の選択よりよく噛む，ゆっくり食べる，1回のボリュームを控えめにする，など食べ方が重要である．

②標準体重や体重歴を考慮し，目標体重を設定し，エネルギー量，たんぱく質量，脂質量を決定し，食品構成としての目安量を指示する．エネルギー量を控えて栄養計画を行う場合，ビタミン，ミネラルの不足がないような食品構成とする．

③症状コントロールを中心とする体調管理がしやすいよう，具体的な食品のアドバイスを行う．

④生活リズムを整え，適正飲酒と禁煙を勧める．

4 消化管以外の術前・術後

▶胃や大腸など消化管以外に，肝胆膵疾患の周術期管理でも，術後合併症など手術を契機として起こる変化が顕著であったため，術者はこれを重大事と捉え，術式以外に周術期管理法としての解決方法を模索してきた．

1 術前

1─肝機能障害

▶肝硬変など慢性肝疾患を併発している場合には，分岐鎖アミノ酸（branched chain amino acid：BCAA）を積極的に用いた栄養管理を行い，血液凝固能やたんぱく質合成能を維持しながら術前準備を行う．また，肝予備能を正確に判定し，熱量の適正な投与，必要ならブドウ糖の持続的静脈注射を行って低血糖を予防する．

2─耐糖能障害

▶一般的な糖尿病の術前管理に準じて，術前管理を行うが，とくに膵臓疾患には膵内分泌障害による耐糖能障害がありうるため，定時的な血糖測定を行い，必要であれば，インスリンを用いたコントロールを行う．

3─消化吸収障害

▶外分泌機能障害によるたんぱく質吸収障害や脂肪吸収障害に対応するために，消化酵素製剤を併用した栄養療法やペプチドによるたんぱく源の投与や静脈栄養を行う．

4─黄疸

▶胆管癌や肝内肝外胆管結石症など胆道系疾患では閉塞性黄疸が発生し，術後肝機能障害などに影響するため，術前から**経皮経肝胆管ドレナージ**や**内視鏡的経鼻胆管ドレナージ**などの胆汁ドレナージが行われることがある．体外へ排出された胆汁は消化管閉塞がなければ経口で，閉塞がある場合は肛門側の腸管へ経管栄養ルートを使って戻すことで，免疫能の低下を防ぎ，bacterial translocationの抑制を試みる．また，これには脂肪吸収障害やビタミン欠乏を抑制する目的もあるが，戻さない場合には静脈栄養によって補充する必要がある．

5─消化管通過障害

▶膵腫瘍や肝門部胆管癌などが十二指腸に浸潤し，通過障害を起こしている場合には経口摂取を止め，胃内容の減圧と十二指腸肛門側からの経管栄養，または静脈栄養を行う．

2 術後

1─肝機能障害，脾機能亢進

▶緊急対応が必要な場合は新鮮凍結血漿や血小板輸血を行うが，一般にはできるだけ腸管を使ったBCAAの投与と**プレバイオティクス**，**プロバイオティクス**の投与を行い，腸管機能を維持しながら管理を行う．

📝 MEMO

経皮経肝胆管ドレナージ（percutaneous transhepatic biliary drainage：PTCD），**内視鏡的経鼻胆管ドレナージ**（endoscopic nasobiliary drainage：ENBD）：肝臓からの胆汁が十二指腸に分泌される途中に閉塞があると，閉塞性黄疸から肝機能障害や免疫能の障害に至る．うっ滞した胆汁を排出させることを目的としてPTCDやENBDを行う．

プレバイオティクス（prebiotics）：（⇒p.172参照）
プロバイオティクス（probiotics）：（⇒p.172参照）

2 — 耐糖能障害

▶細かい血糖測定とインスリンの投与を行う．不安定例では**持続的インスリン皮下注射**や**持続的インスリン静脈注射**を行う．とくに膵全摘術では自己インスリン分泌が不可能なため，必要であれば人工膵臓を使用する．

3 — 術後食の形態

▶術後食の形態については，消化管術後に用いられるそれが基準となっており，硬い物は吻合に悪影響があると考えられた結果，軟らかい食品，具体的には流動食が多用された．現在，たんぱく源やエネルギーを調整した濃厚流動食や経腸栄養剤などが多種販売されている．

4 — 食上げ

▶静脈栄養との併用により，固形食への移行が急がされることは少ない．わが国の消化管以外の術後食はやや日程が前倒しになるのみで，海外と比較して細かく**食上げ**が行われているのが現状である．最近では術後回復促進計画の一環として術後経口食開始が早くなっている．

5 — 経管栄養

▶膵頭十二指腸切除術など胃や小腸の吻合による再建が必要な手術の後は胃の手術に準じた食事管理が必要となるが，経口摂取が遅れる場合を想定して，胃空腸吻合，胆管空腸吻合，膵空腸吻合よりも肛門側にカテーテル先端を留置した経管栄養を使用する施設が多い．これは，腸を使った栄養管理が静脈栄養よりも優れていることが理由である．

> **MEMO**
>
> **持続的インスリン皮下注射**（continuously subcutaneous insulin infusion：CSII），**持続的インスリン静脈注射**（continuously venous insulin infusion：CVII）：インスリン注射療法は作用時間を考慮しながら皮下注射で用いられるが，血糖値が不安定な場合には短時間作用型のインスリンを持続注入器に装填し，皮下注射や静脈注射で使用することがある．膵全摘術では完全に体外から投与するインスリンでコントロールされるため，細かく定時採血を行い，血糖値に合わせて設定されたインスリンを自動的に注射する人工膵臓という機器を用いることがある．
>
> **食上げ**：固形食，栄養量の増加のこと．

5 癌終末期

1 癌終末期の栄養管理

▶癌終末期の栄養管理については，近年その考え方に大きな変化があり，一律に栄養補給が望ましくないという考えから，各ステージに応じた適切な栄養管理が望ましいとされるようになった．

▶癌終末期の栄養管理の目的は，それまでの栄養量や身体状況改善を主体とした管理から，患者家族のQOL改善を第一にした管理へと転換を図る．QOLのポイントは患者家族によって異なることもあるが，おもには身体の苦痛緩和，精神の安定，家族との良い関係が保てること，不安が軽減され，希望がもてること，などである．

▶食事・経口摂取については，量や内容よりもその満足感や愛情表現の一つとしての役割が大きいといえる．さらに経口摂取が厳しい状況においては，静脈栄養の対象となるケースも多いので，日本緩和医療学会の終末期における輸液治療に関するガイドラインに示される内容を現在の指針とすることが望ましいと考える．

▶癌終末期としての対象患者は，適切な治療を行っても経口的に十分な摂取ができず，成人の固形癌患者で抗腫瘍治療を受けていない患者であり，死亡が1～2カ月以内に生ずると考えられることが複数の医師を含む医療チームにより判断されている患者とされる．それらの終末期癌患者の経口摂取低下に対して検討すべきおもな緩和治療を表Ⅵ-5-1に示す．すべての治療は，疼痛コントロールと精

■表Ⅵ-5-1　経口摂取の低下に対する緩和治療

病態	治療
状況要因　におい，味，量の不都合　緩和されていない苦痛	●環境整備，栄養士による食事の工夫 ●苦痛緩和
医学的要因　口内炎　感染症　高カルシウム血症　高血糖　便秘　消化管閉塞　胃・十二指腸潰瘍，胃炎　薬物　癌性悪液質　胃拡張不全症候群　頭蓋内圧亢進	●口腔衛生，抗真菌薬，歯科衛生士による治療 ●抗生物質 ●ビスホスホネート，輸液 ●血糖補正 ●下剤 ●外科治療，ステント，ソマトスタチン，ステロイド ●プロトンポンプ阻害薬，H_2受容体拮抗薬 ●薬剤の変更，制吐剤 ●酢酸メドロキシプロゲステロン，ステロイド ●メトクロプラミド ●放射線治療，ステロイド，浸透圧系利尿薬
精神的要因　抑うつ・不安	●精神的ケア，向精神薬

ステロイド，痛みや抑うつの治療など「食べられるための治療」をまず行う

MEMO

ステージ：病期分類のこと．がんの進行状態で病期が定められている．たとえば胃癌の場合ⅠA期からⅣ期に分類され，がんの広がりやリンパ節転移の状態で決定される．

患者家族のQOL改善：がん対策基本法（2007年施行）により，すべての患者家族の安心を目標に定めたことにより，QOL改善も大きなポイントとなった．

■ 表Ⅵ-5-2　医学的推奨要約（日本緩和医療学会編）

● Performance Status の低下した，または，消化管閉塞以外の原因のために経口摂取ができない終末期癌患者において，輸液治療単独でQOLを改善させることは少ない．
● Performance Status がよく，消化管閉塞のために経口摂取ができない終末期癌患者において，適切な輸液治療はQOLを改善させる場合がある．
● 終末期癌患者において，輸液治療は腹水，胸水，浮腫，気道分泌による苦痛を悪化させる可能性がある．
● 終末期癌患者において，輸液治療は口渇を改善させないことが多い．口渇に対して看護ケアがもっとも重要である．
● 終末期癌患者において，輸液治療はオピオイドによるせん妄や急性の脱水症状を改善させることによってQOLの改善に寄与する場合がある．
● 静脈経路が確保できない／不快になる終末期癌患者において，皮下輸液は望ましい輸液経路になる場合がある．

神状態の安定のもとに検討されるため，経口摂取可能な環境が整備されて，初めて食事の工夫の提案が可能となる．
▶患者や家族の望む栄養管理を達成するために，考慮しなければならない終末期を迎える場所については，一般病棟（急性期・慢性期）や緩和ケア病棟，在宅と広く，終末期の療養の場として在宅を希望する患者や家族も多い．そのどの場所においても，必要な栄養が摂取できることが必要である．また適切な栄養量の決定や栄養補給ルートの検討，経口摂取の内容の工夫など，チーム医療での決定を行い，患者や家族の満足感を高めることが重要である．

2　癌終末期の輸液

▶**在宅高カロリー輸液**の適応については，全身状態の指標として「予測される生命予後が40〜60日以上」また「生命予後が3カ月以上でKarnofsky Performance Statusが40以上，Performance Statusが0から2」とされる専門家のガイドラインがあるが，終末期癌患者への輸液については，総合的QOLの向上を目的として高カロリー輸液を行うことは推奨されていない．数カ月の予後が見込まれ，Performance Status（PS）が良い場合について，活動量相当の輸液がQOLを改善をする可能性があることから，患者個々の状況と患者の意志も含めて深く検討されるべきである．医学的推奨の要約を**表Ⅵ-5-2**に示す．
▶さらに，輸液が患者QOL指標を改善するかという検討に，日本緩和医療学会の見解を**表Ⅵ-5-3**に示す．

3　症状ケア

1―悪心・嘔吐

▶悪心・嘔吐の状況を評価し，その原因が薬剤か高カルシウム血症か，腎障害か，消化管閉塞・便秘・胃潰瘍・脳転移・癌性骨髄炎などに起因するか検討し，原因の治療を第一とする．薬剤の変更や減量，中止などで改善することもある．加えて食事の希望の有無や程度を確認をする．
▶悪心・嘔吐の強いときは食事を控えるが，

オピオイド：オピオイド鎮痛薬は，医療用麻薬としてがんの痛みの緩和に使用される（塩酸モルヒネ，硫酸モルヒネ，オキシコドンなど）．

せん（譫）妄：意識，注意，睡眠覚醒周期などの障害が出現する精神症候群．

■ 表Ⅵ-5-3　総合的QOL指標から評価する輸液の効果（妥当性）

推奨R010：
生命予後が1～2カ月，癌性腹膜炎による消化管閉塞のために経口的に水分摂取ができない，Performance Statusが0から2の終末期癌患者に対して，総合的QOL指標の改善を目的として，
- 1,000～1,500 mL/日（400～600 kcal/日，窒素0 g/日）の維持輸液を行う【C】
- 1,500 mL/日（1,000 kcal/日，窒素5 g/日）の高カロリー輸液を行う【C】
- 2,000 mL/日（800 kcal/日，窒素0 g/日）の維持輸液を行う【D】
- 2,000 mL/日（1,600 kcal/日，窒素10 g/日）の高カロリー輸液を行う【D】

推奨R011：
生命予後が1～2週間以下と考えられ，癌性腹膜炎による消化管閉塞のために経口的に水分摂取ができず，Performance Statusが3または4の終末期癌患者に対して，総合的QOL指標の改善を目的として，
- 1,000～1,500 mL/日（400～600 kcal/日，窒素0 g/日）の維持輸液を行う【D】
- 1,000～2,000 mL/日の高カロリー輸液（800～1,600 kcal/日，窒素5～10 g/日）を行う【E】

推奨R012：
生命予後が1～2週間以下と考えられ，消化管閉塞以外の原因（悪液質や全身衰弱など）のために経口的に水分摂取ができず，Performance Statusが3または4の終末期癌患者に対して，総合的QOL指標の改善を目的として，
- 1,000～1,500 mL/日の維持輸液（400～600 kcal/日，窒素0 g/日）を行う【E】
- 1,000～2,000 mL/日の高カロリー輸液（800～1,600 kcal/日，窒素5～10 g/日）を行う【E】

各評価の内容は以下のとおりである．
A：行うことを強く推奨する．
B：行うことを推奨する．
C：行うことを推奨しうる．
D：行うことは患者の意向を十分に検討し，かつ効果が十分に期待される場合に限ることを推奨する．
E：行わないことを推奨する．

（日本緩和医療学会：終末期癌患者に対する輸液治療のガイドラインより）

患者が希望する場合は，水分や氷片で口渇対策を中心に口腔ケアを試みる．体調に合わせて食べやすいさっぱりとした食品を選び，量を控えて調整する．
▶嘔吐物のにおい，香水や花の香りを避け，食事も温かいものや熱いものを避けるなどの環境への配慮も効果的である．

2 ― 腹部膨満感

▶腹部膨満感の状況を評価し，その原因が消化管閉塞か，便秘か，腹水か，播種・腫瘍のいずれかを判断し，治療し改善を図る．
▶化学療法，利尿薬，オピオイド，腹水ドレナージなどの治療が行われるが，食事については，1回量を少なく圧迫感を増悪させないように計画する．
▶腸管内での発酵しやすい食品（豆類・いも類・多量の生野菜）は避ける．
▶圧迫しない姿勢の工夫や，ホットパック🖉や腰のマッサージなども症状緩和に役立つ．

3 ― 口腔ケア

▶適応となる状態は，①自分で歯磨きができない，②食事の摂取量や回数が減少し，口腔内の自浄作用が低下している，③口腔内乾燥が著しい，④カンジダや口内炎などのトラブ

📝MEMO

Performance Status（PS）（→p.429）：全身状態の指標．患者が自分の身の回りのことをどの程度できるかを表す指標．よく使用されるPSには，① Eastern Cooperative Oncology Performance Status（ECOG PS）スコア0～4，② Karnofsky Performance Status（KPS）スコア0～100，③ World Health Organization Performance Status（WHO PS）スコア0～5がある．
ホットパック：腹部を温めることで，リラックス効果がある．電子レンジや専用機器を利用して行う．

ルがある，などである．
▶口渇・口腔乾燥がある場合は，氷片や水を含んだり，口腔内の保湿剤を利用したり，部屋の湿度を保つことでコントロールする．
▶薬剤の利用で症状の緩和を行う．口腔乾燥には口腔内保湿剤，口内炎にはステロイド外用薬，口腔内カンジタには抗真菌薬などを利用する．
▶薬剤の利用にあたっては，口腔内の清掃を行い，汚物を除去することが大切である．

4―高カルシウム血症

▶高カルシウム血症は，悪心・嘔吐，食欲不振，眠気，せん妄，便秘，口渇などの症状がみられるが，オピオイドの副作用と類似しているため，見逃されることが多い．
▶生命予後が不良な場合が多く，予後1～3カ月のことが多いとされている．
▶栄養状態の悪い患者では，実測値が見かけ上低くなるため，カルシウム値はアルブミン値で補正して評価する．

- 補正カルシウム値
  ＝カルシウム値＋（4－アルブミン値）
  ※12 mg/dL 以上は治療対象として検討する．

MEMO

口腔内の保湿剤：唾液成分の代用として，人口唾液や口腔ケア用保湿剤として，スプレータイプやジェルタイプが市販されている．

Ⅶ 障害をサポートする栄養ケア

Part2 疾患と栄養ケア

学習の目標

- 疾患の概要，病因，疫学，症状，そして診断基準を概説できる．
- 疾患の治療，栄養生理を理解し，栄養食事療法を説明できる．
- 治療による疾患ならびに病態の経過，残存機能の保持の必要性を学び，患者のQOLや心理状況をふまえて全人的に理解する．
- 疾患・障害に対応した栄養評価を学び，適応する栄養補給法，補給する栄養素成分・量を修得する．

1 パーキンソン病・症候群

1 疾患の概要

▶手足のふるえ（振戦）や動作の緩慢，手足の筋肉がこわばり，転倒しやすくなり，すり足で歩行するようになる．おもに50歳以上で起こるが，40歳以下で起こる若年性パーキンソン病もある．

2 病因

▶大脳の下にある中脳の黒質ドパミン神経細胞が減少し，ドパミンが十分作られなくなり発症する．細胞が減少する原因は不明である．

3 疫学

▶患者数は平成30年度医療受給者証保持者数から約131,000人と推計されている．発症年齢は，50〜65歳に多く，高齢化にともない有病率が増加している．

4 症状

▶振戦や筋強剛（筋固縮），動作緩慢，姿勢保持困難がおもな運動症状である．また，便秘や立ちくらみなど自律神経症状，睡眠障害，抑うつなどの精神症状，睡眠障害，認知機能障害など非運動症状も発現する．便秘や食欲不振，悪心など低栄養の原因となる症状もみられる．

5 診断基準

▶診断は患者の臨床症状を主とし，運動症状，主徴，特徴的姿勢，症状左右差，非運動症状の組み合わせ，緩慢な進行経過，DAT（ドパミントランスポーター）スキャンなどが有用である．

📝MEMO

ドパミン：中枢神経系にある神経伝達物質で，運動調節，ホルモン調節，快の感情，意欲，学習などにかかわる．アドレナリン，ノルアドレナリンの前駆体である．

6 治療

▶ドパミンを補うことで，症状を緩和する薬物療法がおもに行われる．ドパミンの前駆物質であるL-dopaの服用，ドパミン受容体刺激薬などを症状に合わせて服用する．
▶運動症状の障害に応じて，運動療法をリハビリテーションとして実施する．
▶薬物療法，運動療法で効果がみられない場合には，手術治療として脳深部刺激療法がある．

7 栄養生理

▶ドパミンの原料はチロシンであり，チロシン水酸化酵素によりDOPAになり，DOPAはドパ脱水素酵素によりドパミンになる．ドパミンは中脳の黒質にある神経細胞で作られた後，シナプス小胞に取り込まれ，運動調節のために放出されてドパミン受容体に作用する．

8 栄養食事療法

1―基本方針

▶振戦や筋固縮が強い症例ではエネルギー代謝が亢進し，健常時の必要栄養量を補給しても体重が減少する傾向がある．振戦や筋固縮の状況による栄養の補充が必要である．嚥下障害を有する患者も多くみられ，嚥下機能を評価し，状態に応じた嚥下食を提供する．

2―栄養アセスメント

▶運動機能が低下しているため，筋肉量をはじめ筋力の低下が予測されるため，体組成，筋肉量などに焦点を合わせて評価することが必要である．

■アセスメント・モニタリングの項目
①BMI，体重減少率，％健常時体重，AC，TSFなど身体計測に基づく評価をする．可能であれば体組成計などを用いて評価する．
②食事調査（食事摂取量，水分摂取量，摂取可能な食事形態，軟らかさなど）．
③筋固縮および不随意運動の状況と，アルブミンなど血液検査による栄養状態の把握．
④嚥下状態の評価．
⑤食事摂取時の環境，姿勢．

■アセスメント・モニタリングのポイント
①体重の変動，便秘，食欲不振，悪心・嘔吐の有無を確認する．
②食事摂取量，水分量の把握，摂取可能な食事形態，軟らかさを把握し，適した食事のプランに役立てる．
③運動症状や血液検査などで，栄養状態を把握し，栄養補給量を考慮する．
④嚥下状態や姿勢を把握することにより，より適切な食事計画を考える．

3―栄養食事管理と管理目標

▶便秘は多くの患者が訴え，食欲不振，悪心・嘔吐の誘因になる．体重の維持に配慮する．経口摂取が困難であれば，栄養状態の維持，改善を目的とした経腸栄養法，静脈栄養法を取り入れる．

a 栄養素処方

■エネルギー
▶運動障害の状況に応じて，個人に見合ったエネルギー量に設定する．
■たんぱく質
▶たんぱく質は必要量を摂る．L-dopaを内

📝MEMO
L-dopa：チロシンからチロシン水酸化酵素により作られる．L-dopaはL-dopa脱炭酸酵素によりドパミンとなる．パーキンソン病の治療として効果が認められている．

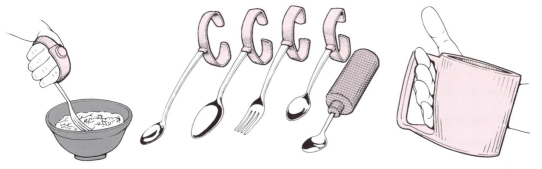

■ 図Ⅶ-1-1　食事用具の種類

（玉川和子：高齢期，応用栄養学，第10版，p.215，医歯薬出版，2015より）

服中は摂取たんぱく質と競合してL-dopaの吸収が阻害され，内服効果がない場合があるため，食事配分について主治医と相談する．

■ 脂質
▶ EPAやDHAなどn-3系多価不飽和脂肪酸を取り入れる．

■ ビタミン・ミネラル
▶「日本人の食事摂取基準」の推奨量・目安量を目標にする．食事摂取不足から欠乏状態になりやすいので，注意する．

■ 水分
▶ 不足しがちなので十分摂取する．

b 食品・料理・献立の調整

■ 食品

● 推奨される食品
▶ 便秘を改善とした食物繊維の摂取や，水分，プロバイオティクスの摂取も心がける．筋力が低下しているので，軟らかく，咀嚼の容易な食品が好ましい．食物繊維はいも類，豆類，穀類などを活用し，嚥下障害を配慮した形態とする．

● 注意する食品
▶ ごぼう，ひじきなど咀嚼の困難な硬い食品は避ける．

■ 献立
▶ 嗜好を取り入れた消化の良い献立とし，嚥下障害に応じた献立とする．

c 栄養指導

■ 指導のポイント
① 日常の食生活で困っていることを尋ねる（自力での食事摂取が困難な場合には，図Ⅶ-1-1に示す食事用具などを紹介する）．
② 便秘改善など実行可能な計画を作成する．
③ 緩やかな制限で，ゆとりをもたせる．
④ 嗜好を重視して食欲不振の改善を考慮する．

4—栄養食事療法の効果・判定

① 体重および血清アルブミン値など栄養状態の指標の推移をみる．
② 食事摂取状況を確認し，便秘，食欲，悪心などについても把握する．

ALS（筋萎縮性側索硬化症）

1 疾患の概要

▶ALS（amyotrophic lateral sclerosis）は，手足・のど・舌の筋肉や呼吸に必要な筋肉が徐々にやせていく病気である．筋肉の運動をつかさどる神経（**運動ニューロン**）が障害され，脳から手足を動かせという指令が伝わらなくなり，筋肉の動きが弱まる．しかし，体の感覚や知能，視力や聴力，内臓機能などは保たれている．

2 病因

▶原因は不明であるが，興奮性アミノ酸であるグルタミン，酸化ストレスなどが運動ニューロンの変性に関与しているとされている．

3 疫学

▶わが国でALSに新たに罹患する人は人口10万人当たり1年間で約1.1〜2.5人である．全国では，特定疾患医療受給者数（平成25年度）からみると約9,200人がこの病気を患っている．

4 症状

▶初期症状の多くは筋力低下で，一側上肢から始まり，進行とともに他肢や体幹の**筋力低下**，**球麻痺**，**呼吸麻痺**が出現する．**構音障害**，**摂食・飲水が困難**になり，**全身の筋萎縮**により歩行困難，寝たきりとなる．

5 診断基準

▶病歴，神経所見（構音障害，嚥下障害，舌四肢の線維束性収縮，四肢の筋萎縮と筋力低下など）や原因不明の体重減少などから診断する．

6 治療

▶薬物治療としてグルタミン酸拮抗剤リルゾールなどが用いられる．飲み込みが困難な場合には，食物の形態を工夫する．経口摂取が困難な場合には，経腸栄養法により栄養補給を行う．呼吸困難には，鼻マスクや気管切開による呼吸の補助を行う．コミュニケーションには，残存している体や目の動きを捉えるコンピュータ・マルチメディア（意思伝達装置）などを利用する．

7 栄養食事療法

1―基本方針

①栄養状態の維持・回復を図る．
②球麻痺による嚥下障害の治療的対応をする．
③嚥下しやすい食事形態を考える．

2―栄養アセスメント

▶球麻痺による嚥下障害は，食事摂取困難による脱水・栄養不良や誤嚥性肺炎に注意する．
■アセスメント・モニタリングの項目
①SGAを用いた急激な体重減少および，％健常時体重，AC，TSFなど身体計測に基

づく評価
②食事調査(摂取可能な食事形態など)
③血液検査による栄養状態の把握
④嚥下状態の評価
⑤食事摂取時の環境，姿勢

■アセスメント・モニタリングのポイント
①体重および筋肉量を測定し，栄養補給を考慮する．
②食事摂取量，嚥下状態から評価し，摂取可能な食事形態，栄養補給法を考慮する．

3―栄養食事管理と管理目標

体重減少は生命予後に影響する．経口摂取が困難であれば，経腸栄養法，静脈栄養法を取り入れる．

a 栄養素処方

■エネルギー
▶必要エネルギーは筋萎縮，筋力低下，随意運動の減少で低下するが，低栄養を防ぐためには効率よいエネルギー摂取が望まれる．

■たんぱく質
▶体たんぱくの異化亢進状態になっている場合が多く，高たんぱく質食とする．

■脂質
▶脂質はエネルギーが効率よく摂取できるため適宜取り入れる．

■ビタミン・ミネラル
▶食事摂取不足から欠乏状態になりやすいので注意する．

■水分
▶不足しがちなので十分摂取する．

b 食品・料理・献立の調整

▶食欲低下がみられるため，嗜好を考慮した食品，料理を取り入れる．咀嚼や嚥下が困難であれば，形態調整食なども使い工夫する．

c 栄養指導

■指導のポイント
▶食べることに対して苦痛を感じ，楽しいと思えなくなっているため，食べることの必要性を伝える．食事形態や姿勢の工夫で楽に食事ができるよう励ましながら指導する．
①食事摂取時の姿勢は，できるだけ体を起こし，食事を終えた後も1時間くらいその姿勢でいるようにする．
②あごを引いて飲み込むとむせが少なくなる．座れない人はあおむけで上体を30〜40度起こし，頭の下に枕をして頭が少し持ち上がるようにする．
③一度に口に入れる食物の量や汁物は少なくし，固形物と汁物を交互にとることが大切である．
④飲み込むときには意識を集中する．
⑤食事回数を増やして1回の食事量を減らす．とくに呼吸困難のある場合は，食べ物で胃が張ると呼吸が苦しくなるので，食事回数を増やすと息苦しさが軽くなる．

4―栄養食事療法の効果・判定

①栄養状態の評価としての体重および血清アルブミン値，コレステロール値など栄養状態の指標の推移をみる．
②食事摂取状況を確認する．摂取量の減少，形態調整食が摂取できているか，食欲の有無について観察する．
③嚥下状態や運動症状の変化を観察し，患者と介護者のコミュニケーションを確認する．

3 心身障害

1 疾患の概要

▶「障害者」とは，身体障害，知的障害または精神障害があるため，継続的に日常生活または社会生活に相当な制限を受ける者をいう（障害者基本法）．

■身体障害者
▶身体障害者福祉法によると，「別表に掲げる身体上の障害がある18歳以上の者で，都道府県知事から身体障害者手帳の交付を受けたものをいう」と定義されている．別表に定められている障害の種類は，①視覚障害，②聴覚又は平衡機能の障害，③音声機能，言語機能又はそしゃく機能の障害，④肢体不自由，⑤内部障害である．内部障害には心臓機能障害，じん臓機能障害，呼吸器機能障害，ぼうこうまたは直腸の機能障害，小腸機能障害およびヒト免疫不全ウイルスによる免疫機能障害の6つの種類がある．

■知的障害者
▶厚生省（現厚生労働省）による知的障害児（者）基礎調査（2000年）によると，「知的機能障害が発達期（おおむね18歳まで）にあらわれ，日常生活に支障が生じているため，何らかの特別な援助を必要とする状態にある者」と定義している．

■精神障害者
▶精神保健及び精神障害者福祉に関する法律によると，「統合失調症，精神作用物質による急性中毒またはその依存症，知的障害，精神病質その他の精神疾患を有する者をいう」と定義されている．

2 病因

■身体障害者
▶在宅の身体障害者（18歳以上）について，障害の原因をみると，疾病や事故の割合が高いが，不明や不詳も多い．疾病の中では，感染症や中毒性疾患以外の疾患の割合が高く，生活習慣病や原因不明の疾患などによっても障害が発生している．また，事故の中では労働災害が交通事故をやや上回っている．

■知的障害者
▶おもに大脳の機能の一部に支障が生じた状態だと推測されているが，その原因は染色体異常，発育不全，出産前後のトラブル，乳幼児期の病気や事故，など多岐にわたっている（表Ⅶ-3-1）．

■精神障害者
▶統合失調症の原因は，まだ十分に解明されていないが，ストレスに対する脆弱性に，何らかの原因が加わると発病することがある．進学・就職・独立・結婚など，人生の進路における変化が発症の契機となることが多い．ただし，それらは発症のきっかけであって，原因ではない．躁うつ病の原因についても，現在のところ，十分に解明されていない．統合失調症と同様に，脆弱性に何らかのストレスが加わった場合に発病することがある．

3 疫学

▶令和4年版障害者白書（内閣府）によると，障害者の総数は964万7,000人で，国民の約

■ 表Ⅶ-3-1　知的障害の原因

出生前	● 染色体異常（ダウン症候群など） ● 感染症（風疹，梅毒，結核など） ● 代謝異常（フェニールケトン尿症など） ● 中毒や栄養障害（有害物質や妊娠中毒など） ● 放射線（胎児へのX線，放射線被曝）
出生時	● 未熟児出産 ● 異常分娩（出生時の酸素不足，脳の圧迫など）
出生後	● 高熱の出る病気（はしか，百日ぜき，脳膜炎，脳髄膜炎など） ● 事故による脳障害など

（管理栄養士技術ガイド，文光堂より）

7.6％に相当する．内訳は身体障害者436万人，知的障害者109万4,000人，精神障害者419万3,000人と3区分の中では身体障害者数がもっとも多い．全体として障害者数は増加傾向にある．また，在宅・通所の障害者数も増加傾向となっている．

▶在宅の身体障害者では，65歳以上の割合の推移をみると，1970年には3割程度だったものが，2016年には7割まで上昇している．在宅の知的障害者では，身体障害者と比べて18歳未満の割合が高い一方で，65歳以上の割合が低い点に特徴がある．外来の精神障害者65歳以上の割合の推移を見ると，2011年から2017年までの6年間で，65歳以上の割合は33.8％から37.1％へと上昇している．

▶統合失調症は，おおむね100人に1人弱の人が罹患する疾患である．発症年齢は15〜35歳が大半を占める．発病は男性のほうがやや早く，ピークは男性で15〜24歳，女性で25〜34歳とされる．発症の頻度に大きな男女差はないとされてきたが，診断基準に基づいて狭く診断した最近の報告によると，男：女＝1.4：1で男性に多いとされている．

▶うつ病の12カ月有病率（過去12カ月に経験した者の割合）は1〜8％，生涯有病率（過去にうつ病を経験した者の割合）は3〜16％である．わが国では12カ月有病率が1〜2％，生涯有病率が3〜7％であり，欧米に比べると低い．一般的に女性，若年者に多いとされるが，わが国では中高年でも頻度が高い．

4　栄養食事療法

▶2015年4月に「障害福祉サービス費等の報酬改定」の中で，入所者の栄養改善や食生活の質の向上をさらに推進するために，個別の健康・栄養状態に着目した栄養ケアマネジメントの取り組みが「栄養マネジメント加算」として評価されることとなった．

▶2021年4月には，栄養マネジメント加算の算定を基盤とした経口維持加算が見直され，それまでの摂食嚥下機能に対するレントゲン造影や内視鏡検査といった医学的検査に代わり，多職種が食事時の観察を行うミールラウンドおよびカンファレンスが導入された．

▶現行の報酬加算は以下の通りである．

● 管理栄養士を中心に多職種協働で行う利用者一人ひとりに応じた個別の栄養管理（栄養マネジメント加算：12単位）
● 経管栄養から経口栄養への移行（経口移行加算：400単位）
● 誤嚥が認められる者の経口維持（経口維持加算（Ⅰ）：28単位／月，経口維持加算（Ⅱ）：100単位／月）
● 療養食の提供（療養食加算：23単位）

1―基本方針

▶障害者が自立して快適な日常生活を営み，尊厳のある自己実現を目指すためには，障害者一人ひとりの栄養改善や食生活の質の向上をさらに推進することが不可欠である．

■ 表Ⅶ-3-2　栄養状態のリスクの判定

リスク分類			低リスク	中リスク	高リスク
肥満度	成人BMI*（18歳以上）	知的障害	19〜26未満	やせ　15〜19未満 肥満　26〜30未満	やせ　15未満 肥満　30以上
		身体障害	16〜24.5未満	やせ　11.5〜16未満 肥満　24.5〜28.5未満	やせ　11.5未満 肥満　28.5以上
	幼児期　カウプ指数（3〜5歳）		15〜19未満	やせ　13〜15未満 肥満　19〜22未満	やせ　13未満 肥満　22以上
	学童期　肥満度（6〜11歳）		−15%未満 または30%未満	やせ　−15%以下 肥満　30〜50%未満	やせ 肥満　50%以上
	思春期　肥満度（12〜17歳）		−15%未満 または30%未満	やせ　−15%以下 肥満　30〜50%未満	やせ 肥満　50%以上
体重変化率			変化なし （増減：3%未満）	1カ月に3〜5%未満 3カ月に3〜7.5%未満 6カ月に3〜10%未満	1カ月に5%以上 3カ月に7.5%以上 6カ月に10%以上
血清アルブミン値（成人のみ）			3.6g/dL以上	3.0〜3.5g/dL	3.0g/dL未満
食事摂取量			76〜100%	75%以下	
栄養補給法				経腸栄養 静脈栄養	
褥瘡					褥瘡

・すべての項目が低リスクに該当する場合には、「低リスク」と判断する。高リスクに1つでも該当する項目があれば「高リスク」と判断する。それ以外の場合は「中リスク」と判断する。
・食事摂取量、栄養補給法については、その程度や個々人の状態等により、栄養状態のリスクは異なることが考えられるため、入所（児）者個々の状態に応じて判断し、「高リスク」と判断される場合もある。
＊大和田浩子、中山健夫：知的障害者（児）・身体障害者（児）における健康・栄養状態における横断的研究－多施設共同研究－、障害者の健康状態・栄養状態の把握と効果的な支援に関する研究、厚生労働科学研究費補助金2008．から算出．

（厚生労働省）

▶障害者の栄養状態や食生活の質には、主障害（知的障害、身体障害）、有している障害の原因となっている疾患（ダウン症候群、脳性麻痺、脳血管疾患など）、併存症（糖尿病、高血圧など）、身体的・精神的問題、食行動、問題行動、口腔ケア、服薬などが大きくかかわる。

▶そのため、障害者の低栄養・過栄養状態の予防や改善および食生活の質の向上にあたっては、管理栄養士を中心に、医師、看護職員などの多職種がお互いの情報を共有しながら、共同で栄養ケアを行うことが重要である。

2 栄養アセスメント

■栄養スクリーニングの項目

▶低栄養または過栄養状態のリスクを把握する。

①性別、年齢、主障害（知的障害、身体障害）、主障害の原因疾患（ダウン症候群、脳性麻痺など）、併存症（糖尿病、腎疾患など）
②身長、体重、肥満度（BMIなど）、体重変化率
③血清アルブミン値、食事摂取量、栄養補給法の有無（経腸栄養、静脈栄養）、褥瘡の有無

▶栄養状態のリスクの判定を表Ⅶ-3-2で行う。

■栄養アセスメントの項目

▶栄養スクリーニング項目に次の項目などを加え、解決すべき課題を把握する。
①医師からの療養食の指示の有無
②通院状況（治療経過、服薬など）
③身体状況（臨床データ、下痢・便秘、浮腫、歯の状態、発熱など）

④日常生活機能（身支度，歩行など）
⑤日常的な食事摂取
⑥食行動の状況（咀嚼，嚥下，過食，早食いなど）および生活状況

3―栄養食事管理と管理目標

▶上記の栄養アセスメントに基づいて，身体・知的障害者の，①栄養補給（補給方法，エネルギー・たんぱく質量，療養食の適用，食事の形態など食事の提供に関する事項等），②栄養食事相談，③課題解決のための関連職種の分担について，関連職種と共同して，栄養ケア計画を作成し，栄養ケアを実施する．

▶栄養ケア計画の変更が必要になる状況が確認された場合には，対応する関連の職種へ報告するとともに計画の変更を行う．

▶モニタリングは，栄養ケア計画に基づいて，栄養状態の低リスク者は3カ月ごと，栄養状態の高リスク者および栄養補給法の移行の必要性がある者の場合には，2週間ごとを基本に適宜行う．ただし，栄養状態の低リスク者も含め，体重は1カ月ごとに測定する．

4―栄養食事療法の効果・判定

▶管理栄養士および関連職種は，長期目標の達成度，体重などの栄養状態の改善状況，栄養補給量などをモニタリングし，総合的な評価判定を行うとともに，サービスの質の改善事項を含めた，栄養ケア計画の変更の必要性を判断する．

4 摂食嚥下障害

1 疾患の概要

▶摂食嚥下は一連の流れからなり，①食物の認知，②口への取り込み，③咀嚼と食塊形成，④咽頭への送り込み，⑤咽頭通過，食道への送り込み，⑥食道通過という6段階のプロセスを経ている（図Ⅶ-4-1）．

▶摂食嚥下障害は，このプロセスのいずれかの障害により，食物や液体を，口から咽頭・食道を通過させて胃まで運ぶことが困難となった状態である．

▶口腔・食道障害や摂食嚥下障害により誤嚥が認められた場合，誤嚥性肺炎が問題となる．

2 病因

▶摂食嚥下障害は，さまざまな疾患にともなって生じる症候群である．もっとも多いのは脳血管障害に起因するものであるが，高齢者では無症候性の脳血管障害を認めることもあり，他の疾患による全身状態の悪化にともなって嚥下障害が顕在化する場合もある．また，義歯の不具合によっても摂食嚥下障害の原因となり得る．そして，小児では重症心身障害児において摂食嚥下障害がみられることがある．これには脳性麻痺や筋ジストロフィー，知的障害，染色体異常などの神経学的原因が関係していることも多い．

▶嚥下障害の原因疾患を表Ⅶ-4-1に示す．

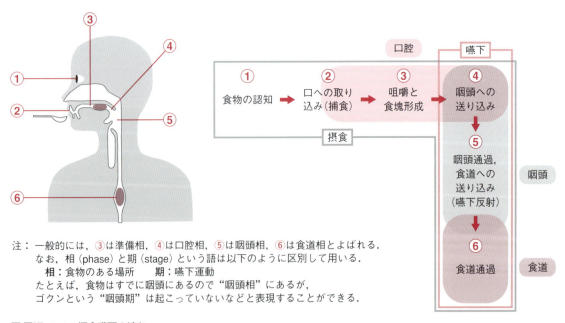

注：一般的には，③は準備相，④は口腔相，⑤は咽頭相，⑥は食道相とよばれる．
なお，相（phase）と期（stage）という語は以下のように区別して用いる．
　　相：食物のある場所　　期：嚥下運動
　　たとえば，食物はすでに咽頭にあるので"咽頭相"にあるが，
　　ゴクンという"咽頭期"は起こっていないなどと表現することができる．

■図Ⅶ-4-1　摂食嚥下の流れ

（聖隷三方原病院嚥下チーム：嚥下障害ポケットマニュアル，第2版，p.2，医歯薬出版，2003より）

> **MEMO**
> **口腔・食道障害**：摂食嚥下には，口腔，咽頭，食道，鼻腔の一部など複数の器官がかかわっている．このうち，口腔・食道の障害としては，歯牙や歯肉の疾患，舌や扁桃，咽頭，食道の疾患などが関与している．
> **誤嚥**：食物や唾液が誤って咽頭や気管に入ること．
> **脳血管障害**：脳血管の異常により虚血または出血を起こし，脳が機能的，器質的に侵された状態のこと．脳出血，脳梗塞，一過性脳虚血発作，高血圧性脳症などに分類される．

■ 表Ⅶ-4-1　嚥下障害の原因疾患

A　器質的障害を起こすもの	
口腔・咽頭	食道
● 舌炎，アフタ性口内炎，歯槽膿漏 ● 扁桃炎，扁桃周囲膿瘍 ● 咽頭炎，喉頭炎，咽頭膿瘍 ● 口腔・咽頭腫瘍（良性，悪性） ● 口腔咽頭部の異物，術後 ● 外からの圧迫（頸椎症，腫瘍など） ● その他	● 食道炎，潰瘍 ● 食道ウェブ，ツェンカー憩室 ● 狭窄，異物 ● 腫瘍（良性，悪性） ● 食道裂孔ヘルニア ● 外からの圧迫（頸椎症，腫瘍など） ● その他

B　機能的障害を起こすもの	
口腔・咽頭	食道
● 脳血管障害，脳腫瘍，頭部外傷 ● 脳膿瘍，脳炎，多発性硬化症 ● パーキンソン病，筋委縮性側索硬化症 ● 末梢神経炎（ギラン・バレー症候群） ● 重症筋無力症，筋ジストロフィー ● 筋炎（各種），代謝性疾患（糖尿病など） ● 薬剤の副作用，その他	● 脳幹部病変 ● アカラジア ● 筋炎 ● 強皮症，全身性エリテマトーデス ● 薬剤の副作用 ● その他

C　心理的原因となり嚥下障害を起こすもの	
口腔・咽頭	食道
● 神経性食欲不振症，認知症，拒食，心身症，うつ病，うつ状態，その他	

（聖隷三方原病院嚥下チーム：嚥下障害ポケットマニュアル，第3版，p.34，医歯薬出版，2011より）

■ 表Ⅶ-4-2　嚥下障害を疑うおもな症状

むせ	どういう食品でむせるか？　食べ始めにむせるか？　疲れるとむせるか？
咳	食事中や食後の咳は多くないか？　夜間の咳はないか？
痰の性状，量	食物残渣はないか？　食事を開始してから量は多くないか？
咽頭異常感，食物残留感	部位はどこか？
嚥下困難感	食品による差異はあるか？
声	食後に声の変化はないか？　ガラガラ声ではないか？
食欲低下	むせたり，苦しいから食べないなど嚥下障害が原因のことがある
食事内容の変化	飲み込みやすい物だけを選んでいないか？
食事時間の延長	口の中にいつまでも食べ物をためている，なかなか飲み込まない
食べ方の変化	上を向いて食べる，汁物と交互に食べている，口からこぼれる
食事中の疲労	食事にともなう低酸素血症はないか？
口腔内の汚れ	ひどい歯垢，食物残渣，口臭は口腔期の問題と関連があるか？

（聖隷三方原病院嚥下チーム：嚥下障害ポケットマニュアル，第3版，p.38，医歯薬出版，2011より）

3 症　状

▶摂食嚥下障害が疑われる徴候としては，食欲低下，食事時間の延長，食事量の減少，食べこぼしの増加，口腔内保持時間の延長，むせる，咳が出る，痰の増加，声が変わるなどがあげられる（表Ⅶ-4-2）．

スクリーニングテスト（→p.444）：この場合のスクリーニングテストとは，規定された種々の検査を実施することで，障害の部位や程度，摂食嚥下の機能レベルなどを推定することをいう．

4 診断基準

▶障害や機能レベルを正しく知るためには，スクリーニングテスト✎が有効である．同時に，食べる意欲，うつ状態についても把握しておくことが望ましい．

▶嚥下のスクリーニングテストは，さまざまな方法があるが（表Ⅶ-4-3），安全かつ正確に行うことが重視されるため，どのような方法を用いるかについては医療チームでの十分な検討が必要とされる．

▶スクリーニングテストおよび本人の意思確認などが終了し，摂食の開始が決定したら，段階的に訓練および食事を進めていく．摂食開始後は，さまざまなモニターや診断を組み込みながら，回復へのゴールを設定し，多職種連携のもとに達成へ向けて進む．

5 治療（摂食嚥下訓練）

▶摂食嚥下訓練は，**間接訓練**（基礎訓練）と**直接訓練**（摂食訓練）とに大別される．前者は食物を使わずに行う訓練で，器官の働きを改善させることを目的としているのに対し，後者は，実際の食物を使って行うことで，嚥下諸器官がよりバランスよく動くようになることを目的としている．

▶直接訓練では，基準化された食物を用いること，機能状態に合わせて物性を段階的にレベルアップし，摂取量や回数を増やしていくことがポイントとなる．また，摂食時の体位は**30°仰臥位**✎，**頸部前屈**✎を基本とし，機能回復に合わせて 45°→60°→座位へと進めていく．所要時間は 30〜40 分を目安とし，食後は**胃食道逆流**✎防止のために 1〜2 時間を目安に 60°以上の座位を保持することが望ましい．

▶これらの訓練で用いられるものに，アイスマッサージと，ゼラチンゼリーのスライス法がある．

①**アイスマッサージ**：凍ったアイスマッサージ棒を少量の氷水につけて，軟口蓋，舌根部，咽頭後壁などの嚥下反射誘発部位を刺激する．嚥下反射を誘発させることを目的として，訓練開始時などに用いられる．

②**ゼラチンゼリースライス法**：ゼリーをスライス型にすることで，口腔・咽頭の狭いスペースを通過しやすく，梨状窩の形状にも適合しやすい．嚥下のタイミングのずれや嚥下反射の遅延による残留や誤嚥を防ぐ．1さじ量は 3〜4 g とし，これを丸飲みすることで口腔や咽頭の残留物を取り除く効果も得られる．

6 栄養生理

▶摂食には，意識状態，認知機能，運動機能，反射，唾液分泌などの多くの機能が複雑に関与している．嚥下は，外部から水分や食物を口腔内に取り入れ，咽頭と食道を経て胃に送り込む運動である．嚥下障害は，この一連の過程での随意運動や不随意運動が器質的・機能的に障害されたことにより生じる．

▶摂食と嚥下の生理的なメカニズムを次に示す．

■ 摂食行動

①**食物の認知（認知期）**：食物を目で確認，手で触れるなど，視覚，触覚，嗅覚などで食物を認知し，食べることを意識する．

②**口への取り込み（先行期）**：口唇と前歯で

📝**MEMO**

30°仰臥位：リクライニング位ともいい，床面からベッドを 30°起こした仰臥位のこと．この角度により重力を利用しやすくなり，食物の取り込みや送り込みがしやすくなる．また，誤嚥や咽頭残留を防止する効果もある．頸部前屈とともに用いる．

頸部前屈：頸部が伸展していると咽頭と気道が直線になり，気管が開いて誤嚥しやすくなる．これを防止するために，頸の後ろに枕を 2 つくらい重ねて当てて頸部を前屈させ，まっすぐ前を見るような姿勢にする．

空嚥下（からえんげ）（→ p.445）：食べ物のない状態で嚥下をすること．口腔や咽頭に残留した食物などを取り除くことが期待される．

■ 表Ⅶ-4-3 おもな嚥下検査（スクリーニングテスト・モニター）

名称	方法	判定	意義
1. 反復唾液嚥下テスト	口腔内を湿らせた後に，空嚥下を30秒間繰り返す	30秒で2回以下が異常	随意的な嚥下の繰り返し能力をみる．誤嚥との相関あり．安全なスクリーニングテスト
2. 水飲みテスト	原法：30 mLの水を嚥下．2, 3 mLで様子をみて，安全を確認してから30 mLを施行	5秒以内にむせずに飲めれば正常．それ以外は，嚥下障害の疑いか異常．動作全体を観察	口への取り込み，送り込み，誤嚥の有無など．スクリーニングテストとして用いられている
3. 改訂水飲みテスト (modified water swallow test ; MWST)[19]	冷水3 mLを嚥下させる	判定不能：口から出す，無反応 1a：嚥下なし，むせなし，湿性嗄声または呼吸変化あり 　b：嚥下なし，むせあり 2　：嚥下あり，むせなし，呼吸変化あり 3a：嚥下あり，むせなし，湿性嗄声あり 　b：嚥下あり，むせあり 4　：嚥下あり，むせなし，呼吸変化・湿性嗄声なし 5　：4に加えて追加嚥下運動が30秒以内に2回可能	30 mLの水飲みテストでは，誤嚥が多く危険と判断される症例があることから開発された
4. 食物テスト	ティースプーン1杯（3〜4 g）のプリンを摂食．空嚥下の追加を指示し，30秒観察する	判定不能（口から出す，無反応） 1a：嚥下なし，むせなし，湿性嗄声または呼吸変化あり 　b：嚥下なし，むせあり 2　：嚥下あり，むせなし，呼吸変化あり 3a：嚥下あり，むせなし，湿性嗄声あり 　b：嚥下あり，むせあり，湿性嗄声あり 　c：嚥下あり，むせなし，湿性嗄声なし，呼吸変化なし，口腔内残留あり 4　：嚥下あり，むせなし，湿性嗄声なし，口腔内残留あり，追加嚥下で残留消失 5　：嚥下あり，むせなし，嗄声・呼吸変化なし，口腔内残留なし	水飲みテストに対して嚥下しやすいプリンを用いたテストである．改訂水飲みテストとともに開発された
5. パルスオキシメータ	摂食場面でのモニターとして使用する	90％以下，または初期値より1分間の平均が3％低下で摂食一時中断	誤嚥の有無など 90％は，ほぼ動脈血酸素分圧60 mmHg
6. 頸部聴診	①通常の聴診 ②マイク，加速度ピックアップメータなどで記録，音響特性分析	①嚥下前後の呼吸音変化，嚥下音の延長 ②方法により異なる．未確定	①誤嚥，咽頭残留の疑い ②誤嚥，咽頭残留，病態解析
7. 嚥下誘発テスト（嚥下反射テスト）	鼻腔から細い（8 Fr以下）のチューブで中咽頭に水を少量注入し，嚥下反射が起こるまでの時間を測定する	常温蒸留水0.4 mL*注入で嚥下反射までの平均潜時1.7±0.7秒．3秒以上で異常（注入量，温度など条件によって変化）	咽頭の感覚入力-運動出力を口腔機能のバイアスを取り除いてみる．臨床では夜間の不顕性誤嚥による肺炎の発生を予測する目的で施行．誤嚥性肺炎群では有意に延長する
8. 咽頭二重造影	硫酸バリウム（140〜160％）を一口（15〜20 mL）嚥下させたあと3回空嚥下をして，息こらえ（バルサルバ法）をして咽頭の正面像を撮影	A'：バリウムが壁に連続的に付着して構造がよくわかる A：バリウムが壁に連続的付着を認める B：不連続的付着を認める C：きれいに嚥下されて残らない A'とAが異常とされる	咽頭残留をみるのに大変便利な検査．咽頭と食道を同時に撮影し，食道の残留も同じ判定基準で判断できる
9. 嚥下前・後X線撮影	50％バリウム液を嚥下し，前後で単純X線撮影を行い，誤嚥残留をみる	座位にて単純側面X線写真を撮影，50％バリウム液4 mLを嚥下後に撮影して比較する．誤嚥しても10秒以内に咳がない場合を不顕性誤嚥と判定する	簡便に誤嚥や残留の有無判定が可能．口腔，咽頭，食道上部を撮影範囲に入れると広い病態が把握できる
10. 着色水テスト（blue dye test）	気切患者で，口腔にメチレンブルーやトレパンブルーなどの色素を入れて気切孔からの流出をみる 胃に注入して逆流をみる方法もある	2, 3分以内に気切孔から色素が出れば異常	誤嚥を簡便に検出

*：0.4 mLは順天堂大学の方法．東北大学方式は1 mLを注入し，誤嚥性肺炎患者では5秒以上の潜時があるという．

（聖隷三方原病院嚥下チーム：嚥下障害ポケットマニュアル，第3版，p.44，医歯薬出版，2011より，一部改変）

■ 表Ⅶ-4-4 摂食場面の観察ポイント

観察項目, 症状	観察ポイント	考えられるおもな病態・障害
食物の認識	ボーとしている, キョロキョロしている	食物の認知障害, 注意散漫
食器の使用	口に到達する前にこぼす	麻痺, 失調, 失行, 失認
食事内容	特定のものを避けている	口腔期, 咽頭期, 味覚, 唾液分泌低下, 口腔内疾患
一口量	一口量が極端に多い	癖・習慣, 口腔内の感覚低下
口からのこぼれ	こぼれて飲み込みにつながらない	取り込み障害, 口唇・頬麻痺
咀嚼	下顎の上下運動だけで, 回旋運動がない	咬筋の障害
	かたいものが噛めない	う歯, 義歯不適合, 歯周病など
嚥下反射が起こるまで時間がかかる	長時間口にため込む, 努力して嚥下している	口腔期, 咽頭期
	上を向いて嚥下している	送り込み障害
むせ	特定のもの（汁物など）でむせる	誤嚥, 咽頭残留
	食事の始めにむせる	誤嚥, 不注意
	食事の後半にむせる	誤嚥, 咽頭残留, 疲労, 筋力低下, 胃食道逆流
咳	食事中, 食後に咳が集中する	誤嚥, 咽頭残留, 胃食道逆流
声の変化	食事中, 食後に声が変化する	誤嚥, 咽頭残留
食事時間, 摂食のペース	一食に30〜45分以上かかる	認知障害, 取り込み障害, 送り込み障害など
	極端に早く, 口に頬張る	
食欲不振	途中から食欲がなくなる	認知障害, 誤嚥, 咽頭残留, 体力
疲労	食事の途中から元気がない, 疲れる	誤嚥, 咽頭残留, 体力

（聖隷三方原病院嚥下チーム：嚥下障害ポケットマニュアル, 第3版, p.43, 医歯薬出版, 2011より）

食物を口の中に取り込み, 口唇の閉鎖により口腔内に食物を保持させる.

③咀嚼と食塊形成（準備期, 口腔準備期）: 口に取り込まれた食物が舌と歯を用いて唾液と混合され, 食塊を形成する. 舌を上下左右に動かし口蓋との間に押しつける**押しつぶし咀嚼**や, 下顎を前後左右もしくは回転させ, 歯を利用した**すりつぶし咀嚼**が行われる.

④咽頭への送り込み（口腔期）: 形成された食塊を舌の運動により咽頭へ送り込む. ここでは, 舌を口蓋に押しつけることが必要となり, 筋力, 触覚, 温痛覚などが関係する.

⑤咽頭通過, 食道への送り込み（咽頭期）: 喉頭が挙上して嚥下反射が起こり, 0.5秒以内で食塊を食道へと送り込む. この**嚥下反射**の中枢は延髄に存在する. 一連の不随意な気道防御性ならびに食塊推進性の事象により特徴づけられ, 軟口蓋（口蓋帆）・鼻咽腔閉鎖, 舌骨・甲状軟骨・輪状軟骨の前上方への移動, 輪状咽頭筋弛緩による食道入口部開口, 食塊の食道への押し出し, **喉頭蓋の後方反転**による気道閉鎖へと進む. **嚥下時の呼吸**は, 呼気−嚥下−呼気パターンが正常の大部分を占める.

⑥食道通過（食道期）: 食道に送り込まれた食塊が, 食道の蠕動運動により胃へと運ばれる. 胃への入口部である**下部食道括約筋**（LES: lower esophageal sphincter）は, 胃食道逆流を防止する働きを担っている. 食塊が移送される際には, 重力と腹腔内圧も関与し, 腹圧が高過ぎる場合には食道通

MEMO

胃食道逆流（→p.444）: 摂食嚥下障害では, 食道蠕動の異常により食塊の移送がうまく行われず, 食道内に残留した食物や, いったん胃へ到達した食物が食道へ逆流することがある. 逆流物を誤嚥した場合は, 誤嚥性肺炎の原因ともなる.

嚥下時の呼吸: 嚥下の後は呼気であることが安全であるため, 嚥下時にはしっかり息を止め, 飲み込んだら息を吐くという指導方法が有効である.

■ 表Ⅶ-4-5 Japan Coma Scale（JCS：3-3-9度方式）

0		清明
Ⅰ		刺激しなくても覚醒している状態
	1	だいたい意識清明だが，いま一つはっきりしない
	2	時・人・場所がわからない（見当識障害）
	3	自分の名前，生年月日が言えない
Ⅱ		刺激すると覚醒する状態—刺激をやめると眠りこむ—
	10	普通の呼びかけで容易に開眼する ［合目的な運動（たとえば右手を握れ，離せ）をするし，言葉も出るが，間違いが多い］
	20	大きな声または体をゆさぶることにより開眼する ［簡単な命令に応じる．たとえば握手］
	30	痛み刺激を加えつつ呼びかけを繰り返すと，かろうじて開眼する
Ⅲ		刺激しても覚醒しない状態
	100	痛み刺激に対し，はらいのけるような動作をする
	200	痛み刺激で少し手足を動かしたり，顔をしかめる
	300	痛み刺激にまったく反応しない

このほか　あばれているとき　　　R：不穏状態
　　　　　尿をもらしているとき　I：失禁，A：自発性喪失

（藤島一郎ほか：ナースのための摂食・嚥下障害ガイドブック，p.16，中央法規，2005より一部改変）

7　栄養食事療法

1 — 基本方針

▶嚥下障害による長期間の食事摂取量の低下にともなう低栄養状態を回避する．意識レベル，嚥下状態，消化管機能に適応した食形態・テクスチャーを調整し，経口摂取を原則とする．ただし，患者の状態に応じて，経腸栄養法，静脈栄養法を併用し，必要栄養量の確保を図る．

2 — 栄養アセスメント

▶摂食嚥下機能評価の結果に基づき，栄養アセスメントおよび栄養診断を行う．嚥下機能評価では，嚥下障害を示唆する症状（表Ⅶ-4-2）や摂食場面の流れに沿って観察し（表Ⅶ-4-4），評価する．栄養アセスメントでは嚥下機能を含めた摂食状況や身体計測，生化学データなどを用いて栄養状態の判定を行う．さらに，これらの情報を統合して栄養診断を行う．摂食嚥下障害と関連する栄養診断コードは Nutrition Clinical（NC）のなかの NC-1（機能的項目）などがある．

▶また，意識状態がよいかどうかを確認することは不可欠であり，Japan Coma Scale：JCS（3-3-9度方式）を用いた意識障害の判定が一般的である．経口摂取開始基準では JCS は1桁とされている．JCS を表Ⅶ-4-5に示した．

▶摂食嚥下障害の改善は，身体のさまざまな箇所が良好に機能するという背景のもとに成り立つ．つまり栄養状態を良好に保つことが，機能回復に貢献することを念頭におくことが重要である．

意識障害の判定：JCS は意識障害の分類の一つであり，昏睡・半昏睡を3桁，混迷・傾眠を2桁，錯乱を1桁，正常の意識清明は0と表現される．JCS 2桁以上では，誤嚥や窒息の危険性が高いため，摂食嚥下アプローチの適応とならない．

3 — 栄養食事管理と管理目標

a 栄養素処方

▶摂食嚥下障害における必要栄養量の設定において，とくに注意の必要な事項は以下のとおりである．

①全体の必要栄養量は，経口摂取量とその他栄養補給量（経管栄養など）の合計であるため，常時モニターしながらそれぞれからの配分を調整することが望ましい．

②栄養量の設定と同時に，必要水分量の設定も必須である．尿量のモニターを基本とし，in-outバランスを考慮して算出する〔必要水分量＝予測尿量＋（不感蒸泄＋便中水分）−代謝水〕．このとき，予測尿量とは，必ずしも前日の尿ではなく，その日の予測される尿量を示す．また，設定の目安量としては，体重1kg当たり30〜35mL，もしくは1kcal当たり1mLを参考とする．

b 食品・料理・献立の調整

▶提供される食物は，①安全であること，②安定し基準化されていること，③再現性があること，を兼ね備えている必要がある．

■ 安全であること

▶誤嚥が防止され，咽頭残留のないことを意味する．摂食嚥下障害に適した食物の基本的物性条件は，以下に示すとおりである．

- 適度な粘度があり，食塊形成しやすいこと．
- 口腔や咽頭を変形しながら滑らかに通過すること．
- べたつかず喉ごしがよいこと．
- 密度が均一であること．

▶これらの物性を兼ね備えた食品の代表として，ゼラチンゼリーがある．お茶や果汁などを用いて作るゼラチンゼリーは，口腔内残留物を取り除く効果もあり，摂食嚥下においては欠かせない存在であるが，ゼリー強度に留意する必要がある．

▶摂食嚥下に最適なゼリー物性（ゼラチン濃度×ゼリー強度）は，約250であるため，使用するゼラチンのゼリー強度に合わせて使用量を調節する．また，室温に30分置くことを想定する場合は，前述の数値を250→300として計算する．

▶摂食嚥下障害に適さない食品は，以下に示すとおりである．

- 水分：水，お茶，ジュースなど（水はもっとも危険である）
- 酸味の強いもの：酢の物，柑橘類など
- パサつくもの：焼き魚，ゆで卵，ふかしいも，凍り豆腐など
- うまく噛めないもの：かまぼこ，こんにゃく，なめこなど
- 喉にはりつくもの：餅，焼きのり，わかめ，バターロールパンなど
- 粒が残るもの：ピーナッツ，大豆，枝豆など
- 繊維の強いもの：ごぼう，ふき，こまつななど

■ 安定し基準化されていること

▶摂食嚥下訓練を行ううえで，用いる食物の安定性は重要な要素である．作成時には安全であっても，物性は時間経過や温度変化の影響を受けて変化するため，細心の管理が必要である．提供時の食物温度で，とくに注意したい点を以下に示す．

▶ゼラチンゼリーは，室温が30℃以上の場合や常温で放置すると液体になり，危険である．また，全粥やでんぷんを使用したあんか

MEMO

不感蒸泄：発汗以外の皮膚および呼気からの水分喪失をいう．不感蒸泄の量は条件により変動するが，常温安静時には健常成人で1日に約1,000mL（皮膚から約600mL，呼気による喪失分が約400mL）程度である．発熱，熱傷，過換気状態などで増加する．

ゼリー強度：6.6％のゼラチン溶液を10℃で17時間冷却したゼリーの表面を，12.7mm径のプランジャーで4mm押し下げるのに必要な荷重のこと．ゼリー強度は，ゼラチン濃度が上がれば上昇し，溶液のpHや糖添加の度合いにより変化する．

けは，20℃以下に冷めるとべたつきが生じて危険である．これらを防止するためには，ゼラチンが溶けないよう氷水で管理するなど，提供時，摂食所要時間を考慮した適時適温管理を徹底する．
▶食物における基準としては，日本摂食嚥下リハビリテーション学会から発表されている「日本摂食嚥下リハビリテーション学会嚥下調整食分類」（略称：学会分類）がある．この分類は国内の病院・施設・在宅医療および福祉関係者における共通言語として使うことが目的であり，「食事分類」と「とろみ」分類の2種類からなる．
▶食事分類は訓練用として使える難易度の低いものから高いものへと，コード0から4までの5段階分類となっている．ただし，このコードは嚥下機能の重症度や改善過程を表すものではないため，患者個々の状態にあわせて段階を選ぶことが重要である．また，コードのうしろに「j」または「t」の標記があるが，これはj：ゼリー状，t：とろみ水を意味する．
▶コード0は「ゼリー（j）」と「とろみ水（t）」の2つに分けられており，どちらも重度の症例から使用できる均質な物性であるが，訓練の初期段階においてゼリー状の形態が適する場合と，とろみ状の形態が適する場合があるため，どちらかを選択するようになっている．「ゼリー」は離水が少なく，スライス状にすくうことができるものとされ，「とろみ」は**付着性**が低く，粘度が適切で**凝集性**が高いとろみとされている．「とろみ」はゼリーを丸飲みで誤嚥してしまう場合や，口腔内で溜めこみゼリーが口の中で溶けてしまう場合などに適応できる．
▶コード1（j）は均質でなめらかな離水が少ないゼリー，プリン，ムース状の食品であり，口腔外で適切な食塊を形成しているものである．
▶コード2はピューレ，ペースト状やミキサー食などであるが，均質性の高いもの（2-1）と不均質を含むもの（2-2）とで2つに細分化されている．
▶コード3は歯がなくても押しつぶしが可能で食塊形成が容易，凝集性がありばらけない食品である．
▶コード4は硬さ，ばらけやすさ，はりつきがなく箸などで切れる軟らかさをもつものである．
▶とろみ分類は，とろみ調整食品の使用量の少ない順に，薄いとろみ，中間のとろみ，濃いとろみの3段階からなる．
▶薄いとろみは「drinkする」という表現が適切なとろみの程度で，細いストローでも吸うことができるものである．
▶中間のとろみは脳卒中後の嚥下障害などで基本的にまず試されるとろみの程度で，明らかにとろみがあるが，「drinkする」という表現が適切なものである．
▶濃いとろみは重度の嚥下障害の症例を対象としたとろみの程度で，スプーンで「eatする」という表現が適切なものである．これは嚥下造影や嚥下内視鏡検査で用いる，とろみ付き液体としても適している．

■ **再現性があること**
▶「再現性がある」とは，人的・物理的要因などにより物性にぶれがないことを意味する．摂食訓練では，基準化された食物を用いて段階的にレベルアップのための訓練を行うが，物性が異なると，訓練自体が成立せず危険をはらむことになる．

MEMO

付着性，凝集性：付着性とは，口腔内における食物の付着の程度を示し，数値が高いほどべたつきが強いことを意味する．また，この場合の凝集性とは，口腔内での食物のまとまりやすさを示し，数値が大きいほどまとまりやすいことを意味する．

▶したがって，異なる人材が異なる環境（多施設）において同じ物性を作り出すためには，レシピ開発が重要である．ここでいうレシピとは，単なる作り方の説明ではなく，食材の配合割合，温度・時間管理，衛生管理などを科学的視点からマニュアル化したものをさす．またレシピには，見た目の美しさ，おいしさ，普通食からの展開が可能であることなども求められる．

C 栄養指導

■ 指導のポイント

▶摂食嚥下障害の病態および改善に結びつくためのさまざまな知識や技法を習得することが求められる．調理者が高齢である場合はとくに，調理実習を組み込みながらの指導が効果的となる．また，その一方で忘れてはならないものは，対象となる方の意思を尊重することである．食べたい意思があることを大切にし，口から食べる楽しみを共有しながらかかわりあえることが重要である．

4 栄養食事療法の効果・判定

▶患者に残された残存機能を発揮しているか，QOLの保持あるいは向上が栄養食事療法の効果であるととらえ，これらを評価する．

MEMO

温度・時間管理：温度（temperature）・時間（time）管理はTT管理ともよばれ，温度と時間を数値化した工程管理を行う方法である．これにより食品の安全性を含めた品質管理が可能となり，効率よいマニュアル化が行える．

QOL：生活の質（quality of life）と訳される．QOLには病気の治療や副作用，日常生活上の能力，幸せ，喜び，痛み，苦しみを感じること，自律，プライバシー，尊厳などの要因が関係している．

VIII 加齢にともなう機能低下への栄養ケア

学習の目標

- 加齢にともなう症候の概要，病因，疫学，症状，そして診断基準を概説できる．
- 症候の治療，栄養生理を理解し，栄養ケアを説明できる．
- 治療による症候および病態の経過，残存機能の保持の必要性を学び，患者のQOLや心理状況をふまえて全人的に理解する．
- 症候に対応した栄養評価を学び，適応する栄養補給法，補給する栄養素成分・量を修得する．

1 サルコペニア，ロコモティブシンドローム

1 症候の概要

▶サルコペニアは，ギリシャ語でサルコ（肉）とペニア（減少）を組み合わせた「筋肉の喪失」を意味する造語である．個人差はあるがヒトの筋肉量は加齢とともに徐々に減少し，高齢者では加速化する．その進行性で全身性の筋肉，筋力，筋機能が喪失する症候群である．加齢にともなう原発性（加齢性筋肉減少症）と疾病等の影響による二次性のサルコペニアに分けられる．

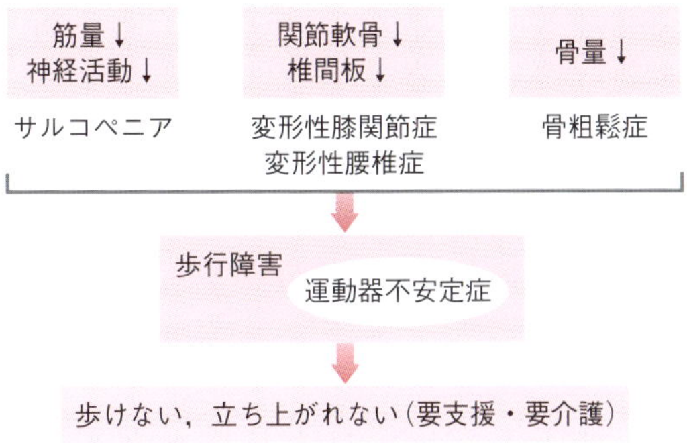

▶ロコモティブシンドローム（運動器症候群，以下：ロコモ）は，運動器とされる骨，関節，筋肉のいずれかまたは複数の部位に障害をきたし，日常生活の維持が困難となり，要介護に至る危険性の高い状態，あるいは要介護に陥った状態をいう（図Ⅷ-1-1）．

■ 図Ⅷ-1-1 ロコモティブシンドロームの概念
（日本整形外科学会編：ロコモティブシンドローム診療ガイド2010より）

2 病因

▶ヒトは筋肉の合成と分解を繰り返している．その合成と分解の出納バランスが崩れることで筋肉の減少傾向が現れる．サルコペニアは多くの要因が複雑に絡み，進行する．その機序は現時点で統一的なものとなっていない．また，加齢とともにその要因は増加し，高齢者の転倒，失禁，口腔機能の低下，歩行障害などにもつながり，日常生活の質の低下に大きく影響する．

▶運動器の障害の原因は，加齢にともなう運

MEMO

失禁：加齢やさまざまな機能障害により，尿や便が意思とは無関係に排泄される状態をいう．尿失禁には，腹圧性・切迫性・溢流性・機能性尿失禁がある．便失禁も合わせ，高齢者は運動機能低下（とくに筋肉）や認知機能低下が大きな問題となる．

動器そのものの疾患（変形性関節症，骨粗鬆症，変形性脊椎症など）と，運動器を中心とした身体機能の低下（運動器機能不全）がある．

3 疫 学

▶2019年の国民生活基礎調査の"介護が必要となった原因"のなかで，サルコペニア，ロコモ，フレイルの原因とされる関節疾患，骨折，高齢による衰弱が上位を占めており（表Ⅷ-1-1），それぞれの健康を阻害するリスクが高いことは明確である．サルコペニア，ロコモ，フレイルについては，高齢者それぞれの個々の体格差や日常生活にも影響することから，国や地域に合わせ縦断的な研究が推進されているところである．

4 症 状

▶加齢により筋肉の量が減少し，筋力が低下することでADL（日常生活動作：activities of daily living）の低下をきたし，歩行時のつまずきや，立ち上がり動作に手をつくなどの症状が目立つようになる．サルコペニアは低栄養との関連も深く，体重減少や食欲低下にも注意が必要となる．また，加齢以外の原因に神経変性疾患，廃用，悪液質，飢餓，内分泌異常なども関与しており，それらの症状の進行も影響する．

▶ロコモでは，関節の変性により膝・腰など関節の痛みや関節の動きが悪くなる．また，加齢や骨粗鬆症の原因による骨量の減少や骨質の低下は，ADLに支障をきたし機能低下（可動域制限，変形，筋力低下，バランス力の低下など）に陥り，転倒や骨折などを起こし，腰背部痛などの悪化の原因となる．総合的な運動器の障害は，三大介護である"食事，排泄，入浴"の負担増につながる．

5 診断基準

▶サルコペニアは基準となる診断に筋量を評価する骨格筋量指標を使用しており，2010年にEWGSOP（The European Working Group on Sarcopenia Older People）によるコンセンサスが発表されたが，体格の異なる

■表Ⅷ-1-1 要介護度別にみた 介護が必要となったおもな原因（2019年，上位3位）　　　（単位：％）

要介護度	第1位		第2位		第3位	
総　　数	認知症	17.6	脳血管疾患（脳卒中）	16.1	高齢による衰弱	12.8
要支援者	関節疾患	18.9	高齢による衰弱	16.1	骨折・転倒	14.2
要支援1	関節疾患	20.3	高齢による衰弱	17.9	骨折・転倒	13.5
要支援2	関節疾患	17.5	骨折・転倒	14.9	高齢による衰弱	14.4
要介護者	認知症	24.3	脳血管疾患（脳卒中）	19.2	骨折・転倒	12.0
要介護1	認知症	29.8	脳血管疾患（脳卒中）	14.5	高齢による衰弱	13.7
要介護2	認知症	18.7	脳血管疾患（脳卒中）	17.8	骨折・転倒	13.5
要介護3	認知症	27.0	脳血管疾患（脳卒中）	24.1	骨折・転倒	12.1
要介護4	脳血管疾患（脳卒中）	23.6	認知症	20.2	骨折・転倒	15.1
要介護5	脳血管疾患（脳卒中）	24.7	認知症	24.0	高齢による衰弱	8.9

（令和元年国民生活基礎調査より）

> **MEMO**
>
> **転倒**：他人による外力や疾病にともなう突発的な原因以外により倒れることをさす．とくに高齢者の転倒は，骨折や外傷をともなわないADLの著しい低下となり，要介護状態に陥りやすくなる．2010年の内閣府の調査では，転倒した人の2/3が何らかの怪我をしており，転倒予防は重要な課題となる．
>
> **骨格筋量指標**：SMI値（skeletal muscle mass index）．測定した四肢骨格筋量を身長の2乗で除した数値である（SMI値＝四肢骨格筋量（kg）／身長m^2）．測定には，二重エネルギーX線吸収測定法と生体電気インピーダンス法が使用される．

日本人への適応が問題視され，2014年にAWGS（Asian Working Group for Sarcopenia）による診断基準が発表されたのに続き，2019年に新たに診療機能に合わせたものが発表された（図Ⅷ-1-2）．この基準では，従来までとは異なり，二次性サルコペニアにも対応している．

▶ロコモは，局所の運動器の機能と歩行機能により診断する．サルコペニア同様に予防的な判定が重視され，2015年にロコモ対策を推進する日本整形外科学会が「臨床判断値」を発表した．立ち上がりテスト，2ステップテスト，ロコモ25の3つの指標で，ロコモ度を3段階で評価し，移動機能の低下が進行している状態「ロコモ度2」の場合に専門医の受診を勧める内容となっている．

6 治療

▶原発性サルコペニアの治療には，運動療法と栄養療法の併用が有効である．とくに筋力の増強を図る際，レジスタンストレーニングに合わせたたんぱく質のサプリメントの摂取が有効となる．しかし，二次性サルコペニアでは疾病と炎症による重度な消耗性代謝異常（悪液質），過度の飢餓状態などがある場合は，栄養・運動療法ともに十分注意が必要である．

▶ロコモの治療は，転倒・骨折の予防が第一となる．運動器への適正なトレーニングにより，筋肉・骨と膝関節軟骨・腰椎椎間板それぞれで異なるメカニカルストレスを調整する．しかし，重度の運動器障害時には，運動療法は禁忌となる場合がある．

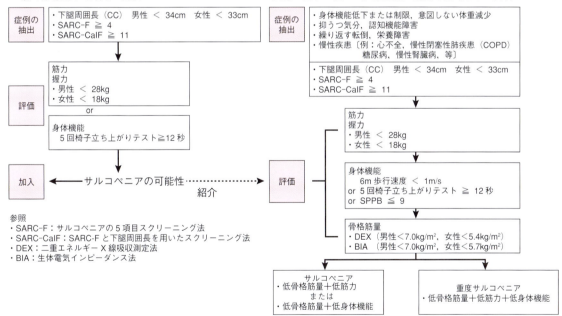

■図Ⅷ-1-2 AWGS2019によるサルコペニア診断基準

（Chen LK, et al：J Am Med Dir Assoc 21(3)：300-307, 2020より一部改変）

メカニカルストレス：運動器である骨や関節，筋肉に加わる力のことをいう．運動器は，毎日適度に使われメカニカルストレスが加わることで構造と機能が維持される．

▶活動の低下は，骨格筋量の減少と体脂肪量の増加につながり，筋肉の減少は膝への負担増加となる．サルコペニア肥満状態では栄養療法は重要となる．

7 栄養生理

▶たんぱく質は体内で常に分解と合成を繰り返している．分岐鎖アミノ酸は摂取により，速やかに血中と筋肉中濃度が上昇し，吸収された分岐鎖アミノ酸が先に分解され，筋たんぱく質の分解が抑制される．また，分岐鎖アミノ酸のひとつであるロイシンは，インスリン分泌を促進し，筋たんぱく質合成作用が増大する．

▶活性型ビタミンD（$1,25(OH)_2D_3$）が四肢や体幹の横紋筋内のレセプターと付着し筋原線維のたんぱくの合成は促進する．またビタミンDは，血中のカルシウムイオン濃度を調整するなど（図V-1-3, p.213参照），骨・筋肉量の維持に関与する．

▶ビタミンKは，オステオカルシンなどのたんぱく質の分泌を促し，骨代謝を適切に保つ機能がある．なかでもおもにビタミンK_2（メナキノン）が作用し，食品中では動物性食品に広く分布するメナキノン-4と，納豆菌によって産生されるメナキノン-7がある．

8 栄養ケア

1—基本方針

▶筋肉の量，質と運動器は共通する部分が多く，フレイルも含めサルコペニアとロコモを総合的にみる必要がある．また，治療により病期は可逆的に変化することを理解する．

①栄養状態の維持と進行の予防・改善
②活動量に合わせた適正な栄養管理
③加齢にともなう個々の機能低下を把握

2—栄養アセスメント

▶高齢者は加齢にともなう生理的，社会的経済的問題などを含め，疾病および生活背景を考慮し総合的に栄養評価を実施する．

3—栄養ケアと管理目標

▶高齢者は複数の併存症を抱えている場合が多く，個々に合わせた管理目標が必須となる．

a 栄養素処方

▶総合的な栄養バランスに注意しながら，骨・筋肉に関与するたんぱく質，ビタミンD・K，カルシウムなどの充足を図る．たんぱく質は1.2～1.5 g/標準体重kgを確保する．また，運動時には分岐鎖アミノ酸（特にロイシン）などの栄養補助食品やサプリメントを取り入れる．

b 食品・料理・献立の調整

■食品
●推奨される食品
①たんぱく質源となる食品
②カルシウムは，乳製品を中心に摂取
③ビタミンDを含む魚類，きのこ類など
④ビタミンKは納豆や動物性食品（鶏肉・鶏卵など）中心に摂取
⑤ビタミンB_6・B_{12}，葉酸を含む食品

■献立
▶高齢者は個々の食習慣が異なる．食欲の低下は，栄養不良や意欲そのものの低下につながり，疾病に影響する．個人の食習慣を重視

し，個別のアイディアを提供することが大切である．

C 栄養指導

▶個々の特徴を理解し，総合的にリスクを評価し，指導計画を作成する必要がある．

4―栄養ケアの効果・判定

▶日常生活を維持することが重要であり，効果の判定は栄養状態の評価も含め，高齢者総合機能評価を使用し，総合的な観点から効果を判定することが望ましい．

▶また，高齢者は，少しの変化で状況が悪化する．そのため，家族や在宅でかかわるスタッフとの連携で情報を共有し，日常の変化を把握することが大切である．

高齢者総合機能評価（CGA：comprehensive geria assessment）：高齢者を生活面，精神面，社会・環境面から適正な簡易スクリーニング指標を用い，総合的にリスクを評価することをいう．

2 フレイル

1 症候の概要

▶老化にともなってヒトが生命の維持機能としてもつ，恒常性維持機能（ホメオスタシス）が低下するために，さまざまなストレスに対する脆弱性が亢進し，機能障害，要介護状態や死亡など不幸な転機に陥りやすい状態となる．これを**フレイル**とし，日本老年医学会が高齢者の**虚弱**，**衰弱**といった"年をとって心身が衰えること"の代わりの概念として提唱した．

▶フレイルの進行は，**サルコペニア**，**ロコモティブシンドローム**（以下：**ロコモ**）と同様に高齢者のADL，QOLの維持に大きく影響し，それを阻害する．

2 病因

▶ヒトは加齢とともに成人期でピークとなった，さまざまな身体機能が低下する．その機能低下に加え，精神心理的問題（認知機能低下，抑うつなど），社会的問題（独居，貧困，閉じこもりなど）が重なり，食欲低下，体重減少，サルコペニアなど，その悪化はヒトとしての生活機能維持を難しくする（図Ⅷ-2-1）．

3 疫学

▶わが国独特の超高齢社会を見据え，最近になり提唱された概念であり，基準も含め疫学的には今後の課題となっている．具体的な現状として，高齢者の要介護状態に陥る原因の

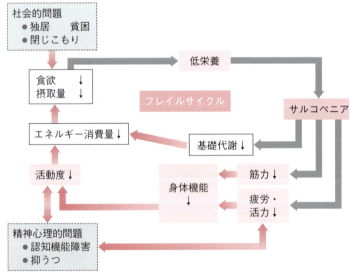

■図Ⅷ-2-1 フレイルサイクル
(Xue QL, et al.: J Gerontol A Biol Sci Med Sci 63: 984-990, 2008 より)

■ 表Ⅷ-2-1　Friedらのフレイルの定義

1. 体重減少
2. 主観的疲労感
3. 日常生活活動量の減少
4. 身体能力（歩行速度）の減弱
5. 筋力（握力）の低下

第3位に高齢による衰弱があり（表Ⅷ-1-1, p.452参照），その割合は，加齢にともなって増加傾向となり，脳血管疾患より高いリスクとなる．また，「日本人の食事摂取基準（2020年版）」より，年齢区分が50～64歳，65～74歳，75歳以上の3段階に細分化された．高齢者を65歳以上とし，フレイル予防の観点からとくに，たんぱく質のエネルギー構成比の下限を15％に引き上げ重要視している．

4 症　状

▶フレイルは，要介護状態に陥る前段階と考えられており，介護予防との関連性が強くなる．そのため各身体機能の低下と低栄養，体重減少，食欲低下，活動および意欲の低下などの症状があげられる．高齢者は，多くの併存症を担っており，フレイル状態の悪化によりその症状が複雑化する．

5 診断基準

▶2000年代になり，Friedらが提唱する定義がおもに使われている（表Ⅷ-2-1）．5項目のうち3項目が当てはまればフレイル，1～2項目をプレフレイル（前段階）としている．

6 治　療

▶フレイルは，健康障害（ADL障害，要介護状態，疾病発症，入院や生命予後など）に陥る前段階であり，予防的な対応が中心となる．そのため，日常生活にかかわる食生活管理は重要となる．

7 栄養生理

▶フレイルの原因のひとつがサルコペニアであり，その生理機能は深い関連がある（⇒「サルコペニア，ロコモティブシンドローム」の項p.451参照）．身体機能の脆弱化には，全身的な配慮が必須であり，さまざまな生理機能が関与する．

8 栄養ケア

1─基本方針

▶フレイルは，先にあげたように全身機能に影響する．また，個別性も高く総合的にみる必要がある．サルコペニア，ロコモと同様に，治療により病期は可逆的に変化することを理解する．
①栄養状態の維持と進行の予防・改善
②身体機能に合わせた適正な栄養管理
③精神的心理的問題点への配慮
④社会的問題への配慮

2─栄養アセスメント

▶フレイルは要介護状態の前段階であり，予防的な観点で栄養評価を実施する．また，高齢者は少しの状態の変化で急激な増悪につながるため，個々に合わせ定期的に評価を実施する．

3 ― 栄養ケアと管理目標

▶栄養の摂取量の低下はフレイルのリスク増加に多く関与している．また，高齢者は生活背景や疾病背景など個人差が大きいため，個々に合わせた管理目標が必須となる．

a 栄養素処方

▶総合的な栄養バランスに注意しながら，体重管理，食欲などに注意する．
①エネルギーの充足は，体重変化で評価する．
②たんぱく質は，1.2～1.5 g/標準体重 kg を確保する．
③低栄養の場合は，栄養補助食品やサプリメントを使用する．
④嗜好面を重視し，食べる意欲を優先する．

b 食品・料理・献立の調整

■食品
●推奨される食品
①たんぱく質源となる食品
②抗酸化ビタミン（A，C，E）を含む食品
③ビタミンDを含む食品
④ビタミン B_6・B_{12}，葉酸を含む食品
⑤n-3系多価不飽和脂肪酸を多く含む食品

■料理・献立
▶食事量の低下は，栄養不良や意欲そのものの低下につながるため，フレイルは悪化する．個人の生活背景と食習慣を重視し，食事を提供することが大切である．海外では地中海式食事法が勧められているが，わが国の高齢者の食習慣とは少し異なる．

c 栄養指導

▶栄養と運動はフレイル改善に効果的であり，個々の残存機能を理解し，総合的にリスクを評価実施し，指導プランを作成する．

4 ― 栄養ケアの効果・判定

▶高齢者総合機能評価（CGA）を使用し，総合的な観点から効果を判定することが望ましい．フレイルは要介護状態の前段階であり，簡易的な評価として介護予防事業で使用されている基本チェックリストの利用も有効とされる．また，CGAのなかの**手段的日常生活動作（IADL）**を指標の項目に用いると，日常生活のなかでの問題点を具体的に評価することが可能であり，生活を維持するうえで重要となる．

MEMO

手段的日常生活動作（IADL：instrumental activities of daily living）：日常生活動作を"買い物，金銭管理，乗り物の利用，服薬管理，電話の利用"の5項目や，女性の場合，家事を"食事，洗濯，掃除"などの3項目を追加して評価する．移動，食事などの日常生活動作（ADL）とは異なり，より具体な視点での評価となる．男性の1人暮らしの場合は，女性同様に8項目で評価する場合もある（Lawtonの尺度）．

3 認知症

1 症候の概要

▶認知症は，脳の病変によって，記憶を含む複数の認知機能が後天的に低下し，状況判断ができなくなり，社会生活に支障をきたすようになった状態をいう．アルツハイマー病や脳血管障害，レビー小体病などが原因になっていることが多い．

2 病因

▶神経細胞が萎縮・消失するような変性を示す変性型認知症としてはアルツハイマー型認知症が多い．脳血管性認知症は大脳皮質各領域や皮質下諸核を結ぶ線維連絡網である大脳白質に病変があり，神経細胞よりもその線維連絡網が壊れることにより起こる．

3 疫学

▶わが国の認知症の患者数は，2012年には約462万人と推計されており，アルツハイマー病がもっとも多い．性差があり，アルツハイマー病は女性に，脳血管性は男性に多い．

4 症状

▶認知症では記憶障害，見当識障害（自己および自己がおかれている日時，場所がわからなくなる），理解・判断力の低下，実行機能の低下により周囲で起こっている現実を正しく認識できなくなる中核症状が現れる．性格，環境，人間関係など複雑な要因により，うつ状態や妄想などの精神症状や，日常生活への適応を困難にする行動上の問題が起こる周辺症状がみられる．また，脳血管性認知症の一部では，早い時期から麻痺などの身体症状が合併することもある．

5 診断基準

▶健忘症と，認知症とその境界である軽度認知障害の鑑別基準を表Ⅷ-3-1に示す．認知症では，健忘により生活に問題が生じているにもかかわらず，自らは物忘れの病識が乏しい．認知症では，基本的ADL動作障害や行動障害・認知検査異常が認められる．

6 治療

▶認知症の治療は，原因となっている疾患を治療することになる．脳血管性認知症の治療は，高血圧あるいは脂質異常症のコントロールを目的とする薬物療法やリハビリテーショ

■表Ⅷ-3-1　健忘症と軽度認知障害と認知症の鑑別

		健忘症	軽度認知障害	認知症
物忘れ報告者		本人	家族or本人	家族
基本的ADL動作障害		−	−	＋
複雑なADL動作障害		−	±	＋
行動障害（徘徊など）		−	−	＋
認知検査異常	HDS-RやMMSE	−	±	＋
	WMS-R論理記憶	−	＋	＋

HDS-R：改訂長谷川式簡易知能評価スケール
MMSE：Mini-Mental State Examination
WMS-R（Wechsler Memory Scale-Revised）：ウェクスラー記憶検査改訂版

ンなどが必要になる．現在は病気の進行を遅らせる薬しかない．アルツハイマー型認知症では塩酸ドネペジル（アリセプト®）は記憶力低下を1〜3年遅らせる効果がある．非薬物療法として，音楽療法，絵画療法，作業療法，回想法，現実見当識訓練が行われている．

7 栄養生理

▶アルツハイマー病は脳にアミロイドβやタウとよばれる特殊なたんぱく質が溜まり神経細胞が死んでいくため神経を伝えることができない．

▶レビー小体とは，神経細胞にできる特殊なたんぱく質で，脳の大脳皮質や脳幹部に集まりやすく，多く集まった場所の神経細胞が壊れ減少する．

▶脳血管障害は脳梗塞，脳出血など動脈硬化の危険因子である高血圧，糖尿病，脂質異常症，喫煙などの改善が必要である．

▶認知症の予防には栄養バランスの良い食事とともに，脳に必要な栄養素であるEPAやDHAなどn-3系多価不飽和脂肪酸，葉酸，ビタミンA，C，E，ファイトケミカル，ミネラルを補う必要がある．

8 栄養ケア

1―基本方針

①栄養状態の維持と進行を予防する．
②現疾患に応じた適切な補給を行う．
③抗酸化作用のある野菜，果物をとる．

2―栄養アセスメント

▶原疾患などにより低体重から肥満が混在するが，個々に応じた適正体重に近づける．行動異常にともなう，偏った食事摂取による栄養素の過不足がみられるので，アンバランスの修正が必要である．動脈硬化に関連した項目にも注目する．

■アセスメント・モニタリングの項目
①BMI，体重減少率，％健常時体重，AC，TSFなど身体計測に基づく評価
②食事摂取量，水分摂取量の変化
③アルブミン，総コレステロール値など血液検査による栄養状態の把握
④嚥下状態の評価（摂取可能な食事形態など）
⑤ADLおよび食事摂取時の環境，姿勢

■アセスメント・モニタリングのポイント
①体重が健常時の10％以上減少すると，経口摂取のみでは栄養補給が困難と考える．
②摂取栄養量，水分量の把握および摂取可能な食事形態，軟らかさを把握することにより，適した食事のプランに役立てる．
③血液検査などで，栄養状態を把握することにより，栄養補給法の選択を考慮する．
④嚥下状態や姿勢を把握することにより，より適切な食事計画を考える．

3―栄養ケアと管理目標

▶脱水や栄養低下を予防する目的で早期から対応する．日常生活や患者の空腹感などによるが，体重減少にも配慮する．経口摂取が困難であれば，栄養状態の維持，改善を目的とした，経腸栄養法を取り入れる．

a 栄養素処方

■エネルギー
▶認知症患者では肥満指数・活動量に応じて，個人に見合ったエネルギー量に設定する．

■ たんぱく質
▶ 体たんぱくの異化亢進状態になっている場合には，高たんぱく質食品をとるようにする．しかし，腎機能の低下などを確認し，状況に応じた摂取量とする．

■ 脂質
▶ 認知症患者では，EPAやDHAなどn-3系多価不飽和脂肪酸を取り入れる．肥満患者では飽和脂肪酸の過剰に注意する．

■ ビタミン・ミネラル
▶ 「日本人の食事摂取基準」の推奨量・目安量を目標にする．食事摂取不足から欠乏状態になりやすいので，注意する．

■ 水分
▶ 不足しがちなので十分摂取する．

b 食品・料理・献立の調整

■ 食品

● 推奨される食品

① 筋力が低下しているので，軟らかく，咀嚼の容易な食品．
② ねばり，とろみがあると嚥下しやすい（やまいも，片栗粉，ゼラチンなど）．
③ 少量でエネルギー，たんぱく質の摂取が可能な食品（マヨネーズ，生クリーム，すり身魚など）．

● 注意する食品

① 咀嚼の困難な硬い食品．
② 粒が残りやすいもの，口腔内でまとまりにくいもの．
③ こんにゃく，きのこ類，海藻類など栄養価の低い食品．

■ 献立

① あんかけ，煮物，蒸し物など，とろみや軟らかさのある料理を取り入れる．
② フライ，焼き魚など，ぱさぱさした料理はさける．
③ 患者の好きな献立を取り入れる．食べやすいように調理法などを工夫する．

c 栄養指導

■ 指導のポイント

▶ 患者に対する栄養指導は効果が少ないので，おもに介護者に対して行う．介護者は患者の介護で疲れ，不安を抱えているので，指導するというより，抱えている問題を聞き出し，改善に向けて意見を出し合うという方法が望ましい．介護で疲労し，精神的に参っている場合も多いので，慰労やねぎらいの気持ちをもって接することが必要である．

① 日常の食生活で困っていることを尋ねる．
② 実行可能な計画を作成する．
③ 緩やかな制限で，ゆとりをもたせる．
④ 患者と介護者がよい関係を保てるよう配慮する．
⑤ 宅配弁当，材料など作業負担の軽減を考慮する．

4—栄養ケアの効果・判定

① 栄養状態の評価としての体重および血清アルブミン値など栄養状態の指標の推移をみる．
② 食事摂取状況を確認する．摂取量が減少していないか，食事形態が同じであっても摂食できているか，食欲はあるかなどについて観察する．
③ 嚥下状態や行動異常の変化や進行がなく，患者と介護者の関係がよく，笑顔がみられることが必要である．

4 褥瘡

1 症候の概要

▶褥瘡は，身体に加わった外力（体圧）により骨と皮膚表層の軟部組織の血行が低下・停止され，その状態が一定時間持続することで，組織が不可逆的に阻血性障害に陥った状態をいう．

▶軟部組織にかかる外力は，「圧力」と「ずれ力」に分けられ，骨突出部にかかるずれ力は，骨に近い深部組織のほうが強いとされる．皮膚表面よりも骨に近い深部組織の障害が先行する場合が想定され，臨床的症状としては，疼痛をともなう皮膚の変色や皮下の硬結として観察される．この病態はDTI（deep tissue injury）と称され，非常に注目されている．

2 病因

▶褥瘡発生には，外力により阻血性障害，再灌流障害，リンパ系機能障害，機械的変形の4種類の機序が複合的に関与するものと考えられている．

▶阻血性障害は，嫌気性代謝亢進となり組織内に乳酸が蓄積され，組織pHの低下が要因とされる．

▶再灌流障害は，阻血により炎症性サイトカイン，フリーラジカルなどの組織傷害物質が蓄積された後，血流再開によって，これらの物質が阻止部位から広がり組織傷害を悪化させることである．これは，体位交換などにともなう褥瘡悪化の要因として重要視されている．

▶リンパ系機能障害は，リンパ灌流のうっ滞による老廃物や自己分解性酵素の蓄積が要因とされる．

▶機械的変形は，外力の直接作用によって細胞のアポトーシスや細胞外マトリックスに配向性の変化を生じる．医療関連機器の圧迫による創傷（MDRPU：medical device related pressure ulcer）は，急性期病院で10～20％，小児病院で50％発生する．

3 病態

▶褥瘡発生部位は骨突出が多い仙骨部，踵骨部，尾骨部に多くみられるが，そのほか腸骨部，大転子部，後頭部，肩甲部，肘頭部などがあげられる．

▶たんぱく質（アミノ酸）は，血液中に約40％，筋肉・内臓・皮膚に約60％存在する（アミノ酸プール）．血清たんぱくは，アルブミンとして67％，グロブリンとして33％の割合で大きく2種類で存在し，肝臓で合成される．血清アルブミンが低下すると，筋肉・内臓・皮膚に貯蔵されているアミノ酸が血清値補正のためにアルブミンとして放出される．そのため，筋肉・内臓・皮膚に最初に障害が起こり，組織の耐久性を低下させ，褥瘡が発生すると考えられている．このことからも深い褥瘡の場合は，発生時に血清アルブミン値の警戒値（3.0g/dL）以下を認めることが多い．しかし，血清アルブミン値の低下は，低栄養以外にさまざまな疾患によることがあるため，見極める必要がある．

MEMO

フリーラジカル：（⇒p.198参照）
自己分解性酵素：たんぱく質分解酵素のセリンプロテアーゼは，消化器官内に前駆体の形で分泌され，同種のたんぱく質分解酵素によって特定部分だけを切断（分解）されて活性化するとされている．

細胞外マトリックス：細胞間に存在する巨大なたんぱく質の超分子複合体であり，細胞の増殖，分化の制御に直接かかわっている．

▶急性創傷治癒の過程は，出血凝固期→炎症期→増殖期→成熟期に分けることができる．

▶出血凝固期は，凝固因子・血小板で凝血塊となり，PDGFなどの増殖因子・サイトカインが放出される．

▶炎症期は，好中球やマクロファージなどの炎症細胞の浸潤が起こり，壊死組織が消失し，創が清浄化される．このときTGF-β・FGFなどの増殖因子・サイトカインや壊死組織たんぱく融解のためのMMPなどのプロテアーゼ類が放出される．

▶増殖期は，炎症期で放出された因子により，線維芽細胞からコラーゲンなどの細胞外マトリックスが合成され，新生血管とともに肉芽組織となり欠損部分を補充する．その肉芽組織で覆われた創は，ケラチノサイトにより上皮化し，筋線維芽細胞により創が縮小する．

▶成熟期は，瘢痕組織が形成され，当初赤みを帯びていた瘢痕が数カ月かけて白く軟らかく成熟化する．

▶慢性創傷治癒の過程は，炎症期から増殖期への移行障害とみなす場合が多い．この移行障害には，細胞の老化，増殖因子・サイトカイン組成の変化による治癒障害，MMPなどのプロテアーゼ類の増加による組織障害，細胞外マトリックスの異常などが関与するものとされている．

4 診断基準

▶診断は，日本褥瘡学会の「褥瘡予防・管理ガイドライン」の褥瘡予防・管理のアルゴリズムを使用し，最初に対象者の全身観察・発生リスクを観察する（図Ⅷ-4-1）．発生リスクなしの場合は定期的に経過観察をし，発生リスクありの場合は皮膚の局所を観察し，褥瘡の有無と褥瘡状態の評価を行う．

▶発生予測のリスクアセスメント・スケールとしては，厚生労働省が褥瘡に関する危険因子の評価票を示しているほか，ブレーデンスケールが知られている．

▶褥瘡状態評価スケールとしては，国際的には，EPUAP（欧州褥瘡諮問委員会）/NPIAP（米国褥瘡諮問委員会）の分類が使用されている．一方日本では，日本褥瘡学会のDESIGN-R®スケールが2013年の診療報酬改定から入院時基本料の褥瘡状態評価で使用されるようになり，2020年からは深さに「深部損傷褥瘡（DTI）疑い」と炎症／感染に「臨界的定着疑い」の項目を追加して改訂されたDESIGN-R® 2020が使用されている．なお，DTI疑いは，視診，触診，補助データ（発生経緯，血液検査，画像診断等）から診断する．

▶褥瘡がない場合は，予防ケアのアルゴリズム・発生予防全身管理のアルゴリズムを使用し，計画を立案する．褥瘡がある場合は，発生後ケアのアルゴリズム・発生後全身管理のアルゴリズムを使用し，クッション等の選択，体位変換・ポジショニング，患者教育，スキンケア，物理療法，運動療法，栄養療法，基礎疾患の管理等を選択・実施する．その後，適宜，褥瘡発生リスク，全身状態，褥瘡状態を再評価する（モニタリング）（表Ⅷ-4-1）．

5 治療

▶創部の管理は保存的治療（外用薬，ドレッシング材），物理療法または外科的治療の

MEMO

新生血管：毛細血管が新しくできること．
肉芽組織：フィブリン凝固物に置換する滲出性の線維性結合組織．赤い色をして血流に富み，細菌などに対し抵抗力のある組織．
筋線維芽細胞：紡錘形の細胞である線維芽細胞は，コラーゲン線維をつくる．そのことで，血管内皮細胞が，血小板や障害された組織から放出される種々のグロースファクターの働きで遊走分裂してできていく．

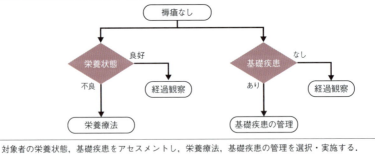

■ 図Ⅷ-4-1 褥瘡アルゴリズム

MEMO

ブレーデンスケール（→p.463）：ブレーデン博士が開発した褥瘡発生予測スケール．褥瘡発生率を50〜60%軽減することができる．「知覚の認知」「湿潤」「活動性」「可動性」「栄養状態」「摩擦とずれ」の6つのカテゴリーからなり，各カテゴリーは3〜4段階に分かれ，患者状態をアセスメントし，その合計点数で褥瘡発生リスクを測る．点数の低いカテゴリーは，褥瘡発生の要因である．

ドレッシング材（→p.463）：傷を保護するために巻いたり覆ったりするもので，創傷被覆材とよぶ．創傷部位の乾燥を防ぎ，湿潤環境で創治癒を促進するポリウレタンフィルム材の総称である．

④発生後ケアのアルゴリズム

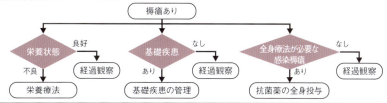

対象者のマットレスまたはクッション選択、体位変換、ポジショニング、シーティング、スキンケア、患者教育、運動療法・物理療法を選択・実施する。

⑤発生後全身管理のアルゴリズム

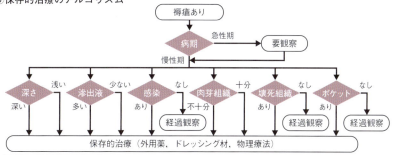

対象者の栄養状態、基礎疾患、全身療法が必要な感染褥瘡をアセスメントし、栄養療法、基礎疾患の管理、抗菌薬の全身投与を選択・実施する。

⑥保存的治療のアルゴリズム

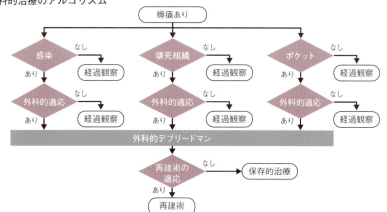

褥瘡の病期とDESIGN-R®による褥瘡状態をアセスメントし、保存的治療（外用薬、ドレッシング材）、物理療法を選択・実施する。

⑦外科的治療のアルゴリズム

褥瘡の感染、壊死組織、ポケットと外的適応をアセスメントし、外科的デブリードマンを選択・実施する。その後、再建術の適応をアセスメントし、再建術または保存的治療を選択・実施する。

（日本褥瘡学会編：褥瘡予防・管理ガイドライン第5版, p.10～13, 2022より）

MEMO

SGA（主観的包括的評価）（→ p.467）：栄養障害、創傷の治癒遅延や感染症などのリスクのある患者を正確に栄養アセスメントすることができる評価法である。患者の記録として年齢、性別、身長、体重、体重変化、食物摂取状況の変化、消化器症状、ADL、疾患と栄養必要量との関係を問診し、皮下脂肪の損失状態（TSF）、筋肉の損失状態（AC）、踵部（くるぶし）、仙骨部、腹水、毛髪の状態などの項目をみる。

■表Ⅷ-4-1　DESIGN-R®，NPIAP分類，EPUAP分類の比較

褥瘡のイメージ	DESIGN-R深さ (2020)	EPUAP/NPIAP分類 (2019)	EPUAP分類
	d0 皮膚損傷・発赤なし		
	d1 持続する発赤	ステージⅠ 通常骨突出部位に限局する消退しない発赤をともなう，損傷のない皮膚．暗色部位の明白な消退は起こらず，その色は周囲の皮膚と異なることがある．	グレードⅠ 損傷のない消退しない皮膚の発赤．とくに，より暗い皮膚をもつ人においては，皮膚の色の変化，温かさ，浮腫，硬結あるいは硬さは指標として使えるかもしれない．
	d2 真皮までの損傷	ステージⅡ スラフをともなわない，赤色または薄赤色の創底をもつ，浅い開放潰瘍として現れる真皮の部分欠損．破れていないまたは開放した/破裂した血清で満たされた水疱として現れることがある．	グレードⅡ 表皮，真皮あるいはその両方を含む部分層皮膚欠損．潰瘍は表在的で，臨床的には表皮剥離や水疱として存在する．
	D3 皮下組織までの損傷	ステージⅢ 全層組織欠損．皮下脂肪は確認できるが，骨，腱，筋肉は露出していないことがある．スラフが存在することがあるが，組織欠損の深度がわからなくなるほどではない．ポケットや瘻孔が存在することがある．	グレードⅢ 筋膜下には達しないが，皮下組織の損傷あるいは壊死を含む全層皮膚欠損．
	D4 皮下組織を超える損傷	ステージⅣ 骨，腱，筋肉の露出をともなう全層組織欠損．黄色または黒色壊死が創底に存在することがある．ポケットや瘻孔をともなうことが多い．	グレードⅣ 全層皮膚欠損の有無にかかわらず，広範囲な破壊，組織の壊死，あるいは筋肉・骨あるいは支持組織に及ぶ損傷．
	D5 関節腔，体腔に至る損傷		
	DU 壊死組織で覆われ，深さの判定が不能	分類不能 創底で，潰瘍の底面がスラフ（黄色，黄褐色，灰色または茶色）および/またはエスカー（黄褐色，茶色または黒色）で覆われている全層組織欠損．	
	DDTI 深部損傷褥瘡（DTI）疑い ※DTIは，視診，触診，補助データ（発生経緯，血液検査，画像診断）から判断する	深部損傷褥瘡疑い（DTI）―深さ不明 圧力および/またはせん断力によって生じる皮下軟部組織の損傷に起因する，限局性の紫または栗色の皮膚変色，または血疱．	

📝MEMO

MNA®（Mini Nutritional Assessment）（→p.467）：3カ月間の食事量，体重減少率，自力歩行能力，病態，精神面，BMIから栄養状態を判定する簡単な栄養評価表．

CONUT（controlling nutritional status）（→p.467）：2003年のESPEN（欧州静脈経腸栄養学会）で発表されたアルブミン，コレステロール，リンパ球数から栄養スクリーニングを行うツール．

アルゴリズムを使用する．褥瘡は，発生直後1～3週間の局所病態が不安定な「急性期」と，それ以降の局所病態が比較的安定する「慢性期」に分けて行う必要がある．
▶急性期は，深部組織が損傷しているDTIとなっていることが多いため，外用薬やドレッシング材を用いても経過をきちんと追うことが大切である
▶慢性期は褥瘡の深さが真皮までに留まる「浅い褥瘡」と真皮を越えて深部組織までに及ぶ「深い褥瘡」に分けて考える．浅い褥瘡はドレッシング剤で早期に完治する．しかし，深い褥瘡は滲出液や感染および炎症などにより，適切な外用薬，ドレッシング材を使用する必要がある．
▶外用薬の皮膚潰瘍治療薬（精製白糖，ポビヨドンヨード，カデキソマー・ヨウ素，スルファジアジン銀，トラフェルミン等）は，褥瘡の大きさを縮小させるのに，中等度の確実性で推奨されている．
▶銀含有ドレッシング材は，創傷治療の促進が認められていることから，感染を有する褥瘡に対して，弱い確実性で使用が提案されている．2022年の診療報酬改定では，入院基本料の褥瘡対策の診療計画における薬学的管理に関する事項について，薬剤師と連携して当該患者の状態に応じて記載することが明記されている．
▶物理療法には，超音波療法・電気刺激療法・陰圧閉鎖療法がある．電気刺激療法は，ステージⅡ以上の褥瘡（上皮化，肉芽形成が必要な創部）に対し，高い確実性で推奨されている．また，陰圧閉鎖療法は，感染・壊死がコントロールされていれば行ってもよいが，低～中等度の確実性で有用で，今後の検討が必要であるとされている．
▶外科的治療は，原疾患がコントロールされ，全身療法，保存的治療，物理療法，外科的デブリードマンなどにより感染が制御され，壊死組織が除去されている褥瘡が適応となり，再建術をするものである．診療報酬改定では，深部・水圧式・超音波式デブリードマン加算があるが，その対象は，Ⅱ以上の熱傷，糖尿病性潰瘍または植皮を必要とする創傷である．褥瘡に対しての再建術は，外科医の専門性や好みコストに委ねられており，治療率の効果が一貫していないため弱い確実性である．しかし，日常診療上，重要な治療選択の一つといえる．

6 栄養ケア

▶褥瘡予防には，栄養評価を早期に行い栄養状態を把握する必要ある．体重減少率や喫食率，SGA（主観的包括的評価），MNA，CONUT，血清アルブミン値などを指標として，低栄養状態を評価する．
▶創傷治癒過程の炎症期・滲出期は，炭水化物不足が起こると白血球機能が低下することから免疫能低下をきたし，たんぱく質不足により炎症期が長引くこととなる．肉芽形成期にたんぱく質・亜鉛が不足すると線維芽細胞機能の低下が起こる．銅・ビタミンA・ビタミンCが不足するとコラーゲン合成機能が低下する．また，創の収縮・成熟期にカルシウムが不足するとコラーゲンの架橋結合不全，ビタミンAの不足ではコラーゲン再構築不全，亜鉛やビタミンAの不足では上皮形成不全を起こす．
▶褥瘡治療過程において，エネルギー，たん

ぱく質，コラーゲン，カルシウム，銅，亜鉛，アルギニン，ビタミンA・Cの栄養素の不足が起こっていることは間違いない．高エネルギー・高たんぱく質の有用性は，研究論文数が少なく，エビデンスの確実性が低いため，弱い推奨とされ，ほかの微量元素やビタミンに至ってはエビデンスがない．

▶「褥瘡予防・管理ガイドライン（第5版）」では，少なくともエネルギー投与量30 kcal/kg/日以上，たんぱく質1.0 g/kg/日以上が必要と考えられている．一方，NPIAP/EPUAP/PPPIAガイドラインでは，エネルギー投与量30〜35 kcal/kg/日，たんぱく質1.25〜1.5 g/kg/日（疾患を考慮）を推奨量として採用している．腎疾患や肝不全等の基礎疾患がある場合は，重症度に応じて0.6〜0.8 g/kg/日から開始して，BUN/Cr比の上昇やたんぱく尿やNH_3等を確認しながら増量する．

▶創傷治癒過程の炎症期から増殖期の移行期に，特定の栄養素として，亜鉛・アスコルビン酸（ビタミンC）・アルギニン・L-カルノシン・n-3系脂肪酸・コラーゲン加水分解物（コラーゲンペプチド）・β-ヒドロキシβ-メチル酪酸（HNB）・オルニチンα-ケトグルタル酸等を投与すると治癒が促進される．

▶2022年の診療報酬改定では，入院基本料の褥瘡対策の診療計画における栄養管理に関する事項について，管理栄養士と連携して当該患者の状態に応じて記載すること．栄養管理に関する事項については，褥瘡対策に必要な褥瘡対策に関する診療計画書の内容に基づいた「栄養管理計画書」をもって，記載を省略することができると，記載されている．

▶褥瘡チームでの管理栄養士の参画が必要となったことから，栄養管理計画書には，エビデンスにもとづいた栄養ケアプランを記載する必要がある．

付録―臨床検査基準範囲

1. 血液学的検査

	検査項目	略語	基準範囲	単位		異常をとるおもな疾患・病態
血球検査	赤血球数*	RBC	男 435〜555万 女 386〜492万	/μL	高値	真性多血症, 脱水, ストレス, 二次性多血症
	ヘモグロビン*	Hb	男 13.7〜16.8 女 11.6〜14.8	g/dL	低値	貧血, 白血病, 悪性腫瘍, 出血
	ヘマトクリット*	Ht	男 40.7〜50.1 女 35.1〜44.4	%		
	平均赤血球容積*	MCV	83.6〜98.2	fL	高値	大球性貧血
					低値	小球性貧血
	平均赤血球ヘモグロビン量*	MCH	27.5〜33.2	pg	低値	低色素性貧血
	平均赤血球ヘモグロビン濃度*	MCHC	31.7〜35.3	%	低値	低色素性貧血
	網赤血球数	Ret	0.5〜2.0	%	高値	出血後, 溶血性貧血
					低値	再生不良性貧血, 巨赤芽球性貧血
	白血球数*	WBC	3,300〜8,600	/μL	増加	感染症, 心筋梗塞, 白血病, 真性多血症, 出血
					減少	SLE, 白血病, 無顆粒球症, 悪性貧血, 再生不良性貧血, 骨髄線維症, 薬剤副作用, 腸チフス
	白血球分画					
	桿状核好中球 分節核好中球		2.0〜13.0 38.0〜58.0	% %	増加	感染症, 炎症, 急性中毒
					減少	ウイルス感染症, 腸チフス, 再生不良性貧血, 白血病, SLE, 無顆粒球症, 肝硬変
	好酸球		0.2〜6.8	%	増加	アレルギー性疾患, 寄生虫症, 膠原病
					減少	腸チフス, クッシング症候群, ストレス
	好塩基球		0〜1.0	%	増加	慢性骨髄性白血病, 甲状腺疾患
	リンパ球		26.2〜46.6	%	増加	ウイルス感染症, 伝染性単核球症, アレルギー性疾患, 慢性リンパ性白血病
					減少	急性感染症の初期, 悪性リンパ腫, SLE
	単球		2.3〜7.7	%	増加	骨髄単球性白血病, 無顆粒球症の回復期
					減少	重症敗血症, 悪性貧血
	血小板数*	Plt	15.8万〜34.8万	/μL	増加	本態性血小板血症, 真性多血症, 出血
					減少	特発性血小板減少性紫斑病, 肝硬変, 抗癌薬使用, 骨髄異形成症候群
血栓・止血検査	出血時間		1〜3（Duke法）	分	延長	毛細血管の異常, 血小板数の減少, 血小板機能の異常
	プロトロンビン時間 活性比 プロトロンビン-INR	PT PT(%) PT-INR	10〜12 70〜120 0.9〜1.1	秒 % 	延長	先天性凝固異常（Ⅴ・Ⅶ・Ⅹ因子, プロトロンビン, フィブリノゲンの欠乏もしくは異常症）, 肝障害, DIC, ビタミンK欠乏症
	活性化部分トロンボプラスチン時間	APTT	30〜40	秒	延長	先天性凝固異常（Ⅻ・Ⅺ・Ⅹ・Ⅸ・Ⅷ・Ⅴ因子, プロトロンビン, フィブリノゲンの欠乏もしくは異常症）, DIC, ビタミンK欠乏症, 肝障害
	フィブリノゲン	Fbg	170〜410	mg/dL	高値	感染症, 悪性腫瘍, 脳血栓症, 心筋梗塞, 膠原病, 手術後
					低値	無フィブリノゲン血症, DIC, 肝障害
	フィブリン分解産物	FDP	5以下	μg/mL	高値	DIC, 血栓症, 悪性腫瘍, 手術後
	D-ダイマー		150以下	ng/mL	高値	DIC, 血栓症, 血栓溶解療法後
	赤血球沈降速度 （血沈, 赤沈）	ESR	1時間値： 男 2〜10 女 3〜15	mm	促進	炎症（急性・慢性感染症, 膠原病）, 組織破壊（急性心筋梗塞, 悪性腫瘍）, 血漿たんぱく異常（多発性骨髄腫）
					遅延	真性多血症, 播種性血管内凝固症候群（DIC）

2. 血液生化学検査−1

	検査項目	略語	基準範囲	単位		異常をとるおもな疾患・病態
たんぱく検査	血清総たんぱく*	TP	6.6〜8.1	g/dL	高値	炎症,脱水,多発性骨髄腫
					低値	低栄養,吸収不良症候群,肝障害,ネフローゼ症候群,熱傷
	アルブミン*	Alb	4.1〜5.1	g/dL	低値	肝硬変,ネフローゼ症候群,吸収不良症候群,低栄養
	血清たんぱく分画					
	アルブミン	Alb	53.9〜66.9	%	増加	脱水症
	α₁グロブリン	α₁-Glob	2.1〜4.4	%	増加	炎症,妊娠,腎不全
	α₂グロブリン	α₂-Glob	4.8〜9.3	%	増加	炎症,ネフローゼ症候群,妊娠
	βグロブリン	β-Glob	9.0〜14.5	%	増加	脂質異常症,妊娠
	γグロブリン	γ-Glob	12.4〜23.6	%	増加	多発性骨髄腫,感染症,肝硬変
脂質検査	総コレステロール*	TC	142〜248	mg/dL	高値	原発性・続発性高コレステロール血症,甲状腺機能低下症,ネフローゼ症候群,胆道閉鎖症,悪性腫瘍
					低値	家族性低コレステロール血症,肝障害,甲状腺機能亢進症
	遊離型コレステロール		30〜60	mg/dL	高値	糖尿病,甲状腺機能低下症,ネフローゼ症候群
					低値	肝硬変,甲状腺機能亢進症,低リポたんぱく血症
	中性脂肪*（トリグリセリド）	TG	男 40〜234 女 30〜117（空腹時）	mg/dL	高値	脂質異常症,肥満,糖尿病,肝胆道疾患,甲状腺機能低下症
					低値	甲状腺機能亢進症,副腎不全,肝硬変,低栄養
	リポたんぱく分画 カイロミクロン α-リポたんぱく pre β-リポたんぱく β-リポたんぱく		0.0〜1.2 16.3〜43.0 11.2〜23.6 40.1〜55.8	% % % %	増加	LPL欠損症,アポCⅡ欠損症,原発性高トリグリセリド血症,家族性高HDLコレステロール血症,β-リポたんぱく血症,ネフローゼ症候群,甲状腺機能低下症（他の検査と組み合わせて判断する）
	アポたんぱく分画					
	アポ-AⅠ	Apo-AⅠ	95〜180	mg/dL	増加	高HDLコレステロール血症,糖尿病
					低下	高トリグリセリド血症,肝胆道疾患,腎不全
	アポ-AⅡ	Apo-AⅡ	20〜40	mg/dL	増加	高HDLコレステロール血症,糖尿病
					低下	高トリグリセリド血症,肝胆道疾患,腎不全
	アポ-B	Apo-B	45〜125	mg/dL	増加	家族性高コレステロール血症,家族性複合型高脂血症,糖尿病,甲状腺機能低下症,ネフローゼ症候群
	アポ-CⅡ	Apo-CⅡ	1.1〜5.0	mg/dL	増加	原発性高カイロミクロン血症,高トリグリセリド血症,Ⅲ型高脂血症,糖尿病
					低下	肝硬変
	アポ-CⅢ	Apo-CⅢ	4.0〜14.0	mg/dL	増加	原発性高カイロミクロン血症,高トリグリセリド血症,Ⅲ型高脂血症,糖尿病
					低下	肝硬変
	アポ-E	Apo-E	2.2〜6.4	mg/dL	増加	Ⅲ型高脂血症,糖尿病,肝疾患,ネフローゼ症候群
					低下	アポE欠損症
	HDLコレステロール*	HDL-C	男 38〜90 女 48〜103	mg/dL	高値	家族性高HDLコレステロール血症,CETP欠損症
					低値	高リポたんぱく血症,虚血性心疾患,脳梗塞,肥満症,喫煙
	LDLコレステロール*	LDL-C	65〜163	mg/dL	高値	原発性・続発性高コレステロール血症,甲状腺機能低下症
					低値	家族性低コレステロール血症,肝障害,甲状腺機能亢進症
	遊離脂肪酸	FFA	100〜800	μEq/L	高値	糖尿病,肝障害,甲状腺機能亢進症,クッシング症候群
					低値	甲状腺機能低下症,汎下垂体機能低下,アジソン病
	リン脂質	PL	145〜257	mg/dL	高値	胆汁うっ滞,甲状腺機能低下症,脂質異常症,ネフローゼ
					低値	肝硬変,甲状腺機能亢進症

2. 血液生化学検査-2

	検査項目	略語	基準範囲	単位		異常をとるおもな疾患・病態
糖検査	血糖(グルコース) 空腹時*	FPG	73〜109	mg/dL	高値	糖尿病, 肝疾患, 脳血管障害
	糖負荷試験	GTT	140未満(2時間値)	mg/dL	低値	高インスリン血症, 肝疾患, 腸管吸収不良
	ヘモグロビンA1c*	HbA1c	4.9〜6.0	%	高値	高血糖状態の持続
					低値	赤血球寿命短縮
	フルクトサミン	FRA	205〜285	μmol/L	高値	高血糖の持続
	グリコアルブミン	GA	12〜16	%	高値	糖尿病
	1,5-アンヒドログルシトール	1,5 AG	14以上	μg/mL	低値	糖尿病コントロール不良
	インスリン	IRI	5〜15(空腹時)	μU/mL	高値	低血糖, クッシング症候群, 肥満, GH過剰, インスリン自己免疫症候群
					低値	糖尿病, 褐色細胞腫, 飢餓, 下垂体機能不全症
	Cペプチド	CPR	0.6〜1.8(空腹時)	ng/mL	高値	肥満, インスリノーマ, 先端巨大症, クッシング症候群, 甲状腺機能亢進症
					低値	糖尿病, 膵癌, 膵炎, 副腎不全, 下垂体機能不全
肝・胆道系検査	アスパラギン酸アミノトランスフェラーゼ*	AST(GOT)	13〜30	U/L	高値	急性肝炎, 心筋梗塞, 肝硬変, 肝癌
	アラニンアミノトランスフェラーゼ*	ALT(GPT)	男10〜42 女7〜23	U/L	高値	急性肝炎, 慢性肝炎, 肝硬変, 肝癌, 脂肪肝
	乳酸脱水素酵素	LD(LDH)	124〜222	U/L	高値	肝炎, 心筋梗塞, 悪性腫瘍, 悪性リンパ腫, 悪性貧血, 皮膚筋炎
	ビリルビン 総ビリルビン*	T-Bil	0.4〜1.5	mg/dL	高値	肝炎, 肝硬変, 肝癌, 胆石症, 溶血性貧血
	直接ビリルビン	D-Bil	0.0〜0.2	mg/dL	高値	肝炎, 胆汁うっ滞, 胆石症
	間接ビリルビン	I-Bil	0.1〜0.8	mg/dL	高値	溶血性貧血, 新生児黄疸, 体質性黄疸
	アルカリホスファターゼ*	ALP	106〜322	U/L	高値	肝胆道疾患, 骨疾患, 副甲状腺機能亢進症, 妊娠, 小児
	γ-グルタミルトランスペプチターゼ*	γ-GT(γ-GTP)	男13〜64 女9〜32	U/L	高値	アルコール性肝炎, 閉塞性黄疸, 薬剤性肝炎
	コリンエステラーゼ*	ChE	男240〜486 女201〜421	U/L	高値	ネフローゼ症候群, 糖尿病性腎症
					低値	肝硬変, 農薬中毒, サリン中毒
	ロイシンアミノペプチターゼ	LAP	37〜73	U/L	高値	閉塞性黄疸, 肝炎, 悪性リンパ腫, 悪性腫瘍
	膠質反応 チモール混濁試験 硫酸亜鉛混濁試験	TTT ZTT	0.5〜5.0 4〜12	Kunkel単位	高値	慢性肝炎, 肝硬変, 多発性骨髄腫, 慢性感染症
	インドシアニングリーン試験 15分停滞率	ICG検査	10以下	%	増加	肝硬変, 慢性肝炎, 急性肝炎, 体質性黄疸, 体質性ICG排泄異常症
	アンモニア	NH₃	30〜86(直接比色法)	μg/dL	高値	劇症肝炎, 重症肝硬変, 進行性肝癌, 特発性門脈圧亢進症, アミノ酸代謝異常症, 尿毒症, ショック, 消化管出血
					低値	低たんぱく質食
膵機能検査	血清アミラーゼ* 尿中アミラーゼ	AMY	44〜132 55〜547	U/L U/L	高値	急性膵炎, 慢性膵炎, 膵癌, イレウス, 耳下腺炎
	リパーゼ	LIP	11〜53	U/L	高値	急性膵炎, 慢性膵炎, 膵癌, イレウス, 腎不全
	エラスターゼ1		110〜410(RIA法)	ng/dL	高値	急性膵炎, 膵癌, アルコール性肝障害, 胃癌

2. 血液生化学検査-3

	検査項目	略語	基準範囲	単位		異常をとるおもな疾患・病態
腎機能検査	尿素窒素*	UN(BUN)	8〜20	mg/dL	高値	腎不全, 腎炎, 心不全, 脱水, 消化管出血, ショック
	クレアチニン*	Cr	男 0.65〜1.07 女 0.46〜0.79	mg/dL	高値	腎炎, 腎不全, 脱水, 巨人症, 甲状腺機能亢進症
	クレアチニンクリアランス	CCr	91〜130	mL/分/1.73m²	低値	糸球体腎炎, 糖尿病性腎症, ループス腎炎, 尿路結石, 前立腺肥大, 心不全, 脱水, ショック
	尿酸*	UA	男 3.7〜7.8 女 2.6〜5.5	mg/dL	高値	痛風, 悪性腫瘍, 白血病
	尿中微量アルブミン		30以下	mg/日	高値	腎糸球体疾患（糖尿病性腎症, 糸球体腎炎, ループス腎炎, ネフローゼ症候群）
	β2-ミクログロブリン	β2M	1〜2.3	mg/dL	高値	慢性腎炎, 慢性腎不全, 糖尿病性腎症, 悪性腫瘍, 自己免疫疾患, 感染症
電解質・無機質検査	ナトリウム*	Na	138〜145	mEq/L	高値	脱水, 下痢, 発汗, 尿崩症, 原発性アルドステロン症
					低値	浮腫, クッシング症候群, 降圧利尿薬使用, 嘔吐, 下痢, ADH不適切分泌症候群
	クロール*	Cl	101〜108	mEq/L	高値	下痢, 代謝性アシドーシス, 呼吸性アルカローシス
					低値	嘔吐, 腎不全, 代謝性アルカローシス, 糖尿病性ケトアシドーシス
	カリウム*	K	3.6〜4.8	mEq/L	高値	腎不全, 乏尿, 脱水
					低値	降圧利尿薬使用, 原発性アルドステロン症, クッシング症候群
	カルシウム*	Ca	8.8〜10.1	mg/dL	高値	副甲状腺機能亢進症, 異所性PTH産生腫瘍, 骨髄腫, 骨腫瘍, バセドウ病, 成人T細胞白血病, 悪性腫瘍, ビタミンD過剰
					低値	副甲状腺機能低下症, 骨軟化症, 低アルブミン血症, 腎不全
	無機リン*	IP	2.7〜4.6	mg/dL	高値	腎不全, ビタミンD中毒, 巨人症, 副甲状腺機能低下症
					低値	副甲状腺機能亢進症, くる病, 骨軟化症, 尿細管性アシドーシス
	鉄*	Fe	40〜188	μg/dL	高値	ヘモクロマトーシス, 再生不良性貧血, 肝癌
					低値	鉄欠乏性貧血, 慢性炎症, 慢性出血, 悪性腫瘍, 寄生虫症
	総鉄結合能	TIBC	男 250〜380 女 250〜450	μg/dL	高値	鉄欠乏性貧血, 多血症
					低値	悪性腫瘍, ヘモクロマトーシス, 慢性炎症
	不飽和鉄結合能	UIBC	男 111〜255 女 137〜325	μg/dL	高値	鉄欠乏性貧血, 多血症
					低値	悪性腫瘍, ヘモクロマトーシス, 慢性炎症
	フェリチン		男 37〜420 女 6〜140	ng/mL	高値	ヘモクロマトーシス, ヘモジデローシス, 悪性腫瘍, 炎症
					低値	鉄欠乏性貧血, 真性多血症
	マグネシウム	Mg	1.8〜2.4	mg/dL	高値	腎不全, アジソン病, 甲状腺機能低下症, 糖尿病性昏睡
					低値	慢性腎臓病, 原発性アルドステロン症, 肝硬変, 骨腫瘍
	銅	Cu	70〜130	μg/dL	高値	閉塞性黄疸, 悪性リンパ腫, 悪性腫瘍
					低値	ウイルソン病, メンケス症候群, ネフローゼ症候群
	亜鉛	Zn	66〜110	μg/dL	高値	赤血球増加症, 溶血性貧血, 甲状腺機能亢進症
					低値	長期の経静脈高カロリー輸液時, 腸性肢端皮膚炎
ビタミン	葉酸	FA	2.5〜8.0	ng/mL	低値	巨赤芽球性貧血, 高ホモシステイン血症, アルコール常用
	ビタミンB12		200〜1,000	pg/mL	高値	慢性骨髄性白血病, 真性多血症, 肝細胞癌
					低値	悪性貧血, 慢性膵炎, クローン病
その他	クレアチンキナーゼ*	CK	男 59〜248 女 41〜153	U/L	高値	心筋梗塞, 筋ジストロフィー, ショック, 運動, 手術後
	CK-MBアイソザイム	CK-MB	4.4以下	ng/mL	高値	急性心筋梗塞, 心筋炎, 横紋筋融解症, 筋ジストロフィー

3. 内分泌検査

検査項目	略語	基準範囲	単位	異常をとるおもな疾患・病態	
成長ホルモン	GH	男 0.17以下 女 0.28〜1.64 (早朝空腹時)	ng/mL	高値	下垂体腫瘍(巨人症，先端巨大症)，異所性GH産生腫瘍
				低値	下垂体前葉機能低下症，下垂体性小人症
副腎皮質刺激ホルモン	ACTH	4.4〜48.0 (早朝空腹時)	pg/mL	高値	下垂体性クッシング病，異所性ACTH産生腫瘍
				低値	アジソン病，コルチゾール産生腫瘍，ACTH単独欠損症
甲状腺刺激ホルモン	TSH	0.5〜5.0	μU/mL	高値	甲状腺機能低下症，TSH産生腫瘍，甲状腺ホルモン不応症
				低値	甲状腺機能亢進症
黄体形成ホルモン 卵胞刺激ホルモン	LH FSH	1.7〜13.3 4.5〜11.0 (女性卵胞期)	mU/mL	高値	ターナー症候群，クラインフェルター症候群
				低値	下垂体機能低下症，神経性食欲不振症
プロラクチン	PRL	男 3.6〜16.3 女 4.1〜28.9	ng/mL	高値	視床下部器質的障害，PRL産生腫瘍
				低値	下垂体機能低下症
サイロキシン 遊離型サイロキシン	T₄ FT₄	6.1〜12.4 0.9〜1.7	μg/dL ng/dL	高値	甲状腺機能亢進症，亜急性甲状腺
				低値	甲状腺機能低下症，副腎皮質ステロイド薬服用
トリヨードサイロニン 遊離型トリヨードサイロニン	T₃ FT₃	0.8〜1.6 2.3〜4.3	ng/mL pg/mL	高値	甲状腺機能亢進症，亜急性甲状腺炎
				低値	甲状腺機能低下症，低T₃症候群，副腎皮質ステロイド薬服用
副甲状腺ホルモン	PTH	0.5以下 (C末端PTH)	ng/mL	高値	副甲状腺機能亢進症，腎不全，ビタミンD欠乏症
				低値	副甲状腺機能低下症，高カルシウム血症，甲状腺機能亢進症
血中コルチゾール		6.4〜21.0 (早朝安静時)	μg/dL	高値	クッシング症候群，異所性ACTH産生腫瘍，慢性腎不全，甲状腺機能亢進症
				低値	アジソン病，急性副腎不全，下垂体機能低下症
アルドステロン		29.9〜159 (早朝臥位)	pg/mL	高値	原発性アルドステロン症，続発性アルドステロン症
				低値	アジソン病，選択的アルドステロン減少症
血漿レニン活性	PRA	0.3〜2.9 (臥位)	ng/mL /時間	高値	腎血管性高血圧症，褐色細胞腫，レニン産生腫瘍
				低値	原発性アルドステロン症，先天性副腎酵素欠損症
カテコールアミン アドレナリン ノルアドレナリン ドパミン	 A NA DA	 100以下 500以下 300以下	 pg/mL pg/mL pg/mL	高値	褐色細胞腫，交感神経芽細胞腫，本態性高血圧症，うっ血性心不全
				低値	甲状腺機能亢進症，起立性低血圧症
エストラジオール	E₂	10〜78 (女性卵胞期)	pg/mL	高値	エストロゲン産生卵巣腫瘍，妊娠，多胎
				低値	卵巣機能不全，ターナー症候群
ガストリン		42〜200	pg/mL	高値	Zollinger-Ellison症候群，萎縮性胃炎，悪性貧血，ヘリコバクターピロリ感染

4. 腫瘍マーカー検査

検査項目	略語	カットオフ値	単位	異常をとるおもな疾患・病態	
α-フェトプロテイン	AFP	10.0以下	ng/mL	高値	肝細胞癌，転移性肝癌，急性肝炎，慢性肝炎，肝硬変，腎不全，妊娠
CA19-9		37以下	U/mL	高値	膵癌，胆嚢癌，胆道癌，胃癌，大腸癌
CA125		35以下	U/mL	高値	卵巣癌，子宮頸癌，子宮内膜症，妊娠，膵癌，肺癌
癌胎児性抗原	CEA	5.0以下	ng/mL	高値	大腸癌，胃癌，膵癌，肺癌，乳癌，胆道癌，子宮内膜癌，卵巣癌，肺炎，気管支炎，結核，潰瘍性大腸炎，肝炎，肝硬変，喫煙者
前立腺特異抗原	PSA	4以下	ng/mL	高値	前立腺癌，前立腺肥大症，前立腺炎
扁平上皮癌関連抗原	SCC	1.5以下	ng/mL	高値	肺扁平上皮癌，子宮頸癌，食道癌，皮膚癌，肺炎，肺結核，気管支喘息，腎不全

カットオフ値：その値を境界にして陽性か陰性かを判別する値で，病態識別値のこと．

5. 免疫血清検査

検査項目	略語	基準範囲	単位		異常をとるおもな疾患・病態
C反応性たんぱく*	CRP	0〜0.14	mg/dL	高値	急性・慢性感染症, 膠原病, 悪性腫瘍, 血栓症, 梗塞性疾患
抗ストレプトリジンO抗体	ASO	166以下	Todd単位	高値	溶連菌感染(扁桃炎, 猩紅熱), リウマチ熱, 急性糸球体腎炎
梅毒血清反応 　ガラス板法, RPR法 　TPHAテスト	STS	(−)(1倍未満) (−)(80倍未満)		陽性	梅毒, 生物学的偽陽性反応(妊娠, SLE, 結核, 異型肺炎, ハンセン病, ウイルス肝炎など)
HA抗体		(−)		陽性	A型肝炎
HBs抗原		(−)		陽性	B型肝炎, キャリア
HBs抗体		(−)		陽性	B型肝炎の既往, B型肝炎ウイルスワクチン接種
HCV抗体		(−)		陽性	C型肝炎
HIV抗体		(−)		陽性	エイズウイルス感染
免疫グロブリン	Ig				
IgG*		861〜1,747	mg/dL	高値	IgG型多発性骨髄腫, 本態性Mたんぱく血症, 慢性感染症, 慢性肝炎, 膠原病, 悪性腫瘍
				低値	免疫不全症候群, たんぱく喪失性疾患, ネフローゼ症候群
IgM*		男33〜183 女50〜269	mg/dL	高値	原発性マクログロブリン血症, 本態性Mたんぱく血症, 慢性感染症, 肝疾患, 膠原病, 悪性腫瘍, 急性ウイルス感染症
				低値	免疫不全症候群, たんぱく喪失性疾患
IgA*		93〜393	mg/dL	高値	IgA型多発性骨髄腫, 本態性Mたんぱく血症, 慢性感染症, 慢性肝炎, 膠原病, 悪性腫瘍, IgA腎症
				低値	免疫不全症候群たんぱく喪失性疾患, ネフローゼ症候群
IgD		9以下	mg/dL	高値	IgD型多発性骨髄腫
IgE		173以下	U/mL	高値	アレルギー疾患, 高IgE症候群, IgE型多発性骨髄腫, 肝疾患
				低値	免疫不全症
アレルゲン特異的IgE 　CAP-RAST 　MAST		0.34以下 (−)	U_A/mL	高値 高値	各種アレルギー アレルギー性疾患, アナフィラキシーショック
補体活性価	CH_{50}	26〜49	U/mL	高値	ベーチェット病, 関節リウマチ, 皮膚筋炎, 急性感染症, 悪性腫瘍
				低値	急性腎炎, 重症肝障害, 膠原病
補体 　C3* 　C4*		73〜138 11〜31	mg/dL mg/dL	C4正常・C3低値 C4低値・C3低値 C4低値・C3正常	急性糸球体腎炎, 慢性増殖性腎炎, エンドトキシンショック SLE, 自己免疫性溶血性貧血, 関節リウマチ, 肝疾患 遺伝性血管神経性浮腫
リウマチ因子 　RAテスト 　IgM型RF	RF	(−) 20以下	U/mL	陽性	関節リウマチ, SLE, 全身性硬化症, 肝硬変, ウイルス感染症
抗サイログロブリン抗体		0.3未満	U/mL	陽性	バセドウ病, 橋本病, 特発性粘液水腫
抗核抗体	ANA	(−) 40倍未満		陽性	SLE, 混合性結合組織病, 多発性筋炎, 全身性硬化症, 自己免疫性肝炎
寒冷凝集反応		(−) 256倍未満		陽性	マイコプラズマ肺炎, 伝染性単核症, 自己免疫性溶血性貧血
ハプトグロビン	Hp	19〜170	mg/dL	高値	感染症, 悪性腫瘍, 自己免疫疾患, 炎症性疾患
				低値	溶血性貧血, 肝機能障害
レチノール結合たんぱく	RBP	2.2〜7.4	mg/dL	高値	ビタミンA欠乏症, 低栄養状態, 肝機能障害

6. 尿・便検査

	検査項目		略語	基準範囲	単位	異常をとるおもな疾患・病態	
尿検査	尿量			1,000〜1,500	mL/日	多尿（2,500 mL/日以上）：尿崩症，糖尿病，急性腎不全の利尿期，慢性腎不全の多尿期，心不全	
						乏尿（400 mL/日以下）：急性腎炎，急性腎不全，慢性腎不全の末期，高熱・脱水・嘔吐・発汗	
						無尿（100 mL/日以下）：重症腎炎，ネフローゼ症候群，ショック	
						尿閉（尿路の通過障害よる排尿障害）：前立腺肥大症，膀胱・尿路腫瘍，神経因性膀胱	
	pH			4.4〜7.5		酸性：飢餓，発熱，脱水，アシドーシス	
						アルカリ性：アルカローシス，尿路感染症	
	比重			1.005〜1.030		高値 糖尿病，脱水	
						低値 尿崩症	
	たんぱく			（−）〜（±）		陽性 腎炎，ネフローゼ症候群，発熱，過労	
	糖			（−）		陽性 糖尿病，腎性糖尿，ステロイド服用，膵炎，脳出血，妊娠	
	潜血			（−）		陽性 腎・尿路系の炎症，結石，腫瘍，出血性素因，腎臓外傷	
	ケトン体			（−）		陽性 飢餓，糖尿病性ケトアシドーシス，嘔吐，下痢，空腹，発熱	
	ウロビリノゲン		UBG	（±）〜（+）		陽性 肝障害，血管内溶血，体質性黄疸，便秘	
	ビリルビン		Bil	（−）		陽性 閉塞性黄疸，体質性黄疸	
	尿沈渣	赤血球		＜2個	/毎視野	陽性 腎・尿路系の炎症，結石，腫瘍，出血性素因	
		白血球		＜4個	/毎視野	陽性 膀胱炎，腎盂炎，尿道炎，前立腺炎	
		上皮細胞		（−）〜扁平上皮が少数		陽性 膀胱炎	
		円柱		（−）〜硝子円柱が少数		陽性 腎炎，尿細管障害，ネフローゼ症候群	
		結晶		（−）〜尿酸塩・リン酸塩・シュウ酸塩		陽性 尿路結石症	
		細菌		＜4個	/毎視野	陽性 膀胱炎，腎盂炎，尿道炎	
便検査	潜血反応			（−）		陽性 消化管出血（潰瘍，悪性腫瘍）	
	寄生虫卵			（−）		陽性 寄生虫症	

7. 動脈血ガス分析

検査項目	略語	基準範囲	単位	異常をとるおもな疾患・病態
pH		7.35〜7.45		高値 代謝性アルカローシス，呼吸性アルカローシス
				低値 代謝性アシドーシス，呼吸性アシドーシス
二酸化炭素分圧	$PaCO_2$	35〜45	Torr (mmHg)	高値 呼吸不全（肺炎，重症喘息，肺癌など），心不全
				低値 不安，過換気症候群，脳炎，薬物中毒
酸素分圧	PaO_2	75〜100	Torr (mmHg)	高値 過換気症候群，脳炎
				低値 肺炎，肺うっ血，心不全，気管支喘息
重炭酸イオン	HCO_3^-	22〜26	mmol/L	高値 代謝性アルカローシス，呼吸性アシドーシス
				低値 代謝性アシドーシス，呼吸性アルカローシス

*日本臨床検査標準協議会基準範囲共用化委員会が公表している「共用基準範囲」（2019年2月22日付）を示す．

（奈良信雄：臨床栄養別冊・臨床検査値の読み方考え方Case Study，p.117-122，2004，奈良信雄：看護・栄養指導のための臨床検査ハンドブック第5版，医歯薬出版，2019，奈良信雄：臨床検査値ポケットガイド，中山書店，2011より作成）

Part 1　臨床栄養学と栄養ケア

■ I-1　医療と臨床栄養学

1）厚生労働省：厚生労働白書（令和3年版），2022.
2）伊藤道哉編著：医療の倫理資料集，第2版，丸善，2013.
3）日野原重明，仁木久恵訳：平静の心―オスラー博士講演集，医学書院，1983.
4）慶応大学医学部食養学50年の歩み，慶応大学医学部食養学50年の歩み刊行会，菜根出版，1977.

■ I-5　摂食支援とQOL

1）Alpers DH, Stenson WF, Taylor B, Bier DM：Manual of Nutritional Therapeutics, Lippincott Williams & Wilkins, 2008.
2）Browner WS（折笠秀樹監訳）：EBM医学英語論文の書き方・発表の仕方，医学書院，2001.
3）池上直己，福原俊一，下妻晃二郎，池田俊也編：臨床のためのQOL評価ハンドブック，医学書院，2001.
4）柴田重信：体内時計と疾病．臨床栄養 112（3）：297-302, 2008.
5）Daniel Rudic R, McNamara P, Curtis Anne-Maria, et al：BMAL1 and CLOCK, Two Essential Components of the Circadian Clock, Are Involved in Glucose Homeostasis. PLoS Biology 2：e377：1893-1899, 2004.

■ I-6　医療・介護保険制度と栄養ケア

1）厚生労働省：厚生労働白書（令和3年版），2022.
2）医科診療報酬点数表，令和4年4月版，社会保険研究所，2022.
3）介護報酬の解釈 1. 単位数表編（令和3年4月版），社会保険研究所，2012.

■ I-7　チーム医療

1）Adams S, Dellinger P, Wertz MJ, et al：Enteral versus parenteral nutritional support following laparotomy for trauma: A randomized prospective trial. J Trauma 26：882-891, 1986.
2）Higashiguchi T, Yasui M, Bessho S, et al：Effect of nutrition support team based on the new system "potluck party method（PPM）". Jp J Surg Metabol Nutri 34（1）：1-8, 2000.
3）東口髙志，安井美和，二村昭彦ほか：Nutrition support teamの新しいかたち"potluck party method（PPM）"の評価と展望．静脈経腸栄養 14（2）：13-17, 1999.
4）Krzywda EA, Andris DA, Edmiston CE, Wallace JR：Parenteral access devices. The science and practice of nutrition support（Gottschlich MM, editor in chief）, p.225-250, Kendall, 2001.
5）Worthington PH：Nutritional assessment and planning in clinical care. Practical aspects of nutritional support. An advanced practice guide（Worthington PH, editor）, p.159-180, Saunders, 2003.

■ I-8　クリニカルパス

1）勝尾信一：オールインワンパス活用実例集（福井総合病院クリティカルパス委員会編著），p.16, 21, 日総研出版，2005.
2）山中英治：NST（栄養サポートチーム）とクリニカルパス．静脈経腸栄養 20（4）：11-15, 2005.

■ Ⅱ-2-1　主観的包括的評価

1）AS Detsky, McLaughlin JR, JP Baker, et al：What is subjective global assessment of nutritional status? JPEN 11：8-13, 1987.

■ Ⅱ-3-3　身体計測

1）山東勤弥：身体計測の勘どころ．臨床栄養（臨時増刊）105（4）：407-409, 2004.
2）内山里美ほか：身体計測の実際―身長・体重，上腕周囲長・皮下脂肪厚の測定方法．臨床栄養（臨時増刊）107（4）：394-398, 2005.
3）聖隷三方原病院・コア栄養管理チーム：栄養管理の実践，栄養アセスメントのすすめ方（nutrition assessment）．SEIREI栄養ケア・マネジメントマニュアル，p.5-7, 医歯薬出版，2003.
4）日本人の新身体計測基準値JARD2001（Japanese Anthropometric Reference Data）．栄養―評価と治療 19（suppl）, p.14-15, p.36-37, メディカルレビュー社，2002.
5）山東勤弥：レジデントのための栄養管理基本マニュアル，栄養アセスメントとは／栄養アセスメントに必要な検査―身体計測（Anthropometry）（山東勤弥，幣憲一郎，保忌昌徳編），p.17-26, 文光堂，2008.
6）Bioelectrical Impedance Analysis in Body Composition Measurement. NIH Technol Assess Statement 1994, Dec 12-14. Am J Clin Nutr 64：524 S-532 S, 1996.
7）山内　健：BIA法の使い方．バイオエレクトリカル・インピーダンス法の原理，機器の種類，測定にあたっての注意点．臨床栄養（臨時増刊）105（4）：421-426, 2004.
8）宮澤　靖ほか：Knee-Height法の方法と問題点．臨床栄養（臨時増刊）107（4）：411-416, 2005.
9）杉山みち子ほか：高齢者の栄養管理サービスにおける身体計測．栄養―評価と治療 16, p.567-574, メディカルレビュー社，1999.

■ Ⅱ-3-4　摂食状態

1）田中奈津代：栄養歴の取り方．臨床栄養（臨時増刊）105（4）：394-401, 2004.
2）足立香代子：臨床での栄養評価，喫食量調査．臨床栄養学総論，p.31-33, 講談社サイエンティフィック，2005.
3）熊谷　修監修：低栄養予防ハンドブック，地域ケア政策ネットワーク 33：43, 2003.

■Ⅲ-3-4 栄養教育

1) 本田佳子, 松崎政三編：症例から学ぶ臨床栄養教育テキスト（川﨑英二ほか監修）, 第3版, 医歯薬出版, 2016.
2) 渡邉早苗, 松崎政三, 寺本房子編, 稲山貴代, 大和田浩子ほか：臨床栄養管理―栄養ケアとアセスメント―第3版, 建帛社, 2008.
3) 社団法人全国栄養士養成施設協会, 社団法人日本栄養士会監修：栄養教育論, 第一出版, 2007.

■Ⅲ-3-5 栄養カウンセリング

1) 日本糖尿病学会編：糖尿病診療ガイドライン2019, p.115, 南江堂, 2019.
2) 宗像恒次, 小森まり子, 鈴木浄美, 橋本佐由理, 鈴木克則：SAT法を学ぶ（宗像恒次監修）, 金子書房, 2007.
3) 小森まり子, 橋本佐由理：患者を感動させるコミュニケーション術―患者の本当の気持ちをつかみやる気, 自立心を引き出すテクニック―New Medical Management（宗像恒次監修）, ぱる出版, 2005.
4) 小森まり子, 鈴木浄美, 橋本佐由理：カウンセリングマインドを使った栄養指導のための面接技法, チーム医療, 2002.
5) 宗像恒次編：栄養指導と患者ケアの実践ヘルスカウンセリング, 医歯薬出版, 2001.
6) 宗像恒次：最新 行動科学から見た健康と病気, メヂカルフレンド社, 1996.

■Ⅲ-3-7 特別用途食品, 保健機能食品

1) 「健康食品」の安全性・有効性情報（https://hfnet.nibiohn.go.jp/）.
2) 健康・栄養食品アドバイザリースタッフ・テキストブック, 第6版（国立健康栄養研究所監修）, 第一出版, 2008.
3) 食品表示法（https://elaws.e-gov.go.jp/document?lawid=425 AC0000000070）

■Ⅲ-3-8 薬と栄養・食事の相互作用

1) 奈良信雄：看護・栄養指導のための治療薬ハンドブック, 第3版, 2013.

■Ⅲ-4 モニタリングと評価

1) 本田佳子：栄養必要量の算定. トレーニーガイド栄養食事療法の実習（本田佳子編）, 第10版, 医歯薬出版, p.19-30, 2015.
2) 河原和枝：栄養ケアの基礎（静脈栄養法, 経腸栄養法）. トレーニーガイド栄養食事療法の実習（本田佳子編）, 第10版, 医歯薬出版, p.33-42, 2015.
3) 井上善文ほか：経腸栄養法と静脈栄養法. コメディカルのための静脈経腸栄養ハンドブック（日本静脈経腸栄養学会編）, 南江堂, p.148-217, 2008.
4) 土師誠二：静脈栄養剤の種類と組成, 特徴. コメディカルのための静脈経腸栄養ハンドブック（日本静脈経腸栄養学会編）, 南江堂, p.221-228, 2008.
5) 蟹江治郎：経腸栄養剤の固形化. 経腸栄養バイブル（丸山道生編）, 日本医事新報社, p.104-105, 2007.
6) 幣 憲一郎：治療食―新しい考え方―. 病態栄養専門師のための病態栄養ガイドブック（日本病態栄養学会編）, 第3版, メディカルレビュー社, p.84-89, 2011.
7) 小山広人：経腸栄養法のルート. NSTで使える栄養アセスメント＆ケア（足立香代子, 小山広人編）, 学研, p.71-82, 2007.
8) 寺本房子：POS入門. 栄養士のための実践POS入門（松崎政三, 寺本房子, 福井富穂著）, 医歯薬出版, p.24-50, 1998.
9) ASPEN Board of Directors and The Clinical Guidelines Task Force：Guidelines for the use of parenteral and enteral nutrition in adult and pediatric patients. JPEN 26 (suppl 1), 2002.
10) 鈴木 裕ほか：経皮内視鏡的胃瘻造設術ガイドライン. 消化器内視鏡ガイドライン（日本消化器内視鏡学会監修）, 第3版, p.311, 医学書院, 2006.
11) 鈴木 裕：胃瘻の作成と管理. コメディカルのための静脈経腸栄養ハンドブック（日本静脈経腸栄養学会編）, p.211, 南江堂, 2008.
12) 川崎医科大学附属病院栄養ケアマニュアル検討委員会編：栄養ケアマニュアル2006年版, 2006.
13) 岡部 健：皮下輸液は有用か. 終末期癌患者に対する輸液治療のガイドライン（日本緩和医療学会「終末期における輸液治療に関するガイドライン作成委員会」編）, p.36, 日本緩和医療学会, 2007.

Part 2　疾患と栄養ケア

■Ⅰ　検査のための調整食

1) 小野章史, 小野尚美著, 中坊幸弘監修：カルテ略語・正常値, Ver.2 検査食, p.344-352, 1996.
2) 内村英正：栄養障害と誤りやすい内分泌疾患. 臨床病理レビュー特集127号, p.31-33, 2003.
3) G supple編集委員会：G suppleイメージできる臨床栄養, 8章 検査のための食事, p.93-96. ACメディカル出版, 2005.

■Ⅱ　保健性を保つ栄養ケア

1) 仁志田博司：新生児学入門, 第4版, 医学書院, 2013.
2) 加藤則子, 高石昌弘編：乳幼児身体発育値―平成12年厚生省調査―, 小児保健シリーズNo.56, 社団法人日本小児保健協会, 2002.
3) 厚生労働省：授乳・離乳の支援ガイド, 2019.
4) 日本小児科連絡協議会ワーキンググループ編：健診ガイド―乳児編―, 日本小児医事出版社, 2002.
5) 厚生労働省：令和2年（2020）人口動態統計, 2022.

■Ⅲ-1　外科療法時

1) A.S.P.E.N. Board of Directors and The Clinical Guidelines Task Force：Guidelines for the use of parenteral and enteral nutrition in adult and pediatric patients. JPEN 26 (1) suppl, 2002.
2) 日本静脈経腸栄養学会編集：静脈経腸栄養ガイドライン, 第3版. 照林社, 2013.
3) 寺島秀夫, 只野惣介, 大河内信弘：周術期を含め侵襲下におけるエネルギー投与に関する理論的考え方～既存のエネルギー投与量算定法からの脱却～. 静脈経腸栄養 24 (5)：1027-1043, 2009.
4) Iriyama K, Mori H, Teranishi T, et al：Clearance

rate of intravenously administered lipid emulsion in canine endotoxemia. JPEN 8：440-442, 1984.

■ Ⅲ-2　化学療法時

1）遠藤一司編：改訂版がん化学療法レジメンハンドブック，羊土社，2011.
2）桑原節子：がん患者への栄養指導のポイント．食生活 102：34-38, 2008.

■ Ⅲ-3　放射線治療時

1）国立がんセンター中央病院がん医療サポートチーム編：がん医療の現在20，医事出版社，2009.
2）国立がんセンター中央病院がん医療サポートチーム編：がん医療の現在15，医事出版社，2006.

■ Ⅳ-8, 9　熱傷，外傷

1）日本静脈経腸栄養学会編：静脈経腸栄養ガイドライン第3版，照林社，2013.
2）Heidegger CP, Romand JA, Treggiari MM, et al：Is it now time to promote mixed enteral and parenteral nutrition for the critically ill patient? Intensive Care Med 33：963-969, 2007.
3）Singer P, Berger MM, Van den Berghe G, et al：ESPEN Guideline on Parenteral Nutrition: intensive care. Clin Nutr 28:387-400, 2009.
4）Frederick A, David V, Richard J, et al: Early enteral feeding, compared with parenteral, reduces postoperative septic complications. Ann Surg 216（2）:172-183, 1992.
5）Rosmarin DK, Wardlaw GM, Mirtallo J: Hyperglycemia associated with high, continuous infusion rates of total parenteral nutrition dextrose. Nutr Clin Pract 11:151-156, 1996.

■ Ⅳ-10〜12　るいそう，食欲不振，ビタミン欠乏症・過剰症

1）厚生労働省：日本人の食事摂取基準（2025年版）．
2）渡邉早苗，松崎政三，寺本房子編著：臨床栄養管理第3版，建帛社，2008.
3）佐藤和人，田中雅彰，小松龍史編：エッセンシャル臨床栄養学，第9版，医歯薬出版，2022.
4）日本病態栄養学会編：病態栄養専門管理栄養士のための病態栄養ガイドブック，改訂第7版，南江堂，2022.
5）日本肥満学会編：肥満症診療ガイドライン2022，ライフサイエンス出版，2022.

■ Ⅳ-14　吐血，下血

1）安池純士：吐血だったら，まずはバイタルサインを評価し，バイタルサインを安定させる．ERマガジン 6（2）：296-300, 2009.
2）松浦　昭：超高齢者の大腸内視鏡検査．日本大腸検査学会雑誌 24（2）：71-76, 2008.
3）大舘敬一：吐血・下血．ナーシングカレッジ 13（7）：134-139, 2009.

■ Ⅳ-16　浮腫

1）Zhang H, et al：Collecting duct—specific deletion of peroxisome proliferator—activated receptor gamma blocks thiazolidinedion- induced fluid retention. Proc Natl Acad Sci USA 102：9406-9411, 2005.

■ Ⅳ-18, 19　口内炎，歯肉炎，歯周炎

1）小西昭彦，小西かず代：歯周病―わかる・ふせぐ・なおす―，医歯薬出版，2006.
2）古谷純一・水城春美：身体徴候からみる栄養評価2－口腔領域，臨床栄養110（4），352-356, 2007.
3）鴨井久一，花田信弘，佐藤　勉，野村義明編：Preventive Periodontology 臨床を支えるサイエンスを知る・唾液検査を活用する・生活習慣病を予防する（歯肉炎の病態 p.8-23，栄養と歯周病 p.147-150，診断と治療計画 p.212），医歯薬出版，2007.
4）菅野直之：歯周病とは．臨床栄養 111（7）：843-846, 2007.
5）小方頼昌：歯周病の検査と治療の実際．臨床栄養 111（7）：847-852, 2007.

■ Ⅳ-20, 21　下痢，便秘

1）日本消化器病学会関連研究会 慢性便秘の診断・治療研究会編：慢性便秘症診療ガイドライン 2017，南江堂，2017.
2）中川義仁，大宮直木：便秘症，便秘型過敏性腸症候群の生活指導，食事指導の実際．臨床栄養 132（2）：162-166, 2018.

■ Ⅴ-1　骨粗鬆症

1）骨粗鬆症の予防と治療ガイドライン作成委員会編：骨粗鬆症の予防と治療ガイドライン2015年版，ライフサイエンス出版，2015.
2）折茂　肇監修：骨粗鬆症 検診・保健指導マニュアル，第2版，ライフサイエンス出版，2014.

■ Ⅴ-2　鉄欠乏性貧血

1）日本鉄バイオサイエンス学会ガイドライン作成委員会編：鉄欠乏・鉄欠乏性貧血の予防と治療のための指針，響文社，2008.
2）日本鉄バイオサイエンス学会治療指針作成委員会編：鉄剤の適正使用による貧血治療指針，改定［第2版］，響文社，2009.

■ Ⅴ-3　胃食道逆流症

1）日本消化器病学会：胃食道逆流症（GERD）診療ガイドライン，南江堂，2009.
2）日本消化器病学会：胃食道逆流症（GERD）ガイドブック，南江堂，2010.
3）渡邉早苗ほか：臨床栄養管理，建帛社，2011.
4）清野　裕ほか：臨床栄養療法　スタッフマニュアル，医学書院，2009.

■ Ⅴ-4　胃・十二指腸潰瘍

1）胃潰瘍ガイドラインの適用と評価に関する研究班編：EBMに基づく胃潰瘍診療ガイドライン，第2版，じほう，2007.
2）日本消化器病学会監修，消化器病診療編集委員会編：消化器病診療―良きインフォームド・コンセントに向けて，医学書院，2004.
3）菅野健太郎，上西紀夫，井廻道夫編：消化器疾患最新の治療 2009-2010，南江堂，2009.

■V-5 慢性肝炎

1）日本肝臓学会編：慢性肝炎・肝硬変の診療ガイド2019，p.5-6，文光堂，2019.
2）長崎洋三ほか編著：実践臨床栄養学実習，p.71-72，85-86，第一出版，2010.
3）片山一男：症例から学ぶ臨床栄養教育テキスト（川﨑英二ほか監修），第2版，p.105-108，医歯薬出版，2006.

■V-6 脂肪肝

1）鈴木一幸：肝疾患．病態栄養専門師のための病態栄養ガイドブック，第3版，p.139-142，メディカルレビュー社，2011.
2）本田佳子編：トレーニーガイド栄養食事療法の実習，第10版，p.106-107，医歯薬出版，2015.
3）乾　和郎編集：肝胆膵疾患の診断と治療―トピックス2006（中澤三郎監修），アークメディア，2006.
4）日本消化器病学会編：NAFLD/NASH診療ガイドライン2014，南江堂，2014.
5）肝と栄養の会編：実践 肝疾患の栄養療法，南江堂，2006.

■V-7 肝硬変

1）日本消化器病学会・日本肝臓学会編：肝硬変診療ガイドライン2020（改訂第3版），南江堂，2020.
2）片山一男ほか：非代償性肝硬変患者の血漿アミノ酸濃度の日内変動に関する研究．厚生年金年報22，p.299-308，1995.
3）岡田正ほか監修：肝硬変・肝不全の栄養管理．ビジュアル臨床栄養百科，第5巻，p.66-69，小学館，1996.
4）松崎政三ほか編著：臨床栄養管理ポケット辞典，建帛社，2009.
5）日本肝臓学会編：NASH・NAFLDの診療ガイド2021，文光堂，2021.
6）日本肝臓学会・西口修平監修：肝硬変の成因別実態2018，医学図書出版，2019.
7）Enomoto H, et al.：J Gastroenterol 45; 86-94, 2022.

■V-8 胆嚢炎，胆石症

1）松崎政三，福井富穂，田中　明：臨床栄養管理ポケット辞典，p.168-171，建帛社，2009.
2）田中直見：図説消化器病シリーズ13，胆道疾患，メジカルビュー社，2000.
3）白鳥敬子：胆・膵疾患．病態栄養専門師のための病態栄養ガイドブック，第3版，p.143-148，メディカルレビュー社，2011.
4）本田佳子編：トレーニーガイド栄養食事療法の実習，第10版，p.107，医歯薬出版，2015.

■V-9 慢性膵炎

1）厚生労働省難治性疾患克服研究事業難治性膵疾患に関する調査研究班による全国調査（2008）.
2）厚生省特定疾患調査研究事業　難治性膵疾患分科会（1998）.
3）Greenberger NJ, et al：New Engl J Med 280（19）：1045-1058，1969.
4）急性膵炎診療ガイドライン2015改訂出版委員会編：急性膵炎診療ガイドライン2015，金原出版，p.137-141，2015.

■V-10 糖尿病

1）日本糖尿病学会編・著：糖尿病治療ガイド2022-2023，文光堂，2022.
2）日本糖尿病学会編：糖尿病食事療法のための食品交換表，第7版，文光堂，2013.
3）日本糖尿病学会：日本人の糖尿病の食事療法に関する日本糖尿病学会の提言，2013.
4）杉本恒明，矢崎義雄編：内科学Ⅲ，第9版，朝倉書店，2008.
5）日本糖尿病学会編：糖尿病専門医研修ガイドブック，改訂第6版，診断と治療社，2014.
6）日本糖尿病学会編：科学的根拠に基づく糖尿病診療ガイドライン2013，南江堂，2013.
7）日本糖尿病学会編：糖尿病診療ガイドライン2019，p.35，61，南江堂，2019.
8）日本糖尿病学会・日本老年医学会編・著：高齢者糖尿病治療ガイド，p.31，36，南江堂，2018.
9）日本腎臓病学会：サルコペニア・フレイルを合併した保存期CKDの食事療法の提言．日本透析医学会雑 52（7）：430，2019.

■V-11 脂質異常症

1）村勢敏郎：高脂血症診療ガイド，文光堂，2005.
2）日本動脈硬化学会編：動脈硬化性疾患予防ガイドライン2022年版，2022.
3）Vafeiadou K, Weech M, Altowaijri H, et al.: Replacement of saturated with unsaturated fats had no impact on vascular function but beneficial effects on lipid biomarkers, E-selectin, and blood pressure: results from the randomized, controlled Dietary Intervention and VAScular function (DIVAS) study. Am J Clin Nutr 102: 40-48, 2015.
4）Mori TA, Bao DQ, Burke V, et al.: Dietary fish as a major component of a weight-loss diet: effect on serum lipids, glucose, and insulin metabolism in overweight hypertensive subjects. Am J Clin Nutr 70: 817-825, 1999.
5）Lichtenstein AH, Ausman LM, Jalbert SM, et al.: Efficacy of a Therapeutic Lifestyle Change/Step 2 diet in moderately hypercholesterolemic middle-aged and elderly female and male subjects. J Lipid Res 43: 264-273, 2002.
6）Tada N, Maruyama C, Koba S, et al.: Japanese dietary lifestyle and cardiovascular disease. J Atheroscler Thromb 18: 723-734, 2011.

■V-12 肥満症

1）日本肥満学会肥満症診断基準検討委員会：肥満症診断基準2011，肥満研究17（臨時増刊号），2011.
2）日本肥満学会肥満症治療ガイドライン作成委員会：肥満症治療ガイドライン2006，肥満研究 12（臨時増刊号），2006.
3）厚生労働省：平成29年国民健康・栄養調査報告，2017.
4）厚生労働省：健康づくりのための身体活動基準2013，2013.
5）吉松博信：肥満症の行動療法．医学のあゆみ別冊，糖

尿病・代謝症候群 state of arts 2004-2006（門脇　孝，小川佳宏，下村伊一郎編），p.827-834，医歯薬出版，2004.
6) メタボリックシンドローム診断基準検討委員会：メタボリックシンドロームの定義と診断基準．日本内科学会雑誌 94（4）：188-203，2005.
7) 日本肥満学会編：肥満症診療ガイドライン2022，ライフサイエンス出版，2022.
8) 日本肥満学会編：小児肥満症診療ガイドライン2017．

■V-13　高尿酸血症

1) 中村　徹：高尿酸血症の成因と病態．実地診療医家のための高尿酸血症・痛風の診療（中村　徹編），p.21-38，メディカルレビュー社，2001.
2) 中村　徹：二次性尿酸代謝異常．高尿酸血症と痛風，Vol.11，No.1，p.10，メディカルレビュー社，2003.
3) 日本痛風・核酸代謝学会ガイドライン改訂委員会：高尿酸血症・痛風の診療ガイドライン，第3版，診断と治療社，2019.
4) 日本先天代謝異常学会：肝型糖原病の診療ガイドライン（案）（http://jsimd.net/pdf/guideline/21_jsimd-Guideline_draft.pdf）

■V-14　先天性代謝性疾患

1) 大和田　操：新生児マス・スクリーニング検査．小児科診療 68：931-936，2005.
2) 大和田　操：先天性代謝異常症と栄養．小児科臨床 57：2542-2546，2004.
3) 大和田　操ほか：先天性代謝異常症．食事指導のABC（中村丁次監修），改訂第3版，p.279-286，日本医師会，2008.
4) 特殊ミルク共同安全開発委員会編：改訂2008食事療法ガイドブック，アミノ酸代謝異常症・有機酸代謝異常症のために．社会福祉法人恩賜財団母子愛育会，2008.
5) 浜嶋直樹，杉山成司：ホモシスチン尿症の食事療法．小児内科　26：93-98，1994.
6) 岡野善行：遺伝性ガラクトース血症．小児科臨床 59：609-617，2006.
7) 特殊ミルク共同安全開発委員会編：タンデムマス導入にともなう新しいスクリーニング対象疾患の治療指針，社会福祉法人恩賜財団母子愛育会，2007.
8) 堀内幸子ほか：糖質代謝異常症の食事療法—1．ガラクトース血症および糖原病について—．特殊ミルク情報 35：62-75，1999.
9) 北川照男ほか：タンデムマススクリーニングで異常が発見されたときの対応．特殊ミルク情報 47：40-48，2011.
10) 大和田　操：先天性代謝異常症　疾患群レビュー．子どもの病気　栄養管理・栄養指導ハンドブック（伊藤善也ほか編），p.94-98，化学同人，2012.
11) 特殊ミルク共同安全開発委員会：特殊ミルク情報 48（2012），54（2018），55（2019）．
12) 日本先天性代謝異常学会：新生児マススクリーニング対象疾患等診療ガイドライン，診断と治療社，2019．

■V-15　甲状腺機能亢進症・低下症

1) 藤井穂波：甲状腺疾患と食事療法．診断と治療 89（2）：317-324，2001.
2) 平岩哲也，高松順太，花房俊昭：甲状腺機能亢進症と低下症の治療指針．実地医家の日常診療のために．Medical Practice 22（4）：551-557，2005.
3) 西川光重，豊田長興，天野砂織：甲状腺ホルモンの合成・分泌・代謝—診断と治療のための基礎知識—．Medical Practice 22（4）：581-587，2005.
4) 重namespaces千秋：バセドウ病の診断．綜合臨牀 58（7）：1527-1533，2009.
5) 西川光重，豊田長興，野村恵巳子：慢性甲状腺炎（橋本病），甲状腺機能低下症．綜合臨牀 58（7）：1557-1561，2009.
6) 阿部好文：甲状腺疾患を見逃さないためには．診断と治療 89（2）：199，2001．

■V-16　ウィルソン病，糖原病

1) 日本小児栄養消化器肝臓学会ほか編：Wilson病診療ガイドライン2015，2015.
2) 大関武彦，近藤直美編：小児科学，第3版，医学書院，2008.
3) 杉本恒明，矢崎義雄編：内科学，第9版Ⅱ，朝倉書店，2008.
4) 医歯薬出版編：疾病の成り立ちと栄養ケア．目でみる臨床栄養学 Update，医歯薬出版，2007.
5) 日本先天代謝異常学会：肝型糖原病の診療ガイドライン（案）（http://jsimd.net/pdf/guideline/21_jsimd-Guideline_draft.pdf）

■V-17　高血圧

1) 日本高血圧学会高血圧治療ガイドライン作成委員会：高血圧治療ガイドライン2019，日本高血圧学会，2019.
2) 荻原俊男監修：やさしい高血圧の自己管理，改訂3版，医薬ジャーナル社，2003.
3) 本間　健：エッセンシャル臨床栄養学，第7版，p.107-112，医歯薬出版，2013.
4) 安東克之：高血圧治療ガイドライン2009—栄養士が知っておきたいこと．臨床栄養 114（3）：234-235，2009.
5) 工藤秀機：高血圧症の医学．栄養食事療法シリーズ4，p.12-16，建帛社，2009.
6) 前田佳子子：高血圧症-栄養食事療法．栄養食事療法シリーズ4，p.17-29，建帛社，2009.
7) 南部征喜：動脈硬化，高血圧，虚血性心疾患，うっ血性心不全．事例・症例に学ぶ栄養管理，p.119-121，南山堂，2009.
8) 久代登志男：高血圧．ビジュアル臨床栄養 実践マニュアル 疾患別の病態と栄養管理Ⅱ，第3巻，p.40-45，小学館，2003.

■V-18　脳出血，脳梗塞，くも膜下出血

1) 高松和弘，福島朋子ほか：脳卒中の病型別にみた初発神経症状の頻度．脳卒中データバンク（小林祥泰編），p.26-27，中山書店，2015.
2) 脳卒中合同ガイドライン委員会：脳卒中ガイドライン2015，協和企画，2015.
3) 田中耕太郎：脳血管障害，病気が見える（医療情報科学研究所），p.60-121，メディックメディア，2011.
4) 三原千恵：脳卒中の栄養サポート．静脈経腸栄養 26（3）：37-41，2011.
5) 三原千恵：脳卒中後の嚥下リハビリテーションの栄養管理．静脈経腸栄養 26（6）：35-42，2011.

■V-19 虚血性心疾患（狭心症，心筋梗塞）

1) 北畠 顕ほか：虚血性心疾患の一次予防ガイドライン（2006年改訂版），日本循環器学会編，2006.
2) 相澤義房：メディカルノート循環器疾患がわかる，西村書店，2009.
3) 医療情報科学研究所：病気がみえる2．循環器，第2版，メディックメディア，2009.
4) 近藤和雄：食事と心疾患，第一出版，2007.

■V-20 心不全（うっ血性心不全）

1) 相澤義房：メディカルノート循環器疾患がわかる，西村書店，2009.
2) 医療情報科学研究所：病気がみえる2．循環器，第2版，メディックメディア，2009.

■V-21,22 糸球体腎炎，ネフローゼ症候群

1) 坂井建雄，岡田隆夫：系統看護学講座専門基礎分野 解剖生理学，人体の構造と機能（1），医学書院，p.220, 224, 226, 2009.
2) 本田佳子編：トレーニーガイド 栄養食事療法の実習，第10版，医歯薬出版，p.167-172, 2015.
3) 坂本穆彦ほか：系統看護学講座専門基礎分野 病理学，疾病のなりたちと回復の促進（1），医学書院，p.249, 2009.
4) 松尾清一監修：エビデンスに基づく ネフローゼ症候群診療ガイドライン2014, 東京医学社，2014.

■V-23 慢性腎不全

1) 日本腎臓学会編：エビデンスに基づくCKD診療ガイドライン2018, 東京医学社，2018.
2) 日本透析医学会：わが国の慢性透析療法の現況（2022年12月31日現在）.
3) 日本腎臓学会編：慢性腎臓病に対する食事療法基準2014年版，2014.
4) 厚生労働省：日本人の食事摂取基準（2025年版）.

■V-24 糖尿病性腎症

1) 古家大祐：糖尿病性腎症の病因と臨床経過．臨床栄養 115（4）：360-366, 2009.
2) 加藤光敏ほか：糖尿病におけるCKDの食事療法．臨床栄養 111（6）：743-749, 2007.
3) 近藤和雄，中村丁次：臨床栄養学Ⅱ，内分泌・代謝疾患 p.89-92, 腎臓疾患 p.195-223, 第一出版，2009.

■V-25 慢性閉塞性肺疾患

1) Vogelmeier CF, Criner GJ, Martinez FJ, et al.: Global Strategy for the Diagnosis, Management, and Prevention of Chronic Obstructive Lung Disease 2017 Report. GOLD Executive Summary. Am J Respir Crit Care Med 195: 557-582, 2017.
2) 吉川雅則，木村 弘：慢性閉塞性肺疾患（COPD）における栄養障害の病態と対策．日本臨床栄養学会雑誌 32：3-10, 2010.
3) 日本呼吸ケア・リハビリテーション学会呼吸リハビリテーション委員会ほか：呼吸リハビリテーションマニュアル—患者教育の考え方と実践．昭林社，2007.
4) Agust AGN, et al：Systemic effects of chronic obstructive pulmonary disease. Eur Respir J 21：347-360, 2003.
5) 日本呼吸器学会編：栄養管理．COPD診断と治療のためのガイドライン，第6版，2022.

■V-26 気管支喘息・肺炎

1) 和田洋巳，三嶋理晃：総合講座 呼吸器病学，p.252-271, メディカルレビュー社，2004.

■V-27 妊娠高血圧症候群

1) 杉山 隆：周産期医療，①妊産婦—妊娠高血圧症候群．病態栄養専門管理栄養士のための病態栄養ガイドブック，改訂第6版，p.337-340, 南江堂，2019.
2) 堤ちはる：妊娠高血圧症候群．健康・栄養科学シリーズ，臨床栄養学，p.417-421, 南江堂，2008.
3) 中村正雄：妊娠高血圧症候群．事例・症例に学ぶ栄養管理，p.164-169, 南山堂，2009.
4) 坂本 忍：妊娠高血圧症候群の医学．栄養食事療法シリーズ7, p.76-78, 建帛社，2009.
5) 川田 順：妊娠高血圧症候群，栄養食事療法．栄養食事療法シリーズ7, p.79-83, 建帛社，2009.
6) 日本妊娠高血圧学会編：妊娠高血圧症候群の診療指針2015—Best Practice Guide—, メディカルレビュー社，2015.

■V-29 食物アレルギー

1) Ebisawa M, Sugizaki C：J Allergy Clin Immunol 121：912, 2008.
2) 今井孝成：日本小児科学会雑誌 109：1117-1122, 2005.
3) 文部科学省アレルギー疾患に関する調査研究委員会：アレルギー疾患に関する調査研究報告書，2007.
4) 海老澤元宏ほか監修：食物アレルギー診療ガイドライン2021, 協和企画，2021.
5) 厚生労働科学研究班：食物アレルギーの栄養食事指導の手引き2022, 2022.

■V-30 心因性の摂食障害

1) 日本医療研究開発機構（AMED）障害者対策総合研究事業 精神障害分野「摂食障害の治療支援ネットワークの指針と簡易治療プログラムの開発」神経性やせ症の簡易治療プログラム作成ワーキンググループ：神経性やせ症（AN）初期診療の手引き，2019.
2) 小林伸行：摂食障害（病態）．ビジュアル臨床栄養実践マニュアル第3巻（細谷憲政監修），p.144-149, 小学館，2003.
3) 阿部裕二：摂食障害．臨床に役立つ精神疾患の栄養食事指導（功刀 浩，阿部裕二編著），p.124-134, 講談社，2021.
4) 足達淑子編：ライフスタイル療法Ⅰ，第4版，医歯薬出版，2014.
5) 杉山真規子：摂食障害．栄養食事療法必携（中村丁次監修），第4版，p.218-224, 医歯薬出版，2020.

■Ⅵ-1 潰瘍性大腸炎

1) 加賀谷尚史：潰瘍性大腸炎とクローン病の病態と機序．IBDチーム医療ハンドブック（福島恒男編），p.20, 文光堂，2006.
2) 棟方昭博：潰瘍性大腸炎診断基準改定案（厚生省特定疾患難治性炎症性腸管障害調査研究班平成9年度研究報告書），p.96-99, 1998.

3）坂本十一ほか：潰瘍性大腸炎の診断基準．診断と治療，92（3）：405-409，2004．
4）渡辺　守：潰瘍性大腸炎・クローン病治療指針平成20年度改訂案．難治性炎症性腸管障害に関する調査研究班（渡辺班）平成20年度分担研究報告書，別冊，2009．
5）福田能啓ほか：炎症性腸疾患の栄養管理を知る．G.I. Research 16（6）：43-47，2008．
6）難治性炎症性腸管障害に関する調査研究班：潰瘍性大腸炎・クローン病診断基準・治療指針，平成30年度改訂版，2019．

■VI-2　クローン病

1）松枝　啓ほか：和食の時代の日本にクローン病はなかった．臨床栄養106（7）：875-878，2005．
2）八尾恒良：クローン病診断基準改定案．厚生省特定疾患難治性炎症性腸管障害調査研究班平成9年度研究報告書，p.63-66，1995．
3）樋渡信夫：クローン病の診断基準．診断と治療 92（3）：411-416，2004．
4）渡辺　守：潰瘍性大腸炎・クローン病治療指針平成20年度改訂案．難治性炎症性腸管障害に関する調査研究班（渡辺班）平成20年度分担研究報告書，別冊，2009．
5）日本消化器病学会：クローン病診療ガイドライン，p.5，南江堂，2010．

■VI-3　消化器の術前・術後

1）谷口英喜：ERAS（enhanced recovery after surgery）．栄養—評価と治療 25（6）：528-532，2008．
2）Guidelines for The A.S.P.E.N. Board of Directors and The Clinical Guidelines Task Force：Use of Parenteral and Enteral Nutrition in Adult and Pediatric Patients．JPEN 26（1）suppl，2002．
3）Schunn DCG, Daly JM：Small bowel necrosis associated with postoperative jejunal tube feeding．J Am Coll Surg 180：410-416，1995（ASPENのガイドライン 62 SA）．
4）Nieuwenhuijzen GA, Goris RJ：Current Opinion in Clinical Nutrition & Metabolic Care 2（5）：399-404，1999．
5）Botterill I, MacFie J：Care of the Critically Ill 16（1）：6-11，2000．
6）福島亮治ほか：上部消化管穿孔手術症例に対する栄養管理，特に経腸栄養管理の有用性について．日本腹部救急医学会雑誌 28（7）：929-932，2008．
7）日本病態栄養学会編：がん栄養療法ガイドブック，メディカルビュー社，2015．
8）国立がん研究センター：がん情報サービス（ganjoho.jp）

■VI-5　癌終末期

1）木澤義之，梅田　恵，新城拓也，森田達也，的場元弘ほか：ステップ緩和ケア．緩和ケア普及のための地域プロジェクト編，第3次対がん総合戦略研究事業「緩和ケアプログラムによる地域介入研究」臨床教育プログラム委員会発行，2008．
2）終末期癌患者に対する輸液治療のガイドライン．日本緩和医療学会「終末期における輸液治療に関するガイドライン作成委員会」編，2006．

■VII-1　パーキンソン病・症候群

1）倉田智子，阿部康二：パーキンソン病の治療ガイドライン．岡山医学会雑誌 125，69-71，2013．
2）松倉時子：パーキンソン病の栄養障害の特徴とその対策．臨床栄養 119（3），274-278，2011．

■VII-2　ALS（筋萎縮性側索硬化症）

1）大貫　学：筋萎縮性側索硬化症．脳・神経系疾患と難病の基礎知識（一番ケ瀬康子編），p.36-38，一橋出版，2000．
2）祖父江　元，勝野雅央：筋萎縮性側索硬化症．内科学（杉本恒明，矢崎義雄総編集），第9版，p.1807-1809，朝倉書店，2007．
3）日本神経学会監修：筋萎縮性側索硬化症診療ガイドライン 2013，南江堂．
4）鈴木ちひろ，平野郁子，渡邉美鈴ほか：筋萎縮性側索硬化症の適切な栄養評価．臨床栄養 119（3），263-267，2011．

■VII-4　摂食嚥下障害

1）聖隷三方原病院嚥下チーム：嚥下障害ポケットマニュアル，第3版，医歯薬出版，2011．
2）金谷節子：嚥下食のすべて，医歯薬出版，2006．
3）藤島一郎，芝本　勇：動画でわかる摂食・嚥下リハビリテーション，中山書店，2004．
4）Corbin-Lewis K, Liss JM, Sciortino KL：摂食・嚥下メカニズム update，医歯薬出版，2006．
5）柏下　淳：摂食・嚥下障害と栄養不良．摂食・嚥下障害とリハビリテーション 109：25-29，2009．
6）金谷節子，坂井真奈美：嚥下食ピラミッドによる嚥下食レシピ125（江頭文江，柏下　淳編著），医歯薬出版，2007．

■VIII-1，2　サルコペニア，ロコモティブシンドローム，フレイル

1）日本整形外科学会編：ロコモティブシンドローム診療ガイド2010．文光堂，2010．
2）大庭健三ほか：高齢者の特徴とその診察時の注意点．すぐに使える高齢者総合診療ノート，日本医事新報社，2014．
3）中村耕三：実践！ロコモティブシンドローム，第2版，三輪書店，2014．
4）Chen LK, et al：J Am Med Dir Assoc 2019, in press．
5）若林秀隆，西岡心大：管理栄養士のためのリハビリテーション栄養，医歯薬出版，2014．
6）葛谷雅文，雨海照祥：フレイル—超高齢社会における最重要課題と予防戦略，医歯薬出版，2014．
7）Fried LP, Tangen CM, Walston J, et al: Cardiovascular Health Study Collaborative Research Group: Frailty in older adults: evidence for a phenotype. J Gerontol A Biol Sci Med Sci 56（3）：M146-156，2001．

■VIII-3　認知症

1）山口晴保：認知症の基礎知識．認知症の正しい理解と包括的医療・ケアのポイント（山口晴保編），p.2-48，協同医書出版社，2006．

2）植木　彰：認知機能と栄養・食事．臨床栄養 112(2)：130-134，2008．
3）長嶋紀一，水間正澄，中舘綾子ほか：認知症の人の心身と食のケア，第一出版，2012．

■Ⅷ-4　褥瘡

1）日本褥瘡学会編：褥瘡予防・管理ガイドライン，第5版，照林社，2022．
2）日本褥瘡学会編：褥瘡ガイドブック，第2版，照林社，2015．

索引

あ

- アイスマッサージ……………………444
- アウトカム……………………13, 30, 92
- アウトカム志向のクリニカルパス…92
- アシドーシス……………………164, 266
- アディポサイトカイン………………287
- アディポネクチン……………………288
- アディポメーター………………………57
- アトウォーター係数……………………66
- アトピー型………………………………378
- アトピー性皮膚炎……………………394
- アドレナリン分泌……………………143
- アドレナリンβ₃受容体………………280
- アナフィラキシー……………………392
- アナフィラキシーショック…………393
- アニオンギャップ……………………164
- アノキシア………………………………191
- アプガースコア…………………………118
- アポトーシス……………………………156
- アポたんぱく……………………………274
- アミノ酸インバランス………………244
- アミノ酸スコア…………………………363
- アミノ酸製剤……………………………72
- アミノ酸組成……………………………72
- アミノ酸代謝異常症……………………306
- アラキドン酸……………………………225
- アルカリ化する食品……………………298
- アルカローシス…………………………164
- アルコール………………………260, 267
- アルコール依存症………………………182
- アルコール性慢性膵炎…………………255
- アルツハイマー型認知症………………459
- アルツハイマー病………………………459
- アルドステロン………………323, 385
- アルブミン………………………………250
- アルブミン値……………………………110
- アルブミン濃度…………………48, 350
- アルブミン／グロブリン比……………350
- アレルギー表示…………………………397
- アレルゲン………………………………392
- アンジオテンシノーゲン………………288
- アンジオテンシン変換酵素阻害薬…………………………351
- アンジオテンシンⅡ受容体拮抗薬…………………………351
- アンモニア………………………………208
- 亜鉛………………………………………73
- 亜急性甲状腺炎…………………………311
- 悪性高熱症………………………………143
- 圧痕………………………………190, 350
- 圧覚検査…………………………………267
- 安静時エネルギー消費量………………373
- 安定狭心症………………………………333

い

- イノシン酸………………………………299
- イムノキャップ…………………………394
- イレオストミー…………………………424
- インサーテープ…………………………57
- インスリン………………………………193
- インスリン感受性………………………297
- インスリン抵抗性……………243, 261
- インスリン分泌不全……………………261
- インターフェロン………………………145
- インターロイキン 1 …………………145
- インピーダンス分析……………………26
- インフォームドコンセント……………8
- 医の倫理…………………………………7
- 医師………………………………………24
- 医薬品……………………………………98
- 医療……………………………………3
- 医療安全管理チーム……………………22
- 医療・介護関連肺炎……………………381
- 医療保険…………………………………15
- 医療法……………………………3, 14
- 医療面接………………………………41, 42
- 易消化性…………………………………205
- 胃潰瘍の分類……………………………225
- 胃・結腸反射……………………………207
- 胃・十二指腸潰瘍………………………225
- 胃食道逆流症……………………………222
- 胃食道逆流………………………………444
- 胃瘻カテーテル…………………………77
- 胃瘻造設…………………………………421
- 異化……………………………10, 227
- 異化亢進…………………………………129
- 異所性石灰化…………………158, 162
- 移植片対宿主病…………………………138
- 意識障害の判定…………………………447
- 維持透析への導入基準…………………358
- 遺伝素因…………………………………271
- 育児用ミルク…………………122, 123
- 一次性シェーグレン症候群……………390
- 一次性ネフローゼ症候群………………350
- 一価不飽和脂肪酸………………………275
- 一般治療食………………………………79
- 溢水………………………………………155
- 咽頭残留…………………………………448
- 院内肺炎…………………………………382
- 陰影………………………………………226
- 陰窩膿瘍…………………………………406

う

- ウィルソン病……………………………315
- ウィルソン病の薬剤……………………317
- ウエスト・ヒップ比……………………56
- ウエスト周囲長…………………………56
- うっ血性心不全…………………………339
- うつ病……………………………………439
- 右側結腸癌………………………………423
- 運動器症候群………………………5, 451
- 運動負荷心電図…………………………334

え

- エコー……………………………………235
- エタノール………………………………328
- エネルギーのアセスメント……………38
- エネルギー管理…………………………360
- エネルギー代謝の亢進…………………375
- エネルギー必要量の算定………………66
- エネルギー負荷…………………………363
- エピネフリン……………………………325
- エリスロポエチン……………218, 347
- エンパワーメント………………………9
- 壊疽………………………………………262
- 栄養アセスメント………………33, 54
- 栄養アセスメントの方法………………35
- 栄養カウンセリング……………………86
- 栄養カウンセリングの基本技法………87
- 栄養ケア…………………………9, 65
- 栄養ケアプラン…………………………65
- 栄養ケアプロセス………………………31
- 栄養ケアマネジメント…………………31
- 栄養サポートチーム……………………9
- 栄養サポートチーム加算……15, 24
- 栄養サマリー……………………………137
- 栄養スクリーニング……………………33
- 栄養ルート………………………………131
- 栄養ルートの確保………………………133
- 栄養改善法………………………………99
- 栄養管理情報……………………………137
- 栄養管理体制……………………………15
- 栄養管理体制の基準……………………68
- 栄養機能食品……………………………100
- 栄養教育…………………………………82
- 栄養支援……………………………11, 12
- 栄養障害…………………………………33
- 栄養障害の状態…………………………16
- 栄養状態の改善…………………………6
- 栄養情報提供加算………………………20
- 栄養食事管理録…………………………68
- 栄養食事指導……………………………18
- 栄養食事指導料…………………………82
- 栄養食事療法……………………………3
- 栄養診断…………………………………31
- 栄養成分別食事基準……………………80
- 栄養表示基準……………………………101
- 栄養補給の分類…………………………37
- 栄養補給法………………………………130
- 炎症性サイトカイン…………170, 232
- 炎症性メディエーター…………………168
- 炎症性細胞浸潤…………………………202
- 炎症性物質………………………………232
- 嚥下のスクリーニングテスト…………444
- 嚥下時の呼吸……………………………446
- 嚥下障害…………………………………131
- 嚥下障害の原因疾患……………………442
- 嚥下対策チーム…………………………26
- 嚥下反射…………………………………446

お

- オートクレーブ…………………………138
- オーバービュー式パス…………………28
- オールインワンパス……………………29
- オピオイド………………………………429
- 悪心………………………………………137
- 黄疸………………………………43, 242

嘔吐 137, 400
押しつぶし咀嚼 446
温度・時間管理 450
温度板 62

か

カーボカウント 266
カイザー・フライシャー角膜輪 315
カイロミクロン 275
カウプ指数 56
カウンセリング法 87
カテコラミン 325
カフェイン 107
カプサイシン 11
カリウムコントロール 341
カルシウム 214, 215, 326
カルシウム拮抗薬 363, 371
カルシウム摂取量 211
カルシウム代謝調節ホルモン 212
カルシトニン 159
カルテ 41
カンガルーケア 126
ガス 208
ガストリン 225
ガラクトース血症 305, 308
下位行動 91
下垂体ホルモン分泌刺激試験 51
下部食道括約筋 222, 446
化学的便潜血検査 115
化学療法 12, 134
可逆性気流制限 378
加工食品 101
加重型妊娠高血圧腎症 384
加齢性筋肉減少症 451
仮性アレルギー 395
仮面高血圧 322
果糖 267
果糖摂取 298
家族歴 36, 43
家庭血圧 322, 327
過期産児 117
過高熱 143
過食 399
過食性障害 399
過敏性腸症候群 418
顆粒球除去療法 407
画像検査 53
介護サービス 22
介護の状態 21
介護区分 21
介護保険制度 22
回帰熱 144
潰瘍 225
潰瘍性大腸炎 405
外因性エネルギー供給 132
外因性発熱物質 143, 145
外部環境 10
外来栄養食事指導料 20
咳嗽 372
楓糖尿症 304

拡散輸送機構 160
核酸 296
喀痰 372
隠れ肥満 60
確認法 89
陰膳法 60
活性型ビタミンD 213
活性型ビタミンD_3 156
活性酸素 199
喀血 185
褐色細胞腫 37
合併症 4
空嚥下 445
甘草 107
肝うっ血 195
肝炎ウイルス 229
肝型糖原病 318
肝機能検査 46
肝硬変 195, 241
肝硬変の重症度分類 242
肝性昏睡 166
肝性脳症 242
肝代謝障害 419
肝不全徴候 242
肝不全用経腸栄養剤 244
完全寛解 350
完全静脈栄養補給法 421
完全静脈栄養法 23, 413
冠危険因子 274
冠血栓性狭心症 333
冠動脈硬化症 336
冠動脈疾患 272
冠攣縮性狭心症 333
看護師 24
浣腸 399
患者の自己効力感 83
患者の戸惑い 371
患者家族のQOL改善 428
患者教育 463
換気効率 373
間欠熱 144
間質性肺水腫 340
間接熱量計 313
幹細胞 249
感情 87
感染制御チーム 22
関節リウマチ 389
管理栄養士 25
緩和医療チーム 22
緩和治療 428
環境因子 261
観察法 87
灌流圧 325
含嗽 199
含硫アミノ酸 305
癌化学療法 198
癌終末期 428

き

キーパーソン 63
キーメッセージ 87

キーワード 87
キャッチアップ 125
キレート剤 315
気管支喘息 378
気道狭窄 378
気流制限 378
希釈性低Na血症 197
起炎物質 197
起坐呼吸 339
既往歴 36, 43
記憶障害 459
基礎代謝量測定 287
基礎分泌量 50
器質性狭心症 333
器質性便秘 207
器質の症状 177
機能性表示食品 101
機能性便秘 207
偽ポリポーシス 406
偽性 152, 154
拮抗 107
喫煙 372
客観的評価（法） 35, 54
逆流性食道炎 222
吸入ステロイド 380
急性肝炎 232
急性糸球体腎炎 345
急性腎障害 365
急性膵炎 256
急性胆嚢炎 249
球麻痺 436
給与栄養目標量 17
巨赤芽球性貧血 181, 182
巨大児 117
許可（承認）証票 98
虚血性心疾患 333
虚弱 456
鏡像 406
共感法 90
狭心症 333
胸水 194
教育計画の作成 84
強化食品 99
強制的な栄養補給 33
強皮症 389
境界域高LDLコレステロール血症 271
凝固剤 75
凝集性 449
局所性浮腫 191
金属イオン 104
筋萎縮 436
筋萎縮性側索硬化症 436
筋型糖原病 318
筋線維芽細胞 463
筋力低下 436
緊急手術 133

く

クエン酸 107
クッシング症候群 272

クリーゼ……………………………158
クリーンベンチ……………………25
クリティカルケア…………………10
クリニカルパス……………28, 70, 94
クレアチニンクリアランス…292, 298, 357, 358
クローン病………………………410
クローン病活動性分類…………411
クワシオルコール………………173
グリコーゲン合成能低下………244
グリコーゲン代謝経路…………319
グリコーゲン病…………………318
グリチルリチン…………………107
グルカゴン負荷試験……………318
グルコース投与…………………132
グレープフルーツジュース……105
くも膜下出血……………………330
くる病……………………………163

け
ケトン体……………………52, 266
ケミカルメディエーター………129
下血…………………………184, 226
下剤………………………………399
下剤乱用…………………………400
下痢………………………………204
外科的糖尿病……………………417
外科療法…………………………285
経管栄養…………………………423
経口栄養法…………………………79
経口免疫療法……………………395
経口輸液製剤……………………147
経口溶解薬………………………252
経腸栄養……………………………74
経腸栄養剤…………………………74
経腸栄養法……………………74, 413
経皮経肝胆管ドレナージ………426
経皮的冠動脈インターベンション
　………………………………335
経皮内視鏡的胃瘻造設術…74, 421
傾聴法………………………………89
稽留熱……………………………144
頸部前屈…………………………444
血圧管理…………………………267
血液ガス分析……………………167
血液透析療法……………………358
血管石灰化………………………360
血球検査……………………………44
血小板数……………………………45
血漿膠質浸透圧…………………194
血漿P（リン）値調節機構……160
血清アルブミン…………………361
血清カリウム値…………………364
血清クレアチニン………………358
血清フェリチン…………………218
血清フェリチン濃度……………233
血清たんぱく電気泳動検査………48
血清たんぱく濃度………………361
血清脂質値………………………250
血清総たんぱく…………………350
血中たんぱく質…………………250

血中脂質…………………………235
血糖コントロール目標…………263
血糖値……………………………423
血糖値濃度………………………176
血尿………………………………187
血便………………………………184
結合組織病………………………389
結腸癌手術………………………423
見当識障害…………………149, 459
健康づくりのための身体活動基準2013……………………………284
健康関連のQOL……………………14
健康食品…………………………155
健康増進法…………………………99
健忘………………………………459
健忘症……………………………459
検食簿………………………………17
嫌気性グラム陰性桿菌…………201
顕微鏡的血尿…………………187, 368
言語聴覚士…………………………26
原因不明の発熱…………………144
原発性骨粗鬆症…………………211
原発性肥満………………………280
現病歴………………………………42
減塩…………………………327, 359
減塩の工夫………………………388
減塩食………………………327, 352

こ
コーチング法………………………87
コーヒー…………………………214
コーピングスキル………………399
コーンスターチ療法……………319
コルチコイドの分泌調節………386
コレシストキニン………………223
コレステロール…………………268
コロストミー……………………424
コンプライアンス………………260
こわばり…………………………433
呼気ガス分析………………132, 287
呼吸器悪液質……………………374
呼吸商……………………………375
呼吸性アシドーシス……………166
呼吸性アルカローシス…………166
呼吸性因子………………………165
呼吸調節…………………………164
呼吸麻痺…………………………430
姑息照射………………………139, 140
個人の尊厳……………………………8
個人情報……………………………8
個別栄養指導………………………82
誤嚥………………………………442
誤嚥性肺炎………………………381, 442
口角炎……………………………182
口腔アレルギー症候群…………393
口腔ケア…………………………430
口腔・食道障害…………………442
口腔内乾燥………………………142
口内炎………………………141, 198
甲状腺ホルモン…………………311
甲状腺機能検査食………………114
甲状腺機能亢進症………………309

甲状腺機能低下症………………309
甲状腺刺激ホルモン……………312
甲状腺中毒症……………………309
行動の三次元………………………91
行動の自己決定……………………90
行動科学的アプローチ……………88
行動修復…………………………284
行動段階……………………………87
行動療法…………………………284
抗癌薬治療コース………………136
抗凝固薬…………………………105
抗凝固療法………………………189
抗血栓薬…………………………105
抗酸化成分………………………216
抗酸化物質………………………215
抗肥満薬…………………………283
抗TNF-α抗体製剤……………412
攻撃因子…………………………225
効果的な促し……………………89, 90
効果的な繰り返し…………………90
効果的な沈黙………………………89
恒常性………………………10, 148
恒常性維持機構…………………148
高カイロミクロン血症…………277
高カリウム血症………………152, 357
高カルシウム血症……………156, 431
高カロリー輸液……………………71
高カロリー輸液施行のガイドライン
　…………………………………72
高コレステロール血症…………268
高ナトリウム血症………………148
高プリン食………………………295
高リン血症………………………160, 357
高血圧………………………321, 352, 386
高血圧合併妊娠…………………384
高血圧管理計画…………………323
高張食塩水………………………150
高張性脱水………………………146
高度肥満…………………………280
高尿酸血症………………………293
高熱………………………………143
高分子型アディポネクチン……288
高齢による衰弱…………………457
高齢者糖尿病……………………269
高齢者のケア……………………149
高齢者総合機能評価……………455
高Ca血症をきたす疾患………159
高LDL-C血症………………271, 277
高P血症（透析患者の）………161
高TG血症……………………271, 277
降圧目標…………………………323
降圧薬……………………………325
降圧薬の禁忌……………………325
降圧薬の積極的適応……………325
喉頭蓋の後方反転………………446
構音障害………………………315, 331
酵素診断…………………………318
膠原病……………………………173
膠質浸透圧………………………190
極低出生体重児…………………117

骨ページェット病	159
骨芽細胞	214
骨格筋量指標	452
骨吸収	212
骨吸収マーカー	214
骨強度	209
骨形成	212
骨形成マーカー	214
骨浸潤	157
骨髄抑制	199
骨折の危険因子	210
骨粗鬆症	209
骨粗鬆症患者数	210
骨代謝バランス	213
骨軟化症	156
骨密度	209
骨量の増加	216
粉ミルク	124
粉あめ	260
根治照射	139, 140
混合栄養	122
混合型脱水	147

さ

サービングサイズ	61
サイトカイン	11, 419
サイロキシン	311
サプリメント	215
サルコペニア	451, 456
左側結腸癌	423
左側大腸炎型潰瘍性大腸炎	405
作業療法士	26
嗄声	310
鎖骨下静脈	73
再栄養症候群	402
再燃	410
細胞外マトリックス	462
細胞外液	190
細胞外脱水	40
細胞周期	199
細胞内液	190
細胞内脱水	149
細胞膜電位	152
催便性食品	208
臍周囲長	56
在胎週数	117
在宅患者訪問栄養食事指導料	20
在宅高カロリー輸液	429
在宅成分経腸栄養療法	414
杯細胞	406
三次元治療計画	140
三大アレルゲン	396
酸の産生	164
酸塩基平衡	164
酸塩基平衡障害	164
酸化修飾	275
酸素吸入療法	373

し

シスタチンC	355
シックデイ	268
ショック状態	185
ショ糖（砂糖）	266
シンチグラフ	314
ジスマチュア児	117
子宮内胎児発育不全	125
支持療法	134
市中肺炎	382
弛張熱	144
糸球体	355
糸球体メサンギウム細胞	368
糸球体腎炎	345
糸球体毛細血管圧	346
糸球体濾過	346
糸球体濾過量	351, 357
自然治癒力	12
自覚症状	41
自己嘔吐	399
自己焦点化	90
自己分解性酵素	462
自己免疫機序	261
自己免疫疾患	389
自己免疫性膵炎	256
指導法	87
脂質のアセスメント	40
脂質異常症	271, 350
脂質管理目標値	273
脂質検査	49
脂質投与	132
脂肪肝	235
脂肪細胞	281
脂肪細胞の燃焼エネルギー	287
脂肪乳剤	72
脂肪便	258
脂溶性ビタミン	178, 259
歯科医師	24
歯科衛生士	26
歯周ポケット	203
歯周炎	201
歯周組織	201
歯槽骨	201
歯肉炎	201
試験紙法	189
持続的インスリン静脈注射	427
持続的インスリン皮下注射	427
失禁	451
疾患別食事基準	80
疾病リスク低減表示	100
疾病構造の変化	7
膝高計測器	58
膝高値	58
実質性肺水腫	340
手指振戦	310
手術侵襲	419
主観的情報	31
主観的評価法	54
主観的包括的評価	35, 467
主訴	41
守秘義務	8
腫瘍マーカー	47
受動喫煙	372
授乳支援	122
授乳・離乳の支援ガイド	122
周期性嘔吐症	206
周期熱	144
終末期	9
集学的アプローチ	7
集団栄養指導	82
集団栄養食事指導料	20
集約的治療	371
重曹	106
宿酔症状	140
手段的日常生活動作	458
出血性疾患	45
出生体重	117
術後合併症	420
順化	10
循環動態	184
初乳	120
女性ホルモン	252
除脂肪体重	375
徐脈	177
小腸型クローン病	410
小腸大腸型クローン病	410
小腸瘻造設	421
小児腎臓病	365
小児糖尿病	270
小児肥満	292
消化管ストーマ	424
消化管狭窄	419
消化管毒性	136
消化器の術前・術後	419
消化器症状	141
消化性潰瘍	225
消化態栄養剤	76
消化不良症	206
消費者庁	99
症候性血尿	187
症候性貧血	183
症状	41
上位行動	91
上腕カフ・オシロメトリック法	322
上腕筋周囲長	58
上腕筋面積	58
上腕三頭筋背側部皮下脂肪厚	57
上腕周囲長	56
条件付き特定保健用食品	100
常染色体劣性遺伝形式	315
情報メッセンジャー	156
静脈ラインの確保	24
静脈栄養（法）	71
静脈炎	73
食上げ	427
食塩	214, 277
食塩コントロール	347, 348, 353
食塩感受性高血圧症	325
食塩制限	192, 351, 369, 371, 387
食塊形成	442, 446, 448
食行動変容	87
食事に関する質問	404
食事箋	81

食事調査	60	
食事療法用宅配食品等栄養指針	99	
食習慣	270	
食止め	420	
食堂加算	18	
食道炎	141	
食道裂孔ヘルニア	222	
食品	98	
食品のアレルゲン	397	
食品構成表	80	
食品選択	197	
食品表示基準	100, 101	
食品表示法	99	
食物アレルギー	392	
食物経口負荷試験	396	
食物除去	396	
食物除去試験	395	
食物除去の考え方	397	
食物摂取頻度調査法	61	
食物繊維	66, 208, 221, 268, 326	
食欲	107	
食欲不振	176	
食歴法	60	
触知	190	
職業性粉塵曝露	372	
褥瘡	462	
褥瘡管理チーム	22	
心因性摂食障害	399	
心機能評価	340	
心筋梗塞	333	
心身障害	438	
心臓カテーテル検査	360	
心電図検査	334	
心嚢水	194	
心拍出量	196	
心不全	190, 196, 339	
心理ブロッキング	89	
身体構成	361	
身体構成成分	54	
身長	55	
身長・体重比	55	
神経性やせ症	174, 399, 401	
神経性過食症	399, 401	
侵襲	20, 419	
振戦	433	
浸透圧の調節	146	
浸透圧性下痢	204	
浸透圧調節系	148	
診察	41	
診療報酬	15	
診療録	34, 41, 68	
新生血管	463	
新生児	117	
新生児マススクリーニング	301	
新生児マススクリーニング検査	119	
新生児マススクリーニング陽性基準	302	
滲出性下痢	204	
人工栄養	122	
人工肛門	424	
腎移植	358	
腎外性K（カリウム）調節因子	152	
腎外排泄低下型	295	
腎機能検査	47	
腎症	366	
腎生検	367	
腎性貧血	356	
腎臓病教室	83	
腎負荷型	295	
腎不全	356	
す		
スクリーニング	33, 35	
スクリーニングテスト	444	
スケーリング	202, 203	
ステージ	428	
ステロイド	353, 412	
ステロイドホルモン	351	
ストレス	11	
ストレス性格	91	
ストレス性格病	91	
ストレス誘導過食	280	
スパイロメトリー	372	
スピリチュアル	13	
スプーン状爪	182	
スライド方式	413	
すりつぶし咀嚼	446	
水分のアセスメント	40	
水分の出納	40	
水分過多	149	
水分制限	351	
水分喪失	149	
水分量（体の）	146	
水溶性ビタミン	178	
水溶性食物繊維	275, 415	
水様便	204	
衰弱	456	
推定たんぱく質摂取量	361	
推定糸球体濾過量	355	
推定食塩摂取量	361	
睡眠時無呼吸症候群	330	
膵酵素	260	
膵性糖尿病	257	
錐体外路症状	315	
せ		
セイヨウオトギリソウ	105	
セットポイント（熱中枢の）	143	
セルフケア行動のシーソーモデル	87	
セロトニン	11	
ゼラチンゼリー	448	
ゼラチンゼリースライス法	444	
ゼリー	142	
ゼリー強度	448	
せん（譫）妄	429	
生活介護	21	
生活習慣の修正	323, 326	
生体指標	60	
生体電気インピーダンス分析法	58	
生命維持	177	
生命倫理	8	
生理的黄疸	119	
生理的体重減少	118	
生理的微熱	145	
正規出生体重児	117	
正期産児	117	
成熟児	117	
成熟徴候	118	
成人ネフローゼ症候群	350	
成人の学習	82	
成長異常	120	
成長曲線	119	
成長速度	119	
成分栄養	257	
性ホルモン	212	
精製度の低い食品	278, 371	
静的栄養指標	54	
脆弱性骨折	210	
赤血球数	44	
赤血球容積	220	
摂食嚥下の流れ	442	
摂食嚥下訓練	444	
摂食嚥下障害	442	
摂食支援	13	
摂食時の体位	444	
摂食障害	399	
摂食障害入院医療管理加算	16	
摂食中枢	176	
摂食場面	447	
舌炎	198	
先天性代謝異常症	301	
穿孔	410	
線維化	255	
潜血	53	
鮮血便	184	
全科統一フォーマット	92	
全身性エリテマトーデス	389	
全身性炎症反応症候群	129, 170	
全身性浮腫	191	
全人的医療	7	
全大腸炎型潰瘍性大腸炎	405	
そ		
ソーシャルワーカー	26	
咀嚼	442	
粗ぞう	406	
組織間液	190	
蘇生方法	118	
早期経腸栄養	131	
早期産児	117	
相談法	87	
創傷治癒の過程	463	
創傷治癒力	12	
総たんぱく濃度	48	
総合的栄養指標	54	
造血幹細胞移植	138	
造血機能	219	
続発性高脂血症	272	
続発性骨粗鬆症	212	
た		
ターミナルケア	85	
タール便	184	

タッチケア……………………126	チトクローム P450……………105	低張性脱水……………………146
タンデムマス・スクリーニング…301	チャート…………………………41	低銅食…………………………315
タンニン………………………104	チャイルド・ピュー分類………242	低 HDL-C 血症……………271, 277
タンニン酸……………………221	地域連携パス………………29, 84	低 K 食…………………………155
ダイエット……………………399	地域連携医療……………………29	低 Na 血症……………………193
ダイエットハイ………………402	治療用特殊食品……………354, 362	定性的食物摂取頻度調査法……61
たんぱく質・エネルギー栄養障害 ………………………………374	小さく生まれた子ども………125	適応………………………………10
たんぱく質・エネルギー摂取不足 ………………………………173	窒素バランス……………………38	鉄の吸収を阻害する因子……221
たんぱく質のアセスメント……38	中位行動…………………………91	鉄の再利用……………………181
たんぱく質の異化……………369	中央型 NST………………………26	鉄の体内での動態……………182
たんぱく質検査…………………48	中間アウトカム…………………92	鉄を多く含む食品……………220
たんぱく質制限 ……………347, 353, 359, 369, 370	中鎖脂肪酸……………………259	鉄過剰蓄積……………………233
たんぱく質制限食……………266	中心静脈栄養法…………………71	鉄欠乏性貧血…………181, 182, 217
たんぱく電気泳動の基本パターン…48	中性脂肪…………………236, 271	鉄剤……………………………183
たんぱく尿……………………350	中等度熱………………………143	鉄制限食………………………232
たんぱく漏出性胃腸症………418	注腸検査食……………………113	鉄沈着…………………………218
他覚的所見………………………41	注腸食…………………………113	天然濃厚流動食…………………75
多価不飽和脂肪酸……………275	貯蔵鉄…………………………218	転倒……………………………452
大食症…………………………399	長期維持透析患者の合併症…359	転倒予防………………………212
代謝性アシドーシス…165, 204, 302	超低エネルギー食……………288	**と**
代謝性アルカローシス………166	超低出生体重児………………117	トライツ靭帯…………………184
代謝性因子……………………165	腸管での P 吸収能……………161	トランスフェリン……………361
体脂肪……………………………58	腸管の損傷……………………131	トランス不飽和脂肪酸……275, 277
体脂肪率…………………………60	腸管を刺激・増悪させる食品…205	トリグリセリド………………271
体重……………………………55	腸管運動異常による下痢……204	トリヨードサイロニン………311
体重減少率………………………56	徴候………………………………41	トロンボテスト………………189
体重増加（妊娠中の）………386	調整粉乳………………………122	ドパミン………………………433
体重変化…………………………38	調乳……………………………124	ドレッシング材………………463
体内時計…………………………14	直接型ウイルス薬……………231	吐血………………………184, 226
退行化…………………………399	直腸炎型潰瘍性大腸炎………405	努力肺活量……………………373
胎便……………………………118	沈降炭酸カルシウム…………364	透析患者………………………163
耐容上限量……………………178	**つ**	透析患者の食事療法…………362
大腸型クローン病……………410	痛風関節炎……………………295	透析治療………………………161
大腸癌…………………………423	痛風結節………………………295	透析導入の原因疾患…………367
大腸 X 線検査食………………113	**て**	透析療法………………………358
代償期肝硬変…………………241	テーラーリング…………………90	統合失調症……………………439
代償行動………………………400	テタニー…………………153, 162	等張性脱水……………………147
代用食道………………………422	テリーヌ………………………142	糖原病…………………………318
第一次予防………………………5	テント状 T 波…………………154	糖原病用フォーミュラ………319
第三次予防………………………5	てんかん発作…………………158	糖質のアセスメント……………38
第二次予防………………………5	でんぷん米……………………362	糖質検査…………………………49
脱水……………………………146	低アルブミン血症……………350	糖新生………………10, 11, 266, 419
脱水症の診断…………………206	低エネルギー食………………288	糖代謝異常の判定区分………262
脱水症状………………………205	低カリウム血症………………152	糖毒性…………………………266
胆汁……………………………249	低カルシウム血症……………156	糖尿病…………………………261
胆石症…………………………252	低ナトリウム血症……………148	糖尿病の合併症………………262
胆嚢……………………………249	低リン血症……………………160	糖尿病教室………………………83
胆嚢炎…………………………249	低たんぱく質食事療法………363	糖尿病型………………………262
単純性肥満………………………38	低たんぱく食…………………360	糖尿病食品交換表……………268
短鎖脂肪酸……………………244	低栄養……………………………33	糖尿病性腎症…………………366
ち	低栄養状態………………………65	糖尿病性腎症に対する食事基準…369
チアノーゼ……………………339	低温環境…………………………11	糖尿病性腎症の診断基準……368
チアミン………………………132	低血糖……………………268, 318	糖尿病性腎症病期分類………368
チームケア………………………9	低残渣…………………………205	糖尿病性腎臓病………………269
チーム医療……………17, 22, 93	低残渣食………………………113	糖尿病透析予防指導管理料……20
チェアマン………………………27	低脂質…………………………205	同化……………………………11
チェーン・ストークス呼吸…165	低脂質食………………………113	動作の緩慢……………………433
	低出生体重児……………117, 125	動的栄養指標……………………54
	低出生体重児のケア…………127	動物性たんぱく質…………183, 363
	低身長児………………………125	動脈硬化性疾患………………271

動脈硬化性疾患予防のための包括的
　リスク管理チャート……………… 273
銅含有量……………………………… 316
特殊ミルク…………………………… 306
特殊栄養食品………………………… 99
特殊組成栄養剤……………………… 76
特定疾病……………………………… 22
特定保健用食品……………………… 100
特別メニュー………………………… 18
特別食加算…………………………… 18
特別治療食…………………………… 80
特別用途食品……………………… 98, 101
特発性慢性膵炎……………………… 255

な

ナトリウム…………………………… 343
内シャント…………………………… 358
内因子………………………………… 182
内因性エネルギー供給……………… 132
内因性エネルギー動員……………… 186
内因性発熱物質…………………… 143, 145
内視鏡的経鼻胆管ドレナージ……… 426
内臓脂肪型肥満……………………… 282
内臓脂肪型肥満者…………………… 297
内部環境…………………………… 10, 148
内分泌検査…………………………… 50
軟部組織……………………………… 160
軟便…………………………………… 204
難治性ネフローゼ症候群…………… 350
難治性浮腫…………………………… 353
難治性腹水…………………………… 197

に

ニッシェ……………………………… 226
二価鉄………………………………… 219
二次感染……………………………… 199
二次性サルコペニア………………… 451
二次性シェーグレン症候群………… 390
二次性ネフローゼ症候群…………… 350
二次性高血圧………………………… 321
二次性糖尿病………………………… 257
二次性肥満…………………………… 280
二次性副甲状腺機能亢進症………… 360
二重エネルギーX線吸収測定法…… 58
日常生活動作……………………… 13, 452
日光浴………………………………… 212
肉芽組織……………………………… 463
肉眼的血尿………………………… 187, 368
入院栄養食事指導料………………… 20
入院基本料…………………………… 15
入院時食事療養……………………… 17
入院時食事療養（Ⅰ）……………… 17
入院時食事療養（Ⅱ）……………… 18
乳酸アシドーシス…………………… 72
乳児身体発育パーセンタイル曲線
　………………………………… 119, 126
乳児用調整粉乳…………………… 122, 123
乳糖不耐性…………………………… 395
乳幼児健康診査……………………… 127
尿たんぱく検査……………………… 52
尿細管………………………………… 346

尿酸クリアランス………………… 295, 298
尿酸プール…………………………… 296
尿酸の in-out バランス……………… 297
尿酸産生過剰型……………………… 295
尿酸排泄低下型……………………… 295
尿潜血反応………………………… 187, 189
尿素サイクル異常症………………… 307
尿中クレアチニン排泄量…………… 288
尿中ケトン体………………………… 38
尿中尿酸排泄量…………………… 295, 298
尿沈渣……………………………… 53, 187
尿糖検査……………………………… 52
尿毒症症状…………………………… 356
尿毒素………………………………… 356
尿崩症………………………………… 146
尿路ストーマ………………………… 424
尿路管理……………………………… 298
尿路結石症…………………………… 354
尿路上皮癌のリスクファクター…… 188
妊娠高血圧症………………………… 384
妊娠高血圧症候群…………………… 384
妊娠高血圧腎症……………………… 384
妊娠中の体重増加…………………… 386
妊娠糖尿病………………………… 261, 270
認知症………………………………… 459

ね

ネフローゼ症候群………………… 196, 350
ネフロン……………………………… 321
熱型…………………………………… 144
熱傷指数……………………………… 168
熱中症………………………………… 143
粘液線毛輸送系……………………… 381
粘血便……………………………… 184, 405
粘度調整剤…………………………… 332

の

ノーマリゼーション………………… 9
ノルエピネフリン…………………… 325
ノンアルコールビールテイスト飲料
　………………………………………… 260
ノンレスポンダー…………………… 279
脳血管障害………………………… 442, 459
脳血管性認知症……………………… 459
脳梗塞………………………………… 330
脳出血………………………………… 330
脳性塩類喪失症候群………………… 150
濃厚流動食…………………………… 101
膿尿…………………………………… 188

は

ハウストラ…………………………… 406
ハリス・ベネディクトの式……… 65, 130
ハンター舌炎………………………… 182
バイオフィルム……………………… 203
バイタルサイン……………………… 108
バクテリアルトランスロケーション
　………………………………………… 71
バセドウ病………………………… 309, 311
バセドウ病の診断ガイドライン…… 310
バリアンス…………………………… 29
バリアンスシート…………………… 93

バレット食道………………………… 222
波状熱………………………………… 144
破骨細胞……………………………… 214
肺サーファクタント………………… 374
肺炎…………………………………… 381
肺水腫………………………………… 191
肺線維症……………………………… 390
白衣高血圧…………………………… 322
白血球除去療法……………………… 407
白血球数……………………………… 45
白血球分画………………………… 44, 45
橋本病……………………………… 309, 311
発熱…………………………………… 143
母親の態度…………………………… 400
半消化態栄養剤……………………… 75
半側空間無視………………………… 332
半定量食物摂取頻度調査法………… 61
汎血球減少症………………………… 181

ひ

ヒドロキシアパタイト……………… 156
ビオプテリン………………………… 303
ビタミンのアセスメント…………… 40
ビタミンのデシジョンレベル……… 178
ビタミンの欠乏状態の判定指数…… 178
ビタミン欠乏症……………………… 178
ビタミン投与………………………… 132
ビタミン A…………………………… 178
ビタミン B_1………………………… 132
ビタミン B_{12}…………………… 181, 183
ビタミン B_6 依存症………………… 305
ビタミン B_6 欠乏…………………… 183
ビタミン C…………………………… 107
ビタミン D……………… 178, 214, 215
ビタミン D の活性化………………… 156
ビタミン E…………………………… 178
ビタミン K………… 105, 178, 214, 215
ビリルビン………………………… 46, 252
ピューレ……………………………… 142
ピロリ菌……………………………… 225
びまん性……………………………… 405
びらん……………………………… 225, 405
日めくり式パス……………………… 28
皮下脂肪型肥満者…………………… 297
皮下輸液……………………………… 73
皮膚テスト…………………………… 395
非アトピー型………………………… 378
非アルコール性脂肪肝炎…………… 241
非アルコール性慢性膵炎…………… 256
非ヘム鉄……………………………… 183
非たんぱく質熱量/窒素比…… 66, 132,
　169, 172
非びらん性胃食道逆流症…………… 222
非水溶性食物繊維…………………… 415
非代償期肝硬変……………………… 241
肥満…………………………………… 280
肥満恐怖……………………………… 400
肥満症の外科療法…………………… 285
肥満度分類…………………………… 280
微小変化型ネフローゼ症候群……… 351
微熱……………………………… 143, 144

微量アルブミン尿 …………… 267, 366
微量元素 ……………………………… 73
鼻出血 ……………………………… 185
必須脂肪酸 ………………………… 66
必要栄養量 ………………………… 65
標準体重 …………………………… 173
標準偏差 …………………………… 210
病感 ………………………………… 400
病原微生物 ………………………… 144
病識 ………………………………… 400
病者用許可基準型 ………………… 101
病歴 ………………………………… 42
貧血 …………………………… 45, 181, 217

ふ
フィードバック機構 ……………… 51
フィチン酸 ………………………… 221
フィッシャー比 ……………… 76, 242
フードピラミッド ………………… 64
フェニルケトン尿症 ……………… 304
フェリチン ………………………… 181
フォーミュラ食 …………………… 288
フォローの姿勢 …………………… 89
フラッシュ ………………………… 77
フリードワルドの式 ………… 237, 276
フリーラジカル ……………… 198, 455
フルクトース摂取 ………………… 298
フレイル ……………………… 449, 456
フレイルサイクル ………………… 456
ブレーデンスケール ……………… 463
プラーク …………………………… 271
プラークコントロール …………… 203
プラスチックフード ……………… 126
ブリックテスト …………………… 395
プリン体 ……………………… 293, 297
プリン体含有量 …………………… 299
プリンヌクレオチド ……………… 300
プレバイオティクス ………… 172, 426
プレフレイル ……………………… 457
プロスタグランジン ……………… 347
プロトンポンプ阻害薬 …………… 223
プロバイオティクス ………… 172, 426
ふるえ ……………………………… 433
不安定狭心症 ……………………… 333
不完全寛解Ⅰ型 …………………… 350
不感蒸泄 ……………………… 146, 313, 448
不整脈 ……………………………… 339
付着性 ……………………………… 449
負のNバランス …………………… 153
負荷試験 …………………………… 50
浮腫 …………………………… 190, 350, 352
浮腫の増悪因子 …………………… 196
副作用（降圧薬の）……………… 323
副作用症状 ………………………… 136
腹囲 ………………………………… 329
腹腔循環 …………………………… 195
腹水 …………………………… 194, 242
腹水穿刺 …………………………… 195
腹膜炎 ……………………………… 197
腹膜癌症 …………………………… 197
腹膜透析療法 ……………………… 358

福祉サービス（生活介護）……… 21
複合ミセル ………………………… 178
吻合部 ……………………………… 420
分岐鎖アミノ酸 …………………… 72
分泌刺激試験 ……………………… 50
分泌型IgA ………………………… 395
分泌性下痢 ………………………… 204
分泌抑制試験 ……………………… 51

へ
ヘプシジン ………………………… 231
ヘマトクリット（値）……… 44, 220
ヘム鉄 ………………………… 181, 183, 220
ヘモグロビン ………………… 44, 181, 217
ヘモグロビン尿 …………………… 53
ヘモジデリン ……………………… 181
ヘモジデローシス ………………… 218
ヘリコバクター・ピロリ ………… 225
ヘルスカウンセリング法 ………… 88
ヘルスコーチング法 ……………… 87
ベンスジョーンズたんぱく ……… 52
ペースト …………………………… 142
平均赤血球恒数 …………………… 44
平常時体重に対する体重比 ……… 56
閉経後骨粗鬆症 …………………… 212
閉塞性膵炎 ………………………… 256
片麻痺 ……………………………… 331
変形性関節症 ……………………… 282
変性型認知症 ……………………… 459
便秘 ………………………………… 207

ほ
ホットパック ……………………… 430
ホメオスタシス ……………… 10, 148
ホモシスチン尿症 …………… 305, 307
ボーマン嚢内圧 …………………… 346
ボーラス法 ………………………… 77
ポーションサイズ ………………… 61
保育器 ……………………………… 126
保健医療サービス（療養介護）… 21
保健機能食品 ………………… 98, 104
保湿剤（口腔内の）……………… 431
保存療法 ……………………… 256, 361
哺乳 …………………………… 120, 126
補助療法 …………………………… 134
母子健康手帳 ……………………… 127
母子保健サービス ………………… 127
母乳 ………………………………… 120
母乳育児成功のための10のステップ
 ………………………………… 120
母乳栄養 …………………………… 122
包括評価制度 ……………………… 28
放射線治療 ………………………… 139
泡沫細胞 …………………………… 336
訪問栄養指導 ………………… 82, 84
飽和脂肪酸 ………………………… 275
縫合不全 …………………………… 420
防御因子 …………………………… 225
本態性高血圧 ……………………… 321

ま
マクロファージ ……………… 336, 413

マグネシウム ………………… 214, 215, 326
マターナルPKU …………………… 303
マネジメントサイクル …………… 31
マラスムス ………………………… 173
マラスムスとクワシオルコールの
 混合型 ……………………………… 173
末梢静脈栄養 ………………… 71, 73
末梢静脈栄養法 …………………… 420
満腹中枢 …………………………… 176
慢性維持透析患者数 ……………… 356
慢性肝炎 …………………………… 229
慢性甲状腺炎 ………………… 309, 311
慢性糸球体腎炎 …………………… 349
慢性腎臓病 …………………… 163, 330, 355
慢性腎臓病に対する食事療法基準
 ………………………………… 361
慢性腎臓病の重症度分類 ………… 355
慢性腎不全 …………………… 155, 355
慢性膵炎 …………………………… 255
慢性閉塞性肺疾患 …………… 70, 372

み
ミオグロビン尿 ……………… 53, 320
ミネラルのアセスメント ………… 40
ミラーリング ……………………… 90
ミラーリング効果 ………………… 90
未熟児 ……………………………… 117
水欠乏性脱水 ……………………… 146

む
ムース ……………………………… 142
むちゃ食い ………………………… 400
無酸素運動 ………………………… 300
無酸素症 …………………………… 191
無残渣食 …………………………… 114
無症候性血尿 ……………………… 187
無痛性甲状腺炎 …………………… 311

め
メープルシロップ尿症 ……… 305, 307
メカニカルストレス ……………… 453
メタボリックシンドローム
 ……………………… 5, 203, 282, 330
メタボリックシンドロームの診断
 基準 ……………………………… 282
メタ解析 …………………………… 327
メチルマロン酸血症 ……………… 307
メッツ ……………………………… 284
メディエーター …………………… 374
免疫グロブリンA腎症 …………… 349
免疫栄養剤 ………………………… 421
免疫栄養療法 ……………………… 133
免疫調整剤 ………………………… 412
免疫不全症 ………………………… 391
免疫賦活栄養剤 …………………… 76
免疫抑制薬 ………………………… 105

も
モニタリング ……………………… 108
持ち寄りパーティー方式 ………… 24
問診 …………………………… 41, 42
問診のポイント …………………… 62
問題志向型システム ……………… 68
問題志向型診療録 ………………… 68

や

やせ	174, 399
やせ症	399
やせ度	174
夜間持続経鼻注栄養療法	318
約束食事箋	79
薬剤師	25
薬物	104
薬物吸収	104
薬物代謝	105
薬物代謝酵素チトクローム	278
薬物療法	104, 107

ゆ

輸液による補正	167
輸液計画	147
有害アミン類	234
有害事象	135
有機酸代謝異常症	308
有酸素運動	282, 300
遊離脂肪酸	176

よ

ヨウ素	114, 309
ヨウ素含有量	311
ヨウ素制限食	114
ヨウ素摂取必要量	314
ヨード	114, 310
予後	34
予後栄養指数	34
予測身長	59
予測体重	59
予定手術	133
予防医学	5
要介護状態の前段階	457
容量調節系	148
葉酸	181, 182, 183, 305

ら

ラクツロース	243
ランゲルハンス島	258
ランダム化対照試験	359

り

リウマチ因子	389
リウマチ性疾患	389
リスクマネジメント	15
リスボン宣言	3
リポたんぱく	274
リン	214
リンコントロール	365
リンパ管閉塞	191
リンパ球幼若化反応	174
利尿薬	192, 399
理学療法士	26
理想体重	55, 173
療養介護	21
臨床栄養学	3, 9
臨床検査	44
臨床検査技師	26
臨床診査	41
臨床的評価	36

る

ルートプレーニング	203
るいそう	173

れ

レイノー症状	390
レジスチン	288
レジメン	134
レスポンダー	279
レニン	323, 347, 385
レビーンシャント	151
レプチン	280, 288

ろ

ロコモティブシンドローム	5, 451, 456
ロサンゼルス分類	223
労作性呼吸困難	372
瘻孔	410

わ

ワクチン接種	382
ワルファリン	105, 189

数字

1型糖尿病	261
1秒率	373
1秒量	373, 378
2型糖尿病	261
3-3-9度方式	447
5-アミノサリチル酸製剤	412
24時間思い出し法	61
24時間蓄尿	349, 370
30°仰臥位	444

ギリシャ文字

β-エンドルフィン	402
β 細胞	258
β 遮断薬	192

記号類

％平常時体重	258
％理想体重	56
％IBW	56, 374
％UBW	56
Å（オングストローム）	195

A

A/G比	232, 350
AC	56
ACE阻害薬	192, 368
ADH分泌異常症候群	150
ADL	13, 452
AFD児	117
AGA児	125
ALS	436
ALT	232, 255
AMA	58
AMC	58
Apgar score	118
ARB	362
ASO/ASK値	188
ASPEN	422
ASPENのガイドライン	67
AST	232, 235
A群β溶血性連鎖球菌感染症	345

B

bacterial translocation	131
BCAA経口補充療法	246
BH_4	303
BIA	58
BMI	56, 280, 375
BUN/Cr比	108
burn index	168
B型肝炎ウイルス	229
B型肝炎の診断	230
B型慢性肝炎	229

C

Caバランス	157
Ca拮抗薬	192
CDAI	410
CGA	455
CHI	69
Child-Pugh分類	242
CKD	355
CKD-MBD	159
CKDステージによる成人の食事療法基準	361
CKDの重症度分類	355
Cl抵抗性代謝性アルカローシス	167
Cl反応性代謝性アルカローシス	167
CMF療法	135
colostmy	424
COPD	70, 372
COPD有病率調査	372
CRP	110, 249
CSW	151
CT検査	235
CYP	105
Cペプチド	267
C型肝炎	229
C型肝炎ウイルス	229
C型慢性肝炎	230

D

DAA	231
DASH食	329
dehydration	146
DESIGN-R®	463
DEXA	58
DKD	269
DPC/PDPS	28
DQ	307
DRG/PPS	28

E

EARS	424
EBM	7
eGFR	326, 355
$eGFR_{cys}$	357
EPUAPのグレード分類	463
ERAS	420

F

FEV_1	373
FFM	375
flower位	223
FM	375
FRAX	212

Friedewaldの式 237, 276	MCV 44	P化合物 162
FSSG 223	MNA® スコア別栄養ケア 467	P吸収阻害薬 162
FUO 144	MPO-ANCA 188	P吸収能 161
FVC 373	MSUD 305	P吸着薬 162
G	MUFA 275	P摂取量 163
G-CAP 407	**N**	**Q**
GFR 351	n-3系多価不飽和脂肪酸 268, 278	QOL 13, 450
GLP-1受容体作動薬 264	n-3系多価不飽和脂肪酸/n-6系多価不飽和脂肪酸比 247	QUEST 223
GVHD 138		**R**
H	Na$^+$ポンプ 152	RA 389
H. pylori 225	NAFLD 239	rapid turnover protein 130
H$_2$受容体拮抗薬 223	NaHCO$_3$液 167	REE 373
Harris-Benedictの式 65, 130, 375	NASH 239, 241	refeeding syndrome 71, 402
HBs抗原 229	Naチャネル 192	RQ 375
HCU 305	Na依存性P輸送担体 160	RSウイルス 382
HCVスクリーニング 229	Na欠乏性脱水 146	RTP 130, 375
HDLコレステロール 236, 271	Na制限 197	**S**
HFD児 117	NBM 7	SD 210
I	NCI-CTC 199	SFD児 117
IADL 458	NHCAP 381	SGA (small-for-gestational age) 125
IBW 375	NICE Study 372	SGA (subjective global assessment) 35, 467
IDL 275	non HDL-C 271	
IEM 301	NPC/N 66	SIADH 150
IFG 262	NPUAPのステージ分類 463	SIRS 129, 170
IgA腎症 349	NSAIDs 225	SLE 389
IgE 392	NST 9, 22, 137	SOAP 70, 86
IGT 262, 266	nutrition support team 22	systemic effect 374
ileostmy 424	NYHA 151	systemic inflammatory response syndrome 129
immunonutrient 421	NYHA(の心機能)分類 339	
immunonutrition 12, 133	**P**	**T**
IOIBDスコア 410	PAI-1 288	T$_3$ 304
IQ 307	PCI 335	T$_4$ 304
IUGR 125	PEG 74, 421	TG 236
J	PEM 173, 374, 414	TNF 145
JARD2001 57	Performance Status 429, 430	TNF-α 288
JCS 447	pH 148, 164	TPN 23, 71, 421
K	PKU 304	TSF 57
K(カリウム)の再吸収 153	PN 71	TSH 312
L	POMR 68	T波平坦化 154
LBM 129	POS 68	**U**
L-CAP 407	PPD 174	UN/Cr比 108
LDLコレステロール 236, 271	PPM 23	US下経皮的胆道ドレナージ 252
L-dopa 434	PPN 71, 421	**V**
lean body mass 129	protein energy malnutrition 173	VD$_3$ 161
LES 222	PS 135, 429, 430	VD代謝異常 158
LFD児 117	PSの判断基準 135	VLCD 288
M	PTH 161	VLDL 275
MCH 44	PT-INR 189	**W**
MCHC 45	PUFA 275	WHO表現型分類(脂質異常症) 272
MCT 377	pulmonary cachexia 374	

【編者略歴】
本田　佳子（ほんだ　けいこ）

1974年　群馬女子短期大学卒業
1978年　虎の門病院栄養部
1983年　女子栄養大学卒業
1992年　虎の門病院栄養部副部長
1996年　虎の門病院栄養部部長
2002年　東北大学大学院医学系研究科修士課程修了
2004年　女子栄養大学栄養学部教授
2007年　東北大学大学院医学系研究科博士課程修了
2024年　女子栄養大学名誉教授
　　　　群馬パース大学医療栄養学部開設準備室室長
　　　　現在にいたる
　　　　管理栄養士　医(障害)学博士

新臨床栄養学 第5版
栄養ケアマネジメント　　　　ISBN978-4-263-70844-6

2011年 2 月25日　第1版第1刷発行
2013年 3 月25日　第2版第1刷発行
2015年 3 月 1 日　第2版第3刷（補訂）発行
2016年 4 月15日　第3版第1刷発行
2020年 3 月20日　第4版第1刷発行
2023年 3 月10日　第5版第1刷発行
2025年 1 月10日　第5版第3刷発行

編　者　本　田　佳　子
発行者　白　石　泰　夫
発行所　医歯薬出版株式会社
〒113-8612　東京都文京区本駒込1-7-10
TEL.　(03)5395-7626(編集)・7616(販売)
FAX.　(03)5395-7624(編集)・8563(販売)
https://www.ishiyaku.co.jp/
郵便振替番号 00190-5-13816

乱丁，落丁の際はお取り替えいたします　　印刷・あづま堂印刷／製本・榎本製本
©Ishiyaku Publishers, Inc., 2011, 2023. Printed in Japan

本書の複製権・翻訳権・翻案権・上映権・譲渡権・貸与権・公衆送信権（送信可能化権を含む）・口述権は，医歯薬出版（株）が保有します．

本書を無断で複製する行為（コピー，スキャン，デジタルデータ化など）は，「私的使用のための複製」などの著作権法上の限られた例外を除き禁じられています．また私的使用に該当する場合であっても，請負業者等の第三者に依頼し上記の行為を行うことは違法となります．

JCOPY ＜出版者著作権管理機構　委託出版物＞
本書をコピーやスキャン等により複製される場合は，そのつど事前に出版者著作権管理機構（電話 03-5244-5088，FAX 03-5244-5089，e-mail : info@jcopy.or.jp）の許諾を得てください．